KB055226

한국의 전통주 주방문 2

# 방향과 청향의 술

芳香 淸香

上

한국의 전통주 주방문 ❷

# 방향과 청향의 술 ㊤

2쇄 발행 : 2023년 4월 5일
초판 발행 : 2015년 11월 10일

지은이 : 박록담
펴낸이 : 김세권

펴낸곳 : 바룸출판사
출판등록 : 2013년 4월 18일(제2013-000121호)
주소 : 121-840 서울시 마포구 양화로 8길 15 (301호)
전화 : 02)333-1225
팩스 : 02)332-5763
이메일 : bonbook@daum.net

ISBN 979-11-87048-11-4
ISBN 979-11-87048-[illegible]

한국의 전통주 주방문 2

청주류

# 방향과 청향의 술

芳香 清香

上

박록담 著

바롬

## 일러두기

1. 한글 표제 〈양주방〉과 한문 표제 〈양주방(釀酒方)〉은 각기 다른 문헌이다. 한글 표제 〈양주방〉은 1800년대에 쓰인 한글 필사본으로 전라도 지방의 문헌으로 알려져 있으며, 한문 표제 〈양주방(釀酒方)〉은 1700년대 말엽에 쓰인 한글 필사본으로 '연민 선생 소장본' 이다. 이 둘이 혼동될 우려가 있어 한글 표제의 경우 〈양주방〉*으로 구분하여 표기하였다.

2. 전통주가 수록된 문헌 중에 〈주방(酒方)〉으로 표기된 것이 두 가지이다. 하나는 1800년대 초엽에 쓰인 한글 필사본이며, 다른 하나는 1827년(또는 1887년)에 쓰인 한글 한문 혼용 필사본으로 임용기 소장본이다. 이를 구분하기 위해 한글 필사본인 경우 〈주방(酒方)〉*, 또는 〈주방〉*으로 표기하였다.

3. 〈주식방문〉과 〈쥬식방문〉은 별개의 문헌이다. 〈주식방문〉은 한글 붓글씨본이고, 〈쥬식방문〉은 한문 활자본이다.

# 〈한국의 전통주 주방문〉 출간에 부쳐

윤서석 | 중앙대학교 명예교수

한국 전통주 양조의 명인 박록담 선생께서 <한국의 전통주 주방문>을 출간하였음을 충심으로 축하드리고, <한국의 전통주 주방문>의 출간이 큰 동기가 되어 한국 전통주가 세계를 향한 비약적인 발전으로 격상하기를 기대해 마지않습니다.

<한국의 전통주 주방문>은 한국 전통주 주방문이 수록되어 있는 고문서 80여 책과 선생께서 직접 조사한 문헌을 근거 자료로 총 62개 항목으로 구성되었으며, 이 내용을 5,000여 쪽에 제5권으로 나누어 편집한 방대한 연구 업적입니다.

한국 전통주 양주총론을 시작으로 각 항목은 누룩방문 43품, 주방문으로 탁주 64품, 청주 214품, 혼양주 10품, 증류주 52품, 그리고 향을 가해서 빚는 가향주 37품, 약용약주와 과실주 72품 외에 주방문이 없는 술 51품, 양주잡방 24품 등 총 570여 품에 달합니다. 그처럼 상세한 한국 전통주 주방문 기록에 선생의 해설과 소견을 보태어 체계정연하게 서술되어 있습니다. 이 방대한 연구를 착안하고 다년간의 각고를 지속하신 선생의 소신과 열정에 감동하고, 그간의 연구와 경험으로 축적된 선생의 양주지식이 이 방대한 작업을 지속하게 한 동력이었음을 감탄합니다.

한편 수많은 한국 전통주 목록을 읽으면서 이토록 다양한 명주를 개발하여 한국 전통주 문화를 형성하고 그 한 가지 한 가지를 상세하고 정확한 기록으로 남겨 전수할 수 있게 한 우리 선조들의 철저한 생활규범과 질서에 고개 숙여 존경

했습니다. 이러한 생활관행과 철학이 굴곡 많던 우리의 역사를 극복하게 한 저력이었음을 새삼 깨닫게 되었습니다.

<한국의 전통주 주방문>의 성취는 비단 한국 전통주의 재현·발전뿐 아니라, 우리 생활문화 역정을 다시 인식하게 하는 큰 동기입니다. 크나큰 공헌을 이룩하셨습니다. 이제 한국 전래 전통주 주방문을 알기 쉽게 해설한 문헌이 탄생하였으니 한국 전통주의 연구가 심화될 것이고, 한국의 명주 생산은 탄탄대로를 향하리라 믿습니다.

술은 인류와 역사를 함께한 의미 깊은 문화입니다. 의례행위에서 신에게 올리는 술은 인간의 염원을 전하는 매체이고, 혼례절차에서 행하는 합환주는 부부의 연을 맹세하는 상징이며, 인간사를 경륜하는 자리에서는 술이 합의와 화합을 이끄는 고리가 됩니다.

이같이 술은 인류생활의 요긴한 문화이므로 세계 여러 민족은 각각 그들의 자연과 조화를 이룬 전통주를 가지고 있습니다. 한국은 벼 농사국이어서 쌀로 빚은 술이 전통주로 이어오는데, 고대로부터 한국인의 양주기술은 탁월하였습니다. 고구려가 술 빚기, 장 담기 등 장양을 잘한다고 <삼국지> '위지동이전'에 기술되어 있고, 압록강 건너 옛 곡아(曲阿) 지방의 명주인 곡아주(曲阿酒)는 고구려 여인의 솜씨라 전합니다. 4세기경 백제 사람 인번(仁番)이 일본으로 건너갔을 때 그곳에 처음으로 누룩으로 술 빚는 기술을 전수한 사실이 일본 고문서 <고사기(古事記)>에 명기되어 있습니다.

중국 당나라의 시인 이상은(李商隱)은 "신라의 술은 한 잔으로 취한다."고 한국 술이 발효도가 높은 명주임을 알리고 있는데, 고려에서 원나라로부터 증류주법을 도입하여 한국 전통주의 양주법 체계가 한층 더 확대되었습니다. 이같이 일찍 발달한 양주기술이 역대로 발전하였는데, 조선시대에 이르면 동의학의 발달 환경에서 양주원리의 인식이 고양되어 약용약주의 효용이 생활화하였습니다. 이어서 의례행위를 존중하는 대가족 생활이 엄수되면서 한 가문의 가양주 기술이 가문의 성쇠를 가늠한다 할 정도로 가양주 문화를 존중했으므로 가양주 기술은 더욱 발전했습니다.

한편 한반도는 좁은 국토이면서 기후구가 다양했으므로 여러 고장에서 그 고장만이 자랑하는 향토명주를 개발하게 되어 한국 전통주는 더욱 확대되었던 것입니다.

이같이 고대로부터 발달한 한국 전통주 문화가 20세기 초 일제 통치기관이 시행한 철저한 '가양주금지령'과 '주세법' 시행 등으로 한동안 잠재되었습니다. 광복 후에 동란 시기와 양곡 생산량 부족 환경에서 전통주류의 활발한 복원이 지연되었지만, 다행히 1980년대 중기 이후로 문화재관리국의 선도로 한국 전통주 발굴 조사를 실시하고 몇 가지 명주를 중요무형문화재로 지정하였는데, 이 시점은 한국 전통주 복원발전의 봉아기입니다.

이후로 한국 전통주 복원을 전담하는 연구가 활발해지고 관계 행정당국의 전통주 발전 시책도 촉진되어, 일부 품목이지만 전통주 생산이 확대되어 국내외로 애호하게 되었습니다.

이러한 시기에 <한국의 전통주 주방문>이 출간되었으니 이 공헌이 동기가 되어 학계에서는 한국 전통주 연구를 활발하게 심화할 것이며, 관계 행정당국은 보다 적극적으로 전통주 발전 시책을 지원할 것입니다. 또한 모두가 한국 전통주 문화에 대한 가치를 깨닫고 인식을 새롭게 할 것입니다.

이제 선생께서는 한국 전통주 연구복원에 보다 적극 매진하시고 선생께서 스토리텔링에서 말씀한 대로 한국 가양주 연구업계와 함께 한국 전통주 양조를 위한 구체적이고 현실적인 공동연구와 여러 세칙에 관한 합의를 성취하여 한국 전통주가 세계적인 명주 대열에서 빛나도록 선도하시기 바랍니다. <한국의 전통주 주방문>의 출간을 다시 축하드립니다.

## 전통주 연구의 입문서

조재선 | 경기대학교 명예교수

술이 이 지구상에서 언제부터 만들어졌는지는 아무도 모른다. 과실이 익어 땅에 떨어진 것이 야생 효모(酵母)의 작용으로 당분이 알코올로 변화하는 자연발효에 의해서 술이 된 것이 최초의 술의 탄생이라고 추정하고 있다.

인류의 역사를 기록한 신화나 전설에 술이 등장한 것은 5,000년 전부터이다. 우리나라의 최초의 기록은 고구려의 건국신화에 등장하니, 적어도 3,000년 전부터 만들어 이용되었을 것이다.

술의 원료는 당분(糖分)이나 전분(澱粉)이 들어 있는 과실이나 곡류인데, 과실주가 먼저 만들어지고 그 이후 농경이 시작되면서 곡류를 원료로 한 술들이 만들어졌을 것이다. 우리나라는 쌀이나 잡곡 등의 곡류 생산을 주로 하였기 때문에 이들을 원료로 한 술이 개발되어 농민의 애환을 달래고, 관혼상제(冠婚喪祭)나 세시풍속(歲時風俗)의 의례음식(儀禮飮食)으로 이용하는 등 우리의 일상생활과 밀착하여 문화상품이 되어 왔다.

처음에는 잡곡을 원료로 하던 것이 쌀농사가 시작되면서 쌀을 이용하였고, 여기에 주변에서 얻기 쉬운 솔잎, 각종 향초류(香草類), 약초(藥草) 등 그 지역의 특산물 등을 가미하여 다채로운 술을 만들어 즐겨 이용하여 왔다. 그 중에서 여러 사람들의 기호에 맞는 것이 널리 이용되어 전통주(傳統酒)나 민속주(民俗酒)

라는 이름으로 전해 내려오고 있는 것이다.

곡류를 원료로 하는 술은 과실주와는 달리 만드는 과정에서 전분을 당분으로 하는 당화과정을 거쳐야 하는데, 이때 사용되는 것이 누룩이고, 이 누룩 중에 들어 있는 곰팡이는 당화작용뿐만 아니라 여러 가지 독특한 향기 성분을 생성하므로, 맛 좋은 술을 위해서는 누룩이 좋아야 함은 물론이다. 또한 숙성조건에 따라서도 술의 성분이 달라진다.

이와 같이 사용하는 원료, 누룩의 특성, 집집마다 담그는 숙성조건(熟成條件) 등에 따라 각양각색의 술이 만들어지므로 알려진 술만 해도 수백 종에 달한다.

옛날에는 정부의 간섭이 적어서 집집마다 자유롭게 술을 빚어서 다양한 가양주(家釀酒)가 만들어져 찬란한 술 문화를 즐겨왔지만, 일제강점기의 수탈정책의 일환으로 주세(酒稅) 징수(徵收)를 위해서 획일화된 제조법으로 통제하여 단순화되었으며, 해방 후 식량난으로 양조용으로 쌀을 사용하지 못하게 함으로써 좋은 술을 만들 수가 없었다. 이제는 경제형편이 좋아지고 쌀의 사용이 자유로워 여러 가지 술도 만들 수 있어서  그동안 숨겨져 있던 다양한 전통주를 복원하는 운동이 전개되고 있다.

그동안 어려운 여건을 이겨내면서 사라져가는 전통주의 복원연구와 후진양성에 정진해 오고 있는 박록담 선생은 고문헌에 나오는 500여 종의 주방문을 주종별로 탁주(濁酒), 청주(淸酒), 가향주(佳香酒), 증류주(蒸溜酒), 혼양주(混釀酒) 등으로 구분하여 수록하고, 저자가 직접 복원연구한 결과들을 해설 형식으로 첨부하였다.

우리나라의 각종 옛날 요리서에는 술에 관한 종류와 주방문이 비교적 많이 수록되어 있는데, 문헌마다 다소 다르게 설명되어 있는 것도 있고 여기저기 산재되어 있는 실정이다. 이것들을 비교하기 쉽게 한데 모아놓고 복원 결과를 설명하고 있다.

요컨대 지금까지 간행된 고요리서 중 주방문(酒方文)을 발췌 수록하여 집대성하였으며, 저자의 복원연구 결과를 첨부하였기에 전통주 연구의 요긴한 입문서로서 추천한다.

# 저자의 말

<한국의 전통주 주방문>은 국내 최고의 양주 관련 기록인 <산가요록(山家要錄)>과 <언서주찬방(諺書酒饌方)>, <수운잡방(需雲雜方)>, <고사촬요(故事撮要)>, <산림경제(山林經濟)>, <증보산림경제(增補山林經濟)>, <음식디미방>, <임원십육지(林園十六志)>와 <양주방>*, <주찬(酒饌)>, <주정(酒政)> 등 한문과 한글 기록에서부터 최근 발굴된 <봉접요람>, <양주(釀酒)>, <술방> 등에 이르기까지 80여 종의 문헌에 부분적으로 수록된 주품명과 그에 따른 주방문을 총망라한 것이다.
특히 조선시대 600년간의 기록을 통해서 520가지가 넘는 주품들의 양주경향과 특징, 시대별 양주기법의 변화, 양주기술의 발달과정 등 우리나라 양주문화 전반을 추적해 보고, 전통주에 대한 새로운 의미 부여와 해설 등 스토리텔링을 통해서 우리 술의 가치를 재조명하였다. 이로써 전통주의 대중화는 물론 세계화에 대한 단초와 차별화 전략을 세울 수 있기를 바란다.

필자의 우리 술에 대한 연구는 1987년 11월로 거슬러 올라간다. 처음에는 애주가인 아버지의 반주(飯酒)를 직접 빚어드려야겠다는 조촐한 생각으로 시작했던 가양주(家釀酒) 빚기가 전국의 전승가양주 조사와 기록화 작업이라는 전통주 연구활동으로 이어졌고, 민간에 전승되어 오던 숱한 가양주 발굴이라는 커다란 성과와 더불어 그간 배우게 된 전승가양주가 133가지에 이르면서, 가양주에 대한 관심과 생각은 양주도구와 술독은 물론이고, 심지어 안주를 만드는 데 사용되는 조리도구에 이르기까지 확대되었다.

그런데 이때부터 필자의 불행이 시작된 듯하다. 이 땅에서는 전통을 바탕으로 하는 어떠한 연구와 노력도 결코 밥이 되지 않는다는 사실을 몰랐던 것이다.

주변의 만류에도 불구하고 고서(古書)에 활자로 박제된 우리의 양주비법을 밝혀 대중화의 길로 이끌어보고자 <명가명주(名家名酒)>를 비롯하여 <우리 술 빚는 법>과 <우리 술 103가지>를 출간하게 되었고, 이를 보완한 <다시 쓰는 주방문(酒方文)>을 펴내게 되었다. 그리고 조선시대 양주 관련 고문헌에 수록된 전통 주방문에 근거하여 술 빚는 방법들을 풀어 쓴 <전통주 비법 211가지>, 고문헌의 기록과 가양주법의 누룩(麯子, 麴子)들을 망라한 <버선발로 디딘 누룩>을 펴내게 되었다. 전통주의 대중화를 위해서는 시급한 일이었다고 판단되었기 때문이다.

그리고 내친김에 우리나라만의 독특하면서도 차별화된 음주문화라고 할 수 있는 가향주문화(佳香酒文化)의 가치를 재인식해 보자는 취지에서 <꽃으로 빚는 가향주 101가지>, 발굴 기록인 <양주집(釀酒集)>에는 재현 전통주의 격에 맞는 주안상 차림까지를 곁들이는 등 여러 가지 방법의 다양한 시도를 하게 되었으나, 저간의 노력에도 불구하고 전통주의 대중화는 요원하게만 느껴지고, 지금 내게 남은 것은 고질병이 된 어깨통증을 비롯하여 뼈 마디마디 관절통, 그리고 빚뿐이다.

그럼에도 불구하고 <한국의 전통주 주방문>을 다시 엮게 된 동기와 배경 먼저 밝히고자 한다.

그간 우리 술에 대한 편견을 없애려고 갖은 노력을 다해 오면서 가장 빠른 지름길이 무엇일까를 생각하게 되었고, 그 결론으로 술 빚는 기술과 방법의 교육을 통해 가양주문화를 되살려 보고자 '전통주 교실'을 열었다. 국내 처음으로 개관한 '전통주 교실'을 통해 배출된 전문가들이 지금은 전국 각지에서 각종 전통주 강좌를 진행하고 있고, 2012년부터는 국가 지원을 받는 교육기관만도 13곳에 이를 정도로 가양주문화에 대한 관심이 고조되었다.

'전통주 교실'을 통해 배출된 전문가들이 각자의 독립된 위치에서 전통주 강좌를 시작하기까지 숱한 우여곡절이 많았다. 전통 양주방법에 대한 시각차와 곡해, 폄훼에 따른 갈등이 그것이었다.

사실 그간 우리나라의 학계와 양주업계는 전통주 제조법에 대한 이론도, 체계화된 양주공정도 끌어내지 못한 채, 100여 년간 일본에서 들여온 입국식(粒麴式) 양주기법을 보급했다. 국적 없는 이들 술이 국내 시장을 점유하고 있는 것도 전통주에 대한 폄훼와 부정적인 시각을 갖게 된 배경이기도 하다.

특히 입국식 양주기법은 국가기관을 중심으로 보급되고 있어, 필자의 전통 양주방법의 교육과 보급은 '미신적인 방법'과 '주먹구구식'으로, 그리고 '비과학적인 방법'으로 매도되기도 하고, '미생물학'이나 '발효학'을 전공하지도 않은 사람이 전통주 양주학을 교육한다는 사실에 비아냥거림이 있었음도 주지의 사실이다.

이에 필자는 전통 양주방법의 체계를 세우기 위해 우리 술의 우수성과 합리성, 과학적 근거를 수집하기에 이르렀고, 그 해답을 <산가요록> 등 80여 권에 이르는 조선시대 양주 관련 고서와 옛 기록을 근거로 한 우리 술 빚는 방법으로 채택하였다. 즉, 조선시대 고문헌의 기록에 따른 주방문(酒方文)으로 양주된 전통술에 대하여 미생물학과 발효학을 바탕으로 양주기술의 체계를 확립할 수 있었다.

그리고 전통 방식의 양주기술을 통해 복원 및 재현된 '우리 술'의 향기와 맛, 색상 등 관능시험평가를 통한 주질 비교에서 우리 술의 우수성과 합리성, 차별성, 그리고 세계화의 가능성을 찾을 수 있었다.

처음에는 전승가양주를 중심으로 양주방법의 원형을 찾고자 주방문의 비교와 차이점 등을 살펴보던 단순한 방법에서 벗어나 직접 술을 빚어보면서 전승가양주에 대한 문제의식을 갖게 되었고, 그때부터 본격적인 양주방법을 연구하고 양주실험을 해보게 된 것인데, 우리 술 빚는 법에 대한 걷잡을 수 없는 묘한 매력에 빠져 헤어날 수 없게 되었다.

지난 100여 년간 단절되고 맥이 끊어진 채 활자 속에 갇혀만 있던 주방문들에 대한 복원과 재현은, 무엇보다 죽어 있는 전통주들에 대한 생명을 불어넣는 작업이었다. 이러한 작업의 배경은 저마다의 주품들에서 전승가양주와는 다른 맛과 색깔, 특히 와인에 비견되는 아름다운 향기로서의 방향(芳香)을 발견하게 되면서부터이다.

그리고 고문헌에 수록된 주방문에 대한 관심을 갖기 시작한 지 28년이 지난 지금, 고문헌 속의 주방문들은 들여다보면 볼수록 그 해석이 바뀔 수 있다는 것을 뼈저리게 느꼈다. 왜냐하면 한글 조리서이든 한문 조리서이든 깊이 들여다볼수록 당시 그 주방문을 썼던 사람의 입장이 되어 들여다보기 마련이어서, 어제의 눈과 생각이 오늘에 와서는 달라지곤 하는 것이었다. 소위 "아는 만큼 보인다."는 말이 가장 적합한 표현이라는 생각도 하게 되었다.

그간 수많은 고문헌이 한글로 번역, 출판되어 보급된 것은 사실이지만, 특히 고문헌 속의 전통주를 연구하는 전문가가 없다 보니 학자들이 번역해 놓은 주방문 역시도 직역 정도의 수준에 머물렀던 것이 사실이다.

고문헌에 수록된 주방문과 관련해서는 필자의 <다시 쓰는 주방문(酒方文)>이 등장하기 전까지는 전통주의 양주기술에 대한 어떤 전문서적도 없었다. 특히 처음으로 고문헌에 수록된 전통주를 복원해 보겠다고 덤볐던 당시의 기억들은 참담함 그것이었다. 번역된 고조리서의 술 빚는 방법을 재현하면서 부딪쳤던 실패와 좌절감, 궁극의 참담함을 혼자만의 추억으로 간직하기에는 너무나 안타까운 생각이 들었다.

이에 나름 30년에 가까운 세월 동안 술을 빚어보았던 경험을 바탕으로 고문헌 속의 주방문을 다시 찬찬히 들여다보게 되었고, 그 결과물인 <한국의 전통주 주방문>은 기본적인 술 빚는 법을 지득하고 있는 사람이라면 누구나 보다 쉽게 접근할 수 있도록 주방문마다의 해석과 술 빚는 데 따른 주의사항 등 구체적인 접근방법, 시대별 주방문의 변화과정에 대해서도 언급하였다.

특히 주품명에 얽힌 스토리텔링을 통하여 우리 술의 가치를 재조명하고, 새로운 의미부여를 통해 양주문화와 음주문화의 수준, 술을 빚는 사람의 자세와 철학, 가문마다의 가양주 제조방법에 깃든 이야기들을 재조명해 보고자 하였음을 밝혀둔다.

예를 들어 <산림경제>의 한 가지 주방문이 다른 기록인 <증보산림경제>로 옮겨지고, 다시 <임원십육지>로 옮겨져 재해석되는 과정에서 심지어 주품명이 바뀌는가 하면, 재료 배합비율이 바뀌기도 하고, 주재료의 가공법이 바뀌고, 더러는 양주과정이 생략되기도 하면서 전혀 다른 명칭의 주품명으로 등장하는 등 다양한 변화를 거치는 사실을 목도하게 되었다.

이러한 사실에서 보다 정확한 문헌 조사의 필요성과 함께 고문헌 속의 주방문에 담겨진 우리나라 전통주의 원형을 찾아보고, 역사성과 전통성, 문화성을 바탕으로 한 양주문화와 보다 체계적이고 과학적인 양주기술의 축적, 그리고 앞으로 전개될 우리나라 술의 세계화를 위한 합리적 접근방법을 모색하는 자료가 되었으면 하는 바람이다.

<한국의 전통주 주방문>은 1400년대 초 이퇴계(李退溪) 선생의 수적본(手蹟本)으로 알려진 <활인심방(活人心方)>을 시작으로, 국내 최고의 양주 관련 기록이라고 할 수 있는 <산가요록>과 <언서주찬방>, <수운잡방>, <고사촬요>, <산림경제>, <증보산림경제>, <음식디미방>, <임원십육지>와 <양주방>*, <주찬>, <주정> 등 한문과 한글 기록에서부터 최근 발굴된 <봉접요람>, <양주>, <술방> 등에 이르기까지 80여 권의 문헌에 부분적으로 수록된 주품명과 그에 따른 주방문을 총망라한 것이다.

한 나라의 문화는 시대에 맞게 변화와 수용을 거쳐 개선되고 발전해 왔다는 것이 정설이지만, 우리나라 술의 역사는 1907년 '주세령(酒稅令)' 발포를 시작으로 단절과 말살의 역사로 점철되었고, 그 사이 국적 없는 양주기술이 도입, 뿌리를 내리면서 우리 술의 정체성 위기를 초래하게 되었던 것이 사실이다.

1980년대 접어들면서 정부가 전승가양주에 대한 자원조사를 시작으로 몇몇 가양주에 대한 무형문화재 지정으로 전통주 양성화의 계기를 마련하였지만, 전통주의 대중화에는 성공하지 못하였다.

1987년도 접어들면서 필자에 의해 본격적인 가양주 조사와 발굴 작업이 이뤄졌고, 그 연속선상에서 사라지고 맥이 끊긴 조선시대 가양주에 대한 복원과 재현 작업이 시작되었는데, 조선시대 600년간의 양주문화와 양주기술은 물론이고, 전통주에 대한 본격적인 조명이 이뤄졌다고 생각한다.

일반인들이 그간 알지 못했던 '석탄향(惜呑香)'을 비롯하여 '이화주(梨花酒)', '백하주(白霞酒)', '하향주(荷香酒)', '감향주(甘香酒)', '과하주(過夏酒)', '동양주(冬陽酒)', '백화주(白花酒)', '백화주(百花酒)', '동정춘(洞庭春)', '호산춘(壺山春)', '감홍로(甘紅露)', '이강고(梨薑膏)', '죽력고(竹瀝膏)' 등 사라지고 맥이 끊겼던 전통 주품들에 대해 새로이 인식하기 시작했고, 특히 우리 고유의 술맛과 향기에 대한 깊은 애정과 관심을 갖게 된 것이 그 예이다.

<한국의 전통주 주방문>은 7년여에 걸친 조선시대 가양주의 종류와 그에 따른 주방문, 그리고 양주기법, 조선시대 궁중과 사대부들의 제주(祭酒)와 반주(飯酒), 접대주(接待酒)에서 일반 여염집의 가양주에 이르기까지 우리 술의 진정한 맛과 향기, 고유의 색깔에 대한 진면목을 엿볼 수 있다고 판단되며, 이러한 양주문화가 향촌(鄕村)과 민간에 어떠한 영향을 미쳤고, 주막이나 농가의 대중주로 뿌리 내리게 되었는지를 판단할 수 있는 중요한 기초자료가 될 수 있을 것이라고 확신한다.

필자는 1450년대 문헌 <산가요록>에 수록된 주방문에서 일본의 '사케(Sake)' 제조방법의 원형을 찾을 수 있었으며, 1500년대 문헌 <수운잡방>에서 프랑스의 '와인(wine)'을 공부했으며, 시대 불명의 조선 아낙이 쓴 한글 필사본 <양주집(釀酒集)>에서 독일의 '맥주(麥酒)'를 공부했다.

우리나라 술의 뿌리도 모른 채, 타의에 의한 입국식 양주방법에 따른 저가주(底價酒)와 속성주(速成酒) 중심의 양주문화와 유통으로 인해 맥주와 와인, 사케에 우리의 입맛을 저당 잡히고 있는 한, 우리나라 양주산업의 미래와 전통주의 정체성을 확보하기 힘들 것이라 확신한다.

그간 '전통주 육성법'이 제정 발포되었지만 아직까지 이렇다 할 우리 전통주에 대한 정체성을 확보하기에는 어려움이 많고, 특히 현재 국내의 전통주 자원에 대한 기초조사마저도 이루어지지 않은 상황이다.

사실, 그간 수차례에 걸쳐 전국의 가양주 조사와 발굴은 물론이고 고문헌에 수록된 전통주에 대한 자료수집과 번역 등 '국내 전통주 자원조사'를 제안했지만, 관심 밖의 일로 외면당했던 입장이었다.

그리하여 개인적으로나마 힘닿는 데까지, 그리고 누가 시켜서 한 일도 아니고 혼자 미쳐서 해왔던 일인 만큼 미칠 수 있는 데까지 미쳐보자는 생각이 이 방대한 작업 <한국의 전통주 주방문>을 끝낼 수 있었던 동기라고 할 수 있다.

조선시대 고문헌에 수록된 전통주에 대한 연구조사 작업인 <한국의 전통주 주방문>은 올해로 7년째인데, 주품명에 따른 분류 작업이 쉽지가 않았다. 특히 2014년에 새로 발굴된 <잡지(雜誌)>, <주방문조과법(造果法)>, <약방>, <양주>, <규중세화> 등에 수록된 주품에 대한 주방문까지를 추가하다 보니, 주품명에 따른 주방문의 분류 작업이 계속 혼돈을 초래했다. 특히 한글 문헌 속의 주품명들은 동일한 주품명인데도 순곡주와 가향주가 존재하고, 전라도와 경상도의 방언에 의한 주품명은 전혀 다른 주품으로 오인하게 만들기도 했다.

바로 이러한 이유 때문에 주방문 해설은 계속해서 수정을 해야만 했고, 탈고 시기는 자꾸만 지연되어 스스로에게 "무엇 때문에 나는 이 작업을 하는가?"고 하루에도 수십 번씩 되묻곤 하는 버릇이 생겼다.

그리고 그때마다 처음 주방문 정리와 해설을 쓰기 시작했을 때, 아니 처음 술 빚기를 시작했을 때 마음으로 돌아가자는 다짐으로 스스로를 다독여 보지만, 괜스레 짜증이 나고 손가락 마디마디 통증이 어깨까지 확대되어 고개를 돌릴 수 없을 때면 이번 집필을 마지막으로 다시는 책을 쓰지 않겠다는 작정을 하기도 했다.

사실 무엇을 이루자고 시작했던 일이 아니었다. 또 어떤 목적이나 이유가 있어서가 아니라, 그냥 호기심 때문에 시작했던 일이 점차 재미있고, 그래서 그 매력에 빠져들다 보면 나중에는 습관이나 버릇 같은 것이 되고, 결국에는 나이 때문에 잊어버리지 않기 위해서, 아니 어쩌면 더 늙어서 자신을 추억하기 위해서 쓰는 글이어야 한다고 생각하면서도 자꾸만 어떤 목적과 의도를 담기 시작하면서부터 글을 잘 써야 한다는 강박관념에서 비롯된 것이리라.

<한국의 전통주 주방문>은 최초의 시도이지만 부족한 부분이 너무 많으리라는 것을 인정하지 않을 수 없다. 특히 <산가요록>을 비롯하여 <수운잡방>, <산림경제>, <증보산림경제>, <임원십육지> 등 수십 종에 달하는 한문 기록의 주방문 번역과 주방문의 현대화 작업은 여러 가지 견해와 이견(異見)이 있을 수 있고, 술 빚는 방법에의 접근도 각각의 주장이 있을 수 있다.

하지만 <한국의 전통주 주방문>은 30년간 전통주를 빚어온 사람으로서, 그리고 처음으로 고문헌 속의 주품들을 복원하고 재현하면서 경험했던 시행착오와 반복실습, 술 빚는 방법에 따른 주의사항 등에 대한 선험적 기록이라는 점에서, 또한 15년간 가양주 가꾸기 운동과 전통주의 대중화를 위한 전통주 교육을 해오면서 교육현장에서 숱한 사람들을 대상으로 가졌던 시음평가를 토대로 한 기록이라는 점에서 그 의미와 가치를 부여하고 싶다.

특히 조선시대 600년간의 기록을 통해서 520가지가 넘는 주품들의 양주경향과 특징, 시대별 양주기법의 변화, 양주기술의 발달과정 등 우리나라 양주문화 전반을 추적해 봄으로써, 전통주에 대한 새로운 의미부여와 해설 등 스토리텔링을 통해서 우리 술의 가치를 재조명하고, 대중화는 물론 세계화에 대한 단초와 차별화 전략을 찾을 수 있기를 희망한다.

끝으로 <한국의 전통주 주방문>의 출판을 감내해 주신 바룸출판사의 김세권 대표님과 출판을 지원해 준 농림축산식품부 이동필 장관님께 진심 어린 감사의 말씀을 드리고, 이 원고의 교정에 참여해 준 제자 김태훈, 김인애, 조태경, 홍태기 씨에게 고마움을 전한다.

2015년 11월 1일

죽성재(竹城齋)에서
지은이 박록담(朴碌潭)

## 차례

# 제1부
# 청주류

# 감하향주

## 스토리텔링 및 술 빚는 법

조선시대 양주 관련 고식문헌에 수록된 1천여 종의 주방문을 조사하고 연구한 바, '감하향주(甘夏香酒)'는 1800년대 중엽의 문헌으로 알려진 <역주방문(曆酒方文)>에 수록된 것이 유일한 기록으로 밝혀졌다.

그리고 '감하향주'는 '감향주(甘香酒)'와 '하향주(荷香酒, 夏香酒)'라는 두 종류의 주방문을 융합시켜 놓은 것으로 여겨지는바, '달고 연꽃 향기가 난다.'는 의미의 주품명이 아닐까 생각된다.

우선, 일반적으로 다른 문헌에서는 '하향주(荷香酒)'라고 표기하고 있는 것과는 달리, <역주방문>과 <요록(要錄)>에서는 '하향주(夏香酒)'로 표기하고 있는데, 주방문은 <언서주찬방(諺書酒饌方)>의 '하향주'와 유사하다는 것을 알 수 있어, '하향주(夏香酒)'는 '하향주(荷香酒)'의 오기이거나, "여름철에 빚는 향기 좋은 술"이라는 의미를 담고 있을 것으로 여겨진다.

<역주방문>의 '감하향주' 주방문을 살펴보면, 여느 기록에서 흔하게 볼 수 있는 주방문이다. 즉, 밑술은 쌀가루를 익반죽한 후 한 주먹씩 떼어 구멍떡을 빚고,

끓는 물에 넣고 삶아서 익어 떠오르면 차게 식기를 기다렸다가, 떡 삶았던 물과 좋은 누룩을 거칠게 빻아 1되를 합하고, 힘껏 치대어서 술밑을 빚는다. 술밑은 3일간 발효시킨 다음, 팔팔 끓여 따뜻하게 식힌 물로 밑술을 체에 밭쳐서 걸러 찌꺼기를 제거한 후, 찹쌀 1말로 고두밥을 짓고, 거른 밑술과 합하여 덧술을 빚는다.

이상의 과정을 보면 별반 다를 것이 없으나, 밑술과 고두밥을 섞어 덧술을 빚는 과정에 대해 "뜨거워 손으로 만지기 힘들므로 주걱으로 헤쳐 놓는다. 따뜻한 온돌방에 앉혀두고 6일간 발효시킨 후, 찬 곳에 옮겨 다시 7일 후에 채주하여 마신다."고 한 것으로 미루어, 덧술의 고두밥을 차게 식히지 않고 술을 빚는다는 사실을 확인할 수가 있다.

따라서 <역주방문>의 '감하향주'는 단맛을 높이기 위하여 고두밥을 식히지 않고 술을 빚음으로써 빠른 당화를 도모하고자 한 것을 알 수가 있으며, 특히 밀봉하여 따뜻한 온돌방에 앉혀 발효시킨다는 사실 역시 당화 촉진을 위한 방법임을 알 수가 있다.

그런데 이와 같은 방법의 술이 '감주'나 '감향주'가 아닌 '감하향주'가 된 까닭은 다음과 같다. 밑술을 구멍떡으로 빚고 발효된 밑술을 체에 걸러 누룩찌꺼기를 제거함으로써 누룩 냄새를 줄이는 한편, 고온 발효에 따른 감미와 함께 연꽃 향기 나는 술이 되는 것이다.

다만, <역주방문>의 '감하향주'는 고두밥이 따뜻할 때 밑술과 합하고, 따뜻하게 하여 발효시킨 까닭에 다른 어떤 술보다 산패 등 실패율이 높은 단점을 안고 있는데, 산패를 방지하기 위해서는 밑술과 고두밥을 섞어 술밑을 빚은 후, 반드시 술밑을 차게 식혀서 술독에 담아 안쳐서 발효시켜야 한다는 것이다.

필자의 경험으로는 "과연 '감하향주'를 빚어본 사람이 몇이나 될까?" 하는 생각이 들 정도로 눈에 띄지 않은 주방문이나, 경험 삼아 빚어보자고 하였다가 뜻대로 되지 않아 몇 차례나 실패를 거듭하였다. 그 원인을 알 수 없어 포기를 하였다가, '소곡주'를 빚어보고서야 그 방법을 찾을 수 있었다.

그것은 앞서 언급한 대로 "쪄낸 고두밥을 한 김 나가게 식혀 따뜻한 상태가 되었을 때 밑술과 섞고 힘껏 치대어 술밑을 빚은 후, 한동안 서늘한 곳에 두어서 술밑이 차게 식었으면 술독에 담아 따뜻한 곳에서 발효시켜야 한다."는 것이다.

또 다른 방법이 있을 수 있겠으나, 필자로서는 수차례 실패를 통하여 터득한 방법으로, 한번 도전해 보고픈 사람은 참고하였으면 하는 마음이다.

'감하향주'라는 주품명 그대로, 부드러운 단맛과 은은한 연꽃 향기는 '하향주' 못지않았으나, 지나치게 단맛이 강하다는 것이 흠이라면 흠일 수 있겠다.

## 감하향주방 <역주방문(曆酒方文)>

술 재료 : 밑술 : 찹쌀 1되, 거친 누룩가루 1되
덧술 : 찹쌀 1말, 끓는 물(적당량, 3되 정도)

술 빚는 법 :

* 밑술 :

1. 찹쌀 1되를 백세하여(물에 백 번 씻어 매우 깨끗하게 헹군 뒤, 새 물에 담가 하룻밤 불렸다가, 다시 씻어 말갛게 헹궈서 물기를 뺀 뒤) 작말한다(가루로 빻는다).
2. 쌀가루를 넓은 그릇에 펴 담고, 솥에 물을 팔팔 끓이다가, 뜨거울 때 4홉 정도를 쌀가루에 골고루 붓고, 치대어서 되지도 질지도 않은 익반죽을 만들어 놓는다.
3. 익반죽을 한 주먹씩 떼어 구멍떡을 빚고, 끓는 물에 넣고 삶아서 익어 떠오르면 건져내지 말고 그대로 방치하여 차게 식기를 기다린다.
4. 식은 떡과 떡 삶았던 물에 좋은 누룩을 거칠게 빻아 1되를 합하고, 힘껏 치대어서 술밑을 빚는다.
5. 술밑을 술독에 담아 안치고 (술독 주둥이에 묻은 것을 깨끗하게 씻어내고 베보자기와 뚜껑을 덮어) 3일간 발효시킨다.

* 덧술 :

1. 찹쌀 1말을 백세하여(물에 백 번 씻어 매우 깨끗하게 헹군 뒤, 새 물에 담가 하룻밤 불렸다가, 다시 씻어 말갛게 헹궈서) 물기를 빼놓는다.
2. 찹쌀을 시루에 안쳐 무른 고두밥을 찌는데, 익었으면 자배기에 퍼서 담아 놓는다.
3. 물(적당량, 3되 정도)을 팔팔 끓여 따뜻하게 식힌 후, 밑술과 함께 체에 밭쳐서 걸러 찌꺼기를 제거하여 진흙 같은 밑술을 만든다.
4. 체에 거른 밑술(막걸리)과 고두밥을 한데 합하고, 힘껏 고루 치대어 술밑을 빚는데, 뜨거워 손으로 만지기 힘들므로 주걱으로 헤쳐 놓는다.
5. 술독에 술밑을 담아 안친 다음 (술독 주둥이에 묻은 것을 깨끗하게 씻어내고) 베보자기로 밀봉하여 뚜껑을 덮어 놓는다.
6. 술독을 따뜻한 온돌방에 앉혀두고 6일간 발효시킨 후, 찬 곳에 옮겨 다시 7일 후에 채주하여 마신다.

* 주품명을 '감하향주방(甘夏香酒方)'이라고 하였으나 '감하향주방(甘荷香酒方)'의 오기인 듯하고, 술 빚는 방법으로는 '감향주'와 유사한 방문이다.

甘夏香酒方

粘米一升百洗浸水翌日作末烹作孔餠同水置之候極冷後去右水取極好漉曲末一升和合右餠納缸中過三日後粘米一斗百洗浸之經一宿濃作飯又先猛沸水以置待飯熟以熱飯及熱水同上本酒篩過飯粥若泥泊薰飯樣반듁즌불임ᄀᆞ치ᄒᆞ야極熱難以手磨挼故以周旣斉게調勻置溫突若甘酒樣囊之經六日後出置冷處又經七日後用.

# 감향주

## 스토리텔링 및 술 빚는 법

'감향주(甘香酒)'는 여느 술에 비해 그 맛이 "꿀같이 달고 향기롭다."고 하는 사실에서 술 이름을 얻었다. '감향주'는 <고려대규합총서(高麗大閨閤叢書, 異本)>을 비롯하여 <규합총서(閨閤叢書)>, <김승지댁주방문(金承旨宅廚方文)>, <보감록>, <부인필지(夫人必知)>, <수운잡방(需雲雜方)>, <승부리안주방문>, <양주방>*, <양주방(釀酒方)>, <양주집(釀酒集)>, <온주법(醞酒法)>, <요록(要錄)>, <우음제방(禹飮諸方>, <음식디미방>, <음식방문(飮食方文)>, <음식방문니라>, <이씨(李氏)음식법>, <주식방(酒食方, 高大閨壺要覽)>, <주식시의(酒食是儀)>, <한국민속대관(韓國民俗大觀)> 등 20개 문헌에 27차례나 등장하는데, 언제부턴지 맥이 끊겨 그 자취를 감춰버렸던 주품이다.

'감향주'를 기록하고 있는 최초의 문헌으로는 <수운잡방>을 들 수 있으므로, '감향주'의 최초 등장 시기는 1500년대 초엽이라고 할 수 있을 것 같다. 이후 여러 문헌에서 다른 여러 가지 방법의 '감향주'가 목격되는바, <수운잡방>의 '감향주'와 이후의 한글 기록인 <승부리안주방문>과 <양주방>*의 '감향주'를 비교하여 분석해 봄으로써, '감향주' 주방문의 원형을 살펴보고, 양주기법의 특징과 변화 과정을 살펴보고자 한다.

'감향주'라는 한 가지 술 이름에 빚는 방법이 여러 가지나 존재한다고 하는 사실은, 우리 술의 다양성과 함께 가정에서 널리 빚어 마셨던 반주(飯酒)의 한 가지였다는 사실을 말해 주는 것이라고도 하겠는데, 그 다양성의 바탕이 무엇인지를 살펴보는 것은 우리나라 술의 특징을 살피는 데 매우 중요한 단서가 될 것이라고 생각하기 때문이다.

<수운잡방>에 수록된 '감향주 1' 주방문을 보면, "멥쌀 2말을 백세세말한 다음, 끓는 물 1말을 골고루 붓고 고루 개어 죽(범벅)을 쑤어 온기가 없이 차게 식기를 기다려 누룩 1되를 넣고, 고루 버무려 봄가을에는 5일(여름 3일, 겨울 7일)가량 발효시킨다. 찹쌀 2말을 백세하여 물에 담가 불렸다가, 무른 고두밥을 짓는다. 고두밥이 익었으면 차게 식기를 기다렸다가 밑술을 섞고, 고루 버무려 7일가량 발효시키면 익는다."고 하였고, '감향주 2'에서는 "찹쌀 5되를 백세세말한 다음 구멍떡을 빚어 끓는 물에 넣고 무르게 삶아, 차게 식기를 기다린다. 밀가루 5되를 깁체에 쳐서 구멍떡에 섞고, 고루 버무려 닥나무잎으로 고루 덮어 싸매고 3일간 발효시킨다. 또 3일째 되는 날 찹쌀 5말을 백세하여 끓인 물 1동이에 담가 3일간 불렸다가, 쌀 담갔던 물을 그릇에 받아놓고 불린 쌀을 시루에 안쳐 고두밥을 짓는데, 이때 쌀 담갔던 물을 뿌려가며 뜸을 들여 무르게 익었으면 퍼내서 차게 식기를 기다린다. 고두밥에 밑술을 한데 합하고, 고루 많이 치대어 술독에 눌러 담아 안치고, 5~6일간 발효시켜 잘 익었으면 내어 쓴다."고 한 것을 볼 수 있다.

<수운잡방>의 두 가지 주방문 가운데 '감향주—1말 빚이'는 멥쌀가루로 '범벅'을 만든 후에 식으면 누룩가루를 섞어 밑술을 빚고, 밑술 쌀과 동량의 찹쌀로 고두밥을 지어 덧술을 하는데, 7일이면 익는다고 하였으므로 따뜻한 곳에서 발효시키는 방법임을 알 수 있다.

<수운잡방>의 '감향주—5말 5되 빚이'는 "찹쌀을 백세세말한 다음 구멍떡을 삶고 차게 식기를 기다렸다가 밀가루를 섞고 닥나무잎으로 고루 덮어 싸매고 3일간 발효시킨다."고 하였고, 또 "3일째 되는 날 찹쌀을 백세하여 끓인 물 1동이에 담가 3일간 불리고 고두밥을 찌는데, 이때 쌀 담갔던 물을 뿌려가며 뜸을 들

여 익히고, 차게 식기를 기다려 밑술과 고루 섞어 담아 안치고, 5~6일간 발효시켜 잘 익었으면 내어 쓴다."고 하여 밑술에 누룩을 사용하지 않고 밀가루와 닥잎이 사용된 것을 볼 수 있다.

또한 덧술의 찹쌀은 끓인 물에 3일간 담가 부식시켜서 사용하는 방법을 엿볼 수 있는데, 덧술의 발효기간이 5~6일이라는 한 사실에서 이렇게 짧은 기간에 술의 발효가 이뤄질지 확신할 수는 없다.

다만, 이와 같은 주방문은 이른바 '무국주' 또는 '연화주'와 유사한 방법을 엿볼 수 있다는 점에서 주목할 필요가 있겠는데, 실험삼아 수차례 빚어보았으나 모두 실패하였다.

하여, 밀가루가 아닌 '진국말(眞麯末)'을 사용한 결과, 시원하면서도 감칠맛이 뛰어난 '감향주'를 얻을 수 있었다. 따라서 주방문의 '진말(眞末)'은, '진국말(眞麯末)'의 오기가 아닌가 하는 생각이 드는데, 확신할 수 없다.

<수운잡방>보다 등장 시기가 150~160년 정도 뒤늦게 저술된 것으로 밝혀진 한글 붓글씨본의 <음식디미방>에는 "뫼쌀 ᄒᆞᆫ 되를 백세작말ᄒᆞ여 구멍떡 맨ᄃᆞ라 닉게 ᄉᆞᆯ마 시기고, 쌈던 믈 ᄒᆞᆫ 사발에 국말 ᄒᆞᆫ 되 구무떡 ᄒᆞᆫ데 석거 쳐 ᄀᆞ장 관단지예 녀코 ᄎᆞᆸᄊᆞᆯ ᄒᆞᆫ 말 백세ᄒᆞ여 밋술 ᄒᆞᄂᆞᆫ 날 ᄃᆞᆷ갓다가 사ᄒᆞᆯ 만에 닉게 쪄 식지 아냐셔 밋술 내여 셧거 항의 녀코 더운 방의 항 밧긔 ᄆᆞ이 싸 ᄃᆞᆺ다가 닉거든 쓰라. 쓴 마시 잇게 ᄒᆞ려 ᄒᆞ면 항을 싸지 말고 서늘ᄒᆞᆫ 데 두라. 만이 비ᄌᆞ려 ᄒᆞ면 이 법을 츄이ᄒᆞ여 비ᄌᆞ라."고 하였다.

또 <음식디미방>보다 후기의 한글 붓글씨본 <승부리안주방문>에는 "졈미 ᄒᆞᆫ 말 ᄒᆞ랴 ᄒᆞ면 출ᄊᆞᆯ 되가오ᄉᆞᆯ 빅셰작말ᄒᆞ여 구무떡 비져 닉게 ᄉᆞᆯ마 더운 것의 치되 죠흔 누록ᄀᆞ로 닷 흡 넉〻 엿기름ᄀᆞ로 닷 흡 넉〻ᄒᆞ여 썩의 ᄂᆞ하 가여 고로〻 쳐 ᄂᆞᆯ믈긔 일졀 업시코 항을 졍히 씻고 믈긔 업시ᄒᆞ여 난ᄌᆞ 항의 너허 ᄉᆞᆯᄂᆞᆫ듸 두엇다가 사ᄒᆞᆯ 되거든 출ᄊᆞᆯ ᄒᆞᆫ 말 빅셰ᄒᆞ여 닉게 쪄 믈 주지 말고 닉게 쪄 시기지 말고 ᄉᆞᆯᄂᆞᆫ 것 시로ᄌᆡ 노코 버무려 너ᄒᆞᆯ 항을 졍히〻내 업시 씨셔 믈긔 업시 말노여 아조 노ᄒᆞᆯ 자리의 ᄭᅳᆯᄂᆞᆫ듸 드려 노코 너른 그ᄅᆞ시 ᄒᆞᆫ 주걱식 퍼내여 술밋츨 고로〻 무들만치 쳐셔 고로〻 버무려 항을 덥허가며 버무리ᄂᆞᆫ 족〻 퍼 노코 시로ᄂᆞᆫ 퍼 내고 갓금 덥허가며 시기지 말고 이쳐로 다 버무려 우ᄒᆞᆯ 츤〻 누르고 (목) 좁은 항

의 ᄀᆞ득 너허야 우거지가 만치 아니니라 우거지ᄂᆞᆫ 곰탕지고 맛업ᄂᆞ니라 우ᄒᆞᆯ ᄃᆞᆫᄀᆞ 붓쳐 만히 싸 덥허 바닥도 덥고 항이 무ᄒᆞᆫ ᄉᆞᆯ허 더울ᄉᆞ로 ᄃᆞᆯ기 ᄉᆞᆯ갓고 검나면 다지 아니코 마시 됴치 ᄆᆞᆺᄒᆞ니라 이칠 만 먹ᄂᆞ니라."고 하였다.

그 방법은 밑술과 덧술을 찹쌀로 하는데, 밑술은 구멍떡을 만들어 삶아 익히고 떡이 더울 때 누룩가루와 엿기름가루를 함께 사용하여 밑술을 빚고, 덧술은 찹쌀 고두밥을 지어 사용하는데, 밑술에서와 같이 고두밥이 따뜻할 때 밑술과 섞어 버무리는 방법을 볼 수 있으며, 두텁게 밀봉하고 단단히 싸매서 따뜻한 곳에서 14일간 발효시킨다는 것을 볼 수 있다.

'감향주'가 최초로 기록된 <수운잡방>을 보면, 밑술과 덧술 과정에서 술거리를 온기 없이 식히거나 차게 식혀서 사용하는 방법인 데 반하여, <음식디미방>에서는 밑술의 '구멍떡'은 차게 식혀 사용하고, 덧술의 고두밥은 뜨겁지 않을 정도로 식혀서 사용하는 것을 볼 수 있다.

<승부리안주방문>에서는 밑술의 '구멍떡'과 덧술의 '고두밥'을 다 식히지 않고 뜨거울 때 사용하는 것을 볼 수 있으며, 덧술의 찹쌀도 3일간 불려서 사용하지 않고, 술독을 관리하는 방법도 다르다는 것을 알 수 있다. 가능한 한 높은 온도에서 발효를 시작하고, 발효 장소도 따뜻한 곳임을 알 수 있다.

한편, 1700년대 말의 기록으로 알려진 한문 붓글씨본인 <양주방>에는 "백미 한 말 백세작말하야 구무떡 만다러 닉게 살마 내여 니화쥬 누룩을 가로 만다러 쳐 서 되를 한데 고로 섯거 단단이 서너 덩이 쥐여 독의 너허 사나흘 만의 저기 농하야 떡이 푸르러져 가거든 다시 내여 마이 쳐 도로 너헛다가 대엿새 후의 쓰면 향기와 맛과 빗히 아모 탓 못하게 기특하니라."고 하였다.

<양주방>의 '감향주' 주방문은 이제까지 알려진 이양주법(二釀酒法)의 '감향주'와는 전혀 다른, 일테면 '이화곡'을 사용하는 등 오히려 '이화주'에 더 가까운 단양주법(單釀酒法)의 주방문을 보여준다고 하겠다.

단양주법 '감향주'는 <주식방(고대구곤요람)>에서도 찾아볼 수 있다. 다만, <주식방(고대구곤요람)>에서는 주원료가 다시 찹쌀로 바뀌었으며, 누룩도 '이화곡'이 아닌 '조곡'으로 바뀌고 그 양도 1되로 줄어든 것을 목격할 수 있다.

따라서 '감향주'는 밑술을 찹쌀이나 멥쌀가루로 '구멍떡'을 삶아서 누룩가루와 섞어 빚고, 덧술은 찹쌀로 지은 '고두밥'을 섞어 빚는 주방문이 전형(典型)을 이루다가, 조선 중기로 접어들면서 술 빚는 방법의 변화가 이뤄졌다는 것을 뜻한다고 하겠다.

이러한 변화는 1800년대 접어들면서 더욱 다양하게 나타나는 것을 볼 수 있다. <고려대규합총서(이본)>의 '감향주'는 "찹쌀 너 되 정히 쓸어 씻고 씻어 담갔다가 가루로 만들어 깁체에 쳐라. 그 전에 누룩 특별히 좋은 것을 이슬 맞쳐 여러 날 바래어 곱게 갈아서 깁체에 곱게 곱게 치고 또 쳐 놓고, (찹)쌀가루로 구멍떡을 만들어 동동 뜨도록 꽤 삶아 푼주 같은 데다 더운 김에 담고, 누룩가루 한 되를 넣어 수저로 꽈리가 일도록 저어 화합하여 두꺼운 종이로 단단히 붙이고 그릇을 덮어 가운데 놓고 두껍게 덮어 두어라. 사흘 만에 꿀같이 달거든 찹쌀 한 말 씻고 또 씻어 하룻밤 담갔다가 익게 쪄서 시루째 떼어놓고 그릇에 조금씩 떼어내고 그 밑을 또 떠내어 고루고루 진 비빔만지 차차 버무린다. 알맞은 깨끗한 항아리에 버무리는 족족 넣되, 시루와 항아리를 다 내고 넣을 적마다 덮어 가며 더운 김 나지 않게 다 버무려 넣은 후, 손으로 눌러 탄탄히 봉하여 더운 데 덮어 놓았다가, 단맛이 들거든 즉시 내어 서늘한 데 두어세 이레 후 쓰면 달고 아름다우나, 위에 푸른곰팡이 많이 떴을 것이니 죄다 걷어 없이하고 쓰되, 매운 맛이 있게 하려면 멥쌀 반만 섞어 하여라."고 하여 밑술의 쌀 양이 보다 많아진 것을 볼 수 있다. 또한 누룩가루는 점차 고운가로로 바뀌고 있으며, 덧술의 고두밥이 뜨거울 때 밑술과 버무리고, 버무리는 중간에도 식지 않도록 고두밥과 술독을 덮어가면서 술밑을 빚는 과정을 볼 수 있다.

시대 미상의 <보감록>에는 <규합총서> 및 <고려대규합총서(이본)>의 '감향주'와 동일한 주방문이 수록된 것을 볼 수 있고, 밑술의 쌀 양이 달라진 '감향주 우일방'과  엿기름가루를 함께 사용하는 '감향주 또 일방'이 수록되어 있어 감향주 주방문의 유형을 한눈에 살필 수 있다.

그리고 보다 다양한 방법이자 변화된 주방문으로 <요록>과 <주식시의>, <주식방(고대규곤요람)>의 '우법(又法)', <이씨음식법>에서는 밑술을 "고두밥"으로, <주식방(고대규곤요람)>, <음식방문>에서는 "죽"으로, <수운잡방>과 <양주방>, <양주집>에서는 "범벅"으로, <한국민속대관>에서는 "물송편"으로 바뀌었으며,

<온주법>에서는 덧술에도 누룩을 사용하고, <주식시의>와 <우음제방>, <김승지댁주방문>에서는 "밑술을 체에 걸러서", <우음제방>과 <주식방(고대규곤요람)>, <주식시의>에서는 덧술을 할 때 "끓여 식힌 물"을 사용하는 방법 등을 찾을 수 있다.

이러한 변화와 다양한 방법의 주방문은 술의 주원료가 되는 재료(쌀)을 어떤 형태로 하여 술을 빚느냐와, 재료 배합과정에 따라 각각 다른 맛과 향을 간직한 '감향주'가 만들어진다는 사실을 뒷받침하는 증거이기도 하다.

이상에서 살펴보았듯 '감향주'의 두드러진 특징은 술 빚는 방법은 다르면서도 이들 술이 한결같이 맛이 달고 향기롭다는 사실이다.

일테면 일반적인 방법, 곧 술 빚을 쌀을 '구멍떡', '죽', '범벅', '물송편', '고두밥' 등 어떤 상태로 하여 밑술을 안칠 것이냐에 따라 '감향주'의 특징인 단맛과 향기가 크게 달라지는데, 이때 덧술용 고두밥을 냉각시킬 것이냐, 아니면 온기를 남겨 밑술과 버무릴 것이냐에 그 맛과 향은 또 달라지게 된다는 것이다.

그런데 주목할 사실은, 덧술용 고두밥에 온기를 남겨 술을 빚게 되면 술맛이 꿀같이 달콤하고 부드러운 반면, 자칫 과발효가 일어나면 요구르트와 같은 새콤한 맛을 동시에 느끼게 된다는 것이다. 또 밑술을 삶는 떡으로 하느냐, 죽으로 하느냐에 따라 술맛이 결정적으로 달라진다.

특히 밑술을 죽으로 하는 경우 밑술의 쌀 양이 4~5되까지 늘어난 것을 볼 수 있다. 이는 여느 방문에 비해 수율이 높다는 장점과 함께 비교적 덧술 작업이 쉽다고 생각하는 경향이 있는데, 그 맛과 향기는 삶는 떡이나 밑술의 쌀 양이 적은 경우에 비해 향기가 떨어진다는 사실이다.

이와 같이 여러 가지 다른 방법의 술 빚기가 이뤄진 까닭은, 우리 술이 바로 예로부터 집에서 빚어 마시는 가양주였음을 말해 주는 것이다. 또 같은 술이라도 술 빚는 이의 솜씨와 집안 형편에 따라, 또 술 빚는 목적에 따라 술맛과 술이 익는 기간이 달라지기 때문이다.

그리고 '감향주'의 또 다른 특징은, 덧술용 쌀을 오랫동안 부식 상태가 될 때까지 불려서 사용한다는 것이고, 여름철과 같이 더운 때라도 따뜻한 곳에서 발효시킨다는 것이다. 이렇게 하면 전분의 당화가 촉진되어 잡균의 침입이나 오염균에 의한 감패를 막을 수 있으며, '감향주'의 특징인 단맛과 향기를 높이는 비결이 된다. 이런 방법은 오랜 경험과 과학적인 접근으로 매우 지혜로운 면을 엿볼 수 있는데, 어찌된 일인지 '감향주'를 비롯, '하향주' 등 몇몇 고급 주품들은 1900년대 이후의 문헌에서는 갑자기 자취를 감추었다는 것이다.

한편, 술맛을 독한 맛(쓴맛)이 나게 하려면 술독을 싸지 않고 서늘한 곳에서 발효시키면 된다. 따라서 감향주는 술독의 발효조건, 즉 실내온도에 따라 그 맛이 달고, 쓰고, 독한 맛을 내는 등 그 방법이 달라진다는 것을 염두에 두어야 제대로 된 '감향주'를 빚을 수 있다.

이러한 '감향주'는 식전주나 식후주로 입맛을 돋거나 소화를 돕는 데 좋은 반주가 될 것이라는 확신을 갖기에 이르며, 특히 사랑하는 연인과의 정찬에 최적격이라는 주장에 이견이 없을 것이라는 생각을 하기에 이른다. 우리 술의 스토리텔링도 이렇게 구체적으로 전개되어야 할 때가 되었다는 판단이다.

## 1. 감향주 <고려대규합총서(高麗大閨閤叢書, 異本)>

술 재료 : 밑술 : 찹쌀 4되, 누룩가루 1되, 따뜻한 물, 한지
덧술 : 찹쌀 1말

술 빚는 법 :

* 밑술 :

1. 찹쌀 4되를 깨끗하게 찧어 물에 씻고 또 씻어(백세하여) 새 물에 담가 불렸다가 (다시 씻어 건져서 물기를 뺀 후) 작말하여 깁체에 쳐서 따뜻한 물로 익반죽한다.
2. 익반죽한 쌀가루로 구멍떡을 빚어 끓는 물에 넣고 무르게 삶아, 떠오르면 푼주에 건져놓는다.
3. 떡이 많이 식어서 따뜻할 때 여러 날 법제하고, 깁체에 친 누룩가루 1되를

넣고 수저로 꽈리가 일도록 치대서 술독에 담아 안친다.

4. 술독은 두꺼운 종이로 밀봉한 뒤, 예의 방법대로 하여 따뜻한 곳에서 두텁게 덮어 3~4일 발효시키면 꿀같이 단맛이 난다.

* 덧술 :

1. 사흘 후에 밑술이 꿀같이 달아지면, 찹쌀 1말을 백세하여 하룻밤 담갔다가 (다시 씻어 건져서 물기를 뺀 후) 시루에 안쳐서 고두밥을 짓는다.
2. 고두밥이 익으면 시루째 떼어 새 술독 옆에 두고, 고두밥을 조금씩 떼어 밑술과 버무려 술밑을 빚는다.
3. 술밑은 버무리는 대로 담아 안치되, 김이 새지 않게 독을 덮어놓는다.
4. 술 안치기가 끝나면 손으로 단단히 다져놓고 밀봉한다.
5. 술독은 더운 곳에 안치고 이불로 덮어두었다가, 단맛이 들면 즉시 서늘한 곳에 두고 21일간 후숙시킨다.

* <규합총서>의 주방문과 동일하다.

감향쥬

졈미 ᄉᆞ승 졍히 ᄲᆞᆯ허 ᄇᆡᆨ셰ᄒᆞ야 ᄃᆞᆷ갓다가 작말ᄒᆞ야 깁체예 쳐 그 젼의 누록 별노 죠흔 거ᄉᆞᆯ 이ᄉᆞᆯ 맛쳐 여러 날 마라 셰말ᄒᆞ야 깁체예 뇌야 ᄲᆞᆯ굴늘 구무 ᄶᅧᆨ ᄆᆡᆫᄃᆞ라 ᄡᅳ도록 ᄊᆡ ᄉᆞᆯ마 ᄑᆞᆫᄌᆞ ᄀᆞᆺ흔 ᄃᆡ 더운 김의 ᄃᆞᆷ고 국말 ᄒᆞᆫ 되를 너허 술노 ᄉᆡ아리 ᄂᆡ도록 져어 화합ᄒᆞ야 ᄃᆞᆺ거온 죠흐로 ᄃᆞᆫᄃᆞᆫ 부치고 그로ᄉᆞᆯ 덥허 더온 ᄃᆡ 노코 ᄃᆞᆺ거니 덥허 삼일 만의 ᄭᅮᆯᄀᆞᆺ치 달거든 출ᄡᆞᆯ ᄒᆞᆫ 말 ᄇᆡᆨ셰ᄒᆞ야 ᄒᆞ로밤 ᄃᆞᆷ갓다가 익게 ᄶᅧ 시로ᄌᆡ ᄶᅥ혀 노코 그로ᄉᆡ 젹젹 ᄶᅥ여 ᄂᆡ여 그 밋출 ᄯᅩ ᄶᅥ ᄂᆡ여 고로고로 ᄌᆞᆫ 부븨음만치 ᄎᆞᄎᆞ 버믈려 마ᄌᆞᆫ 졍ᄒᆞᆫ 항의 범므리ᄂᆞᆫ 족족 너흐ᄃᆡ 시로와 항을 다 내고 너흘 젹마다 덥허 가면 더온 김 나디 아니케 다 범므려 너흔 후 손으로 눌너 탄탄이 봉ᄒᆞ야 더운 ᄃᆡ 덥허 (노)핫다가 단맛 들거든 즉 십야 서늘ᄒᆞᆫ ᄃᆡ 두어 삼칠 후 ᄡᅳ면 달고 알ᄅᆞᆷ다오나 우히 푸른 곰팡이 마히 ᄢᅧ질 거시니 죄 거더 업시ᄒᆞ고 ᄡᅳ되 ᄆᆡ온 마시 잇게 ᄒᆞ랴면 뫼

ᄡᆞᆯ 반만 석거 ᄒᆞ라.

## 2. 감향주 <규합총서(閨閤叢書)>

술 재료 : 밑술 : 찹쌀 4되, 누룩가루 1되
덧술 : 찹쌀 1말

술 빚는 법 :

* 밑술 :

1. 찹쌀 4되를 매우 깨끗이 쓿어(도정을 많이 하여) 백세하여 물에 담가 불렸다가 (다시 씻어 건져서 물기를 뺀 후) 가루로 빻는다.
2. 쌀가루를 깁체에 쳐서 고운 가루로 내린 후, 뜨거운 물로 익반죽하여 놓는다.
3. 법제를 많이 하여 준비한 누룩을 곱게 빻아 깁체에 쳐서 곱디고운 누룩가루를 준비해 놓는다.
4. 솥에 물을 넉넉히 붓고 끓이고, 준비한 익반죽으로 구멍떡을 빚어, 끓는 물에 넣고 꽤 오랫동안 삶아 동동 떠오르면 그릇에 건져놓는다.
5. 구멍떡이 따뜻할 때 준비한 누룩가루 1되를 넣고, 수저(주걱)로 치대서 꽈리가 일면 술독에 담아 안친다.
6. 술독은 두꺼운 종이로 밀봉한 뒤, 예의 방법대로 하여 따뜻한 곳에 두고 두텁게 싸매서 3~4일간 발효시키면 꿀같이 단맛이 난다.

* 덧술 :

1. 찹쌀 1말을 백세하여 물에 담가 하룻밤 불렸다가 (다시 씻어 건져서 물기를 뺀 후) 시루에 안쳐서 고두밥을 짓는다.
2. 고두밥이 익으면 시루째 떼어 새 술독 옆에 두고, 조금씩 떼어 밑술과 버무

려 술밑을 빚는데, 버무리는 대로 담아 안친다.
3. 김이 새지 않게 고두밥 시루와 독을 덮어가면서 술을 빚어 안치고, 안치기가 끝나면 손으로 단단히 다져놓고 밀봉한다.
4. 술독은 더운 방에 앉히고 이불로 덮어두었다가, 단맛이 들면 즉시 서늘한 곳에 두고 21일 후에 채주한다.

* 주방문 말미에 "술독은 더운 곳에 안치고 이불로 덮어두었다가, 단맛이 들면 즉시 서늘한 곳에 두고 삼칠일 후 쓰면 달고 아람다오나 우희 프른곰탕이 써실 게시니 죄 거더 업시 ᄒᆞ고 쓰되 ᄆᆡᆸ은 마시 잇게 ᄒᆞ랴면 뫼ᄉᆞᆯ 반만 섯거 ᄒᆞ라."고 하였다. <고려대규합총서(이본)>와 동일하다.

감향쥬

졈미 ᄉᆞ승 졍히 ᄲᆞᆯ허 ᄇᆡᆨ셰ᄒᆞ야 ᄃᆞᆷ갓다가 작말ᄒᆞ야 깁체예 쳐 그 젼의 누록 별노 죠흔 거술 이술 맛쳐 여러 날 마라 셰말ᄒᆞ야 깁체예 뇌야 ᄲᆞᆯᄀᆞᆯ늘 구무 ᄶᅥᆨ 믿ᄃᆞ라 ᄯᅳ도록 ᄶᅵ ᄉᆞᆯ마 푼ᄌᆞ ᄀᆞᆺ흔 ᄃᆡ 더운 ᄀᆞᆷ의 ᄃᆞᆷ고 국말 ᄒᆞᆫ 되ᄅᆞᆯ 너허 술노 ᄉᆡ아리 ᄂᆡᆨ도록 져어 화합ᄒᆞ야 ᄃᆞᆺ거온 죠흐로 ᄃᆞᆫᄃᆞᆫ 부치고 그로술 덥허 더온 ᄃᆡ 노코 ᄃᆞᆺ거니 덥허 삼일 만의 술ᄀᆞᆺ치 달거든 출ᄲᆞᆯ ᄒᆞᆫ 말 ᄇᆡᆨ셰ᄒᆞ야 ᄒᆞ로밤 담갓다가 이게 ᄶᅧ 시로지 ᄶᅧ혀 노코 그로ᄉᆡ 젹젹 ᄶᅧ여 ᄂᆡ여 그 ᄆᆡᆺ출 ᄯᅩ ᄶᅧ ᄂᆡ여 고로고로 ᄌᆞᆫ 부븨음만치 ᄎᆞᄎᆞ 버믈려 마ᄌᆞᆫ 졍ᄒᆞᆫ 항의 범므리ᄂᆞᆫ 죡죡 너흐ᄃᆡ 시로와 항을 다 내고 너흘 젹마다 덥허 가면 더온 김 나디 아니케 다 범므려 너흔 후 숀으로 눌너 탄탄이 봉ᄒᆞ야 더운 ᄃᆡ 덥허 (노)핫다가 단맛 들거든 즉 십야 서늘ᄒᆞᆫ ᄃᆡ 두어 삼칠 후 쓰면 달고 알ᄅᆞᆷ다오나 우ᄒᆡ 푸른 곰팡이 마히 뼈질 거시니 죄 거더 업시ᄒᆞ고 ᄡᅳ되 ᄆᆡ온 마시 잇게 ᄒᆞ랴면 뫼ᄲᆞᆯ 반만 석거 ᄒᆞ라.

## 3. 감향주법 <김승지댁주방문(金承旨宅廚方文)>

술 재료 : 밑술 : 찹쌀 1되, 누룩가루 2되, (떡 삶은 물 1사발)
덧술 : 찹쌀 1말, 살수물 바리뚜껑 3개

술 빚는 법 :

* 밑술 :

1. 찹쌀 1되를 백세하여 (물에 담가 불렸다가, 다시 씻어 헹궈서 건져서) 작말한다(가루로 빻는다).
2. 솥에 물을 넉넉히 붓고 끓이다가, 미지근한 물 2홉 정도를 쌀가루에 쳐서 골고루 섞고, 고루 치대어 익반죽을 한다.
3. 익반죽을 한 주먹 크기로 떼어 (둥글납작한) 구멍떡을 빚는다.
4. 구멍떡을 끓는 물솥에 넣고 무르게 푹 삶아, 익어서 떠오르면 건져내어 (덩어리가 없이 짓이겨 풀어서 인절미처럼 만든 뒤) 그릇에 담아놓는다(마르지 않게 한다).
5. 떡에 가루누룩 2되를 한데 합하고 고루 치대어 술밑을 빚는데, 굳어서 힘들면 떡 삶은 물 1사발을 차게 식혀서 함께 넣고 치댄다.
6. 소독하여 준비한 술독에 술밑을 담아 안치고 예의 방법대로 하여 밀봉한 후, 더운 방에 이불로 덮어서 3일간 발효시킨다.

* 덧술 :

1. 밑술 빚는 날 찹쌀 1말을 (백세하여 물에 담가 불렸다가, 다시 씻어 헹궈서 건져서) 물기를 빼놓는다.
2. 불린 쌀을 시루에 안쳐 (무른) 고두밥을 짓되, 바리뚜껑으로 3개의 물을 차게 식혀놓는다.
3. 고두밥에 물을 많이 뿌려 무르게 찌고, 익었으면 고루 펼쳐서 뜨거운 기운만 나가게 식힌다.

4. 밑술과 식혀둔 물(바리뚜껑으로 3개)을 섞고, 체에 걸러 누룩찌꺼기를 제거하여, 고두밥에 섞고 고루 치대어 술밑을 빚는다.
5. 술밑을 술독에 담아 안친 후, 예의 방법대로 하여 두터운 이불로 단단히 싸맨 다음, 더운 방에 두어 4~5일간 발효시킨다.

* 주방문 말미에 "사오일 만에 내면 꿀같이 달거니와, 날물 금하거든 밥이나 방이 차면 그릇되느니라."고 하여 밥을 따뜻할 때 빚고, 더운 곳에서 발효시키라고 하였다.

감향쥬법

졈미 ᄒᆞᆫ 되 비ᄌᆞ려 ᄒᆞ면 졈미 ᄒᆞᆫ 되를 작말ᄒᆞ여 구무썩 만그리 닉게 ᄉᆞᆯ마 ᄭᆞᆯ는 김에 ᄀᆞ로누룩 두 되를 너허 고로고로 처 항의에 너허 더은 방의 덥허 두엇다가 사ᄒᆞᆯ 만의 졈미 ᄒᆞᆫ 말을 쪄 셔로 물을 조히 ᄒᆞ여 바리 두에로 셋만 사늘케 시이고 밥은 덥ᄒᆞ 김 ᄂᆞ지 아니케 ᄒᆞ여 식인 물의 슐밋ᄎᆞᆯ 걸너 더은 김의 놀물긔만 셕거 항의에 너허 만이 더은 방의 덥허 두엇다가 ᄉᆞ오일 만의 ᄂᆡ면 ᄭᅮᆯᄀᆞᆺ치 달거니와 놀물긔 ᄒᆞ거ᄂᆞ 밥이나 방이 ᄎᆞ면 그릇되ᄂᆞ니라.

## 4. 감향주 <보감록>

술 재료 : 밑술 : 찹쌀 4되, 누룩가루 1되, 따뜻한 물, 한지
덧술 : 찹쌀 1말

술 빚는 법 :

* 밑술 :

1. 찹쌀 4되를 깨끗하게 찧어 백세하여 (새 물에 담가 불렸다가, 다시 씻어 건져서 물기를 뺀 후) 작말하여 깁체에 쳐서 따뜻한 물로 익반죽한다.

2. 익반죽한 쌀가루로 구멍떡을 빚어 끓는 물에 넣고 무르게 삶아, 떠오르면 푼주에 건져놓는다.
3. 좋은 누룩을 여러 날 법제하고, 깁체에 쳐서 만든 누룩가루 1되를 준비해 놓는다.
4. 떡이 많이 식어서 따뜻할 때 준비해 둔 누룩가루 1되를 넣고 수저로 꽈리가 일도록 치대서 술독에 담아 안친다.
5. 술독은 두꺼운 종이로 밀봉한 뒤, 예의 방법대로 하여 따뜻한 곳에서 두텁게 덮어 3일간 발효시키면 꿀같이 단맛이 난다.

* 덧술 :
1. 찹쌀 1말을 백세하여 물에 하룻밤 담갔다가 (다시 씻어 건져서 물기를 뺀 후) 시루에 안쳐서 고두밥을 짓는다.
2. 고두밥이 익으면 시루째 떼어 새 술독 옆에 두고, 고두밥을 조금씩 떼어 밑술과 버무려 비빔밥 같은 술밑을 빚는다.
3. 술밑은 버무리는 대로 담아 안치되, 김이 새지 않게 독을 덮어놓는다.
4. 술 안치기가 끝나면 손으로 다져놓고 단단히 밀봉한다.
5. 술독은 더운 곳에 앉히고 이불로 덮어두었다가, 단맛이 들면 즉시 서늘한 곳에 두고 21일간 후숙시킨다.

* 방문 말미에 "삼칠일 후 쓰면 달고 아람다오나 우희 프른곰탕이 쩌실 게시니 죄 거더 업시 ᄒᆞ고 ᄡᅳ되 ᄆᆡᆸ은 마시 잇게 ᄒᆞ랴면 뫼술 반만 섯거 ᄒᆞ라."고 하였다. <규합총서>의 주방문과 동일하다.

감향쥬

졈미 ᄉᆞ승 졍히 쓸허 ᄇᆡᆨ셰ᄒᆞ여 ᄃᆞᆷ것다가 작말ᄒᆞ여 깁쳬에 쳐 그 젼의 별노 죠ᄒᆞᆫ ᄀᆞ로누록 이슬 ᄆᆞᆺ쳐 ᄇᆞ라여 깁쳐에 뇌야 ᄊᆞᆯᄀᆞᆯ늘 구무ᄯᅥᆨ ᄆᆡᆫ다라 물의 ᄡᅳ도록 ᄡᅵ ᄉᆞᆯ마 푼ᄌᆞ ᄀᆞᆺᄒᆞᆫ ᄃᆡ 더운 김의 ᄃᆞᆷ고 국말 ᄒᆞᆫ 되ᄅᆞᆯ 너허 술노 ᄭᅩ아리가 니도록 되져 내화 합ᄒᆞ야 ᄃᆞᆺ거운 죠희로 ᄃᆞᆫᄃᆞᆫ이 붓치고 그라살 덥허 더운 ᄃᆡ

노코 둣거이 덥허 삼일 만의 ᄭᅮᆯ갓치 달거던 졈미 ᄒᆞᆫ 말 ᄇᆡᆨ셰ᄒᆞ야 ᄒᆞ로밤 담것다가 닉게 닉게 ᄶᅧ 시루직 ᄶᅦ혀 노코 그ᄅᆞ식 작작 ᄯᅥ ᄂᆡ여 그 밋츨 ᄯᅩ ᄯᅥ ᄂᆡ여 고로고로 즌 부뷔음 만치 ᄎᆞᄎᆞ 버무려 알마즐 경ᄒᆞᆫ 항의 버무리 ᄶᅩᆨᄶᅩᆨ 너ᄒᆞᄃᆡ 너흘 젹마다 덥허 가며 더운 김 나디 아니킈 다 버무려 녀흔 후 손으로 눌너 ᄃᆞᆫᄃᆞᆫ이 봉ᄒᆞ야 더운 ᄃᆡ 덥허 노핫다가 ᄃᆞᆫ맛 들거던 즉시 ᄂᆡ여 서늘ᄒᆞᆫ ᄃᆡ 두어 삼칠일 후 쓰면 달고 아람다오나, 우희 ᄑᆞ른곰탕이 ᄯᅥ실 게시니 죄 거더 업시 ᄒᆞ고 ᄡᅳ되 ᄆᆡᆸ은 마시 잇게 ᄒᆞ랴면 ᄭᅬ술 반만 섯거 ᄒᆞ라.

## 5. 감향주 우일방 <보감록>

술 재료 : 밑술 : 찹쌀 2되, 누룩가루 1되, 따뜻한 물, 한지
덧술 : 찹쌀 1말

술 빚는 법 :

* 밑술 :

1. 찹쌀 2되를 깨끗하게 찧어 백세하여 (새 물에 담가 불렸다가, 다시 씻어 건져서 물기를 뺀 후) 작말하여 깁체에 쳐서 따뜻한 물로 익반죽한다.
2. 익반죽한 쌀가루로 구멍떡을 빚어 끓는 물에 넣고 무르게 삶아, 떠오르면 푼주에 건져놓는다.
3. 좋은 누룩을 여러 날 법제하고, 깁체에 쳐서 만든 누룩가루 1되를 준비해 놓는다.
4. 떡이 많이 식어서 따뜻할 때 준비해 둔 누룩가루 1되를 넣고 수저로 꽈리가 일도록 치대서 술독에 담아 안친다.
5. 술독은 두꺼운 종이로 밀봉한 뒤, 예의 방법대로 하여 따뜻한 곳에서 두텁게 덮어 3일간 발효시키면 꿀같이 단맛이 난다.

* 덧술 :

1. 찹쌀 1말을 백세하여 물에 하룻밤 담갔다가 (다시 씻어 건져서 물기를 뺀 후) 시루에 안쳐서 고두밥을 짓는다.
2. 고두밥이 익으면 시루째 떼어 새 술독 옆에 두고, 고두밥을 조금씩 떼어 밑술과 버무려 비빔밥 같은 술밑을 빚는다.
3. 술밑은 버무리는 대로 담아 안치되, 김이 새지 않게 독을 덮어놓는다.
4. 술 안치기가 끝나면 손으로 다져놓고 단단히 밀봉한다.
5. 술독은 더운 곳에 앉히고 이불로 덮어두었다가, 단맛이 들면 즉시 서늘한 곳에 두고 21일간 후숙시킨다.

감향주 우일방

두 되ᄅᆞᆯ 밋ᄎᆞᆯ ᄒᆞ라 ᄒᆞ고, 방이 더울ᄉᆞ록 ᄉᆞᆯ ᄀᆞᆺ고 김 나고 방 덥지 아니면 다지 아니ᄒᆞ고 날물 일금ᄒᆞ라.

## 6. 감향주 또 일방 <보감록>

술 재료 : 밑술 : 찹쌀 4되, 누룩 5홉, 엿기름 5홉, 따뜻한 물, 한지
덧술 : 찹쌀 1말

술 빚는 법 :

* 밑술 :

1. 찹쌀 4되를 깨끗하게 찧어 백세하여 (새 물에 담가 불렸다가, 다시 씻어 건져서 물기를 뺀 후) 작말하여 깁체에 쳐서 따뜻한 물로 익반죽한다.
2. 익반죽한 쌀가루로 구멍떡을 빚어 끓는 물에 넣고 무르게 삶아, 떠오르면 푼주에 건져놓는다.
3. 좋은 누룩을 여러 날 법제하고, 깁체에 쳐서 만든 누룩가루 5홉을 준비해

놓는다.

4. 떡이 많이 식어서 따뜻할 때 준비해 둔 누룩 5홉과 엿기름 5홉을 한데 넣고 수저로 꽈리가 일도록 치대서 술독에 담아 안친다.
5. 술독은 두꺼운 종이로 밀봉한 뒤, 예의 방법대로 하여 따뜻한 곳에서 두텁게 덮어 3일간 발효시키면 꿀같이 단맛이 난다.

* 덧술 :

1. 찹쌀 1말을 백세하여 물에 하룻밤 담갔다가 (다시 씻어 건져서 물기를 뺀 후) 시루에 안쳐서 고두밥을 짓는다.
2. 고두밥이 익으면 시루째 떼어 새 술독 옆에 두고, 고두밥을 조금씩 떼어 밑술과 버무려 비빔밥 같은 술밑을 빚는다.
3. 술밑은 버무리는 대로 담아 안치되, 김이 새지 않게 독을 덮어놓는다.
4. 술 안치기가 끝나면 손으로 다져놓고 단단히 밀봉한다.
5. 술독은 더운 곳에 앉히고 이불로 덮어두었다가, 단맛이 들면 즉시 서늘한 곳에 두고 21일간 후숙시킨다.

감향주 또 일방

누룩 닷 홉 엿기름 닷 홉 너허 비즈라 ᄒᆞ여시니 달기를 취ᄒᆞ면 이 법을 ᄒᆞᆯ 거시오, 삼칠일 후 쓰라. 말은 쓴 마살 취하미니라.

## 7. 감향주법 <부인필지(夫人必知)>

술 재료 : 밑술 : 찹쌀 3되, 누룩 7홉, (떡 삶은 물 3~5홉)
덧술 : 찹쌀 1말

술 빚는 법 :

＊밑술 :

1. 찹쌀 3되를 백세하여 (물에 담가 불렸다가, 다시 씻어 건져서 물기를 뺀 후) 작말한 후, 깁체에 쳐서 내린다.
2. 솥에 물을 넉넉히 붓고 끓이다가, 물이 따뜻해지면 2홉 정도를 찹쌀가루에 쳐가면서 (익반죽을 만들고) 한 주먹씩 떼어 구멍떡을 빚는다.
3. 솥의 물이 끓기를 기다렸다가 빚어둔 구멍떡을 넣고 삶아, 익어서 떠오르면 그릇에 퍼서 (차게 식기를 기다린다).
4. 법제한 누룩을 곱게 빻고 깁체로 쳐서 1되를 계량하여 누룩가루 7홉을 마련한다.
5. 준비한 누룩가루를 떡에 합하고, 풀젓게로 활짝 풀어(떡이 마르면 떡 삶은 물을 3~5홉 정도 쳐서) 술밑을 빚는다.
6. 술밑을 술독에 담아 안치고, 예의 방법대로 하여 단단히 봉하고, 더운 곳에 두고 3일간 발효시킨다.

＊덧술 :

1. 찹쌀 1말을 정히 씻어(백세하여 물에 담가 불렸다가, 다시 씻어 건져서 물기를 뺀 후) 시루에 안쳐서 고두밥을 짓는다.
2. 고두밥이 무르게 익었으면, 시루째 떼어 술 빚을 독 옆에 놓는다.
3. 술 빚을 그릇에 고두밥을 조금씩 떼어 밑술로 버무리되, 많이 치대어 술밑을 빚는다.
4. 술밑을 술독에 담아 안친 후, 술독 안의 술밑에서 더운 김이 나지 않으면(식었으면) 예의 방법대로 하여 단단히 밀봉한다.
5. 술독은 더운 데 자리를 잡아 앉히고, 두텁게 싸매서 발효시키는데, 3일 후에 서늘한 곳으로 옮기고, 21일간 숙성시킨 후 채주한다.

감향쥬법

졈미 서 되 졍히 씨서 작말ᄒᆞ야 깁체에 치고 누룩을 이슬 맛치고 볏ᄒᆡ 바릐여 셰말ᄒᆞ야 깁체로 쳐서 ᄒᆞᆫ 되 ᄒᆞ야 놋코 쌀가루로 구멍썩 매드러 물에 쓰도록 살마 누룩가루에 너어 풀젹기로 활작 풀어지게 져어 단;이 봉ᄒᆞ야 더운 데 두엇다가 삼일 만에 맛이 달거든, 졈미 ᄒᆞᆫ 말 졍히 씨서 쪄셔 시루치 쪄여 놋코 다른 그릇에 차차 쪄 여 ᄂᆡ야 슐밋으로 되게 버무려가며 항에 ᄎᆞ; 너으되 더운 김이 나지 안쎄 ᄒᆞ얏다 너은 후 봉ᄒᆞ야 더운 데 쑥겁게 덥허 두엇다가 삼일 만에 서늘ᄒᆞᆫ 데 두어 삼칠일 만에 쓰ᄂᆞ니라.

## 8. 감향주 <수운잡방(需雲雜方)>

술 재료 : 밑술 : 멥쌀 2말, 누룩 1되, 끓는 물 1말
　　　　덧술 : 찹쌀 1말

술 빚는 법 :

* 밑술 :

1. 멥쌀 2말을 백세하여 (물에 담가 불렸다가, 다시 씻어 헹궈 건져서 물기를 뺀 후) 세말한다(고운 가루로 빻는다).
2. 솥에 물 1말을 붓고 끓으면 쌀가루에 골고루 붓고, 주걱으로 고루 개어 죽(범벅)을 쑨다.
3. 죽(범벅)을 넓은 그릇에 퍼서 나누어 담아, 온기가 없이 차게 식기를 기다린다.
4. 차게 식은 죽(범벅)에 누룩 1되를 넣고, 고루 버무려 술밑을 빚는다.
5. 소독하여 준비한 술독에 술밑을 담아 안치고, 예의 방법대로 하여 봄가을에는 5일(여름 3일, 겨울 7일)가량 발효시킨다.

* 덧술 :

1. 찹쌀 2말을 백세하여 물에 담가 불렸다가 (다시 씻어 헹궈 건져서 물기를 뺀 후) 시루에 안쳐 무른 고두밥(전증, 왼이)을 짓는다.

2. 고두밥이 익었으면 퍼내고, 고루 펼쳐서 차게 식기를 기다린다.
3. 고두밥에 밑술을 섞고, 고루 버무려 술밑을 빚는다.
4. 술독에 술밑을 안친 후, 예의 방법대로 하여 7일가량 발효시킨다.
5. 7일이 지나 술이 익었으면, 용수를 박아 채주한다.

甘香酒
白米二斗百洗細末湯水一斗作粥待冷麯一升和納瓮冬七日夏三日春秋五日粘米二斗百洗全蒸待冷和前酒納瓮經七日用之.

## 9. 감향주 <수운잡방(需雲雜方)>
–5말 5되 빚이

술 재료 : 밑술 : 멥쌀 5되, 밀가루 5되, 닥나무잎
덧술 : 찹쌀 5말, 끓인 물 1동이

술 빚는 법 :
* 밑술 :
1. 멥쌀 5되를 백세하여 (물에 담가 불렸다가, 다시 씻어 건져서 물기를 뺀 후) 세말한다(고운 가루로 빻는다).
2. 쌀가루를 따뜻한 물로 익반죽하여 구멍떡을 빚는다.
3. 구멍떡을 끓는 물에 넣고 삶아, 무르게 익어 떠오르면 건져서 차게 식기를 기다린다.
4. 밀가루 5되를 깁체에 쳐서 구멍떡에 섞고, 고루 버무려 술밑을 빚는다.
5. 술밑을 닥나무잎으로 고루 덮어 싸매고 (술독에 안쳐서) 3일간 발효시킨다.

* 덧술 :

1. 3일째 되는 날 찹쌀 5말을 백세하여 끓인 물 1동이에 담가 3일간 불렸다가 (다시 씻어 건져서 물기를 뺀 후) 쌀 담갔던 물을 그릇에 받아놓는다.
2. 불린 쌀을 시루에 안치고 고두밥을 짓는데, 이때 쌀 담갔던 물을 뿌려가며 뜸을 들여 무른 고두밥을 짓는다.
3. 고두밥이 익었으면 퍼내고, 고루 펼쳐서 차게 식기를 기다린다.
4. 차게 식은 고두밥에 밑술을 한데 합하고, 고루 많이 치대어 술밑을 빚는다.
5. 술밑을 술독에 눌러 담아 안치고, 예의 방법대로 하여 5~6일간 발효시켜 잘 익었으면 내어 쓴다.

* 누룩을 사용하지 않는 대신 밀가루와 닥나무잎을 넣어 빚는 술로, <역주방문>의 '연화주'나 <음식디미방>의 '절주' 주방문과 유사하다고 볼 수 있겠으나, 주방문의 '진말(眞末)'은 밀가루가 아닌 '진국말(眞麯末)'로 해석해야 옳을 것 같다.

甘香酒

白米五升百洗細末作孔餅熟烹待冷眞末五升細紵布重下和釀楮葉均包第三日粘米五斗百洗熟水一盆沈宿又三日拯出以沈水酒蒸待冷出前酒和納甕五六日方熟用之.

## 10. 감향주법 <승부리안주방문>

술 재료 : 밑술 : 찹쌀 2되 5홉, 누룩가루 5홉, 엿기름가루 5홉
덧술 : 찹쌀 1말

술 빚는 법 :
* 밑술 :

1. 찹쌀 1말 하려면 찹쌀 2되 5홉을 백세(하여 물에 담가 불렸다가, 다시 씻어 헹궈) 작말한다.
2. 솥에 물을 많이 붓고 팔팔 끓으면, 익반죽하여 한 주먹씩 떼어 구멍떡을 빚어 넣고 삶는다.
3. 구멍떡이 익어 물 위로 떠오르면 건져서 차게 식기를 기다린다.
4. 떡에 누룩가루 5홉과 엿기름가루 5홉을 넣고 고루 치대어 술밑을 빚는다.
5. 술독은 깨끗하게 씻어 건조시킨 뒤 연기 소독하여 술밑을 담아 안친다.
6. 술독은 단단히 싸매고 뜨거운(매우 따뜻한 구들) 데에 앉혀서 3일간 발효시킨다.

* 덧술 :
1. 찹쌀 1말을 백세하여 (물에 담가 불렸다가, 다시 씻어 헹궈서 물기를 뺀 후) 시루에 안쳐서 고두밥을 짓되, 물을 주지 말고 무르익게 쪄낸다.
2. 술독은 주둥이가 좁은 것을 선택하고 깨끗하게 씻어 건조시킨 뒤, 연기 소독하여 그을음과 연기 냄새를 말끔히 닦아내고, 물기 없이 말려서 준비한다.
3. 고두밥은 시루째 떼어 밑술 독 옆에 놓고, 식히지 말고 뜨거울 때 한 주걱씩 밑술과 고루 버무려 술독에 담아 안친다.
4. 술독은 술밑을 담아 안칠 때마다 덮어서 뜨거운 기운이 새어나가지 않도록 하고, 버무리는 즉시 담아 안치기를 끝낸다.
5. 술밑을 단단히 다져서 눌러준 후, 면보자기를 여러 겹 씌워서 덮고, 여러 겹 싸매서 뜨거운 구들에 앉혀서 발효시키는데, 술밑이 많이 끓을수록 달고 맛이 좋다.

감향쥬법

졈미 ᄒᆞᆫ 말 ᄒᆞ랴 ᄒᆞ면 ᄎᆞᆯᄊᆞᆯ 되가오ᄉᆞᆯ ᄇᆡᆨ셰작말ᄒᆞ여 구무떡 비져 닉게 ᄉᆞᆯ마 더운 김의 치되 죠흔 누록ᄀᆞ로 닷 홉 너코 엿기름ᄀᆞ로 닷 홉 너코 ᄒᆞ여 ᄯᅥᆨ의 ᄂᆞ하 가며 고로ː 쳐 ᄂᆞᆯ믈긔 일졀 업시코 항을 졍히 씻고 믈긔 업시ᄒᆞ여 ᄆᆞᄌᆞᆫ 항의 너허 ᄉᆞᆯᄂᆞᆫᄃᆡ 두엇다가, 사ᄒᆞᆯ 되거든 ᄎᆞᆯᄊᆞᆯ ᄒᆞᆫ 말 ᄇᆡᆨ셰ᄒᆞ여 닉게 쪄 믈 주지 말고 닉게 쪄 시기지 말고 ᄉᆞᆯᄂᆞᆫ 것 시로ᄌᆡ 노코 버무려 너흘 항을 정히〻내 업시 씨셔 믈긔 업시 말노여 아조 노흘 자리의 끌ᄂᆞᆫᄃᆡ 드려 노코 너른 그ᄅᆞᄉᆡ ᄒᆞᆫ 주걱식 퍼내여 술밋츨 고로〻 무들 만치 쳐셔 고로〻 버무려 항을 덥허가며 버무리ᄂᆞᆫ 족〻 퍼 노코 시로ᄂᆞ 퍼 내고 갓금 덥허가며 시기지 말고 이쳐로 다 버무려 우흘 ᄎᆞᆫ〻 누르고 목좁은 항의 ᄀᆞ득 너허야 우거지가 만치 아니니라. 우거지ᄂᆞᆫ 곰탕지고 맛업ᄂᆞ니라. 우흘 ᄃᆞᆫᄀᆞ 붓쳐 만히 싸 덥허 바닥도 덥고 항이 무ᄒᆞᆫ ᄉᆞᆯ허 더울ᄉᆞ로 ᄃᆞᆯ기 ᄉᆞᆯ갓고 검나면 다시 아니코 마시 됴치 못ᄒᆞ니라. 이칠 만 먹ᄂᆞ니라.

## 11. 감향주 <양주방>*

술 재료 : 밑술 : 찹쌀 1되, 누룩가루 1되
덧술 : 찹쌀 1말

술 빚는 법 :

* 밑술 :

1. 찹쌀 1되를 깨끗이 씻고 또 씻어(백세하여 물에 담가 불렸다가, 다시 씻어 헹궈 건져서 물기를 뺀 후) 작말한다.
2. 끓인(끓는) 물 3되를 찹쌀가루에 골고루 붓고, 주걱으로 고루 개어 죽(범벅)을 쑨다.
3. 죽(범벅)이 싸늘하게 식었으면, 준비한 누룩가루 1되와 고루 버무려서 술밑을 빚는다.
4. 술독에 술밑을 담아 안치고, 예의 방법대로 하여 1일간 발효시킨다(단맛이 나는 술이 된다).

* 덧술 :

1. 밑술을 빚는 날, 찹쌀 1말을 깨끗이 씻고 또 씻어(백세하여) 물에 담가 밤재워 불렸다가 (다시 씻어 헹궈 건져서 물기를 뺀 후) 시루에 안쳐 고두밥을 짓는다.
2. 찹쌀고두밥에서 한 김 나면 (찬물을 뿌려서) 익게 쪄서 낸다(약간 온기가 남게 식힌다).
3. 여름이라도 더운 김에 버무려 더운 데에 둔다(술독은 단단히 밀봉하여 두터운 이불로 싸맨다).

* 술을 안친 지 3일이 지나 4일째 되는 날 서늘한 곳으로 옮기고, 21~28일간 후숙시켜야 맛과 향기가 좋고 저장도 오래 할 수 있어 좋다. 주방문 말미에 "맛이 꿀 같고 훌훌하여야 먹는다."고 하였다.

감향쥬

졈미 ᄒᆞᆫ 말 ᄇᆡᆨ셰작말ᄒᆞ야 ᄭᅳᆯ힌 물 서 되로 쥭 쑤어 식거든 누룩ᄀᆞ로 ᄒᆞᆫ 되예 버무려 너코 그 날 졈미 ᄒᆞᆫ 말 ᄇᆡᆨ셰ᄒᆞ야 밤재와 ᄂᆡᆨ게 쪄 밋술 버무려 두라. 여름이라도 더운 김의 버무려 더운 ᄃᆡ 두ᄂᆞ니 마시 ᄭᅮᆯ ᄀᆞᆺ고 홀홀ᄒᆞ여야 먹ᄂᆞ니라.

## 12. 감향주법 <양주방(釀酒方)>
–이화주법

술 재료 : 멥쌀 1말, 이화곡 가루 3되

술 빚는 법 :
1. 멥쌀 1말 백세하여 (물에 담가 불렸다가, 고쳐 씻어 헹궈 건져서 물기를 뺀 후) 작말한다(가루로 빻는다).

2. 쌀가루를 따뜻한 물로 익반죽하여 구멍떡을 빚는다.
3. 끓는 물솥에 구멍떡을 넣고 익게 삶아낸다(차게 식기를 기다린다).
4. 이화곡을 가루 내어 고운체에 쳐서 3되를 마련한다.
5. (차게 식은) 구멍떡에 준비한 이화곡 가루 3되를 함께 섞고, 고루 치대어 서너 덩이로 단단하게 술밑을 빚는다.
6. 술밑을 독에 담아 안치고, 예의 방법대로 하여 3일간 발효시킨다.
7. 3~4일 만에 술밑이 물러지고 떡이 풀어졌으면, 다시 술밑을 내어 많이 쳐서 다시 담아 안친다.
8. 6일 후에 쓰면 향기와 맛과 빛깔이 아무 탓 못하게 기특하다.

* 단양주법 '감향주'로 유일한 기록이 아닌가 싶다.

감향쥬법
ᄇᆡᆨ미 한 말 ᄇᆡᆨ세작말ᄒᆞ야 구무ᄠᅥᆨ 만다라 ᄂᆡᆨ게 ᄉᆞᆱ마내여 니화쥬 누록을 ᄀᆞᄅᆞ 만다러 쳐서 되ᄅᆞᆯ 한대 고로 섯거 단ᆢ이 서너 덩이 쥐여 독의 너허 ᄉᆞ나흘 만의 저기 농ᄒᆞ야 덕이 푸러저 ᄀᆞ거든 다시 내여 ᄆᆞ이 쳐 도로 너헛다가 대엿ᄉᆡ 후의 ᄡᅳ면 향긔와 맛과 빗히 아모랏타 못ᄒᆞ게 긔특ᄒᆞ니라.

## 13. 감향주 <양주집(釀酒集)>

술 재료 : 밑술 : 멥쌀 2되, 가루누룩 1되, 끓는 물 1말
덧술 : 찹쌀 2말

술 빚는 법 :
* 밑술 :
1. 멥쌀 2되를 백세하여 (물에 담가 불렸다가, 새 물에 다시 씻어 맑게 헹궈 건

져서 물기를 뺀 후) 세말한다(고운 가루로 빻는다).

2. 솥에 물 1말을 끓여서 쌀가루에 붓고, 주걱으로 고루 개어서 범벅(죽)을 쑤어, 차게 식기를 기다린다.
3. 범벅(죽)에 가루누룩 1되를 섞고, 고루 버무려 술밑을 빚는다.
4. 술독에 술밑을 담아 안치고, 예의 방법대로 하여 5일간(겨울 7일, 여름 3일) 발효시킨다.

* 덧술 :

1. 찹쌀 2말을 백세하여 (물에 담가 불렸다가, 새 물에 다시 씻어 맑게 헹궈 건져서 물기를 뺀 후) 시루에 안쳐서 (무른) 고두밥을 짓는다.
2. 고두밥이 익었으면 퍼내고, 고루 펼쳐 차게 식기를 기다린다.
3. 고두밥에 밑술을 쏟아 붓고, 고루 힘껏 치대어 술밑을 빚는다.
4. 술독에 술밑을 담아 안치고, 예의 방법대로 하여 7일간 발효시킨다.

* 주방문 머리에 "시험 삼아 빚어본 결과 그 맛이 달고 향기로우며 매운 맛이 있는데, 청주는 맑기가 그지없다."고 하였다. <양주집>의 '감향주'는 밑술 상태가 심히 불량하였고, 덧술 후에는 술덧 표면이 노랗게 변하고 쉰 냄새가 나는 등 발효 도중 산패한 것처럼 보였으나, 혹시나 하면서 마지막까지 숙성을 시킨 결과, 맑은 술 속에서 하얀 밥알이 뜨고 술 향기가 매우 좋았으며, 그 맛은 매우 부드러우면서 달고 독한 맛이 있었다.

甘香酒

試之則味甘香辛好矣酒淸無矣. 白米 二升 百洗 細末ᄒᆞ야 ᄭᅳᆯ인 믈 ᄒᆞᆫ 말ᄋᆡ ᄀᆡ여 식거ᄃᆞᆫ ᄀᆞ로누록 ᄒᆞᆫ 되 셧거 두기ᄅᆞᆯ 겨을이어ᄃᆞᆫ 七日이오, 녀름이어ᄃᆞᆫ 三日이오, ᄀᆞ을과 봄이어ᄃᆞᆫ 五日 만ᄋᆡ 粘米 二斗 百洗ᄒᆞ야 밥 ᄧᅧ 식거ᄃᆞᆫ 밋술ᄋᆡ 셧거다가 七日 만ᄋᆡ ᄡᅳ라.

## 14. 감향주 <온주법(醞酒法)>

술 재료 : 밑술 : 찹쌀 2되, 누룩 7홉, 물(1~2되)
덧술 : 찹쌀 1말, 누룩가루 3~4홉

술 빚는 법 :

* 밑술 :

1. 찹쌀 2되를 백세하여 (물에 담가 불렸다가, 다시 씻어 건져서 물기를 뺀 후) 작말한다.
2. 솥에 물을 넉넉히 붓고 끓이다가, 물이 따뜻해지면 2홉 정도를 찹쌀가루에 쳐가면서 익반죽을 만들고, 한 주먹씩 떼어 구멍떡을 빚는다.
3. 솥의 물이 끓기를 기다렸다가 빚어둔 구멍떡을 넣고 삶아, 익어서 떠오르면 그릇에 퍼서 (차게 식기를 기다린다).
4. 떡에 누룩가루 7홉을 넣고, 고루 많이 치대어 술밑을 빚는다.
5. 술밑을 술독에 담아 안치고 예의 방법대로 하여 1일간 발효시킨다.

* 덧술 :

1. 밑술을 빚은 날 찹쌀 1말을 백세하여 물에 담가 3일간 불렸다가 (다시 씻어 건져서 물기를 뺀다).
2. 불린 쌀을 시루에 안쳐서 고두밥을 짓고, 고두밥이 무르게 익었으면 넓은 그릇에 퍼 담고, 주걱으로 헤쳐 놓아 차게 식기를 기다린다.
3. 고두밥에 밑술과 누룩가루 3~4홉을 한데 합하고, 고루 (많이) 버무려 술밑을 빚는다.
4. 술밑을 술독에 담아 안친 다음, 예의 방법대로 하여 (단단히 밀봉하고 따뜻한 곳에서) 14일간 발효시킨다.

감향듀

뎜미 일승 ᄇᆡᆨ셰작말ᄒᆞ야 구멍ᄯᅥᆨ ᄉᆞᆯ마 국말 칠 홉 섯거 너코 그날 뎜미 일두 ᄇᆡᆨ셰ᄒᆞ야 담가 삼일 만의 ᄆᆞ이 ᄶᅧ ᄎᆞ거든 젼술의 국말 서너 홉 더 너허 이칠일 후 감녈ᄒᆞᄃᆡ 녀름 술이니 오라면 눈지ᄂᆞ니라.

## 15. 감향주 <요록(要錄)>

술 재료 : 밑술 : 찹쌀 1되, 누룩가루 1되
덧술 : 찹쌀 1말

술 빚는 법 :

* 밑술 :

1. 찹쌀 1되를 백세(물에 백 번 씻어 건져)하여, 무른 밥(고두밥)을 짓는다.
2. 밥이 무르게 지어졌으면 소독한 그릇에 펴서 차게 식기를 기다린다.
3. 차게 식힌 밥에 좋은 누룩 1되를 합하고, 된죽처럼 될 때까지 고루 버무려 술밑을 빚는다.
4. 소독하여 준비한 술독에 술밑을 담아 안치고, 예의 방법대로 밀봉하여 3일간 발효시킨다.

* 덧술 :

1. 밑술을 담근 다음날, 찹쌀 1말을 (백세하여) 2일간 불렸다가 다시 씻어 건져서 물기를 뺀다.
2. 불린 쌀을 솥에 안쳐서 무른 밥(난반, 무른 고두밥인 듯함)을 짓는데, 밥이 익었으면 펴서 고루 펼쳐서 차디차게 식기를 기다린다.
3. 고두밥에 밑술을 섞고, 고루 잘 버무려서 술밑을 빚는다.
4. 소독하여 준비한 새 술독에 술밑을 담아 안친다.
5. 술을 안친 독은 예의 방법대로 밀봉하고, 7일간 발효시킨다.

6. 술이 익으면 용수를 박아 청주를 뜨면 2되 정도를 얻을 수 있고, 탁주로 거르면 이화주와 같이 걸쭉하며 매우 달고 부드럽다.

* 겨울에는 더운 곳에서 발효시키고, 여름철에는 흐르는 물에 술독을 담가서 익힌다.
* 단맛이 많이 나는 술로, 그 맛이 꿀맛 같고 훌훌해야 마신다.

甘香酒

粘米一升爛飯待冷好麯一升火入缸三日後粘米一斗水浸二日後出作飯待冷前本出和時十分相均納缸七日後用之戶冬則溫處夏則浸水頻政.

## 16. 감향주 <우음제방(禹飮諸方)>

술 재료 : 밑술 : 찹쌀 1되, 누룩가루 1되, 물 1사발
덧술 : 찹쌀 1말

술 빚는 법 :

* 밑술 :

1. 찹쌀 1되를 백세하여 (새 물에 담가 불렸다가, 다시 씻어 건져서 물기를 뺀 후) 작말한다(가루로 빻는다).
2. 쌀가루를 (뜨거운 물로 익반죽하여) 둥글납작한 구멍떡을 빚는다.
3. 솥에 구멍떡을 안치고, 떡이 잠기게 물 1사발을 붓고 삶는다.
4. 구멍떡이 익었으면 (떡을 젓가락으로 찔러보아 쌀가루가 젓가락에 묻어나지 않으면) 떡 삶았던 물까지 넓은 그릇에 퍼 담고 뚜껑을 덮어서 차디차게 식기를 기다린다.
5. 식은 떡에 누룩가루 1되를 합하고, 힘껏 치대어 멍우리 없는 술밑을 빚는다.

6. 술독에 술밑을 담아 안치고, 예의 방법대로 하여 3일간 발효시킨다.

* 덧술 :

1. 찹쌀 1말을 백세하여 물에 담가 밤재워 불렸다가 (다시 씻어 건져서 물기를 뺀 뒤) 시루에 안쳐 고두밥을 짓는다.
2. 고두밥이 무르게 익었으면, 시루째 떼어 더운 김에 밑술을 골고루 합하고, 고루 힘껏 치대어 술밑을 빚는다.
3. 술밑을 술독에 단단히 눌러 담아 안치고, 예의 방법대로 하여 매우 더운 방에 앉혀 이불로 싸서 덮어두고, 4일간 발효 숙성시킨다.
4. 술독을 꺼내어서 술이 익었으면 찬 곳에 두고, 용수 박아 청주를 떠내거나 체에 걸러서 탁주로 마신다.

* 주방문 말미에 "덧술은 날씨가 차고 더운지를 살펴서 하되 단단히 눌러 담고 더운 방에 두텁게 싸매서 발효시키는데, 고두밥이 따뜻할 때 술을 빚어야 맛이 달고 고두밥을 차게 식혀서 빚으면 술맛이 쓰다."고 하고 또 "술독 주둥이가 적어야 좋고, 술이 익은 후에는 서늘한 데 두고 마시라."고 하였다.

감향쥬

졈미 일승 ᄇᆡᆨ셰 작말ᄒᆞ여 구무썩 술ᄆᆞᄃᆡ 믈을 ᄒᆞᆫ 사발만 부어 ᄂᆡᆨ게 ᄉᆞᆯ마 퍼 망울 업시 ᄀᆡ야 누록ᄀᆞ로 ᄒᆞᆫ 되 ᄀᆞᄂᆞᆫ 체로 처 석거 항의 너어 더운 ᄃᆡ 두엇다가 그 이튼날 졈미 ᄒᆞᆫ 말 희게 쓸허 ᄇᆡᆨ셰ᄒᆞ야 ᄃᆞᆷ가 밤ᄌᆡ와 지에를 ᄂᆡᆨ게 ᄂᆡᆨ게 ᄶᅧ 더운 김의 시로ᄌᆡ 노코 술밋출 고로고로 석거 ᄃᆞᆫᄃᆞᆫ이 눌너 가며 너허 ᄆᆡ이 더운 방의 둣거이 덥허 너헛다가 ᄉᆞ오일 지나거든 ᄂᆡ여 노흐라. 일긔 한열을 보아 ᄒᆞᆯ지니 항이 부리 좁아야 우거지 젹고 ᄉᆞᆯᄂᆞᆫ ᄃᆡ 뭇고 밥이 더워야 ᄃᆞ니 거례ᄒᆞ야 밥이 식으면 쓰니라. ᄂᆞᆯ물 일금ᄒᆞ고 다 된 후ᄂᆞᆫ ᄎᆡ와 두고 먹으라.

## 17. 감향주 <우음제방(禹飮諸方)>

술 재료 : 밑술 : 찹쌀 1되, 누룩가루 1되, 떡 삶았던 물
　　　　 덧술 : 찹쌀 1말

술 빚는 법 :

* 밑술 :

1. 찹쌀 1되를 도정을 많이 하여 백세한다(새 물에 담가 불렸다가, 다시 씻어 건져서 물기를 뺀 후) 작말한다(가루로 빻는다).
2. 쌀을 시루에 안쳐 고두밥을 찌되 살수를 많이 하여 무르고 질게 쪄내 놓는다.
3. 고두밥을 넓게 펼쳐서 차디차게 식기를 기다린다.
4. 누룩가루 1되 5홉을 가는체로 쳐서 식은 고두밥에 합하고, 고루 치대어 술밑을 빚는다.
5. 술독에 술밑을 담아 안치고, 예의 방법대로 하여 더운 곳에 두어 사흘 동안 발효시킨다.

* 덧술 :

1. 밑술 빚은 날 찹쌀 1말을 희게 쓿어(도정을 많이 하여) 백세하여 사흘 밤낮을 물에 담가 불려놓는다.
2. 사흘째 되는 날 불린 쌀에서 고약한 냄새가 나면 물 위에 뜬 부유물을 제거하고 새 물로 갈아주고 (다시 씻어 건져서 물기를 뺀 후) 시루에 안쳐서 고두밥을 짓는다.
3. 고두밥이 무르게 익었으면 퍼내고, 자리에 대충 펼쳐서 뜨거운 김이 나기기를 기다린다.
4. 양푼 등 술그릇과 바가지 등을 뜨거운 시루밑물로 깨끗하게 씻고, 양푼 위에 쳇다리와 고운 술체를 올리고, 주물러 짜서 누룩찌꺼기를 제거한 막걸리

를 만들어놓는다.

5. 미지근하게 식은 고두밥을 걸러둔 막걸리와 한데 섞고 비빔밥처럼 고루고루 섞어 술밑을 빚는다.
6. 술밑을 빚는 대로 술독에 담아 안치고, 단단히 눌러서 매우 더운 방에 두텁게 덮어두고 4~5일간 발효시킨다.
7. 술 빚은 지 4~5일 후에 술독을 꺼내어 (찬 곳으로 내어) 보관한다.

* 주방문 말미에 "술밑(밑술)을 걸러서 누룩찌꺼기를 제거한 후 술을 빚으면 밑술 양이 적으니, 시루밑물을 쳐서 덧술을 하면 보다 쉽게 빚을 수 있는데, 술맛은 덜 달다."고 하였다.

감향주

졈미 일승 희게 쓸허 밥을 즐게 지어 됴흔 누룩ᄀᆞ로 되가오슬 석거 더운 ᄃᆡ ᄃᆞᆺ 덥허 너코 졈미 일두 빅셰ᄒᆞ야 술밋 ᄒᆞᆯ 제 ᄒᆞᆷᄭᅴ ᄃᆞᆷ가다가 사흘 마ᄂᆡ 흐억이 찌고 시ᄅᆞ믈의 그ᄅᆞ시나 체나 다 씨서 술밋출 걸너 더운 김의 술술 부븨음쳐로 고로고로 석거 다 두ᄃᆞ려 너헛다가 나흘 마ᄂᆡ 쓰ᄃᆡ 다 쓰도록 더운 ᄃᆡ 너허 두고 써야 변미치 아니ᄒᆞ고 다 쓰도록 날믈씌를 금ᄒᆞ라. 쳐엄 석글 적 술밋만 거르면 더 다ᄃᆡ 국이 젹으니 시로믈을 잠간 주어 거르면 국이 이셔 됴흐ᄃᆡ ᄃᆞᆯ기ᄂᆞᆫ 믈 아니 주니만 못ᄒᆞ니라.

## 18. 감향주 <음식디미방>

술 재료 : 밑술 : 멥쌀 1되, 누룩가루 1되, 떡 삶은 물 1사발
　　　　　덧술 : 찹쌀 1말

술 빚는 법 :

* 밑술 :

1. 멥쌀 1되를 백세(물에 백 번 씻어 담가 불렸다가, 다시 씻어 헹궈서 건져서) 하여 작말한다(가루로 빻는다).
2. 솥에 물을 넉넉히 붓고 끓이다가, 뜨거운 물 2홉 정도를 쌀가루에 쳐서 골고루 섞고, 고루 치대어 익반죽을 한다.
3. (익반죽을 한 주먹 크기로 떼어 둥글납작한) 구멍떡을 빚는다.
4. 구멍떡을 끓는 물솥에 넣고 무르게 푹 삶아, 익어서 떠오르면 건져내어 (덩어리가 없이 짓이겨 풀어서 인절미 같은 떡을 만든 뒤) 차게 식기를 기다린다.
5. 떡 삶은 물 1사발을 (차게 식혀) 누룩가루 1되와 떡을 한데 합하고, 고루 버무려 술밑을 빚는다.
6. 가장 잘 구워진 독을 소독하여 준비한 후, 술밑을 담아 안치고, 예의 방법대로 하여 밀봉한 후 3일(여름 2일, 겨울 5일)간 발효시킨다.

* 덧술 :

1. 밑술 빚는 날 찹쌀 1말을 (백 번 씻어) 물에 담가 3일간 불린다.
2. 불린 쌀을 (다시 씻어 말갛게 헹궈 물기 뺀 후) 시루에 안쳐 고두밥을 짓는다.
3. 고두밥이 익었으면 고루 펼쳐서 온기가 남게 식힌 다음, 밑술과 섞고 고루 버무려 술밑을 빚는다.
4. 술밑을 술독에 담아 안친 후, 예의 방법대로 하여 두터운 이불로 단단히 싸맨 다음, 더운 방에 두어 발효시키고, 술이 익으면 채주한다.

감향쥬

뫼ᄡᆞᆯ ᄒᆞᆫ 되ᄅᆞᆯ 빅셔작말ᄒᆞ여 구멍썩 ᄆᆡᆫᄃᆞ라 닉게 ᄉᆞᆯ마 시기고 ᄊᆞᆱ던 믈 ᄒᆞᆫ 사발애 국말 ᄒᆞᆫ 되 구무썩 ᄒᆞᆫᄃᆡ 석거 쳐 ᄀᆞ장 관단지예 녀코 ᄎᆞᆸᄡᆞᆯ ᄒᆞᆫ 말 빅셰ᄒᆞ여 밋술ᄒᆞᄂᆞᆫ 날 ᄃᆞᆷ갓다가 사ᄒᆞᆯ 만애 닉게 쎠 식지 아냐셔 밋술 내여 섯거 항의 녀코 더운 방의 항밧긔 ᄆᆞ이 싸둣다가 닉거든 ᄡᅳ라. ᄡᅳᆫ마시 잇게 ᄒᆞ려 ᄒᆞ면 항을 ᄲᅡᆺ지 말고 서늘ᄒᆞᆫ ᄃᆡ 두라. 만이 비ᄌᆞ려 ᄒᆞ면 이 법을 츄이ᄒᆞ여 비ᄌᆞ라.

## 19. 감향주 <음식방문(飮食方文)>

술 재료 : 밑술 : 찹쌀 1되, 누룩가루 7홉, 물(2~3되)
덧술 : 찹쌀 1말

술 빚는 법 :

* 밑술 :

1. 찹쌀 1되를 (백세하여 물에 담가 불렸다가, 다시 씻어 건져서) 작말한다.
2. 따뜻한 솥에 물(2~3되)을 붓고 끓이다가, 물이 따뜻해지면 찹쌀가루를 풀어 넣고 주걱으로 저어가면서 팔팔 끓여 죽을 쑨다.
3. 죽이 익었으면 넓은 그릇에 퍼서 차게 식기를 기다린다.
4. 죽에 누룩가루 7홉을 넣고, 고루 치대어 술밑을 빚는다.
5. 술밑을 술독에 담아 안치고 예의 방법대로 하여 1일간 발효시킨다.

* 덧술 :

1. 밑술을 빚은 다음날 찹쌀 1말을 (백세하여) 물에 담가 불렸다가, 다시 씻어 건져서 물기를 뺀다.
2. 불린 쌀을 시루에 안쳐서 고두밥을 짓고, 익었으면 넓은 그릇에 펴 담고, 주걱으로 헤쳐 놓는다.
3. 술을 달게 하려면 고두밥의 온기를 남기고, 맵게(독하게) 빚으려면 차게 식기를 기다린다.
4. 고두밥에 밑술을 합하고, 고루 버무려 술밑을 빚는다.
5. 술밑을 술독에 담아 안친 다음, 예의 방법대로 하여 (단단히 밀봉하고 따뜻한 곳에서) 7일간 발효시킨다.

6. 술맛이 단맛이 나면 (서늘한 곳으로 옮겨서) 21일간 후발효시킨다.

* 밑술에 사용되는 물의 양이 나와 있지 않아, 멥쌀 1되를 가루로 만들어 일반적인 죽을 쑤기에 적당량의 물(2~3되)을 산정하였다. 발효시키는 장소에 대한 언급이 없이 발효기간을 단계적으로 1차 7일, 2차 21일이라고 하였다.

감향쥬
ᄇᆡᆨ미 ᄒᆞᆫ 되 작말ᄒᆞ여 쥭 쑤어 ᄎᆞ거든 곡말 칠 ᄒᆞᆸ 너헛다가 이튼날 졈미 ᄒᆞᆫ 말 담가 쪄 술과 셧거 너허 일칠일 후 맛시 달거든 ᄉᆞᆷ칠일 후야 조흐니라. 밥을 덥게 ᄒᆞ면 달고 ᄎᆞ게 ᄒᆞ면 ᄆᆡ오니라.

## 20. 감양주방문 <음식방문(飮食方文)>

술 재료 : 밑술 : 찹쌀 1되, 가루누룩 1되, 끓는 물 3되(쌀되)
덧술 : 찹쌀 1말

술 빚는 법 :
* 밑술 :
1. 찹쌀 1되를 백세하여 물에 담가 불렸다가 (다시 씻어 건져서 물기를 뺀 후) 작말한다.
2. 쌀 계량하던 되로 물 3되를 솥에 붓고 끓이다가, 물이 끓으면 찹쌀가루에 골고루 붓고 주걱으로 익게 개어 범벅을 쑨다.
3. 범벅을 넓은 그릇에 퍼서 서늘하게 식기를 기다린다.
4. 범벅에 가루누룩 1되를 섞어 넣고, 고루 치대어 술밑을 빚는다.
5. 술밑을 술독에 담아 안치고, 예의 방법대로 하여 1일간 발효시킨다.

* 덧술 :

1. 밑술을 빚는 날 찹쌀 1말을 백세하여 물에 담가 불렸다가, 이튿날 (다시 씻어 헹궈 건져서 물기를 뺀 후) 시루에 안쳐서 고두밥을 짓는다.
2. 고두밥이 익었으면 넓은 그릇에 퍼 담고, 주걱으로 헤쳐 뜨거운 기운만 나가게 하여 놓는다.
3. 고두밥이 따뜻할 때 밑술을 합하고, 고루 섞어 (힘껏 치대어) 술밑을 빚는다.
4. 술밑을 주둥이가 좁은 술독에 담아 안친 다음, 예의 방법대로 하여 (단단히 밀봉하고) 더운 곳에 두어 엿 끓이듯 묻어 술독이 식지 않게 싸서 5일간 발효시킨다.
5. 술맛이 단맛이 나면, (서늘한 곳으로 옮겨서) 술덧이 식기를 기다린다.

* 주방문 말미에 "오일 만의 ᄂᆡ면 맛시 조흐ᄂᆞ 만일 ᄇᆞ람 들면 싀ᄂᆞ니라."고 하여 뜨거운 구들방에 두고 당화시키는 방법으로 빚는 술이라는 것을 알 수 있다.

감양쥬방문

졈미 ᄒᆞᆫ 되 ᄇᆡᆨ셰ᄒᆞ여 담갓ᄃᆞ 작말ᄒᆞ여 빨 된 되로 물 셔 되 부어 ᄉᆞᆯ히ᄃᆞ가 익게 ᄀᆡ야 셔늘ᄒᆞ게 식거든 가로누록 ᄒᆞᆫ 되 셧거 노코 밋 ᄒᆞᄂᆞᆫ 날 졈미 일두 ᄇᆡᆨ셰ᄒᆞ여 담갓ᄃᆞ 이튼날 익게 쪄 더운 ᄎᆡ 밋슐의 고로고로 섯거 목 조분 항의 너허 단단이 ᄡᆞ미여 더운 ᄃᆡ 엿 ᄉᆞᆯ히ᄃᆞᆺ 무더 그릇시 식지 아니케 ᄡᆞ 두웟다 오일 만의 ᄂᆡ면 맛시 조흐ᄂᆞ 만일 ᄇᆞ람 들면 싀ᄂᆞ니라.

## 21. 감홍(향)주법 <음식방문니라>

술 재료 : 밑술 : 찹쌀 4되, 누룩가루 1되
덧술 : 찹쌀 1말

술 빚는 법 :

* 밑술 :

1. 찹쌀 4되를 백세하여 새 물에 담가 불렸다가 (다시 씻어 건져서 물기를 뺀 후) 작말한다(가루로 빻는다).
2. 쌀가루를 체에 쳐서 (뜨거운 물로 익반죽하여) 둥글납작한 구멍떡을 빚는다.
3. 끓는 물솥에 구멍떡을 넣고, 구멍떡이 떠오르도록 푹 삶는다.
4. 구멍떡이 익었으면 푼주 같은 그릇에 퍼 담고 뜨거운 김에 누룩가루 1되를 합하고, 꽈리가 일도록 힘껏 치대어 술밑을 빚는다.
5. 술독에 술밑을 담아 안치고, 예의 방법대로 하여 두터운 종이로 단단히 덮고, 그릇(뚜껑)을 씌워 더운 곳에서 3일간 발효시킨다.

* 덧술 :

1. 찹쌀 1말을 백세하여 물에 담가 하룻밤 불렸다가 (다시 씻어 건져서 물기를 뺀 뒤) 시루에 안쳐 고두밥을 짓는다.
2. 고두밥이 무르게 익었으면, 시루째 떼어 놓고, 다른 그릇에 퍼서 더운 김에 밑술을 골고루 합하고, 고루 힘껏 치대어 비빔밥 같은 술밑을 빚는다.
3. 술밑을 알맞은 술독에 단단히 눌러 담아 안치되, 그때마다 술밑이 식지 않도록 뚜껑을 덮어가면서 다 안친다.
4. 술밑을 안친 독은 예의 방법대로 하여 단단히 밀봉하고, 더운 곳에 앉혀 이불로 싸서 덮어두고 발효시키는데, 단맛이 나면 즉시 술독을 서늘한 곳으로 옮겨놓는다.
5. 덧술 빚은 지 21일이 자나면 술덧 표면에 곰팡이가 많이 피었을 것이니 남지 않게 걷어내고, 용수 박아 청주를 떠내거나 체에 걸러서 탁주로 마신다.

* 주방문 말미에 "삼칠일 지나면 그 맛이 아름다우나 표면에 곰팡이가 많이 필 것이니 남지 않게 걷어내라."고 하였는데, 그 배경이 물이 적게 사용된 경우의 술밑에서 자주 일어나는 현상으로, 밑술과 덧술이 충분히 혼화되어 건조

한 고두밥이 없도록 해야 한다는 뜻이다. 그리고 방문 말미에 “맛이 쓰고 맵게 하려면 처음에 멥쌀을 반만 섞어 빚으라.”고 하였다. 이는 쌀의 종류에 따라 그 맛이 달라진다는 것을 알 수 있다.

감홍(향)주법

졈미 ᄉᆞ승을 빅세ᄒᆞ야 당거다가 작말ᄒᆞ야 쳬의 쳐 그젼의 조ᄒᆞᆫ 누록을 니슬 맛쳐 여러 날 바라여 쳬의 ᄂᆡ려 쌀가로을 구무떡 ᄆᆡᆫ드러 물의 쓰도록 ᄊᆡ슬마 푼주 갓튼 ᄃᆡ 더운 김의 담고 국말 ᄒᆞᆫ 되을 너허 술니 솟일도록 져셔 화합ᄒᆞ야 돈후헌 조ᄒᆞᆫ로 단〻 붓치고 그릇슬 업펴 더운 ᄃᆡ 노코 둣거니 뎝펴 삼일 만의 ᄉᆞᆯ넌 것갓치 고니거든 졈미 한 말 빅세ᄒᆞ야 ᄒᆞ로밤 당거다가 ᄋᆡᆨ게 쪄 시루치 써여노코 다른 그릇싀 써ᄂᆞ여 고로〻〻 져셔 부비음갓치 ᄎᆞ〻 버무려 알마즌 졍ᄒᆞᆫ 항의다 범무리ᄂᆞᆫ 족〻 너흐되 너흘 적마다 덥허가며 더운 김 아니 ᄂᆞ게 버무려다 너ᄒᆞᆫ 후 숀으로 단〻 눌너 봉ᄒᆞ야 더운 ᄃᆡ 덥허노왓다가 단맛시 들거든 즉시 항을 ᄂᆡ여 셔늘ᄒᆞᆫ ᄃᆡ 두워 삼칠일 만니면 달고 ᄋᆞ름다오나 우희 곰팡니 만니 쟈실거시니 조곰도 읍게 ᄒᆞ쇼 맛시 씨고 ᄆᆡ옥게 ᄒᆞ랴면 당초의 뫼쌀 반만 셕그면 그른ᄒᆞ니라.

## 22. 감향주 <이씨(李氏)음식법>

술 재료 : 밑술 : 찹쌀 1되 5홉, 누룩 7홉
덧술 : 찹쌀 1말, 가루누룩 3홉

술 빚는 법 :

* 밑술 :

1. 찹쌀 1되 5홉을 백세한다(물에 담가 불렸다가, 다시 씻어 건져서 물기를 뺀다).

2. 불린 쌀은 시루에 안쳐서 고두밥을 짓되 (찬물을 많이 뿌려서 고두밥이 무르게) 익었으면 시루에서 퍼내어 작은 소래기에 담아 놓는다.
3. 고두밥이 더운 김에 누룩가루 7홉을 넣고, 고루 많이 치대어 술밑을 빚는다.
4. 술밑을 술독에 눌러 담아 안치고 예의 방법대로 하여 3일간 발효시킨다.

* 덧술 :
1. 찹쌀 1말을 백세하여 (물에 담가 불렸다가, 다시 씻어 건져서 물기를 뺀 후) 시루에 안쳐서 고두밥을 짓는다.
2. (고두밥을 찌되 찬물을 많이 뿌려 무르게 익히고) 고두밥이 무르게 익었으면 넓은 그릇에 퍼 담고, 주걱으로 헤쳐 놓는다(차게 식기를 기다린다).
3. 고두밥에 가루누룩 3홉과 밑술을 한 주먹씩 뿌려가면서, 골고루 많이 치대어 술밑을 빚는다.
4. 술밑을 술독에 담아 안친 다음, 예의 방법대로 하여 (단단히 밀봉하고 이불로 두텁게 싸매서) 더운 방에 두고 21일간 발효시킨다.

* 여느 기록의 감향주와는 밑술의 쌀 양이 다르고, 고두밥으로 빚는다. 또 덧술 쌀도 오랫동안(3일간) 불리지 않는 등 차이가 있다. 방문 말미에 "덧할 때 가루누룩 3홉만 더하고, 찹쌀 멥쌀 섞이면 불룡(끓지도 삭지도 않음)이니라."고 하였다.

## 감향쥬

죠흔 참ᄊᆞᆯ ᄒᆞᆫ 말 ᄒᆞ랴면 슐밋슬 ᄒᆞᆫ 되 닷셧 홉을 밥 지어 더운 김의 누룩갈로 칠 홉 ᄒᆞᆫ 되 ᄆᆡ우 쪄 쳐셔 큰 항의 눌너 너허 ᄉᆞᆷ일 만의 참ᄊᆞᆯ ᄒᆞᆫ 말 ᄇᆡᆨ셰ᄒᆞ야 밥 익게 쪄 그 슐밋 작작 쳐 가며 버무려 알마진 항의 너코 알마즌 더운 방에 두엇다가 ᄉᆞᆷ칠일 만의 ᄂᆡ여 쓰라. 덧힐 ᄶᆡ 그 ᄶᆡ 가로누룩 셔 홉만 더ᄒᆞ고 찹ᄊᆞᆯ 멥ᄊᆞᆯ 섯기면 불룡이니라.

## 23. 감향주 <주식방(酒食方, 高大閨壼要覽)>

술 재료 : 밑술 : 멥쌀 1되, 누룩가루 1되, 물(5되)
덧술 : 찹쌀(1말)

술 빚는 법 :

1. 멥쌀 1되를 희게 쓿어(백세하여) 물에 담가 불렸다가 (다시 씻어 건져서 물기를 뺀 후) 작말한다.
2. 솥에 물(5되)을 끓이다가, 물이 뜨거워지면 2~3되를 퍼서 쌀가루와 섞고 고루 개어 아이죽을 만들어놓는다.
3. 솥의 남은 물이 팔팔 끓으면, 아이죽을 넣고 팔팔 끓여 풀 같은 죽을 쑨다.
4. 죽을 넓은 그릇에 퍼 담고 차게 식기를 기다린다.
5. 죽에 누룩가루 1되를 합하고, 고루 버무려 술밑을 빚는다.
6. 소독하여 준비한 술독에 술밑을 담아 안치고 예의 방법대로 밀봉한 뒤, 여름철에는 찬 곳에 두고, 겨울철은 더운 곳에 두어 3일간 발효시킨다.

* 덧술 :

1. 찹쌀(1말)을 많이 쓿어(백세하여) 물에 담가 불렸다가 (다시 씻어 건져서 물기를 뺀 후) 시루에 안쳐 고두밥을 짓는다.
2. 고두밥을 찔 때, 한 김 나면 찬물을 많이 뿌리지 말고 무르게 찐 다음, 익었으면 고루 펼쳐서 식히되, 너무 차지 않게 손 넣기 좋을 정도(따뜻한 정도)로 식힌다.
3. 고두밥에 밑술을 합하고, 고루 버무려서 소독하여 준비한 새 술독에 담아 안친다.
4. 술을 안친 독은 예의 방법대로 밀봉하고, (더운 방 안에 두고) 1일간 발효시킨다.

* 주방문 말미에 덧술의 발효기간으로 "봉하여 두었다가 일일 만에 쓰라."고 한 것을 볼 수 있는데, 일일이 아닌 이레(7일)로 생각해야 할 것 같다.

감향쥬

ᄇᆡᆨ미 ᄒᆞᆫ 되ᄅᆞᆯ 희게 쓸허 침슈ᄒᆞ여 ᄌᆞᆨ말ᄒᆞ여 오ᄉᆡ 풀ᄀᆞᆺ치 쑤어 ᄎᆡ와 국말 ᄒᆞᆫ 되ᄅᆞᆯ 버므려 봉ᄒᆞ여 하졀은 찬 ᄃᆡ 두고 겨울은 더은 ᄃᆡ 두어 삼일 만의 뎸미 ᄆᆡ이 쓸허 하로 담가다가 쎠되 물을 만히 ᄲᅳ리지 말고 ᄶᅧ셔 너모 ᄎᆡ오지 말고 손 너키 조흘 만치 시겨 밋과 버므려 봉ᄒᆞ여 두엇다가 일일 만의 쓰라.

## 24. 감향주 우법 <주식방(酒食方, 高大閨壼要覽)>

–단양주법

술 재료 : 찹쌀 1말, 누룩가루 1되, 시루밑물 1되

술 빚는 법 :

1. 찹쌀 1말을 (백세하여) 물에 담가 하루 동안 불렸다가 (다시 씻어 건져서 물기를 뺀 후) 시루에 안쳐 고두밥을 짓는다.
2. 고두밥을 찔 때, 한 김 나면 찬물을 많이 뿌리지 말고 무르게 찐 다음, 익었으면 고루 펼쳐서 식히되, 너무 차지 않게 손 넣기 좋을 정도(따뜻한 정도)로 식힌다.
3. 고두밥에 누룩가루 1되와 시루밑물 1되를 식혀서 한데 합하고, 고루 버무려서 술밑을 빚는다.
4. 술밑을 밑술 담갔던 술독에 담아 안친 후 예의 방법대로 밀봉하고, 덥지 않은 곳에 두고 14일간 발효시키면 되고, 21일이면 다 익는다.

* 주방문 말미에 "맛이 감렬하니라. 잘못하면 시거나 쓰거나 하니라."고 하였다.

감향주 방문 말미에 수록되어 있는 것으로 미루어, 다른 감향주 방문(우법)으로 여겨지는데, 밑술 없이 빚는 술인지 아닌지는 알 수 없다. 방문에 "시루 찐 물 한 되만 떠내어 식혀 고로고로 섞어 밑 담글(근) 항에 넣고"라고 하였는데, 이를 어떻게 해석해야 옳을지 판단이 서지 않는다.

감향쥬 또

뎜미 일두ᄅᆞᆯ 침슈 ᄒᆞ로 ᄒᆞ여 쎠 손 너키 조흘 만치 시겨 시로 씬 물 ᄒᆞᆫ 되만 ᄯᅥᄂᆡ여 식여 국말 ᄒᆞᆫ 되예 섯거 밥의 버므려 마이 쎠셔 고로고로 섯거 맛당 ᄒᆞᆫ 항의 너코 봉ᄒᆞ여 덥지 아닌 ᄃᆡ 두엇다가 이칠일이면 덜 되고 삼칠일이면 다 되ᄂᆞ니 마시 감녈ᄒᆞ니라. 잘못ᄒᆞ면 싀거나 쓰거나 ᄒᆞ니라.

## 25. 감향주 <주식시의(酒食是儀)>

–1말 빚이

술 재료 : 밑술 : 찹쌀 1되, 누룩가루 1되
덧술 : 찹쌀 1말, 끓여 식힌 물 2식기

술 빚는 법 :

* 밑술 :

1. 찹쌀 1되를 희게 쓿어(도정을 많이 하여 백세한 후) 물에 담가 불렸다가 (다시 씻어 건져서 물기를 뺀 후) 가루로 빻는다.
2. (쌀가루를 깁체에 쳐서 뜨거운 물로 익반죽하여 놓는다.)
3. 누룩을 바람 쏘이지 말고 (거칠게 빻아) 준비해 놓는다.
4. 솥에 물을 넉넉히 붓고 끓이고, 준비한 익반죽으로 구멍떡을 빚어, 끓는 물에 넣고 무르게 삶아 동동 떠오르면 그릇에 건져놓는다.
5. 구멍떡이 더운 김에(따뜻할 때) 준비한 누룩 1되를 넣고, 반죽하여 술밑을

빚는다.

6. 술밑을 알맞은 술독에 담아 안친 후, 술독은 단단히 밀봉한 뒤, 예의 방법대로 하여 따뜻한 곳에 두고 (두텁게 싸매서) 3일간 발효시킨다.

* 덧술 :

1. 찹쌀 1말을 희게 쓿어(도정을 많이 하여 백세한 후) 물에 담가 하룻밤 불렸다가 (다시 씻어 건져서 물기를 뺀 후) 시루에 안쳐서 고두밥을 짓는다.
2. 고두밥이 익으면 퍼내어 그릇에 담아놓는다(뜨겁지 않게 식기를 기다린다).
3. (따뜻한) 찹쌀고두밥에 밑술을 합하고, 버무려 술밑을 빚는다.
4. 솥에 물 2식기를 끓여 그릇에 담아놓는다.
5. 술밑을 알맞은 술독에 담아 안치고, 안치기가 끝나면 끓여 둔 뜨거운 물을 술독에 골고루 퍼붓고, 손으로 단단히 다져놓는다.
6. 술독은 예의 방법대로 면보자기로 밀봉하고 7일간 발효시켜 (익으면) 마신다.

감향쥬

점미 일승 희게 쓸허 밥을 즐게 지어 조흔 누룩가로 되ᄀᆞ오솔 석거 더운 ᄃᆡ 둣덥허 넛코 점미 일두 ᄇᆡᆨ셰ᄒᆞ야 슐밋 ᄒᆞᆯ 졔 함ᄭᅴ ᄃᆞᆷ가다가 사흘 마ᄂᆡ ᄒᆞ억이 찌고 시로 믈의 그르시나 쳬나 다 씨서 슐밋출 걸너 더운 김의 술술 부븨움 처로 고로 석거 다 두다려 너헛다가 나흘 마ᄂᆡ 쓰ᄃᆡ 다 쓰도록 더운 ᄃᆡ 너허 두고 써야 변민치 아니ᄒᆞ고 다 쓰도록 날물기를 금ᄒᆞ라. 쳐엄 석글 적 슐밋만 거르면 더 다ᄃᆡ 국이 젹으니 시물을 잠간 주어 거르면 국이 이셔 조흐ᄃᆡ 들기ᄂᆞᆫ 물 아니 주니만 못ᄒᆞ니라.

## 26. 감향주법 <주식시의(酒食是儀)>

술 재료 : 밑술 : 찹쌀 1되, 누룩 1되 5홉
덧술 : 찹쌀 1말

술 빚는 법 :

* 밑술 :

1. 찹쌀 1되를 희게 쓿되 (도정을 많이 하고 백세하여) 새 물에 담가 불렸다가 (다시 씻어 건져서 물기를 뺀 후) 밥을 질게 짓는다.
2. (밥이 익었으면 퍼내어 고루 펼쳐서 차게 식기를 기다린다.)
3. 밥에 누룩가루 1되 5홉을 넣고, 고루 치대어서 술밑을 빚는다.
4. 술밑을 술독에 담아 안치고, 따뜻한 곳에서 두텁게 덮어 3일간 발효시킨다.

* 덧술 :

1. 밑술 빚는 날 찹쌀 1말을 백세하여 3일 밤 담갔다가 (다시 씻어 건져서 물기를 뺀 후) 시루에 안쳐서 고두밥을 짓는다.
2. 고두밥이 익으면 퍼내어 넓은 그릇에 담는다(온기가 남게 식기를 기다린다).
3, 시루밑물을 떠서 술 빚을 그릇과 체를 깨끗하게 씻고, 밑술을 체에 걸러 누룩찌꺼기를 제거한 탁주를 내린다.
4. 고두밥이 더운 김에 거른 밑술과 섞고, 비빔밥처럼 고루 버무려 술밑을 빚는다.
5. 술밑은 버무리는 대로 다져서 담아 안치고, 예의 방법대로 하여 따뜻한 곳에서 두텁게 덮어 김이 새지 않게 독을 덮어 4일간 발효시킨다.

* 주방문 말미에 "나흘 만에 쓰되, 다 쓰도록 더운 데 넣어두고 써야 변하지 않고, 다 쓰도록 끓이지 않은 물기를 금하라. (체로) 쳐서 업게(찌꺼기를 거를 때) 할 때 술덧 그대로 거르면 더 달되 국이 적으니, 쉬이 물을 잠깐 주어 거

르면 국이 있어 좋되 달기는 물을 주지 않는 것만 못하다."고 하였다.

감향쥬법

슐 ᄒᆞᆫ 말 ᄒᆞ랴면 찹살 ᄒᆞᆫ 되을 희게 씨러 담가싸가 ᄉᆡᆨ아 구멍쩍을 만드러 익계 살마 누룩 ᄒᆞᆫ 되을 바ᄅᆞᆷ 쏘이지 말고 더운 김의 반쥭ᄒᆞ여 알마진 항아리의 담아 부리을 봉ᄒᆞ여 더운 방의 두어 삼일 만의 찹살 ᄒᆞᆫ 말 희계 씰러 물의 담가싸가 쪄셔 밋츨 셕거 더운 김의 알마진 항아리의 너코 ᄭᅳ린 물 더운 ᄃᆡ로 두 식기줌 부어 부리을 봉ᄒᆞ여 두엇다가 칠일 후 먹ᄂᆞᆫ이라.

## 27. 감향주 <한국민속대관(韓國民俗大觀)>

술 재료 : 밑술 : 멥쌀 1되, 누룩가루 1되, 떡 삶은 물 1사발
덧술 : 찹쌀 1말

술 빚는 법 :

* 밑술 :

1. 멥쌀 1되를 (백세하여 담가 불렸다가, 다시 씻어 건져서) 작말하여 놓는다.
2. (솥에 물을 넉넉히 붓고 끓이다가, 물이 뜨거워지면 2~3홉 정도를 떠서 쌀가루에 넣고 치대서 익반죽을 만든다.)
3. (물이 끓으면) 물송편을 만들고, 끓는 물에 넣고 푹 삶아 떠오르면 건져낸다.
4. 떡 삶은 물 1사발에 물송편을 넣고, 멍울 없이 풀어 된죽을 만든다(그릇에 뚜껑을 덮어 떡이 차게 식기를 기다린다).
5. 풀어놓은 떡에 누룩가루 1되를 넣고, 고루 버무려 술밑을 빚는다.
6. 소독하여 준비한 술독에 차게 식힌 술밑을 담아 안치고, 예의 방법대로 밀봉한 뒤 4일(여름 3일, 겨울 5~7일)가량 발효시킨다.

* 덧술 :

1. 밑술을 담근 다음날, 찹쌀 1말을 물에 깨끗이 씻어(백세하여 새 물에 말갛게 헹군 후) 다시 물에 담가 3일간 불려놓는다.
2. 쌀을 불린 지 3일 만에 (다시 씻어 말갛게 헹궈서) 건져서 물기를 뺀 뒤, 시루에 안쳐서 고두밥을 찐다.
3. 고두밥이 익었으면 (고루 펼쳐서 한 김 나가게 하여) 따뜻하게 식힌다.
4. 고두밥이 따뜻할 때 밑술과 섞고, 고루 버무려서 소독한 새 술독에 담아 안친다.
5. 술을 안친 독은 예의 방법대로 밀봉하고, 더운 방 안에서 발효시킨다.
6. 술이 익으면 용수를 박아 채주한다.

酣香酒

여러 처방이 있는데, 한 가지를 보면 다음과 같다. 멥쌀 한 되를 가루 내어 물송편을 만들어 잘 익게 삶아 건지고, 그 삶은 물 한 사발에 누룩가루 한 되를 타서 떡을 풀어 밑술을 만든다. 밑술 만드는 날 밤에 찹쌀 한 말을 잘 씻어서 물에 담가두었다가, 사흘 만에 지에밥을 이겨서 찐 다음, 식기 않았을 때 밑술에 함께 빚어 넣는다. 술항아리는 더운 방에 넣고 항아리를 이불로 싸서 보온하여 익힌다. 주품명이 '감향주'이다.

# 갱미주방

스토리텔링 및 술 빚는 법

'갱미주방(秔米酒方)'은 "멥쌀로 빚는 술"이라는 뜻에서 유래한 주품명으로, 술 빚기에 따른 쌀 양이 모두 4석 9말 5되가 들어가는 대단위 양주 방법이라고 할 수 있다. '갱미주방' 주방문에서 주목할 수 있는 것은, 밑술의 쌀 양의 2배가 되는 쌀로 덧술을 하고, 2차 덧술은 다시 덧술의 2배가 되는 쌀 양이 사용되며, 3차 덧술은 다시 2차 덧술의 2배가 되는 쌀 양이 사용된다는 사실이다.

또한 철저하게 덧술을 하는 원칙이 유지되고 있는 것으로 미루어, 일반 가정에서 빚어 마셨던 술이라고 볼 수는 없다.

특히 '갱미주방'이 <임원십육지(林園十六志)>의 기록인 점을 감안하면, 중국의 양주기법을 수록한 것이 아닌가 생각된다. 주방문의 말미에도 언급되어 있지만, <제민요술(齊民要術)>의 '갱미법주'를 떠올릴 수 있기 때문이다.

특히 주방문 말미의 "술의 양을 보아 충분하면 (덧술하는 것을) 그친다. 탁주로 마실 경우에는 진흙으로 봉하지 않아도 된다. 청주로 하려면 뚜껑을 덮고 진흙을 발라 밀봉한다. 7일이 지나 맑게 가라앉으면 윗술을 떠내고 난 후에 술을 짠다."

고 기록된 것으로 미루어, 중국의 술 빚는 방법을 엿볼 수 있다.

'갱미주방'의 주방문에서 특히 주목되는 부분은, 밑술에서 그 배합비율이 멥쌀 3말 3되에 대하여 누룩가루 3말 3되와 물 3말 3되로, 쌀과 누룩, 물의 양이 동일하다는 사실이다. 그리고 밑술과 덧술, 덧술과 2차 덧술, 2차 덧술과 3차 덧술의 쌀 양은 각각 2배씩 늘어난 것과는 달리, 누룩이나 물은 밑술에서 한 번밖에 사용되지 않는다는 점이다.

'갱미주방'의 또 다른 특징은, 이들 재료 배합비율과 관련하여 밑술의 발효기간은 7일인 반면, 덧술은 밑술 발효기간의 2배인 14일이고, 2차 덧술은 밑술과 덧술의 발효기간을 합한 21일이다. 그리고 마지막 덧술을 하고 난 3차 덧술의 발효기간은 다시 7일로 짧아졌다는 사실이다.

그 이유를 미루어 짐작하면, 2차 덧술과 3차 덧술에 사용되는 쌀 양에 비하여 누룩은 밑술에서 한 차례 사용되었을 뿐으로, 3차 덧술의 발효기간을 길게 끌고 가기 위해서는 누룩을 덧술이나 2차 덧술에서 한 번 더 추가하거나, 술독을 땅속에 묻거나, 찬 곳에서 발효시켜야만 한다.

그렇지 않으면 한 번의 누룩 사용으로 3차 덧술의 발효기간을 7일 이상 충분히 끌고 가지 못하고, 갑자기 산패하는 경우를 당하게 된다. 또한 '갱미주방'은 주방문에서 언급되어 있듯이 술 빚는 시기가 3월 3일인 삼짇날이다. 밑술을 빚기 시작하여 3차 덧술까지의 기간을 감안하면 4월 중순이 되므로, 주변의 온도는 점점 높아지기 마련이고, 특히 술의 양이 많아지면 발효 시 술독의 품온도 상대적으로 빨리 상승하기 때문에 술덧의 온도를 조절하기가 매우 힘들어지기 때문이다.

이상의 술 빚는 법을 통하여 중국이나 우리나라의 양주기법이 유사하다는 것을 알 수 있으며, 술맛과 향기의 차이는 다름 아닌 누룩에 따라 달라진다는 결론을 내릴 수 있다.

우리나라와 중국은 쌀을 주로 사용하고, 특히 양주 방법이 동일한 과정을 거쳐 이루어지면서도 중국의 술은 '황주(黃酒)'로, 우리나라의 술은 '청주(淸酒)'로 지칭하는 이유가 어디에 있겠는가.

술의 색깔은 여러 가지 요인이 있지만, 무엇보다 누룩의 영향을 가장 많이 받게 되어 있고, 중국의 누룩 제조법과 우리의 누룩 제조법이 달라진 데서 '황주'와

'청주'라는 술 색깔과 명칭의 차이로 나타나며, 그런 점에서 나라마다의 고유성과 차별성으로 나타난다.

'갱미주방'은 <임원십육지(고려대본)>에 수록되어 있다. 우리나라의 양주 관련 문헌에서는 '갱미주(秔米酒)'라는 명칭을 선호하지 않는 대신, 찹쌀을 사용한 주품에서는 '점주'를 비롯하여 '점감주', '점감청주', '찹쌀소주' 등 다양한 주품명이 자주 등장하는 것을 볼 수 있다는 점에서도 양주문화의 차이를 엿볼 수 있다.

## 갱미주방 <임원십육지(林園十六志, 高麗大本)>

술 재료 : 밑술 : 멥쌀 3말 3되, 누룩가루 3말 3되, 물 3말 3되
덧술 : 멥쌀 6말 6되
2차 덧술 : 멥쌀 1석 3말 2되
3차 덧술 : 멥쌀 2석 6말 4되

술 빚는 법 :

* 밑술 :

1. 월 3일에 정화수 3말 3되를 길어다 그릇에 담아놓는다.
2. 누룩가루를 비단 깁체에 쳐서 고운 가루를 내려서 3말 3되를 물에 담아 물누룩을 만들어놓는다.
3. 멥쌀 3말 3되를 (백세하여 물에 담가 불렸다가, 다시 씻어 헹궈 건져서 물기를 뺀 후) 시루에 안쳐 고두밥을 짓는다.
4. 고두밥이 익었으면 시루에서 퍼내고, 고루 펼쳐서 약간 차게 식기를 기다린다.
5. 누룩물에 차게 식혀둔 고두밥을 섞고, 고루 버무려 술밑을 빚는다.
6. 술독에 술밑올 담아 안치고, 예의 방법대로 하여 1주일간 발효시킨다.

* 덧술 :

1. 멥쌀 6말 6되를 준비한다(백세하여 물에 담가 불렸다가, 다시 씻어 헹궈 건져서 물기를 뺀 후 시루에 안쳐 고두밥을 짓는다).
2. (고두밥이 익었으면 시루에서 퍼내고, 고루 펼쳐서 약간 차게 식기를 기다린다.)
3. 덧술을 해 넣는다(밑술에 차게 식혀둔 고두밥을 섞고, 고루 버무려 술밑을 빚는다).
4. 14일간 발효시킨다(술독에 술밑을 담아 안치고, 예의 방법대로 하여 14일간 발효시킨다).

* 2차 덧술 :

1. 멥쌀 1석 3말 2되를 준비한다(백세하여 물에 담가 불렸다가, 다시 씻어 헹궈 건져서 물기를 뺀 후 시루에 안쳐 고두밥을 짓는다).
2. (고두밥이 익었으면 시루에서 퍼내고, 고루 펼쳐서 약간 차게 식기를 기다린다.)
3. 덧술을 해 넣는다(밑술에 차게 식혀둔 고두밥을 섞고, 고루 버무려 술밑을 빚는다).
4. 14일간 발효시킨다(술독에 술밑을 담아 안치고, 예의 방법대로 하여 21일간 발효시킨다).

* 3차 덧술 :

1. 쌀 2석 6말 4되를 준비한다(백세하여 물에 담가 불렸다가, 다시 씻어 헹궈 건져서 물기를 뺀 후 시루에 안쳐 고두밥을 짓는다).
2. (고두밥이 익었으면 시루에서 퍼내고, 고루 펼쳐서 약간 차게 식기를 기다린다.)
3. 덧술을 해 넣는다(밑술에 차게 식혀둔 고두밥을 섞고, 고루 버무려 술밑을 빚는다).
4. 7일간 발효시킨다(술독에 술밑을 담아 안치고, 청주로 하려면 뚜껑을 덮고

진흙을 발라 밀봉하여 14일간 발효시킨다).

5. 맑게 가라앉으면 윗술을 떠내고 난 후에 주조에 올려 짜서 탁주로 마신다.

* 삼월 삼짇날 담그는 술로, 밑술의 주재료 양은 모두 3말 3되이고, 덧술을 할 때마다 누룩과 물을 사용하지 않고 밑술 쌀의 2배로 그 양을 늘려가는 것이 특징이며, 밑술 1주일, 덧술 2주일, 2차 덧술 3주일, 3차 덧술 7일 간격으로 덧술을 해 넣는 것이 특징이고, 마지막 덧술은 술독을 진흙으로 봉하여 둠으로써 1주일이면 술이 익는다.
* 주방문 말미에 "술의 양을 보아 충분하면 (덧술 하는 것을) 그친다. 탁주로 마실 경우에는 진흙으로 봉하지 않아도 된다. 청주로 하려면 뚜껑을 덮고 진흙을 발라 밀봉한다. 7일이 지나 맑게 가라앉으면 윗술을 떠내고 난 후에 술을 짠다."고 하였다.

杭米酒方

(案)杭與(粳)同. 三月三日取井花水三斗三升絹(篩)麴末三斗三升杭米三斗三升稻米佳無者旱稻米亦得(充)事再餾弱炊攤令小冷先下水麴然後酘之七日更酘用米六斗六升二七日更酘用米一石三斗二升三七日更酘用米二石六斗四升乃止量酒備足便止合醅飮者不得封泥令淸然後押之. <齊民要術>.

# 건조항주법

## 스토리텔링 및 술 빚는 법

<김승지댁주방문(金承旨宅廚方文)>에 수록된 '건조항주법'의 주방문 역시도 전형적인 이양주법(二釀酒法)의 주품이다. 이 주방문은 일반 이양주와 비교했을 때 별반 차이가 없는데, 어떠한 연유로 '건조항주'란 술 이름을 얻게 되었는지 그 이유를 알 수가 없다.

주방문에서 보듯 밑술을 빚는 법에 있어, 멥쌀 양의 5배에 해당하는 물을 양주용수로 하여 죽을 쑤었다가, 차게 식으면 가루누룩 1되를 혼합하여 술밑을 빚는데, 3~7일 후에 덧술을 해 넣는다.

그리고 덧술은 찹쌀 1말로 고두밥을 지었다가 차게 식혀서 밑술과 혼합하여 발효시키는 일반적인 방법 그대로의 주방문을 보여주고 있어, 별다른 특징을 찾아보기가 힘들다.

다만, 부제(副題)에 '맵고 달기가 마셔서 삼키기 안타깝다.'고 기록된 것과 관련하여 '석탄주(惜呑酒)'의 별명(別名)이 아닐까 하는 생각을 갖게 되었다. 그리하여 주방문을 다시 살펴본 결과 <주찬(酒饌)>의 '석탄향(惜呑香)', <김승지댁주

방문>에 수록된 '황금주법' 주방문과 동일하다는 것을 알 수 있었다.

특히 <주찬>을 제외하면 <시의전서(是議全書)>, <양주방>*, <봉접요람>, <조선무쌍신식요리제법(朝鮮無雙新式料理製法)>, <홍씨주방문> 등에 수록된 '석탄주' 또는 '석탄향'은 밑술에 사용되는 물의 양이 1말이라는 사실과 관련하여 '건조항주법'은 나름의 목적으로 이루어진 주방문이라는 결론을 내릴 수밖에 없었다.

어떻든 술 이름에 따른 특징이나 차이점을 찾고자 방문대로 하여 술을 빚어본 결과, 동일한 주방문을 보여주는 <주찬>의 '석탄향', <김승지댁주방문>에 수록된 '황금주법'과 비교하여 특별한 차이를 알 수가 없었다. <시의전서>, <양주방>*, <봉접요람>, <조선무쌍신식요리제법>, <홍씨주방문> 등에 수록된 '석탄주' 또는 '석탄향'의 주품과 비교하여 술이 더욱 진하고 달며, 끈끈할 정도로 진득한 맛을 주는데다, 향기에 있어서는 보다 부드러운 사과향을 느낄 수가 있었다.

이는 밑술에 사용되는 양주용수의 차이에서 오는 것으로밖에는 별다른 특징이나 차이점을 찾을 수 없었다는 얘기이기도 하다.

다만, 술을 빚을 때 주의할 일은, <주찬>의 '석탄향', <김승지댁주방문>에 수록된 '황금주법'과 같이 밑술의 죽을 쑬 때 죽이 완전히 퍼지도록 팔팔 끓여야 하고, 죽은 반드시 차갑게 식혀서 사용해야 한다는 사실이다.

죽으로 빚는 술 빚기가 비교적 수월하고 수율이 높다는 점에서 선호되고 있지만, 자칫 죽이 제대로 익지 않았거나 죽의 온도가 높았을 때 산패하는 경우가 많다는 사실을 상기할 필요가 있다. 그것만 주의한다면 '건조항주법' 역시도 어렵잖게 그 맛과 향을 즐길 수 있을 것이다.

## 건조항주법 <김승지댁주방문(金承旨宅廚方文)>

술 재료 : 밑술 : 멥쌀 2되, 가루누룩 1되, 물 6되
덧술 : 찹쌀 1말

술 빚는 법 :

＊밑술 :

1. 멥쌀 2되를 (백세하여 물에 담가 불렸다가, 다시 씻어 건져서 물기를 뺀 후) 작말한다.
2. 물 1말을 솥에 담고 끓이다가 (따뜻해지면 3되 정도를) 쌀가루에 붓고 개어서 아이죽을 만든다.
3. 물솥의 나머지 물이 팔팔 끓으면 아이죽을 합하고, 주걱으로 천천히 저어주면서 팔팔 끓는 죽을 쑨다.
4. 죽이 퍼지게 끓었으면, 넓은 그릇에 퍼서 차게 식기를 기다린다.
5. 차게 식힌 죽에 가루누룩 1되를 섞고, 고루 버무려 술밑을 빚는다.
6. 술독에 술밑을 담아 안치고, 예의 방법대로 하여 봄가을은 5일, 여름은 3일, 겨울은 7일 후에 덧술을 해 넣는다.

＊덧술 :

1. 찹쌀 1말을 (백세하여 물에 담가 불렸다가, 다시 씻어 건져서 물기를 뺀 후) 시루에 안쳐서 고두밥을 짓는다.
2. 찹쌀고두밥이 익었으면 시루에서 퍼내고, 고루 펼쳐 차게 식기를 기다린다.
3. 고두밥과 밑술을 함께 섞어 버무린 다음, 새 술독에 담아 안친다.
4. 덧술을 해 넣은 지 7일이면 술을 떠서 마실 수 있다.

＊주방문 말미에 "맵고 달기가 입에 머금으니 삼키기 안타깝다."고 하였는데, 같은 의미의 술로 <주찬>의 '석탄향' 방문과 유사한 것을 볼 수 있다.

건조항쥬법

ᄇᆡᆨ미 듀 되 작말ᄒᆞ야 물 ᄒᆞᆫ 말에 쥭 쑤어 차거든 가로누룩 ᄒᆞᆫ 되 버므래 봄가을은 닷세 겨울은 칠일 여름은 삼일 만의 ᄎᆞᆸᄡᆞᆯ 한 말 닉게 쪄 슐밋ᄒᆡ 비ᄌᆞ 칠일이면 ᄆᆡᆸ고 ᄃᆞᆯ긔 입의 먹으니 ᄉᆞᆸ끼기 앗가오니라.

# 경감주

**스토리텔링 및 술 빚는 법**

<주찬(酒饌)>의 '경감주(瓊甘酒)'라는 주방문을 보고 있으면 '노산춘(魯山春)' 이라는 술이 떠오른다.

'노산춘'은 <고대규곤요람(高大閨壼要覽)> 또는 <주식방(酒食方)>이라고 알려지고 있는 1800년대의 문헌에 수록되어 있는데, 그간 맥이 끊긴 것으로 알려져 왔으나 지난 2003년 대전광역시에 살고 있는 노호석씨가 자신의 "집안 가양주로 전해져오고 있다."고 하여 그 명맥을 유지하고 있는 것으로 판단되나, 현재까지도 전승되고 있는지는 불분명하다.

노씨는 "노산춘은 본래 삼양주(三釀酒)로 전해져오다가 언제부턴지 이양주(二釀酒)로 술 빚기가 간소화되어, 자신의 집안에서도 이양주로 빚어오고 있다."고 할 뿐, "가전 내력이나 술 빚는 방법 등에 대해서도 자세히 알지 못한다."고 하였다.

이후 노호석 씨와는 연락이 두절되어 '노산춘'의 색깔이나 술의 향취, 맛에 대해서는 경험하지 못했으므로 알 길이 없다.

'경감주'를 설명하면서 '노산춘'을 떠올리게 된 이유는, '경감주'의 주방문이 '노산춘'의 주방문과 일치한다는 사실 때문이다. 그럼에도 이 술을 '노산춘'이라고 하지 않고 별도로 '경감주'라는 술 이름을 붙이게 된 이유가 무엇일까.

생각이 여기에 미치자, 다시 '노산춘'의 제조 과정과 '경감주'의 제조 과정을 비교하여 살펴보게 되었다. 이 방법이 가장 확실한 답을 찾는 지름길이 될 것이라는 생각에 직접 술 빚기를 해볼 수밖에 없었다. 사실 그렇지 않고는 달리 방도가 없지 않는가.

결론부터 말하자면, '경감주'는 '노산춘'의 다른 이름으로 보아도 무방하다는 것이고, 한 번의 술 빚기로 그치는 단양주법으로 빚을 경우에도 그 맛과 향이 두 번 빚은 이양주법의 '노산춘'과도 별반 차이가 없다는 것이다.

두 가지 주방문에 있어 공통적으로 나타나는 술의 맛과 향기, 그리고 술 빛깔은 여느 방문에 비해 투명하다 싶을 정도로 맑고 깨끗하며, 은은한 모과 향기를 느낄 수 있었다. 다만 술 빚기에 있어 주의할 일은, 멥쌀의 고두밥은 물을 주지 말고 비교적 된 고두밥을 만들고, 찹쌀은 가루를 만들어 푹 끓여서 사용해야 실패가 없다는 사실이다.

그렇다면 '경감주'가 '노산춘'과 동일한 방법으로 양주되면서도 각각 술 이름을 달리 한 이유가 무엇일까?

다른 문헌의 주품에서는 '별법(別法)' 또는 '우방(又方)'이라고 하여 약간의 변화를 주거나, 밑술을 달리하고 덧술은 동일하게, 또는 밑술은 동일하게 하되 덧술을 달리하는 방문을 보여주고 있는데, 각각 다른 문헌에서 똑같은 방문을 두고 각각 다른 주품명을 붙이고 있는 이와 같은 사실을 우연의 일치라고 하기에는 무리가 있다.

또한 <주찬>이 1800년대, <주식방(고대규곤요람)>이 1800년대 중엽의 문헌인 것으로 미루어, 짐작컨대 '경감주'가 '노산춘'보다 앞설 수도 있다는 것이다. 따라서 이 역시 술맛으로 결론지을 수밖에 없었는데, 필자의 추론으로는 '고두밥과 찹쌀죽을 함께 섞어 빚는 경우에서는 잔당이 많이 남아 있어 그 맛이 더 달다는 것이다.

그러한 이유로 "맑은 옥 빛깔과 함께 단맛을 준다."고 하여 '경감주'라고 명명하게 되었을 것이라는 생각이고, '노산춘'은 '경감주'와 달리 고두밥과 범벅으로 빚고 있어 단맛이 덜하고 알코올 도수도 더 높은 까닭에 향취가 좋아 술 이름 끝에 춘(春) 자를 붙여 '노산춘'이라고 명명하게 되었던 것 같다.

그리고 '경감주'와 매우 유사한 주품과 주방문으로 <수운잡방(需雲雜方)>의 '경장주'를 들 수 있는데, 술을 빚는 방법이나 과정은 유사하지만 '경감주'에 비해 특별히 누룩의 양이 많은 까닭에 술 빛깔이 더 탁하고 향취가 떨어진다는 것을 알 수 있다.

다만 '경감주'는 아직 발효가 끝나지 않은 상태의 단맛을 즐기기 위한 술로서, 인위적으로 발효를 그친 속성주로 분류할 수 있으므로, 알코올 도수가 낮아 보존기간이 짧으므로 가능한 한 단시일 내에 마셔야 한다.

따라서 한꺼번에 많은 양의 술을 필요로 하는 '혼삿술'이나 '잔치술'로 내놓기에 적당한 술로 여겨진다.

지금까지 수백 종의 사라진 전통주를 대상으로 술 빚기에 도전해 보면서, 그리고 그 과정 하나하나와 발효 상태, 술 빛깔, 주품마다의 향기, 발효기간, 맛에 대한 관찰을 해오면서 저마다의 방문에 대해 그 특징과 술 빚는데 따른 요령과 주의사항 등을 찾으려 노력했고, 특히 과거의 양주법을 현대인들의 의식에 맞게 과학화, 현대화하려는 노력을 경주해 왔다.

그리고 그 과정에서 방문마다의 차이와 이유를 설명하였는데, 이렇듯 다른 주품의 밑술 방문만으로 고유의 명칭을 가진 주품은 어쩌면 '경감주'가 처음이라는 생각에 다시금 전통주의 끝없는 가능성과 무한의 경계에 놀라움을 금치 못한다.

## 경감주 <주찬(酒饌)>

술 재료 : 밑술 : 멥쌀 1말, 찹쌀 1말, 누룩가루 1되, 끓는 물 3말
덧술 : 멥쌀 2말, 찹쌀 2말, 누룩가루 2되, 끓는 물 6말

술 빚는 법 :

* 밑술 :

1. 멥쌀 1말을 백세하여 (물에 담가 불렸다가, 다시 씻어 헹궈서) 오랫동안 푹 쪄서 무른 고두밥을 짓고, 익었으면 고루 펼쳐 차게 식기를 기다린다.
2. 찹쌀 1말을 백세하여 (물에 담가 불렸다가, 다시 씻어 헹궈 건져서) 작말하여 끓는 물 3말을 붓고 저어 죽을 쑨 다음 차게 식기를 기다린다.
3. 멥쌀고두밥과 찹쌀죽에 누룩가루 1되를 섞고, 고루 치대어 술밑을 빚는다.
4. 술밑을 술독에 담아 안치고, 예의 방법대로 하여 3일간 발효시킨다.

* 덧술 :

1. 멥쌀 2말을 백세하여 (물에 담가 불렸다가, 다시 씻어 헹궈서) 오랫동안 푹 쪄서 무른 고두밥을 짓고, 익었으면 고루 펼쳐 차게 식기를 기다린다.
2. 찹쌀 2말을 백세하여 (물에 담가 불렸다가, 다시 씻어 헹궈 건져서) 작말하여 끓는 물 6말을 붓고 저어 죽을 쑨 다음 차게 식기를 기다린다.
3. 멥쌀고두밥과 찹쌀죽에 밑술과 누룩가루 2되를 섞고, 고루 치대어 술밑을 빚는다.
4. 술밑을 술독에 담아 안치고, 예의 방법대로 하여 7일간 발효시킨다.

* 주방문 말미에 "그 빛깔과 맛은 이루 말할 수 없이 좋다."고 하였다.

### 瓊甘酒

白米一斗百洗熟烝粘米一斗百洗作末而湯沸水三斗作粥待冷好曲末一升調合釀之三日後白米二斗百洗熟烝精粘米二斗百洗作末而湯沸水六斗作粥待冷好末曲二升竝合調釀於本酒七日後用之其色與味之佳不可勝言.

# 경액춘

## 스토리텔링 및 술 빚는 법

우리 고유의 전통 술 이름의 유래에 대해서는 수차례 언급한 바 있어 자세한 설명은 피하기로 하겠다.

다만, '경액춘(瓊液春)'과 관련하여 자전적 풀이를 하자면, '옥빛같이 맑고 밝아 아름다우면서도 그 맛이 꿀처럼 끈끈하고 진한 술'쯤으로 해석되는데, 실제적인 술 빚기에 있어서는 "술 빛깔이 말고 깨끗하다."는 장점 외에는 특별한 장점이나 특징지을 만한 맛과 향기를 찾을 수는 없었다.

'경액춘'에 관하여 <주찬(酒饌)>에 수록되어 있는 기록 외의 다른 방문의 차이를 살펴보았는데, <임원십육지(林園十六志)>와 <조선무쌍신식요리제법(朝鮮無雙新式料理製法)>에서 다른 설명이 없이 동일 명칭의 '경액춘'을 찾을 수 있었다.

<주찬>을 비롯하여 <임원십육지>와 <조선무쌍신식요리제법>의 방문이 다 동일하다는 사실을 알 수 있었다. 다시 말해서 <주찬>을 비롯하여 <임원십육지>나 <조선무쌍신식요리제법>에 수록되어 있는 '경액춘'은 밑술과 덧술에서 주재료의 양이나 빚는 과정이 동일하면서, 문헌마다의 발간 시기는 다르지만 그 주방

문은 일관되게 유지되고 있다는 점이다.

각각의 주방문을 보면 <임원십육지>에서는 “백찬(白燦) 5말을 3일간 물에 담갔다가 작말하여 끓는 물 7말로 죽을 개어 차게 식힌 뒤, 누룩가루 7되와 내면(진말) 3되를 섞어 항에 담아 안친다.”고 하였고, <조선무쌍신식요리제법>에서는 “흰쌀 5말을 물에 담근 지 사흘 만에 세말하여 익게 쪄서 끓는 물 7되를 붓고, 식거든 누룩가루 7되와 밀가루 3되를 섞고, 모두 버무려 독에 넣고 익기를 기다려서”라고 하여, <주찬>과 다를 게 없다.

다만, <주찬>의 ‘경액춘’은 밑술의 쌀을 하룻밤 불린다고 하였는데, <임원십육지>와 <조선무쌍신식요리제법>에서는 3일간 불리는 것으로 되어 있다는 점에서 그 차이를 찾아볼 수 있으며, 이미 언급하였듯 <임원십육지>에서 ‘경액춘’의 주재료는 ‘백찬’, <주찬>에서는 ‘백미(白米)’, <조선무쌍신식요리제법>에서는 ‘흰쌀(흰쌀)이라고 하여 문헌마다 차이를 보이고 있을 뿐이다.

여기서 <주찬>의 ‘경액춘’ 방문을 살펴보면, 밑술의 쌀을 하룻밤 불렸다가 작말한 뒤, 쪄서 만든 설기떡에 끓는 물을 섞어 다시 죽 형태로 만들어 식은 후에 누룩과 밀가루를 섞어 술밑을 빚고, 밑술이 익기를 기다려 찹쌀로 고두밥을 지은 후, 다시 끓는 물과 혼합하여 고두밥을 다시 한 번 퍼지게 익혀 차게 식으면 밑술과 합하여 덧술을 빚는 과정의 방문을 보여주고 있다.

<주찬>보다 시대가 앞선 기록인 <임원십육지>에서는 밑술의 쌀을 보다 더 오랫동안 불려서 술을 빚는 것을 확인할 수 있다.

이와 같이 시대별 주방문의 변화를 통해서 생각할 수 있는 것은, 술을 빚는 방법의 과학화와 기교 등 보다 진보하는 양조기술의 변화를 읽을 수 있다는 점일 것이다. 즉, <주찬>에서 쌀을 하룻밤 침지하여 가루로 만든 다음 시루에 쪄낸 설기를 다시금 끓는 물에 풀어 죽으로 만드는 방문은 일반적인 죽(粥)의 다른 방편이라고 할 수 있고, <주찬>보다 시대가 앞선 기록인 <임원십육지>와 <주찬>보다 후기의 기록인 <조선무쌍신식요리제법>에서는 방법은 같지만 쌀의 침지 시간에 따른 발효 특성이 달라진다는 사실과 관련하여 보다 부드럽고 향기로운 술을 얻기 위한 양주기술을 엿볼 수 있다는 사실이다.

다만 밑술에 사용된 물의 양이 7되로 되어 있어, 세월이 흐르면서 변화를 가져온 것인지, 아니면 잘못 기록한 것인지는 정확히 알 수가 없으나, <조선무쌍신식요리제법>의 저자가 남성이고 직접 양주를 해왔던 사람은 아니라는 사실에서 <임원십육지>나 <주찬> 등의 주방문을 옮기는 과정에서 잘못 기록한 것일 수도 있다는 생각을 하기에 이른다.

'경액춘' 방문에서도 백설기로 빚는 술의 문제점과 과정상의 어려움을 찾아볼 수 있다. 누룩과의 혼화가 쉽지 않고, 또 발효 과정에서 술밑이 지나치게 끓어 자칫 술독 밖으로 넘치는 경우가 많은 것을 볼 수 있는데, 이러한 문제점을 극복하고 보다 안전한 술 빚기를 강구하게 되었을 것이란 추측을 할 수 있다.

그 결과 '경액춘'과 같은 보다 부드럽고 맛이 진하며 향기가 좋은 명주로 자리를 잡아 춘주로서의 그 위상을 자리매김하였을 것이라는 결론에 이른다. 그리고 <봉접요람>이라는, 음식 관련 한글 필사본이 최근에 발굴되었는데, <봉접요람>은 저자와 발간 시기를 정확히 알 수 없으나 1800년대 문헌으로 짐작된다.

<봉접요람>에 '경앵춘법'이라 하여 주방문이 등장하는데, <주찬>을 비롯한 다른 기록과는 주재료의 배합비율이 차이가 있으나, 술 빚는 과정은 동일하다는 점에서 '경액춘'으로 보아도 무방할 것으로 여겨진다.

<봉접요람>의 '경앵춘법'은 <주찬>을 비롯한 세 가지 문헌에 수록된 '경액춘'에 비해 20% 정도 되는 재료 배합비율로 이루어져 있다.

술 빚는 과정도 밑술은 백설기를 찌고 끓는 물과 합하여 죽 형태로 다시 익혀 누룩가루와 밀가루를 섞어 빚는 과정이 같고, 덧술도 고두밥을 찐 후에 끓는 물과 혼합하여 진밥 형태로 다시 익히는 과정을 거쳐 밑술과 섞되, 밀가루 없이 누룩만을 첨가하는 방법으로 이루어지고 있어, 덧술 과정에서 밀가루가 빠져 있다.

그렇다고 하여 <봉접요람>의 '경앵춘법'이 <주찬> 등의 '경액춘'과 다르다고 할 수는 없다. 왜냐하면 <주찬> 등의 주방문과 같이 재료의 양이 많은 경우와, <봉접요람>의 예와 같이 주재료의 양이 적은 술에서 밀가루를 2차례에 걸쳐 사용할 경우, 오히려 산미(酸味)가 강해지고 느끼한 맛을 줄 수가 있기 때문에, 적은 양의 덧술에서는 밀가루를 사용하지 않는 것이 더 바람직하므로 의도적으로 넣지 않은 것으로 보아야 할 것이다.

이는 우리 전통주의 발달 과정을 살피건대, <주방문(酒方文)>이 등장하는

1600년대를 기점으로 하여 1800년대 후반까지는 가장 많은 수의 전통주와 다양한 방법의 주방문이 등장하고 있음을 볼 수 있고, 별법이나 우법, 우방, 일방 등 본방을 응용한 다양한 주품들이 가양주로 또는 기록으로 전해지고 있는 역사적 사실에 기인하기 때문이다.

## 1. 경앵춘법 <봉접요람>

술 재료 : 밑술 : 멥쌀 1말, 가루누룩 1되 3홉, 진말 5홉, 끓는 물 1말 3되
덧술 : 멥쌀 2말, 누룩 1되, 끓는 물 1말 7되

술 빚는 법 :

* 밑술 :

1. 멥쌀 1말을 백세하여 물에 담가 3일간 불렸다가 (다시 씻어 헹궈) 건져서 작말한다(가루로 빻는다).
2. 솥에 물 1말 3되를 끓이고, 쌀가루를 시루에 안쳐서 백설기를 찐다.
3. 떡이 익었으면 넓은 그릇에 펴 담고, 끓는 물 1말 3되를 떡에 합한 후 주걱으로 고루 개어 멍우리 없이 풀어놓고, 가장 차게 식기를 기다린다.
4. 차게 식힌 떡에 가루누룩 1되 3홉, 진말 1되 3홉을 한데 합하고, 고루 버무려 술밑을 빚는다.
5. 술밑을 술독에 담아 안치고, 예의 방법대로 하여 발효시켜서 익기를 기다린다.

* 덧술 :

1. 멥쌀 2말을 백세하여 물에 담가 불렸다가 (다시 씻어 헹궈 건져서 물기를 뺀 후) 시루에 안쳐서 고두밥을 짓는다.
2. 솥에 물 1말 7되를 끓이다가 고두밥이 익었으면 넓은 그릇에 펴내고, 끓는

물을 고두밥에 합한 후 주걱으로 고루 개어놓는다.
3. 고두밥이 물을 다 먹었으면, 고루 펼쳐서 차게 식기를 기다린다.
4. 고두밥에 밑술과 누룩 1되를 한데 합하고, 고루 버무려 술밑을 빚는다.
5. 술밑을 술독에 담아 안치고, 예의 방법대로 서늘한 곳에서 14일간 발효시킨다.

* 주방문에 "백미 두 말 백세하여 담갔다가, 눅게 쪄 끓인 물 말 일곱 되로 누룩 한 되 넣어 전술에 섞어 빚었다가 익거든 쓰라."고 하였는데, 그 방법이 불분명하여, <임원십육지>의 '경액춘방' 덧술 방문을 참고하였다.

경잉춘법
ᄇᆡᆨ미 ᄒᆞᆫ 말 ᄇᆡᆨ셰ᄒᆞ여 담가다가 삼일의 건져 장말ᄒᆞ여 익게 쪄 ᄭᅳᆯ힌 물 말 서 되 섯거 ᄎᆞ거든 국말 되 서 홉 진말 ᄃᆞᆺ 홉 섯거 비젓다가 익거든 ᄇᆡᆨ미 두 말 ᄇᆡᆨ셰ᄒᆞ여 담가다가 눅게 쪄 ᄭᅳᆯ힌 물 말 일곱 되로 누룩 ᄒᆞᆫ 되 너허 젼슐의 섯거 비젓다가 익거든 쓰라.

## 2. 경액춘방 <임원십육지(林園十六志)>

술 재료 : 밑술 : 멥쌀 5말, 누룩가루 7되, 밀가루 3되, 끓는 물 7말
덧술 : 멥쌀 10말, 누룩가루 5되, 끓는 물 8말

술 빚는 법 :
* 밑술 :
1. 멥쌀 5말을 (백세하여) 물에 담가 3일간 불렸다가 (다시 씻어 건져서 물기를 뺀 후) 고운 가루로 빻는다.
2. 쌀가루를 시루에 안쳐 무르게 찐 다음, 솥에 물 7말을 붓고 끓인다.

3. 쌀가루에 끓는 물을 합하고 주걱으로 고루 개어 죽(범벅)을 쑨 다음, 넓은 그릇 여러 개에 나눠 담고 차게 식기를 기다린다.
4. 차게 식힌 죽(범벅)에 국설(麴屑, 누룩가루) 7되와 밀가루 3되를 합하고, 고루 치대어 술밑을 빚는다.
5. 술밑을 술독에 담아 안친 후, 예의 방법대로 하여 (따뜻하지도 차지도 않은 곳에 앉혀서) 발효시키고 술이 익기를 기다린다.

* 덧술 :
1. 멥쌀 10말을 (백세하여 물에 담가 불렸다가, 다시 씻어 건져서 물기를 뺀 후) 시루에 안쳐 고두밥을 짓는다.
2. 고두밥이 무르게 푹 익었으면, 끓는 물 8말을 고루 섞고 (넓은 그릇 여러 개에 나눠 담고) 차게 식기를 기다린다.
3. 차게 식은 고두밥에 국설(麴屑, 누룩가루) 5되와 발효가 끝난 밑술을 섞어 넣고, 고루 버무려서 술독에 담아 안친다.
4. 술을 안친 술독은 예의 방법대로 하여 (따뜻하지도 차지도 않은 곳에 앉혀서) 7~10일간 발효시킨다.

* 주방문에 누룩가루를 '국설(麴屑)'이라고 하였다. <임원십육지>의 다른 주방문에는 '국(麴)' 또는 '국말(麴末)'이라고 하였는데, '국설'과의 차이가 무엇인지 알 수 없다.

瓊液春方

白粲五斗浸水三日細末熟烝沸湯七斗和之待冷麴屑七升(麥)麵三升交釀待熟白米十斗爛烝熟水八斗麴屑五升交釀前醅. <三山方>.

## 3. 경액춘 <조선무쌍신식요리제법(朝鮮無雙新式料理製法)>

술 재료 : 밑술 : 멥쌀 5말, 누룩가루 7되, 밀가루 3되, 끓는 물 7되(말)
덧술 : 멥쌀 10말, 누룩가루 5되, 끓는 물 8말

술 빚는 법 :

* 밑술 :

1. 멥쌀 5말을 물에 깨끗이 씻어 물에 담가 3일간 불렸다가, 다시 씻어 건져서 물기가 빠지면 고운 가루로 빻는다.
2. 쌀가루를 시루에 안쳐 무르게 찐 다음, 끓는 물 7되(말)를 붓고 떡이 물을 다 먹었으면 여러 그릇에 나눠 담고 차게 식기를 기다린다.
3. 차게 식힌 떡에 누룩가루 7되와 밀가루 3되를 섞고 고루 버무려 술밑을 빚는다.
4. 술밑을 술독에 담아 안친 다음, 예의 방법대로 하여 (따뜻하지도 차지도 않은 곳에 앉혀서 한 달쯤 발효시킨 후) 익기를 기다려 덧술을 준비한다.

* 덧술 :

1. 멥쌀 10말을 (물에 깨끗이 씻어 하루 동안 불린 뒤, 다시 씻어 건져서 물기가 빠지면) 시루에 안쳐 무른 고두밥을 짓는다.
2. 물 8말을 팔팔 끓여 고두밥에 섞고, 주걱으로 헤쳐서 고두밥이 물을 다 먹으면 그릇 여러 개에 나눠 담고 차게 식기를 기다린다.
3. 차게 식힌 고두밥에 누룩가루 5되와 발효가 끝난 밑술을 섞어 넣고, 고루 버무려서 술밑을 빚는다.
4. 술밑을 술독에 담아 안친 다음, 예의 방법대로 하여 (따뜻하지도 차지도 않은 곳에 앉혀서) 발효시킨 후 익기를 기다려 채주한다.

* 밑술 주방문에 술 빚기에 사용되는 물의 양이 7되로 되어 있는데, 7말의 오

기인 듯하다. <임원십육지>와 <주찬>의 주방문이 동일한데, 밑술의 물 양이 다를 뿐이다.

경액춘(瓊液春)

흔쌀 닷 말을 물에 당근 지 사흘 만에 세말하야 익게 쪄서 끓는 물 일곱 되를 붓고 식거든 누룩가루 일곱 되와 밀가루 석 되를 석고 모다 버무려 독에 느코 익기를 기다려서 흔쌀 열 말을 물으게 쪄서 끓는 물 여덜 말과 누룩가루 닷 되를 익은 밋과 한테 석거 익혀서 먹나니라.

## 4. 경액춘 <주찬(酒饌)>

술 재료 : 밑술 : 멥쌀 5말, 누룩가루 7되, 밀가루 3되, 끓는 물 7말
덧술 : 멥쌀 10말, 누룩 5되, 끓여 식힌 물 8말

술 빚는 법 :

* 밑술 :

1. 멥쌀 5말을 백세하여 물에 담가 하룻밤 불렸다가 (다시 씻어 헹궈서 물기를 뺀 후) 작말하여(가루로 빻아) 넓은 그릇에 담아놓는다.
2. 쌀가루를 시루에 안쳐 백설기를 쪄낸다.
3. 솥에 물 7말을 끓이고, 백설기가 다 익었으면 큰 그릇 서너 개에 퍼 담고, 끓는 물 7말을 백설기에 골고루 나누어 붓고, 주걱으로 고루 휘저어 놓는다.
4. 백설기가 물을 다 먹었으면, 주걱으로 개서 멍우리 없는 죽처럼 만들고, 다시 그릇 여러 개에 나눠서 차게 식기를 기다린다.
5. 죽처럼 된 떡에 누룩가루 7되와 밀가루 3되를 합하고, 고루 힘껏 치대어 술밑을 빚는다.
6. 술독에 술밑을 담아 안치고, 예의 방법대로 하여 (3일간) 발효시킨다.

* 덧술 :

1. 물 8말을 팔팔 끓여 식혀놓는다.
2. 멥쌀 10말을 백세하여 물에 담가 하룻밤 불렸다가 (다시 씻어 헹궈서 물기를 뺀 후) 시루에 안쳐서 무른 고두밥을 짓는다.
3. 고두밥이 익었으면 퍼내고, 고루 펼쳐서 차게 식기를 기다린다.
4. 고두밥에 끓여서 차게 식혀둔 물 8말과 밑술, 누룩 5되를 합하고, 고루 버무려 술밑을 빚는다.
5. 술독에 술밑을 담아 안치고, 예의 방법대로 하여 (21일간) 발효시킨다.

瓊液春

白米五斗百洗浸宿作姸末熟烝湯水七斗均和待冷眞末三升曲末七升調釀待熟後白米十斗浸宿爛烝湯水八斗曲五升調釀本酒.

# 경장주

## 스토리텔링 및 술 빚는 법

'경장주(瓊漿酒)'라고 하는 주품명은 <수운잡방(需雲雜方)>의 기록이 유일하다. 또한 <수운잡방>의 '경장주'는 어떤 의미의 술인지 정확히 알려진 바가 없다.

다만, '경장주'라는 단어의 자전풀이 그대로를 옮긴다면 '옥 경(瓊) 미음 장(漿)'이니, "옥처럼 술 빛깔이 아름답고 그 형태는 미음 같은 술"쯤으로 해석할 수도 있겠다.

주방문에서 보듯 '경장주'는 술 빚는 방법과 방문이 매우 이채롭다.

또한 전혀 다른 이름이긴 하지만 <주식방(酒食方, 高大閨壺要覽)>의 '노산춘(魯山春)'이라는 주품의 주방문과 매우 흡사하다.

'노산춘'은 이양주(二釀酒)로 밑술을 멥쌀 1말로 고두밥을 짓고, 찹쌀 1말을 가루로 빻아 물 3말로 죽을 쑨 뒤, 누룩 1되를 섞어 빚은 후, 다시 멥쌀 2말로 고두밥을 짓고, 찹쌀 2말을 가루로 빻아 물 6말로 죽을 쑨 뒤, 누룩 2되와 밑술을 한데 섞어 덧술을 하는 과정으로 이루어진다는 것을 알 수 있다.

다만, <수운잡방>의 '경장주'는 술 빚기에 사용되는 물의 양이 언급되어 있지 않아 정확히 알 수는 없지만, 그 과정을 보면 밑술과 덧술의 술 빚는 과정이 동일하고, 밑주재료의 2배 되는 재료가 덧술로 사용되고 있다는 점에서 그 특징을 찾을 수 있으며, <주식방(고대규곤요람)> '노산춘'과 차이가 없다.

문제는 <수운잡방>의 '경장주'는 밑술의 재료 배합비율로서 멥쌀 1말과 찹쌀 1말에 대하여 누룩의 양이 '1말(斗)'이라는 사실인데, 필자의 견해로는 '1되(升)'의 오기가 아닌가 싶다. 그 이유는 방문 말미에 언급되어 있는 "7일 후면 그 맛과 빛깔이 이루 말할 수 없이 좋다."고 언급한 내용 때문이다.

기록에서 언급한 대로 맛과 술 빛깔이 좋기 위해서는 누룩의 양이 적게 사용되어야 하는데, 이때의 누룩 1말은 전체의 비율로 계산할 때 18%에 이른다.

하지만 쌀 6말에 대하여 누룩 1말은 매우 많은 양으로 누룩 냄새를 지울 수가 없거니와, 결코 술 빛깔이 옥처럼 아름다울 수 없다는 사실 때문이다.

또한 동일한 방법의 '노산춘'의 경우 쌀 6말에 대하여 누룩의 양은 겨우 3되로, 5%밖에 사용되지 않고도 소위 '춘주(春酒)'의 반열에 올랐다는 사실을 간과할 수 없다는 이유에서이다.

또 다른 예를 든다면, '경장주'와 같이 옥 경(瓊)을 사용한 주품의 하나로 <임원십육지(林園十六志)>와 <주찬(酒饌)>, <조선무쌍신식요리제법(朝鮮無雙新式料理製法)>에 수록된 '경액춘'의 경우, 누룩 사용량이 겨우 8.66%에 불과하다.

따라서 <수운잡방>의 '경장주'는 밑술의 재료 배합비율로서 멥쌀 1말과 찹쌀 1말에 대하여 누룩의 양이 '1말'이 아닌 '1되'로 보아야 할 것이다.

하지만 기록의 주방문이 맞는다면, 많은 누룩의 사용에 따른 누룩의 색깔이 반영되어 '옥빛의 미음'과 같은 술 색을 얻을 수도 있다는 추측을 해볼 수도 있다.

다만 이러한 경우 누룩은 잘 띄워 황금색의 황곡균이 잘 배양된 누룩이어야 하고, 여름철보다는 가을철에 띄운 추곡(秋麴)이라야 한다는 사실이 전제되는데, 본 방문에는 누룩에 대한 언급이 없으므로 확실한 결론을 내리기는 어렵다.

이러한 사실의 여부는 뒤로하고 '경장주'를 빚는 데 따른 요령을 몇 가지 언급하면, 이 술은 찹쌀죽과 멥쌀고두밥이 함께 사용된다는 점에 착안, 호화도가 다른 두 가지 재료를 어떻게 동시에 발효되도록 할 것인가를 고민해야 한다.

첫째 요령은, 밑술과 덧술이 똑같은 방법으로 이루어지는 만큼 찹쌀죽은 가능한 한 호화도가 낮게 하고, 멥쌀고두밥은 물을 흠씬 주어 무르게 쪄야 한다.

둘째 요령은, 찹쌀죽을 완전히 퍼지게 하여 최대한 호화도를 높여주고, 상대적으로 멥쌀고두밥은 가능한 한 호화도가 낮은 된고두밥을 지어 술을 빚되, 술독의 뚜껑을 덮지 말고 몸만 싸매서 술독의 품온이 지나치게 오르지 않도록 하여 예사 술보다 주발효 시간을 길게 가져가는 방법이 요구된다.

환언하면, <수운잡방>의 '경장주'는 술독을 이불로 싸매 주되, 숨구멍을 터주어 술독의 품온이 일정 온도 이상 오르지 않도록 관리를 해주면 되는데, 죽보다 고두밥의 발효가 늦어지므로 고두밥의 발효가 활발하게 진행될 때의 품온 관리에 특히 유의해야 한다.

## 경장주 <수운잡방(需雲雜方)>

술 재료 : 밑술 : 멥쌀 1말, 찹쌀 1말, 누룩 1말, 물(1말)
덧술 : 멥쌀 2말, 찹쌀 2말, 누룩 2되, 물 2(~4)말

술 빚는 법 :

* 밑술 :

1. 멥쌀 1말과 찹쌀 1말을 각각 백세하여 (물에 담가 불렸다가, 다시 깨끗이 씻어 건져) 물기를 빼놓는다.
2. 멥쌀은 시루에 안쳐 고두밥을 짓고, 찹쌀은 세말하여(곱게 가루로 빻아) 물(1말)에 풀고 팔팔 끓여 죽을 쑨다.
3. 멥쌀 고두밥과 찹쌀죽이 익었으면, (넓은 그릇에 한데 펴 담고) 차게 식혀 술거리를 만든다.
4. 고두밥과 죽을 한데 섞은 술거리에 누룩 1말을 합하고, 버무려 술밑을 빚는다.
5. 술밑을 술독에 담아 안치고, 예의 방법대로 하여 3일간 발효시킨다.

* 덧술 :

1. 멥쌀 2말과 찹쌀 2말을 각각 물에 백세하여 물기를 뺀다.
2. 멥쌀은 고두밥을 짓고, 찹쌀은 가루 내어 물(2말)에 풀어 죽을 쑨다.
3. 고두밥과 죽이 익었으면 (넓은 그릇에 한데 펴 담고) 차게 식혀 술거리를 만든다.
4. 술거리에 누룩 2되를 밑술에 한데 합하고, 고루 버무려 술밑을 빚는다.
5. 술독에 술밑을 담아 안친 뒤, 예의 방법대로 하여 7일간 발효시킨다.

* 주방문에 "7일 후면 그 맛과 빛깔이 이루 말할 수 없이 좋다. 서왕모(西王母, 곤륜산 요지에 살며 불로장생의 선업을 관장하는 선녀. 청조靑鳥는 그의 사자)가 이 술을 마시고 백운가를 불러, 멀리 있는 마을 사람들을 놀라게 했다."고 하는 부연 설명과 더불어 '서왕모유옥성향주'를 연상할 수 있는데, 술 빚는 물 양이 언급되어 있지 않다. 따라서 '유옥성향'은 젖술을, '장'은 유산균 발효음료 같은 장수(漿水)가 아닐까 생각되어 술 빚기에 사용되는 물의 양을 추측하여 주방문을 작성하였음을 밝혀둔다.

瓊漿酒

白米一斗百洗熟蒸粘米一斗百洗細末作粥相和待冷曲一斗和入瓮隔三日白米二斗洗淨熟蒸粘米二斗洗末作粥曲二升相和待冷和前酒納瓮七日後其味其色不可其言此西王母唱白雲歌動遠市之酒也.

# 과하주

## 스토리텔링 및 술 빚는 법

언젠가 누군가에 의해서는 우리 술에 대해 보다 정확한 안목과 분석, 보다 깊이 있는 양주기술과 철학으로 <한국의 전통주 주방문>에 대한 비판과, 잘못되었거나 부족한 점을 바로잡는 계기가 주어질 것이라는 기대를 한다. 그리고 그 일이 우리 술을 연구하는 학자와 제자들에 의해 이루어졌으면 하는 바람을 갖는다.

왜냐하면 7년 전 필자는 이 기록화 작업을 시작하면서 상당한 자부심과 책임감을 가졌었고, 무엇보다 시급한 일이라고 생각하였었다.

우리 술에 대한 이해가 바르게 되지 못한 상황에서 외국 술의 수입이 자유로워지면서 전통주는 자칫 우리의 관심에서 멀어질 수도 있다는 염려 때문이었다.

그리고 궁극적으로는 양주 관련 고식문헌을 보는 7년 전의 시각과 지금의 견해가 다르다는 사실을 깨닫게 되었기에 하는 말이다. 그만큼 우리 술은 아직 해결해야 할 과제가 많이 남아 있고, 특히 전통 양주기술에 대한 조사와 연구는 초보단계를 벗어나지 못하고 있다는 판단에서이다.

<한국의 전통주 주방문>은 우리 술에 대한 깊이 있는 이해와 스토리텔링, 초

보자들을 위한 양주기술의 보급이 목적이지만, 또한 같은 맥락에서 아직도 연구하고 다듬어야 할 부분이 많다는 것을 시인하지 않을 수 없다.

'과하주(過夏酒)'에 대한 스토리텔링과 술 빚는 방법에 대해서는 더할 나위 없다 할 만큼 깊이 있게 다루었다고 생각했는데, 추고와 교정을 보는 과정에서 내내 그 무엇인가가 머릿속을 헤집어 놓은 것 같은 느낌을 받았다. 그리고 그것이 '과하주'에 대한 고정관념 같은 것이었다는 생각을 하게 되었다.

이제까지 '과하주'는 "여름을 지내기 위해 완성된 술, 또는 발효 중인 술에 소주를 첨가하여 알코올 도수를 높인 술" 또는 "발효주와 소주를 섞어 알코올 도수를 높임으로써 저장성을 갖는 여름철 술" 등 혼양주법에 기초한 술이라는 정의를 내놓았고, 위와 같이 빚은 술을 '과하주'라고 해야 한다는 경계선을 그었었다.

그런데 <시의전서(是議全書)>의 '과하주 별방'과 <양주집(釀酒集)>의 '과하주', <증보산림경제(增補山林經濟)>의 '과하주 우법(又法)' 주방문을 대하면서 혼양주법의 양주기술로 이루어진 술만을 '과하주'로 정의할 수 없다는 생각을 하게 된 것이다.

결론부터 말하자면, 굳이 소주를 사용하지 않더라도 저장성을 가져서 여름철에도 변질되지 않으면 '과하주'라고 명명할 수도 있다는 것이다. 그리고 그와 같이 소주를 사용하지 않으면서도 저장성이 뛰어나 주품들로 '하향주'를 비롯하여 '하삼청', '하숭사절주', '하숭의사시절주', '하일절주', '하절불산주', '하일청향죽엽주', 심지어 '삼해주' 등 수없이 많다.

이들 주품은 사실 '과하주'라고 칭하지 않았을 뿐이기 때문이다. 물론 '김천과하주(金泉過夏酒)'의 경우는 다르다. '김천과하주'는 '과하천(過夏泉)'이라는 샘물을 사용한 데에서 따 온 주품명이기 때문이다.

이미 수차례 언급하였듯 여름을 지낼 수 있는 양주기법은 한두 가지가 아니다. <시의전서>의 '과하주 별방'과 <양주집>의 '과하주'는 다 같이 쌀 양에 비해 누룩과 양주용수의 양이 적게 사용된 경우로, 이와 유사한 방법을 '하향주' 등 위에서 열거한 주품들에서 찾아볼 수 있다.

<시의전서>의 주방문 말미에 "술이 익으면 술독 가운데를 헤치면 맛난 맛이 가득하며, 쓴맛이 없고 단맛이 많이 난다."고 하고, "5월에 빚어 9~10월까지 두

어도 맛이 변치 않고, 처음 술을 빚을 때 고두밥을 많이 차게 식히면 술의 발효와 맛이 틀림없다."고 한 것을 볼 수 있는데, 알코올 도수가 높으면서도 단맛이 강하다는 뜻이다.

<시의전서>의 '과하주 별방'은 단양주(單釀酒)로 진고두밥을 사용하고 밀가루가 이용된다는 점에서, 단양주법 주품에서는 찾아보기 힘든 방법이라고 하겠다.

<양주집>의 '과하주'는 주방문 머리에 "시험 삼아 빚어본 결과, 그 맛이 매우 맵고 달고 향기롭고 좋다(試之則味辛甘極好)."고 하는 부제가 붙어 있는 것으로 보아, 상비 가양주가 아니라는 것을 뜻한다. 또는 아무 때나 일상적으로 빚는 술이 아니라 특별한 때에 빚어 마시는 술이라는 것을 알 수 있다.

이와 같이 실제 술 빚기에 따른 맛과 향 등 술맛을 언급해 놓고 있음은, 기록으로 전해 오던 것을 후대에 와서 술을 빚어보고, 그 맛에 대한 느낌을 추가했다는 것을 짐작케 한다.

또한 "술을 빚을 때 매 그릇마다 날물을 없이 하라."고 하였다. 이는 누룩이 적게 사용되는 만큼 발효 초기의 오염에 의한 잡균 증식을 염려한 것으로, 정상적인 발효 시 도수가 높고 부드러운 단맛으로 저장성이 좋아진다.

결국 이들 문헌의 '과하주'는 여느 '과하주'에서와 같이 '소주'를 사용하지 않는 것으로 미루어 소주 붓는 과정을 빠트렸거나, 주품명만 '과하주'를 빌려온 것으로 생각된다. 따라서 혼양주법의 '과하주'는 아니며, 일반 청주류의 한 가지로 볼 수 있다.

## 1. 과하주 별방 <시의전서(是議全書)>

술 재료 : 찹쌀 2말, 누룩 5홉, 밀가루 5홉, 끓는 물 3병(되)

술 빚는 법 :

1. 찹쌀 2말을 백세하여 (물에 담가 불렸다가, 다시 씻어 건져서 물기를 뺀 뒤)

시루에 안쳐서 무른 고두밥을 짓는다.

2. 고두밥이 익었으면 넓은 그릇 여러 개에 펴 담고, 끓고 있는 물 3병을 합하여 주걱으로 고루 헤쳐서 고두밥이 물을 다 먹기를 기다린다.
3. 물 먹인 고두밥을 그릇 여러 개에 나눠 담고, 뚜껑을 덮어 차게 식기를 기다린다.
4. 차게 식은 찹쌀고두밥에 누룩과 밀가루를 각 5홉씩 합하고, 고루 버무려 술밑을 빚는다.
5. 술독에 술덧을 담아 안치고, 예의 방법대로 하여 7일간 발효시킨다.
6. 술독은 서늘한 곳으로 옮겨두고 삼칠일(21일) 숙성시켜 채주한다.

* 주방문에 술 이름을 '과하주 별방'이라고 하였으나, '과하주'는 아니며, 일반 청주류의 한 가지로 볼 수 있다. 술 빚는 법에 있어서는 단양주에서는 찾아보기 힘든 방법이라고 하겠다.
* 주방문 말미에 "술이 익으면 술독 가운데를 헤치면 맛난 맛이 가득하며, 쓴맛이 없고 단맛이 많이 난다."고 하고, "5월에 빚어 9~10월까지 두어도 맛이 변치 않고, 처음 술을 빚을 때 고두밥을 많이 차게 식히면 술의 발효와 맛이 틀림없다."고 하였다.

과하쥬 별방

졈미 두 말 빅셰ᄒᆞ야 익게 ᄶᅧ ᄭᅳᆯ힌 물 셰 병 골나 가장 ᄎᆞ거든 곡말 진말 닷홉식 너허 칠일 만에 가오ᄃᆡ를 헛치면 만난 마시 가득ᄒᆞ여 쓴맛시 업고 단맛시 만흐니 삼칠일 지ᄂᆡ야 조흐니라. 오월에 비져 구시월ᄭᅡ지 두어도 변치 안이ᄒᆞ나니 쳐음 ᄎᆡ오기를 만히 ᄎᆡ오면 의심 업나니라.

## 2. 과하주 <양주집(釀酒集)>

술 재료 : 찹쌀 1말, 가루누룩 6홉, 끓여 식힌 물 5복자, 후수(끓여 식힌 물) 5복자

술 빚는 법 :

1. 별도로 선별한 찹쌀 1말을 백세하여 물에 오래 담갔다가 (새 물에 다시 씻어 맑게 헹궈 건져서 물기를 뺀 후) 시루에 안쳐 무른 고두밥을 짓는다.
2. 고두밥에 물을 뿌리지 말고 익게 찌되, 넓은 그릇에 담아 고루 펼쳐서 차게 식기를 기다린다.
3. 물 5복자를 팔팔 끓여 차게 식힌 뒤, 가루누룩 6홉을 넣고 물누룩을 만들어 풀어지면, 체에 밭쳐서 누룩찌꺼기를 제거한 누룩물을 만든다.
4. 누룩물에 고두밥을 섞고, 고루 버무려 술밑을 빚는다.
5. 술독에 술밑을 담아 안치고, 예의 방법대로 하여 찬 곳에 두고 발효시킨다.
6. 술덧이 괴어오르도록 두었다가, 모레(2일 후) 먹으려면 오늘쯤 끓여 식힌 물 5복자를 후수하여 둔다.
7. 2일 지나서 술독의 술이 말갛게 되면(술이 고이면) 채주한다.

* 주방문 머리에 "시험 삼아 빚어본 결과, 그 맛이 매우 맵고 달고 향기롭고 좋다(試之則味辛甘極好)."라는 부제가 붙어 있는 것으로 보아, 상용법의 가양주가 아니라는 것을 뜻한다. 또한 아무 때나 일상적으로 빚는 술이 아니라 특별한 때에 빚어 마시는 술이라는 것을 알 수 있다.

이와 같이 실제 술 빚기에 따른 맛과 향 등 술맛을 언급해 놓고 있음은, 기록으로 전해 오던 것을 후대에 와서 술을 빚어보고, 그 맛에 대한 느낌을 추가했다는 것을 짐작케 한다. 또 "술을 빚을 때 매 그릇마다 날물기 없이 하라."고 하였다.

주방문의 '몰의만 먹으려 하면'의 '몰의'를 '모레'로 해석하여 주방문을 작성하였다. 주품명이 '과하주'인 것으로 미루어 소주 붓는 과정을 빠트렸거나, 주

품명만 '과하주'를 빌려온 것으로 생각된다.

過夏酒(試之則味辛甘極好)

粘米 別擇ᄒᆞ야 一솨 百洗ᄒᆞ야 오ᄅᆡ 듬가다가 채 븟거든 믈 고로지 말고 닉게 뼈 너론 그릇ᄉᆡ 헤쳐 몸이 채 ᄎᆞ거든 쓸인 믈 다ᄉᆞᆺ 복ᄌᆞ의 ᄀᆞ로누록 여솝을 프러 체ᄋᆡ 밧타 셧거 ᄎᆞᆫᄃᆡ 노아 채 괴도록 둣다가 몰의만 먹을여 ᄒᆞ면 오날 만믈을 쓸여 식여 다ᄉᆞᆺ 복ᄌᆞ 브어 두면 멀거 ᄒᆞᄂᆞ니라. 비즐제 그릇마다 늘믈긔 업시ᄒᆞ라.

# 광릉춘

## 스토리텔링 및 술 빚는 법

'광릉춘(廣陵春)'이라는 술 이름에 관해서는 <주찬(酒饌)> 외의 다른 어떤 문헌에서도 나타나지 않거니와, <주찬>에서조차 이렇다 할 설명이 없어 이 방문을 어떻게 이해해야 좋을지 모르겠다.

다만 술 이름을 그대로 해석하면, 아마도 산지나 특정 지역의 이름을 빌려온 것이 아닌가 생각된다.

실제로 '호산춘'이나 '약산춘', '한산춘'이 다 같이 지역 명칭을 딴 방문들이고, 경기도 지방에 '광릉'이 있어 미루어 짐작할 뿐, 광릉 지역에서 '춘주'를 빚었다거나, 이 지역에 어떤 술이 유명했다는 등의 소문도 들은 바 없다.

'광릉춘'의 술 빚는 법을 보면, <주찬>에 수록되어 있는 다른 여러 방문과 비교하여 약간 다른 점을 발견할 수 있다. 즉, 밑술 방문에서는 별다른 특징을 발견할 수 없으나, 덧술에서 탕수를 이용하여 밑술을 막걸리 형태로 걸러서 사용한다는 점이다.

특히 탕수의 양이 1말로 밑술의 양보다도 많다는 점과 함께, 죽(범벅)으로 밑술을 빚고 밑술을 체로 걸러서 덧술을 빚는 술은 '광릉춘' 이외 <양주방>*의 '호산춘' 등 몇몇 주방문에서도 똑같은 방법을 찾아볼 수가 있다.

다만 <주찬>에 수록된 주품만을 놓고 보면 본 문헌의 '절주'가 똑같고, '황감주'가 비슷하나, '황감주'는 물을 타지 않고 거른 탁주를 이용하여 술을 빚고 있어 분명하게 차별화된다.

또한 '절주'는 밑술을 구멍떡으로 하여 빚고 있으며, '황감주'는 고두밥으로 빚는 술이라는 점에서 이들 술의 특징이 드러나며, '광릉춘'의 덧술 방문만을 놓고 보면 같은 춘주류(春酒類)인 <양주방>*의 '호산춘'을 비롯, 속성주류에 속하는 '동방주'와 '시급주', '급청주' 등의 방문과 비슷하다는 것을 알 수 있다.

따라서 '광릉춘'은 <주찬>에서 이제까지 보아왔던 여러 방문과는 분명하게 다르다. 다시 말해서 '광릉춘'은 밑술을 범벅으로 빚고, 부재료로 밀가루를 사용하는 등 고급 춘주류에서 자주 목격되는 가장 일반적인 방문을 그대로 보여주고 있다는 사실과 함께, 덧술에서는 용수의 양을 늘림으로써 발효를 촉진시키는가 하면, 춘주류로서는 드물게 수율(收率)이 매우 높은 주방문이다.

특히 <주찬>에 수록되어 있는 '광릉춘' 외 '백화춘', '도화춘', '호산춘', '송계춘', '은화춘' 등 춘주류 대부분이 다른 문헌에 수록되어 있는 춘주류와 비교했을 때 수득율이 높은 주방문을 싣고 있다는 것을 알 수 있다.

그 배경을 보면, 본 문헌의 서두에서 언급하고 있는 도량형(되, 병, 말 등)의 차이에서 유래한 것이 아닌가 생각된다.

이를테면, '광릉춘'은 다른 어떤 술보다 밑술의 작업이 용이하지 않다는 것을 알 수 있다. 밑술 방문에서 나타나듯 멥쌀 1말을 가루로 빻아 끓는 물 10사발로 죽(범벅)을 쑤어야 하는데, 1사발의 물 양은 넉넉하게 잡아도 800㎖이고, 10사발이라고 해도 그 양은 8ℓ로서 반 말이 못 된다.

따라서 밑술의 죽(범벅) 상태는 진흙과 같이 끈적거리는 관계로 그것도 섬누룩 4되를 사용하여 정상적인 발효를 유도하려면, 밑술 빚는 작업이 여간 힘든 일이 아닐 수 없다는 것을 알게 된다.

그러나 이와 같이 힘든 작업을 통해서 정상적인 발효를 거치게 된 밑술의 힘은 덧술의 발효에서 실감할 수 있는데, 상상을 초월할 정도로 아름다운 향기와 맛,

높은 알코올 도수의 술을 얻을 수 있게 된다는 사실이다.

다른 여러 주방문에서 누차 설명하였듯 어찌 보면 평범할 정도로 특별한 과정이 없어 보이는 술이 '춘주'의 반열에 올라 있는 이유가 바로 거기에 있다.

소위 '명품(名品)'이라고 해서 매우 특별한 재료, 특별한 공정을 거치는 것은 아니다. 좋은 원료와 청결하고 위생적인 작업 공정, 철저한 원칙과 장인의 은근과 끈기, 그리고 무엇보다도 오랜 세월 누적된 경험에 의한 작업의 결과에 의한 것이라는 것을 다시 한 번 깨닫게 된다.

## 광릉춘 <주찬(酒饌)>

술 재료 : 밑술 : 멥쌀 1말, 누룩 4되, 밀가루 3홉, 끓는 물 10사발
덧술 : 찹쌀 2말, 탕수 1동이

술 빚는 법 :

* 밑술 :

1. 멥쌀 1말을 백세하여 (물에 담가 불렸다가, 다시 씻어 헹궈 건져서 물기를 뺀 뒤) 작말한 다음, 넓은 그릇에 담아놓는다.
2. 솥에 물 10사발을 끓여, 팔팔 끓을 때 쌀가루에 골고루 붓고, 주걱으로 고루 개어 죽처럼 갠 범벅을 쑨 다음 (넓은 그릇에 나눠 담고) 차게 식기를 기다린다.
3. 범벅에 누룩 4되와 밀가루 3홉을 합하고, 고루 치대어 술밑을 빚는다.
4. 술독에 술밑을 담아 안치고, 예의 방법대로 하여 7일간 발효시킨다.

* 덧술 :

1. 찹쌀 2말을 백세하여 하룻밤 물에 담가 불렸다가 (다시 씻어 헹궈 건져서 물기를 뺀 뒤) 시루에 안쳐서 고두밥을 짓는다.

2. 솥에 물 1동이를 팔팔 끓여서 그릇 여러 개에 나눠 차게 식힌다.
3. 고두밥이 익었으면 퍼내고, 고루 펼쳐서 차게 식기를 기다린다.
4. 차게 식힌 탕수 1동이로 밑술을 체에 걸러 탁주(막걸리)를 만든다.
5. 고두밥과 막걸리를 합하고, 고루 버무려 술밑을 빚는다.
6. 술독에 술밑을 담아 안치고, 예의 방법대로 하여 10일간 발효시킨다.

* 주방문에 "술을 독하게 하려면 물을 적게 넣는다."고 하고, 또 "누룩은 섬누룩을 쓰고, 물은 소스라치게 끓여서 식혀 쓰라."고 하였다.

### 廣陵春

白米一斗作末盛開於廣器中以猛煎水同調揮待冷曲四升眞末三合調釀七日後粘米二斗百洗浸宿爛烝待冷湯水一東海篩漉本酒釀之十餘日後用也. 酒欲令烈則須小執水可也. 麯用薪麯水用猛煮.

# 광제주방

## 스토리텔링 및 술 빚는 법

먼저, '광제주방(廣濟酒方)'은 주품명이라고 하기에는 어쩐지 어울리지 않는다는 생각을 떨칠 수가 없다. '광제'라는 단어의 자전적 해석도, 문화적인 공감대도 찾아보기 힘들기 때문이다.

'광제주방'이 무슨 의미를 담고 있는지, 그 의미를 찾기 위해 수차례에 걸쳐 술 빚기를 시도해 보았지만, 끝내 포기하고야 말았다.

'광제주방'은 1800년대 중엽에 발간된 것으로 알려진 저자 미상의 문헌인 <역주방문(曆酒方文)>에 수록된 주품명이다. <역주방문>에는 '광제주방' 외에도 '세신주(細辛酒)'를 비롯하여 '백파주(白波酒)', '편주(扁酒)', '신청주(新淸酒)' 등 생경한 이름의 주품들이 등장한다. 이들 주품 역시도 <역주방문>에서만 찾아볼 수 있기 때문에 '광제주방'의 의미를 찾기 힘든 것인지도 모른다.

우선 <역주방문>의 '광제주방'은 잘못 설명된 부분이 있는데, 그것은 "술이 익으면 서늘한 곳으로 술독을 옮기고, 5~6일 지나서 주면에 녹의(綠蟻)가 떠올라 있으면, 죽엽청주와 같아 위에 뜬 맑은 것을 40탕기(湯器) 정도 떠낸다."고 한 부분이다.

<역주방문>의 '광제주방'을 보면 알 수 있듯, 밑술은 고두밥을 지어서 술을 빚지만, 그 밑술을 체에 걸러서 술찌꺼기를 짜낸 상태이고, 덧술 쌀을 '백세작말(百洗作末)하라'고 되어 있어, 술이 숙성되어도 주면 위에 녹의가 떠오를 수 없다.

따라서 주방문처럼 '주면에 녹의가 떠오르도록 하려면, 밑술을 거를 때 위의 맑은 부분은 고두밥과 함께 살짝 따라내고, 그릇 밑부분의 가라앉아 걸쭉한 상태의 밑술을 체에 걸러 누룩찌꺼기를 제거하는 방법으로 하여야 한다. 또 덧술을 빚을 때에도 찹쌀떡이 굳어지지 않게 식혀야 하고, 누룩과 섞은 후에도 오랜 시간 주물러서 떡이 풀어지도록 해서 밑술과 섞어야 한다.

특히 '광제주방'에서 덧술은 밑술의 쌀 양보다 적고, 가루로 만들어 찐 떡이기 때문에 훨씬 빠른 시간 안에 발효가 일어나게 되어 있다.

이때 유의할 일은, '광제주방'은 일반적인 방법으로 발효시키는 것이 아닌, 오히려 따뜻한 곳에서 빠른 시간 안에 당화를 촉진시키고, 이후에는 온도를 낮춰서 발효가 더디 일어나도록 해주는 것이 요령이다.

<역주방문>의 '광제주방' 주방문 말미에도 나와 있듯이 "청주(淸酒)를 떠내고 남은 나머지는 흔들어 저으면 죽같이 되므로, 적당량의 물을 타서 마시면 맛이 극히 아름답다."고 하였는데, 술이 완전히 숙성되면 전혀 다른 맛이 나므로 발효가 끝남과 동시에 청주를 따라내고, 찌꺼기에 바로 가수(加水)하여 막걸리로 마셔야만 의도한 대로 맛있게 즐길 수 있다는 말이다. 그러나 한꺼번에 많이 마실 일은 아니다.

## 광제주방 <역주방문(曆酒方文)>

술 재료 : 밑술 : 멥쌀 1말, 누룩가루 3홉, (물 1말)
덧술 : 찹쌀 3되, 누룩가루 2홉

술 빚는 법 :

* 밑술 :

1. 멥쌀 1말을 백세하여 (물에 백 번 씻어 매우 깨끗하게 헹군 뒤, 새 물에 담가 불렸다가 다시 씻어 말갛게 헹궈서) 물기를 뺀다.
2. 불린 쌀을 시루에 안쳐 고두밥을 짓고, 익었으면 퍼낸다(고루 펼쳐 차게 식기를 기다린다).
3. 고두밥에 누룩가루 3홉 남짓 섞고, 고루 버무려 술밑을 빚는다.
4. 술독에 술밑을 담아 안치고 (술독 주둥이에 묻은 것을 깨끗하게 씻어내고 베보자기와 뚜껑을 덮어) 발효시킨다.

* 덧술 :

1. 밑술이 익어갈 때 체로 받쳐서 (끓여 식힌 물을 쳐가면서) 걸러내어 40탕기 정도 되게 만들어 새 술독에 담는다.
2. 찹쌀 3되를 백세작말(물에 백 번 씻어 매우 깨끗하게 헹군 뒤, 새 물에 담가 불렸다가 다시 씻어 말갛게 헹궈서 물기를 뺀 뒤 가루로 빻음)한다.
3. 찹쌀가루를 시루에 안쳐 떡을 찌고, 익었으면 퍼낸다(여러 조각으로 나누어서 차게 식힌다).
4. 찹쌀떡에 누룩가루 적당량(3홉)을 섞고, 고루 치대어 물러지게 술밑을 빚는다.
5. 술밑을 밑술 독에 넣어 합하고, 고루 저어준다.
6. 술독은 따뜻한 아랫목에 자리를 잡아 앉힌 뒤 (술독 주둥이에 묻은 것을 깨끗하게 씻어내고 베보자기와 뚜껑을 덮어) 발효시킨다.
7. 술이 익으면(끓어오르면) 서늘한 곳으로 술독을 옮기고, 5~6일 지나서 수면에 녹의가 떠올라 있으면 죽엽청주와 같아 위에 뜬 맑은 것을 40탕기 정도 떠낸다.

* 주방문 말미에 "청주를 떠내고 남은 나머지는 흔들어 저으면 죽같이 되므로, 적당량의 물을 타서 마시면 맛이 극히 아름답다."고 하였다.

廣濟酒方

白米一斗百洗作飯入曲末三合餘釀之及其初熟篩過限作四十湯器更納于瓮中粘米三承作末蒸甑餠以曲末量宜和合(周/調)均於上酒本置之溫處及其釀熟後移安於灌(○)勿動搖之經五六日後綠蟻浮上如竹葉淸酒取用四十湯器其餘倒淸則若彰糆然和水飯之極美.

# 구두주

## 스토리텔링 및 술 빚는 법

<산가요록(山家要錄)>의 '구두주(九斗酒)'는 술 빚기에 사용되는 쌀과 물의 양이 각각 9말이라는 데서 주품명이 '구두주'가 되었다는 것을 알 수 있다. 즉, 쌀 9말에 대하여 누룩 9되, 물 9말의 비율이다. 그런데 주방문을 보면 '구두주'처럼 특별한 술은 드물 것이라는 생각을 갖게 된다.

'구두주'가 특별하다고 하는 까닭은 다름 아니라, 술 빚는 횟수로는 삼양주법(三釀酒法)을 취하고 있으며, 각각의 단계별로 쌀의 양이 점차 많아지거나 밑술보다는 덧술과 2차 덧술에 사용되는 쌀 양이 많아지는 것이 일반적인 데 비해, '구두주'는 밑술과 2차 덧술의 쌀 양이 같고, 덧술은 밑술과 2차 덧술의 2.5배가 된다는 것이다.

특히 주목할 것은 밑술과 덧술, 2차 덧술 등 술 빚는 단계에 따라 쌀 양에 대하여 누룩은 10%, 물은 100%를 사용하는 방문으로, 다른 문헌에서는 쉽게 찾아볼 수 없는 경우이다.

주방문에서도 엿볼 수 있듯, 밑술의 쌀 2말은 백세작말하여 끓는 물 2말과 섞은 범벅 형태로 하여 누룩 2되를 섞어 술을 빚고, 덧술의 쌀 5말은 고두밥을 쪄서 역시 끓는 물 5말과 합하여 진고두밥 형태로 하여 누룩 5되를 섞어 빚는 데다, 2차 덧술은 밑술과 동량의 멥쌀 2말로 고두밥을 쪄서 끓는 물 2말과 합하여 진고두밥 형태로 하여 누룩 2되를 섞어 빚는 것으로, 쌀 대비 누룩 10%, 물 100%의 비율을 지키고 있다는 사실이다. 이와 같은 술 빚는 공식이 어떤 의미가 있는지는 알 수 없거니와, 반드시 주질이 뛰어나다는 근거도 찾을 수 없다는 점에서 호기심은 금세 실망으로 바뀌고 말았다.

'구두주'는 술이 매우 독한 편이다.

특히 부드럽지 못한 쓴맛은 넘기기가 쉽지 않아 목에 걸릴 것 같은 부담감을 주었다. 이는 쌀 양에 대하여 누룩의 양과 물의 양이 많은 까닭으로, 물의 양을 약간 줄이는 편이 훨씬 부드럽고 순한 맛을 줄 수 있을 것 같다.

또한 독한 맛을 줄이려면 밑술과 덧술, 덧술과 2차 덧술의 술 빚는 기간을 2~3일 늘려 잡으면 좋을 것이라는 생각이다. 특히 덧술과 2차 덧술의 간격을 5~7일 정도로 늘려 잡으면, 그렇듯 쓰고 독한 맛을 훨씬 줄일 수 있을 것이다. 그 이유는 덧술보다 2차 덧술의 쌀 양이 적은 '구두주'와 같은 경우에 해당된다고 할 것이다.

술을 자주 빚어본 사람이면 이미 경험하였을 터이므로, 술 빚는 간격이 술맛을 결정짓는 또 다른 요인이라는 사실을 잊지 말아야 할 것이다.

<산가요록>의 '구두주'는 청주이다. 청주가 아닌 탁주로 걸러서 물을 적당량 타서 막걸리로 마실 경우에도 2~3일 숙성시킨 후에 마시는 것이 좋을 것이다.

## 구두주 <산가요록(山家要錄)>

–쌀 9말 빚이

술 재료 : 밑술 : 멥쌀 2말, 누룩 2되, 끓는 물 2말
덧술 : 멥쌀 5말, 누룩 5되, 끓여 식힌 물 5말
2차 덧술 : 멥쌀 2말, 누룩 2되, 끓는 물 2말

술 빚는 법 :

* 밑술 :

1. 멥쌀 2말을 씻어(백세하여 물에 담가 3일간 불렸다가, 다시 씻어 건져서 물기를 뺀 후) 작말한다.
2. 쌀가루를 시루에 안쳐서 백설기를 짓고, 물 2말을 팔팔 끓인다.
3. 설기떡이 익었으면 끓는 물과 합하고, 주걱으로 고루 치대서 덩어리가 없이 한 뒤 차게 식기를 기다린다.
4. 차게 식힌 설기떡에 누룩 2되를 넣고, 고루 버무려 술밑을 빚는다.
5. 술밑을 술독에 담아 안치고, 예의 방법대로 하여 3일간 발효시킨다.

* 덧술 :

1. 멥쌀 5말을 씻어(백세하여 물에 담가 불렸다가, 다시 씻어 건져서 물기를 뺀 후) 작말한다.
2. 쌀가루를 시루에 안쳐서 백설기를 짓고, 떡이 익었으면 퍼내어 차게 식히고, 물 5말도 팔팔 끓인다(차게 식힌다).
3. 설기떡에 끓여 식힌 물 5말을 쏟아 붓고 덩어리가 없이 하여, 누룩 5되와 밑술을 한데 합하고, 고루 버무려 술밑을 빚는다.
4. 술밑을 술독에 담아 안치고, 단단히 밀봉하여 예의 방법대로 3일간 발효시킨다.

* 2차 덧술 :

1. 멥쌀 2말을 (백세하여 물에 담가 불렸다가, 다시 씻어 건져서 물기를 뺀 후) 시루에 안쳐서 고두밥을 짓는다.
2. 쪄낸 고두밥에 물 2말을 끓여서 붓고, 고루 헤쳐서 차게 식기를 기다린다.
3. 고두밥에 밑술과 누룩 2되를 합하고, 고루 버무려 술밑을 빚는다.
4. 술밑을 술독에 담아 안치고, 예의 방법대로 하여 발효시키고, 술이 맑아지기를 기다려 술주자에 담아 짜서 채주한다.

* 각각의 단계별로 사용되는 쌀 양에 따라 누룩은 10%, 물은 100%를 사용하는 방문으로, 술이 매우 독한 편이다. 즉 쌀 9말, 누룩 9되, 물 9말의 비율이다.

九斗酒

米九斗. 白米二斗 洗浸三日. 作末熟蒸 湯水二斗和. 待冷. 匊二升 和入. 三日. 白米五斗 洗浸作末熟蒸. 湯水五斗 匊五升 同前酒 和入. 又三日. 白米二斗 全蒸 水二斗和 待冷. 匊二升 和入. 待淸上槽 用之.

# 구일주

## 스토리텔링 및 술 빚는 법

우리나라 전통주의 주품명을 지을 때 여러 가지 유형이 있는데, 그 중 한 가지가 발효기간에 따른 주품명이다. 가장 단기간에 걸쳐 완성시키는 '일야주(一夜酒)'를 비롯하여 '일일주(一日酒)'가 있고, 전형적인 속성주류에 속하는 주품명으로 '삼일주(三日酒)', '칠일주(七日酒)', '십일주(十日酒)'가 여러 문헌에 기록되어 있다.

흔히 10일 이내에 발효를 끝내는 술을 속성주(速成酒) 또는 준순주(浚巡酒)라고도 하는데, '삼일주'는 단양주(單釀酒)가 주류를 이룬 반면 '칠일주'와 '십일주'는 대부분이 이양주(二釀酒)인 것으로 밝혀졌다.

그런데 발효기간에 따른 주품명 중 '오일주(五日酒)'와 '구일주(九日酒)'를 목격하지 못하다가, 이번에 '구일주'를 발견하게 되었는데, 2013년 현재까지 <주방(酒方, 임용기소장본)>과 <우음제방(禹飮諸方)>의 기록이 전부인 것으로 생각된다.

물론 <역주방문(曆酒方文)>에 추모(秋麰, 가을보리)로 빚는 '구일주' 주방문이 나오는데, 주품명이 누락되어 있다. 이에 대해 <한국생활과학연구>에서는 '구일주'로 번역되어 있으나, 주원료가 가을보리인 만큼 필자는 '추모소주'로 분류하였음을 밝혀둔다.

다만, 여기서 한 가지 간과할 수 없는 중요한 사실은, 발효기간에 따른 주품명들이 '십일주'를 제외하고는 홀수(基數) 중심이라는 사실이다. 물론 우리나라 사람들의 기수 선호 사상이 그 배경에 깔려 있겠으나, 다른 주품들에 있어서도 마찬가지이다. 이양주의 경우 밑술은 3일과 5일, 7일이고, 덧술은 7일, 이칠일, 세이레 등이 가장 많다는 사실이다. 그 이유를 자세히 알 수는 없으나, 필자의 경험에 따르면 덧술을 2일 간격으로 하였을 때보다 3일이나 5일 간격으로 하였을 때 술의 맛이 훨씬 부드럽고 향기로웠다는 사실을 언급하지 않을 수 없다.

여하튼 <주방(임용기소장본)>과 <우음제방>의 '구일주'는 주원료의 배합비율은 다르지만 술을 빚는 과정이 두 차례 모두 유사하다는 점에서 공통점을 찾을 수 있는데, 특히 <우음제방>의 '구일주'는 <양주방>*의 '호산춘'과 매우 유사한 과정을 밟고 있다는 것을 알 수 있다. 즉, 밑술을 범벅으로 하고 섬누룩을 사용한다는 점, 덧술을 찹쌀로 한다는 점에서 공통점을 갖고 있는 술이다.

다만, <양주방>*의 '호산춘'은 밑술을 체에 걸러 누룩찌꺼기를 제거한 후 덧술을 빚는데, <우음제방>의 '구일주'는 이와 같은 과정을 거치지 않을 뿐, 덧술의 발효기간이 7일이라는 점에서 공통점을 나타내기 때문이다.

<주방(임용기소장본)>과 <우음제방>의 '구일주'는 밑술의 범벅을 쑬 때 쌀가루를 끓는 물로 골고루 잘 익히는 것은 물론이고, 가능한 한 많이 익도록 하여 누룩가루와 고루 잘 버무려 넣어야 발효 중에 술밑이 끓어서 술독 밖으로 넘치는 일이 없다.

여기서 주의할 일은, 주방문에는 "밑술을 3일 후에 덧술을 한다."고 되어 있는데, 밑술을 빚은 지 3일째 되는 날 덧술을 하여야 7일 만에 발효를 끝낼 수 있다고 하나 숙취 없고 감칠맛 나는 술을 즐기려면 7일은 더 숙성시켜야 한다. 그리고 덧술용 고두밥은 반드시 차디차게 식혀서 사용해야 산패하는 일이 없다.

모든 속성주가 그러하듯이 <우음제방>의 '구일주' 역시도 잔당 때문에 단맛을 느낄 수는 있지만, <주방(임용기소장본)>의 '구일주'는 술맛이 거칠고 독하다는 느낌을 감출 수 없었다. 숙성이 필요한 술이다.

## 1. 구일주 <우음제방(禹飮諸方)>

술 재료 : 밑술 : 멥쌀 3되, 섬누룩 2되, 끓는 물 7되
덧술 : 찹쌀 1말

술 빚는 법 :

* 밑술 :

1. 멥쌀 3되를 특별히 쓿고(도정을 많이 하여) 백세하여 물에 담가 수일간 불렸다가 (다시 씻어 헹궈서 물기를 뺀 뒤) 작말한다(가루로 빻아 넓은 그릇에 담아놓는다).
2. 솥에 물 7되를 붓고 팔팔 끓여서 쌀가루에 골고루 나눠 붓고, 주걱으로 고루 개어 범벅을 만든 다음 차게 식기를 기다린다.
3. 범벅에 섬누룩 2되를 합하고, 고루 버무려 술밑을 빚는다.
4. 맑고 깨끗한 술독에 술밑을 담아 안치고, 예의 방법대로 하여 3일간 발효시킨다.

* 덧술 :

1. 찹쌀 1말을 희게 쓿어(도정을 많이 하여) 백세하여 물에 담가 하룻밤 재웠다가 (다시 씻어 헹궈서 물기를 뺀 후) 시루에 안쳐서 고두밥을 짓는다.
2. 고두밥이 익었으면 퍼내고, 고루 펼쳐서 차게 식기를 기다린다.
3. 고두밥에 밑술을 합하고, 고루 버무려 술밑을 빚는다.
4. 술독에 술밑을 담아 안치고, 예의 방법대로 하여 단단히 싸매어 (따뜻한 곳에 두고) 7일간 발효시킨다.

* 밑술 3일, 덧술 7일의 발효기간 10일이다.

구일쥬

ᄇᆡᆨ미 서 되 별노 쓸허 ᄇᆡᆨ셰ᄒᆞ야 수일 ᄃᆞᆷ갓다가 작말ᄒᆞ야 졍히 ᄭᅳᆯ힌 믈 닐곱

되예 범벅을 ᄀᆡ야 식거든 섭누록 두 되 너허 비젼 지 사흘 마ᄂᆡ 졈미 일두 희게 쓸허 ᄇᆡᆨ셰ᄒᆞ야 ᄒᆞ로밤 재와 지에 쪄 식이고 술미ᄎᆡ 버므려 너허 일칠 마ᄂᆡ 먹ᄂᆞ니라.

## 2. 구일주방문 <주방(酒方, 임용기소장본)>

술 재료 : 밑술 : 멥쌀 1되 5홉, 흰누룩가루 1되 5홉, (끓는) 물 1말 5되
덧술 : 찹쌀 5되, 멥쌀 5되

술 빚는 법 :

＊ 밑술 :

1. 멥쌀 1되 5홉을 백 번 찧어 도정한 후, 백세하여 물에 담가 불렸다가 (다시 씻어 헹궈서 물기를 뺀 뒤) 거칠게 가루로 빻아 넓은 그릇에 담아놓는다.
2. 솥에 물 1말 5되를 (팔팔 끓여서) 쌀가루에 골고루 나눠 붓고, 주걱으로 고루 개어 (범벅을 만든 다음) 차게 식기를 기다린다.
3. 범벅에 흰누룩가루 1되 5홉을 합하고, 고루 버무려 술밑을 빚는다.
4. 술독에 술밑을 담아 안치고, 예의 방법대로 하여 3일간 발효시킨다.

＊ 덧술 :

1. 찹쌀 5되와 멥쌀 5되를 (도정을 많이 하여) 백세하여 물에 담가 불렸다가 (다시 씻어 헹궈서 물기를 뺀 후) 시루에 안쳐서 고두밥을 짓는다.
2. 고두밥이 익었으면 퍼내고, 고루 펼쳐서 차게 식기를 기다린다.
3. 고두밥에 밑술을 합하고, 고루 버무려 술밑을 빚는다.
4. 술독에 술밑을 담아 안치고, 예의 방법대로 하여 (서늘한 곳에 두고) 9일간 발효시킨다.

* 다른 문헌의 '구일주'와는 달리 덧술의 발효기간이 9일이다. 쌀 씻는 방법에 대하여 '백도백셰(百搗百洗)'라고 하였다.

구일쥬방문

흔제(一劑) ᄒᆞ랴면, 백미(白米) 흔 되가웃슬(一升五合) 백도백셰(百搗百洗) 하여 담(沈)아다가 숭금숭금 씨여 물(水) 흔 말가웃(一斗五升) 부어 셔늘ᄒᆞ게 식혀 진국말(眞麯末) 흔 되가웃(一升五合) 셧거 두워다가 삼일(三日) 만의 덧ᄒᆞ되 졈미(粘米) 닷 되(五升) 백미(白米) 닷 되(五升)를 백셰(百洗)하여 담(沈)아다가 익게 쪄 식혀 슐밋 버무려 너혀다가 구일(九日) 지내거든 먹나니라.

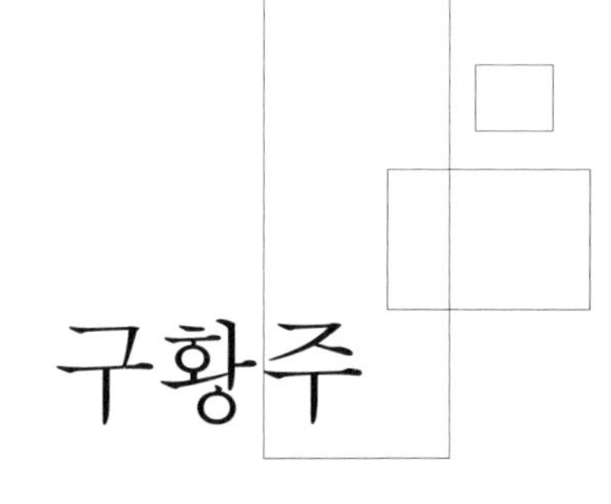

# 구황주

## 스토리텔링 및 술 빚는 법

과거 조선시대 때 '양반'을 비웃듯 하는 말로, '남산 딸깍발이 선비'라 하는 말이 있었다. 서울의 청계천을 중심으로 대궐이 있는 북촌은 문신들이 세거한 반면, 무신들을 경계하여 청계천 너머 남쪽에 기거하게 했던 모양이다. 실제로 무신들은 문신들에 비해 관직도 낮고 항상 홀대를 당했던 것도 사실이다.

이런 이유 때문이 아니라도 벼슬이 짧거나 등과를 못해 벼슬을 살지 못한, 뼛속까지 양반인 선비들은 가난하기 마련이어서 남산 기슭에 모여 살곤 했는데, 입고 신는 것이 궁핍하여 가죽신은 꿈도 못 꾸었다.

짚신은 잘 떨어지기도 하거니와 신을 삼는 기술도 없는 양반들은 나막신을 사시사철 신고 살았다고 한다. 나막신을 신고 남산 기슭의 돌계단을 오르내리노라면 '딸깍' 소리가 나기 마련이어서, 이들 양반을 '딸깍발이 선비'라고 놀려대곤 했다.

양반들이 '선비'를 자칭하면서 장사나 품을 파는 노동을 하는 것을 대단히 부끄럽게 여겼던지라, 끼니를 거르더라도 궁색한 내색을 하지 않고 살았다고 한다. 이웃집에서 자신을 걱정하는 것도 이웃에 대한 피해라고 여겼던 터이다.

양반네 집에서 저녁이 되어도 굴뚝에서 연기가 올라오지 않으면, "저 양반댁이 오늘도 굶는가 보다."고 여겨 이들보다 조금은 여유가 있는 집에서 "끼니라도 해결하라."면서 쌀 한 됫박이라도 가져다주면, 그 골선비의 안방마님께선 옆집에서 가져다준 쌀을 가지고 밥을 짓는 것이 아니라 술을 빚는 것이었다. 쌀 한 됫박으로 술을 빚어 막걸리로 걸러 한 끼니에 막걸리 한 사발을 마시는 것으로 끼니를 대신하곤 했다 한다, 이른바 '구황주(救荒酒)'인 것이다.

'구황주'는 자전풀이 그대로 '구황'의 의미를 담고 있다. 과거 가뭄이나 홍수 또는 태풍 등의 자연재해로 인해 식량이 절대적으로 부족하던 때에 빚어 마심으로써, 생계와 연명을 도모했던 술이다.

한 그릇의 슴슴한 술(막걸리)이 한 끼의 밥 대용이 되었던 때가 있었다.

기록에서 보듯 '구황주'의 효능이 매우 좋은 것으로 알려지고 있으며, 술 빚는 법을 보면 쌀 1말 1되에 물이 4말이니 술맛을 가히 짐작하고도 남음이 있다. 이러한 술이 구황이 될 수 있었던 것은 술(알코올)의 순기능과 높은 열량 때문이다.

'구황주'는 1613년에 어숙권에 의해 저술된 <고사촬요(故事撮要)>의 '구주법(救酒法)' 중 처음 목격되는데 <주찬(酒饌)>이나 <치생요람(治生要覽)>의 '구황주'와는 다른 의미를 담고 있다.

<고사촬요>의 '구황주'는 실상 '천금주(千金酒)'의 다른 명칭이라는 것을 알 수 있으며, <고사촬요>의 등장 이후 '구황주'의 제조법이 바뀐 것을 볼 수 있다.

1691년에 간행된 <치생요람>과 1800년대 초기에 간행된 <주찬>에도 '구황주'의 제조법 등장하는데, <치생요람>의 '구황주'는 "멥쌀 1되(<주찬> 멥쌀 1되 5홉)를 가루로 빻아 물 4말로 끓여 죽을 쑨 다음 누룩가루 3되를 합하고 고루 버무려 술밑을 빚는데, 여름 3일~겨울 5일간 발효시킨 후 찹쌀 1말을 고두밥 지어 밑술과 합하고 3일간 발효시킨다. 익으면 그 맛과 향이 매우 좋다."고 하였다.

<주찬>에도 "덧술 빚은 지 3~4일이 지나 술독이 뜨거워지면 복용하는데, 그 맛이 매우 좋고 독하다."고 하였다.

주방문을 보면 알 수 있듯 쌀 1말 1되에 술 4말 5되가량 얻으니 이렇듯 수율이 좋은 술이 없고, 식사 대용이라면 온 식구가 몇 날 며칠 배고픔을 면할 수 있을 것이다.

'구황주'는 술을 잘 빚는 사람이 빚을 수 있는 술이다. 밑술은 술독을 서늘한 곳에 두되, 독 뚜껑을 덮지 말고 베보자기만 씌운 채 3일가량 두었다가, 찹쌀고두밥을 지어 따뜻할 때 덧술을 하고, 술이 괴어오르는 즉시 서늘한 곳으로 옮기든지 주걱으로 휘저어 차게 식혀서 매우 서늘한 곳에 두거나 땅에 묻어두고 마셔야 맛이 쉽게 변하지 않는다.

<주찬>에는 "그 맛이 매우 좋고 독하다."고 하였으나, 발효 중인 술을 걸러서 마시게 되므로 단맛과 함께 쏘는 맛 때문에 독하게 느껴질 뿐, '구황주'는 기본적으로 알코올 도수가 높지 않은 술이다. 설사 독하게 느껴지더라도 저장을 오랫동안 할 수가 없다.

## 1. 구황주 <주찬(酒饌)>

술 재료 : 밑술 : 멥쌀 1되 5홉, 누룩가루 3되, 물 4말
덧술 : 찹쌀 1말

술 빚는 법 :

* 밑술 :

1. 멥쌀 1되 5홉을 백세하여 물에 하룻밤 불렸다가 (다시 씻어 헹궈 건져서 물기를 뺀 후) 작말한다.
2. 물 4말을 팔팔 끓여 쌀가루에 골고루 붓고, 주걱으로 고루 개어서 죽(범벅)을 만든 다음 차게 식기를 기다린다.
3. 죽(범벅)에 누룩가루 3되를 합하고, 고루 버무려 술밑을 빚는다.
4. 술독에 술밑을 담아 안치고, 예의 방법대로 하여 여름이면 3일(겨울 5일)간 발효시킨다.

* 덧술 :

1. 찹쌀 1말을 백세하여 하룻밤 불렸다가 (다시 씻어 헹궈 건져서 물기를 뺀 후) 시루에 안쳐서 고두밥을 짓는다.
2. 고두밥이 익었으면 퍼내고, 고루 펼쳐 (한김 나가게) 식힌다.
3. 고두밥을 밑술과 합한 다음, 고루 버무려 술밑을 빚는다.
4. 술독에 술밑을 담아 안치고, 예의 방법대로 하여 3~4일 발효시킨다.

* 주방문에 "덧술 빚은 지 3~4일이 지나 술독이 뜨거워지면 복용"하는 것으로 되어 있으며, "그 맛이 매우 좋고 독하다."고 하였다.

救荒酒
白米一升五合百洗經宿作末湯水四斗作粥待冷好麯末三升合和夏三日冬五日後粘米一斗百洗經宿蒸飯合釀於本酒過三四日後熟服之味甚美烈.

## 2. 구황주 <치생요람(治生要覽)>

술 재료 : 밑술 : 멥쌀 1되(말), 누룩가루 3되, 물 4말
덧술 : 찹쌀 1말

술 빚는 법 :
1. 멥쌀 1되를 (백세하여 물에 담가 불렸다가) 씻어 건져서 물기를 뺀다.
2. 불린 쌀을 (다시 씻어 말갛게 헹궈서 물기를 뺀 후) 가루로 빻는다.
3. 물 4말을 쌀가루와 섞고 끓여서 죽을 쑨 다음, 넓은 그릇 여러 개에 나눠 담고 차게 식기를 기다린다.
4. 쌀죽에 누룩가루 3되를 합하고, 고루 버무려 술밑을 빚는다.
5. 술밑을 술독에 담아 안치고, 예의 방법대로 하여 여름 3일, 겨울 5일간 발효시킨다.

* 덧술 :

1. 찹쌀 1말을 (백세하여 물에 담가 불렸다가, 다시 씻어 말갛게 헹궈서 물기를 뺀 후) 시루에 안쳐서 고두밥을 짓는다.
2. 고두밥이 익었으면 퍼낸다(고루 펼쳐서 차게 식기를 기다린다).
3. 고두밥에 밑술을 합하고, 고루 버무려 술밑을 빚는다.
4. 술밑을 술독에 담아 안치고, 예의 방법대로 하여 (따뜻한 곳에서) 3일간 발효시켜 익기를 기다린다.
5. 술이 익으면 (그 맛과 향이) 매우 좋다.

救荒酒

白米一升作末湯水四斗作粥待冷曲末三升和合夏則三日冬五日粘米一斗蒸飯和本過三日限甚美.

# 급수청방

## 스토리텔링 및 술 빚는 법

전통술을 빚는 법 가운데 그 원료인 쌀을 가루로 빻은 뒤 시루에 쪄낸 무리떡으로 이용하는 방법이 매우 오랜 역사를 간직하고 있다는 사실은 주지하는 바와 같다.

인류가 화식(火食)을 하게 되면서 터득한 식사 형태 가운데 하나가, 위의 방법처럼 시루를 이용한 증숙법(蒸熟法), 또는 증자법(蒸煮法)이다. 쌀을 비롯한 곡물의 도정 기술이 발달하지 못했던 원시시대에는 갈돌을 이용한 도정법이 이루어졌고, 점차 문명이 발달하면서 토매나 맷돌, 절구를 이용한 도정을 해왔다.

그런데 이러한 도정과 가공 기술은 곡물의 껍질을 벗겨내는 것과 동시에 낱알의 파쇄를 초래하게 되어, 결국 싸라기와 같은 갈은 곡식 가루가 생겨나게 되므로, 자연스럽게 끓여 먹거나 쪄 먹는 방법의 식생활을 영위해 왔을 것이다.

그리고 이 과정에서 싸라기 형태의 곡물 가루를 이용한 무리떡 형태의 원료를 사용하여 술을 빚게 되었을 것이다.

'급수청방(急需淸方)'은 조선시대 중엽의 농업백과사전이랄 수 있는 <임원십

육지(林園十六志)>에 수록된 방문으로서, 앞서의 설명에서 보듯 무리떡으로 밑술을 빚고 고두밥으로 덧술을 빚는, 전통적 이양주법(二釀酒法)의 방문을 보여주고 있다.

그런데 이 방문이 여느 전통주와 비교하여 어떤 차이가 있으며, 어떤 의미에서 '급수청방'이란 술 이름을 얻게 되었을까?

우선 '급수청방'이란 술 이름을 보면, "급하게 청주를 얻을 수 있는 방문"이란 뜻을 담고 있음을 알 수 있다. 그 까닭은 밑술 빚는 법에서 찾을 수 있다. 밑술을 빚을 때 끓여서 식힌 물에 멥쌀가루를 시루에 안쳐 지은 무리떡을 뜨거울 때 누룩가루와 함께 넣고 버무려 술독에 담아 안친다. 이렇게 하면 밑술은 매우 빠른 시간에 끓게 되며, 발효가 빨리 잘 이루어진다.

여기에 찹쌀로 지은 고두밥과 진면을 함께 섞어 덧술을 한다. 덧술은 다른 술과는 달리 7일~10일이면 완성되는데, 덧술 역시도 발효가 빨리 진행되는 것을 알 수 있다. 이는 밑술이 아직 숙성되지 않은 상태에서 덧술을 해 넣음으로써, 덧술 역시도 빠른 시간에 발효를 일으키는 결과를 가져오기 때문이다.

결국 위와 같은 주방문은 '급수청방'의 주품명 그대로 가능한 한 빠른 시간 내에 발효를 시키기 위한 방법에서 추구된 술 빚기의 하나라고 할 수 있다.

그런데 위의 방문에서 보듯 '급수청방'은 투입되는 재료의 양에 비해 청주(淸酒) 7~8병, 탁주(濁酒) 1대야로서 수율이 매우 낮은 술임을 알 수 있다. 그 까닭은 밑술의 무리떡을 냉각시키지 않고 뜨거울 때 투입한 데서 오는 결과이다. 즉, 높은 온도에서 발효시킴으로써 발효기간은 단축시킬 수가 있지만, 그 결과 밑술은 농당(濃糖) 상태가 되어 밑술의 제조 목적과는 달리 효모의 증식을 기대할 수가 없어 수율이 낮아지게 되는 것이다.

다시 말하면 발효력이 떨어진 밑술 때문에 덧술에 사용되는 찹쌀고두밥을 다 삭히지 못한 결과를 초래하기 때문이라는 것이다. 이러한 주방문의 단점은 술덧의 밑부분에 아직 다 분해되지 못한 전분이 앙금 형태로 가라앉은 것을 볼 수 있어, 청주의 양은 적고 상대적으로 많은 양의 탁주를 얻게 된다.

'급수청방'에서 얻은 청주의 맛은 매우 부드럽고 진미가 강한 술로서, 일반 속성주류와는 달리 고급 청주라고 할 수 있으며, 탁주 역시도 부드럽고 감미가 뛰어나

술 못하는 사람들도 거뜬히 서너 잔은 마실 수가 있다.

다만, 앞서의 지적처럼 투입되는 재료의 양에 비해 수율이 낮기 때문에 일반에서는 엄두도 내지 못한 술로서, 사대부나 부유층에서 급하게 술이 필요했을 때 빚는 방문의 하나라고 할 수 있다.

## 급수청방 <임원십육지(林園十六志)>

술 재료 : 밑술 : 멥쌀 2말, 누룩가루 3되 5홉, 열수(끓여 따뜻 물) 4말
덧술 : 찹쌀 4말, 진면(밀가루) 1되 5홉

술 빚는 법 :

* 밑술 :

1. 멥쌀 2말을 (백세하여 물에 담가 하룻밤 불렸다가, 다시 씻어 말갛게 헹궈서) 물기를 뺀 후 세말한다(고운 가루로 빻는다).
2. 물 4말을 끓여서 넓은 그릇에 담아놓는다.
3. 쌀가루를 시루에 안쳐서 백설기(흰무리)를 짓는다.
4. 법제한 누룩가루 3되 5홉을 준비하여 열수(끓여 따뜻한 기운이 남아 있는 물)와 함께 백설기에 넣고, 고루 버무려 술밑을 빚는다.
5. 술독에 술밑을 담가 안치고, 예의 방법대로 하여 4일간 발효시킨다.

* 덧술 :

1. 밑술을 빚은 지 3일째 되는 날 찹쌀 4말을 (백세하여 물에 담가 불렸다가, 다시 씻어 말갛게 헹궈서) 물기를 뺀다.
2. 불린 찹쌀을 시루에 안쳐서 무른 고두밥을 짓는다(익었으면 고루 펼쳐서 차게 식기를 기다린다).
3. 찹쌀고두밥에 밑술과 진면(밀가루) 1되 5홉을 합하고, 고루 버무려 술밑을

빚는다.

4. 술밑을 술독에 담아 안친 후 예의 방법대로 하여 7일간 발효시키면, 청주 7~8병, 탁주 1동이를 얻을 수 있다.

急需淸方

白米二升細末熟烝麴末三升半　熟水四斗和釀第四日用粘米四斗四升爛烝眞麪一升半相和投之七日後可得淸酒七八甁濁酒一盆. <三山方>.

# 급청주 · 급시청주

## 스토리텔링 및 술 빚는 법

"급할 때 청주를 얻는 방법" 또는 "청주를 빨리 빚는 방법"쯤으로 풀이되는 술이 '급시청주(急時淸酒)' 또는 '급청주(急淸酒)'이다.

'급시청주'는 1450년경에 간행된 것으로 알려진 <산가요록(山家要錄)>에 처음 등장한다. <산가요록> 이후의 어떤 문헌에도 '급시청주'는 찾아볼 수 없었는데, 주품명은 다르지만 주방문이 동일한 주품이 1600년대 후기의 문헌인 <주방문(酒方文)>에 등장한다. '급청주'가 그것으로, 이 두 주품은 주품명도 유사하고 주방문도 동일하다. 따라서 두 주품이 한 가지 주방문에서 유래한 것으로 추측할 수가 있다.

또한 최근 발굴된 것으로 알려진 <주방문조과법(造果法)>이 있는데, 궁중음식연구원장 한복려 선생의 소장본이다. 이 <주방문조과법>에 주품명이 없는 주방문이 한 가지 있는데, <주방문>의 '급청주'와 유사하다는 것을 알 수 있어 '급청주'에 묶었다는 것을 밝혀둔다.

중요한 사실은, <산가요록>은 한문 필사본이고, <주방문>과 <주방문조과법>

은 한글 필사본이라는 점에서, '급시청주'가 '급청주'로 기록되었을 가능성이 높다 할 것이다.

"급할 때 청주를 얻는 방법" 또는 "청주를 빨리 빚는 방법"의 '급시청주'와 '급청주'는, 이미 마시고 있거나 완성된 탁주(濁酒)를 이용하여 청주(淸酒)를 얻는 술이라는 점에서 우리나라의 술 빚는 방법의 다양성과 함께 오랜 세월 술을 빚어오면서 저절로 터득하게 된 조상들의 세련된 양조기술과 비법을 엿볼 수 있다.

즉, 기존의 술 빚는 방법들이 청주나 탁주를 목적으로 빚는 방식이었던 만큼, 기존의 술을 사용하여 원하는 바, 상품 가치가 높고 쓰임새가 많았던 청주를 단기간에 얻을 수 있는 주방문이라는 점에서 '급시청주'와 '급청주'의 가치가 매우 높다고 할 것이다.

주방문에서도 알 수 있듯, 기존의 술인 탁주를 사용하여 빠른 기간 안에 청주를 얻는 방법은 대략 이렇다.

대개의 양주법(釀酒法), 곧 주방문은 청주를 얻고자 하는 것이 주목적이므로, 먼저 주원료인 쌀을 고두밥 형태로 가공한 후에 차게 식혀 누룩과 밀가루, 그리고 준비해 둔 탁주를 양주용수 대신 사용하여 술을 빚고 상법(常法)대로 발효시키는 것이다.

부원료로 사용되는 밀가루는 맑은 술을 더욱 맑게 하기 위한 방법이고, 기존의 탁주에는 효소를 비롯하여 효모와 젖산균이 충분히 살아 있는 만큼, 누룩은 적은 양을 사용해야 술의 풍미가 좋아진다.

다만 <주방문조과법>의 '급청주'는 찹쌀의 양이 3되이고 밀가루가 사용되지 않는다는 것을 알 수 있어, 후기로 내려오면서 경제적이면서 수율을 높이는 방법으로의 실용적 변화를 볼 수 있다.

문제는 탁주를 선택하는 일인데, 탁주라고는 하지만 맛이 좋은 술이어야 하고, 특히 적당량의 물을 타서 알코올 도수를 낮춘 술(막걸리)이어야 한다. 이때의 탁주를 술독에서 바로 걸러서 짠 원주(原酒) 형태의 탁주라고 한다면, 이 탁주 18ℓ에 대하여 동량의 물 18ℓ나, 다소 적은 15ℓ 내외의 물을 희석한 막걸리 상태라야 한다.

물론 두 문헌의 주방문에는 "좋은 탁주 1동이"라고만 되어 있지, 청주를 뜨고 남은 탁주인지, 뜨지 않고 거른 탁주인지도 알 수 없으나, 끓인 물로 거른 탁주라면 요즘의 막걸리로 보아야 할 것이다.

필자가 처음 시도한 '급청주'는 <주방문>의 주방문이었는데, 특별히 술을 직접 거르지 않고 이미 걸러서 두었던 탁주를 사용하였었는데 큰 낭패를 하게 되었다.

<주방문>의 주방문에 나와 있듯이 '탁주 1동이'만 생각하였던 것이다. 기존의 탁주를 사용하여 빚은 '급청주'는 향이나 색깔은 나무랄 데 없이 좋았으나, 술맛은 전혀 아니었다. 도저히 쓴맛이 강해서 마실 수 없는 지경이었다. 그래서 알코올 도수를 측정해 보았더니 20%를 넘었다.

원인을 알지 못하다가, 주방문을 다시 읽어보곤 '아차' 싶었다. 주방문에 "끓여 식힌 물로 거른 탁주 1동이"였던 것이다. 이로써 막걸리와 탁주가 뚜렷하게 구별된다는 사실을 다시 한 번 확인하는 계기가 되었다.

여기서 한 가지 주목할 사실은, 1670년대에 이미 <음식디미방>이 한글로 저술되었고, 1600년대 말엽에도 한글 조리서인 <주방문>이 등장하고 있었는바, <음식디미방>이나 <주방문>에도 '막걸리'라는 용어가 나타나지 않는다는 사실이다.

특히 '급청주' 주방문을 통하여 1600년대 말까지도 '막걸리'라는 말이 없었다는 것을 알 수 있다. 방문에서 보듯 "끓여 식힌 물로 탁주를 걸러"라고 표기하고 있으며, 청주를 뜨고 남은 술도 탁주라고 표기한 것을 볼 수 있다.

이러한 '급시청주'와 '급청주'는 일반 민가에도 전파되어 널리 사용되었다는 흔적을 찾아볼 수 있는데, 진도 지방의 전승 토속주인 '동방주(東方酒)'가 그것이다.

필자가 처음 복원을 시도했던 '동방주'를 강의할 기회가 있었는데, 지금도 그때의 기억은 결코 떠올리고 싶지 않을 정도이다. 양주시 농업기술센터의 회원 60여 명이 한데 모여 집단강좌를 시작하게 되었는데, 강의 중간에 종강식날 시장(市長)이 방문하여 격려를 한다고 해서 기술센터 측에서는 회원들이 배워서 빚은 술을 대접해야 한다는 것이었다.

부득히 실습주품을 바꿔서 종강식날 채주가 가능한 '동방주'로 실습을 하기로 하였는데, 대량의 막걸리가 필요하여 인근의 양조장에서 파는 막걸리를 주문해 실습을 마치게 되었다.

그런데 종강식날 채주한 '동방주'는 그야말로 소태같이 쓰고 독하여 마실 수가 없었다. 이에 기술센터 측은 물론이고 필자 역시도 난감하다 못해 황당하여 시장 앞에 얼굴을 들 수가 없었다. 당일의 시장 접대는 물론이고 강좌에 대한 불신이 생겨나기에 이르고 보니, 의욕이 꺾이는 지경이었다.

당시만 해도 그 원인을 찾지 못하다가, 한참 후에야 술이 쓰고 독해서 맛없는 이유가 양조장에서 구입해 온 술 때문이었다는 것을 알게 되었다.

기술센터 담당자는 양조장에서 술을 구입해 올 당시 좋은 술을 구입할 욕심에 물을 타지 않은 원주(原酒)인 탁주를 달라고 하였다는 것이다. 물을 탄 막걸리보다 물을 타지 않은 탁주를 사용하게 되면 술맛도 더 좋아질 것이라는 생각이었다는데, 필자로서는 그 술이 양조장에서 파는 6~7%의 막걸리인 줄 알았던 것이다.

'급청주'의 복원과정에서 겪었던 실패를 다시 '동방주'에서 거듭하고 보니, '과욕'이 부른 대참사라 아니할 수 없다.

그래서 필자는 지금도 늘상 빚는 방법의 술이라도 술 빚는 방법이나 과정을 거듭 확인하고 차분히 임하라고 강조하면서도, 가끔씩은 순서가 뒤바뀌거나 원료의 기공방법이나 양 등을 확인하지 못한 데서 오는 실패를 부인하지 못한다.

## 1. 급시청주 <산가요록(山家要錄)>

술 재료 : 찹쌀 5되, 누룩가루 5홉, 밀가루 5홉, 좋은 탁주 1동이, 물(반동이)

술 빚는 법 :

1. 찹쌀 5되를 (백세하여 물에 담가 불렸다가, 다시 씻어 건져서 물기를 뺀 후) 물(5되)을 넣고 끓여서 되지도 묽지도 않은 죽을 쑨다.
2. 찹쌀죽을 넓은 그릇에 펴서 차게 식기를 기다린다.
3. 좋은 탁주 반동이에 물(반동이)을 쳐가면서 고운체에 걸러서 막걸리 1동이를 마련하여 술독에 담아 안친다.

4. 차게 식은 찹쌀죽에 밀가루 5홉과 누룩가루 5홉을 한데 섞고, 고루 버무려 술밑을 빚는다.
5. 술밑을 탁주를 안친 술독에 담아 안치고, 예의 방법대로 하여 2~일간 발효시킨다.
6. 술이 익어 맑게 가라앉으면 청주 2병을 얻는데, 맑아지지 않으면 탁주로 마신다.

* 주방문 말미에 "부목(부의주, 개미가 떠 있는 술)이나 삼해주처럼 매우 좋다."고 하였다.

急時淸酒

好濁如飮例. 精篩一盆 盛瓮. 粘米五升 不乾不滑 作粥待冷. 眞末五合 匊五合和匀. 入酒缸. 三四日 坐淸用之. 出淸酒三甁. 若未淸 以濁用之. 浮目如三亥酒 甚好.

## 2. 급청주 <주방문(酒方文)>

술 재료 : 찹쌀 5되, 누룩 5홉, 밀가루 5홉, 탁주(막걸리) 1동이

술 빚는 법 :
1. 끓여 식힌 물로 좋은 탁주를 걸러 1동이를 준비한다.
2. 찹쌀 5되를 (물에 깨끗이 씻어 하룻밤 불렸다가, 건져서 물기가 빠지면) 시루에 안쳐서 무른 고두밥을 짓는다.
3. 고두밥을 고루 펼쳐서 차게 식기를 기다린다.
4. 고두밥에 준비한 분량의 탁주(막걸리) 1동이와 누룩 5홉, 밀가루 5홉을 섞고, 고루 버무려 술밑을 빚는다.

5. 술독에 버무린 술밑을 담아 안치고, 예의 방법대로 하여 3일가량 발효시킨다.

* 주방문 말미에 "사흘 후에 맑은 청주 3병 나고, 탁주 내도 밥 뜨고 가장 조흐니라."고 하였다.

급청쥬
됴ᄒᆞᆫ 탁쥬ᄅᆞᆯ ᄢᅳᆯ혀 ᄎᆞᆫ믈로 걸러 ᄒᆞᆫ 동희 녀코 ᄎᆞᆸᄡᆞᆯ 닷 되 ᄆᆞᄅᆞ ᄢᅧ ᄃᆡ링ᄒᆞ여 진ᄀᆞᄅᆞ 누록(ᄀᆞᄅᆞ) 다솝 섯거 비ᄌᆞ면 사흘 후의 청주 세 병 나고 탁쥐라도 밥 ᄠᅳ고 ᄀᆞ장 됴ᄒᆞ니라.

## 3. (급청주법) <주방문조과법(造果法)>

술 재료 : 찹쌀 3되, (누룩 5홉), 탁주(막걸리) 1동이

술 빚는 법 :
1. 끓여 식힌 물로 좋은 탁주를 걸러 1동이를 준비한다.
2. 찹쌀 3되를 (물에 깨끗이 씻어 하룻밤 불렸다가, 건져서 물기가 빠지면) 시루에 안쳐서 무른 고두밥을 짓는다.
3. 고두밥을 고루 펼쳐서 차게 식기를 기다린다.
4. 고두밥에 (누룩 5홉) 준비한 분량의 탁주(막걸리) 1동이를 합하고, 고루 버무려 술밑을 빚는다.
5. 술독에 버무린 술밑을 담아 안치고, 예의 방법대로 하여 2~3일가량 발효시킨다.

(급청주법)

탁쥬 한 동희를 걸러 찹쌀 서 되 밥 지어 녀허 이사들(흘) 두면 쳥쥬 한 동희 되나니라.

# 남경주

**스토리텔링 및 술 빚는 법**

‘남경주(南京酒)’란 술 이름은 <수운잡방(需雲雜方)>이 처음이자 유일한 기록으로 알려져 왔으나, 최근 <침주법(浸酒法)>의 등장으로 인해 지금까지는 이들 두 문헌에서만 찾아볼 수 있는 것으로 확인되었다.

어떠한 유래에서 이러한 술 이름을 붙이게 되었는지, 그 근거나 자료를 찾을 수 없어 안타까운 일이다. <수운잡방>의 방문 그대로 술을 빚어보았지만 술 빚는 방법이나 맛과 향기, 그리고 술의 발효과정이나 술 빛깔에서도 그 특징을 찾을 수 없었기 때문이다.

‘남경주’의 주방문에 따른 특징을 살펴보면, 밑술과 덧술에 사용되는 각각의 쌀 양과 용수의 양이 동량이라는 사실과 함께, 밑술 양의 10%에 해당하는 누룩이 사용된다는 점인데, 덧술의 쌀 양이 5말인 점을 감안하면 누룩의 양은 2.66%로, 그 양이 매우 적게 사용된다는 것을 알 수 있다.

대다수의 전통주에서 누룩의 양은 그 술의 맛이나 향기, 술 색깔과도 관련이 있지만, 무엇보다도 술의 성패와 직접적으로 관련이 많다는 사실에서 누룩의 양은 매우 중요한 요소가 된다.

그런데 '남경주'는 이양주(二釀酒)임에도 불구하고 누룩의 양은 2.66%라는 사실에서 밑술의 성패에 달려 있다고 해야 할 것이다. 즉, 밑술의 제조 과정이 무엇보다 중요하다고 할 수 있으며, 그 방법은 밑술에 사용되는 쌀가루의 호화도를 높이는 데 주력해야 한다는 것이다.

적은 양의 누룩을 사용하면서 범벅의 호화도가 떨어지게 되면 버무리는 과정도 쉽지 않거니와 자칫 술독 밖으로 넘쳐버리는 예가 허다하기 때문이다. 이와 함께 누룩은 비교적 품질이 좋아야 한다.

누룩가루는 거칠지 않은 가루 형태로, 중간체나 어레미로 쳐서 여러 날 법제(法製)하여 사용하는 것이 안전한 발효를 도모할 수 있다.

특히 주목할 것은, 바로 이러한 이유 때문에 덧술용 고두밥에 끓는 물을 합하고 고두밥이 물을 다 흡수하여 진밥이 되면 술을 빚고 있음을 볼 수 있다. 덧술의 쌀 양이 많아진 만큼, 밑술의 힘이 약하면 덧술을 삭힐 수 없기 때문에 당화와 발효를 촉진시킬 수 있는 방법을 강구하게 된 것이다.

이와 같은 방법은 '백화주'를 비롯하여 '벽향주', '향온주' 등 여러 주방문에서 찾아볼 수 있다. 특히 주목할 것은 이와 같은 방문의 경우 덧술에도 누룩을 사용하는 예가 많다는 것인데, 남경주의 덧술에는 누룩을 사용하지 않고 있다.

따라서 밑술이 매우 중요한 과제로 대두된다. 밑술의 발효상태나 효모의 증식이 잘 이루어져야 덧술의 정상적인 발효를 기대할 수 있기 때문이다.

바로 이러한 이유 때문에 다른 주품의 경우 밑술을 빚을 때 물에 쌀가루를 섞고 끓여서 만든 죽을 사용하고 있다.

그러나 '남경주'와 같은 방법을 필요로 하게 된 까닭이 따로 있다. 즉, 쌀가루가 설익은 형태의 범벅(죽)을 만들어 술을 빚고자 하는 이유는, 강한 향취와 함께 도수 높은 술을 얻고자 하는 데서 생겨난 방법이다. 반생반숙(半生半熟)의 범벅(죽)은 자칫 산패와 이상발효를 가져올 수 있지만, 보다 강력한 효모의 증식을 유도하여 덧술에서의 깨끗하면서도 방향이 뛰어나고 알코올 도수가 높아 저장성도 뛰어난 명주가 빚어진다.

밑술을 반생반숙의 범벅으로 빚는 예가 바로 강력한 효모의 증식을 도모하기 위한 방법임은 특히 <산가요록(山家要錄)>을 비롯하여 <수운잡방>, <산림경제(山林經濟)>에 숱하게 등장하고 있어, 이들 문헌에 수록된 여러 주방문에서 수차례 설명한 바 있다.

<수운잡방>의 '남경주'와 <침주법>의 '남경주'는 동일한 주품으로, 어떤 기록의 주방문이 먼저 등장했는지는 알 수 없다. <침주법>의 발간 연대를 알 수 없기 때문이다. 다만, 두 문헌의 '남경주'가 차이를 나타내는 것은 부원료로 사용되는 밀가루의 양인데, 밀가루의 양이 많고 적음은 큰 차이라고 말할 수 없으며, 경험상 밀가루와 같은 부원료는 가능한 한 적게 사용하는 것이 바람직하다.

'남경주'는 쌀 양과 비교하여 누룩 양이 적게 사용됨에도 불구하고 비교적 단맛이 적고 알코올 도수도 높은 술이라고 할 수 있다.

특히 아름다운 방향(芳香)과 함께 술 색깔이 밝고 깨끗하다는 점에서 예삿술이 아님을 알 수 있을 것이다.

## 1. 남경주 <수운잡방(需雲雜方)>

술 재료 : 밑술 : 멥쌀 2말 5되, 누룩가루 2되 5홉, 밀가루 1되, 물 2말 5되
덧술 : 멥쌀 5말, 물 5말, 물 5말

술 빚는 법 :

* 밑술 :

1. 멥쌀은 백세하여 하룻밤 불렸다가 (다시 씻어 헹궈서 물기를 뺀 후) 세말한다(고운 가루를 빻는다).
2. 가마솥에 물 2말 5되를 붓고 끓이다가, 따뜻해지면 쌀가루를 풀어 넣고 주걱으로 저어가면서 팔팔 끓는 죽을 쑨 다음 (넓은 그릇에 퍼서) 차게 식기를 기다린다.
3. 차게 식은 쌀죽에 누룩가루 2되 5홉과 밀가루 1되를 합하고, 고루 버무려

술밑을 빚는다.
4. 술밑을 술독에 담아 안친 다음, 예의 방법대로 하여 7일간 발효시킨다.

* 덧술 :
1. 멥쌀은 물에 깨끗이 씻어 하룻밤 불렸다가 (다시 씻어 헹궈서 물기를 뺀 후) 시루에 안쳐 고두밥을 짓는다.
2. 물 5말을 팔팔 끓이고, 고두밥이 익었으면 넓은 그릇에 퍼 담고, 끓는 물 5말을 고두밥에 골고루 붓고, 주걱으로 헤쳐 놓는다.
3. 고두밥이 물을 다 먹었으면 (넓은 그릇 여러 개에 나눠 담고) 차게 식기를 기다린다.
4. 차게 식은 고두밥에 발효가 끝난 밑술을 합하고, 고루 버무려 술밑을 빚는다.
5. 술독에 담아 안친 다음 예의 방법대로 하여 14일간 발효시켜, 술이 익으면 용수를 박아 채주한다.

* 술 빚는 물은 흘러내리는 개울물(流水)을 사용한다.

南京酒
白米二斗五升百洗浸宿細末湯水二斗五升作粥待冷好麯二升五合眞末一升和納甕隔七日白米五斗百洗浸宿全蒸湯水五斗和飯待冷前酒和釀經二七日上槽水用川流.

## 2. 남경주 <침주법(浸酒法)>
–일곱 말 닷 되 빚이

술 재료 : 밑술 : 멥쌀 2말 5되, 가루누룩 2되, 밀가루 2되, 끓는 물 2말 5되
덧술 : 멥쌀 5말, 끓는 물 5말

술 빚는 법 :

* 밑술 :

1. 매 정월 20일에 멥쌀 2말 5되를 백세하여 물에 담가 불렸다가, 가루로 빻아 넓은 그릇에 담아놓는다.
2. 물 2말 5되를 팔팔 끓여 쌀가루에 골고루 나눠 붓고, 주걱으로 개어 반은 설고 반은 익게 담/범벅을 만든다.
3. (담/범벅을 담은 그릇의 뚜껑을 덮어 밤재워 차게 식기를 기다린다.)
4. 담/범벅에 가루누룩과 밀가루 각 2되를 한데 합하고, 고루 버무려 술밑을 빚는다.
5. 술밑을 술독에 담아 안친 후, 예의 방법대로 하여 발효시켜 익기를 기다린다.

* 덧술 :

1. 멥쌀 5말을 백세하여 물에 담가 하룻밤 불렸다가, 다시 헹궈서 물기를 빼놓는다.
2. 불린 쌀을 시루에 안치고 쪄서 고두밥을 짓고, 솥에 물 5말을 끓인다.
3. 고두밥이 무르게 익었으면 퍼내어 넓은 그릇에 담고, 팔팔 끓고 있는 물을 고두밥에 골고루 합한다.
4. (고두밥이 담긴 그릇과 똑같은 그릇으로 뚜껑을 덮고, 하룻밤 재워) 고두밥과 물이 차디차게 식기를 기다린다.
5. 고두밥과 물에 밑술을 한데 섞어 합하고, 고루 버무려 술밑을 빚는다.
6. 술독에 술밑을 담아 안친 다음, 예의 방법대로 하여 (차지도 덥지도 않은 곳에서) 발효시켜 술독이 차가워지면 술이 다 익은 것이니 채주한다.

* 주방문 말미에 "가을, 겨울, 봄에 단맛이 만하니라."고 하였다. 이는 겨울철에 천천히 발효시키는 방법보다 따뜻한 계절에 당화가 용이하기 때문이다.

## 남경쥬(南京酒)—닐곱 말 닷 되

ᄆᆡᄇᆡᆨ미 두 말 닷 되 일백 믈 시서 ᄒᆞᄅᆞ 쌤 재여 ᄀᆞᄅᆞ ᄆᆡᆼ그라 믈 두 말 닷 되 ᄊᆞᆯ

혀 ᄃᆞᆷ ᄀᆡ되 반으란 설고 반으란 닉게 ᄀᆡ여 식거든 ᄀᆞᄅᆞ누록 두 되와 진ᄀᆞᄅᆞᆫ 두 되를 섯거더가 닉거든 빅미 닷 말 일백 믈 시서 ᄒᆞᄅᆞ 쌈 재여 밥 닉게 쪄 물 닷 말 쓸혀 바배골라 ᄀᆞ장 식거든 누록 업시 섯것더가 ᄃᆞ리 ᄎᆞ거든 쓰라. ᄀᆞ을 겨을 봄이 닷 맛당 ᄒᆞᄂᆞ라.

# 남성주

스토리텔링 및 술 빚는 법

'남성주'는 <음식디미방>에 수록되어 있는데, 그 방문이 매우 특이하게 여겨진다. 우선 밑술 빚는 방문을 보면, 문제점이 한두 가지가 아니라는 것을 알 수 있다.

우선, 밑술은 곡물을 팔팔 끓였다가 더운 물(한 김 나가게 한)로 쌀가루를 풀어 넣어 범벅을 만들라고 되어있다.

이와 같은 방법대로라면 범벅을 쑤기가 여간 어려운 게 아니라는 것을 알 수 있을 것이다. 물의 양보다 쌀의 양이 많기 때문에 설익은 쌀가루가 많아질 수 있기 때문이다. 더욱이 쌀을 물에 불려 가루를 빻게 되면 더욱 부피가 늘어나게 되는데, 적은 양의 물에 많은 양의 쌀가루를 넣어 범벅을 쑨다는 것은 경험이 부족한 사람들로서는 일을 망치기 십상이다. 따라서 사용되는 물은 팔팔 끓고 있는 물이라야 한다. 그래야 반생반숙이 될 수 있다. 또 범벅을 만들 때라도 가능한 한 뜨거운 물이었을 때라야 쌀가루를 익힐 수가 있는데. 일부러 한 김 나가게 식힌 후에 범벅을 쑤게 되면 쌀가루가 골고루 익지 않는다.

특히 쌀가루가 골고루 익지 않았거나, 설익은 부분이 많게 되었을 때에는 밑술의 발효 시 이산화탄소에 의한 기포가 잘 터지지 않아 자칫 끓어 넘치게 되고, 품온이 상승하지 않게 되어 결국에는 실패를 초래할 수도 있다.

이와 같은 술 빚기에서 주의할 점과 그 요령은, 첫째 끓인 물에 쌀가루를 넣지 말고 쌀가루를 재빨리 뒤적여주면서 물을 골고루 뿌려주어야 전체적으로 골고루 뜨거운 물이 스며들면서 쌀가루를 익힐 수 있다는 것이다.

둘째는, 쌀가루를 가능한 한 곱게 빻도록 해야 범벅 상태가 고르게 된다. 범벅으로 빚는 술 빚기에서 가장 큰 실패 요인이 쌀가루가 골고루 익지 않은데서 오는 문제이다.

셋째는, 밑술의 발효를 25℃ 이상 30℃ 미만으로 비교적 높은 온도에서 진행시켜야 한다. 이는 가능한 한 빠른 시간 내에 술의 품온을 끌어올려 당화를 촉진시키기 위한 것이다.

남성주는 그 특징이 밑술과 덧술을 다 같이 7일간 발효시킨 술로, 비교적 높은 온도에서 발효시킨다는 사실과 함께, 적은 양의 누룩을 사용하면서도 알코올 도수가 높은 술을 얻고자 한 방문임을 알 수 있다.

필자의 추측이 맞다면, 술 이름이 '남성주'라고 한 사실에서 그 맛이 맵고 칼칼한 맛을 주는, 일반 술보다는 더 독한 술이라는 것을 생각할 수 있다.

다만, '남성주'가 <음식디미방> 이후의 어떤 문헌에서도 전승가양주에서도 찾아볼 수가 없다는 점에서 '남성주'를 "남성적인 술"로 단언하기에는 무리가 많지만, 주방문을 토대로 재현한 '남성주'는 그 맛이 매우 칼칼하여 지극히 "남성적인 술"이라는 사실을 부인할 수 없을 것이다.

## 남성주 <음식디미방>

술 재료 : 밑술 : 멥쌀 3말 5되, 누룩가루 2되 5홉, 밀가루 1되, 끓는 물 2말 5되
: 덧술 : 멥쌀 3말 5되, 물 2말

술 빚는 법 :

* 밑술 :

1. 멥쌀 3말 5되를 백세하여(깨끗하게 씻어) 물에 담가 하룻밤 불렸다가 (다시 씻어 헹궈서 물기를 뺀 후) 작말한다(가루로 빻는다).
2. 물 2말 5되를 솥에 붓고 팔팔 끓여 쌀가루에 골고루 나눠 붓고, 주걱으로 고루 개어서 반만 익게 하여 담(범벅)을 만든다.
3. 담(범벅)을 (여러 개의 그릇에 나눠 담고 뚜껑을 덮어) 차게 식기를 기다린다.
4. 차게 식힌 담(범벅)에 누룩가루 2되 5홉과 밀가루 1되를 섞고, 고루 버무려 술밑을 빚는다.
5. 술밑을 술독에 담아 안치고, 예의 방법대로 하여 7일간 발효시킨다.

* 덧술 :

1. 멥쌀 3말 5되를 백세하여 (깨끗하게 씻어 물에 담가 불렸다가, 다시 씻어 헹궈서 물기를 뺀 후) 시루에 안쳐서 고두밥을 짓는다.
2. 물 2말을 고두밥에 골고루 붓고 헤쳐 두었다가, 고두밥이 물을 다 먹었으면 (그릇 여러 개에 나눠) 차게 식기를 기다린다.
3. 고두밥과 밑술을 합하고, 고루 버무려 술밑을 빚는다.
4. 술독에 술밑을 담아 안치고, 예의 방법대로 하여 7일간 발효 숙성시킨다.

* 양주 실험 결과 실제로 7일 만에 발효가 끝나지는 않았으며, 그 맛이 매우 독하고 담백하였다.

남셩쥬

ᄇᆡᆨ미 서 말 닷 되 ᄇᆡᆨ셰ᄒᆞ여 밤자여 작말ᄒᆞ여 더운 믈 두 말 닷 되 ᄉᆞᆯ혀 반만 닉게 ᄃᆞᆷᄀᆡ야 식여 국말 두 되 다ᄉᆞᆸ 진말 ᄒᆞᆫ 되 섯거 녀허 닐웻 만애 ᄇᆡᆨ미 서 말 닷 되 ᄇᆡᆨ셰ᄒᆞ여 밤자여 닉게 쪄 물 두 말 골라 식거든 녀허 칠일 후 쓰라.

# 납주

## 스토리텔링 및 술 빚는 법

조선조 전기의 문신으로 율시(律詩)에 뛰어난 것으로 알려진 양곡(陽谷) 소세양(蘇世讓, 1486~1562)의 <양곡선생집(陽谷先生集)>의 '제야(除夕)'라는 시(詩)에,

窮景斜揮赴壑蛇(석양빛이 기울어 깊은 산골에 이르니)
任敎雙鬢雪霜加(양 귀밑털에 흰 눈과 서리만 더해지네.)
三杯臘酒昏昏醉(세잔의 납주에 혼미하게 취하고서)
聽唱黃鷄白日歌(황계가 백일가를 부르는 것을 듣네.)
訪水尋山計杳然(강과 산을 방문할 것을 깊게 생각하다가)
一丘高臥歲頻遷(높은 베개를 베고 자니 한 해가 바뀌었네.)
今宵最殿屠蘇飮(오늘밤에는 가장 좋은 집에서 도소주를 마시니)
已換人間壬子年(이미 임자 1552년의 사람이 되었네.)
南來十四見春回(남쪽으로 와서 14번 봄이 돌아옴을 보며)

手種梅花滿樹開(손수 매화를 심었는데, 모두 꽃을 피었네.)
擧酒敢爲新歲祝(술잔을 들어 감히 새해 축하를 하며)
一門無恙亦無災(일문이 부고하고 또한 무재하기를 기원하네.)
…(후략)…

라고 하였으며, 같은 시대 권벽(權擘, 1520~1593)의 <습재집(習齋集)>의 '제야(除夜)'라는 시에서도,

甚矣吾衰日(심하다! 나의 노쇠함이여)
蒼然歲暮天(세밑의 하늘은 어두워지네.)
采椒和臘酒(산초 나물과 납주를 마시며)
爆竹拒宵眠(폭죽으로 밤잠을 거부하네.)
坐久頻移燭(오래 앉아 자주 촛불을 옮기며)
吟多不就篇(많이 읊조리나 시가 되지 않네.)
且須憐此夜(잠시나마 이 밤을 아쉬워하지만)
明發是新年(내일이면 또 새해가 되네.)

라고 하여, '납주(臘酒)'에 대한 언급을 볼 수 있으며, 이 두 편의 시를 통해서 '납주'가 자전풀이 그대로 "섣달에 빚어 나눠 마시는 술" 또는 "연말연시에 마시는 술"이라는 사실을 확인할 수 있다.

이러한 '납주'는 1823년에 간행된 <임원십육지(林園十六志)>와 1830년에 간행된 <농정회요(農政會要)> 등 한문체 인쇄본에 2차례 등장하는데, 여느 술에 비해 가치가 매우 높은 술이라는 것이 필자의 견해이다.

우선, 특이하게 '쉰밥'을 사용한다는 측면에서 다른 주품이나 주방문과 다른 점이라고 할 수 있다. '쉰밥'은 먹다 남은 밥을 잘못 간수하여 부패가 진행된 밥을 가리키며, 섣달에 다가오는 명절인 '설' 음식 장만을 많이 하다 보면 잔반(殘飯)이 많게 되기 십상인데, 버리기는 아깝고 먹을 수는 없는 잔반을 사용하여 빚는 술인 셈이다.

따라서 '납주'는 비교적 규모가 큰 사대부 집안이나 부잣집에서 잔치용 음식 장만을 위해 많은 사람들이 동원되는 만큼, 음식 장만을 하는 일가친척들이나 하인들, 그리고 집에 찾아드는 손님들을 대접하기 위해 예삿술을 준비하여 사용하였을 것으로 추측된다. 이른바 설날 사용할 술이 익기까지 대용으로 쓸 술인 것이다.

주방문을 보면 알 수 있듯, 쉰밥 2말과 10배에 해당하는 찹쌀 2석으로 고두밥을 지어, 누룩 40근과 물 200근을 합하고 고루 버무려 술독에 담아 안치는 단양주법(單釀酒法)의 술이라는 사실과 함께, 12월 중에 술이 익으면 용수를 박아 청주(淸酒)를 채주하는 것으로 되어 있다.

다시 말해서 "12월에 쉰밥 2말과 찹쌀 2석을 사용하여 술을 빚어야 할 만큼 한꺼번에 많은 양의 청주가 필요한 일이 무엇일까?" 하는 의문이 드는 것이다. 머지않아 설날이고, 설날은 그 어떤 술보다 좋은 재료로 빚고 정성을 다한 중양주(重釀酒)가 제주(祭酒)와 빈객(賓客) 접대용이었을 것이기 때문이다.

그리고 <임원십육지>와 <농정회요>의 '납주'는 주방문이 동일한 것으로 밝혀졌다. 때문에 <농정회요>의 주방문은 <임원십육지>의 기록을 그대로 베꼈을 가능성이 매우 크다. 다른 양주 관련 문헌이나 어떠한 기록에서도 '납주'에 대한 주품명이나 주방문을 찾아볼 수 없기 때문이다.

또한 두 문헌의 '납주' 주방문에서 술 빚는 법에 따른 특이점이나 주의사항은 별반 없었다.

굳이 언급하자면 '납주'는 멥쌀로 끓여서 만든 밥으로 먹다 남아 버릴 수밖에 없는 쉰밥과 찐밥인 찹쌀고두밥을 섞어 빚는 술인 만큼, 이제까지 발굴 조사된 전통주 가운데 유일한 주방문으로 여겨진다.

다만, 이와 유사한 술로 <주식방(酒食方, 高大閨壼要覽)>에 수록된 '노산춘(魯山春)'을 참고하여 보면 될 것이다.

그런데 '납주'는 조선시대의 양조기술이 어느 정도였는지를 단적으로 보여주고 있으며, 현대 양조기술과 견주어도 그 가치가 매우 높은 술이라는 사실을 간과할 수 없다.

<임원십육지>의 '납주' 주방문을 그대로 옮기면, "찹쌀 2석, 물 200근, 누룩 40

근, 쉰밥 2말 또는 멥쌀 2말로 밥을 짓고 발효시켜 그 맛이 짙고 매워지면 납월 중에 빚어 익을 때 성근 대바구니 2개에 번갈아 가며 술병을 두고 끓는 물에 넣어 끓는 물과 같이 끓으면 꺼낸다."고 하였는데, <농정회요>에서도 <임원십육지>의 주방문과 동일한 '납주' 주방문을 싣고 있다.

문제는 '납주' 주방문 말미에 "채주한 청주를 병에 담고, 소쿠리에 담은 후, 끓는 물속에 넣어 살균하는데, 병의 술이 물과 같이 끓으면 건져서 식힌다."고 하는 내용으로, 이는 이미 1800년대 초기에 발효주의 장기 저장과 유통을 위한 살균법(殺菌法)인 '화입법(火入法)'이 사용되었다는 중요한 사실을 확인할 수 있다.

이러한 발견은, 우리나라의 양주(釀酒) 역사와 기술, 음주문화 관련 최초의 문헌이라고 할 수 있는 1450년대의 <산가요록(山家要錄)>을 비롯한 80여 권의 문헌 가운데 유일한 기록이라는 점에서, 그리고 '화입법'이 지금으로부터 무려 190년 전에 개발된 양조기술이라는 사실에서 결코 간과할 수 없는 '위대한 발견'이라고 생각된다.

1914년 '주세법'의 도입 이후, 주류의 산업화를 추구하면서 일본의 '코지'를 사용한 양조기술과 '화입법'의 도입으로 우리나라의 양주산업이 본격적인 궤도에 오르기 시작했다고 자부하는 일부 전문가와 양주 관련 부처의 담당자들이 이러한 사실을 안다면, 어떠한 표정을 지을지 자못 궁금하다.

전통 양주기술과 문화는 '구습'이자 '시대에 뒤떨어진 미신'으로까지 매도했던 그들에게, 190년 전의 '납주' 주방문을 꼭 확인시켜 주고 싶다.

<임원십육지>의 '납주'에 도입된 살균방법으로서 '화입법'은 말 그대로 현대에 와서도 적용되고 있는 '고도의 양주기술'이다.

필자는 "굳이 왜 '납주'에 '화입법'이 도입되었을까?" 하는 의문을 떨칠 수가 없어, '납주'를 <임원십육지>의 주방문 그대로 빚어본 결과, 맛이나 향기에 있어서도 결코 여느 술과 견주어 뒤떨어지지 않는 술이라는 사실을 확인할 수 있었다. 따라서 현대 양주에서 채용하고 있는 '납주'의 '화입법' 도입은 '납주'에서 얻어지는 청주의 양이 매우 많다는 것이 그 이유였다고 볼 수 있다.

'납주'는 겨울철에 빚는 술이므로 굳이 장기 저장을 위한 특별한 조치가 필요하지 않았을 것이나, 유감스럽게도 단양주법의 기술로 장기 저장은 어려웠을 것이라는 추측이 가능케 된다.

80여 권에 이르는 고서의 주방문의 채록과 1천여 가지가 넘는 주품마다의 주방문 번역 작업을 해오면서, '납주'는 그야말로 "심봤다." 하는 생각과 함께 그간의 모든 고통이 한꺼번에 사라져버리는 것 같은 쾌재를 가져다주었다.

## 1. 납주 <농정회요(農政會要)>

술 재료 : 찹쌀 2석, 흰누룩 40근, 쉰밥 2말(쌀 2말), 물 200근

술 빚는 법 :

1. 찹쌀 2석(20말)을 백세하여 물에 담가 불렸다가, 다시 씻어 맑은 물이 나올 때까지 말갛게 헹궈 건져서 물기를 뺀다.
2. 불린 찹쌀을 시루에 안쳐 고두밥을 짓고, 고두밥이 익었으면 고루 펼쳐서 차게 식기를 기다린다.
3. 별도로 쉰밥 2말을 물에 담가 불려서 쉰 냄새를 빼고, 다시 씻어 맑은 물이 나올 때까지 말갛게 헹궈 건져서 물기를 뺀다.
4. 찹쌀 고두밥과 쉰밥, 흰누룩 40되, 물 200근을 한데 합하고, 고루 버무려 술밑을 빚는다.
5. 술밑을 술독에 담아 안친 후, 예의 방법대로 하여 발효시켜, 술이 익으면 용수를 박아 채주한다.
6. 청주를 떠내고 남은 찌꺼기는 끓여서 차게 식힌 물 1말을 붓고 체로 걸러, 탁주를 만든 후 맑아지면 사용한다.
7. 떠낸 청주를 담은 술병을 광주리에 담아 끓는 물솥에 담가두었다가, 술이 끓으면 꺼내어 차게 식힌다.

* 주방문에 "쉰밥 또는 쌀 2말로 밥을 짓는다."고 한 것으로 보아, 쉰밥이 없으

면 쌀로 밥을 지어 빚는 것으로 이해할 수 있겠다. 다른 기록에는 "섣달에 빚어 납일 날 마시는 술"이라 하여 '납주'라는 술 이름을 얻었다고 하였다.

臘酒

用糯米二石水與酵二百斤足秤白麯四十斤足秤酸飯二斗或用米二斗起酵其味醲而辣正臘中造煮時大眼藍二箇輪置酒瓶在湯內與湯齊滚取出.

## 2. 납주방 <임원십육지(林園十六志)>

술 재료 : 찹쌀 2석, 누룩 40근, 쉰밥 2말(쌀 1말로 지은 밥), 물 200근

술 빚는 법 :

1. 찹쌀 2석을 백세하여 하루 동안 물에 담가 불린 뒤, 다시 씻어 건져서 물기를 뺀 후 시루에 안쳐 고두밥을 짓는다.
2. 고두밥이 익었으면 퍼내고, 고루 펼쳐서 차게 식기를 기다린다.
3. 쉰밥 2말을 준비한다(멥쌀 1말을 백세하여 물에 담가 불렸다가, 다시 씻어 건져서 물기를 뺀 후 솥에 끓여서 밥을 짓고) 이내 차게 식기를 기다린다).
4. 찹쌀 고두밥과 식은 밥 또는 멥쌀밥, 누룩 40근, 물 200근을 한데 합하고 고루 버무려 술밑을 빚는다.
5. 술독에 술밑을 담아 안친 후 예의 방법대로 하여 발효시키되, 12월 중에 술이 익으면 용수를 박아 청주를 채주한다.
6. 채주한 청주를 병에 담고 소쿠리에 담은 후 끓는 물속에 넣어 살균하는데, 병의 술이 물과 같이 끓으면 건져서 (찬물에 담가 차게) 식힌다.
7. 청주를 떠내고 남은 찌꺼기는 탁주로 거른다(끓여서 차게 식힌 물 1말을 붓고 체로 걸러 탁주를 만든다).

* 섣달에 빚어 납일날 마시는 술이라 하여 '납주'라는 술 이름을 얻었다.

臘酒方

用糯米二石水與醇二百斤(足)秤白麴四十斤足秤酸飯二斗或用米二斗起酵其味醲而辣正臘中造煮時大眼藍二箇輪置酒瓶在湯內與湯齊滾取出. <遵生八牋>.

# 내국향온·내국법온·향온주

## 스토리텔링 및 술 빚는 법

일반적으로 민가에서 빚는 술에는 술 주(酒) 자를 붙이는 것이 관습으로 되어 있으나, 빚을 온(醞) 자를 붙이는 예가 있다.

바로 궁중의 술이 그 예인데, 고려시대의 궁중 양온서(良醞署)와 조선시대의 사옹원(司饔院)·내주방(內廚方)에서 어의(御醫)의 소관 하에 빚어져 임금이 마시고 신하들에게 내리는 술로, '내국법온(內局法醞)' 또는 '내국향온(內局香醞)'이라 불리는데, 이 술을 증류하면 '내국향온소주(內局香醞燒酒)' 또는 '내국법온소주(內局法醞燒酒)'가 된다.

여기서 술 이름에 따른 내국(內局)은 양온서나 사옹원 소속의 내의원(內醫院)을 가리키므로, 곧 양주에 따른 주무책임자가 어의들이었다는 것을 알 수 있다. 또 법(法) 자는 "법제(法製)하여 빚는다.", "법식(法式)대로 빚는다."는 뜻이니 음주에 따른 술의 폐해를 최소화 하였다는 뜻이고, 온(醞)은 "내국의 양온서에서 정한 법식대로 빚었다."는 것을 의미한다.

그런데 궁중 술인 이 '내국법온' 또는 '내국향온'이 공주(公主)나 대군(大君)들의 출가에 의해 사대부나 민가에 전해지는 경우에는 다른 이름인 '향온주(香醞酒)'라 부르게 되는데, 이는 "출가한 대군이나 공주 또는 사대부라 할지라도 임금이 마시는 어주를 신하되는 자가 빚어 마실 수 없다."는 관습에서다.

'향온주' 또는 '내국법온'·'내국향온'은 여느 술과는 다른 매우 독특한 향과 맛을 자랑하는데, 일반 술에서 흔히 쓰는 조곡(밀누룩)이 아닌, '향온곡(香醞麯)'이라고 하여 특수한 누룩을 발효제로, 특별히 만든 석임(腐本, 酒本)을 넣어 술을 빚기 때문이다. '향온주'의 독특한 향은 이 향온곡에서 기인하며, 특이한 맛은 술 빚기 과정에서 찾아볼 수 있다.

흔히 술을 빚을 때 고두밥에 누룩과 물을 함께 섞어 넣고 고루 버무려 술독에 안친다. 이때 물은 그대로 쓰기도 하지만 끓여서 차게 식힌 후 사용하는데, '향온주' 또는 '내국법온'·'내국향온'은 북한산 줄기의 지하수인 석간수(石間水)를 길어다 하룻밤 침수시킨 숫물을 사용한다. 이 물은 또 끓여서 뜨거운 고두밥에 붓고, 고두밥이 물을 다 빨아들이면 차게 식혀서 술을 빚는다는 점에서 이채롭다.

'향온주' 또는 '내국법온'·'내국향온'과 같은 방법의 술 빚기는 흔치 않으나 <산림경제(山林經濟)>, <임원십육지(林園十六志)>, <증보산림경제(增補山林經濟)>, <주찬(酒饌)> 등 여러 문헌에 수록되어 있는 '백하주(白霞酒)', '백화주(白花酒)', '도화주(桃花酒)', '두견주(杜鵑酒)', 명주로 알려진 여러 방문에서 찾아볼 수 있다.

또 별도의 '부본' 또는 '석임'이라 하여 주모 대용의 술밑을 만들어 술 빚기에 이용하고 있음도, 매우 오랜 역사를 자랑하는 술 빚기에서 찾아볼 수 있는 것으로, '향온주' 또는 '내국법온'·'내국향온'의 역사 또한 오래되었을 것으로 추측된다.

이러한 '향온주' 또는 '내국법온'·'내국향온'은 몇 가지 양주기법으로 전해 오고 있음을 알 수 있다. '향온주' 또는 '내국법온'·'내국향온'에 대한 최초의 기록이라고 할 수 있는 문헌은 <산가요록(山家要錄)>과 <언서주찬방(諺書酒饌方)>이라고 할 수 있으며, 이후의 <고사촬요(故事撮要)>와 <음식디미방>, <산림경제> 등에 등장하는 '향온주' 주방문이 주류를 이루는데, <요록(要錄)>을 비롯하여 <민천집설(民天集說)>, <역주방문(曆酒方文)> 등에서는 매우 상이한 방법의 주방문을 엿볼 수 있다.

먼저, 최초의 기록으로 여겨지는 <산가요록>과 <언서주찬방>에는 두 가지 주방문을 엿볼 수 있는데, <산가요록>에 "米一石. 白米一石 蒸出 每一斗 侵水(湯水)一瓶二鐥. 匊一升五合 本酒五升 交釀之如常. 待熟 上槽坐淸 用之(멥쌀 1섬을 쪄내어 멥쌀 1말당 물 1병 2선의 비율로 부어 담가놓고, 누룩 1되 5홉과 밑술 5되를 버무려 보통 방법처럼 빚는다. 이것이 익으면 술주자에 올려서 맑아지면 먹는다)."고 하여, 멥쌀을 주원료로 하고 끓는 물 10병 20선, 밑술(주본)의 사용량이 5말이 사용된다는 것을 알 수 있다.

그런데 <산가요록>과 동시대의 문헌으로 추정되는 <언서주찬방>에는 '향온 빚는 법'과 '내의원 향온 빚는 법'이 함께 수록되어 있는 것을 볼 수 있어, '향온주' 와 '내국법온' 또는 '내국향온'이 다른 방문으로 이루어진다는 것을 짐작할 수 있다.

<언서주찬방>의 '향온 빚는 법'은 "빅미 열단 말을 빅셰ᄒᆞ야 닉게 뼈 ᄎᆞ거든 ᄆᆡ ᄒᆞᆫ 말애 믈 ᄒᆞᆫ 병 두 대야과 됴ᄒᆞᆫ 누록ᄀᆞᄅᆞ ᄒᆞᆫ 되 닷 홉과 됴ᄒᆞᆫ 밋술 닷되식 헤아려 섯거 독의 녀허 부리를 두터이 ᄡᆞᄆᆡ야 닉거든 드리워 ᄡᅳ라."고 하여, <산가요록>에서와 같이 멥쌀 15말을 주원료로 하고, 끓는 물 10병 20대야(<산가요록>에서는 20선이라고 하였다.)를 합한 후, 차게 식으면 누룩가루 1말 5되와 주본 5말을 사용한다고 하였다. 이로써 조선 초기의 '향온주'는 멥쌀이 단독으로 사용되고, 주본의 사용량이 많은 것을 알 수 있다.

그리고 <언서주찬방>에서는 '내의원 향온 빚는 법'을 볼 수 있는데, "누록을 ᄆᆞᆫᄃᆞ로ᄃᆡ 밀흘 ᄀᆞ라 ᄀᆞᆯ를 츠디 말고 ᄆᆡ ᄒᆞᆫ 두레예 ᄒᆞᆫ 말식 호ᄃᆡ 녹두ᄉᆡᆨᄅᆞ ᄒᆞᆫ 홉식 조차 섯거 드듸라. 빅미 열 말과 졈미 ᄒᆞᆫ 말과 섯거 빅셰ᄒᆞ야 닉게 뼈 ᄉᆞᆯ힌 믈 열 다ᄉᆞᆺ 병 골와 믈이 밥애 다 들고 ᄀᆞ장 ᄎᆞ거든 누록ᄀᆞᄅᆞ ᄒᆞᆫ 말 닷 되과 서김 ᄒᆞᆫ 병 섯거 녀혀 독부리를 두터온 식지로 ᄡᆞᄆᆡ야 닉거든 드리우라."고 하여, 밀과 녹두를 갈아 섞어 만든 향온곡을 사용하고, 멥쌀과 찹쌀을 10 : 1의 비율로 섞어 지은 고두밥에 끓는 물 15병을 섞어 차게 식힌 후, 누룩가루 1말 5되와 서김 1병이 사용된 것을 볼 수 있다.

이로써 '향온주'는 '내국법온'이나 '내국향온'·'내국법양(內局法釀)'과는 다른 술이었다는 것을 확인할 수 있으며, <산가요록>과 <언서주찬방> 이후 등장하는 <고사촬요>와 <음식디미방>, <산림경제> 등의 '향온주' 또는 '내국법온'·'내국향온'은 <언서주찬방>의 '내의원 향온 빚는 법'과 대동소이하다는 것을 확인할 수 있다.

'내의원 향온 빚는 법' 또는 '내국향온'이 일반에 전파되면서 '향온주'로 불리기 시작했으며, 자연스럽게 '내국법온'·'내국향온'은 그 이름을 잃어버리게 되었다는 사실을 확인할 수 있다.

한편, '내의원 향온 빚는 법' 또는 '내국향온'·'내국법온'이 일반인들 사이에서 '향온주'로 바뀌어 불리면서 '별법(別法)' 주방문이 생겨나게 된 것을 확인할 수 있는데, 특히 1680년경의 <요록>에서는 "찹쌀 1말로 지은 고두밥에 물 대신 청주 2병을 뿌려서 섞고, 누룩가루 5홉과 주본 1병을 섞어 빚은 청주와 별도로 빚어두었던 향온주를 섞어 마신다."고 하는 방법의 '향온방(香醞方)'을 수록하고 있어, 이제까지의 '내의원 향온 빚는 법' 또는 '내국향온'·'내국법온'과는 전혀 다른 방법을 채용하고 있음을 확인할 수 있다.

또 1752년~1822년으로 추정되는 <민천집설>에 수록된 '내국향온 우법' 주방문은 "멥쌀 7사발과 찹쌀 1되, 누룩가루 1되 5홉, 부본 1작, 끓는 물 15중사발의 비율로 빚는 방문"과 "멥쌀 1말과 찹쌀 1되, 누룩가루 1되 8홉, 부본 1작, 끓는 물 1병 8홉의 비율로 빚는" 두 가지 주방문을 볼 수 있다.

또한 1800년대 중엽의 <역주방문>에는 "찹쌀 1말을 백세하여 물 3말을 섞고 죽을 쑤고 식기를 기다려, 누룩가루 5홉과 밀가루 5홉을 한데 섞어 5일간 발효시킨 다음, 찹쌀 2말을 백세하여 고두밥을 찌고, 고두밥이 익었으면 넓은 그릇에 퍼내고 끓는 물 2말을 골고루 섞어, 고두밥이 물을 다 먹고 차게 식기를 기다렸다가 밑술을 합하고 베보자기를 씌워 밀봉한 다음 뚜껑을 덮어 7일간 발효시키고, 술이 익기를 기다려 채주한다."고 하여, 여느 기록의 '내의원 향온 빚는 법' 또는 '내국향온'·'내국법온'과는 그 방법에서 많은 차이가 난다.

특히 석임을 사용하지 않으며, 찹쌀죽으로 밑술을 빚고 찹쌀고두밥으로 덧술을 하는 방법인데, 다른 어떤 기록에서도 찾아볼 수 없는 방문이다.

또한 '내의원 향온 빚는 법' 또는 '내국향온'·'내국법온'은 향온곡이라는 녹두누룩으로 빚는 술인데, 향온곡에 대한 언급이 없어 특징을 찾기 힘들다.

따라서 <역주방문>의 '향온주방(香醞酒方)'은 민간의 일반적인 방법의 술까지 향온주로 칭하게 되었을 것이라는 추측을 해볼 수 있다.

그리고 중요한 또 한 가지 사실은, <요록>을 비롯하여 <민천집설>, <역주방문> 등 소위 이법(異法)이나 별법(別法)이라고 할 수 있는 주방문을 제외하고, 1800년대 말엽 이후의 어떤 문헌에서도 '내의원 향온 빚는 법' 또는 '내국향온'·'내국법온'의 주방문을 찾아보기 힘들다는 점이다.

그리고 '향온주'·'내의원 향온 빚는 법' 또는 '내국향온'·'내국법온(內局法醞)'은 <언서주찬방> 외의 다른 한글 기록에서는 예의 주방문을 찾을 수 없다는 점에서도 주목할 필요가 있다고 할 것이며, 이후 '내의원 향온 빚는 법', '내국향온', '내국법온'은 향온주로 일반화되었다는 사실을 확인할 수 있다.

그 예로 이 '향온주'를 증류한 '향온소주(香醞燒酒)'가 서울시 무형문화재 제9호로 지정되어 있는데, <음식디미방> 등 옛 문헌에 수록된 방문과는 약간의 차이를 보이고 있다. 그 이유는 현재 중요무형문화재를 비롯하여 시도지사 지정 무형문화재 대부분과 지금까지 밝혀진 가양주법의 전통주들이 옛 기록이나 문헌에 수록된 방문과 완전히 일치하지 않는다는 사실이다.

또한 이들 전통주들이 누대에 걸친 전승 과정에서 술 빚는 집안의 형편이나 주인의 성격, 계절에 따라 약간씩 변용하여 술을 빚어왔다는 사실로 미루어, '향온주'·'내의원 향온 빚는 법' 또는 '내국향온'·'내국법온' 역시도 전승 과정에서 약간씩 변모하였을 것으로 미루어 짐작된다.

'서울 향온주'의 전승 경로를 밟다 보면 바로 이와 같은 이유가 여실히 드러난다. 이러한 이유로, 사대부와 양반가 부녀자들에 의해 작성된 옛 문헌에 술 이름을 '향온주'라고 표기하고, "향온주를 '내국향온'이라 한다."고 부연설명하고 있음을 볼 수 있다.

따라서 '향온주' 또는 '내국법온'·'내국향온'을 통해서 사라져버린 것으로 여겼던 조선시대 궁중의 술 빚기와 그에 따른 방문의 일면을 엿볼 수 있게 된 것은 매우 다행한 일이 아닐 수 없다.

조선시대 옛 문헌 중 '향온주' 또는 '내국향온'·'내국법양' 등에 관한 기록으로 <감저종식법(甘藷種植法)>을 비롯하여 <고사신서(攷事新書)>, <고사십

이집(攷事十二集)>, <고사촬요>, <군학회등(群學會騰)>, <민천집설>, <산가요록>, <산림경제>, <언서주찬방>, <역주방문>, <요록>, <음식디미방>, <의방합편(醫方合編)>, <임원십육지>, <주찬>, <치생요람(治生要覽)>, <침주법(浸酒法)>, <학음잡록(鶴陰雜錄)>, <해동농서(海東農書)> 등 19종의 문헌에 22차례나 등장하는 것으로 미루어, 사대부와 양반가에서 널리 빚어 마셨던 것을 미루어 짐작할 수 있으며, 그 근거로 조선시대 사대부들의 글과 시를 참고하지 않을 수 없다.

> 거의(擧義) 이후로 모든 어전에 이바지하는 물건을 혹은 하교로 말미암아, 혹은 소차로 말미암아 거의 다 줄였는데, 그 중에 …(중략)… 금년에는 진배(進排, 대궐이나 관아에서 쓸 여러 가지 물품을 바침)하지 말고 그 값에 해당하는 쌀을 양서(兩西)에 내려 보내서, 아무것도 없는 고달픈 백성에게 나누어 주게 하라. 또 내주방(內酒房)의 '향온(香醞)'이 흉년에 계속 있는 것도 매우 옳지 않으니, 대비전에 올리는 것 외에 그 나머지 각전(各殿)에는 내년 추수 때까지 모두 정지하고, 그 술에 드는 쌀로 서울 안의 구호에 보태어 쓰라."
> —인조 6년(1628)~8년(1630)까지 고록 <응천일록(凝川日錄) 4> 비망기 중에서

인조가 하교한 내용에서 '향온주' 또는 '내국법온'·'내국향온'이 궁중의 술이라는 근거를 확인할 수 있으며, 술 빚기에 쓰이는 쌀의 양이 얼마나 많았던지 백성의 구제를 위해 사용하라고 한 것을 볼 수 있다.

이 밖에도 조선시대 사대부들 사이에 어주 '향온주' 또는 '내국법온'·'내국향온'이 임금이 마시고 신하에게 베푸는, 이른바 '선온'에 대한 찬사와 감응의 시를 자주 목격할 수 있다.

> 光祿頒宮醞(광록시에서 궁중 술을 하사하시어)
> 承明敞直廬(성총이 누추한 집에까지 이르렀네.)
> 異恩慚分外(특별한 은총은 분수 밖이라 부끄럽지만)

舊興在吟餘(옛 흥취가 남아 있어 시 몇 자 읊어보네.)
獨阻朝正列(홀로 조정의 반열에 나가지 못해)
慵修餽歲書(세밀의 문안편지도 쓰기가 귀찮았는데,)
驅儺屏障禮(나례로써 역귀를 좇는 예는)
未識定何如(어떻게 해야 할지 모르겠네.)
—이색, <목은선생문집(牧隱先生文集)> 중 '무오정단후이일(戊午正旦後二日)'

天中端合處高明(천중가절은 고명한 곳에 처함이 마땅하니)
殿閣微微槐露淸(대궐 안에는 미미하나 홰나무에 내린 이슬은 맑네.)
宣酒泛蒲聞馥郁(창포가 뜬 선온주에는 향기가 나고)
宮衣鬪葛見輕盈(갈포로 입은 궁의는 가벼워 보이네.)
梟羹已賜千官罷(효갱을 이미 여러 관원들에게 하사하였으니)
龍鏡休誇百鍊成(용경을 백 번 단련하여 이루었다고 자랑하지 말라.)
獨有不逢昭代恨(홀로 태평성대를 만나지 못한 한이 있으나)
九原難作楚臣平(저승에 있는 초나라 신하를 일으키기는 어렵네.)
—민제인, <입암집> '단오첩자(端午帖子)'라는 칠언시 중에서

一千年運屬河淸(일천 년의 운수가 황하의 맑은 때와 같으니)
聖主深恩叶鹿鳴(임금의 깊은 은혜는 녹명에 화합하네.)
誰識屈原沈汨日(누가 굴원의 익사한 날을 알겠는가?)
詞臣無事醉霞觥(사신이 일 없어 선온주에 취하네.)
-김성일, <학봉선생문집> '단오일 선온유감(端午日 宣醞有感)'

中秋物色屬光晶(중추가절에 사물의 경치는 빛나고 있는데)
露洗長空瑞日明(이슬 씻긴 하늘에는 해가 밝게 떠 있네.)
慶衍春宮褥禮罷(경사스런 세자는 욕례를 파하니)
恩霑鵷列綺筵榮(백관의 잔치 은혜 베풀 것을 생각하네.)
霞觴瀲灩分宮醞(술잔에는 술이 가득히 궁온을 나누는데)

天語丁寧寫聖情(임금의 말씀은 정녕하여 성정을 닮았네.)
何幸微臣忝盛美(어찌 요행히 내가 성대한 잔치에 참여하였는가?)
彤庭跳舞何生成(궁궐에서 춤추며 생성하는 은혜를 받네.)
—노신, <옥계선생문집> '중추절 밤에 군신 간에 연회를 갖다(秋夜宴君臣)'

落帽佳辰勝賞多(낙모하는 좋은 계절에 경치도 매우 좋은데)
病窓風味夜如何(병든 몸이 창에서 보는 밤경치는 어떠한가?)
籬邊野菊開無數(울타리 옆에는 국화가 무수히 피었는데)
獨嗅淸香到日斜(홀로 맑은 향을 맡다 보니 해가 저물었네.)
金氣橫空霽景明(가을 기운이 하늘을 가로질러 더욱 청명한데)
重陽令節最知名(중양절은 가장 알려진 명절이네.)
去年蓬觀追仙集(작년에 떠돌다가 추선집을 보고)
手酌黃封拜舞聲(손으로 황봉을 따르니 절하며 춤추는 소리가 들리네.)
湖堂例於節日有宣醞(호당湖堂에는 절일에 선온宣醞하는 예가 있다.)
–구봉령, <백담속집> '중양일에 즉석에서 짓다(重陽日卽事)'

이상의 글들 가운데서 '향온주' 또는 '내국법온'·'내국향온'이 어주이면서 설날을 비롯하여 단오나 중양절 등의 명절에 이 술을 즐겼다는 사실을 확인할 수 있다. 또한 '향온주'·'내의원 향온 빚는 법' 또는 '내국향온'·'내국법온'은 어주로서, 명절에 왕이 마시고 신하들에게 술을 내리는 이른바 '선온(宣醞)', '궁온(宮醞)', '선주(宣酒)'하는 예가 있다는 것을 알 수 있다. '향온주'·'내의원 향온 빚는 법' 또는 '내국향온'·'내국법온'이 어주가 될 수 있었던 배경으로 향온곡을 들지 않을 수 없다는 것이 필자의 판단이다. 향온곡이란 본디 궁중의 내국(內局)에서 빚는 술인 '내국법양'을 빚는 데 사용되는 특수누룩이었다.

그리고 이 궁중법의 '내국법양'을 민간에서 '향온주'라고 하며, 이 '향온주'를 증류하는 과정에서 지초를 이용하여 착색시킨 소주를 궁중에서는 '내국홍로주(內局紅露酒)' 또는 '홍로주(紅露酒)'라고 하고, 민간에서는 약식으로 빚은 까닭에 '홍주(紅酒)'라고 부르는바, 향온곡은 특별한 의미를 갖는다고 하겠다.

향온곡에 대한 기록도 <고사촬요>를 비롯하여 '향온주'·'내의원 향온 빚는 법' 또는 '내국향온'·'내국법온'의 주방문을 수록하고 있는 대부분의 문헌에서 찾아볼 수 있는데, 향온곡의 제조법과 재료 배합비율이나 디디는 법이 유사한 누룩도 향온곡이라 하지 않고, '녹두곡(綠荳麯)' 또는 '곡(麯)'이라고 기록한 경우가 더 많다는 점에서 향온곡에 대한 의미가 크다고 할 수 있다.

향온곡이 여느 누룩과 다른 점은 바로 녹두가 사용된다는 것인다. 향온곡에 사용되는 녹두에는 여러 가지 특수성분들이 다량 함유되어 있는데, 이들 성분이 발효와 향기 생성에 관여하는 것 같다.

녹두에는 단백질 21%, 지방 1%, 당질 44.9%, 섬유소 3.5%, 회분 3.8%, 칼슘 189mg%, 인 471mg%, 철분 3.4mg%, 비타민 A 120IU, 비타민 B1 0.3mg%, 비타민 B2 0.14mg%, 나이아신 2.1mg%나 되며, 단백질을 구성하는 아미노산으로는 로이신·라이신·발린 등의 필수아미노산이 풍부하다.

효소의 종류로 뉴클레아제·인벨타아제·아밀라아제 등이 있다. 몸을 차게 하는 성질이 있어 해열·고혈압·숙취에 좋다고 알려져 있다. 이들 성분은 발효에 직간접적인 영향을 줄 뿐만 아니라, 해독작용과 함께 녹두의 찬 성질로 인해 알코올 발효 시 술덧이 과도하게 끓어오르는 현상을 어느 정도 예방할 수 있어, 특히 여름철 양주에 향온곡을 비롯한 녹두곡이 사용된다는 점에서 그 가치와 옛 선조들의 뛰어난 지혜를 엿볼 수 있다. 필자의 경험으로 '향온주' 또는 '내국법온'·'내국향온'을 재현하여 수차례의 시음회를 가진 결과, 그 독특한 향과 맛에 반한 사람이 한둘이 아니었으며, 술 빚기를 배워 대물림의 가양주로 만들겠다는 사람들이 많았다.

## 1. 내국향온법 <감저종식법(甘藷種植法)>

누룩 재료 : 보리 1말, 녹두 1홉, 물 2되

술 재료 : 멥쌀 10말, 찹쌀 1말, 누룩가루 1말 5되, 부본 1병, 물 15병

누룩 빚는 법 :

1. 보리 1말을 물에 깨끗이 씻어 볕에 말렸다가, 맷돌에 갈아 가루를 낸다.
2. 녹두 1홉을 물 2되에 담가 불렸다가, 맷돌에 갈아 녹두가루물을 만든다.
3. 보릿가루에 녹두가루물을 골고루 쳐가면서 치대어 반죽한다.
4. 반죽한 것은 누룩틀에 넣고 발로 디뎌서 성형한 뒤, 볏짚이나 쑥잎을 깔고 위를 덮어서 따뜻한 곳에서 띄운다.
5. (누룩 띄울 때 2~3일 간격으로 위아래, 좌우 위치를 바꾸어 주길 3~4차례 반복한다.)
6. (누룩을 띄운 지 21일가량 지나 발효가 끝난 누룩을 꺼내어, 햇볕 들고 바람이 잘 통하는 곳에 다시 세워쌓기 하여 10일가량 건조, 숙성시킨다.)
7. (햇볕에 내놓아 살균시키고 곰팡이 냄새를 제거한 뒤, 종이봉투에 담아두고 필요할 때 재차 법제하여 쓴다.)

술 빚는 법 :

1. 멥쌀 10말과 찹쌀 1말을 한데 섞어 물에 깨끗이 씻은 뒤, 하룻밤 불렸다가 (다시 씻어 헹군 후 건져서) 시루에 안쳐 고두밥을 짓는다.
2. 솥에 물 15병을 팔팔 끓이고, 고두밥이 익었으면 퍼낸다(넓은 그릇 여러 개에 나눠 담아놓는다).
3. 끓고 있는 물 15병을 고두밥에 골고루 나눠 붓고, 고두밥이 물을 다 먹고 윤기가 돌면 돗자리에 고루 펼쳐서 오랫동안 차게 식기를 기다린다.
4. 고두밥에 누룩가루(향온곡) 1말 5되, 부본 1병을 한데 합하고, 고루 버무려 술밑을 빚는다.
5. 술독에 술밑을 담아 안치고, 예의 방법대로 하여 발효시킨 뒤, 술이 익었으면 용수 박아 채주한다.

內局香醞法

造麴以麥磨之不篩其末每一圓入一斗碎菉豆一合調和造作. 白米十斗粘米一斗百洗蒸出用熱水十五瓶調和待其水盡入于蒸飯然後鋪於簟上寒之良久麴末

一斗五升腐本一瓶調和釀之.

## 2. 내국향온법 <고사신서(攷事新書)>

–내국법양(궁중의 내국에서 술 빚는 법)

누룩 빚는 법 :

1. 보리를 갈아 체에 거르지 말고 통밀가루를 매 1두레 만드는데, 보리 1말이 들어간다.
2. 맷돌이나 절구에 파쇄한 녹두가루 1홉으로 디딘다.
3. 누룩을 디디는 방법은 여느 방문과 같다.

술 빚는 법 :

1. 멥쌀 10말과 찹쌀 1말을 백세하여 시루에 안치고 쪄서 고두밥을 짓는다.
2. 물 15병을 팔팔 끓여서 고두밥에 합하고, 주걱으로 고루 저어 고두밥이 물을 다 먹기를 기다린다.
3. 물을 먹은 고두밥을 넓은 그릇 여러 개에 나눠 담고, 주걱으로 고루 헤쳐서 오랫동안 두고 차게 식기를 기다린다.
4. 고두밥에 누룩가루 1말 5되와 부본 1병을 합하고, 고루 버무려 술밑을 빚는다.

* <고사촬요>와 동일한 주방문이다.

內局香醞法

造麴以麥磨之不篩其末每一圓入一斗碎菉豆一合調和造作 白米十斗粘米一斗百洗蒸出用熱水十五瓶調和待其水盡入于蒸飯然後鋪於簟上寒之良久麴末一斗五升腐本一瓶調和釀之.

## 3. 향온주 <고사십이집(攷事十二集)>

–내국법양

누룩 재료 : 보리 1말, 밀 10말(두레), 녹두가루 1홉
술 재료 : 멥쌀 10말, 찹쌀 1말, 누룩가루 1말 5홉, 부본 1되, 끓는 물 15병

누룩 빚는 법 :

1. 보리를 갈아 체에 거르지 말고 통밀가루를 매 1두레 만드는데, 보리 1말이 들어간다.
2. 맷돌이나 절구에 파쇄한 녹두가루 1홉으로 디딘다.
3. 누룩을 디디는 방법은 여느 방문과 같다.

술 빚는 법 :

1. 멥쌀 10말과 찹쌀 1말을 백세하여 시루에 안치고 쪄서 고두밥을 짓는다.
2. 물 15병을 팔팔 끓여서 고두밥에 합하고, 주걱으로 고루 저어 고두밥이 물을 다 먹기를 기다린다.
3. 물을 먹은 고두밥을 넓은 그릇 여러 개에 나눠 담고, 주걱으로 고루 헤쳐서 오랫동안 두고 차게 식기를 기다린다.
4. 고두밥에 누룩가루 1말 5홉과 부본 1병을 합하고, 고루 버무려 술밑을 빚는다.
5. 술독에 술밑을 담아 안치고, 예의 방법대로 하여 (21일간) 발효시킨다.

* <고사촬요>와 동일한 주방문이다.

香醞酒

造麯以麥磨之不篩其末每一圓入一斗碎菉豆一合調和爲之造酒以白米十斗粘米一斗百洗蒸出用熱水十五瓶調和待其水盡入于蒸飯然後鋪於簟上寒之良久麯末一斗五升腐本一瓶調和釀之.

## 4. 내국향온법 <고사촬요(故事撮要)>

누룩 재료 : 보리 1말, 녹두 1홉, 물 2되
술 재료 : 멥쌀 10말, 찹쌀 1말, 누룩가루 1말 5되, 부본 1병, 물 15병

누룩 빚는 법 :

1. 보리 1말을 물에 깨끗이 씻어 볕에 말렸다가, 맷돌에 갈아 가루를 낸다.
2. 보리 한 둘레당 녹두가루 1홉을 물 2되에 담가 불렸다가, 맷돌에 갈아 녹두 가루물을 만든다.
3. 보릿가루에 녹두가루물을 골고루 쳐가면서 치대어 반죽한다.
4. 반죽한 것은 누룩틀에 넣고 발로 디뎌서 성형하여 누룩밑을 만든 뒤, 볏짚이나 쑥잎을 깔고 위를 덮어서 따뜻한 곳에서 발효시킨다.
5. 누룩 띄울 때 2~3일 간격으로 위아래, 좌우 위치를 바꾸길 3~4차례 반복한다.
6. 누룩을 띄운 지 21일가량 지나 발효가 끝난 누룩을 꺼내어, 햇볕 들고 바람이 잘 통하는 곳에 다시 세워쌓기 하여 10일가량 건조, 숙성시킨다.
7. 발효가 끝나 누룩이 완성되었으면 햇볕에 내놓아 살균시키고 곰팡이 냄새를 제거한 뒤, 종이봉투에 담아두고 필요할 때 재차 법제하여 쓴다.

술 빚는 법 :

1. 멥쌀 10말과 찹쌀 1말을 한데 섞어 물에 깨끗이 씻은 뒤, 하룻밤 불렸다가 (다시 씻어 헹군 후 건져서) 물기를 뺀다.
2. 불린 쌀을 시루에 안쳐 고두밥을 짓고, 물 15병을 팔팔 끓인다.
3. 고두밥이 익었으면 퍼내어 넓은 그릇 여러 개에 나눠 담고, 끓고 있는 물을 고두밥에 골고루 퍼붓고 주걱으로 고루 헤쳐 놓는다.
4. 고두밥이 물을 다 먹고 윤기가 돌면, 돗자리에 고루 펼쳐 차게 식기를 기다린다.

5. 고두밥에 누룩가루 1말 5되, 부본 1병을 합하고, 고루 버무려 술밑을 빚는다.
6. 술독에 술밑을 담아 안치고 예의 방법대로 하여 발효시킨 뒤, 술이 익었으면 용수 박아 채주한다.

內局香醞法

造麯以麥磨之不篩其末每一圓入一斗碎菉豆一合調和造作 白米十斗粘米一斗百洗蒸出用熱水十五瓶調和待其水盡入于蒸飯然後鋪之於簟上寒之良久麯末一斗五升腐本一瓶調和釀之.

## 5. 내국향온법 <군학회등(群學會謄)>

누룩 재료 : 밀 1말, 녹두가루 1홉
술 재료 : 멥쌀 10말, 찹쌀 1말, 누룩가루 1말 5되, 부본 1병, 끓는 물 15병

누룩 빚는 법 :
1. 통밀(보리)을 맷돌에 갈아 체에 거르지 말고 가루를 준비하는데, 매 1두레 만드는 데 밀이나 보리 1말이 들어간다.
2. 맷돌이나 절구에 파쇄한 녹두가루 1홉을 준비한다.
3. 누룩을 디디는 방법은 여느 방문과 같다.

술 빚는 법 :
1. 멥쌀 10말과 찹쌀 1말을 백세하여 (물에 담가 불렸다가, 다시 씻어 말갛게 헹궈서 물기를 뺀 후) 시루에 안치고 쪄서 고두밥을 짓는다.
2. 물 15병을 팔팔 끓여 고두밥에 합하고, 주걱으로 고루 저어 고두밥이 물을 다 먹기를 기다린다.
3. 물을 먹은 고두밥을 넓은 그릇 여러 개에 나눠 담고, 주걱으로 고루 헤쳐서

오랫동안 두고 차게 식기를 기다린다.

4. 고두밥이 차게 식었으면 누룩가루 1말 5되와 부본 1병을 합하고, 고루 버무려 술밑을 빚는다.
5. 술독에 술밑을 담아 안치고 예의 방법대로 하여 발효시킨 뒤, 술이 익었으면 용수 박아 채주한다.

* <고사십이집>과 동일한 주방문이다.

## 6. 내국향온 <민천집설(民天集說)>

누룩 재료 : 통밀 1말, 녹두가루 1홉
술 재료 : 멥쌀 10말, 찹쌀 1말, 누룩가루 1말 8홉, 부본 1병, 끓는 물 15병

누룩 빚는 법 :

1. 보리를 갈아 체에 거르지 말고 그대로 준비하는데, 누룩을 매 1두레 만드는데 보리 1말이 들어간다.
2. 맷돌이나 절구에 파쇄한 녹두가루 1홉으로 디딘다.
3. 누룩을 디디는 방법은 여느 방문과 같다.

술 빚는 법 :

1. 멥쌀 10말과 찹쌀 1말을 백세하여 (물에 담갔다가, 다시 씻어 건져서 물기를 뺀 뒤) 시루에 안쳐 고두밥을 짓는다.
2. 고두밥이 익었으면 퍼내고, 솥에 물 15병을 팔팔 끓여 고두밥에 합하고 고루 헤쳐 놓는다.
3. 고두밥이 물을 다 먹었으면, 그릇 여러 개에 나눠 담고 차게 식기를 기다린다.
4. 물 먹인 고두밥에 누룩가루 1되 8홉, 부본 1병을 합하고, 고루 버무려 술밑

을 빚는다.
5. 술밑을 술독에 담아 안치고, 예의 방법대로 하여 발효 숙성시킨다.

* <고사촬요>와 동일한 주방문이다. <고사십이집>에는 '내국법양'이라고 하였다.

內局香醞
造麯時磨麥不之篩每一圓入一斗及碎菉豆一合調和造曲. 釀法白米七斗粘米一斗百洗蒸出用熱水十五甁調和待其水盡入于蒸飯然後鋪於簟席寒之及良夂曲末一升八合僞升腐本一甁調和釀之.

## 7. 내국향온(우법) <민천집설(民天集說)>

술 재료 : 멥쌀 1말, 찹쌀 1되, 누룩가루 1되 8홉, 부본 1작, 끓는 물 1병 8홉

술 빚는 법 :
1. 멥쌀 1말과 찹쌀 1되 백세하여 (물에 담갔다가, 다시 씻어 건져서 물기를 뺀 뒤) 시루에 안쳐 고두밥을 짓는다.
2. 고두밥이 익었으면 퍼내고, 솥에 물 1병 8홉을 팔팔 끓여 고두밥에 합하고 고루 헤쳐 놓는다.
3. 고두밥이 물을 다 먹었으면, 그릇 여러 개에 나눠 담고 차게 식기를 기다린다.
4. 물 먹인 고두밥에 누룩가루 1되 8홉, 부본 1작을 합하고, 고루 버무려 술밑을 빚는다.
5. 술밑을 술독에 담아 안치고, 예의 방법대로 하여 발효 숙성시킨다.

內局香醞(右法)

以少雖之白米一斗粘米一升四合三勺熱水一瓶仍八合瓶曲末一升八合腐本一鉢. 白米七刀粘米一升曲末一升五合熱水十五中鉢腐本一鉢.

## 8. 내국향온(우법) <민천집설(民天集說)>

술 재료 : 멥쌀 7사발, 찹쌀 1되, 누룩가루 1되 5홉, 부본 1작, 끓는 물 15중사발

술 빚는 법 :

1. 멥쌀 7사발 찹쌀 1되 백세하여(물에 담갔다가, 다시 씻어 건져서 물기를 뺀 뒤) 시루에 안쳐 고두밥을 짓는다.
2. 고두밥이 익었으면 퍼내고, 솥에 중사발로 물 15그릇 팔팔 끓여 고두밥에 합하고, 고루 헤쳐 놓는다.
3. 고두밥이 물을 다 먹었으면, 그릇 여러 개에 나눠 담고 차게 식기를 기다린다.
4. 물 먹인 고두밥에 누룩가루 1되 8홉, 부본 1사발을 합하고, 고루 버무려 술밑을 빚는다.
5. 술밑을 술독에 담아 안치고, 예의 방법대로 하여 발효·숙성시킨다.

內局香醞(右法)

以少雖之白米一斗粘米一升四合三勺熱水一瓶仍八合瓶曲末一升八合腐本一鉢. 白米七刀粘米一升曲末一升五合熱水十五中鉢腐本一鉢

## 9. 향온주조양식 <산가요록(山家要錄)>

–쌀 1석(10말) 빚이

술 재료 : 멥쌀 1석(10말), 누룩 1되 5홉, 본주(석임) 5되, 물 10병 20선

술 빚는 법 :

1. 멥쌀 1석을 (백세하여 물에 담가 불렸다가, 다시 씻어 건져서 물기를 뺀 후. 시루에 안치고) 무른 고두밥을 짓는다.
2. 물 10병 20선을 끓이다가 고두밥이 익었으면 퍼내어 큰 그릇에 나눠 담고, 끓는 물 10병 20선을 붓고 주걱으로 고루 헤쳐 놓는다.
3. 고두밥이 물을 다 빨아먹으면, 그릇 여러 개에 나눠 담고 차게 식기를 기다린다.
4. 물 먹인 고두밥에 본주(석임) 5되와 누룩(향온곡) 1되 5홉을 합하고, 고루 버무려 술밑을 빚는다.
5. 술독에 술밑을 담아 안치고, 예의 방법대로 하여 발효시키고 익기를 기다린다.
6. 술이 익었으면 술주자에 올려 짜서 맑아지기를 기다렸다가 마신다.

* 주방문에 "쌀 1말당 물 1병 2선의 물에 담가 불리라(每一斗 侵水一甁二鐥)." 고 하였는데, 이를 '每一斗 湯水一甁二鐥'으로 수정하여 방문을 작성하였다.

香醞酒造釀式

米一石. 白米一石 蒸出 每一斗 侵水(湯水)一甁二鐥 匊一升五合 本酒五升 交釀之如常 待熟 上槽坐淸 用之 每一斗 侵水(湯水)一甁二鐥.

## 10. 내국향온법 <산림경제(山林經濟)>

누룩 재료 : 보리 1말, 녹두 1홉, 물 2되

술 재료 : 멥쌀 10말, 찹쌀 1말, 누룩가루 1말 5되, 부본 1병, 물 15병

누룩 빚는 법 :

1. 보리 1말을 물에 깨끗이 씻어 볕에 말렸다가, 맷돌에 갈아 가루를 낸다.
2. 녹두 1홉을 물 2되에 담가 불렸다가, 맷돌에 갈아 녹두물을 만든다.

3. 보릿가루에 녹두물을 골고루 쳐가면서 치대어 반죽한다.
4. 반죽한 것은 누룩틀에 넣고 발로 디뎌서 성형한 뒤, 볏짚이나 쑥잎을 깔고 위를 덮어서 따뜻한 곳에서 발효시킨다.
5. 누룩 띄울 때 2~3일 간격으로 위아래, 좌우 위치를 3~4차례 바꾸어준다.
6. 누룩을 띄운 지 21일가량 지나 발효가 끝난 누룩을 꺼내어, 햇볕 들고 바람이 잘 통하는 곳에 다시 세워쌓기 하여 10일가량 건조 숙성시킨다.
7. 햇볕에 내놓아 살균시키고 곰팡이 냄새를 제거한 뒤, 종이봉투에 담아두고 필요할 때 재차 법제하여 쓴다.

술 빚는 법 :
1. 멥쌀 10말과 찹쌀 1말을 한데 섞어 물에 깨끗이 씻은 뒤, 하룻밤 불렸다가 (다시 씻어 헹군 후 건져서) 시루에 안쳐 고두밥을 짓는다.
2. 고두밥이 익었으면 퍼낸다(넓은 그릇 여러 개에 나눠 담아놓는다).
3. 물 15병을 팔팔 끓여 고두밥에 골고루 나눠 붓고, 고두밥이 물을 다 먹고 윤기가 돌면 돗자리에 고루 펼쳐서 차게 식기를 기다린다.
4. 고두밥에 누룩가루 1말 5되, 부본 1병을 합하고, 고루 버무려 술밑을 빚는다.
5. 술독에 술밑을 담아 안치고, 예의 방법대로 하여 발효시켜 채주한다.

內局香醞法

造麴以麥磨之, 不篩其末, 每一圓入一斗, 碎菉豆一合, 調和造作. 白米十斗, 粘米一斗, 百洗蒸出, 用熱水十五瓶調和, 待其水盡入于蒸飯, 然後鋪於簟上, 寒之良久. 麴末一斗五升. 腐本一瓶 調和釀之. <攷事>.

## 11. 향온 빚는 법 <언서주찬방(諺書酒饌方)>

술 재료 : 멥쌀 15말, 누룩가루 1되 5홉, 밑술(서김) 5되, (끓여 식힌) 물 15병 30대야

술 빚는 법 :

1. 멥쌀 15말을 백세하여 (물에 담가 불렸다가, 다시 씻어 헹궈 건져서 물기를 뺀 후) 시루에 안쳐서 고두밥을 짓는다.
2. 고두밥이 익었으면 퍼내고, 고루 펼쳐서 가장 차게 식기를 기다린다.
3. 쌀 1말에 물 1병 2대야씩 15병 30대야를 (끓여 차게 식혀서) 준비한다.
4. 고두밥에 물 15병 30대야와 좋은 누룩가루 1되 5홉, 좋은 밑술(서김) 5되를 한데 합하고, 다시 고루 치대서 술밑을 빚는다.
5. 술밑을 술독에 담아 안치고, 예의 방법대로 두터이 싸매어 (21일간) 발효시킨 다음 익으면 채주한다.

향온 빗ᄂᆞᆫ 법一白米十五斗 曲末一升五合 酒本五升

ᄇᆡᆨ미 열단 말ᄋᆞᆯ ᄇᆡᆨ셰ᄒᆞ야 ᄂᆡᆨ게 ᄧᅧ ᄎᆞ거ᄃᆞᆫ ᄆᆡ ᄒᆞᆫ 말애 믈 ᄒᆞᆫ 병 두 대야과 됴ᄒᆞᆫ 누록ᄀᆞᄅᆞ ᄒᆞᆫ 되 닷 홉과 됴ᄒᆞᆫ 밋술 닷 되식 혜아려 셧거 독의 녀허 부리ᄅᆞᆯ 두터이 ᄡᅡᄆᆡ야 ᄂᆡᆨ거ᄃᆞᆫ 드리워 ᄡᅳ라.

## 12. 내의원 향온 빚는 법 <언서주찬방(諺書酒饌方)>

누룩 재료 : 통밀가루 1말, 녹두가루 1홉, (물 2~3되)
술 재료 : 멥쌀 10말, 찹쌀 1말, 향온곡 1말 5되, 서김 1병, 끓는 물 15병

누룩 빚는 법 :

1. 누룩을 만들되, 통밀을 (물에 깨끗이 씻어 건져서 말렸다가) 맷돌에 갈아 가루를 치지 말고 그릇에 담아놓는다.
2. 녹두를 (물에 깨끗이 씻어 건져서 물기를 뺀 후) 맷돌에 갈아 가루를 만들어 그릇에 담아놓는다.
3. 밀가루 1둘레에 1말씩 하는데, 녹두가루를 1홉씩 섞고 (물 2~3되를 섞어)

고루 치대어 반죽한다.

4. 물에 적셔 꼭 짜서 젖은 면보를 누룩틀에 깔아놓는다.
5. 밀가루 반죽을 누룩틀에 나눠 담아 채우고, 발로 단단히 디뎌 애누룩을 만든다.
6. 곳간에 볏짚을 깔고 그 위에 쑥잎을 덮은 뒤, 디뎌서 만든 1말 분량의 애누룩을 격지격지 놓고, 그 위에 쑥잎과 볏짚을 차례로 덮어준다.
7. 위와 같은 방법으로 켜켜로 쌓아서 3~5일 후에 한 번씩 위치를 바꿔준다.
8. 누룩을 띄우기 시작한 지 21일 정도 되면, 누룩에 붙어 있는 지저분한 것을 뜯어내고 햇볕에 내어 2~3일간 반복하여 말린다.
9. 술 빚기 2~3일 전에 거칠게 빻아 햇볕에 말렸다가 저녁때 이슬을 맞혀서 덮어놓고, 이튿날 다시 햇볕에 내어 말리길 반복한다.

술 빚는 법 :

1. 멥쌀 10말과 찹쌀 1말을 한데 섞어 백세하여 (물에 담가 불렸다가, 다시 씻어 헹궈 건져서 물기를 뺀 후) 시루에 안쳐서 고두밥을 짓는다.
2. 솥에 물 15병을 끓이고, 고두밥이 익었으면 넓고 큰 그릇 여러 개에 퍼 담는다.
3. 끓는 물을 퍼낸 고두밥에 즉시 한데 합하고, 고두밥이 물을 다 먹으면 고루 펼쳐서 가장 차게 식기를 기다린다.
4. 차게 식은 고두밥에 누룩가루 1말 5되와 서김 1병을 한데 합하고, 다시 고루 치대서 술밑을 빚는다.
5. 술밑을 술독에 담아 안치고, 예의 방법대로 하여 술독 부리를 두터운 식지로 싸매어 (21일간) 발효시킨 다음, 익으면 채주한다.

ᄂᆡ의원 향온 빈ᄂᆞᆫ 법—麥末一斗 菉豆末一合 作一圓 白米一斗(十斗) 粘米一斗 曲末五升 서김 一瓶

누록을 ᄆᆞᆫᄃᆞ로ᄃᆡ 밀흘 ᄀᆞ라 골롤 ᄎᆞ디 말고 ᄆᆡ ᄒᆞᆫ 두레예 ᄒᆞᆫ 말식 호ᄃᆡ 녹두 ᄀᆞᄅᆞ ᄒᆞᆫ 홉식 조차 섯거 드듸라.

ᄇᆡᆨ미 열 말과 졈미 ᄒᆞᆫ 말과 섯거 ᄇᆡᆨ셰ᄒᆞ야 닉게 뼈 ᄭᅳᆯ힌 믈 열다ᄉᆞᆺ 병 골와 믈이 밥애 다 들고 ᄀᆞ장 ᄎᆞ거든 누록ᄀᆞᄅᆞ ᄒᆞᆫ 말 닷 되과 서김 ᄒᆞᆫ 병 섯거 녀허

독부리를 두터온 식지로 빠미야 닉거든 드리우라.

## 13. 향온주방 <역주방문(曆酒方文)>

술 재료 : 밑술 : 찹쌀 1말, 누룩가루 5홉, 밀가루 5홉, 끓는 물 3말
덧술 : 찹쌀 2말, 끓는 물 2말

술 빚는 법 :

* 밑술 :

1. 찹쌀 1말을 백세하여 (물에 백 번 씻어 매우 깨끗하게 헹군 뒤 새 물에 담가 불렸다가, 다시 씻어 말갛게 헹궈서) 물기를 빼놓는다.
2. 솥에 물 3말을 붓고 팔팔 끓이다가, 찹쌀을 넣고 팔팔 끓여 죽을 쑨 다음, 넓은 그릇에 퍼 담아 식기를 기다린다.
3. 찹쌀죽에 누룩가루 5홉과 밀가루 5홉을 한데 섞고, 고루 버무려 술밑을 빚는다.
4. 술독에 술밑을 담아 안친 다음 (술독 주둥이에 묻은 것을 깨끗하게 씻어내고) 베보자기와 뚜껑을 덮어 (따뜻한 온돌방에 앉혀두고) 5일간 발효시킨다.

* 덧술 :

1. 찹쌀 2말을 백세하여 (물에 백 번 씻어 매우 깨끗하게 헹군 뒤 새 물에 담가 불렸다가, 다시 씻어 말갛게 헹궈서) 물기를 빼놓는다.
2. 물 2말을 팔팔 끓이고, 불린 찹쌀은 시루에 안쳐서 고두밥을 찌고, 고두밥이 익었으면 넓은 그릇에 퍼내고, 끓는 물을 골고루 붓고, 주걱으로 헤쳐서 놓는다.
3. 고두밥이 물을 다 먹었으면, 그릇 여러 개에 펴서 차게 식기를 기다린다.
4. 고두밥에 밑술을 합하고, 고루 버무려서 술밑을 빚는다.
5. 준비한 술독에 술밑을 담아 안친 다음 (술독 주둥이에 묻은 것을 깨끗하게

씻어내고) 베보자기를 씌워 밀봉한 다음 뚜껑을 덮는다.
6. 술독을 (차지도 따뜻하지도 않은 곳에 앉혀두고) 7일간 발효시켜서, 술이 익기를 기다려 채주한다.

* 여느 기록의 '향온주'와는 주방문에서 많은 차이가 난다. 특히 석임을 사용하지 않으며, 찹쌀죽으로 밑술을 빚고 찹쌀고두밥으로 덧술을 하는 이양주(二釀酒) 방법인데, 다른 어떤 기록에서도 찾아볼 수 없는 주방문이다. 또한 '향온주'는 '향온곡'이라는 녹두누룩과 석임으로 빚는 술인데, 향온곡에 대한 언급이 없어 그 특징을 찾기 힘들다. 따라서 누룩가루는 향온곡을 가리키는 것으로 여겨지고, 석임이 누락되지 않았나 생각된다. 누룩가루 5홉으로 3말의 쌀을 발효시키기엔 무리가 있기 때문이다.
* <요록>의 주방문을 참고하면 될 것 같다.

香溫酒方
粘米一斗百洗以湯水三斗作粥及其冷後眞末五合曲末五合調合五日後取粘米二斗百洗蒸飯以湯水二斗和匀候冷納于上酒本七日後用.

## 14. 향온방 <요록(要錄)>

술 재료 : 밑술 : 멥쌀 10말, 누룩가루 1말 3되, 주본(酒本) 1병, 물 14병
덧술 : 찹쌀 1말, 누룩가루 5홉, 청주 2병, 주본(酒本) 1종지

술 빚는 법 :
* 밑술 :
1. 멥쌀 10말을 백세하여 물에 하룻밤 불렸다가, 다시 씻어 건져서 시루에 안쳐 고두밥을 짓는다.

2. 고두밥이 익었으면 물 15병(45되)을 팔팔 끓여서 즉시 퍼낸 고두밥에 붓고, 고루 저어준다.
3. 고두밥이 물을 다 빨아먹었으면, 고루 펼쳐서 차게 식힌다.
4. 식은 고두밥에 좋은 누룩가루 1말 3되(누룩 1말 5되)와 잘된 주본 1병을 섞고, 고루 버무려 술밑을 빚는다.
5. 술독에 술밑을 담아 안치고, 예의 방법대로 하여 발효시키면 맑은 술이 괸다.

* 덧술 :
1. 찹쌀 1말을 매우 잘 씻어서 (백세하여 새 물에 담가 불렸다가, 다시 씻어 소쿠리에 건져) 물기를 뺀다.
2. 불린 쌀을 시루에 안쳐 고두밥을 짓는데, 잘 익으면 퍼서 차게 식기를 기다린다.
3. 고두밥에 좋은 청주(향온주) 2병을 고루 뿌려 섞고, 좋은 누룩가루 5홉, 주본 1종지를 다시 섞은 뒤, 고루 버무려 술밑을 빚는다.
4. 술밑을 독에 담아 안치고, 예의 방법대로 발효시킨다.
5. 익으면 주면에 맑은 술이 올라오는데, 청주를 떠서 먼저 빚어둔 향온주와 섞는다.

* 이제까지의 '향온주'와는 전혀 다른 방법을 채용하고 있다. 즉, 일반 '향온주'에서는 멥쌀과 찹쌀이 10 : 1로 사용되는데, 본법에서는 멥쌀만을 사용한다. 또 <요록>의 '향온주' 주방문의 특징은 먼저 빚은 '향온주'와 찹쌀로 빚은 '청주'를 합하여 마시고, '주본'과 '청주'를 섞어 사용하고 있다.
  따라서 <요록>을 저술할 때 '향온주' 주방문을 잘못 이해하여 작성하였거나, 의도적으로 찹쌀고두밥을 사용하고 청주를 양주용수를 대신하는 방법으로 발효시킨 술을 섞어 마시는 주방문을 작성하였을 것으로 생각된다.

香醞方

白米十斗百洗水浸一宿取出蒸然熟湯水十五瓶卽浸和均蒸飯0布候冷麯末陳好分十三升否則十五升好本一瓶相和釀(均)好瓮澄淸上槽.粘米一斗極洗蒸出

候冷好淸酒二瓶和均好麯末五合本一宗子入前投缸待熟上槽斟酌和(均)香醞.

## 15. 향온주 <음식디미방>

**술 재료 : 멥쌀 10말, 찹쌀 1말, 녹두누룩 1말 5되, 서김 1병, 더운 물 15병**

술 빚는 법 :

* 밑술 :

1. 멥쌀 10말과 찹쌀 1말을 각각 백세하여 (하룻밤 물에 불렸다가, 다시 씻어 헹궈서 물기를 뺀 후) 각각 시루에 안치고 쪄서 고두밥을 짓는다.
2. 물 15병을 팔팔 끓이다가, 고두밥이 익었으면 넓은 그릇에 여러 개에 나눠 담고, 끓는 물을 고두밥에 골고루 나눠 붓는다.
3. (고두밥은 주걱으로 고루 헤쳐서 덩어리를 풀어 놓고) 고두밥이 물을 다 먹기를 기다렸다가, 삿자리에 펼쳐서 차게 식기를 기다린다.
4. 차게 식은 고두밥에 (녹두)누룩 1말 5되와 서김 1병을 섞고, 고루 버무려서 술밑을 빚는다.
5. 술독에 술밑을 담아 안치고, 예의 방법대로 하여 발효시키고 익기를 기다려 채주한다.

누룩 빚는 법 :

1. 통밀을 물에 깨끗하게 씻어 물기를 뺀 뒤, 맷돌에 갈아 체질하지 않은 그대로의 1두레(10말)를 준비한다.
2. 녹두를 맷돌에 갈거나 절구에 빻아 만든 가루 10홉(1되)을 준비한다.
3. 통밀가루와 녹두가루를 한데 섞고, 적당량의 물(밀가루 된 되로 1말)을 주면서 치대어 반죽을 한다.
4. 누룩틀에 밀가루 반죽을 채워 넣고, 발로 단단히 디뎌서 (볏짚이나 약쑥잎

에 묻어두고) 예의 방법대로 띄운다.

5. 누룩이 다 띄워졌으면, 겉에 묻은 초재를 털어내고 햇볕에 내어 법제를 하여 보관해 두고 (그때마다 다시 법제하여) 사용한다.

향온쥬

누록 ᄆᆡᆫ돌 밀흘 ᄀᆞ라 ᄀᆞᆯᄅᆞᆯ ᄎᆞ디 말고 ᄆᆞ양 ᄒᆞᆫ 두레예 ᄒᆞᆫ 말식 녀코 ᄉᆡ은 녹두 ᄒᆞᆫ 홉식 석거 ᄆᆞᆫᄃᆞᄂᆞ니라 ᄇᆡᆨ미 열 말 ᄎᆞᆸᄡᆞᆯ ᄒᆞᆫ 말 ᄇᆡᆨ셰ᄒᆞ여 ᄶᅧ 던운 믈 열다ᄉᆞᆺ 병을 섯거 그 믈이다 밥애 들거든 삿 우희 너러 ᄎᆞ기 오래거든 누록 ᄒᆞᆫ 말 닷되 서김 ᄒᆞᆫ 병 섯거 빗ᄂᆞ니라.

## 16. 향온법 <의방합편(醫方合編)>

술 재료 : 멥쌀 10말, 찹쌀 1말, 향온곡(녹두누룩) 1말 5되, 부본 1병, 끓는(더운) 물 15병(4말 5되)

누룩 빚는 법 :

1. 통밀을 맷돌에 갈아 체질하지 않은 그대로의 밀을 한 두레당 1말을 준비한다.
2. 녹두를 맷돌에 갈거나 절구에 빻아 만든 가루 1홉을 준비한다.
3. 통밀가루와 녹두가루에 적당량의 물을 뿌려주면서 치대어 반죽을 한다.
4. 누룩틀에 밀반죽을 채워 넣고 디뎌서 예의 방법대로 발효시킨다.

* 술 빚는 법 :

1. 멥쌀 10말과 찹쌀 1말을 백세하여 (하룻밤 불렸다가, 다시 씻어 건져서 물기를 뺀 뒤, 시루에 안쳐서) 고두밥을 짓는다.
2. 솥에 물 15병을 담고 팔팔 끓인다.
3. 고두밥이 익었으면 넓은 그릇 여러 개에 나눠 담고, 끓는 물 15병을 골고루

부어준다.
4. 고두밥이 물을 다 빨아먹을 때까지 기다렸다가, 대광주리에 담아서 오랫동안 차게 식힌다.
5. 고두밥에 부본 1말과 누룩을 한데 합하고, 고루 버무려 술밑을 빚는다.
6. 술밑을 술독에 담아 안친 뒤, 예의 방법대로 하여 발효시킨다.

* 부본/밑술 :
1. 멥쌀 1말을 백세하여 물에 담가 하루 동안 불린다.
2. 불린 쌀을 다시 씻지 말고 물 20사발을 넣고 냄비에 올려 밥을 짓는다.
3. 밥이 따뜻할 때 누룩가루 5되를 섞고, 고루 버무려 술밑을 빚는다.
4. 술단지에 술밑을 담아 안치고, 따뜻한 곳에서 2일간 발효시킨다.

香醞法

造麴以麥磨之不篩其末每圓入一斗碎菉豆一合調和造作 白米十斗 粘米一斗 百洗蒸出 以熟水十五瓶 調和 待其水盡 入于蒸飯然後 鋪之於簞上寒之良久 麯末一斗五升 腐本一瓶 調和釀之.

## 17. 향온주방 <임원십육지(林園十六志)>
–내국법양

누룩 재료 : 보리 1말, 녹두 1홉
술 재료 : 멥쌀 10말, 찹쌀 1말, 누룩가루 1말 5되, 부본 1병, 물 15병

누룩 빚는 법 :
1. 보리(밀) 1말을 물에 깨끗이 씻어 볕에 말렸다가, 맷돌에 갈아 가루를 만들어 체에 치지 않는다.

2. 보리(밀) 1말에 녹두가루 1홉을 섞어 (물 2되에 담가 불렸다가, 맷돌에 갈아 녹두가루물을 만든 후, 녹두가루물을 골고루 쳐가면서) 치대어 반죽한다.
3. 반죽한 것은 누룩틀에 넣고 발로 디뎌서 성형하여 누룩밑을 만든다(볏짚이나 쑥잎을 깔고 위를 덮어서 따뜻한 곳에서 발효시킨다).
4. (누룩 띄울 때 2~3일 간격으로 위아래, 좌우 위치를 바꾸길 3~4차례 반복한다.)
5. (누룩을 띄운 지 21일가량 지나 발효가 끝난 누룩을 꺼내어, 햇볕 들고 바람이 잘 통하는 곳에 다시 세워쌓기 하여 여러 날 건조 숙성시킨다.
6. (완성된 향온곡은 종이봉투에 담아두고 필요할 때 재차 법제하여 쓴다.)

술 빚는 법 :
1. 멥쌀 10말과 찹쌀 1말을 한데 섞어 물에 깨끗이 씻은 뒤, 하룻밤 불렸다가 (다시 씻어 헹군 후 건져서) 물기를 뺀다.
2. 불린 쌀을 시루에 안쳐 고두밥을 짓고, 물 15병을 팔팔 끓인다.
3. 고두밥이 익었으면 퍼내어 넓은 그릇 여러 개에 나눠 담고, 끓고 있는 물 15병을 고두밥에 골고루 퍼붓고, 주걱으로 고루 헤쳐 놓는다.
4. 고두밥이 물을 다 먹고 윤기가 돌면, 삿자리에 고루 헤쳐 차게 식기를 기다린다.
5. 고두밥에 누룩가루 1말 5되, 부본 1병을 합하고, 고루 버무려 술밑을 빚는다.
6. 술독에 술밑을 담아 안치고, 예의 방법대로 하여 발효시킨 뒤, 술이 익었으면 용수 박아 채주한다.

香醞酒方

內局法釀. 造麴法磨麥不篩其末每一圓入一斗碎菉豆一合調和踏麴釀法. 白米十斗粘米一斗百洗蒸出用熱水十五瓶調和待水盡透入于蒸飯然後鋪於簟上席待冷良久麴末一斗五升腐本一瓶調和釀之. <故事撮要>.

## 18. 내국향온 <주찬(酒饌)>

술 재료 : 멥쌀 10말, 찹쌀 1말, 향온곡 1말 5되, 석임 3되, 끓는 물 15병

술 빚는 법 :

1. 멥쌀 10말과 찹쌀 1말을 백세하여 5~6시간 불렸다가 (다시 씻어 헹궈 건져서 물기를 뺀 후) 시루에 안쳐 고두밥을 짓는다.
2. 솥에 물 15병(5말)을 팔팔 끓인다.
3. 고두밥이 무르게 익었으면 퍼내어 넓고 큰 그릇 여러 개에 나눠 담고, 팔팔 끓는 물 15병(5말)을 뿌려주고, 주걱으로 고루 섞는다.
4. 고두밥이 물을 다 빨아먹었으면, 돗자리에 고루 펼쳐서 차게 식기를 기다린다.
5. 차게 식은 고두밥에 향온곡 1말 5되와 석임 3되를 합하고, 고루 버무려 술밑을 빚는다.
6. 술밑을 술독에 담아 안치고, 예의 방법대로 하여 발효시킨다.

* 주방문 머리에 "누룩(향온곡)은 통밀 간 것으로 한 두레를 빚으려면, 1말에 녹두 간 것 1홉을 섞어 빚는다."고 하였으므로, 궁중법의 '내국향온'은 향온곡을 사용하여 빚는 술이라는 것을 알 수 있다.

內局香醞

造麯以麥磨之竝末作圓每一圓一斗式碎綠豆一合式調合造作. 白米十斗粘米一斗百洗烝出用熱水十五瓶調和待其水盡入干蒸飯然後鋪於簟上寒之良久曲末一斗五升腐本三升調和釀之.

## 19. 내국향온법 <치생요람(治生要覽)>

누룩 재료 : 밀기울 1말, 녹두 1홉
술 재료 : 멥쌀 10말, 찹쌀 1말, 누룩가루(1말 5되), 부본 3되, 끓는 물(15병)

누룩 빚는 법 :

1. 보리(밀) 1말을 물에 깨끗이 씻어 볕에 말렸다가, 맷돌에 갈아 가루를 낸다.
2. 보리(밀) 한 둘레당 녹두가루 1홉을 물 2되에 담가 불렸다가, 맷돌에 갈아 녹두물을 만들어 보릿가루에 골고루 쳐가면서 치대어 반죽한다.
3. 반죽한 것은 누룩틀에 넣고 발로 디뎌서 성형하여 누룩밑을 만든 뒤, 볏짚이나 쑥잎을 깔고 위를 덮어서 따뜻한 곳에서 발효시킨다.
4. 누룩 띄울 때 2~3일 간격으로 위아래, 좌우 위치를 바꾸길 3~4차례 반복한다.
5. 누룩을 띄운 지 21일가량 지나 발효가 끝난 누룩을 꺼내어, 햇볕 들고 바람이 잘 통하는 곳에 다시 세워쌓기 하여 10일가량 건조 숙성시킨다.
6. 발효가 끝나 누룩이 완성되었으면 햇볕에 내놓아 살균시키고 곰팡이 냄새를 제거한 뒤, 종이봉투에 담아두고 필요할 때 재차 법제하여 쓴다.

술 빚는 법 :

1. 멥쌀 10말과 찹쌀 1말을 한데 섞어 백세하여 (하룻밤 불렸다가, 다시 씻어 헹군 후 건져서) 물기를 뺀다.
2. 불린 쌀을 시루에 안쳐 고두밥을 찌고 (끓는) 물을 준비한다(15병을 팔팔 끓인다).
3. 고두밥이 익었으면 퍼내어 넓은 그릇 여러 개에 나눠 담고, 끓고 있는 물을 고두밥에 골고루 퍼붓고 주걱으로 고루 헤쳐 놓는다.
4. 고두밥이 물을 다 먹고 윤기가 돌면, 돗자리에 고루 펼쳐 차게 식기를 기다린다.

5. 고두밥에 누룩가루(1말 5되), 부본 3되 합하고, 고루 버무려 술밑을 빚는다.
6. 술독에 술밑을 담아 안치고 예의 방법대로 하여 발효시킨 뒤, 술이 익었으면 용수 박아 채주한다.

內局香醞法

帶麵麩一斗和菉豆末一合造麴 白米十斗粘米一斗百洗蒸出用熱水調和鋪薦上寒之麴末斗五升腐本三升調和釀之.

## 20. 향온주 <침주법(浸酒法)>

술 재료 : 멥쌀 10말, 찹쌀 1말, 가루누룩 1말 5되, 석임 1병, 끓는 물 15병

술 빚는 법 :
1. 멥쌀 10말과 찹쌀 1말을 백세하여 (물에 담가 불렸다가, 다시 씻어 건져서 물기를 뺀 후) 시루에 안쳐 고두밥을 짓는다.
2. 솥에 물 15병(4말 5되)을 팔팔 끓인다.
3. 고두밥이 무르게 익었으면 퍼내고, 팔팔 끓는 물 15병을 고루 뿌려 고루 섞는다.
4. 고두밥이 물을 다 빨아들였으면 (뚜껑을 덮어 밤재워) 차게 식기를 기다린다.
5. 고두밥에 향온곡 가루 1말 5되와 석임 1병을 합하고, 고루 버무려 술밑을 빚는다.
6. 술밑을 술독에 담아 안치고, 예의 방법대로 하여 발효시키고 익기를 기다려 채주하여 마신다.

* 주방문 머리에 "가루누룩(향온곡)은 통밀 간 것 1말에 녹두 간 것 1홉을 섞어 빚는다."고 하였다.

향온쥬(香醞酒)—열흔 말

빅미 열 말과 츕빨 흔 말을 빅셰흐야 닉게 쪄 탕슈 열 다솟 병으로 골라 그 믈이 다 츠거든 사틔 헤쳐 츠거든 이욱흐야 ᄀᆞᄅᆞ누록 흔 말 닷 되 서김 흔 병을 화합흐야 비즈라.

## 21. 내국향온 <학음잡록(鶴陰雜錄)>

누룩 재료 : 보리 1말, 녹두 1홉

술 재료 : 멥쌀 10말, 찹쌀 1말, 누룩가루 1말 5되, 부본 1병, 물 15병

누룩 빚는 법 :

1. 밀 1말을 물에 깨끗이 씻어 볕에 말렸다가, 맷돌에 갈아 가루를 낸다.
2. 밀 1말당 녹두 1홉을 맷돌에 갈아놓는다(녹두물을 만든다).
3. 밀가루를 체에 치지 말고, 녹두가루물을 골고루 쳐가면서 치대어 반죽한다.
4. 반죽한 것은 누룩틀에 넣고 발로 디뎌서 성형하여 누룩밑을 빚는다(볏짚이나 쑥잎을 깔고 위를 덮어서 따뜻한 곳에서 발효시킨다).
5. (누룩밑을 띄울 때 2~3일 간격으로 위아래, 좌우 위치를 바꾸어주길 3~4 차례 반복한다.)
6. (누룩밑을 띄운 지 21일가량 지나 발효가 끝난 누룩을 꺼내어, 햇볕 들고 바람이 잘 통하는 곳에 다시 세워쌓기 하여 10일가량 건조 숙성시킨다.)
7. (햇볕에 내놓아 살균시키고 곰팡이 냄새를 제거한 뒤, 종이봉투에 담아두고 필요할 때 재차 법제하여 쓴다.)

술 빚는 법 :

1. 멥쌀 10말과 찹쌀 1말을 한데 섞어 (백세하여 하룻밤 불렸다가, 다시 씻어 헹군 후 건져서) 시루에 안쳐 고두밥을 짓는다.

2. 물 15병을 팔팔 끓여 쪄낸 고두밥에 골고루 나눠 붓고, 고두밥이 물을 다 먹고 윤기가 돌면 돗자리에 고루 펼쳐서 오랫동안 차게 식기를 기다린다.
3. 고두밥에 누룩가루(향온곡) 1말 5되, 부본 1병을 한데 합하고, 고루 버무려 술밑을 빚는다.
4. 술독에 술밑을 담아 안치고 예의 방법대로 하여 발효시킨 뒤, 술이 익었으면 용수 박아 채주한다.

內局香醞

造麴以麥磨之不篩其末每一圓入一斗碎菉豆一合調和爲之造酒以白米十斗粘米一斗百洗蒸出用熱水十五瓶調和待其水盡入于蒸飯然後鋪於簟上寒之良久麴末一斗五升腐本一瓶調和釀之.

## 22. 내국향온법 <해동농서(海東農書)>

누룩 재료 : 보리 1말, 녹두 1홉

술 재료 : 멥쌀 10말, 찹쌀 1말, 누룩가루 1말 5되, 부본 1병, 물 15병

누룩 빚는 법 :

1. 보리 1말을 물에 깨끗이 씻어 볕에 말렸다가, 맷돌에 갈아 가루를 낸다.
2. 보리 한 둘레당 녹두가루 1홉을 물 2되에 담가 불렸다가, 맷돌에 갈아 녹두가루물을 만든다.
3. 보릿가루에 녹두가루물을 골고루 쳐가면서 치대어 반죽한다.
4. 반죽한 것은 누룩틀에 넣고 발로 디뎌서 성형하여 누룩밑을 만든 뒤, 볏짚이나 쑥잎을 깔고 위를 덮어서 따뜻한 곳에서 발효시킨다.
5. 누룩 띄울 때 2~3일 간격으로 위아래, 좌우 위치를 바꾸길 3~4차례 반복한다.

6. 누룩을 띄운 지 21일가량 지나 발효가 끝난 누룩을 꺼내어, 햇볕 들고 바람이 잘 통하는 곳에 다시 세워쌓기 하여 10일가량 건조·숙성시킨다.
7. 발효가 끝나 누룩이 완성되었으면 햇볕에 내놓아 살균시키고 곰팡이 냄새를 제거한 뒤, 종이봉투에 담아두고 필요할 때 재차 법제하여 쓴다.

술 빚는 법 :

1. 멥쌀 10말과 찹쌀 1말을 한데 섞어 물에 깨끗이 씻은 뒤, 하룻밤 불렸다가 (다시 씻어 헹군 후 건져서) 물기를 뺀다.
2. 불린 쌀을 시루에 안쳐 고두밥을 짓고, 물 15병을 팔팔 끓인다.
3. 고두밥이 익었으면 퍼내어 넓은 그릇 여러 개에 나눠 담고, 끓고 있는 물을 고두밥에 골고루 퍼붓고, 주걱으로 고루 헤쳐 놓는다.
4. 고두밥이 물을 다 먹고 윤기가 돌면, 돗자리에 고루 펼쳐 차게 식기를 기다린다.
5. 고두밥에 누룩가루 1말 5되, 부본 1병을 합하고, 고루 버무려 술밑을 빚는다.
6. 술독에 술밑을 담아 안치고 예의 방법대로 하여 발효시킨 뒤, 술이 익었으면 용수 박아 채주한다.

內局香醞法

造麴以麥磨之不篩其末每一圓入一斗碎菉豆一合調和作(麴). 白米十斗粘米一斗百洗蒸出用熱水十五瓶調和待其水盡入于蒸飯然後鋪於簟上寒之良久麯末一斗五升腐本一瓶調勻釀之. <古事>.

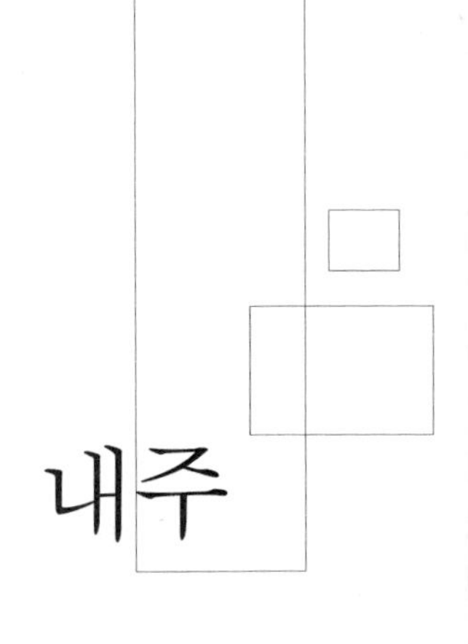

# 내주

스토리텔링 및 술 빚는 법

'내주방문'은 <김승지댁주방문(金承旨宅廚方文)>의 기록에서 처음 목격된다. <김승지댁주방문>의 주방문 외에 다른 어떤 문헌에서도 '내주방문'을 찾아볼 수 없다는 사실은 '내주'가 '김승지댁'의 가양주(家釀酒)라는 사실을 반영하는 증거이다.

우리나라 전통주는 역사 이래 집에서 빚는 술인 가양주에 기반을 두고 전승 발전하여 왔다는 사실은 누구도 부인할 수 없다.

<김승지댁주방문>에는 총 23종의 가양주 주방문이 수록되어 있는 것을 살펴볼 수 있는데, 다른 전통주 관련 문헌에는 없는 주품이 더러 목격된다. 예를 들면 '내주방문'을 비롯하여 '사철소주방문', '백환주법', '녹자주방문', '삼월주법', '치황주법' 등이 그것이다.

그리고 같은 문헌에서 어떤 주품들은 '법(法)'이라 하고, 또 어떤 주품에 대하여는 '방문(方文)'으로 표기하는지 그 이유를 알 수 없으나, 다른 문헌에 비하여 다소 생경한 주품의 수록 비율이 다소 높은 편이라고 할 수 있다.

<김승지댁주방문>의 '내주방문'을 보면, 이 주품이 한겨울에 밑술을 빚기 시작하여 꽃이 피기 시작하는 3월에 덧술을 하고, 5월 단오 무렵인 초여름에 마시는 장기 발효주라는 사실을 알 수 있다.

주방문에서도 언급하였듯, '내주방문'의 술 빚기에 따른 발효 시간을 계산하여 보면, 얼추 4개월 이상의 장기간 발효시키는 술이라는 점에서 다른 어떤 술보다 온도 관리가 매우 까다로울 것이라는 사실을 짐작할 수 있다.

<김승지댁주방문>의 '내주방문'과 같이 120일에 달하는 장기 발효주는 다른 문헌의 주방문에서도 쉽게 찾아보기 힘든 특별한 경우로서, '내주'가 일반화되지 못한 채 김승지댁의 가양주로 전승되는 것으로 그친 이유가 되었을 것으로 여겨진다.

먼저 무엇보다 '내주'를 빚는 데 따른 어려움은, 밑술을 죽 형태로 하여 빚고 최소 40일 이상의 발효기간을 거친 후에 덧술을 해야 한다는 사실에서 여러 가지 예기치 못한 난관에 부딪치게 되는 것이다. 더욱이 밑술의 주원료가 찹쌀이라는 점에서 40여 일의 발효를 유지하기 힘든 것이다.

그런데 주방문에는 밑술에 사용되는 양주용수의 양이 언급되어 있지 않아 확신할 수 없지만, 밑술 발효기간 40여 일을 유지하기 위해서는 밑술의 찹쌀죽을 가능한 한 된죽 상태로 만들어야 할 것이고, 누룩의 양은 최소 단위를 사용해야 한다는 것을 전제할 수 있다. 결국 밑술에 사용되는 양주용수의 양은 된죽을 쑤기에 어려움이 없을 정도의 1말~2말 범위로 산정하였다.

이렇게 되면 밑술의 발효가 더뎌지는 장점은 있으나, 저온 발효에 따른 오염의 문제를 예방하기 위한 조치가 필요하게 되는데, 그 방안으로 밀가루 1되를 사용하는 것을 볼 수 있어, '내주' 주방문이 매우 합리적이고 과학적으로 이루어졌다는 것을 알 수 있다.

밑술의 성패가 덧술과 직접적인 관련이 있는 만큼, 밑술의 온도 관리에 유의해야 하는데, 다행스럽게도 음력 정월 초순이면 매우 추울 때이므로 주재료인 찹쌀죽은 매우 차디차게 식힐 수 있을 것이고, 오염원의 활동도 걱정스러울 정도는 아니므로, 술독을 땅에 묻거나 가능한 한 찬 곳에 두도록 하여, 발효가 더디 진행되도록 해야 할 것이다.

또한 3월이 되면 날씨가 풀려 따뜻해지기 시작할 때이므로, 밑술은 차가운 상태에서 덧술 작업이 이뤄져야 좋다.

다만, 덧술의 고두밥 또한 가능한 한 된고두밥이 되도록 쪄서 차디차게 식혀서 사용한다. 덧술을 안친 술독 역시 밑술에서와 같은 장소에 두어서 발효가 서서히 진행되도록 관리한다면, 5월이 되어서도 산패하는 일은 없을 것이다.

'내주'의 맛은 매우 "칼칼하다." 싶을 정도로 깔끔한 맛과 시원한 청량미를 간직하고, 특히 그 빛깔이 매우 맑고 깨끗하다. 가끔 밀가루 양이 많아 맛을 그르치는 경우가 있으므로, 날씨가 추울 때면 그 양을 조금 줄여서 넣는 것도 좋을 듯하다.

## 내주방문 <김승지댁주방문(金承旨宅廚方文)>

술 재료 : 밑술 : 찹쌀 1말, 가루누룩 2되, 밀가루 1되, 물(1~2말)
덧술 : 멥쌀 3말

술 빚는 법 :

* 밑술 :

1. 음력 정월 초순경에 찹쌀 1말을 백세하여 (물에 담가 불렸다가, 다시 씻어 건져서 물기를 뺀 후) 가루로 빻는다.
2. 물(2말)을 솥에 끓인다(뜨거워지면 쌀가루에 1말을 퍼서 넣고 개어 아이죽을 쑨다).
3. 솥의 나머지 물이 팔팔 끓으면 (아이죽을 넣고) 팔팔 끓여 죽을 쑨 후, 차게 식기를 기다린다.
4. 죽에 가루누룩 2되와 밀가루 1되를 섞고, 고루 버무려 밑술을 만든다.
5. 술독에 밑술을 담아 안치고, 예의 방법대로 하여 (서늘한 곳에서) 3월까지 발효시킨다.

* 덧술 :

1. 3월이 되어 복숭아꽃이 필 때, 멥쌀 3말을 백세하여 (물에 담가 불렸다가, 다시 씻어 건져서 물기를 뺀 후) 시루에 안쳐 고두밥을 짓는다.
2. (고두밥이 익었으면 시루에서 퍼내고) 고루 펼쳐서 차게 식기를 기다린다.
3. (고두밥에) 밑술을 합하고, 고루 버무려 술밑을 빚는다.
4. 새 술독에 술덧을 담아 안치고, 예의 방법대로 하여 (서늘한 곳에서 발효시켜) 5월 5일(단오절)에 채주하여 마신다.

* 밑술에 사용되는 물의 양이 언급되어 있지 않고, 덧술의 멥쌀을 어떻게 처리하는지에 대한 언급도 없어, 상법(常法)대로 하여 주방문을 작성하였다. 추울 때 빚는 술로, 발효온도를 낮게 하기 때문에 발효기간이 길다.

내쥬방문

졍월 초생의 졈미 ᄒᆞᆫ 말 빅셰ᄒᆞ여 ᄀᆞ로 뇌려 듁 쓔여 식거든 가루누룩 듀 되 진말 ᄒᆞᆫ 되 셕거 너헛다가 삼월의 복셩화꽃 픠거든 경미 셔 말 빅ᄉᆡᆨᄒᆞ여서 (셕)거든 밋슐의 섯거 너헛다가 오월 오일의 쓰ᄂᆞ니라.

# 노산춘

### 스토리텔링 및 술 빚는 법

<동국세시기(東國歲時記)>의 '3월 행사'에 "술집에서는 '과하주(過夏酒)'를 빚어 판다. 술 이름으로는 '소국주(素麯酒)', '두견주(杜鵑酒)', '도화주(桃花酒)', '송순주(松荀酒)' 등이 있는데, 모두 봄에 빚는 좋은 술들이다. '소주'로는 서울 마포 공덕동에서 대흥동 사이에 있는 독막(甕幕) 주변에서 만드는 '삼해주(三亥酒)'가 최고 좋은데, 수천 수백 독을 빚어낸다. 평안도 지방에서 쳐주는 술로는 '감홍로(甘紅露)'와 '벽향주(碧香酒)'가 있고, 황해도 지방에서는 '이강고(梨薑膏)', 호남 지방에서는 '죽력고(竹瀝膏)'와 '계당주(桂當酒)', 충청도에서는 '노산춘(魯山春)' 등을 각각 가장 좋은 술로 여기며, 이것 역시 선물용으로 서울에 올라온다(賣酒家造過夏酒以賣 酒名少麴桃花杜鵑松荀皆春釀之佳者. 燒酒卽孔德甕幕之間三亥酒 甕釀千百 最有名稱關西甘紅露碧香酒海西梨薑膏湖南竹瀝桂當酒湖西魯山春皆佳品亦有餉到者)."고 하였다.

이로써 '노산춘'이라고 하는 주품의 명성을 엿볼 수 있는데, 주품명과 함께 주방문을 수록하고 있는 문헌으로는 현재까지 <주식방(酒食方, 高大閨壺要覽)>

의 기록이 유일한 것으로 나타났다.

따라서 '노산춘'이라고 하는 주품에 대하여 어떤 술인지를 알 수 있는 기록이나 문헌은 없다. 다만 '노산춘'이라고 하는 주품명을 통하여 이 술이 춘주류(春酒類)에 속하는 명주(名酒)였다는 사실만은 확실히 밝혀진 셈이다.

그런데 2003~2004년경 필자의 연구소에 노호석이라는 사람이 전통주를 배우러 찾아왔는데, 자신의 집 가양주가 '노산춘'이라며, 밀주 단속 시절 동안 부모들이 술 빚기를 그만두면서, 가양주였던 '노산춘'을 빚는 방법을 잊어버려 이를 다시 복원해 보고자 한다는 것이었다.

노호석씨의 가문은 조선시대 대장군을 지낸 무관의 가문이라는 사실과 함께, 지금은 '노산춘'을 가양주로 빚고 있는지는 알 수 없지만, 과수원을 본업으로 하고 있었다는 사실만 확인할 수 있었다.

따라서 '노산춘'은 충청도 대전 지방의 노(魯)씨 집안을 중심으로 한 토속주였다는 것을 확인할 수 있는데, <주식방(고대규곤요람)>의 주방문을 보아 알 수 있듯 '노산춘'은 두 가지 재료를 함께 사용한다는 특징을 나타내고 있으며, 일정한 공식으로 이루어지는 술이다.

<주식방(고대규곤요람)>의 주방문에도 나와 있듯 '노산춘'은 이양주이면서 속성주라는 것을 알 수 있다. 그 주방문을 보면, 밑술을 멥쌀 1말로 고두밥을 짓고, 찹쌀 1말을 가루로 빻아 물 3말로 죽(범벅)을 쑨 뒤, 누룩 1되를 섞어 빚는다. 밑술이 숙성되면 다시 멥쌀 2말로 고두밥을 짓고, 찹쌀 2말을 가루로 빻아 물 6말로 죽(범벅)을 쑨 뒤, 누룩 2되와 밑술을 한데 섞어 덧술을 하는 과정으로 이루어진다.

이러한 <주식방(고대규곤요람)>의 '노산춘'은 <수운잡방(需雲雜方)>의 '경장주'라는 주품의 주방문과 매우 흡사하다. '경장주'라는 주품 또한 어떤 의미의 술인지 정확히 알려진 바가 없다. <수운잡방>의 '경장주'는 술 빚기에 사용되는 물의 양이 언급되어 있지 않아 정확히 알 수 없으나, 밑술과 덧술의 술 빚는 과정이 동일하고 밑주재료의 2배 되는 재료가 덧술로 사용되고 있다는 점에서 그 특징을 찾을 수 있다.

문제는 <수운잡방> '경장주'의 밑주재료 배합비율이다. 멥쌀 1말과 찹쌀 1말에 대하여 누룩의 양이 '1말'로서 밑술의 누룩 양이 다를 뿐이다.

따라서 <수운잡방>의 '경장주'는 밑술의 재료 배합비율로서 멥쌀 1말과 찹쌀 1말에 대하여 누룩의 양이 '1말(斗)'이 아닌 '1되(升)'라고 전제한다면, "옥빛의 미음과 같은 술 색"을 간직한 '경장주'의 이명(異名)이 '노산춘'일 수도 있다는 추측을 해볼 수도 있다.

이러한 추측의 가부는 뒤로하고 '노산춘'을 빚는 요령을 몇 가지 언급하면, 이 술은 찹쌀범벅과 멥쌀고두밥이 함께 사용된다는 점에 착안, 호화도가 다른 두 가지 재료를 어떻게 동시에 발효되도록 할 것인가를 고민해야 한다.

첫째 요령은, 밑술과 덧술이 똑같은 방법으로 이루어지는 만큼, 찹쌀범벅은 가능한 한 호화도를 낮게 하고, 멥쌀고두밥은 물을 흠씬 주어 호화도를 최대한 높이면 된다.

둘째 요령은, 찹쌀범벅을 완전히 퍼지게 하여 최대한 호화도를 높여주고, 상대적으로 멥쌀고두밥은 호화도를 낮게 하여 된고두밥을 지어 술을 빚는 방법이 요구된다.

다만, 주발효 시 덥지도 차지도 않은 곳에서 발효시키되, 술독의 뚜껑을 덮지 말고 몸만 싸매서 술독의 품온이 지나치게 오르지 않도록 하여, 예삿술보다 주발효 시간을 길게 가져가는 방법이 요구된다. 또 술독을 이불로 싸매 주되 숨구멍을 터주어, 술독의 품온이 일정 온도 이상 오르지 않도록 관리를 해주면 된다.

이렇게 하여 '노산춘'이 완성되면, 부드러운 듯하면서도 칼칼하고 콕 쏘는 향취 좋은 맛을 즐길 수 있으며, '호산춘'이나 '약산춘', '광릉춘', '송계춘' 등의 춘주류와는 또 다른 남성적인 맛의 술을 즐길 수 있는데, 술이 독하여 많이 마시지는 못한다.

'노산춘'의 이러한 맛과 관련하여 좀 더 부드럽고 향취가 좋은 맛을 얻고자 한다면, 밑술과 덧술의 찹쌀범벅을 쑬 때 사용되는 쌀의 양에 대해 2배의 물 양을 사용하면 좋다. 즉, 밑술에서 1말, 덧술에서 2말의 물을 덜어내는 것이다. 그리하면 '약산춘'이나 '소곡주'의 맛에 버금하는 술을 얻을 수 있을 것이다.

## 노산춘 <주식방(酒食方, 高大閨壼要覽)>

술 재료 : 밑술 : 멥쌀 1말, 찹쌀 1말, 누룩가루 1되, 끓는 물 3말
덧술 : 멥쌀 2말, 찹쌀 2말, 누룩가루 2되, 끓는 물 6말

술 빚는 법 :

* 밑술 :

1. 멥쌀 1말을 백세하여 (물에 담가 불렸다가, 다시 씻어 건져서 물기를 뺀 후) 시루에 안쳐서 고두밥을 짓는다.
2. 찹쌀 1말을 백세하여 (물에 담가 불렸다가, 다시 씻어 건져서 물기를 뺀 후) 작말한다.
3. 솥에 물 3말을 팔팔 끓여 찹쌀가루에 골고루 붓고, 주걱으로 고루 개어 멍우리 없는 범벅을 쑤어 놓는다(차게 식기를 기다린다).
4. 멥쌀고두밥이 익었으면 시루에서 퍼낸다(고루 펼쳐서 차게 식기를 기다린다).
5. 멥쌀고두밥에 찹쌀범벅과 누룩가루 1되를 합하고, 고루 버무려서 술밑을 빚는다.
6. 술독에 술밑을 담아 안치고, 예의 방법대로 하여 봉한 다음 3일간 발효시킨다.

* 덧술 :

1. 멥쌀 2말을 백세하여 (물에 담가 불렸다가, 다시 씻어 건져서 물기를 뺀 후) 시루에 안쳐서 고두밥을 짓는다.
2. 찹쌀 2말을 백세하여 (물에 담가 불렸다가, 다시 씻어 건져서) 작말한다.
3. 솥에 물 6말을 팔팔 끓여 찹쌀가루에 골고루 붓고, 주걱으로 고루 개어 멍우리 없는 범벅을 쑤어 (그릇 여러 개에 나눠 담고) 차게 식기를 기다린다.
4. 멥쌀고두밥이 익었으면 시루에서 퍼내고, 고루 펼쳐서 차게 식기를 기다린다.
5. 멥쌀고두밥에 찹쌀범벅과 누룩가루 2되, 밑술을 한데 합하고, 고루 버무려

술밑을 빚는다.

6. 술독에 술밑을 담아 안치고, 예의 방법대로 하여 봉한 다음 7일간 발효시킨다.

노산춘

ᄇᆡᆨ미 일두ᄅᆞᆯ ᄇᆡᆨ셰ᄒᆞ여 실ᄂᆡ 찌고 출ᄊᆞᆯ ᄒᆞᆫ 말 ᄇᆡᆨ셰ᄌᆞᆨ말ᄒᆞ고 ᄐᆞᆼ슈 서 말노 죽 쑤어 ᄂᆡᆫ 후 국말 ᄒᆞᆫ 되ᄅᆞᆯ 너허 버무려 항의 너허 봉ᄒᆞ여 사흘 후의 ᄇᆡᆨ미 이두 ᄇᆡᆨ셰ᄒᆞ여 실ᄂᆡ 찌고 출ᄊᆞᆯ 두 말 ᄇᆡᆨ셰ᄌᆞᆨ말ᄒᆞᆫ 후 ᄐᆞᆼ슈 엿 말노 듁 쑤어 식거든 국말 두 되ᄅᆞᆯ 섯거 젼과 버무려 봉ᄒᆞ여 둔 지 일에만ᄂᆡ면 ᄆᆞᆺ과 ᄇᆡᆺ치 이샹ᄒᆞ니라.

# 노송주

## 스토리텔링 및 술 빚는 법

'노송주'는 <양주방(釀酒方)>에서만 유일하게 찾아볼 수 있는 주방문이다. <양주방>은 한글 붓글씨로 쓰여진 기록으로, 주품명도 한글로 되어 있다. 따라서 어떤 의미로 '노송주'라고 명명하게 되었는지, 그 유래나 이유를 알 수 있는 기록은 없다.

'노송주'의 주방문을 보면 밑술을 중심으로 하여 술의 특징이 결정되는데, 덧술은 다소 부드러운 맛을 주기 위해 형식적으로 찹쌀고두밥을 추가하여 술을 빚는 방문이라는 것을 알 수 있다.

<양주방>의 '노송주'와 같은 주방문을 더러 볼 수 있는데, <김승지댁주방문(金承旨宅廚方文)>의 '삼월주법'과 <산가요록(山家要錄)>의 '목맥소주'와 '하숭사절주', '예주', '사두주', <수운잡방(需雲雜方)>의 '오두주', '십일주' 등 상당수의 주품에서 '노송주'와 같이 밑술의 쌀 양에 비해 현저하게 적은 양의 덧술을 사용하는 경우를 볼 수 있다.

이와 같은 주방문의 경우에서 생각해 볼 수 있는 것은, 이들 주품의 덧술 발

효가 상대적으로 짧은 기간에 이뤄진다는 공통점을 나타내고 있다는 것이다. 그리고 일부의 주방문에서 더러 고두밥이 아닌 죽 형태로 하여 덧술을 하는 경우도 있다.

주지하다시피 덧술은 '본술'이라고 하여 알코올 도수가 높고 맛과 향기가 좋은 술을 얻고자 하는 데 그 목적이 있는 만큼 밑술보다 쌀 양을 많이 하고, 고두밥과 같이 밑술의 쌀보다 호화도(糊化度)도 낮게 가져가는 방법이 일반적이다.

특히 덧술의 쌀은 고두밥이었을 때 알코올 도수가 높고 맑은 술을 얻을 수 있음에도 <양주방>의 '노송주'와 같이 쪄낸 고두밥에 다시금 끓는 물을 가하여 호화도를 높이는 경우는, 알코올 도수를 높이기보다 술맛을 부드럽게 하고 발효기간을 단축시키려는 데 그 목적이 있다고 하겠다.

따라서 '노송주'와 같은 주방문은 적은 양의 고두밥을 사용하여 맑고 부드러운 술을 가능한 한 짧은 기간에 얻을 목적이라고 할 수 있으며, 한꺼번에 많은 양의 청주를 얻고자 할 때 그 진가를 발휘하는 방문으로 생각된다.

다만, <양주방>의 '노송주'는 밑술을 빚을 때 특히 유의해야 실패를 하지 않는다. 밑술 방문에서 보듯, 멥쌀 3말을 백세작말하였을 경우 그 부피는 5말 가까이 늘어난다. 여기에 끓는 물 2병은 턱없이 부족한 양으로, 쌀가루를 골고루 익히기가 여간 버거운 일이 아닐 수 없다.

따라서 쌀가루에 끓는 물을 섞을 때 가능한 한 골고루 섞이도록 조금씩 부어가면서 주걱으로 개어, 멍우리진 것이 없는 반생반숙(半生半熟)의 범벅이 되어야 한다. 반생반숙이라고는 하지만, '노송주'의 경우 거의 진흙과 같은 상태가 될 것이므로, 범벅이 만들어졌으면 강제로 식히지 말고, 같은 크기의 그릇을 뚜껑으로 덮고 김이 새지 않게 하여, 자연 상태에서 제 스스로 식을 때까지 밤재워 기다렸다가 누룩을 섞고 술밑을 빚으면, 훨씬 부드러운 상태가 되어 수월하다는 느낌을 받을 수 있을 것이다.

또한 술밑을 빚을 때 범벅이 완전히 삭아서 '주루룩' 흘러내릴 정도가 되게 하여 술독에 담아 안쳐야, 발효 중에 술밑이 끓어서 술독 밖으로 넘치지 않게 된다는 사실을 염두에 두어야 한다.

반생반숙의 범벅으로 빚는 술의 과정이 비교적 간편한 것은 사실이지만, 자칫 실패율이 높은 이유도 바로 여기에 있다.

<양주방>의 '노송주'를 빚어본 결과, 술의 맛이나 향기가 여느 술에 비하여 뛰어나다거나 특별한 특징을 발견할 수 없었다. 술을 빚으면서, 그리고 완성된 술맛에서의 느낌은, 덧술의 찹쌀 양을 5되 정도로만 늘렸으면 더욱 좋았을 것이라는 느낌을 받았다.

이러한 '노송주'는 일반적인 이양주(二釀酒)보다 알코올 도수가 그리 높은 편은 아닌데도 도수 높은 술맛을 느낄 수 있어, 남성 취향의 애주가들에게는 잘 어울린다고 하겠다.

## 노송주법 <양주방(釀酒方)>

–닷 되 빚이

술 재료 : 밑술 : 멥쌀 3말, 가루누룩 1되, 끓는 물 2병
덧술 : 찹쌀 2되, 누룩 6홉, 물 1병

술 빚는 법 :

* 밑술 :

1. 멥쌀 3말을 백세하여 (물에 담가 하룻밤 불렸다가, 다시 씻어 건져서 물기를 뺀 후) 가루로 빻는다.
2. 솥에 물 2병을 붓고 팔팔 끓여 쌀가루에 붓고 주걱으로 골고루 개어 범벅을 쑤되, 매우 치대어 반은 설고 반은 익게 만든다.
3. 반죽(범벅)을 넓은 그릇에 나눠 담고, 고루 헤쳐서 (그릇의 뚜껑을 덮고 그대로 하룻밤 재워) 차게 식기를 기다린다.
4. 차게 식은 반죽(범벅)에 가루누룩 1되를 섞고, 매우 치대어 술밑을 빚는다.
5. 술밑을 독에 담아 안치고, 예의 방법대로 하여 3일간 발효시킨다.

* 덧술 :

1. 밑술이 괴어오르면 찹쌀 2되를 백세하여 (물에 담가 불렸다가, 다시 씻어 건져서 물기를 뺀 후) 시루에 안쳐서 고두밥을 짓는다.
2. 솥에 물 1병을 솟구치게 끓이다가 고두밥이 익었으면 넓은 그릇에 퍼 담고, 끓는 물을 고루 붓고 주걱으로 헤쳐 놓는다.
3. 고두밥이 물을 다 먹었으면, 주걱으로 고루 헤쳐서 차게 식기를 기다린다.
4. 진고두밥에 누룩 6홉과 함께 밑술에 섞고, 고루 버무려 술밑을 빚는다.
5. 술밑을 독에 담아 안치고, 예의 방법대로 하여 발효시키면 2일이면 익는다.

* 주방문 말미에 “이틀이면 먹는다.”고 하였으나, 단맛과 콕 쏘는 맛이 있어 마실 때는 좋지만 마시고 난 뒤 더 취하고 트림과 어지럼증을 면할 수 없다.

노송쥬법

닷 되 비지. ᄡᆞᆯ 서 말 ᄇᆡᆨ세작말ᄒᆞ야 ᄭᅳᆯ은 물 두 병의 반쥭ᄒᆞ야 식거든 ᄀᆞᄅᆞ누록 한 되의 고로 섯거 너허ᄯᅡ가 ᄉᆞ흘 지나거든 ᄡᆞᆯ찹 두 되 ᄇᆡᆨ세ᄒᆞ야 닉게 ᄲᅧ ᄭᅳᆯ은 물 한 병의 푸러 식거든 누록 엿 홉 섯거 그 밋히 한가지로 섯거 비즈면 이틀 만의 닉ᄂᆞ니라.

# 녹두주

## 스토리텔링 및 술 빚는 법

'녹두주(菉豆酒)' 또는 '녹두누룩술'은 1752~1822년 사이의 저술로 알려진 <민천집설(民天集說)>에 수록된 것을 시작으로, 1700년대 후기의 <온주법(醞酒法)>, 1867년의 <증보산림경제(增補山林經濟)>, 그리고 연대 미상의 <봉접요람>에 각각 한 차례씩 등장한다.

따라서 '녹두주' 또는 '녹두누룩술'의 주방문은 이들 문헌 외에는 주방문을 찾아볼 수 없는데, 이들 문헌마다의 주방문이 각각 다르다는 사실에서 주목할 필요가 있다.

또한 <민천집설>에는 '녹두주'가 아닌 '녹주두(菉酒豆)'라고 하였으며, <봉접요람>에서는 '녹두누룩술법', <온주법>에는 '녹되주', <증보산림경제>에는 '녹두곡법('菉豆麯法)'으로 소개하고 있음을 볼 수 있는데, 문헌마다의 녹두누룩 빚는 법도 다르다.

우선, 문헌마다의 다른 명칭을 통칭하여 '녹두주'라고 부르기로 한다. '녹두주'는 그 특징이 녹두누룩에 있는 만큼, 녹두누룩을 빚는 법을 살펴보기로 한다.

<민천집설>에는 "녹두 1말을 준비하였다가, 찹쌀 4되를 작말하여 녹두와 함께 시루에 안쳐서 반만 익게 쪄낸 후, 쌀과 함께 절구에 넣고 공이로 쳐서 뭉쳐질 때까지 거칠게 찧어 주먹으로 단단히 쥐어서 단자처럼 오리알 크기만 하게 빚고, 그릇에 솔잎을 두텁게 깔고, 그 위에 애누룩을 격지격지 놓고, 다시 솔잎으로 덮어서 가득 채운다. 그릇을 불한불열처에 두고 7일간 띄운다. 띄운 지 7일 후에 솔잎을 걷어내고, 다시 14일간 띄운다."고 하였다.

<봉접요람>에서는 "녹두 5되와 찹쌀 1되를 사용하고, 빚는 법과 띄우는 법은 <민천집설>의 '녹두곡'과 거의 같다.

<온주법>의 녹두누룩은 늦은 겨울에 빚는 것으로 되어 있으며, 녹두 5홉과 찹쌀 5홉의 비율이고 누룩을 빚는 법과 띄우는 법은 앞서의 예와 같다.

반면, <증보산림경제>에는 "쌀과 녹두 각각 1말을 각기 다른 용기를 이용하여 하룻밤 동안 물에 불린다. 녹두만을 취하여 자리에 펴고 말려 반쯤 건조되면, 바로 쌀을 걸러내어 녹두와 함께 절구에 빻아 '누룩을 밟는데, 작고 얇게 반대기를 지어야 한다.' 그렇지 않으면 습기가 속에 남아 벌레가 생기는 것을 막을 수 없다. 띄우는 방법은 위와 같다."고 하여 쌀과 녹두의 양이 같고, 녹두를 찌지 않고 날것을 그대로 사용하고 손으로 쥐어서 만드는 것이 아니라 발로 "밟는다."고 하여, 문헌마다의 차이점을 발견할 수 있다.

술을 빚는 법에 있어서도 문헌마다의 차이가 많다는 사실로, '녹두주'의 전형을 찾기가 힘들다. 따라서 가장 앞선 기록의 <민천집설>의 주방문을 기준으로 하고, 다른 문헌과의 차이점을 찾아보기로 한다.

<민천집설>의 '녹두주' 주방문에 "찹쌀 1말을 깨끗하게 찧어 하루 동안 물에 담가 불렸다가, 무른 고두밥을 짓는다. 녹두곡을 가루로 빻아 2~3되를 마련하고, 고두밥이 익었으면 녹두곡을 합하고, 고루 섞어 술독에 안치고, 물 1되를 사용하여 그릇을 씻어 술덧 위에 뿌려서 덮는다. 7일간 발효시키는데, 술맛이 맵고 달다."고 하였다. 찹쌀 1말의 고두밥과 녹두누룩 2~3되로 술을 빚는데, 이에 따른 양주용수는 술을 빚었던 그릇을 씻어내는 물 1되가 고작인 것을 볼 수 있다.

그리고 <온주법>에서는 "봄에 빚는다." 하고, "찹쌀 1말 백세하여 물에 담가 오랫동안 불렸다가 고두밥을 짓는다. 물을 고두밥에 골고루 끼얹고 주걱으로 고루

헤쳐서 고두밥이 물을 다 먹기를 기다려 차게 식힌다. 늦겨울에 미리 준비한 녹두 누룩가루 2되와 시루밑물 2~3식기를 식혀서 합하고, 고루 버무려 술독에 담아 안치고, 식지(기름 먹인 종이)로 밀봉하여 21일간 발효시킨다."고 하였다.

<증보산림경제>에는 "술을 빚을 때 쌀 1말에 누룩가루 2되가량을 넣는데 술이 아주 맑고 맛이 차다. 여름 술을 빚기에 적당하다(방법은 비록 이렇지만 쌀을 5되로 줄여도 된다)."고 하였다.

<봉접요람>의 '녹두누룩술'은 "찹쌀 백미 한 말 백세하여 익게 쪄 끓인 물 여덟 되로 골라 식거든, 섬누룩 닷 홉을 밑술에 섞어 익거든 쓰라."고 하여 매우 간단한 주방문을 보여 주고 있다.

이들 문헌의 '녹두주' 또는 '녹두누룩술' 주방문의 분석 과정에서 깨닫게 된 한 가지 중요한 사실은, '녹두주' 또는 '녹두누룩술'과 같이 주방문이 각각인 주품은 이제까지 목격되지 않았다는 점에서, 가양주로서 '녹두주'의 다양성을 인정해야 한다는 것이다. 따라서 '녹두주' 또는 '녹두누룩술'은, 녹두누룩을 어떤 재료 배합 비율로 만들든지 그와는 무관하게 주재료는 찹쌀을 사용하고, 쌀 1말 또는 2말에 대하여 완성된 녹두누룩은 2되의 비율로 사용된다는 점이다.

이러한 누룩의 사용 비율은 다른 주품들에 비해 비교적 많은 양이라고 할 수 있으며, 특히 <온주법>과 <증보산림경제>의 기록에서 보듯 술 빚는 시기를 "봄에 빚는다." "여름 술을 빚기에 적당하다."는 사실에서 녹두누룩을 사용하는 술 빚기는 주로 날씨가 더워지는 시기에 이루어진다고 할 수 있으며, 그 이유가 녹두의 찬 성질로 인하여 술의 과발효에 따른 산패를 방지하고자 한 데서 기인한 것임을 알 수 있다.

'녹두주' 또는 '녹두누룩술'의 맛과 향기는 '향온주'와 유사하며, 방문에 따라서는 '백수환동주'의 맛을 느낄 수도 있다.

## 1. 녹주두 <민천집설(民天集說)>

누룩 재료 : 녹두누룩(녹두 1말, 찹쌀 4되, 솔잎)
술 재료 : 찹쌀 1말, 녹두누룩 2~3되, 냉수 1되

누룩 빚는 법 :

1. 월초에 녹두 1말을 준비하였다가, 찹쌀 4되를 작말하여 녹두와 함께 시루에 안쳐서 반만 익게 쪄낸다.
2. 쪄낸 녹두와 쌀을 절구에 넣고 공이로 쳐서 뭉쳐질 때까지 거칠게 찧는다.
3. 반죽을 주먹으로 단단히 쥐어서 단자처럼 오리알 크기만 한 애누룩을 빚는다.
4. 그릇(시루나 단지)에 솔잎을 두텁게 깔고, 그 위에 애누룩을 격지격지 놓고, 다시 솔잎으로 덮어서 가득 채운다.
5. 애누룩을 담은 그릇을 불한불열처(차지도 덥지도 않은 곳)에 두고 7일간 띄운다.
6. 띄운 지 7일 후에 솔잎을 걷어 내고, 다시 14일간 띄운 후, 녹두누룩이 완성되었으면 꺼내어 법제한다.
7. 바람이 잘 통하고 햇볕이 잘 받는 곳에 내어 완전히 건조시키되, 칼이나 거친 솔로 표면의 솔잎이나 곰팡이를 완전히 제거한다.
8. 누룩에서 곰팡이 냄새가 사라지고 하얗게 바랬으면 거둬들이고, 여러 겹으로 된 종이봉투에 담아 보관하여 두고 사용한다.

술 빚는 법 :

1. 찹쌀 1말을 깨끗하게 찧어(도정을 많이 하여) 하루 동안 물에 담가 불렸다가 (다시 씻어 건져서 물기를 뺀 후) 시루에 안쳐서 무른 고두밥을 짓는다.
2. 앞서 준비해 놓은 녹두누룩을 가루로 빻아 2~3되를 마련하여 놓는다.
3. 고두밥이 익었으면 시루에서 퍼낸다(고루 펼쳐서 차게 식기를 기다린다).
4. 고두밥에 녹두누룩 2~3되를 합하고, 고루 치대어 술밑을 빚는다.

5. 술독에 술밑을 담아 안치고, 물 1되를 사용하여 술 빚던 그릇을 깨끗이 씻어 술덧 위에 뿌려서 덮는다.
6. 술독은 예의 방법대로 하여 7일간 발효시키는데, 술맛이 맵고 달다.

* <민천집설>의 '녹주두'는 처음 등장하는 주품명으로, '녹두주'의 오기인 것으로 여겨진다. 주방문이 분명치 않으나 <증보산림경제>와 유사하다. 주방문 말미에 "술을 빚은 후 단단히 눌러 담아 안치고 물 1되로 그릇을 씻어 위에 덮으라."고 하고, "찹쌀 1말당 녹두곡자 2~3되의 비율로 사용한다."고 하였다. <증보산림경제>의 '녹두국' 방문에는 "쌀 1말에 누룩가루 2되가량을 넣는데 술이 아주 맑고 맛이 차다. 여름 술을 빚기에 적당하다(방법은 비록 이렇지만 쌀을 5되로 줄여도 된다. 혹은 녹두만을 써서 밀가루 조금을 넣는다고도 하고, 혹은 쌀을 쓰지 않고 찹쌀을 쓰면 좋다."고도 하였으므로 이를 참고하였다.
* 또한 쌀 씻는 법에 대하여 '정도(精擣)'라고 하여 도정을 많이 한 쌀을 사용하라는 암시가 깔려 있다.

菉酒豆(菉豆酒)

月初菉豆一斗去皮粘米四升作末與菉豆蒸熟不造兩同春称泥水旱子入盛抑器中心松葉隔置兩置之不寒不熱處以不寒之爛浮七日後松葉又諸宿二七後撤去松葉鋪上(○○○春)和後釀之而粘米一斗精擣浸一夜之無之爛熟團子抑器以冷水三鐥(菉豆曲子)粘米一斗(之)末曲二三升合入缸中功是三入則豆末一斗長入瓮以洗器水一升添入七日後味辛甘.

## 2. 녹두누룩술법 <봉접요람>

술 재료 : 멥쌀 5되, 찹쌀 5되, 섬누룩 5홉, 녹두누룩(5되), 끓는 물 8되

누룩 빚는 법 :

1. 녹두 5되를 물에 깨끗하게 씻어 건조시킨 뒤 (맷돌에 타서 가루를 만들어, 물에 담가 불렸다가) 거피를 한 후 건져서 물기를 빼놓는다.
2. 찹쌀 1되를 백세하여 물에 잠깐 불렸다가 건져놓는다.
3. 녹두를 시루에 안쳐서 잠깐 쪄 설익게 익혀서 절구에 퍼낸다.
4. 쪄낸 녹두를 절굿공이로 찧는데, 건져두었던 찹쌀을 넣어가면서 고루 짓찧는다.
5. 녹두와 찹쌀 찧은 것을 (두 주먹으로 단단히 쥐어) 장거떡 만치(장떡 크기)로 누룩밑을 빚는다.
6. 광주리에 누룩밑과 솔잎을 켜켜 두어가며 안쳐, 더위에는 시렁에나 서늘한 데 얹어두었다가 누렇게 다 뜨면 (꺼내어) 솔잎과 껍질을 벗겨낸다.
7. 누룩을 낮에는 햇볕에 내어 건조시키고, 밤에는 이슬도 맞혀가며 (2~3일 법제한 후) 거둬들여서 술 빚을 때 찧어서 가루로 만들어 사용한다.

술 빚는 법 :

1. 찹쌀과 멥쌀을 (각 5되씩 1말을) 백세하여 물에 담가 불렸다가, 시루에 안쳐서 고두밥을 짓는다.
2. 솥에 물 8되를 끓이다가, 고두밥이 익었으면 넓은 그릇에 퍼내고, 끓는 물을 고두밥에 합한 후 주걱으로 고루 개어놓는다.
3. 고두밥이 물을 다 먹었으면, 고루 펼쳐서 차게 식기를 기다린다.
4. 차게 식은 고두밥에 앞서 준비한 녹두누룩(5되)과 합하고, 다시 섬누룩 5홉을 합하고 고루 버무려 술밑을 빚는다.
5. 술밑을 술독에 담아 안치고, 발효시켜 익기를 기다린다.

* 주방문에 '녹두누룩술'이라고 하여 녹두누룩 빚는 법이 수록되어 있는데, 술 빚는 방문에는 '녹두누룩'이 아닌, "섬누룩 5홉 밑술에 섞어"라고 되어 있어 혼돈스럽다. 따라서 '녹두누룩'과 '심누룩'을 함께 사 용하는 것으로 방문을 작성하였다. 또 녹두누룩을 만들 때 '장거떡'이 어떤 형태인지 알 수 없어, 다

른 기록에 자주 등장하는 방법인 '장떡 크기'로 표현하였다.

녹두누룩술법

녹도로 누룩을 ᄆᆡᆼ그되 녹도 닷 되 파 그ᄑᆡᆨᄒᆞ여 건져 셜 쎠셔 방아의 쁠 젹의 쳡쌀 ᄒᆞᆫ 되를 잠간 담가다가 일건져 지을젹 지버 너허 가며 지여 누룩을 ᄆᆡᆼ그되 쟝거쪽 만치 ᄆᆡᆼ그러 광쥬리의 솔입을 케케 두어가며 안쳐 더위에ᄂᆞᆫ 시령의ᄂᆞ 셔늘ᄒᆞᆫ ᄃᆡ 언져다가 쎠지거든 볏틔 말이우고 밤이슬도 맛쳐 가며 찌여 쳡쌀 ᄇᆡᆨ미 ᄒᆞᆫ 말 ᄇᆡᆨ셰ᄒᆞ여 익게 쪄 끌힌 물 여ᄃᆞᆲ 되로 골ᄂᆞ 식거든 셥누룩 닷 홉을 밋술의 셧거 익거든 쓰라.

## 3. 녹두주 <온주법(醞酒法)>

누룩 재료 : 녹두누룩(녹두 1말, 찹쌀 5되, 솔잎 적당량)
술 재료 : 찹쌀 1말, 녹두누룩가루 2되, 식힌 시루물 2~3식기, 냉수(1말)

누룩 빚는 법 :

1. (늦은 겨울에) 녹두 1말과 찹쌀 5되의 (비율로 하여) 누룩 재료를 준비한다.
2. 녹두 1말을 물에 깨끗하게 씻어 맷돌에 갈아 작말하고, 물에 담가 불려서 거피한 후, 소쿠리에 건져서 물기를 빼놓는다.
3. 찹쌀 5되를 백세하여 (물에 담가 불렸다가, 다시 씻어 건져서 물기를 뺀 후) 작말하여 절구에 넣는다.
4. 녹두를 시루에 안쳐서 익을 정도만 찌고, 익었으면 퍼서 쌀가루를 넣은 절구에 합한다.
5. 절굿공이로 떡을 치듯 찧는데, 녹두가루와 쌀가루가 고루 섞이도록 하여 뭉쳐질 정도가 되게 찧는다.
6. 녹두가루 찧은 것을 이화곡같이(달걀 크기로 약간 기름하게) 주먹으로 단단

히 쥐어서 누룩밑을 빚는다.

7. (종이상자나 단지에) 솔잎을 깔고 그 위에 누룩밑을 늘어놓는데, 누룩밑이 서로 닿지 않도록 한다.
8. 다시 솔잎으로 덮고, 그 위에 누룩밑을 한 켜 놓는 방식으로 격지격지 놓고, 다시 솔잎으로 덮는다.
9. (단지나 시루 위를 종이로 덮어씌우고, 따뜻한 곳에 놓고) 7일간 띄운다.
10. 7일 후 솔잎을 걷어내고 누룩을 꺼내어, 겉면에 누룩곰팡이가 자란 것을 볼 수 있는데, 칼이나 거친 솔을 이용하여 껍질을 벗겨낸다.
11. (다시 전과 같은 방법으로 솔잎에 격지격지 놓고, 솔잎으로 덮어서 재차 14일간 띄운다.)
12. 누룩을 띄우기 시작하여 삼칠일 만에 전부 꺼내어 햇볕에 말리고 건조시킨 후 (가루로 빻아 종이봉투에 담아) 보관한다.

술 빚는 법 :

1. 봄에 빚는데, 찹쌀 1말 백세하여 물에 담가 오랫동안(8~10시간) 불렸다가, 다시 씻어 건져서 물기를 빼놓는다.
2. 불린 쌀은 시루에 안쳐서 고두밥을 짓는다.
3. 고두밥이 익었으면 넓은 그릇에 고두밥을 퍼 담고, 냉수를 골고루 끼얹고 주걱으로 고루 헤쳐서 고두밥이 물을 다 먹기를 기다린다.
4. 냉수를 먹인 고두밥을 고루 펼쳐서 차게 식기를 기다린다.
5. 고두밥을 찌던 시루물 2~3식기를 차게 식혀놓는다.
6. 차게 식은 고두밥에 미리 준비한 녹두누룩가루 2되와 식혀둔 시루물 2~3식기를 합하고, 고루 버무려 술밑을 빚는다.
7. 술밑을 술독에 담아 안치고, 예의 방법대로 하여 식지(기름 먹인 종이)로 밀봉하여 서늘한 곳에서 21일간 발효시킨다.
8. 술 빚은 지 21일이 되어 (술이 익었으면) 채주하여 사용한다.

* 주방문 말미에 "삼칠 만에 드리우되, 빚기 다소(多少)는 임의로 하라. 냉수

는 조금하고, 이는 한갓 술이 아니라, 선미(仙味)니 센머리 다시 검고 빠진 이 다시 나느니라. 탕수도 채와 하라."고 하여 '백수환동주'를 떠올리게 하는데, '백수환동주곡(녹두곡)은 찹쌀 1말과 녹두 5되의 비율이며, 찹쌀고두밥을 찬물(냉수)을 끼얹어 고두밥을 식히는 방법으로 이루어지나, 본 방문에서는 탕수(시루밑물)와 냉수를 함께 사용한다는 점에서 다소 차이가 있다.

녹되듀

정월 (초)승 (녹되) 한 말 거피ᄒᆞ야 닉을 만치 ᄶᅵ고 졈미 오승 ᄇᆡᆨ셰작말ᄒᆞ(야) ᄶᅵ흘 제 ᄒᆞᆫᄃᆡ 고로게 섯거 ᄶᅵ허 이화국ᄀᆞ치 ᄃᆞᆫᄃᆞᆫ히 ᄌᆈᄋᆡ겨 숑녑 격지 노화 ᄡᅴ워 칠일 만의 다(시) (꺼내야) 거풍ᄒᆞ야 삼칠일 만의 볏ᄒᆡ 말노여 봄의 비ᄌᆞᄃᆡ 졈미 일두 ᄇᆡᆨ셰ᄒᆞ(야) ᄃᆞᆷ가 마이 붓거든 익게 ᄶᅧ 노코 ᄂᆡᆼ슈의 골나 ᄎᆞ거든 이 누록ᄀᆞ르 두 되에 섯거 식지표봉ᄒᆞ야 서ᄂᆞᆯᄒᆞᆫ ᄃᆡ 두어 삼칠 만의 드리오ᄃᆡ 빗기 다쇼ᄂᆞᆫ 임의로 ᄒᆞ라. ᄂᆡᆼ슈ᄅᆞᆯ 졀금ᄒᆞ고 밤ᄌᆡ은 탕슈 두 식긔ᄂᆞᆫ 단맛 잇고 세 식긔ᄂᆞᆫ ᄆᆡ우니라. 이ᄂᆞᆫ 인간 술이 아니라 션미니 센머리 다시 검고 ᄲᅡ진 니 다시 나ᄂᆞ니라. 탕슈도 ᄎᆡ와 ᄒᆞ라.

## 4. 조녹두곡법 <증보산림경제(增補山林經濟)>

술 재료 : 찹쌀 1말, 녹두누룩 2되, 냉수 1되

술 빚는 법 :

1. 찹쌀 1말을 깨끗하게 찧어(도정을 많이 하여) 하루 동안 물에 담가 불렸다가 (다시 씻어 건져서 물기를 뺀 후) 시루에 안쳐서 무른 고두밥을 짓는다.
2. 앞서 준비해 놓은 녹두누룩을 가루로 빻아 2되를 마련하여 놓는다.
3. 고두밥이 익었으면 시루에서 퍼낸다(고루 펼쳐서 차게 식기를 기다린다).
4. 고두밥에 녹두누룩 2되를 합하고, 고루 치대어 술밑을 빚는다.

5. 술독에 술밑을 담아 안치고, 물 1되를 사용하여 그릇을 씻어 술덧 위에 뿌려서 덮는다.
6. 술독은 예의 방법대로 하여 7일간 발효시키는데, 술맛이 맵고 달다.

* '조녹두곡법' 누룩방문 말미에 "술을 빚을 때, 쌀 1말에 누룩가루 2되가량을 넣는데, 술이 아주 맑고 맛이 차다. 여름술을 빚기에 적당하다(방법은 비록 이렇지만 쌀을 5되로 줄여도 된다. 혹은 녹두만을 써서 밀가루 조금을 넣는다고도 하고, 혹은 쌀을 쓰지 않고 찹쌀을 쓰면 좋다고도 한다)."고 하였다. 따라서 <민천집설>의 '녹두주법'을 참고하여 누룩방문을 작성하였다.

造菉豆麯法

白米菉豆各一斗用各器浸水經宿攤乾席上待半乾卽漉出白米並菉豆臼內爛搗取出踏麯而圓要小而薄不然則留濕生蛀難禁(菴)法上同.造酒 每米一斗入麯末二升許.味甚淸冽宜用夏月之釀(法雖如此米減五升可或云單用菉豆可眞麵少許 或云 不用白米用粘米好.

# 녹자주

## 스토리텔링 및 술 빚는 법

우리의 전통술 빚는 법 가운데 술 빚는 일을 두 번에 걸쳐 행하는 것을 이양주법(二釀酒法)이라고 하고, 거기서 얻은 술을 이양주(二釀酒)라고 한다.

전통의 술 빚기에서 이와 같이 두 번의 술 빚는 일 가운데 먼저 빚는 술을 '밑술'이라고 하고, 나중에 하는 술을 '덧술'이라고 하는데, 중요한 것은 먼저 빚는 밑술이다. 이 밑술이 얼마나 잘되고 못 되느냐에 따라 덧술의 성패와 완성주의 주질이 결정된다. 따라서 밑술을 빚는 작업 과정이나 목적을 완전히 숙지하고 있어야만 한다.

<김승지댁주방문(金承旨宅廚方文)>에 수록된 '녹자주'는 추측하건대 '녹파주(綠波酒)'처럼 술 빛깔과 관련이 있는 주품일 가능성이 크다.

확신할 수는 없지만 "술빛이 냉수 같으니라."고 언급한 내용에서 막연하게나마 '녹자주'의 의미를 살필 수 있을 것 같다. 그리고 굳이 한문 표기로 옮긴다면 "보다 엷은 바닷물과 같은 푸른색을 띤다."는 뜻을 담은 '녹자주(綠姿酒)'로 해석되지 않을까 여겨진다.

그런 의미에서도 <김승지댁주방문>에 수록된 '녹자주'는 밑술의 중요성이 강조되는 술이라고 할 수 있다. 술 빚는 방문을 보면, 물에 씻어 불린 멥쌀 1되를 가루로 빻아 물 2되와 합하고 죽을 쑨 다음, 죽이 차갑게 식으면 섬누룩가루 1되와 섞어 밑술을 빚는다고 하였다.

이상의 과정에서 보면, 일반 이양주의 제조 과정과 비교했을 때 별반 차이가 없다는 것을 알게 된다. 그런데도 이 술의 빛깔은 "술빛이 냉수 같으니라."고 하였으므로, 그 해답은 밑술에 사용되는 섬누룩과 덧술의 술 빚는 방문에서 찾을 수 있다.

일반적으로 전통의 술 빚는 법에 있어, 덧술을 할 때 쌀(고두밥)과 함께 누룩이 사용되면 반드시 물도 함께 쓰이는 것으로 되어 있다.

하지만 <김승지댁주방문>에 수록된 '녹자주'의 술 빚기에 사용되는 물의 양은 멥쌀로 죽을 쑬 때 사용되는 1되와 덧술을 빚을 때 사용되는 끓여서 식힌 물이 있는데, 그 양이 구체적으로 언급되어 있지 않다. 그것도 "끓여 가루누룩 한 줌이나 쳐서 타 하면 좋으니라."고 하여, 덧술의 물은 넣어도 되고 넣지 않아도 무관하다고 볼 수밖에 없다.

<김승지댁주방문>에 수록된 '녹자주'의 덧술에 사용되는 끓는 물의 양과 술 색깔의 관계를 알아보기 위하여 수차례 '녹자주'를 빚어본 결과, "술빛이 냉수 같으니라."고 한 언급은 끓여서 식힌 물의 양과 섬누룩의 사용 비율에 따른 결과라는 사실을 알게 되었다. 수차례의 양조실습 결과 덧술에 사용되는 양주용수의 양은 5~6되가 좋은 것으로 여겨졌으며, "술빛이 냉수 같으니라."고 하는 주방문의 의미를 찾을 수 있었다.

만약 덧술의 수곡(물누룩)을 사용하지 않고 빚었을 경우, 술 빛깔은 보다 푸르스름한 빛깔과 함께 매우 달짝지근한 진미가 강한 술이 되고, 덧술의 수곡을 사용하게 되면 "보다 엷은 바닷물과 같은 푸른색을 띤다."는 것이다.

<김승지댁주방문>에 수록된 '녹자주'에 사용되는 섬누룩은 여느 누룩에 비해 푸른곰팡이가 많이 피어 있고 누룩으로서 당화력은 뛰어나지만, 발효능력은 조곡이나 백곡에 비해 떨어지는 경향이 있다. 때문에 덧술에 누룩을 더 넣게 된 것이 '녹자주'의 덧술 방문인데, 결과적으로 누룩 양이 많이 투입된 결과를 낳게 되

어 술 빛깔이 푸른색을 띠게 되는 것이다.

따라서 술 빛깔을 더욱 밝게 하는 방법은 밑술의 누룩찌꺼기를 제거하는 방법이 이용되어 왔다.

술을 자주 빚어본 경험자라면 다 아는 바와 같이 술은 누룩의 누룩곰팡이색을 띠게 되어 있다. '녹자주'가 진한 감미와 함께 연한 푸른빛을 띠는 이유가 여기에 있다.

이러한 술 빛기는 자칫 술에서 누룩곰팡이 냄새가 심하게 나는, 이취(異臭)가 강한 술이 될 수 있고, 취향에 예민한 주당들에게는 기피되는 까닭에 법제를 오랫동안 행하여 이러한 문제점을 극복하는 방법을 추구해 왔다.

그리고 그러한 방편의 하나로 밑술을 체에 걸러 누룩찌꺼기를 제거함으로써, 술 빛깔을 밝고 맑게 하고자 노력해 왔던 것이다.

## 녹자주방문 <김승지댁주방문(金承旨宅廚方文)>

술 재료 : 밑술 : 멥쌀 1되, 섬누룩 1되, (끓는) 물 1되
덧술 : 찹쌀 1말, 누룩 한 줌, (끓는) 물(5~6되)

술 빚는 법 :

* 밑술 :

1. 멥쌀 1되를 쓿어(깨끗하게 도정하여) (백세하여 물에 담가 불렸다가, 다시 씻어 건져서 물기를 뺀 후) 놓는다.
2. 쌀 되던 되로 물 1되를 계량하여 쌀과 합하고, 팔팔 끓여서 죽을 쑨 다음 (찬물에 담가) 차게 식기를 기다린다.
3. 차갑게 식힌 죽에 섬누룩 1되를 합하고, 고루 버무려 술밑을 빚는다.
4. 술독에 밑술을 담아 안치고, 예의 방법대로 하여 3일간 발효시킨다.

* 덧술 :

1. 찹쌀 1말을 쓿어(깨끗하게 도정하여) (백세하여 물에 담가 불렸다가, 다시 씻어 건져서 물기를 뺀 후) 시루에 안쳐 고두밥을 짓는다.
2. 고두밥이 익었으면 시루에서 퍼내고, 고루 펼쳐서 차게 식기를 기다린다.
3. 밑술을 체에 걸러 (누룩찌꺼기를 제거한 후) 막걸리를 만든다.
4. 물(5~6되)을 끓여서 식혔다가, 누룩 한 줌 정도를 풀어 수곡을 만들어놓는다.
5. 고두밥에 밑술 거른 막걸리와 수곡을 한데 합하고, 고루 버무려 술밑을 빚는다.
6. 술독에 술밑을 담아 안친 뒤, 예의 방법대로 하여 10일간 발효시킨다.

* 주방문 말미에 "지에가 많이 익고, (술독을) 실내에 두되 덥도 차도 아니하게 하여야 그릇되지 아니하고, 이 법을(으로) 하면 술빛이 냉수 같으니라."고 하였다. 따라서 이 방문에서 보듯, 밑술을 걸러 덧술을 하면 술 빛깔이 밝고 맑아진다는 사실을 확인할 수 있다.

녹자쥬방문

ᄇᆡᆨ미 ᄒᆞᆫ 되 쓸혀 그 되바지로 물 부어 쥭 쑤어서 물킈 시켜 셥누룩 ᄒᆞᆫ 듸 버므려 너흔 지 ᄉᆞ흘 만의 졈미 ᄒᆞᆫ 말을 쓸혀 쪄 서늘킈 시켜 ᄋᆞ즐 닉여 걸너 지에의 버므리고 질말 셔 홉만 너(어) 일흘 만의 되오ᄂᆞ니라. ᄊᆞᆯ혀 ᄀᆞ로누룩 ᄒᆞᆫ 즘이나 쳤서 타 ᄒᆞ면 죠흐니라. 지에가 ᄆᆞ이 닉고 간ᄉᆞ하니 쏠니 모덤도 ᄎᆞ도 아니케 ᄒᆞ야 그릇되지 아니ᄒᆞ고, 이 법을 ᄒᆞ면 슐빗치 ᄂᆡᆼ슈 갓호ᄒᆞ니라.

# 녹타주

## 스토리텔링 및 술 빚는 법

한글 붓글씨 필사본의 <음식방문니라>는 최근에 발굴된 문헌으로, 기존의 한문 표제의 <음식방문(飮食方文)>과는 다른 문헌임이 밝혀졌다.

<음식방문니라>는 오히려 <규합총서(閨閤叢書)>에 수록된 내용과 일치하는 부분이 많은 것으로 알려지고 있는데, 음식방문과 함께 17종의 주방문이 수록되어 있다. 그 가운데 '녹타주'를 비롯하여 '선표향법', '감절주'는 매우 생경한 주품명으로 다가온다.

<음식방문니라>에 '녹타주법' 주방문은 "ᄇᆡᆨ미 일두 ᄇᆡᆨ세작말ᄒᆞ야 물 세 발의 죽 쑤어 국말 한 되 진말 셔 되 버무여 항의 너허다 삼일 후의 졈미 일두 ᄇᆡᆨ세ᄒᆞ야 당거다 익게 쪄 셔를ᄒᆞ게 식켜 밋과 셕거 너허 온닝을 맛초와 열잇틀 만의 써 쓰라."고 하였다.

먼저, '녹타주'는 주품명에서 다른 문헌의 '녹파주'와 유사하여 주방문의 유사성을 찾고자 하였으나, 주방문에서 공통점을 찾지 못하였다.

특히 <음식방문니라>의 '녹타주법'은 덧술의 쌀 양이 밑술의 2배이고, 밑술에 사용되는 밀가루의 양이 누룩의 양보다 매우 많다는 점에서, 주품명과 함께 주방문도 다르다는 것을 알 수 있었다.

<음식방문니라>의 '녹타주법'과 가장 유사한 주방문을 '녹파주'에서 찾았는데, <봉접요람>을 비롯하여 <산가요록(山家要錄)>, <수운잡방(需雲雜方)>, <시의전서(是議全書)>, <양주방>*, <역주방문(曆酒方文)>, <우음제방(禹飮諸方)>, <주방(酒方)>*의 '녹파주' 주방문이 '녹타주'와 가장 가까웠다.

<봉접요람>을 비롯하여 <양주방>*, <우음제방> 등의 '녹파주'와 <음식방문니라>에 수록된 '녹타주'의 차이점은, '녹타주'가 쌀 2말에 대하여 누룩의 양이 1되, 밀가루 3되로서, 특히 밀가루의 양은 누룩양의 3배에 달하는데 비하여, '녹파주'는 밑술에 사용되는 누룩과 밀가루의 양은 각각 1되와 7홉으로, 밀가루의 양이 누룩의 양보다 적게 사용된다는 공통점을 띠고 있어, '녹파주'와의 공통점을 찾기가 어렵다는 결론에 이르렀다는 것이다.

다시 말하면 '녹타주'라는 주품명에 담긴 의미를 찾기가 어렵고, 특히 밀가루의 양을 많이 사용하게 된 배경이나 목적, 의도를 이해하기도 어렵다.

따라서 한글 붓글씨본 <음식방문니라>에 수록된 주품에 따른 주방문의 한 가지 특징적인 사실은, '화향입주법'을 비롯하여 '송절주법', '삼일주법'을 제외하고는 이미 널리 알려진 '두견주법'과 '소국주법', '감홍(향)주법', '송순주법', '과하주법', '삼오주법'에 이르기까지 다른 문헌과 동일한 주방문이 없다는 점이다.

그러니 비교적 생경한 '삼칠주법'이나 '매화주법'은 말할 것도 없고, 한글본 <음식방문니라>에만 수록된 것으로 밝혀지고 있는 '녹타주'를 비롯하여 '팔선주법', '선표향법', '감절주법'에 대해서는 더 말을 해서 무엇하랴 싶다.

다만 이미 수차례 다른 주품편에서 언급한 바 있거니와, <음식방문니라>는 <온주법>을 연상시킨다는 것이다. 가장 차별화된, 그리고 수록된 주품명과 그에 따른 주방문들을 근거로 살피자면, 특히 무엇보다 차별화를 시도했던 우리나라 사대부가의 양주 수준과 가양주의 다양성을 엿볼 수 있다는 점에서 가치를 부여할 수 있을 것 같다.

이로써 한글 붓글씨본 <음식방문니라>에 수록된 '녹타주'의 주방문에 따른 양주 과정에 있어, 특기할 사항이나 크게 대두되는 문제점이 없고 비교적 술을 빚는 과정도 쉽다는 점에서 구차스런 설명을 생략하므로, '녹파주'편을 참고하기 바란다.

## 녹타주법 <음식방문니라>

술 재료 : 밑술 : 멥쌀 1말, 가루누룩 1되, 밀가루 3되, 끓는 물 3말
덧술 : 찹쌀 2말

술 빚는 법 :

* 밑술 :

1. 멥쌀 1말을 백세하여 (물에 담가 불렸다가, 다시 씻어 헹궈서 물기를 뺀 후) 작말한다(가루로 빻는다).
2. 솥에 물 3말을 끓이다가 쌀가루를 고루 풀어 넣고, 주걱으로 저어가면서 팔팔 끓는 죽을 쑨다.
3. 죽을 퍼서 넓은 그릇 여러 개에 나눠 담고, 차게 식기를 기다린다.
4. 죽에 누룩가루 1되와 밀가루 3되를 합하고, 고루 버무려 술밑을 빚는다.
5. 술밑을 술독에 담아 안치고, 예의 방법대로 하여 3일간 발효시킨다.

* 덧술 :

1. 찹쌀 1말을 백세하여 물에 담가 불렸다가 (다시 씻어 말갛게 헹궈서 물기를 뺀 후) 시루에 안쳐서 고두밥을 짓는다.
2. 고두밥이 익었으면 시루에서 퍼내고, 고루 펼쳐서 싸늘하게 식기를 기다린다.
3. 고두밥에 밑술을 한데 합하고, 고루 버무려 술밑을 빚는다.
4. 술밑을 술독에 담아 안치고, 예의 방법대로 하여 날씨가 차고 더운 것을 맞춰가면서 12일간 발효시켜 익었으면 채주하여 사용한다.

* 매우 생경한 주품명으로 느껴진다. 주품명에서 다른 문헌의 '녹파주'와 유사하여 주방문의 유사성을 찾고자 하였으나, 덧술의 쌀 양이 밑술과 동량이고 밑술에 사용되는 밀가루의 양이 매우 많다는 점에서 공통점을 찾기가 힘들었다.

녹타쥬법

ᄇᆡᆨ미 일두 ᄇᆡᆨ세작말ᄒᆞ야 물 세 발의 죽 쑤어 국말 한 되 진말 셔 되 버무여 항의 너허다 삼일 후의 졈미 일두 ᄇᆡᆨ세ᄒᆞ야 당거다 익게 쪄 셔를ᄒᆞ게 식켜 밋과 셕거 너허 온ᄂᆡᆼ을 맛초와 열잇틀 만의 써 쓰라.

# 녹파주·경면녹파주

## 스토리텔링 및 술 빚는 법

고려시대 때부터 빚어졌던 것으로, 비교적 널리 알려진 술이 '녹파주(綠波酒)'이다. '녹파주'라는 주품명은 "술 빛깔이 물결치는 파도와 같이 푸르다."고 한 데서 유래한 것으로, 다른 주품의 술 색깔보다 특히 밝고 맑다는 의미를 갖는다.

조선시대 양주 관련 82종 가운데 26종의 문헌에 42차례나 등장하는 것으로 미루어 상당히 대중성을 띠었던 주품으로 여겨지는데, 그 이유는 술 색깔이 맑고 밝다는 사실 외에 특히 수율(收率)이 높다는 점에서 선호되었던 것으로 여겨진다.

조선시대 양주 관련 문헌으로 <감저종식법(甘藷種植法)>을 비롯하여 <고려대규합총서(高麗大閨閤叢書, 異本)>, <고사신서(攷事新書)>, <고사십이집(攷事十二集)>, <농정회요(農政會要)>, <봉접요람>, <산가요록(山家要錄)>, <산림경제(山林經濟)>, <산림경제촬요(山林經濟撮要)>, <수운잡방(需雲雜方)>, <술방>, <시의전서(是議全書)>, <양주방>*, <양주집(釀酒集)>, <역주방문(曆酒方文)>, <온주법(醞酒法)>, <우음제방(禹飮諸方)>, <음식디미방>, <의방합편(醫方合編)>, <임원십육지(林園十六志)>, <주방(酒方)>*, <주방(酒方, 임용

기소장본)>, <증보산림경제(增補山林經濟)>, <침주법(浸酒法)>, <해동농서(海東農書)>, <홍씨주방문> 등 26종의 문헌을 들 수 있다.

이들 문헌에 수록된 '녹파주'는 두 번에 걸쳐 술을 빚는 이양주법(二釀酒法)이 40차례 등장하고 있어, 이양주법 '녹파주'가 주류를 이룬다는 것을 알 수 있으며, <양주방>*과 <역주방문(曆酒方文)>에 삼양주법(三釀酒法)은 2차례 등장할 뿐이다.

'녹파주'는 멥쌀이나 찹쌀로 밑술을 만들고, 다시 찹쌀 또는 멥쌀로 덧술을 하여 빚는 순곡청주(純穀淸酒)로서, 특히 술이 많이 얻어지는 것이 특징이거니와, 술 빛깔이 얼마나 맑은지 별칭 '경면녹파주(鏡面綠波酒)'라고도 불린다.

문헌에 따라 술 빚는 법이 약간씩 차이가 나는데, '녹파주'를 수록하고 있는 문헌 가운데 시대가 가장 앞선 <산가요록>에는 "멥쌀 한 말을 세말허여 쪄서 탕수 세 말을 섞어 죽(범벅)을 쑨 뒤 식기를 기다렸다가, 좋은 누룩 한 되와 진말 한 되를 섞어 빚는다. 삼일 후 찹쌀 두 말을 온전히 쪄서 밑술과 고루 섞어 독에 넣고 맑게 익기를 기다린다(白米一斗 細末熟蒸 湯水三斗 作粥 待冷 好匊一升 眞末五合 和入 三日後 粘米二斗 全蒸 和前酒入瓮 待淸用)."고 하였다.

1450년대의 <산가요록> 이후 1760년에 저술된 <산림경제>에는 '경면녹파주'라고 하였는데, <사시찬요초(四時纂要抄)>를 인용하여 "깨끗이 쓿은 쌀 1말을 하룻밤 물에 불렸다가 가루를 만들어 물 2말로 죽을 쑤어 식은 뒤에 누룩가루 2되를 고루 섞어 술밑을 만든다. 또 찹쌀 2말을 하룻밤 물에 담갔다가 푹 쪄서 끓는 물 3말에 고루 섞어 차게 식힌다. 먼저 만든 술밑에 첨가하여 익은 뒤에 술통에 뜨면 술 5말은 넉넉히 뜰 수 있다."고 하여, <산가요록>의 '녹파주'와는 다른 주방문을 수록하고 있으며, 1800년대 초기의 <고려대규합총서(이본)>에는 "희게 쓴 멥쌀 서 되를 가루하여 되들이로 물 열만 끓여 의이처럼 쑤어 사늘하게 식혀, 누룩 칠 홉만 섞어 넣었다가 묽어지거든 찹쌀 한 말 담갔다가, 지에를 물 주어 익게 쪄 사늘하게 식혀 버무려 넣어라. 두이레 후, 불 켜 보아 꺼지지 않거든 써라."고 하여, <산림경제>의 '경면녹파주'와는 또 다른 주방문을 보여주고 있어, 얼마나 다양한 '녹파주'가 양주되었는지를 짐작할 수 있다.

이러한 '녹파주'는 언제부턴지 모르게 명맥이 끊긴 지 오래이다. 그 배경이 일제시대 '주세법'의 제정 발표 이후로 여겨지나 확실하지는 않다. 필자가 1987년부터 13년에 걸쳐 실시한 민간의 전승가양주 조사에서도 예의 '녹파주'가 빚어지고 있는 흔적을 찾을 수 없었다.

'녹파주'를 수록하고 있는 문헌별 양주기법은 크게 4가지 유형이 있다는 것을 알 수 있다.

첫째, <산가요록>을 비롯하여 <온주법>, <침주법>에서와 같이 밑술을 멥쌀가루를 쪄서 만든 흰무리떡에 끓는 물을 합하여 재차 죽(범벅)을 만든 후, 누룩가루 또는 누룩가루와 밀가루를 섞어 빚고, 3~7일간 발효시킨 다음, 찹쌀로 지은 고두밥이나 찹쌀고두밥과 끓는 물을 섞어 만든 진고두밥을 사용하여 덧술을 하는 방법이 있다.

둘째, <산림경제>를 비롯하여 <감저종식법>, <고사신서>, <고사십이집>, <농정회요>, <술방>, <임원십육지>, <증보산림경제>, <해동농서>의 '경면녹파주', <봉접요람>을 비롯하여 <양주방>*, <의방합편>, <홍씨주방문> 등의 '녹파주' 주방문은 밑술을 죽을 쑤어 사용하고, 누룩을 섞어 3일간 발효시킨 후, 찹쌀로 지은 고두밥 또는 찹쌀고두밥과 끓는 물을 섞어 만든 진고두밥을 사용하여 덧술을 하는 방법이 있다.

여기서 반드시 짚고 넘어가야 할 한 가지 사실은, 밑술을 빚는 방법에 있어 쌀가루를 끓여 만든 죽을 사용하고, 덧술은 찹쌀고두밥을 단독으로 사용하거나 찹쌀고두밥에 끓는 물을 섞어 만든 진고두밥을 사용하는 경우의 대부분이 '경면녹파주'의 주류를 이룬다고 하는 점에서 주목할 필요가 있다.

이와 같은 주방문이라도 <양주방>* 등 문헌에 따라서는 '녹파주'로 기록되어 있는 것을 볼 수 있어 그 구별이 쉽지 않기 때문이다.

셋째, <음식디미방>을 비롯하여 <고려대규합총서(이본)>, <수운잡방>, <시의전서>, <양주집>, <임원십육지>, <주방>*, <주방(임용기소장본)>, <침주법>의 '녹파주'와 <농정회요>의 '경면녹파주 우방(又方)', <산림경제촬요>의 '경면녹파주법', <증보산림경제>의 '경면녹파주 우방'에서와 같이 밑술을 범벅을 쑤어 누룩가루와 섞어 3~5일간 발효시킨 후, 찹쌀고두밥 또는 찹쌀고두밥과 끓는 물을 섞어 만든 진고두밥으로 덧술을 하는 경우가 있다.

넷째, <고사십이집>의 '녹파주 우법(又法)'을 비롯하여 <농정회요>의 '경면녹파주 우법', <산림경제>의 '경면녹파주 우방', <의방합편>의 '녹파주 별법(別法)', <임원십육지>의 '녹파주 우방', <증보산림경제>의 '경면녹파주 우방', <해동농서>의 '경면녹파주 일방(一方)' 등에서와 같이 밑술을 찹쌀죽으로 하고, 덧술은 멥쌀죽을 쑤어 사용하는 방법이 있다.

그리고 삼양주법 '녹파주'는 <역주방문>과 <양주방>*에서 목격할 수 있는데, 두 문헌의 '녹파주'는 2차 덧술에서 밑술의 쌀 양보다 적은 양의 찹쌀로 죽을 쑤어 누룩가루를 함께 사용한다는 점에서 공통점을 찾을 수 있다.

이와 같은 양주법은 알코올 도수나 주질을 향상시키기 위한 방법이라기보다, 술의 양을 늘리고 맛을 부드럽게 하기 위한 방편이라는 것이다.

한편, <우음제방>의 '녹파주'는 소주(燒酒) 주방문으로, 주방문 말미에 "소줏고리를 걸고 위에 놓인 양푼(냉각수 그릇)에 물을 부어 짐작하여 과히 성이 나기를 시작하거든 불을 물리고 두어 가지만 때어 가늘게 한결같이 고루 넣어주면, 소주는 많이 나고 맛이 좋다. 물을 서너 번 갈 때까지는 일절 맛을 보지 말고, 술을 다 푸고 뜨이(찌꺼기가 일어나 탁해진 상태) 나거든 나중 솥은 걸러서 증류한다. 증류할 때에 칡넝쿨과 감나무를 모조리 금하라. 소주가 나다가도 그치니, 물을 자주 갈아주어 양푼의 물이 차가울수록 좋다."고 하였다. 이로써 '녹파주'도 필요에 따라 소주로 전용되기도 하였다는 것을 확인할 수가 있다.

<산가요록>과 <산림경제>의 주방문을 바탕으로 '녹파주'를 재현하여 그 맛과 향을 음미해 본 결과, 여느 술맛에 비해 평담한 맛을 느낄 수가 있었다. 술이 결코 독특하다거나, 별명이 암시하듯 "거울같이 맑다."는 느낌을 갖지는 못했으나, 은근한 취기와 함께 뒤끝이 깨끗하고 부드럽다는 것이 필자의 견해다.

그러나 '녹파주'의 별칭이 '경면녹파주'인데, '경면(鏡面)'이라는 자전풀이 그대로 "거울같이 맑은 술 빛깔"을 낼 수 있는 양주 방법이 있을 것으로 생각되어 수차례 재현 실습을 통하여 '녹파주'를 빚어봤으나, 아직 그 비법을 완벽히 터득하지는 못하였다.

다만 쌀 씻는 법과 혼화 과정에서의 치대는 방법을 개선한 결과 어느 정도 물빛에 가까운 술 빛깔을 확인할 수는 있었으나, 그 상태가 거울 빛처럼 밝고 맑다는 확신을 가질 수는 없었다.

<산가요록>의 '녹파주'에서는 술 빛깔이 그렇게 아름답지를 못했고, <산림경제>의 '경면녹파주'에서는 술 빛깔이 투명하고 맑은 반면 빨리 산패하는 단점이 있었다.

다만, 술의 양이 많아서 빚어두고 일상사에 두루 쓰기엔 무난한 술이라고 할 수 있겠다는 판단이다.

## 1. 경면녹파주 <감저종식법(甘藷種植法)>

술 재료 : 밑술 : 멥쌀 1말, 누룩가루 2되, 물 2말
덧술 : 찹쌀 2말, 끓는 물 3말

술 빚는 법 :

* 밑술 :

1. 멥쌀 1말을 (백세하여) 물에 담가 하룻밤 불렸다가 (다시 씻어 말갛게 헹궈서 물기를 뺀 후) 작말한다(가루로 빻는다).
2. 솥에 물 2말을 끓이다가 (뜨거워지면 1말을 퍼서 쌀가루에 고루 붓고, 가루를 풀어 아이죽을 만든다).
3. (물이 끓으면 아이죽을 합하고) 팔팔 끓여 죽을 쑨 후, 넓은 그릇에 퍼서 차게 식기를 기다린다.
4. 죽에 누룩가루 2되를 합하고, 고루 버무려 술밑을 빚는다.
5. 술밑을 술독에 담아 안치고, 예의 방법대로 하여 발효시킨다.

* 덧술 :

1. 찹쌀 2말을 (백세하여 물에 담가 밤재웠다가, 다시 씻어 헹궈서 물기를 뺀 후) 시루에 안쳐 고두밥을 짓는다.

2. 솥에 물 3말을 팔팔 끓이고, 고두밥이 익었으면 한데 합한다(주걱으로 고두밥을 고루 헤쳐 놓는다).
3. (고두밥이 물을 다 먹었으면 넓은 그릇에 나눠 담고, 뚜껑을 덮어 차게 식기를 기다린다.)
4. 고두밥에 밑술을 합하고, 고루 버무려 술밑을 빚는다.
5. 술밑을 술독에 담아 안치고, 예의 방법대로 하여 발효시키고 익기를 기다린다.

* 주방문 말미에 "술이 익어 주조에 짜면 술 5말은 뜰 수 있다."고 하였다.

鏡面綠波酒
白米一斗浸水經宿作末以水二斗作粥待冷入麴末二升調勻作本粘米二斗浸宿蒸熟以熱水三斗拌勻待冷與前本合釀待熟上槽可得酒五斗.

## 2. 녹파주 <고려대규합총서(高麗大閨閤叢書, 異本)>

술 재료 : 밑술 : 멥쌀 3되, 누룩 7홉, 물 10되(쌀되)
덧술 : 찹쌀 1말

술 빚는 법 :
* 밑술 :
1. 멥쌀 3되를 (백세하여 물에 담가 불렸다가, 다시 씻어 건져서 물기를 뺀 후) 작말하여 넓은 그릇에 담아놓는다.
2. 솥에 쌀되로 물 10되를 붓고 팔팔 끓인 뒤, 멥쌀가루에 넣고 고루 개어 의이 같은 범벅을 쑨 다음, 얼음같이 차게 식기를 기다린다.
3. 차게 식힌 범벅(죽)에 누룩 7홉을 넣고, 고루 버무려서 술밑을 빚는다.

4. 술밑을 술독에 담아 안치고, 예의 방법대로 하여 3일간 발효시킨다.

* 덧술 :
1. 찹쌀 1말을 (백세하여) 물에 담가 불렸다가 (다시 씻어 건져서 물기를 뺀 후) 시루에 안쳐서 고두밥을 짓는다.
2. 고두밥을 찔 때 (한 김 나면) 찬물을 고루 뿌려서 익게 쪄낸 다음, 고루 펼쳐서 차게 식기를 기다린다.
3. 고두밥을 밑술과 합하고 고루 버무려서 술밑을 빚는다.
4. 술밑을 술독에 담아 안친 다음, 덥지도 차지도 않은 곳에서 12일간 발효시킨다.
5. 술 뜨기 하루 전날 종이심지를 만들어 불을 붙인 후 들이밀어 보아 흔들리거나 꺼지지 않으면, 용수를 박아두고 그 이튿날 술을 뜬다.

* 주방문 말미에 "이대로(방문) 양을 늘리려면 아무리 많은들 못 늘리랴."고 하였다.

녹파주

희게 쓴 멥쌀 서 되를 가루하여 되들이로 물 열만 끓여 의이처럼 쑤어 사늘하게 식혀, 누룩 칠 홉만 섞어 넣었다가 묽어지거든 찹쌀 한 말 담갔다가, 지에를 물 주어 익게 쪄 사늘하게 식혀 버무려 넣어라. 두이레 후 불 켜 보아 꺼지지 않는 대로 써라. 이대로 늘여 빚으려면 얼마라도 못 늘이겠느냐.

## 3. 경면녹파주 <고사신서(攷事新書)>

술 재료 : 밑술 : 멥쌀 1말, 누룩가루 2되, 끓는 물 2말
덧술 : 찹쌀 2말, 끓는 물 3말

술 빚는 법 :

* 밑술 :

1. 멥쌀 1말을 물에 백세하여 물에 하룻밤 담가 불렸다가, 씻어 건져서 물기를 뺀 뒤 가루로 빻아놓는다.
2. 솥에 물 2말을 끓이다가, 뜨거운 물 1말 정도를 떠서 쌀가루에 고루 붓고 주걱으로 골고루 개어 아이죽을 만든다.
3. 끓고 있는 물에 개어놓은 아이죽을 넣고 팔팔 끓여 죽을 쑨 다음, 넓은 그릇 여러 개에 나눠 담고 차게 식기를 기다린다.
4. 죽에 누룩가루 2되를 합하고, 고루 버무려 술밑을 빚는다.
5. 술독에 술밑을 담아 안치고, 예의 방법대로 하여 하룻밤 동안(1일간) 발효시킨다.

* 덧술 :

1. 찹쌀 2말을 (백세하여 새 물에 담가) 하룻밤 불렸다가, 다시 씻어 헹군 후 건져서 물기를 뺀다.
2. 불린 쌀을 시루에 안치고, 오랫동안 쪄서 무르게 익은 고두밥을 짓는다.
3. 물 3말을 오랫동안 팔팔 끓이다가, 고두밥이 익었으면 끓는 물을 뜨거운 고두밥에 붓고, 주걱으로 고루 헤쳐서 차게 식기를 기다린다.
4. 질어진 밥에 밑술을 합하고, 고루 버무려 술밑을 빚는다.
5. 술독에 술밑을 담아 안치고, 예의 방법대로 하여 발효시킨다.
6. 술이 익을 때까지 기다려 숙성된 술을 주조에 올려 짜면 5말을 얻는다.

* <고사촬요>와 동일한 주방문이다. 주방문 말미에 "색이 아름답고 맛이 아주 색다르며 많이 나온다."고 하였다.

鏡面緣波酒

白米一斗水浸經一宿作末以水二斗作粥待冷入麴末二升調勻一宿粘米二斗水浸經夜蒸熟以熱水三斗拌勻待冷與前本合釀待熟上槽可得酒五斗 又法 粘米

一斗作末爲本白米二斗或三斗作末作粥釀法上同色可愛味殊絶多出.

## 4. 경면녹파주(우법) <고사신서(攷事新書)>

술 재료 : 밑술 : 찹쌀 1말, 누룩가루 2되, 끓는 물 2말
덧술 : 멥쌀 2~3말, 끓는 물 3말

술 빚는 법 :

* 밑술 :

1. 찹쌀 1말을 백세하여 물에 하룻밤 담가 불렸다가, 씻어 건져서 물기를 뺀 뒤 가루로 빻아놓는다.
2. 솥에 물 2말을 끓이다가, 따뜻해지면 1말 정도를 떠서 쌀가루에 고루 붓고 주걱으로 골고루 개어 아이죽을 만든다.
3. 끓고 있는 물에 개어놓은 아이죽을 넣고 팔팔 끓여 죽을 쑨 다음, 넓은 그릇 여러 개에 나눠 담고 차게 식기를 기다린다.
4. 죽에 누룩가루 2되를 합하고, 고루 버무려 술밑을 빚는다.
5. 술독에 술밑을 담아 안치고, 예의 방법대로 하여 하룻밤 동안(1일간) 발효시킨다.

* 덧술 :

1. 멥쌀 2~3말을 (백세하여 물에 담가) 밤 재워 불려서 물기 뺀 후 가루로 빻는다.
2. 물 3말을 오랫동안 팔팔 끓이다가, 따뜻한 물 2말 정도를 쌀가루에 붓고, 주걱으로 고루 개어서 아이죽을 만들어 놓는다.
3. 아이죽을 끓고 있는 물솥에 붓고, 주걱으로 고루 저어가면서 팔팔 끓여 죽을 쑨 다음, 차게 식기를 기다린다.

4. 차게 식은 죽에 밑술을 합하고, 고루 버무려 술밑을 빚는다.
5. 술독에 술밑을 담아 안치고, 예의 방법대로 하여 발효시킨다.

* 본방의 경면녹파주와 달리, 밑술은 찹쌀로 죽을 쑤고, 덧술도 죽을 쑤어 빚는 방법에서 차이가 있는 술이다.

鏡面綠波酒
白米一斗水浸經一宿作末以水二斗作粥待冷入麴末二升調勻一宿粘米二斗水浸經夜蒸熟以熱水三斗拌勻待冷與前本合釀待熟上槽可得酒五斗 又法 粘米一斗作末爲本白米二斗或三斗作末作粥釀法上同色可愛味殊絶多出.

## 5. 녹파주 <고사십이집(攷事十二集)>

−일명 경면녹파주

술 재료 : 밑술 : 멥쌀 1말, 누룩가루 2되, 끓는 물 2말
덧술 : 멥쌀 2말, 끓는 물 3말

술 빚는 법 :
* 밑술 :
1. 멥쌀 1말을 백세하여 물에 하룻밤 담가 불렸다가, 씻어 건져서 물기를 뺀 뒤 가루로 빻아놓는다.
2. 솥에 물 2말을 끓이다가, 뜨거운 물 1말 정도를 떠서 쌀가루에 고루 붓고 주걱으로 골고루 개어 아이죽을 만든다.
3. 끓고 있는 물에 개어놓은 아이죽을 넣고 팔팔 끓여 죽을 쑨 다음, 넓은 그릇 여러 개에 나눠 담고 차게 식기를 기다린다.
4. 죽에 누룩가루 2되를 합하고, 고루 버무려 술밑을 빚는다.

5. 술독에 술밑을 담아 안치고, 예의 방법대로 하여 하룻밤 동안(1일간) 발효시킨다.

* 덧술 :

1. 찹쌀 2말을 (백세하여 새 물에 담가) 밤재워 헹궈 건져서 물기를 뺀다.
2. 불린 쌀을 시루에 안치고, 오랫동안 쪄서 무르게 익은 고두밥을 짓는다.
3. 물 3말을 오랫동안 팔팔 끓이다가, 고두밥이 익었으면 끓는 물을 뜨거운 고두밥에 붓고, 주걱으로 고루 헤쳐서 차게 식기를 기다린다.
4. 질어진 밥에 밑술을 합하고, 고루 버무려 술밑을 빚는다.
5. 술독에 술밑을 담아 안치고, 예의 방법대로 하여 발효시킨다.
6. 술이 익을 때까지 기다려 숙성된 술을 주조에 올려 짜면 5말을 얻는다.

* <고사촬요>와 동일한 방문이다.

綠波酒(一名 鏡面綠波酒)

白米一斗水浸經一宿作末以水二斗作粥待冷入麯末二升調勻一宿粘米二斗水浸經夜蒸熟以熱水三斗拌勻待冷與前本合釀待熟上槽可得酒五斗.

## 6. 녹파주(우법) <고사십이집(攷事十二集)>

술 재료 : 밑술 : 찹쌀 1말, 누룩가루 2되, 끓는 물 2말
덧술 : 멥쌀 2~3말, 끓는 물 3말

술 빚는 법 :

* 밑술 :

1. 찹쌀 1말을 물에 백세하여 물에 하룻밤 담가 불렸다가, 씻어 건져서 물기를

뺀 뒤 가루로 빻아놓는다.

2. 솥에 물 2말을 끓이다가, 따뜻해지면 1말 정도를 떠서 쌀가루에 고루 붓고 주걱으로 골고루 개어 아이죽을 만든다.
3. 끓고 있는 물에 개어놓은 아이죽을 넣고 팔팔 끓여 죽을 쑨 다음, 넓은 그릇 여러 개에 나눠 담고 차게 식기를 기다린다.
4. 죽에 누룩가루 2되를 합하고, 고루 버무려 술밑을 빚는다.
5. 술독에 술밑을 담아 안치고, 예의 방법대로 하여 하룻밤 동안(1일간) 발효시킨다.

* 덧술 :

1. 멥쌀 2~3말을 (백세하여 새 물에 담가) 밤재워 헹궈 건져서 물기를 뺀 후 가루로 빻는다.
2. 물 3말을 오랫동안 팔팔 끓이다가 따뜻한 물 2말 정도를 쌀가루에 붓고, 주걱으로 고루 개어서 아이죽을 만들어놓는다.
3. 아이죽을 끓고 있는 물솥에 붓고, 주걱으로 고루 저어가면서 팔팔 끓여 죽을 쑨 다음, 차게 식기를 기다린다.
4. 차게 식은 죽에 밑술을 합하고, 고루 버무려 술밑을 빚는다.
5. 술독에 술밑을 담아 안치고, 예의 방법대로 하여 발효시킨다.

* 본방의 녹파주와 달리, 밑술은 찹쌀로 죽을 쑤고, 덧술도 죽을 쑤어 빚는 방법에서 차이가 있는 술이다. <고사촬요>와 동일한 주방문이다.

綠波酒(又法)

粘米一斗作末爲本白米二斗或三斗作末作粥釀法上同色可愛味殊絶多出.

## 7. 경면녹파주법 <농정회요(農政會要)>

술 재료 : 밑술 : 멥쌀 1말, 누룩가루 2되, 물 2말
덧술 : 찹쌀 2말, 끓는 물 3말

술 빚는 법 :

* 밑술 :

1. 멥쌀 1말을 (백세하여) 물에 담가 밤재워 불렸다가 (다시 씻어 말갛게 헹궈서 물기를 뺀 후) 작말한다(가루로 빻는다).
2. 솥에 물 2말을 끓이다가 (뜨거워지면 1말을 퍼서) 쌀가루에 고루 붓는다(가루를 풀어 아이죽을 만든다).
3. (물이 끓으면 아이죽을 합하고) 팔팔 끓여 죽을 쑨 후, 넓은 그릇에 퍼서 차게 식기를 기다린다.
4. 죽에 누룩가루 2되를 합하고, 고루 버무려 술밑을 빚는다.
5. 술밑을 술독에 담아 안치고, 예의 방법대로 하여 발효시킨다.

* 덧술 :

1. 찹쌀 2말을 (백세하여) 물에 담가 밤재워 불렸다가 (다시 씻어 헹궈서 물기를 뺀 후) 시루에 안쳐 고두밥을 짓는다.
2. 솥에 물 3말을 팔팔 끓이고, 고두밥이 익었으면 한데 합한다(주걱으로 고두밥을 고루 헤쳐 놓는다).
3. (고두밥이 물을 다 먹었으면 넓은 그릇에 나눠 담고, 뚜껑을 덮어 차게 식기를 기다린다.)
4. 고두밥에 밑술을 합하고, 고루 버무려 술밑을 빚는다.
5. 술밑을 술독에 담아 안치고, 예의 방법대로 하여 발효시키고 익기를 기다린다.

* 주방문 말미에 "술이 익어 술통에 뜨면 술 5말은 뜰 수 있다."고 하였다.

鏡面綠波酒法

白米一斗水浸經宿作末以水二斗作粥候冷入麯末二升調勻作本粘米二斗水浸經宿蒸熟以熱水三斗拌勻候冷與前本合釀待熟上槽可得酒五斗.

## 8. 경면녹파주 우방 <농정회요(農政會要)>

술 재료 : 밑술 : 찹쌀 1말, (누룩가루 2되), (끓는 물 2말)
덧술 : 멥쌀 2~3말, (끓는 물 2~3말)

술 빚는 법 :

* 밑술 :

1. 찹쌀 1말을 (백세하여) 물에 담가 밤재워 불렸다가, 다시 씻어 헹궈서 물기를 뺀 후 작말한다(가루로 빻는다)
2. (솥에 물 2말을 끓이다가, 뜨거워지면 1말을 퍼서 쌀가루에 고루 붓고, 가루를 풀어 아이죽을 만든다).
3. (물이 끓으면 아이죽을 합하고, 팔팔 끓여 죽을 쑨 후, 넓은 그릇에 퍼서 차게 식기를 기다린다.)
4. (죽에 누룩가루 2되를 합하고) 고루 버무려 술밑을 빚는다.
5. 술밑을 술독에 담아 안치고, 예의 방법대로 하여 발효시킨다.

* 덧술 :

1. 멥쌀 2~3말을 (백세하여) 물에 담가 밤재워 불렸다가, 다시 씻어 말갛게 헹궈서 물기를 뺀 후 작말한다(가루로 빻는다).
2. 솥에 물(2~3말)을 끓이다가 (물이 미지근해지면 1~1말 5되를 퍼서 쌀가루

에 고루 붓고, 가루를 풀어 아이죽을 만든다).

3. (솥의 남은 물이 끓으면 아이죽을 합하고) 팔팔 끓여 죽을 쑨 후, 넓은 그릇에 퍼서 차게 식기를 기다린다.
4. 죽에 밑술을 합하고, 고루 버무려 술밑을 빚는다.
5. 술밑을 술독에 담아 안치고, 예의 방법대로 하여 발효시킨다.

* 주방문 말미에 “찹쌀 1말로 밑술을 삼고 멥쌀 2말 또는 3말을 가루로 빻아 죽을 쑤어서 빚으며, 빚는 법은 위(경면녹파주)와 같으나, 빛이 아름답고 맛이 유난히 좋으며, 또 술이 많이 난다.”고 하였는데, 밑술과 덧술에 사용되는 물의 양이나 쌀의 기공방법이 구체적으로 언급되어 있지 않아 본방을 참고하여 물의 양을 산정하였다.

鏡面綠波酒 又方

粘米一斗作末爲本白米二斗或三斗作末作粥釀法上同色可爱味殊絶且多出.

## 9. 경면녹파주 우방 <농정회요(農政會要)>

술 재료 : 밑술 : 찹쌀 1말, 누룩가루 5홉, 밀가루 3홉, 물(작은 주발) 30식기
덧술 : 찹쌀 2말, 누룩가루 7홉, 밀가루 5홉

술 빚는 법 :

* 밑술 :

1. 찹쌀 1말을 (백세하여) 물에 담가 불렸다가 (다시 씻어 말갛게 헹궈서 물기를 뺀 후) 작말한다.
2. 작은 주발로 물 30그릇을 물이 솟구치게 백비탕으로 끓여 골고루 쌀가루에 붓고, 손(주걱)을 잽싸게 놀려 고루 개어 (범벅을 쑤어) 놓는다.

3. (범벅을) 넓은 그릇에 담아 (뚜껑을 덮어서) 차게 식기를 기다린다.
4. 범벅에 좋은 누룩가루 5홉과 밀가루 3홉을 합하고, 고루 버무려 술밑을 빚는다.
5. 술밑을 술독에 담아 안치고, 예의 방법대로 하여 17일간 발효시킨다.
6. 술의 맛이 달고 매우면 덧술을 준비한다.

* 덧술 :
1. 찹쌀 2말을 백세하여 (물에 담갔다가, 다시 씻어 건져서 물기를 뺀 뒤) 시루에 안쳐 고두밥을 짓는다.
2. (고두밥이 익었으면 퍼내고, 넓게 헤쳐 차게 식기를 기다린다.)
3. 고두밥에 밑술과 누룩가루 7홉, 밀가루 5홉을 한데 합하고, 고루 버무려 술밑을 빚는다.
4. 술밑을 술독에 담아 안치고, 예의 방법대로 하여 17일간 발효 숙성시켜 술이 익기를 기다린다.

* 주방문 말미에 "술 빚은 지 17일 지나서 종이에 불을 붙여 보아 익었는지를 확인한 후, 익었으면 걸러서 술독에 담아 응달에 묻어두면 여름까지도 맛이 변하지 않는다."고 하였다.

鏡面綠波酒 又方

白米一斗浸出作末以小鉢量水三十湯沸則灌米末中用急手相合入好麯末五合眞末三合相和收冷入瓮一七日後其味辛烈再以粘米二斗百洗蒸飯入麯末七合眞末五合如前本合勻入瓮過一七日以紙燃驗之熟則上槽埋甕陰地夏月味不變忌生水氣.

## 10. 녹파주법 <봉접요람>

술 재료 : 밑술 : 멥쌀 1말, 누룩가루 7홉, 진말 5홉, 물 3말
덧술 : 찹쌀 2말

술 빚는 법 :

* 밑술 :

1. 멥쌀 1말을 백세하여 (물에 담갔다가, 다시 씻어 헹궈 건져서 물기를 뺀 다음) 작말한다(가루로 빻는다).
2. 솥에 물 3말을 끓이다가 쌀가루를 풀어 넣고, 주걱으로 멍우리 없이 풀고 고루 저어 죽을 쑨 후 (넓은 그릇에 퍼 담고) 차게 식기를 기다린다.
3. 죽에 누룩가루 7홉, 밀가루 5홉을 한데 합하고, 고루 버무려 술밑을 빚는다.
4. 술밑을 술독에 담아 안치고, 예의 방법대로 하여 3일간 발효시켜 익기를 기다린다.

* 덧술 :

1. 찹쌀 2말을 백세하여 (물에 담가 불렸다가, 다시 씻어 헹궈 건져서 물기를 뺀 후) 시루에 안쳐서 고두밥을 무르게 짓는다.
2. 고두밥이 익었으면 펴내고, 고루 펼쳐서 차게 식기를 기다린다.
3. 차게 식은 고두밥에 밑술을 한데 합하고, 고루 버무려 술밑을 빚는다.
4. 술밑을 술독에 담아 안치고, 예의 방법대로 하여 12일간 발효시킨다.
5. 술 빚은 지 12일이 지나서 술독을 열어보면, 맑은 술 빛깔이 거울 같다.

녹파쥬법

ᄇᆡᆨ미 일두 ᄇᆡᆨ셰작말ᄒᆞ여 물 서 ᄆᆞᆯ노 쥭 쓔어 ᄎᆞ거든 ᄀᆞ로누룩 칠홉 진말 닷홉 ᄒᆞᆫ ᄃᆡ 쳐 너허 삼일 만의 졈미 이두 ᄇᆡᆨ셰ᄒᆞ여 익게 쪄 ᄆᆡ오 식거든 밋슐의 ᄒᆞᆫᄃᆡ 너허 열이틀 만의 보면 말기 면경 ᄀᆞᆺ고 조ᄒᆞ이라.

## 11. 녹파주 <산가요록(山家要錄)>

–쌀 3말 빚이

술 재료 : 밑술 : 멥쌀 1말, 누룩가루 1되, 밀가루 5홉, 끓는 물 3말
덧술 : 찹쌀 2말

술 빚는 법 :

* 밑술 :

1. 멥쌀 1말을 (백세하여 물에 담가 불렸다가, 다시 씻어 건져서 물기를 뺀 후) 고운 가루로 빻는다.
2. 쌀가루를 시루에 안쳐서 (설기떡을) 찌고, 물 3말을 끓인다.
3. 설기떡이 익었으면 시루에서 퍼내어 넓은 그릇에 담아놓고, 끓는 물 3말을 합하여 (덩어리가 없이 풀어서) 죽을 만든 뒤 (그릇 여러 개에 나눠 담고) 차게 식기를 기다린다.
4. 식은 죽에 누룩가루 1되와 밀가루 5홉을 한데 섞고, 고루 치대서 술밑을 빚는다.
5. 술독에 술밑을 담아 안친 다음, 예의 방법대로 하여 3일간 발효시킨다.

* 덧술 :

1. 찹쌀 2말을 (백세하여 물에 담가 불렸다가, 다시 씻어 건져서 물기를 뺀 후) 시루에 안치고 고두밥을 짓는다.
2. 고두밥이 익었으면 시루에서 퍼낸다(고루 펼쳐서 차게 식기를 기다린다).
3. 고두밥에 밑술을 합하고, 고루 버무려서 술밑을 빚는다.
4. 술독에 술밑을 담아 안치고, 예의 방법대로 하여 발효시키고 술이 익어 맑아지기를 기다린다.

綠波酒

米三斗. 白米一斗 細末熟蒸 湯水三斗 作粥 待冷 好匊一升 眞末五合 和入. 三日後 粘米二斗 全蒸 和前酒入瓮 待淸用.

## 12. 녹파주 <산가요록(山家要錄)>

−쌀 1말 5되 빚이

술 재료 : 밑술 : 멥쌀 5되, 누룩가루 5홉, 밀가루 3홉, 끓는 물 1말 5되
덧술 : 찹쌀 1말

술 빚는 법 :

* 밑술 :

1. 멥쌀 5되를 (백세하여 물에 담가 불렸다가, 다시 씻어 건져서 물기를 뺀 후) 고운 가루로 빻는다.
2. 쌀가루를 시루에 안쳐서 (설기떡을) 찌고, 물 1말 5되를 끓인다.
3. 설기떡이 익었으면 시루에서 퍼내어 넓은 그릇에 담아놓고, 끓는 물 1말 5되를 합하여 (덩어리가 없이 풀어서) 죽을 만든다.
4. 죽을 (그릇 여러 개에 나눠 담고) 차게 식기를 기다린다.
5. 식은 죽에 누룩가루 5홉과 밀가루 3홉을 한데 섞고, 고루 치대서 술밑을 빚는다.
6. 술독에 술밑을 담아 안친 다음, 예의 방법대로 하여 3일간 발효시킨다.

* (덧술) :

1. (찹쌀 1말을 백세하여 물에 담가 불렸다가, 다시 씻어 건져서 물기를 뺀 후 시루에 안치고 고두밥을 짓는다.)
2. (고두밥이 익었으면 시루에서 퍼낸 다음, 고루 펼쳐서 차게 식기를 기다린다.)
3. (고두밥에 밑술을 합하고, 고루 버무려서 술밑을 빚는다.)

4. (술독에 술밑을 담아 안치고, 예의 방법대로 하여 발효시키고 술이 익어 맑아지기를 기다린다.)

* 덧술의 여부는 정확히 알 수 없다. 다만, "반씩 하면"이라고 하고, "맑아지면 쓴다."고 하였는데, "맑아지면 쓴다."는 의미가 덧술을 하라는 것인지, 채주하여 마시라는 것인지 정확히 알 수 없으나, '녹파주'는 단양주법의 사례가 없고 본 방문이 이양주법이므로 덧술도 해야 할 것으로 판단되어 주방문을 작성하였다.

녹파주
반씩 하면. 멥쌀 5되를 곱게 가루를 내고 푹 찐 다음에 끓는 물 1말 5되로 죽을 쑨다. 식으면 좋은 누룩 반 되, 밀가루 3홉을 섞어 항아리에 넣었다가 맑아지면 쓴다.

## 13. 경면녹파주 <산림경제(山林經濟)>

술 재료 : 밑술 : 멥쌀 1말, 누룩가루 2되, 물 2말
덧술 : 찹쌀 2말, 끓는 물 3말

술 빚는 법 :
* 밑술 :
1. 멥쌀 1말을 (백세하여) 물에 담가 하룻밤 불렸다가, 다시 씻어 말갛게 헹궈서 물기를 뺀 후 작말한다(가루로 빻는다).
2. 솥에 물 2말을 끓이다가 (뜨거워지면 1말을 퍼서 쌀가루에 고루 붓고, 가루를 풀어 아이죽을 만든다).
3. (물이 끓으면 아이죽을 합하고) 팔팔 끓여 죽을 쑨 후, 넓은 그릇에 퍼서 차

게 식기를 기다린다.
4. 죽에 누룩가루 2되를 합하고, 고루 버무려 술밑을 빚는다.
5. 술밑을 술독에 담아 안치고, 예의 방법대로 하여 발효시킨다.

* 덧술 :
1. 찹쌀 2말을 (백세하여 물에 담가 밤재웠다가, 다시 씻어 헹궈서 물기를 뺀 후) 시루에 안쳐 고두밥을 짓는다.
2. 솥에 물 3말을 팔팔 끓이고, 고두밥이 익었으면 한데 합한다(주걱으로 고두밥을 고루 헤쳐 놓는다).
3. (고두밥이 물을 다 먹었으면 넓은 그릇에 나눠 담고, 뚜껑을 덮어 차게 식기를 기다린다.)
4. 고두밥에 밑술을 합하고, 고루 버무려 술밑을 빚는다.
5. 술밑을 술독에 담아 안치고, 예의 방법대로 하여 발효시키고 익기를 기다린다.
6. 방문 말미에 "술이 익어 술통에 뜨면 술 5말은 뜰 수 있다."고 하였다.

* <사시찬요초>를 인용하였다.

鏡面綠波酒
白米一斗水浸 經一宿作末 以水二斗 作粥待冷, 入麴末二升 調勻作本. 粘米二斗 水浸經夜蒸熟 以熱水三斗 拌勻待冷. 與前本合釀 待熟上槽 可得酒五斗.

## 14. 경면녹파주(우방) <산림경제(山林經濟)>

술 재료 : 밑술 : 찹쌀 1말, 누룩가루 2되, 물 2말
덧술 : 멥쌀 2~3말, 누룩가루 2되, 물(3말)

술 빚는 법 :

* 밑술 :

1. 찹쌀 1말을 (백세하여 물에 담가 불렸다가, 다시 씻어 헹궈서 물기를 뺀 후) 작말한다(가루로 빻는다).
2. 솥에 물 2말을 끓이다가 (뜨거워지면 1말을 퍼서 쌀가루에 고루 붓고, 가루를 풀어 아이죽을 만든다).
3. (물이 끓으면 아이죽을 합하고 팔팔 끓여 죽을 쑨 후, 넓은 그릇에 퍼서 차게 식기를 기다린다.)
4. 죽에 누룩가루 2되를 합하고, 고루 버무려 술밑을 빚는다.
5. 술밑을 술독에 담아 안치고, 예의 방법대로 하여 발효시킨다.

* 덧술 :

1. 멥쌀 2~3말을 (백세하여) 물에 담가 하룻밤 불렸다가, 다시 씻어 말갛게 헹궈서 물기를 뺀 후 작말한다(가루로 빻는다).
2. 솥에 물(3말)을 끓이다가 (뜨거워지면 1말을 퍼서 쌀가루에 고루 붓고, 가루를 풀어 아이죽을 만든다).
3. (물이 끓으면 아이죽을 합하고) 팔팔 끓여 죽을 쑨 후, 넓은 그릇에 퍼서 차게 식기를 기다린다.
4. 죽에 밑술과 누룩가루 2되를 합하고, 고루 버무려 술밑을 빚는다.
5. 술밑을 술독에 담아 안치고, 예의 방법대로 하여 발효시킨다.

鏡面綠波酒(又方)

粘米一斗 作末爲本 白米二斗 或三斗 作末作粥 釀法上同 色可愛味殊絶 多出 上同.

## 15. 경면녹파주법 <산림경제촬요(山林經濟撮要)>

술 재료 : 밑술 : 멥쌀 1말, 누룩가루 5홉, 밀가루 3홉, 물 10사발
덧술 : 찹쌀 2말, 누룩가루 7홉, 밀가루 5홉

술 빚는 법 :

* 밑술 :

1. 멥쌀 1말을 (백세하여) 물에 담가 하룻밤 불렸다가, 다시 씻어 말갛게 헹궈서 물기를 뺀 후 작말한다(가루로 빻는다).
2. 솥에 물 10사발을 백비탕으로 끓여 쌀가루에 골고루 붓고, 주걱으로 고루 개어 범벅을 쑨다(넓은 그릇에 퍼서 뜨거운 김이 나가게 식힌다).
3. 범벅에 누룩가루 5홉과 밀가루 3홉을 한데 합하고, 고루 버무려 술밑을 빚은 후, 차게 식기를 기다린다.
4. 술밑을 술독에 담아 안치고, 예의 방법대로 하여 17일간 발효시킨 후, 술맛이 맵고 독하면 덧술을 해 넣는다.

* 덧술 :

1. 찹쌀 2말을 백세하여 (물에 담가 불렸다가, 다시 씻어 헹궈서 물기를 뺀 후) 시루에 안쳐 고두밥을 짓는다.
2. 고두밥이 익었으면 시루에서 퍼낸다(주걱으로 고두밥을 고루 헤쳐 차게 식기를 기다린다).
3. 고두밥에 밑술과 누룩가루 7홉, 밀가루 5홉을 합하고, 고루 버무려 술밑을 빚는다.
4. 술밑을 술독에 담아 안치고, 예의 방법대로 하여 17일간 발효시키고 익기를 기다린다.
5. 술독을 열어보아 종이심지에 불을 붙여 익었는지를 확인하고(익었으면 불이 흔들리거나 꺼지지 않음) 주조에 올려 짠다.

* 주방문 말미에 "술이 익어 주조에 올려 짜고, 술독을 땅에 묻어두고 날물기를 금하면 여름날에도 맛이 변하지 않는다."고 하였다.
* <산림경제>와 <증보산림경제>의 '경면녹파주 우방' 방문과 동일하다.

鏡面綠波酒法

白米一斗浸出作末以小鉢量水三十湯沸則灌米末中用急手相合入好麯末五合眞末三合相和放冷入甕一七日後其味辛烈再以粘米二斗百洗蒸飯入麯末七合眞末삼合如前本合勻入甕過一七日以紙燃驗之熟則上槽埋瓮陰地夏月味不變忌生水忌.

## 16. 녹파주 <수운잡방(需雲雜方)>

술 재료 : 밑술 : 멥쌀 1말, 누룩 1되, 밀가루 5홉, 끓는 물 3말
덧술 : 찹쌀 2말

술 빚는 법 :

* 밑술 :

1. 멥쌀 1말을 백세하여 (물에 담가 불렸다가, 다시 씻어 헹궈서 물기를 뺀 후) 작말한다(가루로 빻는다).
2. 물 3말을 팔팔 끓여 쌀가루에 골고루 붓고, 주걱으로 고루 개어 죽(범벅)을 쑨 뒤 (넓은 그릇에 나눠 담고) 차게 식기를 기다린다.
3. 식은 죽(범벅)에 누룩 1되와 밀가루 5홉을 합하고, 고루 버무려 술밑을 빚는다.
4. 술독에 술밑을 담아 안치고, 예의 방법대로 하여 3일간 발효시킨다.

* 덧술 :

1. 찹쌀 2말을 백세하여 물에 담가 불렸다가 (다시 씻어 헹궈서 물기를 뺀 후) 시루에 안치고 고두밥을 찐다.
2. 고두밥이 무르게 푹 익었으면 퍼내고, 고루 펼쳐서 차게 식기를 기다린다.
3. 고두밥에 밑술을 합하고, 고루 버무려 술밑을 빚는다.
4. 술밑을 술독에 담아 안친 뒤, 예의 방법대로 하여 차지도 덥지도 않은 곳에서 12일간 발효시킨 다음, 익었으면 열어서 쓴다.

綠波酒

白米一斗百洗作末水三斗作粥待冷麯一升眞末五合納瓮三日後粘米二斗百洗炊飯待冷和前酒納瓮十二日開封用之.

## 17. 경면녹파주 <술방>

술 재료 : 밑술 : 멥쌀 1말, 누룩 2되, 물 2말
덧술 : 찹쌀 2말, 끓는 물 3말

술 빚는 법 :

* 밑술 :

1. 멥쌀 1말 백세하여 물에 하룻밤 담가 불렸다가, 새 물에 헹궈서 물기를 뺀다.
2. 멥쌀을 작말하여 물 2말에 아이죽을 개어 솥에 넣고 팔팔 끓여 죽을 쑨다.
3. 죽을 넓은 그릇에 담아 차게 식혀 준비한다.
4. 식힌 죽에 누룩 2되를 한데 섞고, 고루 버무려 술밑을 빚는다.
5. 술독에 술밑을 담아 안치고, 예의 방법대로 하여 (2일간) 발효시킨다.

* 덧술 :

1. 찹쌀 2말을 백세하여 물에 불렸다가, 다시 헹궈서 물기를 뺀다.

2. 불린 찹쌀을 시루에 안쳐서 무른 고두밥을 짓는다.
3. 물 3말을 팔팔 끓여서 고두밥을 섞고, 고루 버무려 차게 식힌다.
4. 고두밥과 밑술을 합하고, 고루 버무려 술밑을 빚는다.
5. 술독에 술밑을 담아 안치고, 예의 방법대로 하여 발효시킨다.

* 술이 익어 "거르면 5말 술을 얻는다."고 하였다.

경면녹파쥬
ᄇᆡᆨ미 일두를 물의 밤ᄌᆡ와 작말ᄒᆞ여 물 두 말의 쥭 쑤어 식혀 누룩 두 되 타 밋ᄒᆞ고, 찹ᄊᆞᆯ 두 말을 물의 담가다가 밤ᄌᆡ와 익게 ᄧᅧ ᄭᅳ린 물 셔 말의 버무려 식거든 슐밋과 ᄒᆞᆫ가지 비져 익거든 드리우면 닷 말 슐을 엇ᄂᆞ니라.

## 18. 녹파주 <시의전서(是議全書)>

술 재료 : 밑술 : 멥쌀 1말, 가루누룩 1되, 밀가루 7홉, (끓는) 물 3말
덧술 : 찹쌀 2말

술 빚는 법 :
* 밑술
1. 멥쌀 1말을 백세하여 (물에 담가 불렸다가, 다시 씻어 건져서 물기를 뺀 후) 작말한다.
2. 솥에 물 3말을 팔팔 끓여 쌀가루에 골고루 퍼붓고, 주걱으로 고루 개어 범벅을 쑨 다음, 넓은 그릇에 나눠 담고 차게 식기를 기다린다.
3. 범벅에 가루누룩 1되와 밀가루 7홉을 한데 합하고, 고루 버무려 술밑을 빚는다.
4. 술밑을 술독에 담아 안친 다음, 예의 방법대로 하여 (서늘한 곳에 두어) 5

일간 발효시킨다.

* 덧술
1. 찹쌀 2말을 백세하여 (물에 담가 불렸다가, 다시 씻어 건져서 물기를 뺀 후) 시루에 안쳐서 고두밥을 짓는다.
2. 고두밥은 익게 찌고, 익었으면 시루에서 퍼내고 (돗자리에 고루 펼쳐서) 차게 식기를 기다린다.
3. 고두밥에 밑술을 합하고, 고루 버무려 술밑을 빚는다.
4. 술밑을 술독에 담아 안치고 예의 방법대로 하여 (덥지도 차지도 않은 곳에서) 14일간 발효시킨다.

* 밑술과 덧술의 쌀을 불리라는 말이 없으나, 물과 누룩의 양을 감안할 때 불려서 사용해야 옳을 듯하다.

綠波酒(녹파쥬)

ᄇᆡᆨ미 ᄒᆞᆫ 말 ᄇᆡᆨ셰작말ᄒᆞ여 물 셔 말노 ᄀᆡ여 만히 ᄎᆞ거든 ᄀᆞ로누룩 ᄒᆞᆫ 되 진말 칠 홉 너허 두엇다가 오일 만에 졈미 두 말 ᄇᆡᆨ셰ᄒᆞ여 닉게 쪄 만히 차거든 밋 슐과 덧쳐 이칠 만에 드리우라.

## 19. 녹파주 <양주방>*

술 재료 : 밑술 : 멥쌀 1말, 가루누룩 1되, 밀가루 5홉, 물 3말
덧술 : 찹쌀 2말

술 빚는 법 :
* 밑술 :

1. 희게 쓿은 멥쌀 1말을 깨끗이 씻고 또 씻어 (백세하여 물에 담가 불렸다가, 다시 씻어 건져서 물기를 뺀 후) 작말한다(가루로 빻는다).
2. 물 3말에 쌀가루를 풀어 넣고 팔팔 끓여 죽을 쑨 뒤, 차게 식기를 기다린다.
3. 차게 식은 죽에 가루누룩 1되와 밀가루 5홉을 넣고, 고루 버무려 술밑을 빚는다.
4. 술독에 술밑을 담아 안치고, 예의 방법대로 하여 3일간 발효시킨다.

* 덧술 :
1. 찹쌀 2말을 깨끗이 씻고 또 씻어(백세하여) 물에 담가 불렸다가 (다시 씻어 건져서 물기를 뺀 후) 시루에 안쳐 고두밥을 짓는다.
2. 고두밥이 익었으면 퍼내고, 고루 헤쳐서 차게 식기를 기다린다.
3. 고두밥에 밑술을 합하고, 고루 버무려 술밑을 빚는다.
4. 술밑을 술독에 담아 안친 뒤, 예의 방법대로 하여 차지도 덥지도 않은 곳에서 12일간 발효시킨다.

* 주방문 말미에 "열이틀 만에 내면 빛이 거울 같다."고 하였다.

녹파쥬

ᄇᆡᆨ미 ᄒᆞᆫ 말 ᄇᆡᆨ셰작말ᄒᆞ야 물 서 말노 쥭 쓔어 ᄀᆞ로누록 ᄒᆞᆫ 되 진말 오합 ᄒᆞᆫᄃᆡ 버무려 독의 너허 삼일 후 졈미 두 말 ᄇᆡᆨ셰ᄒᆞ야 담갓다가 밤재여 ᄂᆡ게 쪄 마이 ᄎᆡ와 ᄆᆡᆺ슐의 버므려 너허 온ᄂᆡᆼ을 알마초 두엇다가 녈이틀 만의 ᄂᆡ면 비치 거울 ᄀᆞᆺᄒᆞ니라.

## 20. 녹파주 우일방 <양주방>*

술 재료 : 밑술 : 멥쌀 3되, 가루누룩 7홉, 밀가루 5홉, 물 1말 3되
덧술 : 찹쌀 1말

술 빚는 법 :

* 밑술 :

1. 희게 쓿은 멥쌀 3되를 깨끗이 씻고 또 씻어(백세하여) 물에 담가 불렸다가 (다시 씻어 헹궈 건져서 물기를 뺀 후) 가루로 빻는다.
2. 물 1말 3되에 쌀가루를 풀어 넣고 팔팔 끓여 죽을 쑨 뒤, 퍼지게 익었으면 넓은 그릇에 퍼서 싸늘하게 식기를 기다린다.
3. 죽에 가루누룩 7홉과 밀가루 5홉을 합하고, 고루 버무려 술밑을 빚는다.
4. 술독에 술밑을 안치고, 예의 방법대로 차도 덥도 않은 곳에서 3일간 발효시킨다.

* 덧술 :

1. 밑술이 처음엔 꿀같이 달다가 막 써지거든, 찹쌀 1말을 깨끗이 씻고 또 씻어 (백세하여) 물에 담가 하룻밤 불렸다가 (다시 씻어 헹궈 건져서) 물기를 빼 놓는다.
2. 시루에 찹쌀을 안쳐서 고두밥을 짓고, 무르게 푹 익었으면 퍼내고, 고루 펼쳐 차게 식기를 기다린다.
3. 고두밥에 밑술을 합하고, 고루 버무려 술밑을 빚는다.
4. 술밑을 술독에 담아 안친 뒤, 예의 방법대로 하여 차지도 덥지도 않은 곳에서 7일간 발효시킨다.

녹파쥬 우일방

ᄇᆡᆨ미 서 되ᄅᆞᆯ ᄇᆡᆨ셰작말ᄒᆞ야 물 말 서 되예 부어 마이 ᄂᆡᆨ게 쥭 쑤어 서ᄂᆞᆯᄒᆞ게

시겨 진말 닷 홉 국말 칠 홉 섯거 불한불열ᄒᆞᆫ ᄃᆡ 두면 쳐음은 ᄭᅮᆯ갓치 다다가 막 쓰거든 졈미 ᄒᆞᆫ 말을 ᄇᆡᆨ세ᄒᆞ야 ᄒᆞ로밤 재여 마이 닉게 ᄶᅧ ᄎᆞ거든 술밋ᄒᆡ 버무려 너허 삼칠일 ᄎᆞ면 ᄌᆞ연 다 닉ᄂᆞ니 마시 ᄆᆡᆸ고 다라 향긔롭고 빗치 더욱 긔특ᄒᆞ고 오라도록 변치 아니ᄒᆞᄂᆞ니라. 닉은 후 우히 팅팅ᄒᆞ거든 졈미 서 홉이나 쥭을 ᄆᆞᆯ그스러이 쑤어 사늘이 ᄎᆡ와 누록ᄀᆞ로 ᄒᆞᆫ 줌만 섯거 가온ᄃᆡ를 헤치고 부어 수일만 두엇다가 드리워도 죠흐니라.

## 21. 또 다른 녹파주 방문 <양주방>*

술 재료 : 밑술 : 멥쌀 3되, 가루누룩 7홉, 밀가루 5홉, 물 1말 3되
덧술 : 찹쌀 1말
2차 덧술 : 찹쌀 3홉, 누룩가루 한 줌, 물(6홉~1되)

술 빚는 법 :

* 밑술 :

1. 희게 쓿은 멥쌀 3되를 깨끗이 씻고 또 씻어 물에 담가 불렸다가 (다시 씻어 헹궈 건져서 물기를 뺀 후) 가루로 빻는다.
2. 물 1말 3되에 쌀가루를 풀어 넣고 팔팔 끓여 죽을 쑨 뒤, 퍼지게 익었으면 넓은 그릇에 퍼서 싸늘하게 식기를 기다린다.
3. 죽에 가루누룩 7홉과 밀가루 5홉을 합하고, 고루 버무려 술밑을 빚는다.
4. 술독에 술밑을 담아 안치고, 차도 덥도 않은 곳에 두고 3일간 발효시킨다.

* 덧술 :

1. 밑술이 처음엔 꿀같이 달다가 막 써지거든, 찹쌀 1말을 깨끗이 씻고 또 씻어 (백세하여) 물에 담가 하룻밤 불렸다가 (다시 씻어 헹궈 건져서) 물기를 빼 놓는다.

2. 찹쌀을 안쳐 고두밥을 짓고, 무르게 익었으면 고루 펼쳐 차게 식기를 기다린다.
3. 고두밥에 밑술을 합하고, 고루 버무려 술밑을 빚는다.
4. 술밑을 술독에 담아 안친 뒤, 차지도 덥지도 않은 곳에서 7일간 발효시킨다.
5. 술덧이 팅팅(술이 거칠음. 됨)하거든 2차 덧술을 준비한다.

* 2차 덧술 :
1. 찹쌀 3홉쯤을 깨끗이 씻고 또 씻어(백세하여) 물에 불렸다가 (다시 씻어) 물기를 뺀다.
2. 솥에 물(6홉~1되)을 붓고 끓이다가, 불린 쌀을 넣고 끓여 묽으레한 죽을 쑨다.
3. 죽이 퍼지게 익었으면 넓은 그릇에 펴 담고, 차게 식기를 기다린다.
4. 죽에 누룩가루 한 줌만 넣고, 고루 버무려 술밑을 빚는다.
5. 덧술의 술독 한가운데를 헤치고 술밑을 쏟아 붓고, 다시 예의 방법대로 하여 4~5일간 숙성시킨 다음 맑은 술을 따라낸다.

* 주방문 말미에 "익은 뒤에 위에 덮은 것이 팅팅(술이 거칠음. 됨)하거든 찹쌀 3홉쯤 죽을 묽으레하게 쑤어 싸늘하게 차게 식혀, 누룩가루 한 줌만 섞어 술독 가운데를 헤치고 부어라. 며칠만 두었다가 따라도 좋다."고 하였으므로 이에 주방문을 작성하였다.

또 다른 녹파주 방문

익은 뒤에 우덮은 것이 팅팅하거든 찹쌀 서 홉쯤 죽을 둘그레하게 쑤어 싸늘하게 채워, 누룩가루 한 줌만 섞어 가운데를 헤치고 부어라. 며칠만 두었다가 따라도 좋다.

## 22. 녹파주 <양주집(釀酒集)>

술 재료 : 밑술 : 멥쌀 3말 5되, 누룩가루 2되, 진말 2되, 끓는 물 3말
덧술 : 멥쌀 5말, 끓는 물 5동이

술 빚는 법 :

* 밑술 :

1. 멥쌀 3말 5되를 백세하여 (물에 담가 불렸다가, 다시 씻어 헹궈 건져서 물기를 뺀 후) 세말한다(고운 가루로 빻는다).
2. 물 3말을 끓여 멥쌀가루에 붓고 고루 개어, 담(범벅)을 갠 뒤 넓은 그릇에 펴서 차게 식기를 기다린다.
3. 차게 식힌 담(범벅)에 누룩가루 2되와 밀가루 2되를 한데 섞고, 고루 버무려서 술밑을 빚는다.
4. 술독에 술밑을 담아 안치고, 예의 방법대로 하여 6일간 발효시킨다.

* 덧술 :

1. 멥쌀 5말을 백세하여 물에 담가 하룻밤 불렸다가 (다시 씻어 헹궈 건져서 물기를 뺀 후) 시루에 안쳐서 가장 잘 익게 고두밥을 짓는다.
2. 물 5동이를 팔팔 끓여 고두밥에 붓고 하룻밤 지내거나, 넓은 그릇에 펴서 차게 식기를 기다린다.
3. 차게 식힌 고두밥에 밑술을 섞고, 고루 버무려 술밑을 빚는다.
4. 술독에 술밑을 담아 안치고, 예의 방법대로 하여 15일간 발효시킨다.

綠波酒

白米 二斗 五升 百洗 細末ᄒᆞ야 ᄡᅳᆯ인 믈 三斗의 ᄃᆞᆷ ᄀᆡ여 식거든 曲末 眞末 各 二升 섯거 둣다가 六日 만의 白米 五斗 百洗ᄒᆞ여 ᄒᆞ로밤 자여 ᄀᆞ장 닉게 ᄶᅧ 믈 다ᄉᆞᆺ 동희 ᄡᅳᆯ여 골화 식거든 밋술의 섯거다가 보롬 만의 드리오라.

## 23. 녹파주방 <역주방문(曆酒方文)>

술 재료 : 밑술 : 멥쌀 1말, 누룩가루 1되, 밀가루 5홉, 끓는 물(2병 반~3병)
덧술 : 찹쌀 2말

술 빚는 법 :

* 밑술 :

1. 멥쌀 1말을 백세하여(물에 백 번 씻어 매우 깨끗하게 헹군 뒤, 새 물에 담가 불렸다가 다시 씻어 말갛게 헹궈서) 물기를 뺀 뒤 작말한다(가루로 빻는다).
2. 쌀가루가 드러날 정도의 물(2병 반~3병)을 사납게(솟구치게) 끓여 쌀가루에 골고루 나눠 붓고, 주걱으로 고루 개었다가, 손으로 매우 치대어 (범벅을) 만든다.
3. (범벅이) 차디차게 식기를 기다렸다가, 가루누룩 1되와 밀가루 5홉을 한데 섞고, 고루 버무려 술밑을 빚는다.
4. 소독하여 준비한 술독에 술밑을 담아 안친 다음 (술독 주둥이에 묻은 것을 깨끗하게 씻어내고, 베보자기와 뚜껑을 덮어) 3일간 발효시킨다.

* 덧술 :

1. 찹쌀 2말을 백세하여 (매우 깨끗하게 헹군 뒤, 새 물에 담가 불렸다가, 다시 씻어 말갛게 헹궈서 물기를 빼고) 작말한다(시루에 안쳐서 백설기떡을 짓는다).
2. (백설기떡이 익었으면 넓은 그릇에 펴 담고) 차게 식기를 기다린다.
3. (백설기떡에) 밑술을 합하고, 고루 버무려 술밑을 빚는다.
4. 준비한 술독에 술밑을 담아 안친 다음 (술독 주둥이에 묻은 것을 깨끗하게 씻어내고, 베보자기와 뚜껑을 덮어) 3일간 발효시킨다.

* 주방문 말미에 "향기가 뛰어나고 맵다."고 하였다.

녹파주방

백미 1말을 백 번 씻어 가루로 만든다. 잘 끓인 물 적당한 양을 준비한다. 위의 가루를 끓는 물에 넣고 저어 혼합한 뒤에 냉각되기를 기다려 다시 누룩가루 1되와 진말 5홉을 여기에 섞어 골고루 저어놓는다. 3일 뒤에 찹쌀 2말을 백 번 씻어서 쪄서 밥을 짓는다. 이 밥이 냉각된 뒤에 위의 주본에다 골고루 섞어놓는다. 12일이 경과한 후에 사용한다.

## 24. 녹파주방 <역주방문(曆酒方文)>

–별칭 백파주

술 재료 : 밑술 : 멥쌀 1말, 가루누룩 1되, 밀가루 5홉, 끓는 물(2병 반~3병)
덧술 : 멥쌀 2말

술 빚는 법 :

* 밑술 :

1. 멥쌀 1말을 백세하여(물에 백 번 씻어 매우 깨끗하게 헹군 뒤, 새 물에 담가 불렸다가 다시 씻어 말갛게 헹궈서) 물기를 뺀 뒤 작말한다(가루로 빻는다).
2. 쌀가루가 드러날 정도의 물(2병 반~3병)을 사납게(솟구치게) 끓여 쌀가루에 골고루 나눠 붓고 주걱으로 고루 개었다가, 손으로 매우 치대어 (범벅을) 만든다.
3. (범벅이) 차디차게 식기를 기다렸다가, 가루누룩 1되와 밀가루 5홉을 한데 섞고, 고루 버무려 술밑을 빚는다.
4. 소독하여 준비한 술독에 술밑을 담아 안친 다음 (술독 주둥이에 묻은 것을 깨끗하게 씻어내고, 베보자기와 뚜껑을 덮어) 3일간 발효시킨다.

* 덧술 :

1. 멥쌀 2말을 백세하여 (매우 깨끗하게 헹군 뒤, 새 물에 담가 불렸다가 다시 씻어 말갛게 헹궈서 물기를 빼고) 작말한다(시루에 안쳐서 백설기떡을 짓는다).
2. (백설기떡이 익었으면 넓은 그릇에 펴 담고) 차게 식기를 기다린다.
3. (백설기떡에) 밑술을 합하고, 고루 버무려 술밑을 빚는다.
4. 준비한 술독에 술밑을 담아 안친 다음 (술독 주둥이에 묻은 것을 깨끗하게 씻어내고, 베보자기와 뚜껑을 덮어) 3일간 발효시켜, 익은 뒤에 채주한다.

녹파주방

백미 1말을 백 번 씻어 가루로 만든다. 잘 끓인 물 적당한 양을 준비한다. 위의 가루를 끓는 물에 넣고 저어 혼합한 뒤에 냉각되기를 기다려 다시 누룩가루 1되와 진말 5홉을 여기에 섞어 골고루 저어놓는다. 3일 뒤에 찹쌀 2말을 백 번 씻어 쪄서 밥을 짓는다. 이 밥이 냉각된 뒤에 위의 주본에다 골고루 섞어놓는다. 12일이 경과한 후에 사용한다. 위의 술을 멥쌀로 만들면 '백파주'라고 한다.

## 25. 녹파주방 <역주방문(曆酒方文)>

–별칭 백파주

술 재료 : 밑술 : 멥쌀 1말, 누룩가루 1되, 밀가루 5홉, 끓는 물(2병 반~3병)
덧술 : 멥쌀 2말
2차 덧술 : 찹쌀 5홉, 누룩가루 5홉, 물(2되)

술 빚는 법 :

* 밑술 :

1. 멥쌀 1말을 백세하여 (물에 백번 씻어 매우 깨끗하게 헹군 뒤, 새 물에 담가

불렸다가 다시 씻어 말갛게 헹궈서) 물기를 뺀 뒤 작말한다(가루로 빻는다).
2. 쌀가루가 드러날 정도의 물(2병 반~3병)을 사납게(솟구치게) 끓여 쌀가루에 골고루 나눠 붓고, 주걱으로 고루 개었다가 손으로 매우 치대어 (범벅을) 만든다.
3. (범벅이) 차디차게 식기를 기다렸다가, 가루누룩 1되와 밀가루 5홉을 한데 섞고, 고루 버무려 술밑을 빚는다.
4. 소독하여 준비한 술독에 술밑을 담아 안친 다음 (술독 주둥이에 묻은 것을 깨끗하게 씻어내고, 베보자기와 뚜껑을 덮어) 3일간 발효시킨다.

* 덧술 :
1. 찹쌀 2말을 백세하여 (매우 깨끗하게 헹군 뒤 새 물에 담가 불렸다가, 다시 씻어 말갛게 헹궈서 물기를 빼고) 작말한다(시루에 안쳐서 백설기떡을 짓는다).
2. (백설기떡이 익었으면 넓은 그릇에 퍼 담고) 차게 식기를 기다린다.
3. (백설기떡에) 밑술을 합하고, 고루 버무려 술밑을 빚는다.
4. 준비한 술독에 술밑을 담아 안친 다음 (술독 주둥이에 묻은 것을 깨끗하게 씻어내고, 베보자기와 뚜껑을 덮어) 3일간 발효시킨다.

* 2차 덧술 :
1. 찹쌀 5홉을 백세하여 (매우 깨끗하게 헹군 뒤 새 물에 담가 불렸다가, 다시 씻어 말갛게 헹궈서) 물기를 빼놓는다.
2. 불린 찹쌀을 물(2되)와 합하여 끓여 죽을 쑨 후, 차게 식기를 기다린다.
3. 죽에 덧술과 누룩가루 5홉을 합하고, 고루 버무려 술밑을 빚는다.
4. 소독하여 준비한 술독에 술밑을 담아 안쳐서 예의 방법대로 하여 발효시킨다.

* 주방문 말미에 "향기가 뛰어나고 맵다."고 하였다.

綠波酒方
白米一斗百洗作末以猛煮水懸宜調匀挼磨候冷更以末曲一升眞末五合和合過三日後以粘米二斗百洗作末待其冷調匀於酒本經三日用之右酒以粳米釀成則名日白波酒待爛釀更以粘米五合煮粥曲末五合釀熟用之尤香烈.

## 26. 녹파주 <온주법(醞酒法)>

술 재료 : 밑술 : 멥쌀 1말, 누룩가루 1되, 끓여 식힌 백비탕 1동이(물 5동이)
덧술 : 찹쌀 3말

술 빚는 법 :

* 밑술 :

1. 멥쌀 1말을 백세하여 (물에 담가 불렸다가, 다시 씻어 말갛게 헹궈서 물기를 뺀 후) 작말한다(가루로 빻는다).
2. 솥에 물 5동이를 오랫동안 팔팔 끓여 백비탕을 만들고, 쌀가루를 시루에 안쳐서 떡을 찐다.
3. 떡이 익었으면 퍼내어 고루 펼쳐서 차게 식히고, 끓는 물도 넓은 그릇에 퍼서 차게 식기를 기다린다.
4. 떡과 식힌 물 1말, 누룩가루 1되를 한데 합하고, 고루 버무려 술밑을 빚는다.
5. 술밑을 술독에 담아 안치고, 예의 방법대로 하여 (차고 서늘한 곳에서) 7일간 발효시켜 익기를 기다린다.

* 덧술 :

1. 찹쌀 3말을 (백세하여 물에 담가 불렸다가, 다시 씻어 헹궈서 물기를 뺀 후) 시루에 안쳐 무른 고두밥을 짓는다.
2. 고두밥이 무르게 익었으면, 시루에서 퍼내어 주걱으로 고두밥을 고루 헤쳐

차게 식기를 기다린다.
3. 고두밥에 밑술을 한데 합하고, 고루 버무려 술밑을 빚는다.
4. 술밑을 술독에 담아 안치고, 예의 방법대로 하여 발효시키고 익기를 기다린다.

* 주방문 말미에 "익으면 맛이 감렬하다."고 하였다.

녹파듀
ᄇᆡᆨ미 일두 ᄇᆡᆨ셰작말ᄒᆞ야 ᄶᅧ 식거든 국말 삼승 탕슈 ᄒᆞᆫ 동ᄒᆡ 섯거 칠일 만의 뎜미 삼두 ᄶᅧ 밋술의 섯거 익으면 마시 감녈ᄒᆞ니라.

## 27. 녹파주 <우음제방(禹飮諸方)>
–3말 빚이

술 재료 : 밑술 : 멥쌀 1말, 누룩가루 2되, 밀가루 7홉, 물 3말
덧술 : 찹쌀 2말

술 빚는 법 :
* 밑술 :
1. 멥쌀 1말을 희게 찧어(도정을 많이 하여) 백세하여 (물에 담가 하룻밤 불렸다가, 다시 씻어 건져서 물기를 뺀 뒤) 가루로 빻아놓는다.
2. 솥에 물 3말을 끓인다(뜨거운 물 1말 정도를 떠서 쌀가루에 고루 붓고 주걱으로 골고루 개어 아이죽을 만든다).
3. 끓고 있는 물에 아이죽을 넣고 팔팔 끓여 죽을 쑨 다음, 넓은 그릇 여러 개에 나눠 담고 차게 식기를 기다린다.
4. 죽에 누룩가루 2되와 밀가루 7홉을 합하고, 고루 버무려 술밑을 빚는다.

5. 술독에 술밑을 담아 안치고, 예의 방법대로 하여 3일간 발효시킨다.

* 덧술 :
1. 찹쌀 2말을 백세하여 (새 물에 담가 불렸다가, 다시 씻어 헹궈서 물기를 뺀 후) 시루에 안치고 고두밥을 짓는다.
2. 고두밥이 익었으면 퍼내고, 주걱으로 고루 헤쳐서 차게 식기를 기다린다.
3. 고두밥에 밑술을 합하고, 고루 버무려 술밑을 빚는다.
4. 술독에 술밑을 담아 안치고, 예의 방법대로 하여 발효시킨다.
5. 술이 익을 때까지 기다려 숙성된 술을 주조에 올려 술을 얻는다.

* 소주 내리기 :
1. 솥에 불을 지피고 물 1바가지를 붓고 끓이다가, 주걱으로 고루 휘저어 솥 바닥을 적신다.
2. 삼해주(녹파주)를 퍼서 솥에 붓고 다시 저어준 뒤, 끓으면서 거품이 일기 시작하면 고루 저어준 후, 소줏고리를 얹는다.
3. 솥과 소줏고리, 소줏고리와 냉각수 그릇의 틈새를 소줏번을 붙여 막는다.
4. 냉각수 그릇에 찬물을 채우고, 소줏고리 귀때 밑에 수기를 받쳐놓는다.
5. 처음엔 불을 강하게 때다가, 솥의 술이 끓기 시작하면 불을 가늘게(부드럽게) 조절하여 일정한 화력으로 증류를 한다.
6. (소주를 받되, 첫술 1컵 정도는 버리거나 다음에 증류할 술에 섞어 사용한다.)

* 주방문 말미에 “소줏고리를 걸고 위에 놓인 양푼(냉각수 그릇)에 물을 부어 짐작하여 과히 성이 나기를 시작하거든 불을 물리고 두어 가지만 때어 가늘게 한결같이 고루 넣어주면 소주는 많이 나고 맛이 좋다. 물을 서너 번 갈 때까지는 일절 맛을 보지 말고 술을 다 푸고 뜨이(찌꺼기가 일어나 탁해진 상태) 나거든 나중 솥은 걸러서 증류한다. 증류할 때에 칡넝쿨과 감나무를 모조리 금하라. 소주가 나다가도 그치니, 물을 자주 갈아주어 양푼의 물이 차

가울수록 좋다."고 하였다.

녹파쥬
서 말 비ᄌᆞ려 ᄒᆞ면 ᄇᆡᆨ미 ᄒᆞᆫ 말 희게 쓸허 ᄇᆡᆨ셰ᄒᆞ야 ᄒᆞ로밤 ᄌᆡ와 작말ᄒᆞ야 물 서 말의 풀 쑤어 서늘케 식여 국말 두 되 진말 칠 홉 석거 너혓다가 사흘 마ᄂᆡ 졈미 이 두 ᄇᆡᆨ셰ᄒᆞ야 닉게 쪄 차게 식여 그 미ᄐᆡ 버무려 항의로 덧ᄒᆞ라. 소쥬 고울 적 물 ᄒᆞᆫ 박 몬져 부어 ᄉᆞᆯ히고 두루 저허 왼ᄉᆞᆺ히 무친 후 그제야 삼히쥬를 박을 퍼부어 저허 불슉불슉 ᄉᆞᆯ혀 겁품 일거든 고로고로 저허 고으리를 걸고 우희 양푼의 물을 부어 짐쟉ᄒᆞ야 과히 ᄉᆞᆯ혀 셩히 나기를 시작ᄒᆞ거든 불을 물니고 두어 가지만 찌어 ᄀᆞᄂᆞ리 ᄒᆞᆫ결가치 고로 너허 두면 소쥬도 만히 나고 마시 됴흐니라. 물 서너 번 갈기ᄭᆞ지ᄂᆞᆫ 일졀 마ᄉᆞᆯ 보지 말고 술 다 푸고 쓰의 나거든 나종 ᄉᆞᆺ츤 걸어 고으라. 고을 적 ᄎᆞᆰ덩굴과 감남글 일금ᄒᆞ라. 소쥬 나다가도 그치ᄂᆞ니 물을 자조 ᄀᆞᆯ나 양푼물이 ᄎᆞ도록 됴흐니라.

## 28. 녹파주 <음식디미방>

술 재료 : 밑술 : 멥쌀 2말, 누룩가루 2되 5홉, 물 15대야
덧술 : 찹쌀 2말

술 빚는 법 :
* 밑술 :
1. 멥쌀 2말을 백세하여(깨끗하게 씻어 물에 담가 불렸다가, 다시 씻어 헹궈서 물기를 뺀 후) 작말한다(가루로 빻는다).
2. 물 15대야를 솥에 붓고 팔팔 끓여 쌀가루에 골고루 나눠 붓고, 주걱으로 고루 개어서 반만 익게(반생반숙) 하여 담(범벅)을 만든다.
3. 담(범벅)을 (여러 개의 그릇에 나눠 담고 뚜껑을 덮어 차게 식기를 기다린다.)

4. (차게 식힌) 담(범벅)에 누룩가루 2되 5홉 섞어 넣고, 고루 버무려 술밑을 빚는다.
5. 술밑을 술독에 담아 안치고, 예의 방법대로 하여 3일간 발효시킨다.

* 덧술 :
1. 찹쌀 2말을 (백세하여 하룻밤 불렸다가, 다시 씻어 헹궈서 물기를 뺀 후) 시루에 안쳐서 고두밥을 짓는다.
2. 고두밥이 익었으면 퍼내어 고루 펼치고, 주걱으로 헤쳐서 차게 식기를 기다린다.
3. 고두밥에 밑술을 합하고, 고루 버무려 술밑을 빚는다.
4. 술독에 술밑을 담아 안치고, 예의 방법대로 하여 20일간 발효시킨다.

녹파쥬
빅미 두 말 빅셰작말ᄒᆞ여 탕슈 열다ᄉᆞᆺ 대야 ᄀᆞ장 ᄭᅳᆯ혀 ᄃᆞᆷ ᄀᆡ야 닉거든 국말 ᄒᆞᆫ 되 다ᄉᆞᆸ 섯거 녀코 사흘만 ᄒᆞ거든 ᄎᆞᆸᄡᆞᆯ 두 말 밥 ᄶᅧ 식거든 몬져 술에 석거 녀허 ᄃᆞᆺ다가 스므날 후 ᄡᅳ라.

## 29. 녹파주 <의방합편(醫方合編)>

술 재료 : 밑술 : 멥쌀 1말, 누룩가루 2되, 물 2말
덧술 : 찹쌀 2말(또는 3말), 끓는 물 3말

술 빚는 법 :
* 밑술 :
1. 멥쌀 1말을 (백세하여) 물에 하룻밤 담가 불렸다가, (다시 씻어 건져서 물기를 뺀 후) 작말한다.

2. 물 2말을 (끓이다가 쌀가루를 넣고 팔팔 끓여 죽을 쑤고), 죽이 끓었으면 넓은 그릇에 퍼서 차게 식기를 기다린다.
3. 죽에 누룩가루 2되를 넣고, 고루 버무려 술밑을 빚는다.
4. 술밑을 술독에 담아 안치고, 예의 방법대로 하여 (3~4일간) 발효시킨다.

* 덧술 :
1. 찹쌀 2말을 (백세하여) 새 물에 담가 하룻밤 불린다(다시 씻어 건져서 물기를 뺀다).
2. 불린 찹쌀을 시루에 안치고 쪄서, 고두밥이 익었으면 넓은 그릇에 퍼 놓는다.
3. 물 3말을 팔팔 끓여 퍼낸 고두밥에 붓고, 고루 섞어놓고 식기를 기다린다.
4. 고두밥에 밑술을 합하고, 고루 버무려 술밑을 빚는다.
5. 술밑을 술독에 담아 안치고, 예의 방법대로 하여 발효시켜 익기를 기다린다.

綠波酒
白米一斗水浸經一夜作末以水二斗作粥待冷入麯末二升調均粘米二斗水浸經夜蒸熟以熱水三斗拌均待冷與前本合釀待熟上槽可得酒五斗.

## 30. 녹파주 우일방 <의방합편(醫方合編)>

술 재료 : 밑술 : 찹쌀 1말, 누룩가루 2되, 물 2말
덧술 : 멥쌀 2말(또는 3말), 끓는 물 3말

술 빚는 법 :
* 밑술 :
1. 찹쌀 1말을 (백세하여 물에 하룻밤 담가 불렸다가, 다시 씻어 건져서 물기를 뺀 후) 작말한다.

2. 물 2말을 (끓이다가 쌀가루를 넣고 팔팔 끓여 죽을 쑤고), 죽이 끓었으면 넓은 그릇에 퍼서 차게 식기를 기다린다.
3. 죽에 누룩가루 2되를 넣고, 고루 버무려 술밑을 빚는다.
4. 술밑을 술독에 담아 안치고, 예의 방법대로 하여 (3~4일간) 발효시킨다.

* 덧술 :
1. 멥쌀 2말(3말)을 (백세하여 새 물에 담가 하룻밤 불렸다가, 다시 씻어 건져서 물기를 뺀 후) 작말한다.
2. 물 3말을 팔팔 끓여 퍼낸 쌀가루에 붓고, 고루 섞어 범벅을 만들고 식기를 기다린다.
3. 범벅에 밑술을 합하고, 고루 버무려 술밑을 빚는다.
4. 술밑을 술독에 담아 안치고, 예의 방법대로 하여 발효시켜 익기를 기다린다.

* 술 빛깔이 매우 사랑스럽고 맛이 뛰어나고 술 또한 많이 난다.

綠波酒 又一方
粘米一斗作末爲本白米二斗或三斗作末作粥釀法上同色可愛味殊絶多出.

## 31. 녹파주방 <임원십육지(林園十六志)>
–일명 경면녹파주

술 재료 : 밑술 : 멥쌀 1말, 누룩가루 2되, 물 2말
덧술 : 찹쌀 2말, 끓는 물 3말

술 빚는 법 :
* 밑술 :

1. 멥쌀 1말을 (백세하여) 물에 담가 밤재워 불렸다가, (다시 씻어 말갛게 헹궈서 물기를 뺀 후) 작말한다(가루로 빻는다).
2. 솥에 물 2말을 끓이다가 (뜨거워지면 1말을 퍼서 쌀가루에 고루 붓고, 가루를 풀어 아이죽을 만든다).
3. (물이 끓으면 아이죽을 합하고) 팔팔 끓여 죽을 쑨 후, 넓은 그릇에 퍼서 차게 식기를 기다린다.
4. 죽에 누룩가루 2되를 합하고, 고루 버무려 술밑을 빚는다.
5. 술밑을 술독에 담아 안치고, 예의 방법대로 하여 발효시킨다.

* 덧술 :
1. 찹쌀 2말을 (백세하여) 물에 담가 밤재워 불렸다가 (다시 씻어 헹궈서 물기를 뺀 후) 시루에 안쳐 고두밥을 짓는다.
2. 솥에 물 3말을 팔팔 끓이고, 고두밥이 익었으면 한데 합한다(주걱으로 고두밥을 고루 헤쳐 놓는다).
3. (고두밥이 물을 다 먹었으면 넓은 그릇에 나눠 담고 뚜껑을 덮어) 차게 식기를 기다린다.
4. 고두밥에 밑술을 합하고, 고루 버무려 술밑을 빚는다.
5. 술밑을 술독에 담아 안치고, 예의 방법대로 하여 발효시키고 익기를 기다린다.

* 주방문 말미에 “술이 익어 술통에 뜨면 술 5말은 뜰 수 있다.”고 하였다.

綠波酒方

一名 鏡面綠波酒. 白米一斗水浸經宿作末以水二斗作粥候冷入麯末二升調勻作本粘米二斗水浸經宿蒸熟以熱水三斗拌勻候冷與前本合醸待熟上槽可得酒五斗.

## 32. 녹파주 우방 <임원십육지(林園十六志)>

술 재료 : 밑술 : 찹쌀 1말, 누룩가루 2되, 끓는 물 2말
덧술 : 멥쌀 2~3말, 끓는 물 3말

술 빚는 법 :

* 밑술 :

1. 찹쌀 1말을 (백세하여) 물에 담가 밤재워 불렸다가, 다시 씻어 헹궈서 물기를 뺀 후) 작말한다(가루로 빻는다)
2. 솥에 물 (2말을 끓이다가, 뜨거워지면 1말을 퍼서 쌀가루에 고루 붓고, 가루를 풀어 아이죽을 만든다).
3. (물이 끓으면 아이죽을 합하고, 팔팔 끓여 죽을 쑨 후, 넓은 그릇에 퍼서 차게 식기를 기다린다.)
4. 죽에 (누룩가루 2되를 합하고), 고루 버무려 술밑을 빚는다.
5. 술밑을 술독에 담아 안치고, 예의 방법대로 하여 발효시킨다.

* 덧술 :

1. 멥쌀 2~3말을 (백세하여) 물에 담가 밤재워 불렸다가, 다시 씻어 말갛게 헹궈서 물기를 뺀 후) 작말한다(가루로 빻는다).
2. 솥에 물 3말을 끓이다가 (물이 따뜻해지면 1~1말 5되를 퍼서 쌀가루에 고루 붓고, 가루를 풀어 아이죽을 만든다).
3. (솥의 남은 물이 끓으면 아이죽을 합하고) 팔팔 끓여 죽을 쑨 후, 넓은 그릇에 퍼서 차게 식기를 기다린다.
4. 죽에 밑술을 합하고, 고루 버무려 술밑을 빚는다.
5. 술밑을 술독에 담아 안치고, 예의 방법대로 하여 발효시킨다.

* 주방문 말미에 "빚는 법은 위(경면녹파주)와 같으나, 빛이 아름답고 맛이 유

난히 좋으며, 또 술이 많이 난다."고 하고, 밑술을 찹쌀로 하고 덧술을 죽을 쑤어 빚는 점에서 차이가 있다. 그리고 "또는 찹쌀 1말을 가루로 하여 밑술을 빚고, 멥쌀 2~3말을 가루로 하여 죽을 쑤어 위의 방법으로 술을 빚으면 색과 맛이 뛰어나고 술도 많이 나온다."고 하였으므로 주방문을 작성하였다. <사시찬요>를 인용하였다.

綠波酒 又方
粘米一斗作末爲本白米二斗或三斗作末作粥釀法上同色可愛味殊絶且多出. <四時纂要>.

## 33. 녹파주 일방 <임원십육지(林園十六志)>

술 재료 : 밑술 : 멥쌀 1말, 누룩가루 5홉, 밀가루 3홉, 물(작은 주발) 30식기
덧술 : 찹쌀 2말, 누룩가루 7홉, 밀가루 5홉

술 빚는 법 :
* 밑술 :
1. 멥쌀 1말을 (백세하여 물에 담가 하룻밤 불렸다가, 다시 씻어 헹궈서) 작말한다.
2. 작은 주발로 물 30그릇을 팔팔 끓여 골고루 쌀가루에 붓고, 손(주걱)을 잽싸게 놀려 고루 갠다(범벅을 쑤어 넓은 그릇에 담아 뚜껑을 덮어서 차게 식기를 기다린다).
3. 범벅에 좋은 누룩가루 5홉과 밀가루 3홉을 섞고, 고루 치대어 술밑을 빚는다.
4. 술밑을 술독에 담아 안치고, 예의 방법대로 하여 17일간 발효시킨다.
5. 밑술의 맛을 보아 톡 쏘는 맛이 상하면 덧술을 준비한다.

＊ 덧술 :

1. 찹쌀 2말을 백세하여 (물에 담갔다가, 다시 씻어 건져서 물기를 뺀 뒤) 시루에 안쳐 고두밥을 짓는다.
2. (고두밥이 익었으면 퍼내고, 넓게 헤쳐 차게 식기를 기다린다.)
3. 고두밥에 밑술, 누룩가루 7홉, 밀가루 5홉을 합하고, 고루 버무려 술밑을 빚는다.
4. 술밑을 술독에 담아 안치고, 예의 방법대로 하여 발효시킨다.
5. 술 빚은 지 7일 지나서 종이에 불을 붙여 보아 익었는지를 확인한 후, 익었으면 걸러 독을 그늘에 묻어두면 여름까지도 맛이 변하지 않는다.

綠波酒 一方

白米一斗水浸一宿漉出作末滾湯三十鉢(用小鉢量)灌之急手搜合入好麴末五合小麥麵三合相和放冷入瓮一七日後其味辛烈再以粘米二斗百洗蒸飯入麴末七合小麥麵五合與前本和合入瓮過一七日以紙燃驗其生熟熟則上槽埋瓮陰地夏月味不變忌生水氣. <增補山林經濟>.

## 34. 녹파주방문 <주방(酒方)>*

술 재료 : 밑술 : 멥쌀 1말, 가루누룩 1되, 밀가루 1되, 끓는 물 3말
덧술 : 찹쌀 2말

술 빚는 법 :

＊ 밑술 :

1. 멥쌀 1말을 백세하여 (물에 담가 불렸다가, 다시 씻어 헹궈서 물기를 뺀 후) 작말한다(가루로 빻는다).
2. 솥에 물 3말을 끓여서 쌀가루에 고루 붓고, 가루를 풀어 범벅을 쑨다.

3. 범벅을 넓은 그릇 여러 개에 펴서 차게 식기를 기다린다.
4. 범벅에 가루누룩 1되와 밀가루 1되를 합하고, 고루 버무려 술밑을 빚는다.
5. 술밑을 술독에 담아 안치고, 예의 방법대로 하여 3일간 발효시킨다.

* 덧술 :
1. 찹쌀 2말을 백세하여 (물에 담가 밤재워 불렸다가, 다시 씻어 말갛게 헹궈서 물기를 뺀 후) 시루에 안쳐서 고두밥을 짓는다.
2. 고두밥이 익었으면 시루에서 퍼내고, 고루 펼쳐서 차게 식기를 기다린다.
3. 고두밥에 밑술을 한데 합하고, 고루 버무려 술밑을 빚는다.
4. 술밑을 술독에 담아 안치고, 예의 방법대로 하여 12일간 발효시키고 익기를 기다린다.

녹파듀방문
ᄇᆡᆨ미 ᄒᆞᆫ 말 ᄇᆡᆨ셰ᄒᆞ야 ᄀᆞᄅᆞ 씨허 물 서 말 ᄉᆞᆯ혀 그 물의 ᄀᆡ여 ᄀᆞᄅᆞ누록 ᄒᆞᆫ 되 진ᄀᆞᄅᆞ ᄒᆞᆫ 되 석거 사ᄒᆞᆯ 지내거ᄃᆞᆫ ᄎᆞᆸᄉᆞᆯ 두 말 ᄇᆡᆨ셰ᄒᆞ야 뼈 식겨 그 밋틔 섯거 열이틀 만의 쓰ᄂᆞ니라.

## 35. 녹파주방문 <주방(酒方, 임용기소장본)>

술 재료 : 밑술 : 멥쌀 1말, 흰가루누룩 3되, 끓는 물 1말 2되
덧술 : 찹쌀 1말 5되, 멥쌀 1말 5되, (끓여 식힌) 물 3말

술 빚는 법 :
* 밑술 :
1. 멥쌀 1말을 백세하여 물에 담가 하루밤 불렸다가 (다시 씻어 헹궈서 물기를 뺀 후) 작말하여 넓은 그릇에 담아놓는다.

2. 솥에 1되들이 그릇으로 물 1말 4되를 팔팔 끓여서 1말 2되가 되면 쌀가루에 고루 붓고, 주걱으로 쌀가루를 골고루 풀어 멍우리 없는 범벅을 쑤어놓는다.
3. 범벅을 넓은 그릇 여러 개에 펴서 하룻밤 재워서 차게 식기를 기다린다.
4. 범벅에 흰가루누룩 3되를 합하고, 고루 버무려 술밑을 빚는다.
5. 술밑을 술독에 담아 안치고, 예의 방법대로 하여 발효시켜서 밑술이 맑아지면 덧술을 해 넣는다.

* 덧술 :
1. 찹쌀 1말 5되와 멥쌀 1말 5되를 백 번 찧어 도정한 후, 각각 백세하여 (물에 담가 밤재워 불렸다가, 다시 씻어 말갛게 헹궈서) 물기를 뺀다.
2. 불린 쌀을 각각 시루에 안쳐서 고두밥을 짓는다.
3. 고두밥이 익었으면 시루에서 퍼내고, 찹쌀고두밥은 고루 펼쳐서 차게 식기를 기다린다.
4. 멥쌀고두밥에 (끓여 식힌) 물 1말 5되를 부어 골고루 섞고, 고두밥이 물을 다 먹고 차게 식기를 기다린다.
5. 밑술에 (끓여 식힌) 물 1말 5되를 먼저 섞고, 다음에 각각의 고두밥을 합하고, 많이 치대어 술밑을 빚는다.
6. 술밑을 술독에 담아 안치고, 예의 방법대로 하여 차지도 덥지도 않게 하여 14일간 발효시키고 익기를 기다린다.

* 주방문 말미에 "이칠일(二七日) 후 여러 보면 향열(香烈)ᄒᆞ기 이상ᄒᆞ고 연어 술보담 만ᄒᆞ니라."고 하였다. 덧술에 사용되는 양주용수에 대하여 '물'이라고 하였는데, '끓여 식힌 물'을 사용하는 것이 옳을 것으로 판단된다.

녹파쥬방문(綠波酒方文)

한 졔(一劑) 하랴면, ᄇᆡᆨ미(白米) ᄒᆞᆫ 말(一斗) ᄇᆡᆨ셰(百洗)하여 ᄒᆞ로밤(一夜) 담(沈)아다가 작말(作末)ᄒᆞ야 너른 그릇싀 담고 ᄒᆞᆫ 되(一升)드리 그릇싀로 물(水) 말 두 되(斗二升) 되어 마니 쓸혀 능을 두 되(二升)나 더 부어 무슈히

ᄊᆞᆯ혀 ᄊᆞᆯ는 채 ᄀᆞ로의 부어 방울읍시 개여 ᄒᆞ로밤(一夜) 재와 온긔업ᄉᆞᆫ 후 진국말(眞麯末) 셔 되(三升) 셧거 항(甕)의 너헛다가 술밋 말거든 덧ᄒᆞ되 졈미(粘米) 말가옷(一斗五升) ᄇᆡᆨ미(白米) 말가옷(一斗五升) ᄇᆡᆨ도ᄇᆡᆨ셰(百搗百洗)하여 ᄒᆞ로밤(一夜) 담(沈)앗다가 되게 익게 쪄 뫼밥은 물(水) 말가옷슬(一斗五升) 셕거 식히고, 찰밥은 그ᄃᆞ로 식혀 ᄒᆞ야 너흘적의 물(水) 말가옷슬(一斗五升) 부어 뫼밥출밥을 술밋싀 버무려 ᄆᆞ이 쳐셔 ᄒᆞ야 너흐되 더웁게도 말고 ᄎᆞ게도 말고 이칠일(二七日) 후(後) 여러 보면 향열(香烈)ᄒᆞ기 이상ᄒᆞ고 연어 술보담 만ᄒᆞ니라.

## 36. 경면녹파주법 <증보산림경제(增補山林經濟)>

술 재료 : 밑술 : 멥쌀 1말, 누룩가루 2되, 물 2말
덧술 : 찹쌀 2말, 끓는 물 3말

술 빚는 법 :

* 밑술 :

1. 멥쌀 1말을 (백세하여) 물에 담가 밤재워 불렸다가 (다시 씻어 말갛게 헹궈서 물기를 뺀 후) 작말한다(가루로 빻는다).
2. 솥에 물 2말을 끓이다가 (뜨거워지면 1말을 퍼서 쌀가루에 고루 붓고, 가루를 풀어 아이죽을 만든다).
3. (물이 끓으면 아이죽을 합하고) 팔팔 끓여 죽을 쑨 후, 넓은 그릇에 퍼서 차게 식기를 기다린다.
4. 죽에 누룩가루 2되를 합하고, 고루 버무려 술밑을 빚는다.
5. 술밑을 술독에 담아 안치고, 예의 방법대로 하여 발효시킨다.

* 덧술 :

1. 찹쌀 2말을 (백세하여) 물에 담가 밤재워 불렸다가 (다시 씻어 헹궈서 물기를 뺀 후) 시루에 안쳐 고두밥을 짓는다.
2. 솥에 물 3말을 팔팔 끓이고, 고두밥이 익었으면 한데 합한다(주걱으로 고두밥을 고루 헤쳐 놓는다).
3. (고두밥이 물을 다 먹었으면 넓은 그릇에 나눠 담아 차게 식기를 기다린다.)
4. 고두밥에 밑술을 합하고, 고루 버무려 술밑을 빚는다.
5. 술밑을 술독에 담아 안치고, 예의 방법대로 하여 발효시키고 익기를 기다린다.

* 주방문 말미에 "술이 익어 술통에 뜨면 술 5말은 뜰 수 있다."고 하였다.

鏡面綠波酒法
白米一斗水浸經宿作末以水二斗作粥候冷入麯末二升調勻作本粘米二斗水浸經宿蒸熟以熱水三斗拌勻候冷與前本合釀待熟上槽可得酒五斗.

## 37. 경면녹파주 우방 <증보산림경제(增補山林經濟)>

술 재료 : 밑술 : 찹쌀 1말, (누룩가루 2되), (끓는 물 2말)
덧술 : 멥쌀 2~3말, (끓는 물 2~3말)

술 빚는 법 :
* 밑술 :
1. 찹쌀 1말을 (백세하여) 물에 담가 밤재워 불렸다가, 다시 씻어 헹궈서 물기를 뺀 후 작말한다(가루로 빻는다)
2. 솥에 물 2말을 끓이다가 (뜨거워지면 1말을 퍼서) 쌀가루에 고루 붓는다(가루를 풀어 아이죽을 만든다).

3. (물이 끓으면 아이죽을 합하고,) 팔팔 끓여 죽을 쑨 후, 넓은 그릇에 퍼서 차게 식기를 기다린다.
4. 죽에 (누룩가루 2되를 합하고), 고루 버무려 술밑을 빚는다.
5. 술밑을 술독에 담아 안치고, 예의 방법대로 하여 발효시킨다.

* 덧술 :
1. 멥쌀 2~3말을 (백세하여) 물에 담가 밤재워 불렸다가, 다시 씻어 말갛게 헹궈서 물기를 뺀 후 작말한다(가루로 빻는다).
2. 솥에 물(2~3말)을 끓이다가 (뜨거워지면 2말을 퍼서) 쌀가루에 고루 붓는다(가루를 풀어 아이죽을 만든다).
3. (물이 끓으면 아이죽을 합하고) 팔팔 끓여 죽을 쑨 후, 넓은 그릇에 퍼서 차게 식기를 기다린다.
4. 죽에 밑술을 합하고, 고루 버무려 술밑을 빚는다.
5. 술밑을 술독에 담아 안치고, 예의 방법대로 하여 발효시킨다.

* 주방문 말미에 "빚는 법은 위(경면녹파주)와 같으나, 빛이 아름답고 맛이 유난히 좋으며, 또 술이 많이 난다."고 하였다. <사시찬요보>를 인용하였다.

鏡面綠波酒 又法
粘米一斗作末爲本白米二斗或三斗作末作粥釀法上同色可愛味殊絶且多出.

## 38. 경면녹파주 우방 <증보산림경제(增補山林經濟)>

술 재료 : 밑술 : 찹쌀 1말, 누룩가루 5홉, 밀가루 3홉, 물(작은 주발) 30식기
덧술 : 찹쌀 2말, 누룩가루 7홉, 밀가루 5홉

술 빚는 법 :

* 밑술 :

1. 찹쌀 1말을 (백세하여) 물에 담가 불렸다가, 다시 씻어 말갛게 헹궈서 물기를 뺀 후) 작말한다.
2. 작은 주발로 물 30그릇을 팔팔 끓여 골고루 쌀가루에 붓고, 손(주걱)을 잽싸게 놀려 고루 개어 (범벅을 쑤어 넓은 그릇에 담아 뚜껑을 덮어서 차게 식기를 기다린다). 3. 범벅에 좋은 누룩가루 5홉과 밀가루 3홉을 한데 섞고, 고루 버무려 술밑을 빚는다.
4. 술밑을 술독에 담아 안치고, 예의 방법대로 하여 17일간 발효시킨다.
5. 술의 맛이 달고 매우면 덧술을 준비한다.

* 덧술 :

1. 찹쌀 2말을 백세하여 (물에 담갔다가, 다시 씻어 건져서 물기를 뺀 뒤) 시루에 안쳐 고두밥을 짓는다.
2. (고두밥이 익었으면 퍼내고, 넓게 헤쳐 차게 식기를 기다린다.)
3. 고두밥에 밑술과 누룩가루 7홉, 밀가루 5홉을 한데 합하고, 고루 버무려 술밑을 빚는다.
4. 술밑을 술독에 담아 안치고, 예의 방법대로 하여 발효시킨다.
5. 술 빚은 지 7일 지나서 종이에 불을 붙여 보아 익었는지를 확인한 후, 익었으면 걸러 응달에 독을 묻어두면 여름까지도 맛이 변하지 않는다.

鏡面綠波酒 又方

白米一斗浸出作末以小鉢量水三十湯沸則灌米末中用急手相合入好麯末五合眞末三合相和放冷入甕一七日後其味辛烈再以粘米二斗百洗蒸飯入麯末七合眞末五合如前本合勻入甕過一七日以紙燃驗之熟則上槽埋甕味不變忌生水氣.

## 39. 녹파주 <침주법(浸酒法)>
–서 말 빚이

술 재료 : 밑술 : 멥쌀 1말, 누룩 1되 5홉, 밀가루 5홉, 끓는 물 2말 5되
덧술 : 멥쌀 2말, 끓는 물 1말 5되

술 빚는 법 :

* 밑술 :

1. 멥쌀 1말을 백세하여 (물에 담가 하룻밤 불렸다가, 다시 씻어 건져서) 가루로 빻아 넓은 그릇에 담아놓는다.
2. 물 2말 5되를 매우 팔팔 끓여 쌀가루에 골고루 나눠 붓고, 주걱으로 개어 무르게 익은 담(범벅)을 만든다.
3. (담/범벅을 담은 그릇과 똑같은 크기의 그릇으로 뚜껑을 덮어 밤재워 차게 식기를 기다린다.)
4. 담(범벅)에 누룩 1되 5홉과 밀가루 5홉을 한데 합하고, 고루 버무려 술밑을 빚는다.
5. 술밑을 술독에 담아 안친 후, 예의 방법대로 하여 3일간 발효시키고, 덧술을 준비한다.

* 덧술 :

1. 멥쌀 2말을 백세한다(물에 담가 하룻밤 불렸다가, 다시 헹궈서 물기를 빼놓는다).
2. 불린 쌀을 시루에 안치고 쪄서 고두밥을 짓고, 물 1말 5되를 팔팔 끓인다.
3. 고두밥은 되게 찌고 익었으면 퍼내어 끓고 있는 물과 한데 합한 후, 고두밥이 물을 다 먹었으면, 고루 펼쳐서 차디차게 식기를 기다린다.
4. 고두밥과 밑술을 한데 섞어 합하고, 고루 버무려 술밑을 빚는다.
5. 술독에 술밑을 담아 안친 후, 예의 방법대로 하여 (차지도 덥지도 않은 곳에

서) 12일간 발효시켜 술이 익기를 기다린다.

녹파쥬(綠波酒)—서 말
ᄇᆡᆨ미 ᄒᆞᆫ 말을 ᄇᆡᆨ셰ᄒᆞ야 ᄀᆞᄅᆞ ᄇᆞ아 믈을 ᄀᆞ장 ᄭᅳᆯ혀 ᄒᆞᆫ 말 닷 되를 그르세 담고 ᄃᆞᆷ ᄀᆡ여 ᄎᆡ와 누록 ᄒᆞᆫ 되 닷 홉과 진ᄀᆞᄅᆞ 닷 홉과 섯거 듯더가 사ᄒᆞᆯ 만의 ᄇᆡᆨ미 두 말을 ᄇᆡᆨ셰ᄒᆞ야 오오로 ᄡᅧ 탕슈 ᄒᆞᆫ 말 닷 되예 골라 ᄎᆡ와 젼수레 섯거 듯더가 열이틀이 지나거든 ᄡᅳ라.

## 40. 또 녹파주 <침주법(浸酒法)>

–서 말 빚이

술 재료 : 밑술 : 멥쌀 1말, 누룩 1되, 밀가루 5홉, 끓는 물 2말 5되
덧술 : 찹쌀 2말, 끓는 물 5되

술 빚는 법 :
* 밑술 :
1. 멥쌀 1말을 백세하여 (물에 담가 하룻밤 불렸다가, 다시 씻어 건져서) 가루로 빻는다.
2. 솥에 물 2말 5되를 팔팔 끓여 쌀가루에 골고루 나눠 붓고, 주걱으로 고루 개어 범벅을 쑨다.
3. (범벅 그릇과 똑같은 크기의 뚜껑을 덮어 밤재워) 범벅이 차게 식기를 기다린다.
4. 범벅에 누룩 1되와 밀가루 5홉을 한데 합하고, 고루 버무려 술밑을 빚는다.
5. 술밑을 술독에 담아 안친 후, 예의 방법대로 하여 5일간 발효시켜 덧술을 준비한다.

* 덧술 :

1. 찹쌀 2말을 백세한다(물에 담가 하룻밤 불렸다가, 다시 헹궈서 물기를 빼놓는다).
2. 불린 쌀을 시루에 안치고 쪄서 고두밥을 짓고, 다른 솥에 물 5되를 팔팔 끓인다.
3. 고두밥이 되게 익었으면 퍼내고, 끓는 물을 골고루 붓고, 물이 고두밥에 고루 잦아들기를 기다린다.
4. 고두밥이 물을 다 먹었으면, 고루 펼쳐서 차디차게 식기를 기다린다.
5. 고두밥과 밑술을 한데 섞어 합하고, 고루 버무려 술밑을 빚는다.
6. 술독에 술밑을 담아 안친 후, 예의 방법대로 하여 (차지도 덥지도 않은 곳에서) 12일간 발효시켜 술이 익기를 기다린다.

ᄯᅩ 녹파쥬(綠波酒)—서 말

ᄇᆡᆨ미 ᄒᆞᆫ 말을 ᄇᆡᆨ셰ᄒᆞ야 ᄀᆞᄅᆞ 지허 ᄧᅧ 믈 두 말 닷 되 ᄭᅳᆯ혀 ᄃᆞᆷ ᄀᆡ여 식거든 누록 ᄒᆞᆫ 되와 진ᄀᆞᄅᆞ 닷 홉애 섯거 ᄃᆞᆺ더가 닷쇄 만의 ᄎᆞᆸᄡᆞᆯ 두 말을 ᄇᆡᆨ셰ᄒᆞ야 닉게 ᄧᅧ 믈 닷 되예 골라 비ᄌᆞ라.

## 41. 경면녹파주 <해동농서(海東農書)>

술 재료 : 밑술 : 멥쌀 1말, 누룩가루 2되, 끓는 물 2말
덧술 : 찹쌀 2말, 끓는 물 3말

술 빚는 법 :

* 밑술 :

1. 멥쌀 1말을 물에 백세하여 물에 하룻밤 담가 불렸다가, 씻어 건져서 물기를 뺀 뒤 가루로 빻아놓는다.

2. 솥에 물 2말을 끓이다가, 뜨거운 물 1말 정도를 떠서 쌀가루에 고루 붓고 주걱으로 골고루 개어 아이죽을 만든다.
3. 끓고 있는 물에 개어 놓은 아이죽을 넣고 팔팔 끓여 죽을 쑨 다음, 넓은 그릇 여러 개에 나눠 담고, 차게 식기를 기다린다.
4. 죽에 누룩가루 2되를 합하고, 고루 버무려 술밑을 빚는다.
5. 술독에 술밑을 담아 안치고, 예의 방법대로 하여 하룻밤 동안(1일간) 발효시킨다.

* 덧술 :
1. 찹쌀 2말을 (백세하여 새 물에 담가) 밤재워 불렸다가, 다시 씻어 헹군 후 건져서 물기를 뺀다.
2. 불린 쌀을 시루에 안치고, 오랫동안 쪄서 무르게 익은 고두밥을 짓는다.
3. 물 3말을 오랫동안 팔팔 끓이다가, 고두밥이 익었으면 끓는 물을 뜨거운 고두밥에 붓고, 주걱으로 고루 헤쳐서 차게 식기를 기다린다.
4. 질어진 밥에 밑술을 합하고, 고루 버무려 술밑을 빚는다.
5. 술독에 술밑을 담아 안치고, 예의 방법대로 하여 발효시킨다.
6. 술이 익을 때까지 기다려 숙성된 술을 주조에 올려 짜면 5말을 얻는다.

鏡面綠波酒

白米一斗水浸經宿作末以水二斗作粥候冷入麯末二升調勻作本粘米二斗水浸經宿蒸熟以熱水三斗拌勻待冷與前本合釀待熟上槽可得酒五斗.

## 42. 녹파주 <홍씨주방문>

–삼해주

술 재료 : 밑술 : 멥쌀 1말, 누룩 2되, 밀가루 5홉, 물 2말
덧술 : 멥쌀 1말, 끓는 물 1말

술 빚는 법 :

* 밑술 :

1. 멥쌀 1말을 백세하여(백 번 씻어 매우 깨끗하게 하여 말갛게 헹궈) 하룻밤 불렸다가 (다시 씻어 건져서 물기를 뺀 다음) 작말한다(가루로 빻는다).
2. 물 2말을 솥에 붓고(불을 지펴서 끓이다가, 1말을 쌀가루에 풀어 아이죽을 만든 뒤, 나머지 물이 끓으면 아이죽을 넣고) 팔팔 끓여 죽을 쑨다.
3. 죽이 끓어 퍼지게 익었으면, 넓은 그릇에 퍼서 차게 식기를 기다린다.
4. 죽에 누룩 2되, 밀가루 5홉을 한데 섞고, 고루 버무려 술밑을 빚는다.
5. 소독한 술독에 술밑을 담아 안치고, 예의 방법대로 하여 3일간 발효시킨다.

* 덧술 :

1. 멥쌀 1말을 백세하여(백 번 씻어 옥같이 깨끗하게 하여 말갛게 헹궈 건졌다가) 하룻밤 담가 불린다.
2. 다음날 아침에 불린 쌀을 (다시 씻어 건져서 물기를 뺀 다음) 시루에 안쳐서 고두밥을 짓는다.
3. 물 1말을 팔팔 끓이다가, 고두밥이 고루 익었으면 한데 합하고, 주걱으로 고루 헤쳐서 차게 식기를 기다린다.
4. 고두밥에 밑술을 합하고, 고루 버무려 술밑을 빚는다.
5. 소독한 술독에 술밑을 담아 안치고, 예의 방법대로 하여 발효시켜 술이 익기를 기다린다.

* 부제에 '삼해주'라고 하였다. 이로써 '녹파주'와 '삼해주'의 주방문이 유사하다는 것을 알 수 있다.

녹파주

삼해주. 정월 첫 돗날 백미 한 말 백세하여 담갔다가 하룻밤 재워 작말하여 물 두 말 끓여 가루에 모는 작이(무거리) 없이 내여 끓여 밤사이 차거든 좋은 가루누룩 두 되 밀가루 닷 홉 섞어 넣었다가 사흘 지내거든 백미 한 말 백세하여 하룻밤 담갔다가 익게 쪄 끓인 물 한 말 골라 많이 차거든 밑술에 넣어 익는 대로 쓰라.

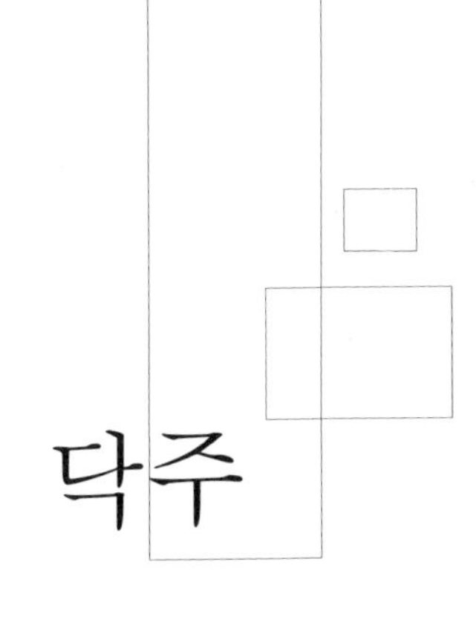

# 닥주

**스토리텔링 및 술 빚는 법**

‘닥주(楮酒)’는 1600년대 후기의 기록인 한글 필사본 <주방문(酒方文)>에 등장한다. ‘닥주’와 유사한 주품으로, 우리말 주품명의 술로 <양주방>*에는 ‘저주’, <주방문조과법(造果法)>에는 ‘딱잎술’이 있다.

이렇듯 동일한 주품명에도 불구하고 이들 술은 두 가지로 나뉜다. <주방문>의 ‘닥주’는 순곡청주류이고, <양주방>*의 ‘저주’와 <주방문조과법>의 ‘딱잎술’은 가향주(佳香酒)이다. 술의 원료로서 닥나무잎이 사용되기 때문에 가향주로 분류되는 것이다.

하지만 <주방문>의 ‘닥주’는 ‘저주(楮酒)’라는 한문 표기에도 불구하고 닥나무잎이 사용되지 않는다는 데 그 의미가 특별하다고 할 수 있다.

<주방문>의 ‘닥주’는 “ᄎᆞᄡᆞᆯ ᄒᆞᆫ 되 ᄇᆡᆨ셰작말 구무ᄡᅥᆨ 비저 믈 ᄒᆞᆫ 되 남즉 ᄭᅳᆯ혀 술마 식거ᄃᆞᆫ 누록 닷 홉, 진ᄀᆞᄅᆞ 닷 홉, 믈과 섯거 녀허 닉거ᄃᆞᆫ ᄎᆞᄡᆞᆯ 엿 되 밋ᄡᆞᆯ 넉 되 ᄇᆡᆨ셰ᄒᆞ여 ᄣᅵ되 밋ᄡᆞᆯ을 몬져 ᄲᅵ다가 ᄎᆞᆸᄡᆞᆯ을 언저 ᄲᅧ 믈 말가옷 ᄭᅳᆯ혀 ᄃᆡ링ᄒᆞ여 그 미틀 그 믈을 주어 걸러 항의 밥과 믈을 녀허 비져 프러디게 섯거두면 사나흘 만

의 믉거든 ᄉᆞ고자 ᄡᅳ라."고 하여, 멥쌀로 빚은 구멍떡을 1되 분량의 끓는 물에 넣고 삶아서 차게 식은 후에 누룩가루와 진가루를 섞어 밑술을 빚고, 발효되면 냉수로 걸러 탁주를 만드는 것을 알 수 있다.

그리고 여기에 찹쌀과 멥쌀로 각각 고두밥을 지어 덧술을 하는 것으로 되어 있어, 닥나무잎이 사용되지 않는다.

반면, <주방문조과법>의 '딱잎술' 주방문에는 "구무ᄯᅥᆨ ᄒᆞ여 믈죠차 ᄣᅥ(퍼) ᄀᆞ장 ᄎᆞ거든 믈 말고 ᄀᆞ루누록 ᄒᆞᆫ 되예 쳐 ᄣᅡᆨ닙 ᄡᅡ"라고 하여 닥잎으로 술밑을 싸서 발효시키는 방법을 볼 수 있다.

따라서 '닥주'는 가향주가 아닌 순곡청주로 분류되고, 발효 중에 생성되는 방향(芳香)이자 암향(暗香)이라고 할 수 있는 초취(草臭)로서 "닥나무잎 냄새가 난다."는 의미이거나, "닥나무잎이 피기 시작하는 때에 빚는 술"이라는, 양주 시기와 관련된 주품명일 수 있다는 해석이 가능해진다.

그리하여 '닥주'의 의미를 찾고자 실제로 <주방문>의 '닥주'를 빚어보았는데, 암향이라고 할 수 있는 초취로서 "닥나무잎 냄새가 난다."는 의미로 해석되었다.

<주방문>의 '닥주'는 <양주방(釀酒方)>의 '하향주'와 매우 유사하다는 것을 알 수 있으며, 이와 같은 주방문에서 얻을 수 있는 향취는 '연잎 냄새'라는 사실을 거듭 확인할 수 있었다.

이를테면 주방문이 동일한 과정으로 이루어진다고 할지라도 양주용수의 양, 즉 술 빚는 데 따른 원료의 배합비율에 따라 '하향주'에서와 같이 연꽃 향기를 띠기도 하고, 연잎이나 닥나무잎과 같은 초취를 띠기도 한다는 사실이다.

결론적으로 <주방문>의 '닥주'는 암향이자 초취로서 '닥나무잎 냄새'를 띠는 주품이라는 해석을 내놓기에 이른다.

다만 '닥주'를 빚을 때 유의할 일은, 구멍떡은 따뜻한 물을 사용하여 가능한 한 무르게 익반죽하고, 푹 익힌 다음에 식혀서 사용하는데, 구멍떡을 삶을 때 사용할 물은 끓는 상태에서 1되 분량이 되도록 하면 더욱 좋다는 것이다. 구멍떡을 삶다 보면 자칫 떡 삶는 물이 졸아서 구멍떡이 타거나 눋게 되어 망칠 수 있기 때문이다.

## 닥주 <주방문(酒方文)>

술 재료 : 밑술 : 찹쌀 1되, 누룩 7홉, 밀가루 5홉, 물 1되 남짓
덧술 : 멥쌀 6되, 찹쌀 4되, 끓여 식힌 물 1말 5되

술 빚는 법 :

* 밑술 :

1. 희게 쓿은 찹쌀 1되를 깨끗이 씻고 또 씻어 (백세하여 물에 담가 불렸다가, 다시 씻어 건져서 물기를 뺀 후) 작말한다.
2. 쌀가루를 따뜻한 물 2~3홉 정도 섞고 힘껏 치대고 익반죽하여 구멍떡을 빚는다.
3. 솥에 물 1되 정도를 붓고 끓으면 구멍떡을 넣고 삶아, 떡이 떠오르면 건지지 말고 그대로 차게 식기를 기다린다(짓이겨 한 덩어리가 되게 만든다).
4. 구멍떡이 떡 삶았던 물을 다 먹고 차게 식었으면, 누룩가루 5홉과 밀가루 5홉을 한데 섞고 매우 치대서 술밑을 빚는다.
5. 술독에 술밑을 안치고, 예의 방법대로 하여 (2~3일) 발효시킨다.

* 덧술 :

1. 흰 멥쌀 6되와 찹쌀 4되를 각각 백세하여 (물에 담가 불렸다가, 다시 씻어 건져서) 물기를 뺀다.
2. 물 1말 5되를 계량하여 솥에 안치고 팔팔 끓여서 차게 식기를 기다린다.
3. 끓는 물솥에 시루를 올리고 쌀을 안쳐서 고두밥을 짓되, 멥쌀을 먼저 안쳐서 찌다가 (한 김 나면) 찹쌀을 안치고 다시 쪄서 재차 한 김 나도록 고루 익게 찐다.
4. 고두밥이 익었으면 퍼내고, 고루 펼쳐서 차디차게 식기를 기다린다.
5. 밑술에 차게 식혀둔 물을 쳐가면서 체에 밭쳐 냉수로 걸러 탁주(막걸리)를 만들어놓는다.

6. 탁주(막걸리)에 차게 식은 고두밥을 합하고, 고루 버무려 술밑을 빚는다.
7. 술독에 술밑을 담아 안친 뒤, 예의 방법대로 하여 3~4일(21일) 동안 발효시킨다.

## 닥쥬(楮酒)

ᄎᆞᄡᆞᆯ ᄒᆞᆫ 되 ᄇᆡᆨ셰작말 구무떡 비저 믈 ᄒᆞᆫ 되 남즉 ᄉᆞᆲ혀 ᄉᆞᆯ마 식거든 누록 닷 홉 진ᄀᆞᄅᆞ 닷 홉 믈과 섯거 녀허 닉거든 ᄎᆞᄡᆞᆯ 엿 되 ᄆᆡᆺᄡᆞᆯ 넉 되 ᄇᆡᆨ셰ᄒᆞ여 씨되 ᄆᆡᆺᄡᆞᆯ을 몬져 삐다가 ᄎᆞᆸᄡᆞᆯ을 언저 뼈 믈 말가옷 ᄉᆞᆲ혀 ᄃᆡ링ᄒᆞ여 그 미틀 그 믈을 주어 걸러 항의 밥과 믈을 녀허 비져 프러디게 섯거두면 사나흘 만의 ᄆᆞᆰ거든 ᄉᆞ고자 ᄡᅳ라.

# 당량주

## 스토리텔링 및 술 빚는 법

'당량주방(當梁酒方)'은 유일하게 <임원십육지(林園十六志, 高麗大本)>에 수록되어 있는 주품으로 삼양주법(三釀酒法)이다. <임원십육지>는 1823년경에 저술되었는데, 현재 서울대 '규장각본(奎章閣本)'과 '대판본(大板本)', '고려대본'이 존재한다.

<임원십육지>는 서유구에 의해 저술된 것이나, 출간 이후 여러 경로로 필사 보급되면서 혹은 빠지거나 누락된 것으로 보인다.

그 예로 '고려대본'에 수록된 주품의 수가 가장 많고, '대판본'은 수록된 주품의 수가 가장 적고 편집체제도 일부 바뀐 것으로 밝혀졌다. 특히 몇몇 주품들은 '고려대본'에만 수록되어 있는데, 자세한 경위를 알 수 없다.

'당량주방'은 여느 주방문들과는 달리, 매우 이채로운 주방문으로 여겨진다. 우선 주품명과 관련하여 방문에 "이 술은 대들보 밑에 술항아리를 놓으므로 당량(當梁)이라 한다."고 하여 '당량'이 대들보라는 사실을 염두에 두고 보면, "왜 술독을 대들보 밑에 두고 발효시키느냐?" 하는 궁금증이 남는다.

옛 어른들의 말씀에 "술은 '풍세(風勢)'를 따른다."고 하였다. 얼추 생각하면 "무슨 미신 같은 소리냐?"고 할 터이나, 이는 다시 말해 "술을 발효시키는 장소나 공간의 온도와 바람의 흐름에 영향을 받는다."는 말이다.

이는 과학적으로 증명되는 말로, 술을 발효시키는 장소와 공간에 있어 동·서·남·북의 네 방위는 춘·하·추·동과 아침·저녁에 따라 일기와 바람의 영향을 받게 되어 있어, 술의 발효에 영향을 미치게 되어 있다.

따라서 술독을 대들보가 있는 공간의 중앙에 놓으라는 말이다. 환언하면, 특히 일교차가 큰 계절과 술의 주발효 기간에는 그 공간의 벽 쪽이나 지나치게 한구석으로 붙여 놓아서는 안 된다는 것이다.

'당량주방'은 주재료의 비율에서 '삼(三)'이라는 숫자와 밀접하게 관련되어 있다. 밑술의 배합비율은 기장 3말 3되를 주원료로 누룩 3말 3되, 물 3말 3되이고, 3일간 발효시킨 후에 덧술을 하는데, 그 양이 멥쌀 3말이며, 또 덧술의 발효기간도 3일이다. 그리고 다시 2차 덧술을 하는데, 주원료의 양이 멥쌀 9말로 '삼(三)'의 곱이나 되는데도, 누룩과 물은 밑술에서만 한 차례만 사용된다는 것이다.

이러한 주방문은 극히 드문 경우라고 할 수 있으며, 의도적이 아니면 그 이유가 설명되지 않는 주방문이라고 할 수 있다.

왜냐하면 '당량주방'은 3차례에 걸쳐 '고두밥'을 사용하기 때문이다. 문제는 고두밥으로만 빚은 술의 발효시점이 죽이나 떡으로 빚은 술보다 길어지는 것은 사실이나, '당량주방'의 경우는 덧술과 2차 덧술의 발효기간이 3일로 매우 짧다는 데 문제가 있다.

그 이유가 "이후로는 쌀의 양에 관계없이 마음대로 덧빚어서 항아리를 채운다. 만약 술을 덜어서 마시려면 술을 살짝 떠서 마실지라도 결코 술을 걸러서는 안 된다."고 한 배경을 볼 수 있는데, 이런 경우에 2차 덧술의 발효가 완전히 끝나지 않았기 때문이다.

따라서 술을 건드리게 되면, 재발효와 산패를 가져올 수밖에 없다. 술의 양이 많은 관계로 중간에 이미 완성된 술은 산패하기 전에 떠내야 하고, 남은 술덧은 계속 발효시켜 숙성되도록 해주어야만 어느 날 갑자기 산패하는 일을 예방할 수 있다.

다만, 이러한 문제를 해소할 방법을 주방문에 기록해 놓았는데, "술독을 면보자기로 덮어"라고 하여 술의 주발효 시 품온이 지나치게 끓어오르는 것을 예방하기 위한 조치라고 할 수 있다.

하지만 이러한 조치가 결코 완전한 해결책이라고는 단언할 수 없다. 이러한 경우 알코올 도수가 높은 술이 되어야 숙성, 보관 중의 재발효를 막을 수 있는데, 그리 여의치 않기 때문이다.

'당량주방'은 중국의 주방문이 <임원십육지>를 통해 우리나라에 유입된 것이라는 사실을 알 수 있다. 주방문 말미에 "<제민요술(齊民要術)>을 인용하였다."고 하였는데, 그 증거가 "만약 술을 덜어서 마시려면 술을 살짝 떠서 마실지라도 결코 술을 걸러서는 안 된다.

가령, 술 1석을 떠서 쓰면 그 대신 쌀 1석을 밥을 지어 덧빚으면 항아리가 가득 차게 된다. 이 역시 신기하다. 술지게미를 구덩이 속에 파묻고, 개나 쥐가 먹지 않도록 해야 한다."고 하여 전형적인 중국식 술 빚는 법을 엿볼 수 있다.

## 당량주방 <임원십육지(林園十六志, 高麗大本)>

술 재료 : 밑술 : 메기장쌀 3말 3되, 누룩 3말 3되, 물 3말 3되
덧술 : 메기장쌀 3말
2차 덧술 : 멥쌀(메기장쌀) 9말

술 빚는 법 :

* 밑술 :

1. 3월 3일 해 뜨기 전 새벽에 메기장 3말 3되를 (백세하여 물에 담가 불렸다가) 저녁 때 말갛게 헹궈서 건진 후, 시루에 안쳐서 고두밥을 짓는다.
2. 고두밥은 뜸을 들여서 무르게 익힌다(익었으면 퍼내어 고루 펼쳐서 차게 식기를 기다린다).

3. 고두밥에 물 3말 3되와 법제한 누룩가루 3말 3되를 합하고, 고루 주물러 밥알이 낱낱이 흩어지게 하여 술밑을 빚는다.
4. 술밑을 술독에 담아 안친 후 (면보자기로 2겹을 덮고) 3일간 발효시켜 익기를 기다린다.

* 덧술 :
1. 3월 6일에 메기장쌀 3말을 (백세하여 물에 담가 불렸다가) 저녁 때 말갛게 헹궈서 건진 후, 시루에 안쳐서 고두밥을 짓는다.
2. 고두밥은 뜸을 들여서 무르게 익힌다(익었으면 퍼내어 고루 펼쳐서 차게 식기를 기다린다).
3. 고두밥에 밑술을 한데 합하고, 고루 주물러 밥알이 낱낱이 흩어지게 하여 술밑을 빚는다.
4. 술밑을 술독에 담아 안친 후 (면보자기로 2겹을 덮고) 3일간 발효시켜 익기를 기다린다.

* 2차 덧술 :
1. 3월 9일에 멥쌀(메기장쌀) 9말을 (백세하여 물에 담가 불렸다가) 저녁 때 말갛게 헹궈서 건진 후, 시루에 안쳐서 고두밥을 짓는다.
2. 고두밥은 뜸을 들여서 무르게 익힌다(익었으면 퍼내어 고루 펼쳐서 차게 식기를 기다린다).
3. 고두밥과 덧술을 합하고, 고두밥알이 낱낱이 흩어지게 하여 술밑을 빚는다.
4. 술밑을 술독에 담아 안친 후 (면보자기로 2겹을 덮고) 15일간 발효시켜 익기를 기다린다.

* 주방문에 "이 술은 대들보 밑에 술항아리를 놓으므로 당량(當梁)이라 한다."고 하고, "이후로는 쌀의 양에 관계없이 마음대로 덧빚어서 항아리를 채운다. 만약 술을 덜어서 마시려면 술을 살짝 떠서 마실지라도 결코 술을 걸러서는 안 된다. 가령 술 1석을 떠서 쓰면 그 대신 쌀 1석을 밥을 지어 덧빚으면 항

아리가 가득 차게 된다. 이 역시 신기하다. 술지게미를 구덩이에 파묻고, 개나 쥐가 먹지 않도록 해야 한다."고 하였다.

當梁酒方

當梁下置甕故曰當梁以三月三日日未出時取水三斗三升乾麴末三斗三升炊(悉)米三斗三升爲再餾(黍,黍卽飯之謂)攤使極冷水麴飯俱時下之三月六日炊米六斗酘之三月九日炊米九斗酘之自此以後米之多少無復斗數任意酘之滿甕使止若欲取者但言偸酒勿云取酒假令出一石還炊一石米酘之甕還復滿亦爲神異其糠瀋黍瀉坑中勿令狗鼠食之. <齊民要術>.

# 당백화주

## 스토리텔링 및 술 빚는 법

우리나라 술을 술 빚는 방법으로 분류하면 셀 수 없이 다양한 주방문이 있는데, 다수의 술 빚는 사람들 가운데는 이를 장점으로 여기기보다는 문제점으로 생각하는 경향이 많다. 그리고 뛰어난 주질(酒質)을 나타내는 주방문이나 양주기법(釀酒技法)에 대하여도, "너무 힘들어서 할 수 없다."거나 "아무리 주질이 뛰어나도 대량생산이 불가능하다면 가치가 없다."고까지 말하는 사람들도 더러 있다.

그러나 외국의 '와인'이나 '사케' 등의 까다롭고 철저한 양주기법에 대하여는 매우 관대하고 동경하는 경향이 많다.

또는 와인의 복잡한 블랜딩 기법이나 오랜 숙성 과정, 사케의 원료미의 품종 선별과 재배 방식, 그리고 정미(精米) 과정에 대해서는 수긍의 단계를 지나쳐 찬사를 보내고 감탄사를 연발한다.

그리고 자신의 양주 방법과 과정에 대해서는 '이렇기 때문에' '저렇기 때문에' 등 여러 가지 이유와 변명을 늘어놓기 십상이다.

최근 양주장을 비롯 쌀가공업체에 헐값으로 공급해 주던 나라미(정부미) 비축

분이 바닥을 드러내면서, 벌써부터 술값 인상과 수입미로 대체하려는 움직임이 감지되고 있다. 이 기회에 좋은 원료와 정상적인 양주공정을 확립하여 제대로 빚고 제값을 받으려는 노력과 운동이 일어났으면 한다.

하지만 대개는 술값이 비싸지면 매출이 떨어질 것이라는 우려 때문에 모험을 하려 들지 않고 현 상태를 유지·답습하려는, 그러면서도 자신의 상품이 대박나기를 갈망한다.

그러나 "세상에 공짜는 없다."는 것이 진리이다. 진실은 언젠가는 진면목을 드러내기 마련이고, 값싼 저가 상품이나 짝퉁은 소비자들에 의해 가려질 날이 머지않았다고 확신한다.

그리고 "맛있고 몸에 좋고 값싼 먹을거리는 없다."는 것도 진리이고 보면, 힘들고 어렵기는 하지만 언젠가 우리 술에 대한 가치관도 달라질 것이라는 기대를 해도 좋을 것이다.

그런 의미에서 <양주방>*의 '당백화주'는 술을 빚는 방법과 맛, 향기에서 몇 가지 차이를 발견할 수 있다는 점에서 술을 빚는 사람의 자세에 대해 다시 한 번 생각하게 한다.

이를테면 <양주방>*을 비롯하여 여러 문헌에 등장하는 '백화주'와 비교되는 주품인데, 술 빚는 방법에서 '편의(便宜)'와 바닥이 보이는 기교(技巧)를 엿볼 수 있기 때문이다.

기본적으로 전통주의 성패는 원료인 쌀의 '백세(百洗)'와 '증숙(蒸熟)과 냉각(冷却)', '좋은 누룩(麴子)', '깨끗한 단물(甘水)', 그리고 '제때 빚어 잘 익은 술독(甕)', 발효 단계별 적절한 '온도관리(溫度管理)'에 있다는 것이 정설이다.

대부분의 '백화주'가 이 여섯 가지 조건을 잘 따르는 과정을 밟고 있는 것과는 달리, <양주방>*의 '당백화주'는 좀 더 수월한 양주 방법을 추구하고 있음을 볼 수 있다. 즉, "멥쌀 1말을 백세작말하여 끓는 물 1말로 개어 만든 죽(범벅)을 차게 식히지 않고 누룩가루 1되 5홉과 밀가루 1되 5홉, 석임 1되를 넣고, 고루 버무려서 술밑을 빚은 후 차게 식힌다."는 것이다.

이러한 방법은 1말의 쌀을 작말하여 만든 멥쌀가루를 끓는 물 1말로 범벅을 쑤기에는 매우 힘들고, 누룩과 동량의 밀가루, 그리고 석임을 섞어 혼화하기가 매우 힘들기 때문이다.

따라서 범벅이 따뜻할 때 누룩가루와 밀가루를 섞어 혼화하게 되면, 그 과정이 훨씬 힘이 덜 들고 빨리 끝낼 수 있다.

하지만 이러한 방법은 이양주법(二釀酒法)에서 가장 중요시되는 밑술일 경우, 발효가 지나치게 빠르게 진행되고, 자칫 과발효로 인한 산패와 함께 범벅이 지나치게 뜨거울 경우 효모의 사멸을 초래할 염려가 있으므로 경계해야 한다.

과발효나 속성발효의 요인은 범벅의 온도와 '석임'인데, 이러한 문제를 해소하기 위한 방편으로 술밑을 차게 식혀서 술독에 안치는 편법을 동원하게 되는데 '당백화주'가 그 예이다.

하지만 술밑을 차게 식혀서 술독에 안친다고 해서 속성발효가 해소되는 것은 아니다. 물론 과발효는 어느 정도 해소할 수 있지만 속성발효를 해소하지는 못한다. 그 결과는 덧술에서 나타나게 되는데, 덧술의 발효기간이 매우 빨리 끝나는 것을 볼 수 있고, 술맛 또한 쓰고 신맛이 많이 나면서 거칠다는 느낌을 감출 수 없다는 것이다.

특히 '당백화주'에서와 같이 밀가루와 '석임'을 사용하는 목적이 사라지고, 원료의 따뜻한 온도에 의해서 발효 현상만 빨리 진행되는 결과를 초래하기 때문이다.

따라서 힘이 들고 까다로우며 시간이 더 걸리더라도 원칙에 충실한 양주 방법의 추구, 이러한 정신이야말로 현대의 양주인들이 지녀야 할 철학이고 가치일 것이라는 생각을 하기에 이른다.

## 당백화주 <양주방>*

술 재료 : 밑술 : 멥쌀 1말, 누룩가루 1되 5홉, 밀가루 1되 5홉, 석임 1되, 끓는 물 1말

덧술 : 멥쌀 2말, 끓는 물 2말

술 빚는 법 :

* 밑술 :

1. 희게 쓿은 멥쌀 1말을 깨끗이 씻고 또 씻어(백세하여) 물에 담가 불렸다가 (다시 씻어 말갛게 헹궈서 물기를 뺀 후) 작말한다(가루로 빻는다).
2. 솥에 (쌀 되던 되로) 물 1말을 붓고 팔팔 끓여 멥쌀가루에 고루 붓고, 주걱으로 골고루 개어 범벅을 쑨다.
3. 범벅을 넓은 그릇에 담아놓는다(얼음같이 차게 식기를 기다린다.)
4. 범벅에 누룩가루 1되 5홉과 밀가루 1되 5홉, 석임 1되를 넣고, 고루 버무려서 술밑을 빚은 후 차게 식힌다.
5. 술독에 술밑을 담아 안친 후, 예의 방법대로 하여 2~3일간 발효시켜 술밑이 막 괴어오르면 덧술을 준비한다.

* 덧술 :

1. 희게 쓿은 멥쌀 2말을 깨끗이 씻고 또 씻어(백세하여) 새 물에 담가 불렸다가 (다시 씻어 말갛게 헹궈서) 물기를 뺀다.
2. 끓는 물솥에 시루를 올리고 멥쌀을 안친 후, 무른 고두밥을 짓는다.
3. (쌀 되던 되로) 물 2말을 팔팔 끓이다가, 고두밥이 익었으면 퍼내어 한데 섞고, 고루 헤쳐서 하룻밤 재워 식기를 기다린다.
4. 고두밥을 밑술과 합하고, 고루 버무려 술밑을 빚는다.
5. 술독에 술밑을 담아 안치고, 예의 방법대로 하여 10일간 발효시킨다.

* 밑술을 빚을 때 범벅을 개어 차게 식힌 후에 누룩가루 1되가웃과 밀가루 1되가웃, 석임 한 되를 섞는 것이 옳을 것으로 생각된다.

당ᄇᆡᆨ화쥬

ᄇᆡᆨ미 일두 ᄇᆡᆨ셰작말ᄒᆞ야 물 ᄒᆞᆫ 말의 ᄀᆡ야 국말 되가옷 서김 ᄒᆞᆫ 되 섯거 ᄎᆡ와 버무려 너헛다가 괴거든 ᄇᆡᆨ미 이두 ᄇᆡᆨ셰 침슈ᄒᆞ야 ᄂᆡᆨ게 쪄 ᄒᆞᆫ 말의 물 ᄒᆞᆫ 말식 헤여 설혀 골나 밥이 ᄎᆞ거든 슐밋과 섯거 너헛다가 열흘 만의 쓰나니라.

# 도화주

## 스토리텔링 및 술 빚는 법

조선시대 술과 음식 관련 고문헌은 대략 80여 권으로, 이들 문헌에 수록된 1천여 가지의 우리 술 주방문 가운데 열 손가락 안에 들어가는 술이 '도화주(桃花酒)'이다. 즉 83권에 이르는 고문헌에 30회 이상 등장하는 술이 '도화주'인데, 쌀 이외의 부재료가 사용되는 가향주(佳香酒)로 유일하다. 이러한 사실은 조선시대에 '도화주'가 그만큼 봄철을 대표하는 계절주(季節酒)이자 사랑 받은 명주(名酒)였다는 근거가 된다.

그런데 가향주 '도화주'의 인기가 높았던 때문인지는 모르겠지만 순곡주(純穀酒) '도화주'와 '도화춘(桃花春)'도 등장하고 있다는 사실에 충격을 받았다.

특히 <수운잡방(需雲雜方)>과 <양주방(釀酒方)>의 '도화주' 주방문이 그것으로, 도화(桃花)가 사용되지 않은 순곡주이자 "방향(芳香)으로서의 복숭아꽃 향기가 난다."는 '도화주'라는 점에서 이채롭다고 할 것이다.

주방문대로라면 순곡주인데 주품명이 '도화주'로 명기되어 있어, 가향주 '도화주'와 분리하여 소개하게 되었다.

주지하다시피 우리 술의 향기를 '방향' 또는 '암향(暗香)'이라고 한다는 사실을 강조해 왔었다. 그 근거가 '도화주'나 '도화춘', '하향주', '송계춘' 등의 주품명과 주방문에 있음도 누차 강조해 왔었다.

그간 와인이나 위스키 등의 양주(洋酒)에서 마케팅의 일환으로 그렇게 강조해 왔던 '아로마'나 '부케향' 등 서양 술이 지향하고 있는 술 향기에 대해 은근한 동경심을 가져왔다면, 이제라도 '도화주'나 '도화춘', '하향주', '송계춘' 등의 주품이 암시하고 있는 우리 술의 방향에 대해 눈을 뜰 수 있는 계기가 되었으면 한다.

순곡주로서 방향주 '도화주'는 <수운잡방>과 <양주방>에 등장한다. 한문 기록인 <수운잡방>에는 사양주법(四釀酒法)의 '도화주' 주방문이, 한글 기록인 <양주방>에는 이양주법(二釀酒法) '도화주'가 각각 수록되어 있음을 볼 수 있다. 이 두 문헌의 '도화주'는 주원료의 배합비율이나 술 빚는 과정이 유사하면서도 전혀 다르다.

두 주방문의 유사점은 첫째, 연중 가장 추울 때인 한겨울의 음력 정월에 빚는다는 사실이다. 음력 정월이란 시기의 공통점은 발효 장소와도 관련이 있지만, 쌀을 비롯하여 물 등 주원료의 가공과 열처리에 따른 범벅과 고두밥, 물의 온도가 낮아야 한다는 것을 암시하고 있다.

둘째, 쌀 양에 대한 누룩의 양이 매우 적다는 것이다. <수운잡방>의 '도화주'는 쌀 양 14말 9되에 대하여 누룩 양은 2되로 1.3%에 불과하고, <양주방>의 '도화주'도 쌀 양 3말에 대하여 누룩 양은 9홉으로 3%에 불과하다.

이러한 사실은 매우 중요한데, 순곡으로만 빚는 술이 도화향이 나는 방향주 '도화주'가 되는 배경이기 때문이다.

셋째, 밑술의 술 빚는 과정이 두 문헌의 주방문에서 공통적으로 범벅을 쑤어 술을 빚는 것으로, 죽이나 떡보다는 강한 효모의 육성이 그 이유이다.

넷째, 부재료로 밀가루를 사용한다는 점이다. 밀가루의 사용은 '도화주'처럼 소량의 누룩을 사용하는 경우 필수적으로 뒤따르는 것으로, 특히 조곡이나 묵은 누룩을 사용할 경우에도 마찬가지이다.

다섯째, '도화주'는 찬 곳에 술독을 앉혀두고 발효시키며, 익는 대로 덧술을 한다는 것이다. 인위적으로 정해진 시기에 덧술을 해 넣는 것이 아니라, 밑술과 덧술이 저절로 익기를 기다렸다가 덧술을 한다는 뜻이니, 자연적으로 발효가 끝나기까지 시간이 많이 걸리게 된다. <양주방>의 '도화주'는 이양주법임에도 2개월이나 소요된다는 사실이 그 증거이다.

그리고 이 두 주품의 차이점은, 이양주법 '도화주'의 경우 덧술을 빚는 과정을 보면 고두밥과 끓는 물을 각각 차게 식기를 기다려 밑술과 함께 혼화하는 과정을 보여주고 있어, 전형적인 술 빚는 법을 고수하고 있다면 삼양주법의 '도화주' 주방문은 고두밥에 끓는 물을 화합하여 식기를 기다렸다가 밑술과 화합하는 과정이 3차 덧술까지 반복적으로 이루어진다는 사실이다.

특히 <수운잡방>의 '도화주'는 <임원십육지(林園十六志)>의 '분국상락주'나 '삼구주'를 연상케 함으로써, 이른바 중국식 술 빚는 과정을 보여주고 있다고 할 것이다.

이로써 <수운잡방>과 <양주방>의 '도화주'는 고급 방향주라는 사실을 주방문을 통해 확인할 수 있었으며, 그 이유가 한겨울에 빚고, 쌀 양에 대하여 극히 적은 양의 누룩을 사용함으로써, 누룩 냄새를 없애고 발효 과정에서 생성, 발현되는 방향을 최대한으로 끌어올리는 방법에 있다는 사실을 알 수 있었다.

하지만 '도화주'와 같이 아름다운 방향은 주방문을 읽고 느끼는 생각처럼 그리 쉽게 얻어지는 것이 아니라는 데 우리의 고민이 있다. 그런 까닭에 <수운잡방> 주방문 말미에 '도화주'를 빚는 방법에 대하여 "두고두고 쓰고자 할 때는 무릇 앞의 방법대로 빚어서 계속 위를 덮는다.

이렇게 하면 무더운 여름에도 무방하며, 색이 맑고 맛은 독하다. 청주를 한 번 뜨고 나서 탁해지면 찹쌀을 하룻밤 물에 담가두었다가 죽을 만들어 차게 식힌 다음, 앞의 누룩과 섞어 밑술 위에 부어 덮는다. 술이 맑아지면 쓰면 좋다. 모든 술그릇은 냉수로 헹구는 것을 금한다."고 하였다.

<양주방>의 주방문 말미에서도 "삼사월에 맑게 앉느니라. 밀하여 내끼 아니가는 한데 두고, 술을 찬 데 두어 얼게 하여도 좋고, 더운 데 두면 맛이 가장 좋지 아니 하나니라. 부디 더운 데 두지 말라."고 하였다.

## 1. 도화주 <수운잡방(需雲雜方)>

술 재료 : 밑술 : 멥쌀 6되, 찹쌀 3되, 가루누룩(유두곡) 2되, 밀가루 2되, 물(9되)
덧술 : 멥쌀 5말, 물 5말
2차 덧술 : 멥쌀 4말, 물 5말
3차 덧술 : 멥쌀 3말, 물 5말

술 빚는 법 :

* 밑술 :

1. 정월 진일에 멥쌀 6되와 찹쌀 3되를 백세하여 (물에 담가 불렸다가, 다시 깨끗이 씻어 건져서) 세말하여(고운 가루로 빻아) 넓은 그릇에 담아둔다.
2. 물(9되)을 팔팔 끓여 쌀가루에 골고루 붓고, 주걱으로 고루 개어 범벅을 쑨 뒤, 얼음같이 매우 차게 식기를 기다린다.
3. 범벅에 가루누룩(유두곡) 2되와 밀가루 2되를 섞고, 고루 치대어 술밑을 빚는다.
4. 술독에 술밑을 담아 안치고 동도지로 휘저었다가, 예의 방법대로 하여 찬 곳에 이불로 싸서 산앵두(野棠, 해당화)의 잎이 돋을 때(2월)까지 둔다.

* 덧술 :

1. 산앵두 잎이 돋을 때가 되면, 멥쌀 5말을 백세하여 물에 담가 하룻밤 불렸다가 (다시 깨끗이 씻어 건져 물기를 뺀 후) 시루에 안쳐서 무른 고두밥을 짓는다.
2. 고두밥이 익었으면 퍼내어 끓는 물 5말과 합하고, 주걱으로 고루 개서 차게 식기를 기다린다.
3. 차게 식힌 고두밥을 밑술이 담긴 독에 가만히 붓고, 예의 방법대로 하여 술이 익기를 기다린다.

＊2차 덧술 :

1. 멥쌀 4말을 백세하여 물에 담가 하룻밤 불렸다가 (다시 깨끗이 씻어 건져 물기를 뺀 후) 시루에 안쳐서 무른 고두밥을 짓는다.
2. 고두밥이 익었으면 퍼내어 끓는 물 5말과 합하고, 주걱으로 고루 개서 차게 식기를 기다린다.
3. 차게 식힌 고두밥을 덧술이 담긴 독에 가만히 붓고, 예의 방법대로 하여 술이 익기를 기다린다.

＊3차 덧술 :

1. 멥쌀 3말을 백세하여 물에 담가 하룻밤 불렸다가 (다시 깨끗이 씻어 건져 물기를 뺀 후) 시루에 안쳐서 무른 고두밥을 짓는다.
2. 고두밥이 익었으면 퍼내어 끓는 물 5말과 합하고, 주걱으로 고루 개서 차게 식기를 기다린다.
3. 차게 식힌 고두밥을 덧술이 담긴 독에 가만히 붓고, 예의 방법대로 하여 술이 익으면 떠서 마신다.

＊주방문 말미에 "두고두고 쓰고자 할 때는 무릇 앞의 방법대로 빚어서 계속 위를 덮는다. 이렇게 하면 무더운 여름에도 무방하며, 색이 맑고 맛은 독하다. 청주를 한 번 뜨고 나서 탁해지면 찹쌀을 하룻밤 물에 담가두었다가 죽을 만들어 차게 식힌 다음, 앞의 누룩과 섞어 밑술 위에 부어 덮는다. 술이 맑아지면 쓰면 좋다. 모든 술그릇은 냉수로 헹구는 것을 금한다."고 하였다. 이로 미루어 <수운잡방>의 '도화주'는 덧술마다의 물은 냉수가 아닌 탕수로 여겨진다.

桃花酒

六月流頭日造麯可以釀之銘卽造之爲也經折半釀之本酒米及曲眞勻減可也 正月辰日粘米三升白米六升百洗細末幷爲湯粥極冷以六月流頭日所造末麯二升眞末二升(如一升大可)和合納瓮以東向桃枝攪之二月野棠葉初開眼時白米五

斗百洗沈水一宿全蒸以水五斗和漬極冷納于前本酒上勿擾下問待其熟時白米四斗百洗一宿沈熟蒸以水四斗和之如前納本酒上又熟時白米三斗百洗熟蒸水三斗和之待冷又納本酒上待熟悒用如欲久用則凡釀法如前續之則暑夏不妨色淸味猛 如一過悒淸濁則粘米宿酘作粥待其極冷和右曲注于本酒上淸後用之亦好凡器皿忌冷注.

## 2. 도화주법 <양주방(釀酒方)>

–방향주

술 재료 : 밑술 : 찹쌀 1말, 누룩 9홉, 밀가루 9홉, 물 8되
덧술 : 찹쌀 2말

술 빚는 법 :

* 밑술 :

1. 정월에 찹쌀 1말을 백세하여 (물에 담가 불렸다가, 다시 씻어 건져서 물기를 뺀 후) 작말하여(가루로 빻아) 넓은 그릇에 담아놓는다.
2. 물 8되를 팔팔 끓여 쌀가루에 붓고, 주걱으로 고루 개어 범벅을 쑨 후, 하룻밤 재워 차게 식기를 기다린다.
3. 범벅에 누룩 9홉, 밀가루 9홉을 섞고, 고루 치대어 술밑을 빚는다.
4. 술독에 술밑을 담아 안치고, 예의 방법대로 하여 3일간 발효시킨다.

* 덧술 :

1. 3일째가 되면 찹쌀 2말을 백세하여 하룻밤 물에 담가 불렸다가 (다시 씻어 건져서 물기를 뺀 후) 시루에 안쳐서 고두밥을 익게 찐다.
2. 밑술을 퍼내어 체에 밭쳐 누룩찌꺼기를 제거한 탁주를 만들어놓는다.
3. 고두밥이 익었으면 퍼내고, 고루 펼쳐 한 김 나가게 식힌다.

4. 고두밥에 걸러 둔 밑술을 합하고, 고루 버무려 술밑을 빚는다.
5. 술밑을 독에 담아 안치고, 예의 방법대로 하여 찬 곳에 두고 발효시킨다.

* 주방문 말미에 "삼사월에 맑게 앉느니라. 밑하여 내끼 아니 가는 한데 두고, 술을 찬 데 두어 얼게 하여도 좋고, 더운 데 두면 맛이 가장 좋지 아니 하나니라. 부디 더운 데 두지 말라."고 하였다. 주품명에 "도화주"라고 하였으나, '도화(桃花)'가 사용되지 않은 '도화춘'과 같은 방향주라는 것을 알 수 있다.

도화쥬법

정월의 찹ᄡᆞᆯ 한 말 ᄇᆡᆨ세작말ᄒᆞ야 물 말 여ᄃᆞᆲ 되의 ᄂᆡᆨ게 ᄀᆡ여 ᄒᆞ로ᄇᆞᆷ ᄌᆡ와 누록 구 홉 진ᄀᆞᄅᆞ 구 홉 한대 쳐 너헛다가 ᄉᆞ흘만의 찹ᄡᆞᆯ 두 말 ᄇᆡᆨ세ᄒᆞ야 담갓다가 ᄇᆞᆷᄌᆡ와 ᄂᆡᆨ게 ᄧᅧ 한김 내여 ᄆᆡᆺ술을 ᄎᆡ에 ᄇᆞᆺ타 고로 섯거 너헛다가 삼ᄉᆞ월의 ᄆᆞᆰ게 안나니라 ᄆᆡᆺᄒᆞ야 내ᄭᅴ 아니ᄀᆞᄂᆞᆫ 한대 두고 술을 찬 ᄃᆡ 두어 얼괴야여 죠코 더온 대 두면 맛시 ᄀᆞ쟝 죠치 아니ᄒᆞ니라. 부대 더온 대 말라.

# 도화춘

## 스토리텔링 및 술 빚는 법

음력 정월 첫 해일에 첫 술을 빚기 시작해서 주기적으로 돌아오는 해일에 2차례에 걸쳐서 빚는 술이 '삼해주'이고, 청명절에 빚는다 해서 '청명주'가 있다.

<주찬(酒饌)>이라는 문헌에 수록된 '도화춘(桃花春)'이라는 술이 있어 호기심을 불러일으킨다. 이미 춘주류(春酒類)에 대해 언급했지만 '도화춘'도 그런 의미의 주품명일 것이라는 막연한 생각을 했다.

그런데 그 막연한 생각이 충격으로 다가온 것은 주방문을 번역했을 때였다. '도화춘'이 "복숭아꽃이 필 때 술을 빚는다."고 하여 붙여진 주품명이라니. 그래도 그렇지, 명색이 춘주(春酒)가 아닌가. 열심히 주방문을 번역해 놓고 술 빚기에 들어갔다. 도화가 필 때 빚는 술이면 '도화주'라고 해야 할 것인데 '도화춘'이라고 한 데는 그 나름의 이유가 있을 것이라는 생각에서였다.

<주찬>은 한문 필사 기록으로, 얼핏 보아서는 그 답을 찾을 수가 없었다. 매번 경험했던 일이지만, 한문 기록에는 글자 한 자 한 자의 의미를 앞뒤의 글자와 연계지어서 생각을 해야만 한다는 것이다. 그래서 읽고 또 읽다 보면 먼저 가졌던

생각이 바뀌는 것을 스스로 깨닫게 된다.

'도화춘'의 주방문도 마찬가지여서 몇 번 정독을 하고 나서야 앞뒤의 문맥과 자구 하나마다의 의미가 새롭게 다가오는 것을 깨닫게 되었다. '도화춘'의 주방문에 감춰진 춘주의 비밀은 두 가지라고 할 수 있겠는데, 다름 아닌, '누룩 양'과 '덧술의 고두밥 처리 과정'에 있다는 것이다.

우선, '도화춘'의 술 빚기에 사용되는 쌀의 양은 모두 7말이고, 누룩은 상대적으로 적은 2되 5홉이다. 원료 비율로 따지면 누룩의 양은 불과 2.6% 정도에 그친다는 것이다. 주지하다시피 누룩을 적게 사용한다는 뜻의 '소곡주(小麯酒)'가 있는데, <주찬>의 '소곡주'는 쌀 3말에 대하여 누룩 1되 5홉으로 5%이고, '또 다른 소곡주'는 쌀 6말에 대하여 누룩 양이 2되로 3%이다. 또 <음식디미방>의 '소곡주' 경우 쌀 15말에 대하여 누룩 1말로 6%이고, <김승지댁주방문(金承旨宅廚方文)>의 경우 쌀 10말에 대하여 누룩 양은 3되로 3%의 비율이다.

이처럼 대부분의 '소곡주'는 누룩의 비율이 적다는 데서 명주로 이름을 떨쳤는데, 이러한 '소곡주'보다 더 적은 비율의 누룩을 사용하여 빚은 술이 '도화춘'이다.

누룩의 양이 그만큼 적게 사용된다는 사실은 무엇보다 술 빚기가 힘들다는 것을 뜻하고, 상대적으로 성공률도 낮아지게 된다.

그러나 술이 잘 발효되었을 경우, 상대적으로 누룩취는 없어지고 방향(芳香)이 살아나 좋은 술이 된다.

둘째, '도화춘'의 덧술은 흔치 않게 덧술에 사용되는 고두밥을 방냉(放冷)하여 식히지 않고, 냉수로 강제적으로 식히는 방법을 취하고 있다.

이러한 경우는 <양주방>*의 '청명향'이나 <양주집(釀酒集)>의 '하시절품주(夏時絶品酒)' 등과 같이 향이 좋다거나 술맛이 뛰어난 술에서 찾아볼 수 있다.

그러기에 방문 말미에 "술빛이 희고 맛도 기이하다. 30일이 되어도 변하지 않는다."고 언급한 내용을 살펴볼 수 있다. "술빛이 희고 맛도 기이하다."는 것은 "술 빛깔이 맑고 투명하며 깨끗하다."는 것을 뜻하며, "30일이 되어도 변하지 않는다."고 한 것은 "알코올 도수가 꽤 높기 때문"이라는 사실의 반증이다.

사실 향과 맛, 색깔과 도수 등 모든 조건을 이렇게 완벽하게 갖춘 명주, 곧 춘주를 얻기는 매우 어렵다. 그리고 이러한 술은 반드시 그만큼 어렵고 까다로운 공정을 요구한다는 얘기이기도 하다.

따라서 비법은 2.6%의 적은 누룩을 사용하여 7말의 쌀을 발효시키기 위해서는 첫째 죽이 잘 익어야 하고, 특히 오염원의 침입이나 발효부진으로 인한 잡균의 증식 등에 유념해야 한다.

결국 1차적인 성패는 밑술을 빚는 과정에 있다고 할 것이다. 그 대처법으로 밑술에 밀가루를 사용하는 것을 볼 수 있다. 또한 잡균의 증식보다 효모의 증식이 우선적으로 이루어져야 하므로, 죽과 밑술의 혼화가 매우 중요한 작업으로 대두된다.

그리고 술의 향기와 맛, 색깔을 결정짓는 고두밥의 처리 과정에 있어서는, 고두밥을 식힐 때 가장 뜨거운 상태의 고두밥에 가장 차가운 상태의 냉수를 끼얹어서 고두밥을 순식간에 냉각시켜야 한다는 것이다.

또한 고두밥 냉각 시 사용하는 냉수는 수돗물이나 오염된 물은 사용할 수 없고, 가장 순수하고 깨끗하면서 수온이 낮아야 한다는 것이 선결조건이다.

이를 위해서는 수돗물의 경우 끓여서 사용하고, 갓 퍼 올린 깨끗한 지하수나 파는 생수를 사용하되, 가능한 한 냉장고 같은 곳에 오랫동안 두어 물의 온도가 0℃에 가까울수록 좋다는 것이다.

가장 뜨거운 고두밥을 가장 차가운 냉수를 뿌려서 식히게 되면 고두밥에 윤기가 나고 탱글탱글해져, 발효가 진행되는 과정에도 고두밥이 그 형태를 고스란히 간직하게 되어 술은 저절로 맑아지게 되고, 도수는 높아지게 된다는 사실이다.

이것이 필자가 경험한 명주 '도화춘'의 비결이다.

## 도화춘 <주찬(酒饌)>

술 재료 : 밑술 : 찹쌀 1말, 누룩가루 2되 5홉, 밀가루 7홉, (물 3말)
덧술 : 멥쌀 6말, 냉수

술 빚는 법 :

* 밑술 :

1. 복숭아꽃이 필 때에 찹쌀 1말을 백세하여 (물에 담가 불렸다가, 다시 씻어 헹궈서 물기를 뺀 후) 작말하여(가루로 빻아) 넓은 그릇에 담아놓는다.
2. 솥에 물(3말)을 끓여 따뜻할 때 쌀가루를 풀어 넣고, 팔팔 끓여 죽을 쑨 다음 차게 식기를 기다린다.
3. 차게 식은 죽에 누룩가루 2되 5홉과 밀가루 7홉을 합하고, 고루 버무려 술밑을 빚는다.
4. 술독에 술밑을 담아 안치고, 예의 방법대로 하여 3일간 발효시킨다.

* 덧술 :

1. 밑술 담는 날 멥쌀 6말을 백세하여 (물에 담가 불렸다가, 다시 씻어 헹궈서 물기를 뺀 후) 시루에 안쳐서 무른 고두밥을 짓는다.
2. 고두밥이 익었으면 넓고 큰 그릇(소쿠리)에 펴 담고, 냉수를 퍼부어가면서 고두밥을 고루 헤쳐서 차게 식힌다.
3. 차게 식힌 고두밥은 (넓고 큰 그릇에 옮겨 담고) 뚜껑을 덮어 3일간 방치한다.
4. 고두밥에 밑술을 합하고, 고루 버무려 술밑을 빚는다.
5. 술독에 술밑을 담아 안치고, 예의 방법대로 하여 30일 정도 발효시킨 뒤, 4월 15일경에 채주한다.

* 주방문 말미에 "술빛이 희고 맛도 기이하다. 30일이 되어도 변하지 않는다."고 하고, "복숭아꽃이 필 때에 빚는다."고 하여 '도화춘'이라고 한다.

桃花春

桃花發時粘米一斗百洗作末作粥曲末二升五合眞末七合調釀後 白米六斗百洗爛熟冷水調灑鋪開於廣器中 第三日後始釀於本酒四月望間出則色 白米奇至九十日不變. 他方云. 四月望間以新瓶底於封置五月望間出用.

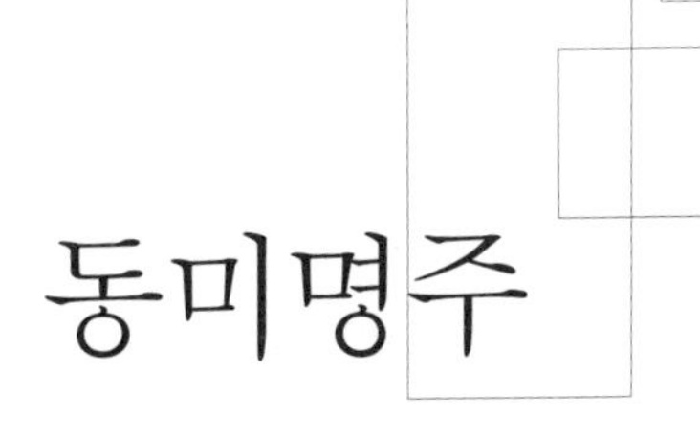

# 동미명주

스토리텔링 및 술 빚는 법

‘동미명주방(冬米明酒方)’은 <임원십육지(林園十六志)>에서만 목격되는 유일한 주방문이다. <임원십육지>는 현재 ‘규장각본(奎章閣本)’과 ‘대판본(大板本)’, ‘고려대본(高麗大本)’으로 나뉘는데, 수록 내용에 있어서는 약간씩 차이가 있다.

<임원십육지>의 번역 작업을 하고 있는 임원경제연구소에 따르면, “<임원십육지>는 ‘고려대본’보다 ‘대판본’이 가장 정확하고, 서울대 ‘규장각본’에서 가장 오류가 많다.”는 주장을 내놓았는데, 주방문과 관련하여 필자가 조사한 바로는 ‘고려대본’의 수록 내용이 가장 많은 것으로 판단된다. ‘규장각본’과 ‘대판본’에는 수록되어 있지 않은 ‘동미명주방’이 ‘고려대본’에는 수록되어 있기 때문이다.

우선 ‘동미명주’란 무슨 의미를 담고 있을까 하는 궁금증에서 술 빚기를 수차례 시도하여 보았으나, 그 답을 구하지는 못하였다.

다만, 그 특징과 술을 빚을 때 주의사항은 몇 가지 언급할 수가 있겠다.

<임원십육지>의 주방문을 보면, “9월에 도정을 덜해서 푸른 기운이 있는 쌀 1

말을 물에 담갔다가 가루로 빻아 끓는 물 1석을 붓고, 누룩가루 1근과 잘 섞어 항아리에 담는다. 3일이면 시어진다.

여기에 2말의 술쌀을 섞어서 밥을 짓는다. 냄새가 코를 자극할 정도가 되면 많이 발효가 되었으므로 휘저어 두면 된다. 방국(누룩) 15근을 넣고 멥쌀 3말, 물 4말을 섞어서 술을 빚는다."고 하였다.

기록된 주방문대로라고 하면, 밑술이 익었을 때 '쌀과 밑술을 섞어서 밥을 짓는' 것으로 되어 있고, 이렇게 지은 밥이 '발효된다.'는 것으로 이해할 수도 있겠으나, 밥이 익는 과정에서 멸균된 술이 발효된다는 것은 어불성설이다.

따라서 술 빚을 쌀을 밥을 지어서 밑술과 섞어 발효시키는 과정을 거쳐야만 덧술의 발효과정에서 냄새가 코를 지극할 정도로 이산화탄소의 발생이 이루어지므로, 2말의 쌀로 덧술을 하는 것으로 방문을 작성하였다. 2차 덧술도 마찬가지이다.

기록의 주방문에는 "방국(누룩) 15근을 넣고, 멥쌀 3말과 물 4말을 섞어서 술을 빚는다."고 하였으므로 밑술과 같이 고두밥과 누룩, 물을 사용하여 마지막 덧술을 하는 것으로 이해해야 한다.

이와 같은 사실로 미루어 볼 때, '동미명주'는 지금까지 밝혀진 1천여 종의 전통주 가운데 가장 높은 누룩의 사용 비율을 보여주는 주품에 속한다고 할 수 있다. 3차례의 술 빚기에 사용되는 쌀의 양은 모두 6말로서, 누룩 16근이나 사용되는데, 누룩의 무게를 부피로 환산하면 1말 6되 2홉이니, 누룩의 비율이 27%에 이른다. 물론 물의 양도 18말이나 되어, 그 어떤 전통주에서도 찾아보기 힘들 정도로 높은 비율인 300%에 이른다.

결국 '동미명주'는 도정을 거의 하지 않아 현미(玄米)에 가까운 쌀로 술을 빚는다는 사실과 누룩의 양은 밀접한 관련이 있다고 할 수 있으며, 지금까지 수많은 문헌마다의 주방문에서 한결같이 목격할 수 있었던 '희게 쓿은'이나 '백세(百洗)', '정세(淨洗)', '착세(鑿洗)', '일백 번 씻어', '씻고 또 씻어'와 같은 주원료의 처리와 가공방법의 주방문과는 상반되는 주방문을 보여준다고 할 수 있다.

따라서 '동미명주'과 같은 주방문은 매우 이례적인 경우로 볼 수 있으며, 발효주로 마시기보다는 증류하여 소주를 얻기 위한 방문으로 여겨질 정도이다.

수차례의 실험 결과에서도 이 주품은 시큼한 맛과 쓴맛이 매우 강하고 누룩취가 심했으며, 맛이나 향기를 즐기고자 하는 술은 아니라는 생각을 떨칠 수 없었다.

여러 차례의 실험으로 2차 덧술에 사용되는 물을 아예 넣지 않은 경우에도 그 맛은 시큼한 맛과 거칠고 쓴맛을 주었다. 하여 밑술에 사용되는 1석의 물을 6말까지 줄인 결과, 이제까지 다른 문헌의 주품에서 느낄 수 있었던 본연의 술맛과 향기를 얻을 수 있었다.

## 동미명주방 <임원십육지(林園十六志, 高麗大本)>

술 재료 : 밑술 : 멥쌀 1말, 누룩가루 1근, 끓는 물 1석(10말)
덧술 : (멥)쌀 2말
2차 덧술 : (멥)쌀 3말, 누룩 15근, (끓여 식힌) 물 4말

술 빚는 법 :

* 밑술 :

1. 9월에 도정을 덜하여 푸른색이 있는 멥쌀 1말을 (백세하여) 물에 담가 불렸다가 (다시 씻어 헹궈서 물기를 뺀 후) 작말한다.
2. 솥에 물 1석(石)을 팔팔 끓여 쌀가루에 골고루 붓고, 주걱으로 고루 개어서 범벅(죽)을 쑨 후, 차게 식기를 기다린다.
3. 범벅(죽)에 누룩가루 1근을 넣고, 고루 버무려 술밑을 빚는다.
4. 술밑을 술독에 담아 안친 후, 예의 방법대로 하여 3일간 발효시킨다.

* 덧술 :

1. 쌀 2말을 (백세하여 물에 담가 불렸다가, 다시 씻어 헹궈 건져서 물기를 뺀 후) 시루에 안쳐 고두밥을 짓는다.

2. (고두밥이 익었으면 퍼내고, 고루 펼쳐 차게 식기를 기다린다.)
3. 밑술과 고두밥을 합하고, 고루 버무려 술독에 담아 안친다.
4. 술독은 예의 방법대로 하여 (2~3일간) 발효시키되, 발효되느라 코가 매울 정도가 되면 주걱으로 휘저어 더운 기운을 빼 놓는다.

* 2차 덧술 :
1. 쌀 3말을 (백세하여 물에 담가 불렸다가, 다시 씻어 헹궈 건져서 물기를 뺀 후) 시루에 안쳐 고두밥을 짓는다.
2. (고두밥이 익었으면 퍼내고, 고루 펼쳐 차게 식기를 기다린다.)
3. 밑술에 고두밥과 (끓여 식힌) 물 4말, 누룩 15근을 합하고, 고루 버무려 술밑을 빚는다.
4. 술밑을 술독에 담아 안친 다음, 예의 방법대로 하여 (2~3일간) 발효시키되, 발효되느라 코가 매울 정도가 되면 주걱으로 휘저어 더운 기운을 빼놓고, 술이 익기를 기다린다.

冬米明酒方

九月漬清稻米一斗擣令細末沸湯一石澆之麴一斤末攪和三日極酢合二斗釀米炊之氣刺人(鼻)便爲大發攪成用方麴十五斤酘之米三斗水四斗合和釀之. <齊民要術>.

# 동양주(東陽酒)

스토리텔링 및 술 빚는 법

<해동잡록(海東雜錄)> 6권에 고려 말 조선 초기 문신이었던 권근(權近, 1352~1409)의 시 가운데 '동양주(東陽酒)'가 수록되어 있는데, 그 내용은 이렇다.

滿壺仙醴號東陽(병에 가득한 신선스런 예주를 동양이라 하는데)
芬馥醺人自異常(사람을 취하게 하는 향기 이상도 하여라.)
湛湛春堂凝桂影(담담한 춘당에는 계수나무의 그림자 어우러지고)
盈盈曉露浥蘭香(영롱한 새벽 이슬은 난초의 향기를 적셨네.)

필자는 그간 전통주를 복원해 놓고서도 그 해석이 올바른 것인지, 또 술맛과 향기는 제대로 구현된 것인지 확신할 수 없었다.

그런데 권근의 시를 통해 <동의보감(東醫寶鑑)>에서 언급한 "술맛이 맑고 향기로워 예로부터 유명했다. 이웃 지역의 술이 모두 이 술에 미치지 못했다."고 하는 '동양주'에 대한 찬사의 배경을 이해하게 되었다.

옛 사람들의 문집에서 술 이름을 주제로 한 시를 찾기란 그리 쉽지가 않기 때문이다.

'동양주'라는 주품명은 <달생비서(達生秘書)>를 비롯하여 <동의보감>과 <오주연문장전산고(五洲衍文長箋散稿)>에서 찾아볼 수 있는데, 주방문은 <오주연문장전산고>에만 수록되어 있으며, 우리의 문헌보다 훨씬 앞선 기록으로 중국 문헌인 <거가필용(居家必用)>에는 <오주연문장전산고>와 동일한 방법, 즉 찹쌀에 따로 만든 동양주국(東陽酒麴)과 홍국(紅麴)을 섞어서 빚는 법이 수록되어 있는 것을 볼 수 있다.

또한 조선 후기 문헌인 <농정회요(農政會要)>와 <오주연문장전산고>에는 '동양주국'을 빚는 법이 수록된 것을 볼 때, '동양주'는 예상과는 달리 그렇게 대중적인 사랑을 받는 술이 되지는 못했던 것 같다.

어떻든 '동양주'는 중국의 <거가필용>이라는 문헌을 통해서 우리나라에 유입되었다는 것을 알 수 있으며, 이후 우리나라 사정과 주인(酒人)의 취향에 따라 술 빚는 방법이 바뀌면서 주품명도 '동양주'가 되었을 것이라는 추측을 할 수 있다.

왜냐하면 우리 문헌인 <달생비서>와 <동의보감>에는 '동양주'의 맛과 향기 등에 대한 언급만 있고 주방문은 없으며, <농정회요>에는 주방문이 아닌 '동양주국' 방문을 수록하고 있으며, 비로소 <오주연문장전산고>에 단양주법(單釀酒法)의 '동양주' 주방문이 수록되어 있기 때문이다.

그리고 <수운잡방(需雲雜方)>과 <음식디미방>에서 비로소 '동양주(冬陽酒)'라고 하여 주품명에 대한 한자 표기를 달리한 주방문만 보이고 있음을 볼 때, 우리나라 실정에 맞는 방법으로 주방문이 바뀌면서 '동양주국'의 효용성을 상실하게 된 것이 아닌가 하는 추측을 할 수 있기 때문이다.

한편, 고 이성우 교수의 <고려 이전 한국식생활사연구(高麗 以前 韓國食生活史硏究)>와 <한국식품사회사(韓國食品社會史)>에는 "술이 상하지 않도록 대나무 발 같은 것을 세워서 술이 이 대나무 발을 따라 병 속으로 흘러내리도록 하기도 하였다."고 기록되어 있는데, 이는 '동양주(東陽酒)'가 겨울철에는 따뜻하게 하여 빚는 술인 만큼 따뜻하게 해서 발효시키되, 술이 발효될 때 술독의 품온이 지나치게 올라가지 않도록 대나무의 찬 성질을 이용하는 한편으로, 낙차에 의한 자연여과법을 통해 맑은 술을 얻기 위한 방법으로 여겨진다.

실제로 '죽엽주'나 '송죽오곡주', '추성주', '남원신선주', '변산팔산주' 등 지방마다의 토속주와 전통주의 술 빚기에서 대나무나 대나무잎의 찬 성질을 이용하여 술의 과발효를 억제하는 방법을 볼 수 있다.

<오주연문장전산고>의 '동양주' 빚는 과정은 매우 복잡하다. 그리고 문장의 기술 방식이 질서정연하지 못해서 혼돈스럽기까지 하다. '동양주'의 주방문을 순서에 따라 그대로 풀이해 보면 "백나미 1석으로 기준을 삼아서 반으로 나누어 항아리에 물을 담고 쌀 담근 물이 쌀보다 5치 높이로 해서 담그고, 다음날 쌀을 밟아서 씻어서 진한 쌀뜨물을 제거하라. 키에 쌀을 담아서 다시 항아리에 담아놓고 다시 맑은 물을 뿌려서 깨끗이 씻어서 다시 시루에 넣는다. 불을 때서 충분히 익히는 것을 법으로 삼아라."고 하였다. 이는 쌀 1석(10말)을 한꺼번에 백세하기 어려운 데 따른 방법으로 풀이할 수 있다.

그리고 "전에 빚은 위의 누룩(동양주국) 5근을 가지고 아주 곱게 체에 내려서 고르게 흩어서 체에 (담아) 뿌린 후에 다시 (고두)밥을 꺼내서 흩어 펼쳐서 식히고"라 하였는데, 입국을 만드는 방법을 설명하고 있다.

이때의 고두밥은 질어서도 안 되고 건조되어서도 안 된다. 고두밥이 질면 신맛이 많이 나고, 지나치게 건조되면 곰팡이가 자라지 못하여 입국의 당화력이 떨어지게 되기 때문이다.

또 "홍국을 2말을 가져다가 키 안에 뿌려서 흔들고 저어서 고루 섞어라."라고 하였는데, 동양주국의 미생물을 접종·배양시킨 입국에 다시 홍국균을 파종하여 균의 다양화를 꾀하고 있음을 볼 수 있으며, 이 과정이 '동양주'의 특징이자 다른 주품들과 차별화되는 과정이며, "맛과 향기가 이상하다."고 한 근거가 된다.

끝으로 "다시 맑은 물을 뿌려서 흐린 물이 없을 때까지 씻어라. 절기가 따뜻할 때는 찬밥을 쓰고 추울 때는 밥에서 열이 날 때까지 기다려서 열이 나면 물을 7말을 써서 항아리에 부어놓고, 다음에 씻은 밥과 누룩을 고루고루 섞는 것으로 정도를 삼아라."고 하였다.

입국은 누룩곰팡이 등 미생물의 증식 과정에서 열을 수반하게 되는데, 그 열의 상승 정도에 따라 발효 정도와 술의 맛과 향이 달라지는 것이다. 입국에서 열이 난다는 것은 누룩 속의 효모가 증식한다는 것을 뜻한다.

특히 "다시 맑은 물을 뿌려서 흐린 물이 없을 때까지 씻어라."고 한 까닭은 입국에 사용되는 동양주국과 홍국의 양이 지나치게 많은 까닭에 누룩을 일부 제거하려는 목적과 함께, 입국의 발효 과정에서 생긴 누룩곰팡이의 포자 등 이물질을 제거하기 위한 것이다.

또한 따뜻한 입국을 사용하게 되면 본격적인 알코올 발효과정에서 자연적으로 품온의 상승이 일어나므로 술덧은 더욱 과열되어 효모의 사멸과 노화를 초래하게 된다. 따라서 술덧의 품온이 지나치게 상승하는 것을 방지하기 위한 목적으로 여름철에는 차게 식히고 겨울철에는 따뜻하게 하여 양주용수와 혼합하는 것으로 발효 전의 술덧의 온도를 조절하는 것이고, 겨울철에는 술덧의 온도가 너무 차가운 상태가 되면 발효가 잘 이루어지지 않기 때문이다.

그리고 마지막 과정으로 "씻은 밥과 누룩을 고루고루 섞는 것으로 정도를 삼아라. 그 다음에 남은 누룩을 술 담은 위에 뿌린다. 4~5일 지나면 끓어올랐다가 도로 내려갔다가 뒤집어진다."고 하였는데, 고두밥으로 만든 입국에 물과 다시 누룩을 섞어 술밑을 빚는데 누룩이 많이 사용된 만큼 4~5일 만에 10말의 술이 거의 익게 되고 8~10일이면 완성된다는 것을 알 수 있다.

이어 "다시 또 3일이 지나면 위에 올라온 찌꺼기를 짜서 술을 만들어라."고 한 것은, 술덧의 찌꺼기를 활용하여 다음에 빚을 술의 밑술을 삼는 방법이다.

또 "술이 차면 과숙된 것이니 맑은 술도 자주 윗부분이 흐려지고, 하얀 효모가 날 때가 많다."고 한 까닭은, 주발효 시의 술덧의 품온이 지나치게 상승하여 효모의 사멸을 초래하면 발효가 중지되므로 술덧의 품온이 떨어지게 되고, 결국 산패하는 것을 말하는 것이다.

이러한 결과는 입국의 온도가 높았을 때와 물로 깨끗하게 씻지 않았을 때 누룩곰팡이의 포자와 오염균의 증식 등으로 주면 위에 하얗게 곰팡이가 피어 있는 상태를 말하는 것이다.

결론적으로 '동양주'는 일본의 사케나 우리나라 양조장에서 막걸리(탁주)를 빚는 방법과 다를 바 없는데, 동양주국과 홍국 두 가지를 사용하여 만든 입국(粒麴)을 물로 씻어서 식힌 후 술을 빚는다는 양주과정의 차이가 있을 뿐이다.

그리고 '동양주'의 특징과 차별성은 동양주국을 사용하여 만든 입국에 홍국균을 덧입힘으로써 술의 맛과 향기를 극대화시키려는 의도에서 이루어진 주방문이라는 것이다.

이렇듯 복잡한 과정을 거치는 까닭에 일반에서 '동양주'를 빚기가 힘들었을 터이고, 특히 홍국의 제조 방법이 까다로워서 기피하였을 것이라는 생각을 해볼 수 있다.

그리고 그 대안으로 구멍떡과 고두밥을 사용하여 두 번 발효시키는 '동양주(冬陽酒)'의 개발과 등장을 가져오게 되었을 것이라는 추측을 하게 된다.

필자는 술에서 가장 중요하게 여기는 것 가운데 하나로 지역적 특성을 꼽는다. 지역적 특성은 특히 누룩 미생물의 다양화 또는 차별화로 나타나고, 주원료인 쌀과 물의 맛과 성분, 심지어 색깔과 향기의 차이로 나타나며, 그 지역적 특성은 나라마다의 고유성과 술의 특징과 차별성으로 나타난다고 믿기 때문이다.

<제민요술(齊民要術)>을 비롯하여 <거가필용> 등을 통하여 중국의 다양한 술과 양주기술이 이 땅에 유입되었고, 특히 소주의 유입은 우리나라 술의 다양화에 크게 기여했지만, 한국의 '소주'와 중국의 '백주'·'황주'는 기본적으로 맛과 향, 색이 다르다.

문화라는 것도 어쩔 수 없이 동화될 수밖에 없는 것과 오히려 차별화되는 경향이 있는데, '동파주'를 비롯하여 '분국상락주', '동미명주' 등과 함께 '동양주(東陽酒)'가 그 예에 속한다고 할 수 있겠다.

## 1. 동양주(東陽酒) <달생비서(達生秘書)>

술맛이 맑고 향기로워 예로부터 유명했다. 이웃 지역의 술이 모두 이 술에 미치지 못했다. <입문>을 인용하였다.

## 2. 동양주(東陽酒) <동의보감(東醫寶鑑)>

술맛이 맑고 향기로워 예로부터 유명했다. 이웃 지역의 술이 모두 이 술에 미치지 못했다. <입문>을 인용하였다.

## 3. 동양주(東陽酒) <오주연문장전산고(五洲衍文長箋散稿)>

술 재료 : 흰찹쌀 1석, 동양주국 5근, 홍국 2말, 물 7말

술 빚는 법 :

1. 흰찹쌀(白糯米) 1석으로 기준을 삼되, 5말씩 나누어 항아리에 물을 담는데, 물이 쌀보다 5치 높이로 해서 담가 불린다.
2. 다음날 쌀을 밟아 씻어서(깨끗하게 씻어) 진한 쌀뜨물을 제거한 후, 키에 쌀을 담아서 물기를 뺀 후, 다시 항아리에 담아놓는다.
3. 항아리에 다시 맑은 물을 뿌려서 깨끗이 헹궈서 물기를 뺀 후, 시루에 안쳐서 고두밥을 짓는다.
4. 누룩(동양주국) 5근을 맷돌에 갈아서 아주 고운체에 내려서 가루를 만들어놓는다.
5. 고두밥이 충분히 익었으면 큰 그릇에 퍼내고, 동양주국 가루를 체에 담고 고루 흩뿌린 후, 다시 밥을 고루 펼쳐서 차게 식기를 기다리는데, 날씨가 찰 때는 밥에 온기가 남게 식히고, 더울 때는 차게 식힌다.
6. 홍국을 2말을 키에 담아 고두밥에 뿌려서 섞고, 다시 맑은 물을 뿌려서 흐린 물이 없을 때까지 씻어 헹궈서 건져낸다.
7. 물 7말을 항아리에 부어놓고, 씻은 고두밥과 찧은 홍국을 고루 섞어 술밑을 빚는다.
8. 술밑을 술독에 담아 안치고, 누룩을 조금 남겼다가 술밑 위에 뿌려준 다음,

예의 방법대로 하여 발효시킨다.

9. 발효시킨 지 4~5일 지나면 끓어올랐다가, 다시 내려갔다가 한 번 뒤집어진다.
10. 다시 또 3일이 지나면, 위에 올라온 찌꺼기를 짜서 술을 거른다.
11. 술덧의 온도가 차면 과숙된 것이니, 용수 박아 채주하여 마신다.

* 주방문 말미에 "맑은 술도 자주 윗부분이 흐려지고 하얀 효모가 날 때가 많다."고 하고, "조금 술이 따듯해지거나 서늘할 때가 되어서도 뜨겁게 만들면 많이 시고 변미가 난다."고 하여 술독의 관리에 힘쓸 것을 주문하였다.

東陽酒 辨證說

이것은 누룩으로 '동양주'를 빚는 법이다. 백나미 1석으로 기준을 삼아서 반으로 나누어 항아리에 물을 담고 쌀 담근 물이 쌀보다 5치 높이로 해서 담그고, 다음날 쌀을 밟아 씻어서 진한 쌀뜨물을 제거하라. 키에 쌀을 담아서 다시 항아리에 담아놓고 다시 맑은 물을 뿌려서 깨끗이 씻어서 다시 시루에 넣는다. 불을 때서 충분히 익히는 것을 법으로 삼아라. 전에 빚은 위의 누룩(동양주국) 5근을 가지고 아주 곱게 체에 내려서 고르게 흩어서 체에 (담아) 뿌린 후에 다시 (고두)밥을 꺼내서 흩어 펼쳐서 식히고, 홍국을 2말을 가져다가 키 안에 뿌려서 흔들고 저어서 고루 섞어라. 다시 맑은 물을 뿌려서 흐린 물이 없을 때까지 씻어라. 절기가 따뜻할 때는 찬밥을 쓰고 추울 때는 밥에서 열이 날 때까지 기다려서 열이 나면 물을 7말을 써서 항아리에 부어놓고, 다음에 씻은 밥과 누룩을 고루고루 섞는 것으로 정도를 삼아라. 그 다음에 남은 누룩을 술 담은 위에 뿌린다. 4~5일 지나면 끓어올랐다가 도로 내려갔다가 뒤집어진다. 다시 또 3일이 지나면 위에 올라온 찌꺼기를 짜서 술을 만들어라. 술이 차면 과숙된 것이니 맑은 술도 자주 윗부분이 흐려지고, 하얀 효모가 날 때가 많다. 조금 술이 따듯해지고 서늘할 때가 되면, 아울러 뜨겁게 만들면 많이 시고 변미가 난다.

## 4. 동양주 <오주연문장전산고(五洲衍文長箋散稿)>

–유태종 해석본 (한국의 명주)

술 재료 : 흰찹쌀 1섬, 동양주국 가루 5근, 홍국 2말, 물 7말

술 빚는 법 :

1. 도정을 많이 하여 흰 찹쌀 1섬을 독에 담고, 물을 다섯 치(五积) 이상 차오르게 붓고 하루 동안 불린다.
2. 다음날 찹쌀을 백세하여 다시 마른 독에 담아 안치고, 맑은 물을 부어 헹궈낸 후에 소쿠리에 밭쳐 물기를 뺀다.
3. 불린 찹쌀을 시루에 안쳐서 고두밥을 짓는다.
4. 고두밥이 익었으면 퍼내고 고루 펼쳐서 식히는데, 날이 더울 때는 차게 식히고  덥지 않을 때는 약간 온기가 남게 식기를 기다린다.
5. 동양주국 5근을 곱게 가루로 빻고, 고운체로 쳐서 고두밥에 골고루 뿌린다.
6. 홍국 2말을 맑은 물에 담갔다가, 건져서 물기를 뺀 후 빻아놓는다.
7. 고두밥에 홍국 가루 찧은 것 2말과 물 7말을 한데 합하고, 고루 버무려 술밑을 빚는다.
8. 술독에 술밑을 담아 안치고, 예의 방법대로 하여 4~5일간 발효시키는데, 날이 차면 술독을 보쌈하여 주되, 지나치면 쉴 수 있으니 주의를 기울여야 한다.
9. 술이 끓어오르면 한 번 뒤집어 섞고, 다시 7일간 숙성시킨 후 위에서 눌러준다.
10. 숙성되었으면 용수 박아 채주하여 마신다.

* 주방문 말미에 "대개 술이 괴어오르는 것은 밑에서부터 괴어오르도록 아래만 열을 가하여야 한다. 날이 찰 때에는 24~25일이 되어야 술이 되고, 따뜻할 때에는 15일가량 걸린다. 매우 더울 때에는 7~8일이면 넉넉하다. '동양주'는 맛이 향기롭고 상당히 귀한 술로서, 권양촌에서 애용되었다."고 한다.

# 동양주(冬陽酒)

스토리텔링 및 술 빚는 법

'동양주'는 두 가지로 표기된다. '동양주(東陽酒)'와 '동양주(冬陽酒)'가 그것이다. '동양주(東陽酒)'는 <동의보감(東醫寶鑑)>을 비롯하여 <달생비서(達生秘書)> <오주연문장전산고(五洲衍文長箋散稿)>에 수록되에 있고, '동양주(冬陽酒)'는 <수운잡방(需雲雜方)>과 <음식디미방>에 수록되어 있는데, '동양주(東陽酒)의 양주 방법에 대해서는 바로 앞서 그 특징과 방법에 대해 자세히 설명한 바 있다.

앞서 '동양주(東陽酒)가 중국에서 유래된 주방문으로, "일본의 사케나 우리나라 양조장에서 막걸리(탁주)를 빚는 방법과 다를 바 없는데, 동양주국(東陽酒麴)과 홍국(紅麴) 두 가지를 사용하여 만든 입국(粒麴)을 물로 씻어서 식힌 후 술을 빚는 양주 과정의 차이가 있을 뿐이다."는 설명과 함께 '동양주(東陽酒)'의 특징과 차별성은 "동양주국을 사용하여 만든 입국에 홍국균을 덧입힘으로써, 술의 맛과 향기를 극대화시키려는 의도에서 이루어진 주방문"이라는 해설도 곁들였다.

또한 "이렇듯 복잡한 과정을 거치는 까닭에 일반에서 '동양주(東陽酒)'를 빚기가 힘들었을 터이고, 특히 홍국의 제조 방법이 까다로워서 기피하였을 것이라는 생각을 해볼 수 있다. 그리고 그 대안으로 구멍떡과 고두밥을 사용하여 두 번 발효시키는 '동양주(冬陽酒)'의 개발과 등장을 가져오게 되었을 것이라는 추측을 하게 된다."는 필자의 의견을 달았다.

그리고 끝으로 "문화라는 것도 어쩔 수 없이 동화될 수밖에 없는 것과 오히려 차별화되는 경향이 있는데, '동파주'를 비롯하여 '분국상락주', '동미명주' 등과 함께 '동양주(東陽酒)'가 그 예에 속한다고 할 수 있겠다."고 했는데, 우리의 양주 방법과 특성에 맞게 변화된 주방문을 1560년대 기록인 <수운잡방(需雲雜方)>과 1670년대 한글 기록인 <음식디미방>에서 목격할 수 있으며, 두 문헌이 경상도 지역을 기반으로 한 문헌이라는 점에서 사실에 주목할 필요가 있다.

그런데 문제는 동일한 표기의 '동양주(冬陽酒)'가 같은 지역에서 양주되었으면서도 양주 방법에서 차이가 나타나고 있다는 사실 또한 필자의 궁금증을 불러일으켰다.

우선 <수운잡방>의 '동양주(冬陽酒)'는 매우면서도 부드러운 맛과 자두향과 같은 독특한 방향을 띤다는 것이 특징이며, <음식디미방>의 '동양주(冬陽酒)'는 물이 적게 사용된 데 따른 것으로, 술맛이 끈끈하고 매우 달작지근하며 살구꽃향과 매화향과 같은 짙은 향취를 자랑하는 까닭에 '동양주(冬陽酒)'는 남 주기가 아까울 정도이다.

개인적인 생각으로, 시대적으로 120년 앞선 기록인 <수운잡방>의 '동양주(冬陽酒)'가 드라이한 맛을 갖는 남성적인 술이라고 한다면, <음식디미방>의 '동양주(冬陽酒)'는 매우 여성적인 술이라고도 할 수 있으며, 두 가지 주방문에서 느껴지는 방향(芳香)이 흠잡을 데 없다고 생각한다. 이처럼 매력 있는 술이 바로 '동양주(冬陽酒)'이다.

<음식디미방>의 '동양주(冬陽酒)'를 복원했을 때, 우리나라의 전통주가 이렇게 좋은 방향을 갖는다는 사실에 놀랐고, 이후 강의를 다닐 때마다 술 빚기에 따른 방향을 살리는 양주기술에 대해 강조하곤 하였는데, '석탄향(惜呑香)'이나 '백화주(白花酒)'와 함께 '동양주(東陽酒, 冬陽酒)'와 같은 주품들이 속속들이 복원되어 상품화로 이어진다면, 한국의 양주 문화도 서양의 양주들과 당당히 어깨를

겨룰 수 있다는 자신감을 갖게 된 계기가 되었다.

술을 빚는 방법에 있어 '동양주(冬陽酒)'는 쌀가루로 물송편이나 구멍떡을 만들어 물 없이 누룩과 섞어 빚은 밑술에 찹쌀로 고두밥을 지어 덧술을 해 넣는데, <수운잡방>에서는 끓는 물 1말이 사용되나 <음식디미방>에서는 물이 사용되지 않아 각각 차이가 있음을 볼 수 있다.

따라서 '동양주(冬陽酒)'는 밑술도 중요하지만 덧술을 빚을 때 특히 요령이 필요하다. <수운잡방>의 '동양주(冬陽酒)'는 덧술을 할 때, 갓 쪄낸 고두밥과 팔팔 끓고 있는 물을 동시에 합하여 진고두밥을 만들어 사용하는 방법인데, 자주 뒤적이지 말아야 한다.

<음식디미방>의 '동양주(冬陽酒)'는 고두밥을 차게 식혀서 사용하는 것이 좋고, 밑술을 합할 때 고두밥에 골고루 묻힌 다음 고루 힘껏 치대어 주되, 고두밥이 인절미처럼 되지 않도록 해야 한다. 또 술독에 안칠 때는 다져서 공기를 빼주고, 두텁게 밀봉하여 따뜻한 곳에 두고 보쌈을 하여 주어야 발효가 원활해진다는 것을 잊지 말아야 한다.

'동양주(冬陽酒)'를 대략 6개월 정도 숙성시킨 후 마시면 더욱 아름다운 과일향기와 꽃향기를 느낄 수 있는데, 밑술의 물송편이나 구멍떡을 삶은 물이 맑아야 술 빛깔도 맑고 깨끗하며 향기 또한 더욱 좋아진다는 사실을 잊지 말아야 한다.

## 1. 동양주(冬陽酒) <수운잡방(需雲雜方)>

술 재료 : 밑술 : 멥쌀 1되, 누룩 2되
덧술 : 찹쌀 1말, 탕수 1말

술 빚는 법 :

* 밑술 :

1. 멥쌀 1되를 물에 백세하여 (물에 담가 불렸다가, 다시 씻어 헹궈 건져서) 세

말한다(고운 가루로 빻는다).
2. 쌀가루에 적당량의 뜨거운 물을 붓고, 익반죽하여 구멍떡을 빚는다.
3. 끓는 물솥에 구멍떡을 넣고 삶아서 떠오르면 건져, 식기 전에 된죽 상태로 푼다.
4. 떡이 차게 식었으면 좋은 누룩 2되를 섞고, 고루 힘껏 버무려 술밑을 빚는다.
5. 술독에 술밑을 담아 안친 다음, 예의 방법대로 하여 4일간 발효시킨다.

* 덧술 :
1. 찹쌀 1말을 물에 깨끗이 씻어 (물에 담가 불렸다가, 다시 씻어 헹궈 건져서 물기를 뺀 후) 시루에 안쳐서 왼이(온전하게 고른 상태의 고두밥)로 찐다.
2. 솥에 물 1말을 끓이고, 고두밥이 익었으면 넓은 그릇에 퍼내고, 즉시 끓는 물 1말을 고두밥에 섞어 고루 헤쳐 놓는다.
3. 고두밥이 끓는 물을 다 빨아들이면, 그릇 여러 개에 나눠 담고 차게 식기를 기다린다.
4. 차게 식은 고두밥에 밑술을 합하고, 고루 버무려 술밑을 빚는다.
5. 술밑을 술독에 담아 안친 다음, 예의 방법대로 하여 발효시킨다.

* 주방문 말미에 "그 맛이 꿀과 같다."고 하였다.

冬陽酒

白米一升百洗細末作孔餅好麴二升和釀隔四日粘米一斗百洗全蒸湯水一斗和飯待冷前酒合釀其味如蜜.

## 2. 동양주(冬陽酒) <음식디미방>

술 재료 : 밑술 : 멥쌀 2되, 누룩가루 2되, (떡 삶은 물 1~2사발)
덧술 : 찹쌀 2말

술 빚는 법 :

* 밑술 :

1. 멥쌀 2되를 (백세하여 물에 담가 불렸다가, 다시 씻어 헹궈서 물기를 뺀 후) 작말한다(가루로 빻는다).
2. 가마솥에 물을 넉넉히 붓고 끓이다가, 물이 뜨거워지면 3~4홉 정도를 떠서 쌀가루에 뿌리고 치대어 익반죽을 한다.
3. (물이 팔팔 끓으면 익반죽을 한 주먹씩 떼어 둥글납작한) 구멍떡을 빚어 물솥에 넣고 삶는다.
4. 구멍떡이 익으면 떠오르므로 건져서 멍우리 없이 풀고, 구멍떡이 식어 잘 풀어지지 않으면 떡 삶은 물 1~2사발을 조금씩 쳐가면서 풀고 (뚜껑을 덮어) 차게 식기를 기다린다.
5. 식은 떡에 누룩가루 2되를 섞어 넣고, 고루 버무려 술밑을 빚는다.
6. 술밑을 술독에 담아 안치고 예의 방법대로 하여 3일간 발효시킨다.

* 덧술 :

1. 찹쌀 2말을 물에 가장 많이 씻는다(백세하여 물에 담가 불린 후, 다시 씻어 헹궈서 물기를 뺀다).
2. 물을 뺀 찹쌀을 시루에 안치고, (찬)물을 뿌려 푹 쪄서 무른 고두밥을 짓는다.
3. 고두밥이 익었으면 풀어 헤쳐서 식히는데, 약간의 온기가 남아 있을 때 발효가 끝난 밑술과 섞고, 고루 버무려 술밑을 빚는다.
4. 술밑을 술독에 담아 안치고 예의 방법대로 하여 발효시키는데, 여름철이면 중탕한다.

* 매우 특별한 향기와 단맛이 강한 술이다. <수운잡방>에서는 덧술에 물이 사용된다.

동양쥬

ᄇᆡᆨ미 두 되 작말ᄒᆞ여 구무썩 눅게 ᄆᆡᆫᄃᆞ라 ᄉᆞᆯ마 식거든 국말 두 되 섯거 ᄃᆞᆺ다가 사ᄒᆞᆯ 만애 ᄎᆞᆸᄡᆞᆯ 두 말 ᄀᆞ장 ᄆᆞ이 시어 믈 ᄲᆞ려 닉게 ᄶᅧ 식지 아닌 적의 몬져 밋틔 섯거 녀허 녀름이어든 즁탕ᄒᆞ라.

## 3. 동양주(冬陽酒) <한국의 명주>

술 재료 : 밑술 : 멥쌀 2되, 누룩가루 2되, (떡 삶은 물 1~2사발)
덧술 : 찹쌀 2말

술 빚는 법 :

* 밑술 :

1. 멥쌀 2되를 (백세하여 물에 담가 불렸다가, 다시 씻어 헹궈서 물기를 뺀 후) 작말한다(가루로 빻는다).
2. 가마솥에 물을 넉넉히 붓고 끓이다가, 물이 뜨거워지면 3~4홉 정도를 떠서 쌀가루에 뿌리고 치대어 익반죽을 한다.
3. (물이 팔팔 끓으면 익반죽을 한 주먹씩 떼어 둥글납작한) 물송편을 빚어 물솥에 넣고 삶는다.
4. 물송편이 익으면 떠오르므로 건져서 멍우리 없이 풀고, 구멍떡이 식어 잘 풀어지지 않으면 떡 삶은 물 1~2사발을 조금씩 쳐가면서 풀고 (뚜껑을 덮어) 차게 식기를 기다린다.
5. 식은 떡에 누룩가루 2되를 섞어 넣고, 고루 버무려 술밑을 빚는다.
6. 술밑을 술독에 담아 안치고 예의 방법대로 하여 3일간 발효시킨다.

* 덧술 :

1. 찹쌀 2말을 준비한다(백세하여 물에 담가 불린 후, 다시 씻어 헹궈서 물기를 뺀다).
2. 물을 뺀 찹쌀을 시루에 안치고, (찬)물을 뿌려 푹 쪄서 무른 고두밥을 짓는다.
3. 고두밥이 익었으면 풀어 헤쳐서 식히는데, 약간의 온기가 남아 있을 때 발효가 끝난 밑술과 섞고, 고루 버무려 술밑을 빚는다.
4. 술밑을 술독에 담아 안치고 예의 방법대로 하여 발효시켜 익힌다.

동양주(冬陽酒)

백미 두 되는 가루를 내어 물송편을 만들어 삶아 식으면 누룩가루 두 되를 섞어 넣었다가, 사흘 만에 덧술을 넣는다. 찹쌀 두 말을 잘 쪄서 아주 식기 전에 밑술에 섞어 익힌다.

# 동정춘

## 스토리텔링 및 술 빚는 법

필자가 '동정춘(洞庭春)'을 복원하고 난 후 소감을 물었을 때 한마디로 "행복하다."였고, "동정춘에 반해 버렸다."는 말로 주품에 대한 감상평을 표현해 왔다. 그리고 졸작이지만 처음으로 술과 관련된 시조 한 편을 써볼 생각을 하게 된 것도 '동정춘' 때문이었다. 술을 빚기 시작한 이래 술 시를 써보기는 23년 만의 일이다.

한세상 산다는 것 그늘 있게 마련이나
맑은 물에 머리 풀고 깊은 삼매(三昧)에 들면,
하늘빛 창끝 같은 날에도 청량한 생각 인다.

젊은 날 마음 아픈 꿈은 처마 밑 서리 같아.
신새벽 설친 잠자리에 갈아드는 청향(淸香)처럼
두세 잔 반주(飯酒)에 취한 나를 다시 취하게 하나니.

그저 술 빚기를 좇을 뿐 다른 뜻을 두지 않았는데,
시인(詩人)의 만언(萬言)으로도 못다 한 한 사발의 술 향기여.
이승의 마지막 순간에도 동정춘(洞庭春)에 취할 수 있기를.
—'동정춘(洞庭春)을 마시며' 전문

필자의 감흥이 이러한데, 주선(酒仙)으로도 불렸던 동파(東坡) 소식(蘇軾)의 감흥은 어떠했을까?

지난해에 마셨던 동정춘의 향내가 아직도 손에서 난다.
금년의 동정춘은 옥빛처럼 술이 아닌 것만 같네.
병 속의 향기는 방에 가득하고 술잔의 빛은 문창에 비친다.
좋은 이름을 붙이고 싶을 뿐 술의 양은 묻고 싶지 않네.
시를 낚는 갈고리라고도 하겠고, 시름을 쓸어버리는 비라고도 하겠네.
그대여! 그 잔에 넘실넘실하게 부어 나의 친구도 마시게 해다오.
—'동정춘', 동파 소식

또 <동문선(東文選)>에 '팔관일호종(八關日扈從)'이란 제목의 시에서도 '동정춘'의 찬사를 볼 수 있다.

五鳳樓高敞黼筵(높은 오봉루에 보불 자리를 널찍하게 펴놓으니)
佳期適及一陽天(아름다운 절기는 마침 동짓달이네.)
戒香已遍三千界(팔관에 재계하는 향은 이미 온 세상에 두루 퍼졌고)
鼎祚應經八百年(제왕의 자리는 응당 팔백 년을 지났을 것이네.)
雲帆一片渡鯨波(한 조각 구름 돛배로 거센 파도를 건너니)
金橘千苞帶露華(천 가지 황금 귤에 이슬이 빛나게 띠었고)
宴罷歸來雙袖重(잔치를 끝내고 집으로 돌아오는데 양 소매가 묵직하고)
洞庭春色散千家(동정춘의 향내가 천 집으로 흩어지네.)

술을 빚어본 사람이면 알 수 있겠지만, 맛있는 술을 얻기가 결코 수월치 않다는 것을 경험했을 터이다. 그리고 맑은 술은 더욱 어렵고, 여기에 더하여 향기가 좋은 술은 더더욱 힘들다는 것을.

이후 필자는 '동정춘'을 가양주로 보급해야겠다는 생각을 하게 되었고, '박록담의 전통주교실' 교육 과정에 반영하여 제자들에게 그 비법을 전수해 준 바 있다. 그리고 제자들과 함께 각종 행사와 전시회, 시음행사에 '동정춘'을 출품, 그 맛과 향기를 알리는 노력을 통해 대중을 설득하기 시작했고, 필자의 저서마다 우리나라 술의 세계화에 대한 가능성과 방향을 제시하는 기준과 근거로 '동정춘'을 삼았기 때문에, '동정춘'은 꽤 널리 알려진 술이 되었다.

그러자 얼마 안 되어 모 기업에서 '동정춘'을 복원하여 상품으로 출시하기 시작했다. '이화주'와 '과하주'도 마찬가지로, 우리 술의 맛과 향기에 대한 얘기가 회자되기 시작하여 필자의 의도대로 상당 수준까지 대중의 관심을 불러일으키기에 충분했다고 생각했는데, 연이어 '이화주'와 '과하주'도 출시되었다는 얘기가 들려오기 시작했다.

그 소식을 제자들도 알게 되었는지 찾아와 "이런 속담이 있다."며 넌지시 위로삼아 건네준 말이 "재주는 곰이 부리고 돈은 중국 놈이 먹는다."는 속담이었다. 위로를 겸하여 "왜 상품화 하지 않습니까?" 하는 제자들에게 필자가 건네준 답은 "잘된 일이다. 이 바람을 타고 '동정춘'이나 '이화주' '과하주' 등에 대한 관심이 높아질수록 우리나라의 양주문화와 소비자 의식은 한 단계 성숙될 것이다."고 말한 바 있다. '동정춘'으로 인해 우리 전통주의 고질병으로 인식되었던 '누룩 향'에서 술 향기인 '방향(芳香)' 대한 관심을 불러일으킬 수 있으리라는 기대 때문이었다.

'동정춘'을 기록하고 있는 문헌은 <임원십육지(林園十六志)>와 <조선무쌍신식요리제법(朝鮮無雙新式料理製法)>이다. 두 문헌의 출간 연대가 상당한 차이를 보이고 있음에도 주방문이 동일한 것으로 미루어, 널리 보급 또는 대중화되지는 못했던 것 같다.

<임원십육지>의 주방문을 빌면, "멥쌀 1되의 쌀가루로 커다란 공병(孔餅) 3개를 만들어 1사발의 물로 삶아낸 다음, 떡을 죽처럼 풀어서 식으면 누룩가루 1되와 어울려 밑술을 빚고 4일간 발효시킨다. 다시 찹쌀 1말을 고두밥 지어 먼저 빚어둔

밑술과 합하여 고루 저어준 뒤 발효시킨다."고 하였다. 이상의 방문에서 생각할 수 있듯 어떻게 보면 매우 간단하면서 별다른 특징을 찾을 수 없다는 생각이 든다.

그런데 여기에 '동정춘'의 비법이 고스란히 담겨 있다고 해도 과언이 아니다. 다시 말하면 '동정춘'이 다른 방문과 분명하게 다른 몇 가지 특징을 살필 수 있다는 것이다. 즉, 밑술을 빚는 방법이 지금까지 목격하지 못했던, 1사발의 물에 1되의 쌀가루로 만든 떡을 삶아낸 떡으로, 떡이 타지 않게 하여야 한다는 점에서 삶는 떡과는 다른 형태의 술 빚기라는 사실이다.

또한 밑술에 사용되는 물은 떡을 삶아낼 때 물 1사발과 쌀가루를 익반죽할 때 사용되는 1~2홉 정도의 따뜻한 물 외에 별도의 양주용수가 사용되지 않는다는 사실이다. 때문에 1사발의 물을 시루밑물로 사용하여 떡을 쪄내는 방법이 훨씬 유용하다고 할 수 있어, 구멍떡을 삶는 대신 쪄내고, 남은 시루밑물을 떡에 합하여 으깨면 훨씬 작업이 편하고, 떡이 타거나 솥에 눋는 것을 방지할 수 있다.

어떻든 문제는 먼저 빚어둔 밑술의 양이 1되 정도의 분량으로, 이 밑술 양을 가지고 덧술의 고두밥 1말을 버무려서 발효가 잘 일어나도록 해야 한다는 사실이다. 그러므로 '동정춘'은 그 어떠한 술보다 지혜가 필요하고, 특히 잘 치대어 주어야 한다. 또 밑술용 떡을 삶을 때는 미리 물을 끓여두었다가 팔팔 끓는 물을 사용하고, 반죽은 무르고 질게 얇게 만들어야 하며, 삶아낸 떡을 풀 때도 뜨거울 때 재빨리 멍우리 없이 해내야만 한다. 떡이 식어 풀어지지 않으면 1사발 내의 뜨거운 물을 쳐가면서 풀도록 하는 요령도 필요하다.

덧술을 버무릴 때는 밑술을 골고루 나눠 붓도록 하고, 힘껏 치대어 주되 인절미처럼 늘어지지 않으면서 고두밥이 삭게 만들면 더욱 좋다. 술이 잘 버무려졌는지는 고두밥이 한 덩어리가 되어 그릇에서 잘 떨어지되, 그릇에는 고두밥이 군데군데 들러붙어 있어서는 안 된다는 것이다.

또 덧술을 안친 술독은 두텁게 밀봉해야 하고, 따뜻한 곳에서 발효시켜야 한다. 자칫 발효 중에 술덧이 말라서 발효가 중지되는 경향이 있는데, 이렇게 되면 반드시 산패하게 된다. 술독이 뜨거워지면서 쌀의 수분을 빼앗기 때문이다.

이러한 문제점을 터득하기까지 9말의 찹쌀이 필요했고, '동정춘'을 빚으면서 신혼 때도 멀쩡했던 두 무릎이 두 번이나 벗겨졌다.

'동정춘'은 술을 빚기 시작해서 다 익기까지 6~8주 정도가 요구되는데, 여기서 얻어지는 술의 양이 청주 1되 2홉, 탁주 3되 5홉 정도에 그쳐 너무 허망하다는 생각이 들 정도이다. 따라서 '동정춘'은 그 어떤 술보다 빚기 힘든 데다 양이 적으니, 그만큼 비싼 술이라고 할 수밖에 없다.

그러나 한편 생각하면, '동정춘'과 같은 술이라야 술 마시는 데 따른 예절은 물론이고, 목구멍에 홍수가 나도록 퍼마시고 많이 마시는 것을 술 잘하는 것으로 여기는 무절제한 음주습관과 음주운전, 강권, 청소년 음주 등 우리 사회의 무례한 음주문화는 사라질지도 모른다는, 참으로 순진한 생각도 하기에 이른다.

## 1. 동정춘방 <임원십육지(林園十六志)>

술 재료 : 밑술 : 멥쌀 1되, 누룩가루 1되, 떡 삶은 물(식힌 것) 1사발
덧술 : 찹쌀 1말

술 빚는 법 :

* 밑술 :

1. 멥쌀 1되를 (백세하여 물에 담가 불렸다가, 다시 씻어 건져서 물기를 뺀 후) 가루를 만든다.
2. 쌀가루를 뜨거운 물로 익반죽하여, 구멍떡 3개를 만들어놓는다.
3. 솥에 물 1사발을 넣고 구멍떡을 삶아낸 다음, 뜨거울 때 멍우리진 것 없이 풀어서 차게 식기를 기다린다.
4. 떡에 누룩가루 1되와 떡 삶고 남은 물을 차게 식혀서 넣고, 고루 버무려 술독에 담아 안친다.
5. 술을 안친 독은 예의 방법대로 하여 독을 밀봉한 후 (따뜻한 곳에 이불로 싸서) 4일간 발효시킨다.

* 덧술 :

1. 찹쌀 1말을 (백세하여 물에 담가 불렸다가, 다시 씻어 건져서 물기를 뺀 후) 시루에 안쳐 고두밥을 짓는다.
2. 고두밥이 (무르게) 익었으면 퍼내고, 고루 펼쳐서 차게 식기를 기다린다.
3. 밑술에 고두밥을 합하고, 힘껏 치대어 술밑을 빚는다.
4. 술밑을 술독에 담아 안치고 예의 방법대로 하여 발효시키는데, 술이 익기를 기다려 술자루에 담아 압착 여과하여 마신다.

* 주방문 말미에 "술을 빚어 안칠 때 날물이 들어가지 않게 하고, 쇠로 된 그릇을 사용하지 않도록 한다. 술맛을 그르치게 된다."고 하였다. <조선무쌍신식요리제법>에도 '동정춘'이 수록되어 있다. <삼산방>을 인용하였다.

洞庭春方

白米一升作末造孔餠三介以水一鉢烹熟之待冷以麯末一升拌匀同烹餠水盛缸堅封口四日後粘米一斗烝熟放冷合前釀盛瓮待熟上槽切忌客水及鐵器. <三山方>.

## 2. 동정춘 <조선무쌍신식요리제법(朝鮮無雙新式料理製法)>

술 재료 : 밑술 : 멥쌀 1되, 누룩가루 1되, 물 1사발
덧술 : 찹쌀 1말

술 빚는 법 :

* 밑술 :

1. 멥쌀 1되를 (물에 깨끗이 씻어 불렸다가, 다시 씻어 건져서) 작말한다(가루를 만든다).

2. 쌀가루를 뜨거운 물로 익반죽하여 구멍떡 3개를 만들어놓는다.
3. 솥에 물 1사발을 넣고 끓여 구멍떡을 삶은 다음, 떡 삶은 물째 뜨거울 때 멍우리진 것 없이 풀어서 차게 식기를 기다린다.
4. 풀어놓은 떡에 누룩가루 1되를 넣고, 고루 버무려 술밑을 빚는다.
5. 술독에 술밑을 담아 안친 다음, 예의 방법대로 하여 (따뜻한 곳에 이불로 싸서) 4일간 발효시킨다.

* 덧술 :
1. 찹쌀 1말을 (물에 깨끗이 씻어 불렸다가, 다시 씻어 건져서 물기를 뺀 뒤) 시루에 안쳐 무른 고두밥을 짓는다.
2. 고두밥을 고루 펼쳐서 차게 식기를 기다린다.
3. 밑술에 고두밥을 넣고 고루 버무려 술밑을 빚는다.
4. 술밑을 술독에 담아 안친 뒤 예의 방법대로 하여 (두텁게 밀봉하고, 따뜻한 곳에 앉혀서) 발효시키는데, 술이 익으면 주조에 올려 압착 여과한다.

* 주방문 말미에 이르기를 "술을 거를 때 날물이 들어가지 않게 하고, 쇠로 된 그릇을 크게 꺼린다."고 하였다. 술맛을 그르치게 된다.
* <임원십육지>의 '동정춘방'은 밑술을 빚을 때 구멍떡 3개를 빚어서 물 1사발을 솥에 붓고, 그 물로 삶아서 술을 빚는다고 하여, 술 빚는 방법에서 차이가 없다.

동정춘

흔쌀 한 되를 작말하야 구무썩 세 개를 만드러 물 한 사발에 살마 식혀서 누룩가루 한 되를 고루 석거 썩 살문 물재 항아리에 담고 쏙 봉한 지 나흘 후에 찹쌀 한 말을 쪄 식혀서 전에 밋과 한테 버무려 독에 느코 익거든 주조에 올리되 싼 물과 쇠그릇을 대기하나니라.

# 동파주

스토리텔링 및 술 빚는 법

'동파(東坡)'는 중국 송(松)나라 때의 문장가로 알려진 소식(蘇軾)을 가리킨다. 동파는 시인으로서도 명성을 떨쳐 조선의 학자들을 비롯하여 시인묵객들에게 지대한 영향을 미쳤던 인물이다.

동파의 말투며 복식까지를 따라하고 흉내 내는 이른바 동파 열풍이 조선 땅에 생겼었는데, 매월당 김시습이 대표적인 인물이라는 것은 그를 추종하는 사람들의 글에서 쉽게 찾아볼 수 있다.

그런 동파는 양주에 조예가 깊었고 술맛 감정(鑑定)에도 뛰어났는데, 자신의 호를 딴 <동파주경(東坡酒經)>을 저술하기도 하였다. 그리고 <동파주경>은 <소씨주경(蘇氏酒經)>이라고도 불리는데, 이 기록이 조선의 사대부들에게 전파되면서 소위 '동파주(東坡酒)가 우리나라의 여러 문헌에 수록되어 있는 것을 목격할 수 있다.

'동파주'라는 술 이름을 인급하고 있는 문헌은 그 수를 파악하기 어렵고, 주방문을 수록하고 있는 문헌으로는 <임원십육지(林園十六志)>를 시작으로 <이씨

(李氏)음식법>, <양주방>*, <조선무쌍신식요리제법(朝鮮無雙新式料理製法)> 순이다. 가장 앞선 기록인 <임원십육지>가 상당수의 중국 문헌을 참고한 사실로 미루어, '동파주' 역시 <동파주경>을 참고하였다는 것을 알 수 있다.

실제로 '동파주방문'에 "밑술은 매우 맵고 약간은 쓰다가 덧술을 3번 하면 고르게 된다. 떡은 맹렬하고 누룩은 온화하니 넣은 것은 반드시 자주 맛을 보면서 더하고 빼는데 먹어보아 기준을 삼는다."고 하고, "술이 되고 나서 3일 만에 넣어서 9일 동안 3번 넣으니 모두 15일 뒤에 정해진다. 정해지고 나서 1말의 물을 붓는데, 반드시 끓여서 식힌 물을 붓는다. 빚는 것과 넣은 것은 반드시 차게 하여 넣는데, 이것은 염주(炎州)에서 시행되는 주령(酒令)이다. 물을 부은 지 5일이 되면 술을 걸러서 3말 반을 얻는데, 이것이 서충숙의 술을 빚는 법이다."고 하였다. 또 "깊은 맛이 들어 술이 최고조에 달하여 술을 거르고 바로 이어서 죽을 넣지 않고 조금 두면 술지게미가 마르고 바람을 맞아 술이 상한다. 술을 빚은 지 오래된 것은 술맛이 순박하고 풍부하지만 빚은 지 얼마 안 된 것은 이와 반대이다. 옛말에 술은 30일이 지나야 숙성된다고 하였다."고 하고, "<소씨주경(동파주경)>을 인용하였다."고 하여, 비교적 상세한 내용을 언급하고 있음을 볼 수 있다.

이로써 <임원십육지>를 통해 최초로 도입된 '동파주'는 후주를 포함하여 오양주법(五釀酒法)이던 것이 <이씨음식법>에서는 이양주법(二釀酒法)으로 생략되어 수록되었고, 다시 <양주방>*에서는 단양주법(單釀酒法)으로 간소화된 경향을 보여주고 있고, <홍씨주방문>에서는 '동파삼일주'라고 하여 속성주로 소개되는 경향을 엿볼 수 있다. 그리고 훨씬 후기의 <조선무쌍신식요리제법>에서는 <임원십육지>와 같은 오양주법의 '동파주' 주방문을 수록하고 있음을 엿볼 수 있다.

이와 같이 중국의 술 빚기가 우리나라에 도입된 것은 사실이지만, 우리 땅에 뿌리를 내리면서부터는 '우리 것'으로 변화를 거쳐 정착되는 경향을 확인할 수 있다. 특히 <임원십육지>의 '동파주방(東坡酒方)'은 해독하기가 매우 난해한데, 그 과정에서 일부러 생략하거나 복잡한 과정을 간소화시킨 것을 엿볼 수 있으며, 중국의 양주기법과 우리의 양주기법이 별반 차이가 없다는 것도 확인할 수 있는 계기가 되었다.

<임원십육지>의 '동파주방'을 빚을 때는 덧술을 빚는 간격을 3일로 하고 3회

반복하는 것을 원칙으로 한다는 것을 알 수 있으며, 술을 빚는 기간은 15일이며, 술이 익는 데 따른 마지막 덧술을 한 이후 주발효와 후발효 기간이 15일로서 30일 이상의 발효기간을 거쳐 완성된다는 것을 알 수 있다.

<임원십육지>의 '동파주방'에는 '후주(後酒)'하는 법을 엿볼 수 있는데, 3차 덧술을 모두 끝내고 술이 익으면 청주를 떠낸 다음, 죽을 쑤어서 누룩과 함께 다시 술밑을 빚어서 넣는 법이다. 이러한 방법은 우리의 양주기법에서도 더러 목격되는 바로, 색다를 것은 없다 하겠으나, 3차 덧술이 숙성되면 식힌 탕수를 부어두었다가, 전주(前酒)를 떠낸 후에 죽으로 빚은 '후주'를 해 넣는 것이 차이점이다.

<임원십육지>의 '동파주방'을 빚을 때 유의할 일은, 밑술의 흰무리떡이 반드시 차게 식은 뒤에 누룩과 탕수를 섞어 술을 빚되, 흰무리가 다 풀어져야 한다. 그렇지 않으면 반드시 넘치게 되어 술을 망치는 결과를 가져오므로, 떡을 먼저 끓인 물에 멍우리가 남지 않게 풀어서 차게 식히고 누룩을 섞는 방법이 좋다.

덧술을 여러 차례 하는 술일수록 밑술의 중요성이 강조되는데, 덧술에서 3차 덧술까지의 작업은 매우 쉽다. 다만, 고두밥과 탕수는 반드시 차게 식혀서 사용하면 별반 어려움 없이 3차 덧술을 끝낼 수 있고, 발효도 매우 잘 일어난다.

반드시 밑술의 상태를 확인하고 단맛이 적을 때 덧술을 하도록 하고, 매번 덧술을 할 때마다 술맛을 점검하여 술맛이 부드러워지고 향이 좋아지는 것을 보아가며 하되, 누룩의 양은 필요에 따라 감하는 것이 좋다.

## 1. 동파주 <양주방>*

술 재료 : 찹쌀 1말, 섬누룩 3되, 물 3사발

술 빚는 법 :

1. 법제한 섬누룩 3되를 물 3사발의 물에 담가 하룻밤 불렸다가, 제물에 체에 걸러 찌꺼기를 제거한 누룩물을 만들어놓는다.

2. 찹쌀 1말을 (물에 깨끗이 씻고 또 씻어 불렸다가) 일어 건져낸다(다시 씻어 헹궈서 건져 물기를 뺀다).
3. 찹쌀을 시루에 안쳐 고두밥을 짓는데, 꽤 (무르게) 찌고 익었으면 펴내고, 고루 펼쳐서 차디차게 식기를 기다린다.
4. 걸러둔 누룩물에 차게 식힌 고두밥을 섞고, 고루 버무려서 술밑을 빚는다.
5. 술밑을 술독에 담아 안친 후, 예의 방법대로 하여 3일간 발효시킨다.
6. 술이 익는 대로 용수를 박아 맑은 술을 떠낸다.

* <임원십육지>와 <조선무쌍신식요리제법>에는 오양주법의 '동파주'가 수록되어 있다. <양주방>*의 '동파주'는 앞의 문헌 기록과는 전혀 다른 방문으로, '부의주'와 별반 다를 바 없는 주방문이나, 다만, 섬누룩을 사용하고 그 양이 3배나 사용된다는 점에서 차이가 있을 뿐이다. 이는 3일 만에 술을 익히기 위한 방법이다.

동파쥬
졈미 ᄒᆞᆫ 말 ᄇᆡᆨ셰ᄒᆞ야 담으고 셥누록 서 되를 물 세 식긔예 담가다가 다문 쌀을 닉게 쎠 누록 다문 거술 거르ᄃᆡ 군물 말고 걸너 즈의란 ᄇᆞ리고 밥을 ᄎᆡ와 누록물의 버무려 너허다가 삼일 후 쓰라.

## 2. 동파주 <이씨(李氏)음식법>

술 재료 : 밑술 : 멥쌀 1말, 가루누룩 2되, 백비탕 5되
덧술 : 멥쌀 2말, 백비탕 1말 5되

술 빚는 법 :
* 밑술 :

1. 멥쌀 1말을 물에 담가 불렸다가 (다시 새 물에 깨끗이 헹궈서 물기를 빼고 작말한 후) 넓은 그릇에 담아놓는다.
2. 끓는 물 5되를 백비탕으로 끓여 쌀가루에 골고루 붓고, 주걱으로 고루 개어서 반생반숙의 범벅을 쑨다.
3. 범벅을 넓은 그릇에 나눠 담고, 서늘한 곳에 두어 밑까지 차디차게 식기를 기다린다.
4. 범벅에 가루누룩 2되를 한데 합하고, 고루 힘껏 치대어 술밑을 빚는다.
5. 술독에 술밑을 담아 안치고, 날물기를 절대 들이지 말고, 단단히 봉하여 6일간 발효시키고 익기를 기다린다.

* 덧술 :
1. 멥쌀 2말을 (백세하여) 물에 담가 불렸다가 (다시 새 물에 깨끗이 헹궈서 물기를 뺀 후) 시루에 안쳐서 고두밥을 짓는다.
2. 물 1말 5되를 백비탕으로 끓이다가, 고두밥이 익었으면 시루에서 퍼내고, 끓는 물을 합하고, 주걱으로 고루 헤쳐 놓는다.
3. 고두밥이 물을 다 먹었으면, 돗자리나 넓은 그릇 여러 개에 나눠 담고 매우 차게 식기를 기다린다.
4. 차게 식힌 고두밥에 밑술을 섞고 고루 버무려 술밑을 빚되, 일절 날물기를 들이지 말아야 한다.
5. 술밑을 술독에 담아 안치고, 예의 방법대로 하여 김이 새어나가지 않게 덮어 발효시켜서 익기를 기다린다.

* '동파주'는 단양주와 오양주가 주류를 이루는데, 이양주법의 '동파주'는 <이씨음식법>에서 처음 목격된다. <임원십육지>나 <조선무쌍신식요리제법>의 주방문과는 전혀 다른 주방문이라고 할 수 있다. 이 이양주법의 '동파주'가 <임원십육지> 등의 주방문에서 파생된 것인지, 아니면 <동파주경>의 또 다른 '동파주'인지는 알 수가 없다.

동파쥬

ᄇᆡᆨ미 ᄒᆞᆫ 말 ᄇᆡᆨ셰ᄒᆞ야 물 닷 되 ᄇᆡᆨ비탕 ᄭᅳᆯ혀 ᄯᅥᆨ가로의 ᄶᅧ 부어 ᄀᆡ면 반ᄉᆡᆼ반슉 될 거시니 ᄆᆡ우 차게 식여 가로누룩 두 되 넉넉 고로고로 셕거 ᄆᆡ우 쳐 항의 너흐되 날물 일금ᄒᆞ고 단단 봉ᄒᆞ여 ᄂᆞᆨ 일 만의 ᄇᆡᆨ미 두 말 당갓다가 ᄉᆞᆷ일 지ᄂᆡ거든 슐밥 물 ᄲᅮ려 가며 익게 ᄶᅧ 차게 식여 술밋ᄒᆡ 버무려 칠 일 후 ᄡᅳ되 덧ᄒᆞᆯ 적 ᄇᆡᆨ비탕 말 닷 되 ᄭᅳᆯ혀셔 밥 ᄶᅵᆫ ᄃᆡ 퍼부어 두어다가 ᄆᆡ우 ᄎᆞ거든 범무려 항의 너흐라 날물긔 일금ᄒᆞ고 김 아니 나게 덧푸라.

## 3. 동파주방 <임원십육지(林園十六志, 高麗大本)>

술 재료 : 밑술 : 멥쌀 3말, 정화누룩 3냥, 끓여 식힌 물(5되)
덧술 : 멥쌀 5되, 정화누룩 3냥
2차 덧술 : 멥쌀 5되, 정화누룩 3냥
3차 덧술 : 멥쌀 5되, 정화누룩 3냥, 끓여 식힌 물 1말
후주법 : 멥쌀 5되, 정화누룩 4냥, 누룩 4냥, 끓여 식힌 물 1말 5되

술 빚는 법 :

* 밑술 :

1. 멥쌀 3말을 (백세하여 물에 담가 불렸다가, 다시 씻어 건져서 물기를 뺀 후) 작말한다.
2. 쌀가루를 시루에 안치고 쪄서 흰무리떡을 짓는다.
3. 흰무리떡이 익었으면 퍼내고, 고루 펼쳐서 (덩어리가 없게 풀어서) 차게 식기를 기다린다.
4. 흰무리떡에 정화누룩 3냥과 끓여 식힌 물(5되)을 합하고, 고루 버무려 술밑을 빚는다.
5. 술밑을 술독에 담아 안치고, 예의 방법대로 하여 우물에 담가 3일간 발효

시킨다.

* 덧술 :

1. 멥쌀 5되를 백세하여 하룻밤 불렸다가, 다시 씻어 건져서 물기를 뺀 후 시루에 안쳐서 무른 고두밥을 짓는다.
2. 고두밥을 고루 펼쳐서 차게 식기를 기다린다.
3. 고두밥과 정화누룩 3냥, 밑술을 한데 섞고, 고루 버무려 술밑을 빚는다.
4. 술밑을 술독에 담아 안치고, 예의 방법대로 하여 3일간 발효시킨다.

* 2차 덧술 :

1. 멥쌀 5되를 백세하여 하룻밤 불렸다가, 다시 씻어 건져서 물기를 뺀 후 시루에 안쳐서 무른 고두밥을 짓는다.
2. 고두밥을 고루 펼쳐서 차게 식기를 기다린다.
3. 고두밥과 정화누룩 3냥, 덧술을 한데 섞고, 고루 버무려 술밑을 빚는다.
4. 술밑을 술독에 담아 안치고, 예의 방법대로 하여 3일간 발효시킨다.

* 3차 덧술 :

1. 멥쌀 5되를 백세하여 하룻밤 불렸다가, 다시 씻어 건져서 물기를 뺀 후 시루에 안쳐서 무른 고두밥을 짓는다.
2. 고두밥을 고루 펼쳐서 차게 식기를 기다리고, 물 1말을 팔팔 끓여서 차게 식힌다.
3. 고두밥과 정화누룩 3냥, 2차 덧술을 한데 섞고, 고루 버무려 술밑을 빚는다.
4. 술밑을 술독에 담아 안치고, 예의 방법대로 하여 3일간 발효시킨다.
5. 독 안에 끓여 식힌 물 1말을 붓고 덮어두었다가, 5일 후에 거르면 맑은 술 3말 5되를 얻는다.

* 후주법 :

1. 멥쌀 5되를 백세하여 하룻밤 불렸다가, 다시 씻어 건져서 물기를 뺀다.

2. 불린 쌀을 물 1말 5되에 넣고, 팔팔 끓여 죽을 쑤어서 차게 식기를 기다린다.
3. 죽에 정화누룩 4냥, 술을 거르고 남은 재강(찌꺼기)을 한데 섞고, 고루 버무려 술밑을 빚는다.
4. 술밑을 술독에 담아 안치고, 예의 방법대로 하여 5일간 발효시킨다.
5. 5일 후에는 술이 덜 익었지만, 체에 거르면 1말 5되 정도를 얻을 수 있다.
6. 거른 탁주를 먼저 채주하여 둔 잘 익은 술을 합하여 5말을 만들고 숙성시켰다가, 5일 후에 마시면 부드러우면서도 술이 독하다.

* 주방문 머리에 "남쪽 지방에서는 찹쌀 또는 멥쌀에 풀과 약을 섞어서 떡을 만든다. 냄새를 맡으면 향기롭고 씻으면 맵고 속이 비고 가벼우니 이것이 떡 중에 좋은 것이다. 내가 처음에 밀가루를 가지고 반죽하여 생강즙을 섞어 쪄서 열십자로 갈라 새끼로 꿰어 바람을 쏘이면 오래될수록 더욱 성미가 강해지니 이것이 누룩 가운데 좋은 것이다."고 하여 누룩 '정화곡'을 만드는 법을 소개하고 있다.
* '염주(炎州)'는 중국 남쪽지방의 한 주(州)이다. '주령(酒令)'은 술과 관련된 명령(법)이다.

東坡酒方

南方之氓以糯與杭雜以卉藥而爲餠嗅之香嚼之辣揣之哼然而(輕)此餠之良者也吾始取麪而起之和之以薑汁蒸之使十裂繩穿而風戾之愈久而盖悼此麴之精者也米五斗爲率而五分之爲三斗者一爲五升者四三斗者以釀五升者以投三投而止尙有五升之贏也始釀以四兩之餠而每投以三兩之麴皆澤以少水足以解散以匀 停也釀者必甕按而井泓之三日而井溢此吾酒之萌也甚烈而微苦盖三投而後平也凡餠烈而麴和投者必屢嘗而增損之以舌爲權衡也旣溢之三日乃投九日三投通十有五日而後空旣空乃注以斗水凡水必熟冷者也凡釀與投必寒之而後下此矣州之令也旣水五日乃篘得三斗有半此吾酒之正也先篘半日取所謂贏者爲粥米一兩水三之操以餠麴凡四兩二物並也投之(糟)中熟潤而再釀之五日壓得斗有半此吾酒之少勁者也勁正合爲五斗又五日而飮則和而力嚴而猶也篘

不旋(踵)而粥投之少留則(糟祐)中風而酒病也釀久者酒淳而豊速者反是故吾酒三十日而成也.<蘇氏酒經>.

## 4. 동파주 <조선무쌍신식요리제법(朝鮮無雙新式料理製法)>

술 재료 : 밑술 : 멥쌀 3말, 정화누룩 4냥, 끓여 식힌 물 5되(1말)
덧술 : 멥쌀 5되, 누룩 3냥, 끓여 식힌 물 5되
2차 덧술 : 멥쌀 5되, 누룩 3냥, 끓여 식힌 물 5되
3차 덧술 : 멥쌀 5되, 누룩 3냥, 끓여 식힌 물 1말
4차 덧술 : 멥쌀 5되, 정화곡 4냥, 누룩 4냥, 끓인 물 1말 5되

술 빚는 법 :
* 밑술 :
1. 멥쌀 3말을 백세하여 하룻밤 불렸다가, 다시 씻어 건져서 물기를 뺀 후 시루에 안쳐서 무른 고두밥을 짓는다.
2. 고두밥을 고루 펼쳐서 차게 식기를 기다린다.
3. 고두밥에 누룩가루 4냥과 끓여 식힌 물 5되(1말)를 붓고, 고루 버무려 술밑을 빚는다.
4. 술밑을 술독에 담아 안치고, 예의 방법대로 하여 술독을 우물에 담가서 3일간 발효시킨다.

* 덧술 :
1. 멥쌀 5되를 백세하여 하룻밤 불렸다가, 다시 씻어 건져서 물기를 뺀 후 시루에 안쳐서 무른 고두밥을 짓는다.
2. 고두밥을 고루 펼쳐서 차게 식기를 기다리고, 물 5되를 팔팔 끓여서 차게 식힌다.

3. 고두밥과 누룩 3냥, 밑술을 한데 섞고, 고루 버무려 술밑을 빚는다.
4. 술밑을 술독에 담아 안치고, 예의 방법대로 하여 9일간 발효시킨다.

* 2차 덧술 :
1. 멥쌀 5되를 백세하여 하룻밤 불렸다가, 다시 씻어 건져서 물기를 뺀 후 시루에 안쳐서 무른 고두밥을 짓는다.
2. 고두밥을 고루 펼쳐서 차게 식기를 기다리고, 물 5되를 팔팔 끓여서 차게 식힌다.
3. 고두밥과 누룩 3냥, 덧술을 한데 섞고, 고루 버무려 술밑을 빚는다.
4. 술밑을 술독에 담아 안치고, 예의 방법대로 하여 9일간 발효시킨다.

* 3차 덧술 :
1. 멥쌀 5되를 백세하여 하룻밤 불렸다가, 다시 씻어 건져서 물기를 뺀 후 시루에 안쳐서 무른 고두밥을 짓는다.
2. 고두밥을 고루 펼쳐서 차게 식기를 기다리고, 물 1말을 팔팔 끓여서 차게 식힌다.
3. 고두밥과 누룩 3냥, 2차 덧술을 한데 섞고, 고루 버무려 술밑을 빚는다.
4. 술밑을 술독에 담아 안치고, 예의 방법대로 하여 15일간 발효시킨다.
5. 독안에 끓여 식힌 물 1말을 붓고 덮어두었다가, 5일 후에 거르면 맑은 술 3말 5되를 얻는다.

* 4차 덧술 :
1. 멥쌀 5되를 백세하여 하룻밤 불렸다가, 다시 씻어 건져서 물기를 뺀다.
2. 불린 쌀을 물 1말 5되에 넣고, 팔팔 끓여 죽을 쑤어서 차게 식기를 기다린다.
3. 죽에 정화곡 4냥, 누룩 4냥, 술을 거르고 남은 재강(찌꺼기)을 한데 섞고, 고루 버무려 술밑을 빚는다.
4. 술밑을 술독에 담아 안치고, 예의 방법대로 하여 5일간 발효시킨다.
5. 술이 익었으면 체에 거르는데, 1말 5되 정도를 얻을 수 있다.

* 주방문 서두에 "동파(소식) 선생이 가로되, 난방에 백성이 찹쌀과 멥쌀에 풀과 약을 섞어서 떡을 만드나니, 마르면 향기롭고 씹으면 맵고, 만든 것이 속이 비어 가벼우니 이 떡을 좋다 하나니라. 내가 처음에 밀가루를 가지고 치고 주물러 강즙에 찧어서 열십자로 찢어서 노끈을 꿰어 바람을 쏘였더니 오랠수록 더욱 굳세니, 이것이 누룩의 정기니라."고 하여 누룩 제조법이 떡 만드는 법에서 착안하였음을 소개하고 있다. 또 처음 빚은 술의 맛에 대하여 "이것이 내 술의 싹(주지맹, 酒之萌)이라. 술이 처음 싹이 심히 맹렬하고 조금 쓰다. 세 번만 위를 덮으면 평평하리라. 무릇 떡(精華麯)은 맹렬하고 누룩을 화하는 것이니, 위 덮을 때 여러 번 맛을 보아가며 더하고 감하는 것을 혀로써 저울을 삼을지니라."고 하였다. "무릇 빚는 것이나 위덮는 것이 반드시 찬 뒤에 넣는 것은 이것이 염주(炎州)의 영(令)이니라."고 하였다.

동파주(東坡酒)

동파 선생이 갈오되 남방에 백성이 찹쌀과 멥쌀에 풀과 약을 석거서 썩을 만드나니 마트면 향기롭고 씹으면 맵고 만든 것이 속이 비여 갑여우니, 이 썩을 조타 하나니라. 내가 처음에 밀가루를 가지고 치고 주물러 강집에 써서 열십자로 씨저서 노끈을 쇠여 바람을 쇠엿드니 오랠스록 더욱 굿세니 이것이 누룩의 정기니라. 쌀이 닷 말이 법이 되면 오분에 서 말된 것이 하나이요 닷 되 되는 것이 넷이니 서 말은 밋흘 비지고 닷 되식 세 번을 덥흐면 도리여 닷 되가 남나니라. 처음 비질 제 썩을 넉 량중 느코 한 번 덥흘 제 누○ 석 량중을 늣나니 다 물은 저거야 잘 풀리고 고르게 되나니라. 빗는 것을 독을 우물에 느어 두면 사흘 안에 우물이 넘치나니 이것이 내 술의 싹(酒之萌)시라. 술이 처음 싹시 심이 맹렬하고 조금 쓰다가 세 번만 우를 더픈 후면 평평하니라. 무릇 썩은 맹렬하고 누룩을 화하는 것이니 우더풀제 여러 번 맛을 보아가며 더하고 갑하는 것을 서(舌)로써 저울을 삼을지니라. 임이 넘처진 지 사흘 만에 우올 더프면 아흘에 만에 세 번 더프면 다섯 번에 보름 후에야 정하나니 임의 정한 후에 말물(斗水)을 붓되 끄려 식혀서 붓나니라. 무릇 빗는 거나 우덥는 것이 반듯이 찬 뒤에 늣는 것은 이것이 염주(炎州)의 령(令)이니라. 물을 분 지 닷세 만에 걸으면 서 말가웃을 엇는 것이 이것이 내 술에 바른 것이니라. 걸은 지 반일 만에 이왕 나맛든 닷 되 쌀을 죽 만들 제 물은 삼곱을 느코 쩍과 누룩은 각 넉 량중을 모다 석거 재강에 느코 익힌지 닷세 만에 눌으면 쏘 말가웃 술을 엇나니, 이것이 내 술에 조금 굿센 것이라. 굿센 것이 모다 닷 말이 되나니 쏘 닷세 만에 마시면 힘이 엄(力嚴)하고 사오나우니라. 걸는데 곳 죽을 느으면 조금 잇다 재강이 말나 바람을 당하야 술이 병드나니라. 술을 비진 지가 오래면 술이 순박하고 풍성하며 속하면 이것과 되집힌 고로 내 술은 한달 만에 되나니라. 동파 선생의 주경(酒經)에 말한 것이라.

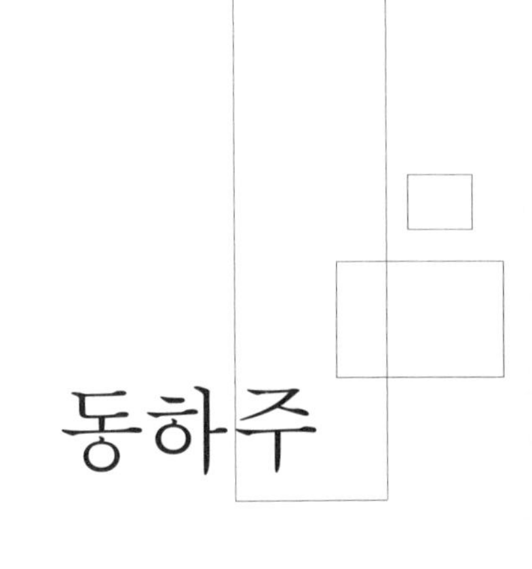

# 동하주

스토리텔링 및 술 빚는 법

유감스럽게도 '동하주(冬夏酒)'란 술 이름에 대해서는 아는 바가 없거니와, 그 제조 방법에 있어서나 실질적인 술 빚기에서도 술 이름과 관련한 해답을 찾을 길이 없었다는 것을 밝힌다.

이는 아직도 전통주에 대한 이해나 공부가 부족하다는 사실에 다름 아니며, 네 차례에 걸친 술 빚기를 통해서도 그 해답을 찾지 못한 사실에 대해 그 어떤 변명도 하지 않겠다. 다만 나름의 추론을 언급하고자 한다. 내용인 즉 "동하주란 '겨울철에 빚어두면 여름까지 마실 수 있는 술이다.'는 뜻에서 유래한 술 이름이 아닐까." 하는 추측인 것이다.

특히 술의 양이 많은 데서 그와 같은 추측이 가능하게 되었다. 본 방문을 통해 얻을 수 있는 술의 양은 12말인데 하루 한두 차례의 반주용으로 마신다고 했을 때, 이 정도의 양이면 겨울에 마시기 시작하여 여름철까지는 가능할 것이기 때문이다.

'동하주'는 1500년대 초엽 김유에 의해 저술된 <수운잡방(需雲雜方)>에 처음 등장하는데, 다른 문헌에서는 찾아볼 수 없다.

<수운잡방>의 주방문에서 보듯 '동하주'는 밑술을 범벅으로 하고, 덧술을 고두밥에 끓는 물을 합하여 만든 진고두밥으로 하여 빚기 때문에 비교적 빠른 시간에 발효가 이뤄지고, 알코올 도수도 높은 술이 만들어진다.

'동하주'를 빚을 때 주의할 일은, 밑술과 덧술 두 차례 모두 쌀의 양과 물의 양이 동일하게 사용되는 것을 볼 수 있는데, 15말의 쌀에 누룩의 양은 5되밖에 안 되므로, 덧술 발효 시 온도 조절이나 보온이 잘못되면 자칫 실패하거나 감패를 초래하고, 또 지용발효가 일어날 수 있다는 점이다.

따라서 누룩의 양을 더 늘려줄 필요가 있는데, 본 방문대로 하고자 하면 밑술의 누룩을 가루로 빻아 고운체에 내려서 만든 매우 고운 누룩가루를 사용하여 빚도록 하고, 밑술의 발효 상태를 보아가며 결정할 일이나, 염려되면 덧술을 할 때 누룩을 5되 정도는 추가하여도 무방하다. 아니면 물의 양을 5말 정도로 줄일 필요가 있다.

특히 주방문에 나타나 있는 재료의 비율대로 수차례 '동하주'를 빚어본 결과로는, 기록에서 보듯 9일 만에 완숙되지는 않았으며, 5~7일의 시일이 더 소용되었는데, 마치 '벽향주'와 같은 약간 쓴맛이 두드러져 대주가들이 선호할 만하였다.

'동하주'에 후수(後水)하여 5일 만에 채주하여 마신 결과, 훨씬 부드럽고 담백한 맛을 즐길 수가 있었다. 향기는 그다지 아름답지 못하였다.

## 동하주 <수운잡방(需雲雜方)>

술 재료 : 밑술 : 멥쌀 5말, 누룩가루 5되, 끓는 물 5말
덧술 : 멥쌀 10말, 끓는 물 10말

술 빚는 법 :

* 밑술 :

1. 멥쌀 5말을 백세하여 물에 담가 하룻밤 불렸다가 (다시 씻어 헹궈서 물기를 뺀 후) 작말한다(가루로 빻는다).
2. 쌀가루에 끓는 물 5말을 골고루 붓고, 주걱으로 고루 개어 반쯤 익힌 범벅을 쑨 뒤 (넓은 그릇 여러 개에 나눠 담고) 차게 식기를 기다린다.
3. 범벅에 누룩가루 5되를 합하고, 고루 힘껏 치대어서 술밑을 빚는다.
4. 술독에 술밑을 담아 안치고, 예의 방법대로 하여 5일간 발효시킨다.

* 덧술 :
1. 멥쌀 10말을 백세하여 물에 담가 하룻밤 불렸다가 (다시 씻어 헹궈서 물기를 뺀 후) 시루에 안쳐서 뫼이(고두밥)로 찐다.
2. 솥에 물 10말을 붓고 팔팔 끓이고, 고두밥이 익었으면 (넓고 큰 그릇에 퍼 담고) 끓는 물을 골고루 붓고, 주걱으로 헤쳐 놓는다.
3. 고두밥이 물을 다 빨아먹었으면 (그릇 여러 개에 나눠 담고) 차게 식기를 기다린다.
4. 고두밥이 다 식었으면 밑술과 합하고, 고루 버무려 술밑을 빚는다.
5. 술독에 술밑을 담아 안치고, 예의 방법대로 하여 7일간 발효시킨다.
6. 술이 다 익었으면 술주자에 올려 짠 다음 청주를 떠낸다.

* 주방문 말미에도 "떠낸 청주가 매운맛과 쓴맛이 나면 가수하여 마신다."고 하였다.

冬夏酒

白米五斗百洗浸宿作末湯水五斗和合半生半熟待冷麴末五升合釀第六日白米十斗百洗浸宿全蒸和湯水十斗待冷前酒和釀經七日上槽須再倒清爲味太苦則添水用之.

# 두강주

## 스토리텔링 및 술 빚는 법

'두강춘(杜康春)'이라는 주품은 <임원십육지(林園十六志, 高麗大本)>에 수록되어 있다. 그리고 <산가요록(山家要錄)>를 비롯하여 <음식디미방> 등 여러 문헌에 '두강주(杜康酒)'라는 주품도 등장하는데, 이 두 가지 주품명을 두고 한 가지 술로 볼 것인지, 아니면 다른 술로 구별할 것인지 고민을 하게 되었다.

왜냐하면 <음식디미방>을 비롯한 다른 문헌에는 이양주법(二釀酒法)의 '두강주'가 수록되어 있고, <산가요록>을 비롯하여 <수운잡방(需雲雜方)>, <언서주찬방(諺書酒饌方)>, <주정(酒政)>에는 삼양주법(三釀酒法)에 대해서도 '두강주'로 기록되어 있음을 볼 수 있다. 그런데 <임원십육지(고려대본)>에는 이양주법에 대하여 '두강주'라고 하고, 삼양주법에 대하여는 '두강춘'으로 수록되어 있어 혼돈스럽다.

그러다가 조선조 문신이었던 이행(李荇)의 <용재선생집>에 수록된 오언율시 가운데 '관등(觀燈)'이라는 제하의 시를 접하게 되었는데,

春酒知三亥(춘주는 삼해에 빚었으니)
餘花定北枝(남은 꽃은 틀림없이 북쪽 가지일 것이네.)
醉中眞坦率(취중에 참으로 마음이 너그러워)
荒語不芟夷(거친 말도 추리지 않고 그냥 두네.)

라고 하는 내용으로 미루어, 삼양주법 고급 미주를 '춘주(春酒)'로 불렀다는 사실을 알게 되었다. 따라서 '두강주'도 삼양주법에 한하여 고급술로 높여 부르는 유행에 따라 '두강춘'으로 불렀으리라는 추측을 하게 되었다. 하여, <임원십육지(고려대본)>에서도 '두강주'와 '두강춘'으로 구분하게 된 것으로 여겨진다.

이와 같은 사실을 통해 알 수 있는 것은 '두강춘'과 같은 삼양주법의 중양주가 사대부나 시인묵객들 사이에서 얼마나 선호되었는가를 짐작할 수 있다는 것이다. 그렇지 않으면 <임원십육지(고려대본)>에서 보듯 한 기록에서 두 가지 이름으로 구별하였을 하등의 이유가 없는 것이다.

그리고 최초의 '두강주' 주방문을 수록하고 있는 <산가요록>의 영향을 받은 것으로 여겨지는 <언서주찬방>과 <수운잡방>, <주정>에 수록된 삼양주법의 '두강주'에 대하여 '두강춘'에 포함시켜 '두강주'와 차별화시켰다는 것을 밝혀둔다.

굳이 이들 삼양주법의 주방문을 '두강춘'으로 구분 짓고자 한 것은, <임원십육지(고려대본)>의 '두강춘'이라는 주품명의 주방문이 <언서주찬방>의 '두강주'와 주방문이 동일하다는 것이 그 이유이다.

물론 <산가요록>의 '두강주'도 <임원십육지(고려대본)>나 <언서주찬방>과 비교하면 원료 배합비율만 다를 뿐 술을 빚는 방법에서는 공통점을 띠고 있음을 볼 수 있다. 또한 <수운잡방>의 '두강주' 주방문은 <언서주찬방>이나 <임원십육지(고려대본)>의 주방문과 재료 양이나 배합비율에서 차이가 있긴 하지만, 술을 빚는 방법이나 과정이 동일하다는 데에서 그 이유를 찾고 있다.

<주정>의 '두강주'는 여느 '두강주'와는 술 빚는 법에서 많은 차이를 나타내고 있다. 특히 밑술은 흰무리떡을 만들어 사용하고, 덧술과 2차 덧술은 고두밥을 만들어 사용한다는 점에서, 이제까지 목격했던 주방문들과는 다른, 특히 <산가요록>을 비롯하여 <언서주찬방> 등 삼양주법 '두강주' 주방문과는 매우 다르다

고 할 수 있다.

또한 이양주법의 ‘두강주’에 대하여 <군학회등(群學會騰)>을 비롯하여 <농정회요(農政會要)>, <술방>, <증보산림경제(增補山林經濟)> 등의 여러 문헌에서 “모든 ‘육일약주(六日藥酒)’는 이 방법이 가장 좋다.”고 하였고, <임원십육지(고려대본)>에서는 이양주법 ‘두강주’에 대하여 “위에 2가지 방법은 모두 육일주(六日酒)로써, 약주를 빨리 빚는 방법인데, 짧은 기간에 빚기 때문에 진하고 매운 맛은 덜하나 일반 술보다 훨씬 낫다.”고 한 것을 볼 수 있다.

<언서주찬방>에 수록된 ‘두강춘’의 주방문을 보면, “ᄇᆡᆨ미 서 말을 ᄇᆡᆨ셰작말ᄒᆞ야 더운 믈 서 말로 쥭 수어 식거ᄃᆞᆫ 누록ᄀᆞᄅᆞ 서 되 닷 홉을 섯거 녀허 닉거든 ᄯᅩ ᄇᆡᆨ미 서 말을 ᄇᆡᆨ셰작말ᄒᆞ야 더운 믈 너 말 반으로 쥭 수어 식거ᄃᆞᆫ 누록ᄀᆞᄅᆞ 서 되 닷 홉을 섯거 젼술에 버므려 녀허 닉거ᄃᆞᆫ ᄯᅩ ᄇᆡᆨ미 서 말을 ᄇᆡᆨ셰ᄒᆞ야 밤자거ᄃᆞᆫ 므르 닉게 뼈 더운 한김 날 만ᄒᆞ거ᄃᆞᆫ 누록 업시 고로 섯거 ᄃᆞᆫ:이 빠ᄆᆡ얏다가 닉거ᄃᆞᆫ ᄡᅳ라.”고 하여, <임원십육지(고려대본)>의 기록과 유사하다는 것을 알 수 있다. 즉, 전체적인 원료 배합비율이 일치하고 술 빚는 과정도 동일하나, 밑술과 덧술의 물 양에서 차이가 날 뿐이다.

또한 <언서주찬방>과 <수운잡방> 두 문헌의 ‘두강춘’과 ‘두강주’는 밑술과 덧술에 쌀과 누룩, 끓는 물이 사용되고, 2차 덧술은 고두밥만 사용되며, 원료 비율이 동일하다는 것을 알 수 있다.

그리고 <수운잡방>은 쌀 양이 많아지고 밑술에만 한 차례 누룩이 사용될 뿐, 덧술과 2차 덧술에는 누룩과 끓는 물이 사용되지 않다는 점에서 약간의 차이가 있을 뿐이다.

따라서 술을 빚는 방법과 과정은 동일하다는 점에서, 이들 삼양주법의 ‘두강주’도 춘(春) 자를 붙여도 무방하리라는 생각이 든다.

<산가요록>과 <수운잡방>, <언서주찬방>, <임원십육지(고려대본)>에 수록된 ‘두강주’와 ‘두강춘’의 주방문은 특별할 것이 없거니와, 술을 빚는 데 따른 별도의 주의할 사항도 강조할 것이 별반 없다.

## 1. 두강주 <산가요록(山家要錄)>

–쌀 7말 5되 빚이

술 재료 : 밑술 : 멥쌀 2말 5되, 누룩 5되, 밀가루 1되, 끓는 물 6말
덧술 : 멥쌀 2말 5되, 누룩 5되, 밀가루 1되, 끓는 물 6말
2차 덧술 : 멥쌀 2말 5되

술 빚는 법 :

* 밑술 :

1. 멥쌀 2말 5되를 (백세하여) 물에 담가 3일간 불렸다가 (다시 씻어 건져서 물기를 뺀 후) 고운 가루로 빻는다(넓은 그릇에 담아놓는다).
2. 물 6말을 팔팔 끓여서 쌀가루에 붓고, 주걱으로 개어 죽(범벅)을 쑨 후 차게 식기를 기다린다.
3. 죽(범벅)에 준비한 누룩 5되와 밀가루 1되를 섞고, 고루 버무려 술밑을 빚는다.
4. 술밑을 술독에 담아 안치고, 예의 방법대로 하여 7일간 발효시킨다.

* 덧술 :

1. 멥쌀 2말 5되를 (백세하여) 물에 담가 3일간 불렸다가 (다시 씻어 건져서 물기를 뺀 후) 고운 가루로 빻는다(넓은 그릇에 담아놓는다).
2. 물 6말을 팔팔 끓여서 쌀가루에 붓고, 주걱으로 개어 죽(범벅)을 쑨 후 차게 식기를 기다린다.
3. 차게 식힌 죽(범벅)에 준비한 좋은 누룩 5되와 밀가루 1되를 섞고, 고루 버무려 술밑을 빚는다.
4. 술밑을 술독에 담아 안치고, 예의 방법대로 하여 7일간 발효시킨다.

* 2차 덧술 :

1. 멥쌀 2말 5되를 백세하여 (물에 담가 3일간 불렸다가, 다시 씻어 건져서 물기를 뺀 후)시루에 안쳐서 고두밥을 짓는다.
2. 고두밥이 익었으면 시루에서 퍼내고, 물이나 누룩을 넣지 말고 고두밥만 뜨거울 때 밑술 독에 넣는다(주걱으로 고루 저어서 고두밥을 풀어놓는다).
3. 술독은 밀봉하고 뚜껑을 덮은 뒤, 예의 방법대로 하여 10일간 발효시킨다.

* 도(刀)는 되(升)를 가리킨다.

杜康酒
米七斗五刀. 白米二斗五刀 浸水三日 細末 湯水六斗 和作粥 待冷 好匊五升 眞末一升 和入. 七日後 亦如右法. 二七日後 白米二斗五升 如前洗浸全蒸 无水无匊 乘熱入瓮 經十日 開用之.

## 2. 두강주 <수운잡방(需雲雜方)>

술 재료 : 밑술 : 멥쌀 5말, 누룩 1말, 끓는 물 14사발
덧술 : 멥쌀 5말, 끓는 물 14사발
2차 덧술 : 멥쌀 5말

술 빚는 법 :
* 밑술 :
1. 멥쌀 5말을 백세하여 물에 담가 불렸다가 (다시 씻어 헹궈 건져서 물기를 뺀 후) 세말한다(고운 가루로 빻는다).
2. 물 14사발을 끓여 쌀가루에 골고루 붓고, 주걱으로 고루 개어 죽(범벅)을 쑤어 (넓은 그릇 여러 개에 나눠 담고) 차게 식기를 기다린다.
3. 죽(범벅)에 좋은 누룩 1말을 섞고, 고루 버무려 술밑을 빚는다.

4. 술독에 술밑을 담아 안치고, 예의 방법대로 하여 5일간 발효시킨다.

* 덧술 :

1. 멥쌀 5말을 백세하여 물에 하룻밤 담갔다가 (다시 씻어 헹궈 건져) 세말한다.
2. 물 14사발을 끓여 쌀가루에 골고루 붓고, 주걱으로 고루 개어 죽(범벅)을 쑤어 차게 식기를 기다린다.
3. 죽(범벅)에 밑술을 섞고, 고루 버무려 술밑을 빚는다.
4. 술독에 술밑을 담아 안치고, 예의 방법대로 하여 5일간 발효시킨다.

* 2차 덧술 :

1. 멥쌀 5말을 백세하여 물에 하룻밤 불렸다가 (다시 씻어 헹궈 건져서 물기를 뺀 후) 시루에 안쳐서 무른 고두밥을 짓는다.
2. 고두밥이 익었으면 시루에서 퍼내고, 따뜻하게 식기를 기다린다.
3. 따뜻하게 식은 고두밥을 밑술에 쏟아 붓고, 주걱으로 골고루 뒤섞어 준다.
4. 술독을 예의 방법대로 하여 발효시킨 후, 술이 익으면 술주자에 올려 짠다.

* 술주자로 짠다고 되어 있어, 탁주로 여겨진다.

杜康酒

白米五斗百洗浸宿細末湯水十四鉢作粥待冷好麯一斗和納瓮隔五日白米五斗如前法和納又隔五日白米五斗百洗一宿全蒸不歇氣納瓮待熟上槽.

## 3. 두강주 <언서주찬방(諺書酒饌方)>

술 재료 : 밑술 : 멥쌀 3말, 누룩가루 3되 5홉, 더운(끓는) 물 3말
덧술 : 멥쌀 3말, 누룩가루 3되 5홉, 더운(끓는) 물 4말 5되
2차 덧술 : 멥쌀 3말

술 빚는 법 :

* 밑술 :

1. 멥쌀 3말을 백세하여 (물에 담가 불렸다가, 다시 씻어 헹궈 건져서 물기를 뺀 후) 작말하여(가루로 빻아) 자배기에 담아놓는다.
2. 쌀가루에 더운(끓는) 물 3말을 골고루 합하고, 주걱으로 고루 개어 죽(범벅)을 쑤어 차게 식기를 기다린다.
3. 차게 식은 죽(범벅)에 누룩가루 3되 5홉을 섞고, 고루 치대어 술밑을 빚는다.
4. 술밑을 술독에 담아 안치고, 예의 방법대로 하여 발효시켜 익기를 기다린다.

* 덧술 :

1. 멥쌀 3말을 백세하여 (물에 담가 불렸다가, 다시 씻어 헹궈 건져서 물기를 뺀 후) 작말하여(가루로 빻아) 자배기에 담아놓는다.
2. 쌀가루에 더운(끓는) 물 4말 5되를 골고루 합하고, 주걱으로 고루 개어 죽(범벅)을 쑤어 차게 식기를 기다린다.
3 차게 식은 죽(범벅)에 누룩가루 3되 5홉과 밑술을 한데 섞고, 고루 치대어 술밑을 빚는다.
4. 술밑을 술독에 담아 안치고, 예의 방법대로 하여 발효시켜 익기를 기다린다.

* 2차 덧술 :

1. 멥쌀 3말을 백세하여 물에 밤재워 담가 불렸다가 (다시 씻어 새 물에 말갛게 헹궈 물기를 뺀 후) 시루에 안쳐서 고두밥을 익게 쪄낸다.

2. 고두밥이 익었으면 퍼내고, 더운 한 김 날 만하게(더운 김이 나간 것 같으면) 식기를 기다린다.
3. 고두밥에 덧술을 합하고, 고루고루 섞어 술밑을 빚는다.
4. 술밑을 술독에 담아 안치고, 예의 방법대로 하여 단단히 싸매어 두었다가, 익기를 기다려 채주한다.

두강쥬(杜康酒)一白米九斗 水七斗半 麴七升

ᄇᆡᆨ미 서 말을 ᄇᆡᆨ셰작말ᄒᆞ야 더운 믈 서 말로 쥭 수어 식거든 누룩ᄀᆞᄅᆞ 서 되 닷 홉을 섯거 녀허 ᄂᆡᆨ거든 ᄯᅩ ᄇᆡᆨ미 서 말을 ᄇᆡᆨ셰작말ᄒᆞ야 더운 믈 너 말 반으로 쥭 수어 식거든 누룩ᄀᆞᄅᆞ 서 되 닷 홉을 섯거 젼술에 버므려 녀허 ᄂᆡᆨ거든 ᄯᅩ ᄇᆡᆨ미 서 말을 ᄇᆡᆨ셰ᄒᆞ야 밤자거든 므르 ᄂᆡᆨ게 ᄡᅧ 더운 한김 날 만ᄒᆞ거든 누록 업시 고로 섯거 든;이 빠미얏다가 ᄂᆡᆨ거든 ᄡᅳ라.

## 4. 두강춘방 <임원십육지(林園十六志, 高麗大本)>

술 재료 : 밑술 : 멥쌀 3말, 누룩가루 3되 5홉, 끓는 물 3말 5홉(되)
덧술 : 멥쌀 3말, 누룩가루 3되 5홉, 끓는 물 4말
2차 덧술 : 멥쌀 3말

술 빚는 법 :
* 밑술 :
1. 멥쌀 3말을 (백세하여 물에 담갔다가, 다시 씻어 건져 물기를 뺀 후) 세말한다.
2. 물(3말)을 끓여 쌀가루에 골고루 합하고, 주걱으로 개어 죽(범벅)을 만든 후, 차게 식기를 기다린다.
3. 차게 식은 죽(범벅)에 고운 누룩가루 3되 5홉을 한데 섞고, 고루 힘껏 치대

어 술밑을 빚는다.
4. 술밑을 술독에 담아 안친 뒤, 따뜻한 곳에서 발효시켜 익기를 기다린다.

* 덧술 :
1. 멥쌀 3말을 (백세하여 물에 담갔다가, 다시 씻어 건져서 물기를 뺀 후) 세말한다.
2. 물 3말을 오랫동안 끓여서 쌀가루에 골고루 붓고, 주걱으로 개어 죽(범벅)을 만든 후, 넓은 그릇에 퍼서 차게 식기를 기다린다.
3. 죽(범벅)에 밑술과 누룩가루 3되 5홉을 한데 합하고, 고루 버무려 술밑을 빚는다.
4. 술밑을 술독에 담아 안친 후, 예의 방법대로 하여 (따뜻한 곳에서) 4~5일간 발효시켜 익기를 기다린다.

* 2차 덧술 :
1. 멥쌀 3말을 (백세하여 물에 담가 불렸다가, 다시 씻어 헹궈서 물기를 뺀 뒤) 시루에 안쳐서 고두밥을 짓는다.
2. (고두밥이 익었으면 퍼내고, 고루 펼쳐서 차게 식기를 기다린다.)
3. 고두밥에 덧술을 합하고, 고루 버무려 술밑을 빚는다.
4. 술독에 술밑을 담아 안치고, 예의 방법대로 발효시켜 익기를 기다린다.

* 주방문 말미에 "빚는 술의 합이 멥쌀 9말, 누룩가루 7되, 탕수 7말 5홉이다."고 하였다. <삼산방>을 인용하였다.
* 술 빚는 물(탕수)의 합이 7말 5되를 7말 5홉으로 잘못 기록한 듯하다.

杜康春方
白米三斗細末和湯水作粥麴末三升五合和釀待熟白米三斗細末湯水四斗作粥麴末二升合如前釀拌和熟後又以白米三斗爛烝和釀合白米九斗麴末七升湯水七斗五合. <三山方>.

## 5. 두강주 <주정(酒政)>

술 재료 : 밑술 : 멥쌀 4말, 누룩가루 4되, 밀가루 4되, 끓는 물 16큰주발
덧술 : 멥쌀 4말, 끓는 물 16큰주발
2차 덧술 : 멥쌀 2말, 찹쌀 2말

술 빚는 법 :

* 밑술 :

1. 한 제 하려면, 멥쌀 4말을 (백세하여 물에 담가 불렸다가, 다시 씻어 헹궈서 물기를 뺀 후) 곱게 가루로 빻는다.
2. 쌀가루를 시루에 안쳐서 흰무리떡을 찌고, 솥에 큰주발로 물 16주발을 팔팔 끓인다.
3. 흰무리떡이 익었으면 퍼내어 큰 그릇에 퍼 담고, 끓는 물을 골고루 부어가면서 (덩어리가 없이 풀어놓고) 죽처럼 만들어 하룻밤 재워 차게 식기를 기다린다.
4. 차게 식은 떡에 밀가루 4되와 누룩가루 4되를 고루 버무려 술밑을 빚는다.
5. 술밑을 항에 담아 안치고, 예의 방법대로 하여 덥지 않은 곳에 앉혀두고 6~7일간 발효시켜서 술이 익어 맑기를 기다린다.

* 덧술 :

1. 멥쌀 4말을 밑술에서와 같이 하여(백세하여 물에 담가 불렸다가, 다시 씻어 헹궈서 물기를 뺀 후) 시루에 안쳐서 고두밥을 짓는다.
2. 솥에 물 큰주발로 16주발을 팔팔 끓이고, 고두밥이 익었으면 퍼내어 큰 그릇 여러 개에 나눠 담는다.
3. 끓는 물 16큰주발을 고두밥에 골고루 붓고, 고루 버무려서 (덩어리가 없이 풀어놓고) 하룻밤 재워 차게 식기를 기다린다.
4. (고두밥에 밑술을 합하고) 고루 버무려서 술밑을 빚는다.

5. 술밑을 항에 담아 안치고, 예의 방법대로 하여 덥지 않은 곳에 앉혀두고 6~7일간 발효시켜서 술이 익어 맑기를 기다린다.

* 2차 덧술 :

1. 찹쌀 2말을 (백세하여 물에 담가 불렸다가, 다시 씻어 헹궈서 물기를 뺀 후) 시루에 안쳐서 고두밥을 짓는다.
2. 고두밥이 익었으면 퍼내고, 고루 펼쳐서 차게 식기를 기다린다.
3. 고두밥에 덧술을 합하고, 고루 버무려서 술밑을 빚는다.
4. 술밑을 항에 담아 안치고, 예의 방법대로 하여 (덥지 않은 곳에 앉혀두고) 발효시켜서 술이 익기를 기다린다.

* 주방문 말미에 "술이 익어 마시면 그 맛이 뛰어나게 아름답다."고 하고, "내가 시험삼아 빚어본 결과, 술을 빚기 시작해서 끝날 때까지 6~7일 또는 7일씩 걸리는데, 이 술은 가을에 빚는 것이 마땅하다."고 하여 술 빚는 시기에 대해 언급한 것을 볼 수 있다.

杜康酒

欲釀一劑 白米四斗精末蒸餌 以大碗 每一斗沸水四碗式調和 一宿凉息 與眞末四升屑麴四升均拌入缸 置諸不熱之處而待其淸 白米四斗如初蒸餌 每一斗沸水四大碗式調和 一宿凉息 與酶均拌入于甕待淸 粘米二斗精洗蒸餌凉息而投于中酶待釀 飮之旣峻且美. 自始釀至于終釀其間爲日式六七日式 七七日而秋亦可釀者.

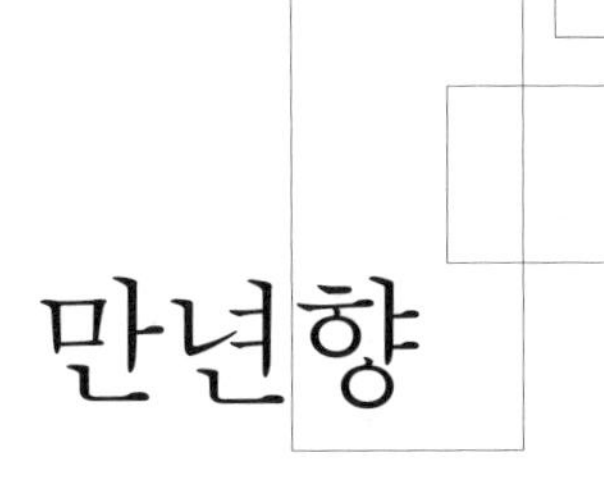

# 만년향

스토리텔링 및 술 빚는 법

'만년향'이란 주품은 <양주방>*이란 문헌이 처음으로 생각된다. 이 술이 어떻게 해서 '만년향'이란 아름다운 이름을 얻게 되었는지는 알 수 없어 안타깝기 그지없으나, 아름다운 이름에 끌려 술 빚기를 시도해 보게 되었다.

마치 기생집에 들러 이름을 보고 파트너를 정하는 꼴이었다. 설렘 반 두려움 반이다. 하지만 어떻게든 치러야 할 일이라면 망설일 필요가 없다. 또 누구나 거치는 성장과정으로 이해하면 밑져봐야 본전 아니냐는 생각이 들었다.

맹목적이었다고 할 수 있는 것은, 주방문에서 독특한 점이라고는 찾아볼 수 없는 데다, 특히 밑술 제조법이 만만치 않은, 결코 손쉬운 방법이라고는 말할 수 없었기 때문이다.

'만년향'처럼 사라지고 맥이 끊긴 술을 재현하는 술 빚기에서 중요한 것은, 그 술의 특징과 함께 어떠한 맛과 향기를 담고 있는가 하는 것을 찾는 일일 것이다.

그런데 '만년향'을 직접 빚어보면서 새롭게 경험하게 된 사실 하나는, 밑술의 처리 방법이 결코 장난이 아니라는 것이었다. 멥쌀 1말을 가루로 빻게 되면 2말 가까이 되어, 이 많은 양의 쌀가루를 물 3사발로 죽(범벅)을 쑤기가 결코 쉽지 않다는 것이다. 아무리 경험이 많다고는 하지만, 전체적으로 쌀가루가 골고루 익지 않는다는 것이 가장 큰 어려움이었다.

일부는 완전히 죽이 되고 일부는 설익은 상태였으며, 그 중 절반은 물기를 먹은 흔적도 없는 생쌀가루 그대로였다. 술이 될 리 만무했다. 술이 되었다 싶어 그릇에 떠내고 보면 일부는 앙금처럼 가라앉아 우유죽처럼 되어 있었고, 덧술을 해보았자 도중에 시어터지는 결과만을 가져왔다.

이렇게 전통주 재현은 힘든 작업의 연속이다. 멥쌀가루가 죽이 되기까지는 쌀 6말이 들어갔다. 이는 술 빚는 과정에서 필자가 터득한 요령이다.

첫째, 멥쌀을 씻어 6~8시간 불렸다가 건져서 물기가 다 빠지지 않은 상태에서 가루를 빻는데, 가능한 한 여러 차례 반복하여 고운가루를 만들어 물을 뿌려서 체에 내리고, 촉촉한 상태의 쌀가루를 따뜻한 물에 풀어 넣고 끓여서 매우 된죽을 쑤는데, 결코 죽이 까맣게 타거나, 탄 냄새가 죽에 배어들어서는 안 된다.

둘째, 물은 그 양을 늘려서 여유 있게 끓이고, 팔팔 끓는 상태에서 그 양을 계량하여 사용하되, 최소량의 물로 쌀가루를 진흙처럼 이기는데 멍우리가 남지 않도록 하는 것이다. 그리고 주걱으로 젓는 사람으로 하여금 가능한 한 천천히 저으면서 끓이도록 해야만 한다는 것이다.

셋째, 물이 적게 사용되는 죽일수록 쌀가루를 달걀처럼 만들어두었다가, 솥의 물이 팔팔 끓고 있을 때 쌀반죽을 끓는 물에 넣었다가 바로 건져서 주걱으로 짓이기는 방법이다.

넷째, 죽을 퍼서 담은 그릇은 찬 땅바닥에 놓고 같은 크기의 그릇을 뚜껑처럼 덮어 뜨거운 기운이 밖으로 새지 않게 해주면서 저절로 차게 식을 때까지 기다렸다가 사용하면 더욱 좋다. 또한 위에 덮은 그릇이 뜨거워지지 않도록 찬물 수건을 덮어주면 보다 잘 익은 상태의 죽이 된다.

덧술도 같은 요령으로 고두밥을 주걱으로 헤쳐주면서 팔팔 끓는 물을 솥에서 조금씩 떠서 나누어 골고루 붓도록 하고, 고두밥이 물을 다 빨아먹었으면, 일부러 펼쳐서 식히지 말고 그대로 두어 저절로 식도록 방치하였다가, 충분히 차게 식었을 때 사용하면 실패하는 일이 없다.

특히 고두밥은 한 김 후 살수를 할 때 물을 많이 주어서 가능한 한 무르게 쪄야 한다. '만년향'은 <산림경제(山林經濟)>의 '호산춘'과 같은 맛과 향기를 자랑하는데, '호산춘' 보다는 더 달고 덜 독하다는 느낌을 준다.

주방문에는 덧술의 발효기간이 7일이라고 되어 있으나, 실제로는 21~28일이 소요되었으며, 7~14일간 더 숙성시킨 결과 훨씬 부드러운 맛, 술 이름 '만년향'에 값하는 깊은 복숭아·사과 향기 등의 방향을 느낄 수 있었다.

## 만년향 <양주방>*

술 재료 : 밑술 : 멥쌀 1말, 섬누룩 2되, 물 3사발
덧술 : 찹쌀 1말, 끓는 물 6사발

술 빚는 법 :

* 밑술 :

1. 희게 쓿은 멥쌀 1말을 깨끗이 씻고 또 씻어 (백세하여 물에 담가 불렸다가, 다시 씻어 헹궈 건져서 물기를 뺀 후) 가루로 빻아 준비한다.
2. 솥에 깨끗한 물 3사발을 붓고 끓여 물이 따뜻해지면 멥쌀가루를 풀어 넣고 죽을 쑤고, 퍼지게 익었으면 넓은 그릇에 퍼 담고 차디차게 식기를 기다린다.
3. 차게 식힌 죽에 섬누룩 2되를 섞어 넣고, 고루 버무려서 술밑을 빚는다.
4. 술독에 술밑을 담아 안치고, 예의 방법대로 하여 7일간 발효시킨다.

* 덧술 :

1. 희게 쓿은 찹쌀 1말을 깨끗이 씻고 또 씻어 (백세하여 물에 담가 불렸다가, 다시 씻어 헹궈 건져서) 물기를 뺀다.
2. 불린 찹쌀을 시루에 안쳐서 고두밥을 짓고, 솥에 물 6사발을 끓인다.
3. 고두밥이 다 쪄졌으면 큰 그릇에 퍼 담고, 끓는 물 6사발을 고두밥에 골고루

나눠 붓고, 고루 헤쳐서 차디차게 식기를 기다린다.

4. 차게 식힌 찹쌀 고두밥에 밑술을 합하고, 고루 버무려 술밑을 빚는다.
5. 술밑을 술독에 담아 안친 뒤, 예의 방법대로 하여 7일간 발효시킨다.

* 주방문 말미에 "(덧술을 빚어 넣은 지) 7일 만에 보아, 위가 파랗거든 따라서 쓴다."고 하였는데, 7일 만에 술이 익을지는 의문이었다. 술을 빚어본 결과, 21~30일 정도 후라야 발효가 완전히 끝난 것을 알 수 있었다. 또한 위가 파랗다는 뜻은, 윗면에 푸른곰팡이가 자라 있다는 것이니, 술을 뜰 때에 걷어 버리고 용수를 박거나 체에 걸러야 한다.

만년향

빅미 일두 빅셰작말ᄒᆞ야 물 세 사발의 쥭 쑤어 ᄎᆞ거든 누록 두 되 섯거 너흔 칠일 만의 빅미 두 말 빅셰ᄒᆞ야 ᄒᆞ로밤 담가다가 닉게 쪄 탕슈 여섯 ᄉᆞ발을 골나 ᄎᆞ거든 밋술의 섯거 두엇다가 칠일 후 보아 우히 파라ᄒᆞ거든 드리워 쓰라.

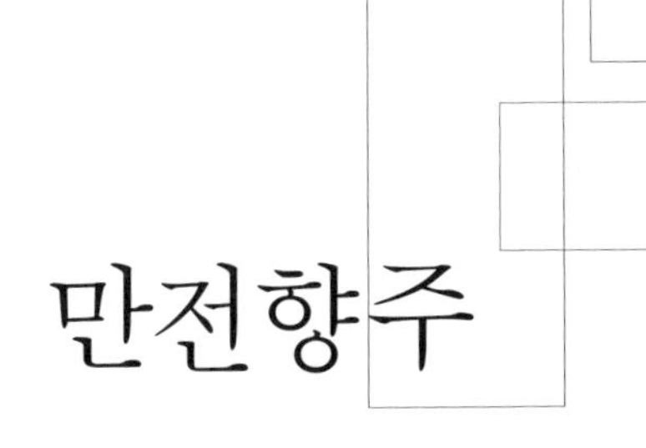

# 만전향주

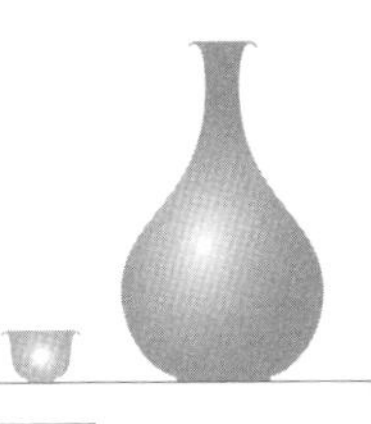

스토리텔링 및 술 빚는 법

'만전향주(滿殿香酒)'는 조선 중기에 중국의 술이 국내에 유입되면서 부유층을 중심으로 빚어졌던 것으로 추측된다. '만전향주'란 주품은 '만전향국(滿殿香麴)'이란 특수한 누룩으로 빚는다고 해서 술 이름을 얻게 된 것으로, 이 만전향국이 중국의 누룩이라고 하는 사실에서 '만전향주' 또한 중국의 술이었을 것으로 추측한다. 또 '만전향주'가 부유층 중심의 가양주였을 것이란 추측은, '만전향국'에 사용되는 주재료와 부재료의 종류와 그 특성에 따른 것이다.

'만전향국'에는 다른 종류의 누룩에서는 볼 수 없는 10여 가지의 각종 약재가 사용되는데, 이들 재료가 국내에서는 생산·재배되지 않는 약재들이라는 사실에서, 중국에서 수입해 오지 않으면 제조가 불가능한 만큼, 결국 재력에 의지해야만 술 빚기가 가능해지기 때문이다.

'만전향주'는 <수운잡방(需雲雜方)>을 시작으로 1800년대 초엽의 <홍씨주방문>과 1823년에 저술된 <임원십육지(林園十六志)> 등 3권의 문헌에 수록되어 있는데, 이들 기록마다의 주방문이 다르다.

가장 앞선 기록의 <수운잡방>과 <홍씨주방문>에는 누룩에 대한 언급 없이 주방문만 수록되어 있으나, <임원십육지>에는 '만전향국'을 만드는 누룩 방문이 구체적이고 자세하게 수록되어 있어, '만전향주'가 만전향국을 발효제로 하여 얻은 주품명이라는 사실을 확인할 수 있다.

이와 같은 예는 '이화주'나 '백수환동주', '향온주(내국향온)' 등의 사례에서 얼마든지 찾아볼 수 있다. 따라서 생각하기에 따라 다를 수 있겠지만, 과거에는 주품마다의 전용 누룩이 있었을 것이고, 이름을 얻게 된 주품의 경우 전용 누룩을 만들어 술 빚기가 용이하지 못하자, 흔히 사용하는 조곡으로 빚게 되었을 것이라는 추측을 할 수도 있을 것이다.

어떻든 '만전향주'는 한약재를 넣어 만든 특수한 누룩인 '만전향국'으로 빚는 술인데, 쌀 양에 비해 누룩의 양은 많이 사용되는 편이고, 상대적으로 물의 양은 적게 사용되는 이양주(二釀酒)이다. <수운잡방>을 비롯하여 <임원십육지>에 수록된 주방문을 보면, 쌀가루 1말을 끓는 물 3주발로 설익힌 범벅(죽)을 만들어 밑술을 빚고, 여기에 고두밥을 넣는 방법으로 이루어진다.

<수운잡방>과 <홍씨주방문>의 '만전향주'와 같은 방문은 '백하주'를 비롯하여 '삼해주', '백화주' 등 여러 방문에서도 목격할 수 있는바, 특별할 것은 없다.

다만, 밑술을 빚는 방법에서 적은 양의 물로 10배에 가까운 양의 쌀가루를 익혀야 하므로 세심한 준비와 요령이 필요하다. 쌀가루가 전체적으로 고르게 익어야 하기 때문이다.

또 중요한 것은 쌀가루가 부분적으로 익는 상태가 달라서는 안 된다는 것이다. 그렇지 않으면 자칫 실패를 초래하게 되는데, 산패 정도가 매우 심해진다.

따라서 <수운잡방>과 <홍씨주방문>의 '만전향주'에서 밑술의 범벅은 '반생반숙(半生半熟)'의 설익힌 것이긴 하나 익는 정도가 전체적으로 균일해야 하고, 어떤 방문보다 특히 잘 치대어주어야 이상발효가 되지 않고 정상적인 발효를 도모할 수 있다.

<수운잡방>과 <홍씨주방문>의 '만전향주'는 덧술의 누룩 사용 여부에서 차이가 있을 뿐, 술 빚는 과정은 동일하다. 때문에 별도의 가향재나 약재를 사용하지 않은 순곡 청주라고 할 수 있으나, 술을 빚는 과정이 힘들다는 단점이 있다.

하지만 <임원십육지>의 '만전향주'는 다르다. 주방문에서 눈여겨볼 것은, 만전향국이 찹쌀과 진말 등 고급 재료로 빚어진 누룩임에도 그 사용량이 많다는 것은, 밀누룩에 비해 결코 역가가 높지 않다는 사실의 반증이랄 수 있을 것이다.

따라서 <임원십육지>의 '만전향주'는 덧술의 주방문이 앞서의 두 문헌과 다르다는 것을 알 수 있는데, 그 양을 최소화하고, 술 빚는 방법도 형식적인 과정으로 그치는 것을 볼 수 있다. 이는 밑술의 맛이 쓰거나 거칠다는 것을 의미하며, 덧술의 과정은 술맛을 부드럽게 하기 위한 방편이라는 것이다.

다만 <임원십육지>의 '만전향주'는 술 빚기에 사용된 '만전향국'으로 인한 독특한 방향과 함께 매운맛을 즐길 수 있다는 것을 무엇보다 큰 특징으로 꼽을 수 있으며, 맑은 술을 얻기 위해서는 장기 저온 발효시켜야 한다는 점을 유념할 필요가 있다.

## 1. 만전향주 <수운잡방(需雲雜方)>

술 재료 : 밑술 : 멥쌀 1말, 누룩 2되, 끓는 물 3사발
　　　　　덧술 : 멥쌀 2말, 누룩 2되, 끓는 물 6주발

술 빚는 법 :

* 밑술 :

1. 멥쌀 1말을 백세하여 물에 하룻밤 불렸다가 (다시 씻어 헹궈 건져서) 세말한다(곱게 가루로 빻는다).
2. 물 3사발을 팔팔 끓여 쌀가루에 골고루 붓고, 주걱으로 고루 개어서 죽(범벅)을 쑨다.
3. 죽(범벅)을 넓은 그릇에 퍼서 차게 식기를 기다린다.
4. 차게 식은 범벅에 누룩 2되를 넣고, 고루 버무려 술밑을 빚는다.
5. 술독에 술밑을 담아 안치고, 예의 방법대로 하여 7일간 발효시킨다.

* 덧술 :

1. 멥쌀 2말을 백세하여 하룻밤 불렸다가 (다시 씻어 헹궈 건져서 물기를 뺀 후) 시루에 안쳐서 온전한 고두밥을 짓는다.
2. 물 6주발을 팔팔 끓이다가 고두밥이 익었으면 (고두밥을 넓은 그릇에 퍼 담고) 끓는 물 6주발을 고두밥에 골고루 붓는다.
3. 고두밥이 물을 다 먹었으면 (넓은 그릇 여러 개에 나눠 담고) 고두밥이 차게 식기를 기다린다.
4. 차게 식힌 고두밥에 누룩 2되와 밑술을 쏟아 붓고, 고루 버무려 술밑을 빚는다.
5. 술독에 술밑을 담아 안치고, 예의 방법대로 하여 7~10일간 발효시킨 다음, 위가 맑아지면 술주자에 올려 짠다.

* 주방문에 "위가 맑아지면 술주자에 올려 짠다."고 한 것으로 보아 탁주라고 할 수 있다. 만전향국으로 빚는 <임원십육지>의 '만전향주'와는 재료 비율과 방문은 같으나 만전향국으로 빚는다는 언급이 없는 것으로 미루어, 일반 누룩(粗麯)으로 빚는 술이라고 할 수 있다.

滿殿香酒

白米一斗百洗浸宿細末湯水三鉢作粥待冷麯二升和納瓮隔七白米二斗百洗浸宿全蒸湯水六鉢和交待冷麯二升和納瓮待七日甕頭淸上槽.

## 2. 만전향주방 <임원십육지(林園十六志)>

술 재료 : 밑술 : 멥쌀 1말, 누룩가루(만전향국) 1근, 끓는 물 5~6되
덧술 : 찹쌀죽 1사발(찹쌀 5홉, 물 1되 5홉)

술 빚는 법 :

* 밑술 :

1. 멥쌀 1말로 술거리를 장만한다(백세하여 물에 담가 불렸다가, 다시 씻어 헹궈 건져서 물기를 뺀 후 고운 가루로 빻는다.
2. 끓는 물 5~6되를 쌀가루에 합하고 골고루 개어 범벅을 쑨 후, 차게 식기를 기다린다).
3. 차게 식은 범벅에 누룩가루(만전향국) 1근을 합하고, 고루 버무려 술밑을 빚는다.
4. 술밑을 술독에 담아 안치고, 예의 방법대로 하여 여름철에는 술독 뚜껑을 덮고, 겨울철에는 베보자기만 씌워두고, 발효하기를 기다린다.

* 덧술 :

1. 밑술이 괴어오르는 시기를 맞추어 묽은 찹쌀죽을 준비한다.
2. 찹쌀죽은 찹쌀 5홉 백세하여 (물에 담가 불렸다가, 다시 씻어 헹궈서 물 1되 5홉에 넣고) 퍼지게 끓여서 따뜻하게 식기를 기다린다.
3. 따뜻한 찹쌀죽 1사발을 밑술에 붓고 고루 저어준 다음 (술독을 찬 곳으로 옮겨놓고) 술이 익기를 기다린다.

滿殿香酒方

麴方白麪一百斤糯米粉五斤木香半兩白朮十兩白檀五兩甛瓜一百箇香熟去皮子取汁縮砂甘草藿香各五兩白芷丁香廣芩芩香各二兩半蓮花二百朶去蒂取汁右件九味碾爲細末入麪粉內用蓮花瓜汁和匀踏作片紙袋盛掛通風處七七日可用每米一斗用麴一斤夏月閉瓮冬月待微發作糯米稀粥一椀溫時投之謂之搭甛. <居家必用>.

## 3. 만전향주 <홍씨주방문>

술 재료 : 밑술 : 멥쌀 1말, 섬(섭)누룩 2되, 물 3사발
　　　　　덧술 : 멥쌀 2말, 끓는 물 6사발

술 빚는 법 :

* 밑술 :

1. 멥쌀 1말을 백세하여(백 번 씻어 매우 깨끗하게 하여 말갛게 헹궈 불렸다가, 다시 씻어 건져서 물기를 뺀 후) 작말한다(가루를 빻는다).
2. 쌀가루를 넓은 그릇에 담아놓고, 물 3사발을 솥에 붓고 끓이다가, 뜨거운 물 1사발 정도를 떠서 쌀가루에 고루 붓고, 아이죽을 만든다.
3. 솥의 물이 끓으면 아이죽을 합하고, 주걱으로 천천히 저어가면서 끓여 진흙같이 된죽이 (투명하게) 익었으면 그릇 여럿에 퍼 담고 차게 식기를 기다린다.
4. 식은 죽에 섬(섭)누룩 2되를 섞고, 고루 버무려 술밑을 빚는다.
5. 술독에 술밑을 담아 안치고, 예의 방법대로 하여 7일간 발효시켜 익기를 기다린다.

* 덧술 :

1. 멥쌀 2말을 백세하여(백 번 씻어 말갛게 헹궈 건지고) 새 물에 담가 불렸다가 (다시 씻어 건져서 물기를 뺀 다음) 시루에 안쳐서 고두밥을 찐다.
2. 고두밥에 (찬물을 뿌려서) 무르게 익히고, 끓는 물 6사발을 합한 후, 주걱으로 헤쳐서 고두밥이 물을 다 먹으면 고루 헤쳐서 식기를 기다린다.
3. 식은 고두밥과 밑술을 한데 합하고, 고루 치대어 술밑을 빚는다.
4. 술밑을 술독에 담아 안치고, 예의 방법대로 하여 차지도 덥지도 않은 곳에 앉혀두고, 7일간 발효시킨다.
5. 술덧 위에 푸른 빛깔의 곰팡이가 딱지처럼 앉고 술이 맑게 비치면 채주한다.

* 주방문 말미에 "칠일 후 술 위에 파래지거든 드리워 쓰라."고 하였는데, 표면이 오염된 상태로 곰팡이 냄새가 많아진다. 따라서 밀봉하여 발효시키면 이러한 현상이 생기지 않을 것이다.

만전향주

백미 한 말 백세작말하여 물 세 사발에 죽 쑤어 차거든 섬누룩 두 되 섞어 넣었다가 칠일 만에 백미 두 말 백세하여 하룻밤 담갔다가 익게 지어 끓인 물 여섯 사발을 밥에 섞어서 차거든 밑술에 섞어 넣어 칠일 후 술 위에 파래지거든 드리워 쓰라.

# 매화주

## 스토리텔링 및 술 빚는 법

'매화주(梅花酒)' 또는 '매화술'은 여러 가지 의미로 풀이되는 주품이다. '매화주'처럼 한 가지 주품명에 다양한 방법으로 이루어지는 주방문도 드물 것이다.

'매화주' 또는 '매화술'을 기록하고 있는 문헌은 1700년대 초엽의 <음식보(飮食譜)>와 1800년대 말엽의 <양주방>*, <음식방문니라>, 그리고 1936년에 간행된 <조선무쌍신식요리제법(朝鮮無雙新式料理製法)> 등 4권이다. 이들 문헌에는 각기 다른 방법의 주방문을 수록하고 있으며, 그 방법마다 '매화주' 또는 '매화술'의 의미가 달라진다.

다시 말해서 순곡주로서 발효에 의한 술덧의 상태에 따른 의미 부여로서의 '매화주'가 있는가 하면, '하향주(荷香酒)'나 '송계춘(松桂春)'처럼 가향재(加香材)를 사용하는 것은 아니나 발효에 의해 생성되는 매화향을 간직한 '매화주'도 있고, 매화의 향을 불어넣는 화향입주법(花香入酒法)의 '매화주' 주방문도 함께 존재한다는 것이다.

여기서는 <음식보>와 <양주방>*, <음식방문니라>의 순곡주 '매화주' 또는 '매화술'에 대해서 다루고, <조선무쌍신식요리제법>의 '매화주'는 별도로 다루기로 한다. 술의 종류가 다르기 때문이다.

가장 앞선 기록으로 여겨지는 <음식보>의 '매화주' 주방문은 삼양주법(三釀酒法)의 순곡주이다. 밑술과 덧술을 구멍떡으로 하여 술을 빚고, 발효되면 찹쌀고두밥에 끓는 물을 합하여 만든 진고두밥으로 2차 덧술을 해 넣는다. 쌀 4말 5되에 비해 사용되는 물의 양과 누룩의 양이 매우 적게 사용되는 까닭에 특히 방향이 좋은 청주를 얻을 수 있다.

특히 쌀 양에 비해 누룩의 양이 4%밖에 되지 않으므로, 술 빚기는 매우 오랜 시간과 복잡한 과정을 요구하지만 상대적으로 누룩 냄새가 적고, 특히 밑술과 덧술을 모두 구멍떡으로 하여 발효에 따른 다양하고 풍부한 향기를 간직한 방향주가 되는 것이다.

<음식보>의 '매화주'는 날물이 들어가지 않게 하고, 삶은 구멍떡이 마르지 않도록 식혀야 한다. 주방문에서는 삶아낸 떡이 마를 경우 떡 삶았던 물을 사용할 수 있다고 하였지만, 가능하면 사용하지 않는 것이 좋은 매화향을 살리는 길이다 또 술맛을 살리려면 쇠붙이 그릇을 사용하지 않아야 한다.

<양주방>*의 '매화술'은 단양주(單釀酒)로, 수곡을 만들어두었다가 찌꺼기를 제거한 누룩물에 엿기름가루를 빨아내고, 찹쌀고두밥을 넣고 버무려 빚는 방법으로 이루어진다. 술이 발효되면 찹쌀고두밥이 주면 위로 하얗게 떠오르는데, 그 고두밥의 형태가 마치 '매화' 같다고 하여 '매화술'이라는 주품명을 붙이게 되었다.

이 '매화술'과 유사한 의미와 방법으로 이루어지는 주품으로, <음식방문니라>의 '매화주'를 들 수 있는데, 엿기름의 사용 여부에서 차이가 있을 뿐 술 빚는 방법이 동일하다. 다만, <음식방문니라>의 '매화주' 주방문에는 양주용수의 양이 나와 있지 않아 <양주방>*을 참고하였다.

그런데 <양주방>에서는 "익은 뒤에 보면 위에 매화 같은 것이 뜨거든 써라."고 하였고, <음식방문니라>에는 "익거든 보면 미화맛 드나니라."고 하여, '매화주'라는 주품명에 대한 의미 해석이 다르다는 것을 알 수 있다.

'매화주'라는 주품명에 대한 해석이나 의미 부여는 발효현상 측면에서 볼 때는 '부의주'와 '백화주', '당백화주', '백화춘' 같은 주품과도 일맥상통한다고 하겠으며,

술 향기와 관련지어 생각하면 특히 '청명향'이나 '감향주', '하향주', '정향극렬주'를 들 수 있다.

'매화술'을 수록하고 있는 <양주방>*에도 '부의주'와 '당백화주', '백화춘'이 수록되어 있어 이들 주품이 각기 다른 술이라는 사실을 확인할 수 있는데, 단양주법의 '부의주'와 주방의 차이를 분석해 보니 '매화주'는 '부의주'에 비해 누룩의 양이 2배나 되고, 당화제인 엿기름가루도 사용된다는 사실이다. 누룩의 양이 많고 엿기름가루까지 사용된다는 사실은 그만큼 당화가 빠르게 되고, 상대적으로 고두밥은 전분은 다 분해되어 빠져나가고 고두밥의 껍질만 남게 되므로, 발효 시 이산화탄소의 분출에 의해 가벼워진 고두밥 껍질은 주면으로 잘 떠오르게 되므로, 마치 하얀 매화꽃이 피어 있는 것 같은 현상으로 나타나게 된다.

이와 같이 아름다운 '매화' 같은 현상을 얻고자 하면, 무엇보다 고두밥을 잘 찌는 것이 비결이다. 고두밥을 찔 때 시루에서 한 김 나면 가장 차가운 상태의 냉수를 뿌려서 찌도록 하고, 가장 차갑게 식혀서 술을 빚되, 고두밥이 뭉개지지 않도록 버무려야 한다.

이처럼 똑같은 발효현상을 두고 이처럼 '매화(梅花)'를 연상하는가 하면 '백화(白花)'를 떠올리기도 하고, '개미(浮蟻)'를 떠올리기도 하여 주품명도 달라지는, 전통주의 다양성과 매력에 다시 한 번 마음을 가다듬게 된다.

## 1. 매화주 <양주방>*

술 재료 : 찹쌀 1말, 누룩 2되, 엿기름 (5홉), 물 2병

술 빚는 법 :

1. 누룩 2되를 명주 주머니에 담아 주둥이를 묶어놓는다.
2. 깨끗한 물 2병에 누룩 주머니를 담가 하룻밤 재워 물누룩을 만들어놓는다.
3. 찹쌀 1말을 깨끗이 씻고 또 씻어 (백세하여 물에 담가 불렸다가, 다시 씻어

헹궈 건져서 물기를 뺀 후) 시루에 안쳐서 고두밥을 짓는다.
4. 고두밥이 익었으면 퍼낸다(고루 펼쳐서 차게 식기를 기다린다.)
5. 누룩 주머니를 주물러 제 물에 빨아내어 누룩물을 만들어놓는다.
6. 엿기름(5홉)도 체에 밭쳐 누룩물로 주물러 빨아낸다.
7. 고두밥을 누룩물에 합하고, 고루 버무려서 술밑을 빚는다.
8. 술독에 술밑을 담아 안치고, 예의 방법대로 하여 발효시킨 뒤, 술이 익어 술 위에 매화 같은 것이 떠 있으면 채주하여 마신다.

ᄆᆡ화쥬

누록 두 되를 명지 쥼치의 너허 물 두 병의 담가 두엇다가 이튼날 졈미 ᄒᆞᆫ 말 빅셰ᄒᆞ야 ᄂᆡᆨ게 쪄 다믄 누록을 쥐물너 ᄀᆞᄂᆞᆫ 체예 걸너 그 누록물의 밥을 고로고로 섯거 서김도 체예 바타 ᄒᆞᆫᄃᆡ 섯거 너헛다가 ᄂᆡᆨ거든 보면 우희 ᄆᆡ화갓ᄒᆞᆫ 거시 쓰거든 쓰라.

## 2. 매화주법 <음식방문니라>

술 재료 : 찹쌀 1말, 누룩 2되, 엿기름(5홉), 물 2말

술 빚는 법 :
1. 누룩 2되를 명주 주머니에 담아 주둥이를 묶어놓는다.
2. 항아리에 깨끗한 물(2병)과 누룩 주머니를 담가 하룻밤 재워 물누룩을 만들어놓는다.
3. 다음날 찹쌀 1말을 백세하여 (물에 담가 불렸다가, 다시 씻어 헹궈 건져서 물기를 뺀 후) 시루에 안쳐서 고두밥을 짓는다.
4. 고두밥이 익었으면 퍼낸다(고루 펼쳐서 차게 식기를 기다린다.)
5. 누룩 주머니를 주물러 제 물에 빨아내어 누룩물을 만들어놓는다.

6. 고두밥을 누룩물에 합하고, 고루 버무려서 술밑을 빚는다.
7. 술독에 술밑을 담아 안치고, 예의 방법대로 하여 서늘한 곳에 두고 발효시킨 뒤, 술이 익으면 매화(향) 같은 술맛(향기)이 난다.

* <양주방>*의 단양주법 '매화주' 주방문과 유사하다. 다만 엿기름이 사용되지 않고, 양주용수의 양이 나와 있지 않아 <양주방>*을 참고하였다.
* 주방문 말미에 "익거든 보면 ᄆᆡ화맛 드나니라."고 하였는데, <양주방>*에서는 "익은 뒤에 보면 위에 매화 같은 것이 뜨거든 써라."고 하여, '매화주'라는 주품명에 대한 의미 해석이 다르다는 것을 알 수 있다.

ᄆᆡ화주법
누룩 두 되을 명주ᆢ머니 너허 물항의 장간 당거싸 그 잇튼날 졈미 일두 ᄇᆡᆨ세ᄒᆞ야 밥 닉게 쪄 당건 누록을 쌜어 밥을 고로 셕거 누룩 주머니을 죄ᆢ 걸너 셔늘한 ᄃᆡ 두어싸 익거든 보면 ᄆᆡ화 맛 드나니라.

## 3. 매화주법 <음식보(飮食譜)>

술 재료 : 밑술 : 멥쌀 5되, 누룩 2되, (떡 삶은 물 5홉)
덧술 : 멥쌀 1말, (떡 삶은 물 1~2되)
2차 덧술 : 찹쌀 3말, (끓는) 물 (알맞게 짐작, 1말)

술 빚는 법 :
* 밑술 :
1. 섣달그믐에 멥쌀 5되를 백세하여 물에 담가 하룻밤 불렸다가, 다시 씻어 헹궈서 물기를 뺀 다음 작말한다.
2. 쌀가루를 체에 한 번 내려놓고, 솥에 물을 넉넉하게 붓고 불을 지펴 끓인다.

3. 뜨거운 물로 쌀가루를 익반죽하여 매우 치댄 다음, 구멍떡을 빚는다.
4. 구멍떡을 끓고 있는 물솥에 넣고 삶아 떠오르면 자배기에 건져낸다.
5. 삶아낸 구멍떡을 (굳어서 풀어지지 않으면 떡 삶았던 물을 5홉 정도 섞고, 주걱으로 짓이겨서 인절미처럼 풀어놓고) 식기를 기다린다.
6. 차게 식은 떡에 좋은 누룩 2되를 섞고, 고루 치대어 술밑을 빚는다.
7. 술밑을 독에 담아 안치고, 예의 방법대로 하여 5일간 발효시킨다.

* 덧술 :
1. 정월 5일에 멥쌀 1말을 백세하여 (물에 담가 하룻밤 불렸다가, 다시 헹궈서 물기를 뺀 다음) 작말한다.
2. 쌀가루를 체에 한 번 내려놓고, 솥에 물을 넉넉하게 붓고 불을 지펴 끓인다.
3. 뜨거운 물로 쌀가루를 익반죽하여 매우 치댄 다음, 구멍떡을 빚는다.
4. 구멍떡을 끓고 있는 물솥에 넣고 삶아 떠오르면 자배기에 건져낸다.
5. 삶아낸 구멍떡을 (굳어서 풀어지지 않으면 떡 삶았던 물을 1~2되 정도 섞고 주걱으로 짓이겨서 인절미처럼 풀어놓고) 식기를 기다린다.
6. 차게 식은 떡에 밑술을 섞고, 고루 치대어 술밑을 빚는다.
7. 술밑을 독에 담아 안치고, 예의 방법대로 하여 12일간 발효시킨다.

* 2차 덧술 :
1. 찹쌀 3말을 백세하여 물에 담가 하룻밤 불렸다가, 다시 헹궈서 물기를 뺀 다음 시루에 안쳐서 고두밥을 짓는다.
2. 솥에 물을 알맞게 짐작하여 (1말을) 팔팔 끓인다.
3. 고두밥이 익었으면 퍼서 넓은 그릇에 퍼 담고 (끓는 물을 고두밥에 골고루 퍼붓고, 주걱으로 고루 섞고 헤쳐) 놓는다.
4. 고두밥이 물을 다 먹었으면 돗자리나 그릇 여러 개에 나눠서 고루 헤쳐서 차게 식기를 기다린다.
5. 고두밥에 밑술을 퍼서 섞고, 고루 버무려 술밑을 빚는다.
6. 술독에 술밑을 담아 안치고, 예의 방법대로 하여 익을 때까지 발효시킨다.

* 주방문에는 2차 덧술에 사용되는 물의 양이 구체적으로 언급되어 있지 않았으며, 쌀을 찌라는 말이 없이 “고쳐 시서 믈 ᄊᆞᆫ 짐작ᄒᆞ야 알맛게 ᄉᆞᆯ와 식거든 밋술 고루 섯거 혀”라고 하였다. 따라서 이를 “쌀을 씻어 ‘쪄낸 고두밥’에 ‘끓는 물(1말)’을 고루 섞어 식거든”으로 풀이하였다.

매화듀법

섯ᄃᆞᆯ 그믈 ᄇᆡᆨ미 닷 되 ᄇᆡᆨ셰ᄒᆞ야 ᄒᆞᄅᆞ밤 지내거든 일ᄃᆞᆺ날 다시 건져 작말ᄒᆞ야 구무턱 비저 ᄉᆞᆯ마 됴ᄒᆞᆫ 누록 두 되 석거 여혀 둣다가 졍월 초닷샛날 ᄯᅩ ᄇᆡᆨ미 ᄒᆞᆫ 말 ᄇᆡᆨ셰 작말ᄒᆞ야 구무쩍 비저 ᄉᆞᆯ마 몬져 ᄒᆞᆫ 밋ᄐᆡ 너혀 둣다가 ᄯᅩ 열닐렛날 흰 ᄎᆞᆸᄊᆞᆯ 서 말 ᄇᆡᆨ셰ᄒᆞ야 ᄒᆞᄅᆞ밤 지내거든 고쳐 시서 믈 ᄊᆞᆫ 짐작ᄒᆞ야 알맛게 ᄉᆞᆯ와 식거든 밋술 고루 섯거 혀 너허 둣다가 닉지거든 ᄡᅳ라.

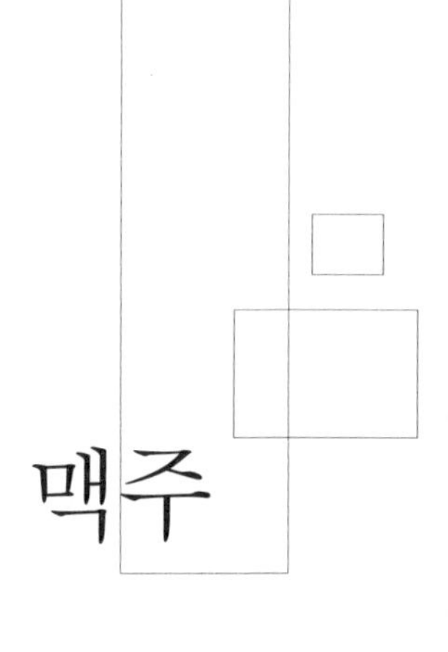

# 맥주

스토리텔링 및 술 빚는 법

우리는 3천 년이 넘는 오랜 양조 역사를 자랑해 왔으면서도, '맥주'나 '포도주', '위스키'와 '브랜디' 같은 특히 서양의 술에 대한 막연한 동경심과 부러움을 가져왔다. '세계 위스키 수입 1위'라는 부끄러운 타이틀과 함께 '프리미엄급 위스키 소비 1위 국가'라는 타이틀이 이를 입증한다.

그런데 전통주를 연구하면서 우리나라에도 맥주와 포도주가 존재했다는 사실에 깜짝 놀라곤 했다. 보리를 이용하여 빚은 맥주가 사양 사람들에게 사랑받은 만큼, 이 땅에서도 보리를 이용하여 술을 빚어 일반 대중이 즐겨왔으니, '추모주(秋麰酒)'와 '맥주(麥酒)'가 그것이다.

'추모주'는 고구려 건국 시조인 동명성왕(東明聖王) 곧 주몽(朱蒙)과도 밀접한 관련이 있다는 주장이 있고 보면, 보리를 이용한 양조는 그 역사가 매우 오래인 것으로 여겨진다. 그러다가 '추모주'가 아닌 '맥주'라는 주품명을 접하고서 그 희열은 대단했다. '맥주'는 서양의 술만이 아닌, 동양의 술이기도 하다는 것이다.

특히 우리나라 양조 관련 전문서적으로는 최고(最古)의 기록으로 알려져 있는

<산가요록(山家要錄)>에 '맥주'가 수록되어 있다는 사실은 우리의 다양하면서도 뛰어난 양조기술을 확신할 수 있는 것이다. 서양에는 없는 다양한 곡물을 활용한 곡주(穀酒)로서의 쌀술(청주, 淸酒)뿐만이 아닌, '포도주'나 '복숭아술', 잣술', '호도주'와 같은 과실주의 다양한 원료를 사용한 양조와 주방문이 존재한다는 사실은, 우리의 양조기술이 서양보다 훨씬 다양하고 복합적으로 전개되었다는 것을 입증하고 있기 때문이다.

'맥주'는 1450년대 기록인 <산가요록>에 처음 등장하고, 이후 여러 문헌에 '진맥소주'와 '보리소주' '모소주' 등의 증류주, 곧 한국식 위스키와 함께 발달해 왔다는 것을 알 수 있다.

<산가요록>의 '맥주'는 멥쌀로 지은 흰무리떡과 물, 누룩을 섞어 발효시킨 밑술에, 보리쌀을 물에 오랫동안 담가서 부식시킨 후에 시루에 쪄서 만든 고두밥을 찬물로 냉각시켜서 덧술을 하게 되는 특별한 방법으로 이루어진다. 주방문 말미에 "其味香 例久而不變 最宜暖節(이 술은 맛과 향이 좋아 오래되어도 변하지 않으므로, 따뜻한 계절이 빚기에 가장 좋다)."고 한 것으로 미루어, 서양의 맥주보다 알코올 도수가 훨씬 높고 저장성도 뛰어난 것으로 여겨진다.

<산가요록>의 '맥주'가 서양의 '맥주'보다 알코올 도수가 높아 장기 저장이 가능했던 까닭은, 멥쌀로 지은 흰무리떡과 물, 누룩을 섞어 발효시킨 밑술을 사용하기 때문으로, 주원료인 보리의 특성을 잘 파악하고 있었다는 사실의 반증이기도 하다.

주지하다시피 보리쌀을 그 성분 구성상 알코올 도수 높은 술을 빚기가 힘들다. 때문에 보리쌀을 물에 오랫동안 담가서 부식시킴으로써 당화와 발효를 용이하게 만든 후에 시루에 쪄서 익힌 고두밥 형태로 덧술을 하고 있는 것을 볼 수가 있다.

'맥주'를 빚을 때 주의할 일은 보리쌀을 씻어 침지할 때 물의 온도가 낮은 것보다는 높은 것이 좋고, 오랫동안 불려서 부식되는 단계를 거치는데, 이때 거품과 부유물이 많이 생기고 그 냄새가 불쾌할 정도로 심하게 나므로, 물을 자주 갈아주어서 나쁜 냄새를 씻어주어야 한다는 것이다.

주방문에서 보듯 '맥주'에 사용되는 양주용수의 양이 구체적으로 나와 있지 않는 대신 "以湯水少和合 按摩入瓮"이라고 하여 "탕수는 적게 써서 화합한 후, 손으로 매우 주물러서 독에 안친다."고 한 것을 볼 수 있다.

<산가요록>의 '맥주'처럼 보리를 사용한 '모미주' 계통의 양조에서 대부분 물의 양을 많이 사용한 것을 볼 수 있는데, 발효는 빨리 잘 일어날 수 있는 반면 그 맛이 곧잘 시큼해진다는 것을 경험하게 된다.

보리술은 알코올 도수가 높지 않기 때문에 급수량(給水量)이 많아지면 싱거운 술이 되어 잠깐 사이에도 산패하거나 변질될 가능성이 그만큼 높아진다. 따라서 보리쌀을 사용한 양조에서 주의할 일은, 증미(拯米)한 보리고두밥이 함유하고 있는 수분함량은 최대한으로 높여주는 방법이 좋고, 상대적으로 급수량은 적게 하는 것이 오히려 좋다는 점을 지적해 두고 싶다.

## 맥주 <산가요록(山家要錄)>

–쌀 5말 빚이

술 재료 : 밑술 : 멥쌀 1말, 좋은 누룩 5되, 끓인 물(5되)
덧술 : 보리쌀 4말, 냉수 적당량

술 빚는 법 :

* 밑술 :

1. 멥쌀 1말을 씻어(백세하여) 물에 담가 불렸다가 (다시 씻어 건져서 물기를 뺀 후) 세말하여 시루에 안치고 떡을 찐다.
2. 떡을 시루에서 퍼내고, 고루 펼쳐서 차게 식기를 기다린다.
3. 떡에 좋은 누룩 5되와 끓여 식힌 물을 적당량 넣고, 고루 버무려 술밑을 빚는다.
4. 술독에 술밑을 담아 안치고, 예의 방법대로 하여 7일간 발효시킨다.

* 덧술 :

1. 밑술 담근 날 보리쌀 4말을 씻어(백세하여) 물에 담가 4~5일 불렸다가 (다시 씻어 건져서 물기를 뺀 후) 시루에 안치고 고두밥을 짓는다.
2. 불린 보리쌀을 푹 쪄서 시루째 놓고 찬물을 부어 고두밥이 식어서 촉촉해질 때까지 차게 식힌다.
3. 보리밥에 밑술을 섞고, 고루 버무려 술밑을 빚는다.
4. 술독에 술밑을 담아 안치고, 예의 방법대로 하여 10여 일간 발효시킨다.

* 주방문에 이르기를 "이 술은 맛과 향이 좋아 오래 되어도 변하지 않으므로, 따뜻한 계절이 빚기에 가장 좋다."고 하였다.

麥酒

白米一斗 洗浸細末 熟蒸. 好麴五升. 以湯水少和合 按摩入瓮. 麥米精舂四斗本酒入瓮. 同日洗浸. 經四五日 更洗水潔而後已 熟蒸. 不歇氣熱 移甑 以冷水注下 良久待冷. 浹冷而止 和前酒入瓮. 十餘日後 用之. 其味香 例久而不變 最宜暖節.

# 모미주 · 보리술

스토리텔링 및 술 빚는 법

어느 순간 갑자기 "동일한 재료와 동일한 배율, 동일한 방법으로 빚어진 술(발효주)과 이를 증류한 술(소주)을 한 가지로 볼 것이냐, 두 가지로 볼 것이냐?" 또 "보리쌀로 빚은 술과 도정하지 않은 보리로 빚은 술을 한 가지로 볼 것이냐, 두 가지로 볼 것이냐?" 하는 고민을 하게 만들었던 술이 '모미주(牟米酒)'였다.

'모미주'는 겉보리를 도정한 보리쌀로 밥을 지어 빚는 술이다. '모미주'는 '보리주(모주)' 또는 '보리술'이라고도 하는데, 주방문을 수록하고 있는 문헌으로는 <산가요록(山家要錄)>에 '모미주', <술방>에 '가을보리술 또 한 법', <언서주잔방(諺書酒饌方)>에 '모미주', <주방문(酒方文)>에 '보리주(麰酒)', <양주집(釀酒集)>에 '모미주', <침주법(浸酒法)>에 '보리주법', <농정회요(農政會要)>에 '모미주법', <임원십육지(林園十六志)>와 <증보산림경제(增補山林經濟)>에 '모미소주방(麰米燒酒方)' '모미로주법(麰米露酒法)', <주식방(酒食方, 高大閨壼要覽)>에 '보리술법' 등 9개 문헌에 11가지 주방문이 등장한다.

특히 <술방>에 '가을보리술 또 한 법'이라고 하였으나, '추모주'가 아닌 '모미주'

주방문과 동일한 것을 알 수 있으며, 증류하여 소주를 만들어도 좋다고 한 것을 볼 수 있다.

'모미주'를 수록하고 있는 이들 문헌은 <산가요록> 등 한문본이 4종이고 <언서주찬방> 등 한글본이 6종인데, 이들 문헌에서 한 가지 공통적인 사실을 발견할 수 있다. 즉, 9개 문헌 속의 10가지 주방문 가운데 주원료를 비롯하여 누룩과 물의 양을 구체적으로 밝혀놓은 문헌이 단 한 가지도 없다는 것이다.

예를 들어 '모미주'로서 '보리주(麰酒)' 또는 '보리술'을 최초로 소개하고 있는, 국내 최고(最古)의 양주 관련 문헌인 <산가요록>에는 "牟米作餅 纔熟 浸水三日 漉出薄巾 晒乾至堅實 更舂去精皮 依法造酒 無異稻白米."라고 하여 주재료의 양에 대한 내용은 없다. 술을 빚는 방법에 대해서도 "의법조주(依法造酒)"라고만 언급하였을 뿐이다.

또 <주방문>의 이양주법(二釀酒法) '보리주(牟酒)' 외에는 단양주법(單釀酒法)을 수록하고 있다는 사실과 함께, 이들 단양주법의 '모미주' 또는 '보리주' 또한 '보리소주' 또는 '모미소주'와 유사하게 보리쌀로만 빚는 경우가 있고, 멥쌀과 섞어 빚는 경우도 있다는 사실이다.

그리고 이들 주방문의 공통점은 '보리소주' 또는 '모미소주'와 같이 보리쌀을 오랫동안 불려서 부식시킨 후, 여러 가지 형태로 만들어 술을 빚는다는 점과, 발효가 일어나는 즉시 거르거나 채주하여 마신다는 점에서, 술을 빚는 사람의 솜씨나 멥쌀의 혼합 여부에 따라서 약간씩 방문이나 재료 양의 변화와 가공방법의 차이를 나타낸다고 할 수 있을 것 같다.

한글 기록으로 <음식디미방>보다 앞선 것으로 추정되는 <언서주찬방>의 '모미주' 주방문을 보면, "보리쌀을 백세하여 솥에 안쳐서 밥을 짓고, 익었으면 퍼내어 찬물에 담가 3일간 불려놓았다가 햇볕에 많이 말려서 돌확에 넣고, 다시 고쳐 대껴서 껍질이 다 벗겨지도록 한 후에 다시 말갛게 물에 헹궈서 물기를 뺀다. 보리쌀을 니쌀(멥쌀)과 같은 방법으로 술밑을 빚는다."고 하고, 방문 말미에 "그 맛이 니술(쌀술)과 분별하지 못하느니라."고 하였다.

이와 같은 주방문은 '모미주'와 같이 보리나 벼, 메밀로 빚는 주방문 외에는 찾아보기 힘들 정도로, '모미주' 또는 '보리술'만의 특징을 나타내고 있다. 그리고 이러한 사실의 배경에는 보리술 빚기가 얼마나 복잡하고 까다로운지를 반영해 준다고 할 것이다.

따라서 <언서주찬방>의 '모미주'를 비롯하여 여러 주방문을 근거로 하여 누룩과 물의 양을 참고로 '모미주'를 빚어본 결과, 매우 특이한 술맛을 느낄 수가 있었다. 그 맛을 한마디로 표현하기는 어렵지만, 보리술에서만 느낄 수 있는 고소한 맛과 시원한 감칠맛이었다. 개인적인 사견이지만, 일본의 '고구마소주' 보다는 훨씬 뛰어나다는 것을 확신할 수 있었다.

'진도홍주'를 비롯하여 '전주이강주'가 보리쌀로 빚는 소주이면서 동시에 국내에서는 명주(名酒)로 주가를 높였던 까닭을 막연하게나마 짐작할 수 있는 계기가 되었다. '모미주', 곧 보리술은 민간에서 여름철에 빚어 마시던 상술이었다.

가사문학 작품으로서 민간에 전승되고 있는 구전 민요 '기음노래'에 '보리술'이 등장하고 있는 것을 볼 수 있다.

……오뉴월 삼복더위 땀으로 낯을 씻고 헌 삿갓 쇠코증의 열양을 막을소냐.
보리술 건듯 깨니 콧노래도 경이 없네.

노래의 가사에서 보듯 '보리술 건듯 깨니'라고 하여 보리술은 알코올 도수가 낮았다는 사실을 알 수 있으며, 때문에 지치기 쉬운 여름철에 서민들 사이에서 '보리술'을 막걸리처럼 즐겨 마셨다는 것을 짐작할 수가 있다.

과거 보릿고개나 절대적인 식량 부족에 시달렸던 경험에 비추어보면, '보리술'의 등장 배경은 보리의 수확철이 여름이라는 사실과도 결코 무관치 않다고 생각된다.

## 1. 모미주법 <농정회요(農政會要)>

술 재료 : 보리 1말, 누룩가루(2되), 물(4~5되)

술 빚는 법 :

1. (보리를 도정을 많이 하여 만든) 보리쌀을 (백세하여 물에 담가 불렸다가, 다시 씻어 건져서 물기를 뺀 뒤) 시루에 안쳐서 고두밥을 짓는다.
2. 보리고두밥을 퍼내서 찬물에 담가 3일간 불린 후 (다시 씻어 말갛게 헹궈 건진 뒤) 햇볕에 말렸다가, 다시 절구에 찧어 남아 있는 껍질을 제거한 후, 물에 담가 불린다.
3. 불린 보리쌀을 (재차 씻어 건져서 물기를 뺀 후) 시루에 안쳐서 무른 고두밥을 짓는다.
4. 고두밥이 익었으면, 골고루 펼쳐서 차게 식기를 기다린다.
5. 보리쌀 1말로 지은 고두밥에 누룩가루 4되의 비율로 섞고 (절구에 찧어 인절미 같은) 술밑을 빚는다.
6. 물기가 없는 술독에 술밑을 담아 안치고 (물 4~5되를 붓고, 고루 휘저어준 뒤, 종이로 단단히 밀봉하여 서늘한 곳에서 15일간) 발효시킨다.

* 주방문 말미에 "다시 절구에 찧어 남아 있는 껍질을 깨끗이 제거하고 담그는데 쌀로 담근 술처럼 제법 맛이 좋다. 노주(露酒)를 만들 수도 있다. 노주를 만들려면 보리쌀 1말당 누룩가루 4되를 넣는다."고 하였다.

麰米酒法

麰米炊作飯取出浸冷水三日後漉出晒乾改舂淨盡餘皮釀如米(美)酒頗好亦可燒作露酒(要燒每米一斗入麯末四升).

## 2. 모미주 <산가요록(山家要錄)>

술 재료 : 보리

술 빚는 법 :

1. 보리를 (백세하여) 물에 담가 3일간 불렸다가 (다시 씻어) 건져서 얇은 베보자기에 널어서 바싹 마르게 건조시킨다.
2. 말린 보리를 절구에 넣고 찧어서 속껍질을 제거한 다음, 다른 술과 같은 방법으로 술을 빚는다.
3. 쌀로 빚은 술과 차이가 없다.

* 술 빚는 재료의 양과 방법에 대한 구체적인 기록을 생략하고, 상법(常法)대로 빚는다고 하였다.
* <산가요록>의 모미주 주방문은 <술방>이나 <양주집>, <언서주찬방>의 주방문과 다르나, 다른 문헌의 주방문은 대동소이하다.

麰米酒

牟米作餠 纔熟 浸水三日 漉出薄巾 晒乾至堅實 更舂去精皮 依法造酒 無異稻白米.

## 3. 가을보리술 또 한 법 <술방>

술 재료 : 보리쌀(1말), 누룩 4되, 물(끓여 식힌 물 1말)

술 빚는 법 :

1. 보리쌀을 (백세하여 물에 담가 불렸다가, 새 물에 다시 씻어 맑게 헹궈 건져서 물기를 뺀 후) 밥 짓듯 하여 잠깐 익게 끓인다.
2. 보리밥을 찬물에 3일간 담갔다가, 굵은 베보자기(마, 삼베)에 건져서 햇볕에 내놓아 건성으로 말린다.
3. 보리밥을 다시 고쳐 씛어 옥같이 씻어 기울을 제거한다.

4. 이와 같이 하여 마련한 보리쌀을 시루에 안쳐 고두밥을 찌고, 익었으면 퍼낸다.
5. 솥에 물(1말)을 끓여 넓은 그릇에 퍼서 차게 식히고, 고두밥도 고루 펼쳐서 차게 식기를 기다린다.
6. 차게 식힌 보리고두밥에 누룩 4되와 끓여 식힌 물을 합하고, 고루 버무려 술밑을 빚는다.
7. 술밑을 술독에 담아 안치고, 예의 방법대로 하여 7일간 발효시킨다.

* 주품명에 '가을보리술 또 한 법'이라고 하였으나, 그 주방문이 '모미주'와 동일하므로 '모미주'편에 수록하였음을 밝힌다. 또 주방문 말미에 "쇼쥬ᄅᆞᆯ ᄆᆡᆫ드러도 죠ᄒᆞ니라."고 하였으므로, 그 주방문은 '추모주 소주'편에 싣기로 한다.

가을보리슐 ᄯᅩ ᄒᆞᆫ 법
보리ᄡᆞᆯ노 밥 지어 ᄂᆡᆼ슈의 삼일을 담가다가 거져 말이워 곳쳐 ᄶᅵᇂ어 ᄡᆞᆯ슐 빗듯 ᄒᆞᆫ 말의 누룩 너 되식 너허도 죠코, 쇼쥬ᄅᆞᆯ ᄆᆡᆫ드러도 죠ᄒᆞ니라.

## 4. 모미주 <양주집(釀酒集)>

술 재료 : 보리쌀(5되), (멥쌀 1말), 가루누룩(2되), (진말 5홉), 물(끓는 물 1말)

술 빚는 법 :
1. 보리쌀을 (백세하여 물에 담가 불렸다가, 새 물에 다시 씻어 맑게 헹궈 건져서 물기를 뺀 후) 밥 짓듯 하여 잠깐 익게 끓인다.
2. 보리밥을 물에 3일간 담갔다가, 굵은 베보자기(마, 삼베)에 건져서 햇볕에 내놓아 바짝 말린다.
3. 보리밥이 돌같이 굳게 말랐으면, 다시 찧어 옥같이 가루를 만든다.

4. 이와 같이 하여 마련한 보리쌀가루를 이용, 의법(依法)에 따라 술을 빚는다.

* 의법(依法) :
1. 멥쌀 1말을 백세하여 보리쌀가루와 함께 시루에 안쳐 찐다.
2. 고두밥이 식기 전에 끓는 물 1말을 섞어 고루 풀고, 밥이 물을 다 빨아들였으면 차게 식기를 기다린다.
3. 차게 식힌 진밥에 가루누룩 2되와 진말 5홉을 합하고, 고루 버무려 술밑을 빚는다.
4. 술밑을 술독에 담아 안치고, 예의 방법대로 하여 7일간 발효시킨다.

牟米酒
보리ᄡᆞᆯ을 밥 짓듯 暫間 닉게 ᄒᆞ야 믈ᄋᆡ 三日 ᄃᆞᆷ가다가 굴근 뵈보히나 건져 볏틔 돌ᄀᆞᆺ치 ᄀᆞᆺ게 ᄆᆞᆯ뢰야 다시 玉ᄀᆞᆺ치 ᄢᅵ허 依法 이 술 비ᄌᆞ면 됴ᄒᆞ니라.

## 5. 우(又) 모미주 <양주집(釀酒集)>

술 재료 : 보리쌀 5되, 흰쌀 5되, 누룩 2되, 물(1말)

술 빚는 법 :
1. 더운 철에 정히 찧어 마련한 보리쌀 5되를 백세하여 물에 담가 3일간 불렸다가, (다시 씻어 맑게 헹궈 건져서 물기를 뺀 후) 건조시켜 작말한다(가루로 빻는다).
2. 보리쌀가루를 체에 쳐서 내리고, 시루에 안쳐 매우 무른 보리떡을 찐다.
3. 흰쌀(멥쌀)을 (백세하여 물에 담가 불렸다가, 새 물에 다시 씻어 맑게 헹궈 건져서 물기를 뺀 후) 준비한 보리떡과 함께 물(1말)을 합하고, 팔팔 끓여 죽을 쑨다.

4. (죽을 넓은 그릇에 펴서 차게 식기를 기다린다.)
5. (차게 식은) 죽에 좋은 누룩 2되를 넣고, 고루 버무려 술밑을 빚는다.
6. 술독에 술밑을 담아 안치고, 예의 방법대로 하여 (5~7일가량) 발효시킨다.

又 牟米酒

이 술이 마시 합쥬 ᄀᆞᆮᄐᆞ니라. 더온 時節ᄋᆡ 보리ᄡᆞᆯ을 精이 ᄢᅵ허 百洗ᄒᆞ야 믈ᄋᆡ 三日ᄃᆞᆷ가다가 고텨 시어 作末ᄒᆞ야 체로 처 ᄀᆞ장 ᄆᆞ로 ᄲᅧ ᄒᆡᆫᄡᆞᆯ과 ᄒᆞᆫᄃᆡ 섯거 듁 ᄡᅮ어 됴ᄒᆞᆫ 누록 二升 섯거다가 닉거든 ᄡᅳ라.

## 6. 모미주 <언서주찬방(諺書酒饌方)>

술 재료 : 보리쌀(1말), 누룩가루(1~2되), 물(2말)

술 빚는 법 :
1. 보리쌀을 백세하여 (물에 담가 불렸다가, 다시 씻어 헹궈 건져서 물기를 뺀 후) 솥에 안쳐서 밥을 짓는다.
2. 보리밥이 익었으면 퍼내고, 찬물에 담가 3일간 불려놓는다.
3. 불린 보리쌀을 다시 씻어 말갛게 헹궈서 햇볕에 많이 말린다.
4. 말린 보리쌀을 돌확에 넣고, 다시 고쳐 대껴서 껍질이 다 벗겨지도록 한다.
5. 대낀 보리쌀을 다시 말갛게 물에 헹궈서 물기를 뺀다.
6. 보리쌀을 니쌀(멥쌀)과 같은 방법으로 (죽을 쑨 후 차게 식기를 기다렸다가, 쌀 1말당 누룩가루 1~2되의 비율로 합하고, 고루 버무려) 술밑을 빚는다.
7. 술밑을 술독에 담아 안치고, 예의 방법대로 하여 7~14일간 발효 숙성시킨다.

* 주방문 말미에 "그 맛이 니술(쌀술)과 분별하지 못하느니라."고 하였다.

모미쥬

보리ᄡᆞᆯ을 밥 지어 닉거든 믈에 ᄃᆞᆷ가 사흘 만애 건져 벼ᄐᆡ ᄆᆞ이 ᄆᆞᆯ로여 고텨 슬허 겁질이 다 버서디거든 니ᄡᆞᆯ 술 빋ᄂᆞᆫ 법대로 술을 비즈면 그 마시 니술과 분변티 몯ᄒᆞᄂᆞ니라.

## 7. 모미주방 <임원십육지(林園十六志)>

술 재료 : 가을보리쌀(또는 봄보리쌀)(1말), 누룩가루(2되)

술 빚는 법 :

1. (곱게 도정한) 보리쌀을 (백세하여 물에 하룻밤 담갔다가, 새 물로 다시 씻어 건져서 물기를 뺀 후) 솥에 안쳐서 밥을 끓인다.
2. 보리밥이 퍼지게 익었으면 찬물에 담가서 3일간 불린 후, 햇볕에 내어 반쯤 건조시킨다.
3. 건조시킨 보리밥을 다시 절구에 찧어 남아 있는 껍질을 깨끗이 제거한다.
4. 보리밥 찧은 것을 차게 식힌 후, 누룩가루 2되 정도를 합하고, 고루 치대어 술밑을 빚는다.
5. 술밑을 물기가 없는 술독에 담아 안치고, 종이로 두텁게 봉하여 서늘한 곳에 두고 발효시켜 숙성되면 마신다.

* 주방문 말미에 "보통 쌀로 담근 술처럼 제법 맛이 좋다."고 하였다.

麰米酒方

麰米炊作飯取出浸冷水三日後灑出晒乾改舂淨盡餘皮釀如美酒頗好亦可燒作露酒要燒每米一斗入麯末四升. <增補山林經濟>.

## 8. 보리주 <주방문(酒方文)>

술 재료 : 밑술 : 멥쌀 1말, 누룩가루 5되, 끓여 식힌 물(1말)
덧술 : 보리쌀 4말, 냉수 무한량

술 빚는 법 :

* 밑술 :

1. 멥쌀 1말을 (백세하여 하룻밤 불렸다가 건져) 시루에 안쳐서 무른 고두밥을 짓는다.
2. (고두밥이 익었으면 퍼내고, 고루 펼쳐서 차게 식기를 기다린다.)
3. 차게 식힌 고두밥에 누룩가루 5되와 끓여서 식힌 물(1말)을 섞고, 고루 버무려 술밑을 빚는다.
4. 술독에 술밑을 담아 안치고, 예의 방법대로 하여 3~4일간 발효시킨다.

* 덧술 :

1. 밑술 빚는 날 깨끗한 보리쌀 4말을 백세하여 3~4일간 불렸다가, 다시 씻어 건져 물기를 뺀다.
2. 보리쌀을 시루에 안쳐서 무르게(쌀이 흩어지지 않게) 고두밥을 짓는다.
3. 시루째 떼어 (우물가에 가져가서) 고두밥에 찬물을 한없이 뿌려서 차게 식힌다.
4. 차게 식힌 보리쌀 고두밥에 밑술을 합하고, 고루 버무려 술밑을 빚는다.
5. 술독에 술밑을 담아 안치고, 예의 방법대로 하여 10일간 발효시킨다.

* 밑술에 사용되는 물의 양을 알 수 없다.

보리쥬(麰酒)

ᄇᆡᆨ미 ᄒᆞᆫ 말 ᄲᅧ 누록 닷 되 ᄭᅳᆯ흔 믈 쳐 섯거 쳐셔 독의 녀코 그 날 졍ᄒᆞᆫ 보리ᄡᆞᆯ

너 말 빅셰 둠가 사나흘 디나거든 고쳐 시으되 헤여디디 아이케 (ᄒᆞ여) 시ᄅᆞ
뼈 시ᄅᆞ째 내여 촌믈 무흔 쌔려 식거든 열흘 후에 쓰라.

## 9. 보리술법 <주식방(酒食方, 高大閨壼要覽)>

술 재료 : 보리(1말), 누룩가루(1~2되), 끓여 식힌 물(2병)

술 빚는 법 :

1. 가을보리를 도정을 많이 하여 (1말을) 준비한 뒤, 백세하여 끓여서 밥을 짓는데 겨우 익을 정도로 끓인다.
2. 보리밥을 물에 담가 (여름에는 물을 3~4차례 갈아주면서) 3일간 불려 부식시킨다.
3. 반쯤 부패한(쉰) 보리밥을 다시 씻어 말갛게 헹궈 건진 뒤, 햇볕에 내어 건조시킨다.
4. 보리밥을 물에 깨끗하게 씻어 속껍질을 다 없이 하여 상술(시루에 쪄서 고두밥을 짓고 식혀서 누룩가루1~2되, 끓여 식힌 물 2병 정도를 섞고, 고루 버무려) 빚듯 하여 술을 빚는다.
5. 물기가 없는 술독에 술밑을 담아 안치고, 예의 방법대로 밀봉하여 서늘한 곳에서 발효시킨다.
6. 술독 뚜껑을 열어보아 향기가 가득하고 맛이 좋으면 채주하여 사용한다.

* 주방문 말미에 "정술이나 다르지 아니하니라."고 하였다.
* <임원십육지>와 <오주연문장전산고> 등에도 수록되어 있는 '추모주'나 '모미주'와는 다른 방문이다.

보리술법

보리쌀 밥 지어 겨유 익거든 사흘 물의 담가다가 건져 너헛다가 마르거든 쓸허 속겁질 다 업시코 상히 술 빗는 녜로 비ᄌᆞ면 뎡술이나 다르지 아니ᄒᆞ니라.

## 10. 모미주법 <증보산림경제(增補山林經濟)>

술 재료 : 보리쌀 1말, 누룩가루(2되), 물(4~5되)

술 빚는 법 :

1. (보리를 도정을 많이 하여 만든) 보리쌀을 백세하여 찬물에 담가 3일간 불린다.
2. 보리쌀을 (다시 씻어 말갛게 헹궈 건진 뒤) 햇볕에 말렸다가, 다시 절구에 찧어 남아 있는 껍질을 제거한 후, 물에 담가 불린다.
3. 불린 보리쌀을 (재차 씻어 건져서 물기를 뺀 후) 솥에 안쳐서 무른 보리밥을 짓는다.
4. 보리밥이 익었으면, 고루 펼쳐서 차게 식기를 기다린다.
5. 보리쌀 1말로 지은 고두밥에 누룩가루 (2되의 비율로 섞고, 절구에 찧어 인절미 같은 술밑을 빚는다.)
6. 물기가 없는 술독에 술밑을 담아 안치고 (종이로 단단히 밀봉하여 서늘한 곳에서 15일간) 발효시킨다.

* 주방문 말미에 "다시 절구에 찧어 남아 있는 껍질을 깨끗이 제거하고 담그는데 쌀로 담근 술처럼 제법 맛이 좋다. 노주(露酒)를 만들 수도 있다. 노주를 만들려면 보리쌀 1말당 누룩가루 4되를 넣는다."고 하였다.

麰米酒法

麰米炊作飯取出浸冷水三日後灑出晒乾改春淨盡餘皮釀如美酒頗好亦可燒作

露酒要燒每米一斗入麯末四升.

## 11. 모미주 <침주법(浸酒法)>

술 재료 : 보리쌀(5되), (멥쌀 5되), 가루누룩(2되), 진말 2홉, (끓는 물 1말)

술 빚는 법 :

1. 보리쌀을 밥 짓듯 하여 잠깐 익게 끓인다.
2. 보리밥을 물에 3일간 담갔다가, 굵은 베보자기(마, 삼베)에 건져서 햇볕에 내놓아 바짝 말린다.
3. 보리밥이 돌같이 굳게 말랐으면, 다시 옥같이 찧어 가루를 만든다.
4. 마련한 보리쌀가루를 이용, 의법(依法)에 따라 술을 빚는다.

* 의법(依法) :

1. 멥쌀 5되를 백세하여 물에 담가 불렸다가, 다시 씻어 건져서 물기를 빼놓는다.
2. 불린 쌀과 보리쌀 가루를 고루 섞어 함께 시루에 안쳐 찌고, 다른 솥에 물 1말을 팔팔 끓인다.
3. 고두밥이 익었으면 퍼내고, 식기 전에 끓고 있는 물 1말을 섞어 고루 풀고, 밥이 물을 다 빨아들였으면 차게 식기를 기다린다.
4. 차게 식은 진밥에 누룩가루 2되와 진말 5홉을 합하고, 고루 버무려 술밑을 빚는다.
5. 술밑을 술독에 담아 안치고, 예의 방법대로 하여 7일간 발효시킨다.

* 주방문에 재료(보리쌀, 누룩, 물)의 양이 나와 있지 않고, 기록의 전문을 자세히 알 수 없어, <양주집>의 '모미주' 방문을 참고한 것이다. <임원십육지>, <오주연문장전산고>에 '모미주'로 수록되어 있다.

보리듀법

보리ᄡᆞᆯ을 밥 닉게 지어 퍼 믈 ○○○○ 사ᄒᆞᆫ 만의 체예 바건져 믈씨 업 ○○○○○의 엷게 너러 ᄆᆞᆯ뇌여 ᄀᆞ장 ᄆᆞᆯ거든 ○○○○허ᄇᆞ리고 술 비ᄌᆞ면 니 술이나 ○○○○○니 ᄒᆞ니라.

# 무릉도원주

스토리텔링 및 술 빚는 법

'무릉도원주(武陵桃源酒)'는 한 가지 방문이 전해 오고 있다. '무릉도원주'는 1823년 서유구에 의해 집성된 <임원십육지(林園十六志)>의 기록이 최초이고, <농정회요(農政會要)>에는 '도원주(桃源酒)'로, <조선무쌍신식요리제법(朝鮮無雙新式料理製法)>에는 '무릉도원주'로 기록되어 있는데, 주품명은 두 가지로 표기되어 있으나 주방문은 매우 유사하고, 세 기록에서 공통점을 찾을 수 있다.

우선 <농정회요>의 주방문 말미에 "이 술은 원래 '무릉도원주방'으로써, <제민요술(齊民要術)>에 빗물을 받아놓은 것에 누룩가루를 담그면 맛이 묘하다. 빚을 때마다 쌀 1말에 먼저 1홉을 넣고 물을 넣어 삶아 1되를 떠서 가라앉혀 맑은 즙을 얻어 누룩을 담그고 불린다. 하루가 지나면 밥을 지어 식혀서 바로 독 안에서 꺼내어 누룩과 충분히 섞어 다시 독 안에 넣는다. 매번 넣을 때에는 모두 이와 같이 한다. 그 세 번째와 다섯 번째도 모두 술이 발효된 뒤에 하루가 지나서 넣는다. 다섯 번째 다 넣고 괴지기를 기다렸다가 다 된 후에도 다시 1~2일이 지난 뒤에 누르고 거를 수 있으니 곧 찌꺼기가 많으나 술이 된다. 만일 맛이 싱거우면 술

1말마다 3되의 찹쌀을 찌고 보리누룩 1큰술, 신국가루 1푼을 충분히 저어 섞어서 베주머니에 담아 술병에 넣었다가 맛이 달고 좋으면 그 주머니를 꺼낸다."고 하였는바, <제민요술>에 기록되어 있으나 이 주방문이 <북산주경(北山酒經)>을 인용한 것임을 밝히고 있다는 사실에 근거히여 <임원십육지>와 <농정회요>, <조선무쌍신식요리제법>의 주방문이 <북산주경>을 인용한 <농정회요>의 주방문과 동일하다는 것을 확신할 수 있다.

그리고 앞서의 언급에서처럼 '무릉도원주'는 우리나라의 술이 아닌, 중국의 술이 조선에 유입되었다는 것을 알 수 있다.

'무릉도원주'가 중국술이라는 뚜렷한 근거는, 우선 세 기록의 주방문이 공통적으로 '신국(神麴)'을 사용하고 있다는 사실과 함께, 여러 차례 덧술을 하는 사양주법(四釀酒法)임에도 밑술에서 시작하여 3차 덧술에 이르기까지 고두밥으로만 이루어지는 단순한 양주 과정에서 찾을 수 있다. 이러한 차이가 동양권에서도 중국과 일본의 술이 우리나라의 술과 다른 점이라고 할 수 있을 것이다.

또 <제민요술>에서는 오양주(五釀酒)로 소개하고 있으나, <임원십육지>와 <농정회요>에서는 사양주 방문을, <조선무쌍신식요리제법>에서는 삼양주법(三釀酒法)을 수록하고 있음을 엿볼 수 있는데, 문헌의 저술 연대가 가장 앞선 <임원십육지>의 '하수(河水)'에 신국을 담가 불리는 과정을 기본으로 본다면, <농정회요>에서는 '동쪽으로 흐르는 물(東枝水)'에, <조선무쌍신식요리제법>에서는 '강수(江水)'라고 하여 양주용수에서 차이가 있고, 기록 연대가 가장 후기인 <조선무쌍신식요리제법>에서는 삼양주법으로 덧술 과정이 한 차례 생략되었을 뿐이다.

'무릉도원주'의 공통점은 밑술에 찹쌀 1말을 주재료로 하고, 신국 20냥과 물(東枝水) 1말이 사용될 뿐, 3차례의 덧술에서는 누룩과 물이 사용되지 않는다. 또한 '도원주'에 사용되는 쌀은 모두 8말로 덧술을 거듭할수록 쌀 양이 늘어날 뿐, 술 빚는 방법은 동일하게 이뤄진다는 것을 알 수 있다.

이렇듯 양조 횟수가 거듭하게 되면 응당 알코올 도수가 올라가야 하는 것으로 생각되나, 그렇지 못하고 오히려 술이 싱거워질 경우가 있다.

인용한 주방문의 말미에 "만일 맛이 싱거우면 술 1말마다 3되의 찹쌀을 찌고 보리누룩 1큰술, 신국가루 1푼을 충분히 저어 섞어서 베주머니에 담아 술병에 넣었다가, 맛이 달고 좋으면 그 주머니를 꺼낸다."고 하였다.

발효주는 그 특성상 20%를 넘기기 어렵거니와, 술의 발효기간이 길어지면 오히려 술이 부드러워지기 때문에 싱겁다고 느낄 수도 있다.

따라서 '무릉도원주'를 빚을 때 술이 싱겁게 느껴지는 원인이 누룩을 1차례 밖에 사용하지 않아 마지막 덧술을 이겨내지 못하는 것인지, 발효가 정상적으로 일어나고 맛이 좋음에도 싱겁게 느껴질 뿐인지 잘 파악한 후에 이와 같은 조치를 해야 할 일이다.

결론은 이와 같은 조치를 하지 않도록 정상적인 발효를 시켜야 하는 것이 원칙이다. 그 비결은 밑술의 주재료를 찹쌀로 하고, 덧술은 멥쌀고두밥으로 하는 이유에서 찾을 수 있고, 덧술을 반복할수록 쌀의 양이 늘어난 이유와 같은 맥락이다. 덧술을 거듭할수록 고두밥을 되게 쪄야 한다는 것이다. 특히 마지막 덧술의 고두밥은 살수를 하지 말고 되게 쪄서 사용하면 좋다.

## 1. 도원주 <농정회요(農政會要)>

술 재료 : 밑술 : 찹쌀 1말, 신국 20냥, 물(東枝水) 1말
덧술 : 멥쌀 2말
2차 덧술 : 멥쌀 2말
3차 덧술 : 멥쌀 3말

술 빚는 법 :

* 밑술 :

1. 신국 20냥을 큰 대추 크기로 거칠게 빻은 뒤, 햇볕에 내어 말린다(법제한다).
2. 동쪽으로 흐르는 물(東枝水) 1말에 담가놓았다가, 주물러 짜서 누룩물을 만들어놓는다.
3. 찹쌀 1말을 정세하여 (물에 담가 불렸다가, 다시 씻어 건져서) 뜸 들여 고두

밥을 짓는다.

4. 고두밥이 무르게 익었으면 퍼내고, 고루 펼쳐서 사계절의 변화에 맞게(겨울이면 온기가 남게, 여름에는 차게) 식기를 기다린다.
5. 고두밥을 누룩물과 버무려, 죽처럼 만들어 술밑을 빚는다.
6. 술독에 술밑을 담아 안치고, 예의 방법대로 하여 1일간 발효시킨다.

* 덧술 :

1. 멥쌀 2말을 정세하여 (물에 담가 불렸다가, 다시 씻어 건져서) 뜸 들여 고두밥을 짓는다.
2. 고두밥이 무르게 익었으면 퍼내고, 고루 펼쳐서 사계절의 변화에 맞게(겨울이면 온기가 남게, 여름에는 차게) 식기를 기다린다.
3. 고두밥을 밑술과 합하고 죽처럼 버무려 술밑을 빚는다.
4. 술독에 술밑을 담아 안치고, 예의 방법대로 하여 발효시키고, 술이 끓어오기를 기다린다.

* 2차 덧술 :

1. 멥쌀 2말을 정세하여 (물에 담가 불렸다가, 다시 씻어 건져서) 뜸 들여 고두밥을 짓는다.
2. 고두밥이 무르게 익었으면 퍼내고, 고루 펼쳐서 사계절의 변화에 맞게(겨울이면 온기가 남게, 여름에는 차게) 식기를 기다린다.
3. 고두밥을 밑술과 합하고 고루 버무려 술밑을 빚는다.
4. 술독에 술밑을 담아 안치고, 예의 방법대로 하여 발효시키고, 술이 끓어오기를 기다린다.

* 3차 덧술 :

1. 멥쌀 3말을 정세하여 (물에 담가 불렸다가, 다시 씻어 건져서) 뜸 들여 고두밥을 짓는다.
2. 고두밥이 무르게 익었으면 퍼내고, 고루 펼쳐서 4계절의 변화에 맞게(겨울이

면 온기가 남게, 여름에는 차게) 식기를 기다린다.

3. 고두밥을 밑술과 합하고 고루 버무려 술밑을 빚는다.
4. 술독에 술밑을 담아 안치고 예의 방법대로 하여 발효시키되, 날씨가 추우면 따뜻하게 하여주고, 술이 끓어오기를 기다린다.
5. 술이 익은 지 3~5일 후가 되면 술독 속에 용수를 박고, 위에 뜬 맑은 술을 떠서 마신다.

* 주방문 말미에 "이 술은 원래 '무릉도원주방'으로써, <제민요술>에 빗물을 받아놓은 것에 누룩가루를 담그면 맛이 묘하다. 빚을 때마다 쌀 1말에 먼저 1홉을 넣고 물을 넣어 삶아 1되를 떠서 가라앉혀 맑은 즙을 얻어 누룩을 담그고 불린다. 하루가 지나면 밥을 지어 식혀서 바로 독 안에서 꺼내어 누룩과 충분히 섞어 다시 독 안에 넣는다. 매번 넣을 때에는 모두 이와 같이 한다. 그 세 번째와 다섯 번째도 모두 술이 발효된 뒤에 하루가 지나서 넣는다. 다섯 번째 다 넣고 퍼지기를 기다렸다가 다 된 후에도 다시 1~2일이 지난 뒤에 누르고 거를 수 있으니 곧 찌꺼기가 많으나 술이 된다. 만일 맛이 싱거우면 술 1말마다 3되의 찹쌀을 찌고 보리누룩 1큰술, 신국가루 1푼을 충분히 저어 섞어서 베주머니에 담아 술병에 넣었다가 맛이 달고 좋으면 그 주머니를 꺼낸다."고 하여 <북산주경>을 인용한 방문을 싣고 있다.
* <준생팔전>의 기록을 인용하여 "밥을 지어 항아리에 넣을 때는 북쪽에서는 추우므로 사람의 체온과 같은 온도일 때 밥을 넣으며 남방에서는 따뜻하므로 차게 식혀서 넣는 것이 좋다."고 하였다. <임원십육지>에는 '무릉도원주'로 수록되어 있으며, 방문은 약간 차이가 있다.

桃源酒

取白麵二十兩細剉如棗核水一斗浸之待(簇)糯米一斗淘拯淨炊作爛飯攤冷以四時消息氣候投放麴汁中攪如稠粥候(簇)即更投二斗米飯嘗之或不似酒勿怪候簇又炊二斗米飯其酒即成矣如天氣稍煖熟後三五日甕頭有澄淸者先取飲之蠲令酣酌無所傷也. 此本於武陵桃源中得之. 後被齊民要術中00解錄皆

失其妙此獨眞本也令商議以空氷浸味尤妙每造一斗水煮取一升澄淸汁浸麯後發經一日炊飯候冷卽出甕中以麯麥和還入瓮內每投皆如此其第三第五皆待酒(簇)後經一日投之五投畢待簇定訖更一兩日然後可壓卽太半化爲酒如味硬卽每一斗蒸三升糯米取大麥蘖麴一大匙白麴末一大分熟和盛葛帒中納入酒甕候甘美卽去其帒然造酒北方地寒卽如人氣投之南方地煖卽酒至冷爲佳也.

## 2. 무릉도원주방 <임원십육지(林園十六志)>

술 재료 : 밑술 : 찹쌀 1말, 신국 20냥, 하수(河水, 강물) 1말
덧술 : 멥쌀 2말
2차 덧술 : 멥쌀 3말
3차 덧술 : 멥쌀 3말

술 빚는 법 :

* 밑술 :

1. 신국 20냥을 곱게 빻아 대추씨 크기로 만든 뒤, 햇볕에 내어 완전히 말린다(법제한다).
2. 하수(河水, 강물) 1말에 법제한 누룩가루를 담가놓고 맑아지기를 기다렸다가, 주물러 짜서 누룩물을 만들어놓는다.
3. 찹쌀 1말을 물에 30~20회 씻어(백세하여) 일어서 정세하여 (물에 담가 불렸다가, 다시 씻어 건져서) 시루에 안쳐서 고두밥을 짓는다.
4. 고두밥은 맑은 물을 3차례 뿌려서 무르게 찌고, 익었으면 퍼내어 고루 펼쳐서 사계절의 변화에 맞게(겨울이면 온기가 남게, 여름에는 차게) 식기를 기다린다.
5. 고두밥을 누룩물과 버무려, 죽처럼 만들어 술밑을 빚는다.
6. 술독에 술밑을 담아 안치고, 예의 방법대로 하여 1일간 발효시킨다.

＊ 덧술 :

1. 멥쌀 2말을 물에 30~20회 씻어(백세하여) 일어서 정세하여 (물에 담가 불렸다가, 다시 씻어 건져서) 시루에 안쳐서 고두밥을 짓는다.
2. 고두밥이 무르게 익었으면 퍼내고, 고루 펼쳐서 사계절의 변화에 맞게(겨울이면 온기가 남게, 여름에는 차게) 식기를 기다린다.
3. 고두밥을 밑술과 합하고, 죽처럼 버무려 술밑을 빚는다.
4. 술독에 술밑을 담아 안치고 예의 방법대로 하여 발효시키되, 술맛이 나지 않더라도 관계치 말고 술이 끓어오기를 기다려 덧술을 해 넣는다.

＊ 2차 덧술 :

1. 멥쌀 3말을 정세하여 (물에 담가 불렸다가, 다시 씻어 건져서) 뜸 들여 고두밥을 짓는다.
2. 고두밥이 무르게 익었으면 퍼내고, 고루 펼쳐서 사계절의 변화에 맞게(겨울이면 온기가 남게, 여름에는 차게) 식기를 기다린다.
3. 고두밥을 덧술과 합하고 고루 버무려, 술밑을 빚는다.
4. 술독에 술밑을 담아 안치고, 예의 방법대로 하여 발효시키고, 술이 끓어오기를 기다린다.

＊ 3차 덧술 :

1. 멥쌀 3말을 정세하여 (물에 담가 불렸다가, 다시 씻어 건져서) 뜸 들여 고두밥을 짓는다.
2. 고두밥이 무르게 익었으면 퍼내고, 고루 펼쳐서 사계절의 변화에 맞게(겨울이면 온기가 남게, 여름에는 차게) 식기를 기다린다.
3. 고두밥을 2차 덧술과 합하고, 고루 버무려 술밑을 빚는다.
4. 술독에 술밑을 담아 안치고 예의 방법대로 하여 발효시키되, 날씨가 추우면 따뜻하게 하여주고, 술이 끓어오기를 기다린다.
5. 술이 익은 지 3~5일 후가 되면 술독 속에 용수를 박고, 위에 뜬 맑은 술을 떠서 마신다.

* 주방문 말미에 “익은 지 3~5일 후가 되면 항아리 속에 용수를 박고 위에 뜬 맑은 술을 떠서 마시면 만병이 없어지며 몸이 가벼워지고 건강해진다. 이 술은 원래 무릉도원주방으로써 몸에 매우 좋으며 오랫동안 마시면 연년익수(延年益壽)한다.”고 하였다. 또 “빗물을 받아놓은 것에 누룩가루를 담그면 맛이 묘하다. 빚을 때마다 쌀 1말에 먼저 1홉을 넣고 물을 넣어 삶아 1되를 떠서 가라앉혀 맑은 즙을 얻어 누룩을 담그고 불린다. 하루가 지나면 밥을 지어 식혀서 바로 독 안에서 꺼내어 누룩과 충분히 섞어 다시 독 안에 넣는다. 매번 넣을 때에는 모두 이와 같이 한다. 그 세 번째와 다섯 번째도 모두 술이 발효된 뒤에 하루가 지나서 넣는다. 다섯 번째 다 넣고 괴지기를 기다렸다가 다 된 후에도 다시 1~2일이 지난 뒤에 누르고 거를 수 있으니 곧 찌꺼기가 많으나 술이 된다. 만일 맛이 싱거우면 술 1말마다 3되의 찹쌀을 찌고 보리누룩 1큰술, 신국가루 1푼을 충분히 저어 섞어서 베주머니에 담아 술병에 넣었다가 맛이 달고 좋으면 그 주머니를 꺼낸다.”고 하여 별법의 방문을 싣고 있으나, 이 방문은 해독하기가 어렵다. <북산주경>을 인용하였다.
* <준생팔전>의 기록을 인용하여 “밥을 지어 항아리에 넣을 때는 북쪽에서는 추우므로 사람의 체온과 같은 온도일 때 밥을 넣으며 남방에서는 따뜻하므로 차게 식혀서 넣는 것이 좋다.”고 하였다. <조선무쌍신식요리제법>에는 삼양주법이 수록되어 있어, 기록은 약간 차이가 있다.

武陵桃源酒方

取神麴二十兩細剉如棗核大曝乾取河水一(斛)澄淸浸待(簇)取一斛好糯米淘三二十徧令淨以水淸爲三溜炊飯令極軟爛攤冷以四時氣候消息之投入麴汁中熟攪令似爛粥候(簇)卽更炊二(斛)米依前法更投嘗之其味或不似酒味勿怪之候簇又炊二(斛)米投之候簇更炊三(斛)待冷依前投之其酒卽成如天氣稍冷卽煖和熟後三五日甕頭有澄淸者先取飮之蠲除萬病令人勁健縱令酣酌無所傷此本於武陵桃源中得之久服延年益壽(以空水浸麴末爲炒每造一(斛)米先取一合以水煮取一升澄取淸汁浸麴得(簇)經一日炊飯候冷卽出甕中以麴熟和還入甕內每投皆如此其第三第五皆待酒(簇)後經一日投之五投畢待簇定訖更一

兩日然後可壓漉卽滓太半化爲酒如味硬卽每一(斛)酒烝三升糯米取大麥麴蘖一大匙神麴末一大分熟攪和盛葛帒中內入酒甁候甘美卽去卻帒. <北山酒經>.
凡投飯北方地寒卽如人氣投之南方地煖卽須至冷爲佳. <遵生八牋>.

## 3. 무릉도원주 <조선무쌍신식요리제법(朝鮮無雙新式料理製法)>

술 재료 : 밑술 : 찹쌀 1말, 흰 누룩 20냥중, 강물 1말
덧술 : 멥쌀 2말
2차 덧술 : 멥쌀 3말

술 빚는 법 :

* 밑술 :

1. 법제한 흰누룩(분곡) 20냥중을 대추씨만큼 고르게 빻은 뒤, 예의 방법대로 법제한다.
2. 깨끗한 강물 1말을 길어다가 (정치시킨 후에) 준비한 분곡을 담가 (하룻밤) 불려 수곡을 만들어놓는다.
3. 찹쌀 1말을 백세하여 (하룻밤 물에 담가 불렸다가, 다시 씻어 건져서 물기를 뺀 뒤) 시루에 안쳐서 고두밥을 짓는다.
4. 고두밥을 찔 때 세 번쯤 찬물을 뿌려 뜸을 들여 익었으면, 퍼내고 고루 펼쳐서 차게 식기를 기다린다.
5. 사시(巳時)에 일기를 보아가며 고두밥과 준비해 둔 수곡을 합하고, 버무려 술밑을 빚는다.
6. 술밑이 된술같이 되면 퍼지기를 기다린다(술독에 술밑을 담아 안치고, 예의 방법대로 하여 3일간 발효시킨다).

* 덧술 :

1. 멥쌀 2말을 백세하여 (하룻밤 물에 담가 불렸다가, 다시 씻어 건져서 물기를 뺀 뒤) 시루에 안쳐서 고두밥을 짓는다.
2. 고두밥을 찔 때 세 번쯤 찬물을 뿌려 뜸을 들여, 익었으면 퍼내고 고루 펼쳐서 차게 식기를 기다린다.
3. 고두밥에 밑술을 쏟아 붓고, 고루 버무려 술밑을 빚는다.
4. 술독에 술밑을 담아 안치고, 예의 방법대로 하여 3~4일간 발효시킨다.
5. 술맛이 술 같지 않더라도 기이하게 생각지 말고, 퍼지기(삭기)를 기다린다.

* 2차 덧술 :
1. 멥쌀 3말을 백세하여 (하룻밤 물에 담가 불렸다가, 다시 씻어 건져서 물기를 뺀 뒤) 시루에 안쳐서 고두밥을 짓는다.
2. 고두밥을 찔 때 세 번쯤 찬물을 뿌려 뜸을 들여, 익었으면 퍼내고 고루 펼쳐서 차게 식기를 기다린다.
3. 고두밥에 덧술을 쏟아 붓고, 고루 버무려 술밑을 빚는다.
4. 술독에 술밑을 담아 안치고, 예의 방법대로 하여 (15일 정도) 발효시키고 익기를 기다린다.

* 주방문 말미에 "만일 일기가 좀 차거든 (고두밥을) 좀 따뜻하게 식힌 후에 한 보름 되거든 독 머리의 맑은 것은 먼저 떠 마시며, 일만 병(萬病)을 원통제하며 몸이 가볍고 건장하며 비록 취하도록 마시드라도 상하지 아니하나니, 이 법이 무릉도원에서 얻은 법이라. 오래 마시면 길게 산다 하나니라. 대개 누룩은 공중물(빗물)에 담그는 것이 더욱 묘하니, 매양 한 말 쌀을 담그거든 먼저 한 홉을 물에 담가 삶아서 한 되쯤 맑은 즙을 내어서 누룩 담가 하룻밤을 지낸 후에 밥을 지어 식거든 누룩과 흠뻑 버무려 독에 넣나니, 매양 넣을 때 다 이같이 하되 세 번째나 다섯 번째에도 다 술이 퍼지기를 기다려 하루 지난 후에 넣나니, 다섯 번을 마저 넣고 퍼지기를 기다려 다 된 후에라도 다시 한두 날을 기다린 후에 가이 누르거나 거르거나 이렇게 하면 찌끼가 태반이나, 술이 되나니라. 만일 맛이 맹렬하거나 한 말 술에 찹쌀 석 되를 쪄서

보리누룩을 크게 한 술과 흰누룩가루 한 술을 모다 버무리되, 베 전대에 넣어서 술병에 담갔다가 맛이 달고 좋거든, 전대는 빼어 버리느니라. 무릇 밥을 넣는 법은 북방은 찬지라 사람의 기운(체온)과 같이 하여 넣고 남방은 더운지라 차게 하여 넣는 것이 좋으니라."고 하였다.

무릉도원주(武陵桃源酒)

흰누룩 스무 량중을 대초씨처럼 잘게 써러 여러 날 쬐여 말린 후에 조흔 물(河水) 한 말을 맑에 하야 흰누룩을 당가 붓게 하고 조흔 찹쌀 한 말을 여러 번 이러 물이 맑어든 그만두고 세 번쯤 드려 밥을 지여 극히 물으거든 헤처 식혀 사시에 긔후를 보아가며 누룩집에 느코 흠벅 저어 된술가티 하야 퍼지기를 기다리고 다시 쌀 두 말을 전법과 가티 하야 느코 맛을 보아 술맛과 갓지 안트라도 과이하게 알지 말고 퍼지기를 기다리고 쏘 두 말을 밥 지여 느코 퍼지기를 기다리고, 다시 쌀 서 말을 쏘 밥을 지여 식거든 전과 가티 느으면 그 술이 곳 되나니, 만일 일긔가 좀 차거든 더웁게 하야 식힌 후에 한 보름 되거든 독 머리에 맑은 것은 먼저 써 먹으며 일만 병(萬病)을 외통제하며 몸이 갑엽고 건장하며 비록 취토록 마시드라도 상하지 아니하나니, 이 법이 무릉도원에서 어든 법이라. 오래 먹으면 길게 산다 하나니라. 대개 누룩은 공중물(空水)에 당그는 것이 더욱 묘하니 매양 쌀 한 말을 당그거든 먼저 한 홉을 물에 당가 살마서 한 되쯤 맑은 집을 내여 누룩 당가 하로밤을 지낸 후에 밥을 지여 식거든 누룩과 흠벅 버무려 독에 늣나니, 매양 느을 제 다 이가티 하되 세 번재나 다섯 번재에도 다 술이 퍼지기를 기다려 하로 지난 후에 늣나니 다섯 번을 맛처 느코 퍼지기를 기다려 다 된 후라도 다시 한두 날을 기다린 후에 가이 눌으거나 걸으거나 이럭케 하면 씩기가 태반이나 술이 되나니라. 만일 맛이 맹렬하거나 한 말 술에 찹쌀 석 되를 써서 보리누룩을 크게 한 술과 흰누룩가루 한 술을 모다 버무려 베전대에 느어서 술병에 당갓다가 맛이 달고 조커든 전대는 쌔여 버리나니라.

무릇 밥을 늣는 법은 북방은 찬지라 사람의 긔운 도ㅅ와 가디 하야 느코 남방은 더운지라 차게 하야 늣는 것이 조흐니라.

# 무시절주

## 스토리텔링 및 술 빚는 법

'무시절주(無時節酒)'는 출간 연대와 저자 미상의 <침주법(浸酒法)>에 유일하게 기록된 주품명이다. 그러나 안타깝게도 <침주법>은 오래된 책자로 닳아서 떨어져 나간 부분이 많은 편인데다, 특히 '무시절주'의 주방문은 첫머리 부분 몇 자와 방문 말미 몇 자만 남아 있어 주방문의 전체적 구성을 알 수 없다.

따라서 '무시절주'에 대한 특징이나 술 빚는 방법에 대해 논하기에는 무리가 많다. '무시절주'와 유사한 주품명을 찾아보면서 '무시절주'의 주방문을 구성해 보려는 노력을 시도해 보았으나 허사였다. <침주법>의 '무시절주'에 대한 주방문이 너무나 빈약하기 때문이다.

'무시절주'와 유사한 주품명으로 <주방문(酒方文)>의 '사시절주(四時節酒)'와 <요록(要錄)>의 '무시주(無時酒)'가 있으나, 동일한 주품인지는 알 수가 없다. 다만, '무시(無時)'나 '사시절주'의 자전적 해석을 달자면 "어느 때고"와 "특정한 시기가 없이 아무 때나"의 의미를 담고 있으므로, '사시사철'이란 의미와도 상통한다고 생각되어 '무시주'와 '사시절주'를 떠올리게 되었다.

사실 '사시절주'보다는 <요록>의 '무시주'가, <침주법>에 남아 있는 '무시절주'의 주방문에 보이는 "백미 한 말 백세하여 (물에 담가 불렸다가) ……(2행 누락)…… 익게 찌고 탕수 뿌려 차거든 전의 술에 화합하여 익거든 쓰라."고 한 주방문과 매우 비슷하다는 것을 알 수 있다. 따라서 <요록>의 '무시주'를 참고하면 좋을 것으로 생각된다.

여기서 중요한 것은 '무시절주'나 '무시주', '사시절주'와 같은 주방문이 개발되어야만 했던 배경을 생각해 보면, 가장 먼저 생각할 수 있는 이유 가운데 하나가 우리나라와 같이 계절풍의 영향을 받는 동양권에서는 어느 때보다도 "여름철의 양조가 어렵다."고 하는 데에 이른다.

그리하여 특히 무덥고 습한 여름철에 안정적인 술을 빚을 수 있는 갖가지 양주기술의 개발이 요구되었을 것이고, '무시절주' 또한 같은 맥락에서 이해되어야 한다고 생각된다.

우리나라의 여름철 양주기술이 어느 정도로 발달했고, 또 얼마나 다양한지에 대해서는 '하절삼일주'를 비롯하여 '하엽청', '하절약주' '하절불산주', '하절주' 등 하절 주품들의 '특징 및 술 빚는 법'에서 비교적 자세하고 반복적으로 언급하였으므로, 더 이상의 언급은 피한다.

## 무시절주 <침주법(浸酒法)>

백미 한 말 백세하여 익게 찌고 탕수 뿌려 차거든 전의 술에 화합하여 익거든 쓰라.

* 누락된 부분이 너무 많아 주방문을 번역할 수 없다.

무시졀쥬(無時節酒)
(○○○낙질○○○) 흔 말(○○낙질○○)쪄고 탕슈 쁘려 ᄎᆞ거든 젼의 술에 화합ᄒᆞ야 닉거든 쓰라.

# 무시주

## 스토리텔링 및 술 빚는 법

우리나라의 전통주는 술을 빚는 시기에 따라 주품명을 붙이는 경우가 있고, 또 특정한 술은 특정한 시기에 맞추어 빚는 것으로 되어 있다.

여러 계절에 따라서 또는 절기에 따라, 특히 특정한 날에 맞추어 제때에 빚는 주품들이 대개는 명주로 이름을 떨쳤던 것이라서, 술을 빚는 시기는 매우 중요한 요소가 되기도 한다.

이를테면 "정월 첫 해일에 빚기 시작하여 돌아오는 해일에 두 차례의 덧술을 한다."고 하여 이름 붙여진 '삼해주(三亥酒)'를 비롯하여 "누룩이 적게 사용된다."고 하여 이름 붙어진 '소곡주(小麯酒)', "청명절에 빚는 술"이라는 뜻의 '청명주(淸明酒)', "섣달 납월에 빚는다."는 이름의 '납주(臘酒)', "정월 첫 오일에 빚기 시작하여 돌아오는 오일에 두 차례의 덧술을 한다."고 하여 이름 붙여진 '삼오주(三午酒)'와 '사오주(四午酒)'에 이르기까지 헤아릴 수 없이 다양하다.

'무시주(無時酒)'는 <요록(要錄)>에 처음 등장한 이후, 다른 문헌에서는 확인되지 않는 주품이다. '무시(無時)'의 자전적 해석을 달자면 "어느 때고" 또는 "특정한 시기가 없이 아무 때나"의 의미를 담고 있으므로, '사시사철'이란 의미와도 상통한다고 생각되어 "일 년 내내 술 빚기가 가능한 술"이 '무시주'라고 할 수 있다.

이렇듯 '무시주'와 같은 의미의 주방문이 생겨난 배경을 생각해 보면, 가장 먼저 떠오르는 이유 가운데 하나가 "우리나라와 같이 계절풍의 영향을 받는 동양권에서는 어느 때 보다도 여름철의 양조가 어렵다."는 결론에 이른다.

따라서 특히 여름철에 안정적인 술을 빚을 수 있는 갖가지 양주기술이 개발되었을 것이고, '무시주' 또한 맥락을 같이한다고 생각된다.

여름철 양조기술의 개발이 어느 정도이고 얼마나 다양한지에 대해서는 하절주품들에 대해서 자세하게 언급하기로 한다. <요록>의 '무시주'의 주방문을 보면, 사시사철 술을 안정적으로 빚을 수 있는 몇 가지 비법을 찾아볼 수 있다.

첫째, 무엇보다 밑술의 죽(범벅)과 덧술의 고두밥을 매우 차갑게 식혀서 사용해야 한다는 것이다. 여름철의 술 빚기에서 자칫 산패를 초래하는 원인 가운데 가장 높은 비율을 차지하는 것이 주재료의 온도가 높은 데서 기인한다.

둘째, 술 빚기에 사용되는 모든 물은 반드시 끓여서 사용한다. 이는 양주용수의 오염으로 인한 변질이나 잡균의 침입을 예방하기 위한 조치이다.

셋째, 밀가루의 사용이다. 밀가루의 사용은 술의 빛깔을 맑게 하는 방법이기도 하지만, 유기산 생성을 촉진시키거나 유기산의 농도를 높여 잡균의 증식을 억지하려는 의도에서이다.

<요록>의 '무시주' 주방문에서도 밀가루를 사용하고 있음을 볼 수 있다. 수차례 '무시주'를 빚어본 결과, 여름철에 한하여 양주용수의 양을 2말로 줄였을 때 술맛과 향기가 뛰어난 최고의 '무시주'를 얻을 수 있었다.

## 무시주 <요록(要錄)>

술 재료 : 밑술 : 멥쌀 1말, 누룩가루 2되, 끓는 물 3말
덧술 : 멥쌀 2말, 밀가루 4홉, 끓는 물 1말

술 빚는 법 :

* 밑술 :

1. 멥쌀 1말을 백세하여 (물에 깨끗이 씻고 또 씻어 건져서 물기를 뺀 다음) 세말한다(고운 가루로 빻는다).
2. 물 3말을 팔팔 끓여서 멥쌀가루에 붓고, 주걱으로 고루고루 개어 술거리(醅, 범벅)를 만든다.
3. 술거리(醅, 범벅)를 넓은 그릇에 펴서 차디차게 식기를 기다린 다음, 누룩가루 2되를 넣고 고루 버무려 술밑을 빚는다.
4. 술독에 술밑을 담아 안치고, 예의 방법대로 하여 3일간 발효시킨다.

* 덧술 :

1. 멥쌀 2말을 백세하여 하룻밤 물에 불렸다가 (다시 씻어 건져서 물기를 뺀 뒤) 고두밥을 짓는다.
2. 솥에 물 1말을 팔팔 끓이다가 고두밥이 익었으면 넓은 그릇에 펴 담고, 끓는 물을 고두밥에 골고루 붓고, 주걱으로 고두밥을 헤쳐 놓는다.
3. 고두밥이 물을 다 먹었으면, 고루 펼쳐서 차디차게 식기를 기다린다.
4. 물을 먹어 차게 식은 고두밥에 밀가루 4홉과 밑술을 쏟아 붓고, 고루 버무려 술밑을 빚는다.
5. 술독에 술밑을 담아 안치고, 예의 방법대로 하여 발효시킨다.

無時酒

白米一斗百洗細末熟水三斗作醅待冷麴末二升和納三日後白米二斗百洗全蒸熟水一斗調和待冷眞末四合出前本合入缸.

# 무양주법

## 스토리텔링 및 술 빚는 법

“차마 삼키기 안타깝다.” “아프도록 밤새워 마시는 술” “흰머리가 검어지고 동안이 된다.” “술 빛깔이 거울 같고 푸른 파도와 같다.” “극렬한 정향이 난다.” 등은 술 이름과 관련된 표현들이다. 이와 같은 표현들은 술의 빛깔이나 맛, 향기와 관련된 상징으로, 주객들의 환상을 심어주기 십상이다.

‘석탄향(惜呑香)’, ‘사시통음주(四時痛飮酒)’, ‘백수환동주(白首還童酒)’, ‘경면녹파주(鏡面綠波酒)’, ‘정향극렬주(丁香極烈酒)’ 등이 그 예에 속한다고 할 수 있겠는데, ‘무양주법(无讓酒法)’이란 주품 역시도 그런 의미에서 우리의 관심을 끌기에 충분하다고 생각된다. ‘무양주법’이란 “사양(讓)하지 않고 한량없이(无) 마시는 술” 또는 “사양할 수 없을 정도로 맛있는 술”이란 뜻을 담고 있기 때문이다.

‘무양주법’이란 주품이 등장한 시기는 1830년경으로, 이 시기에 저술된 <농정찬요(農政纂要)>에 유일하게 수록되어 있는 것을 목격할 수 있다.

<농정찬요>에 수록된 주방문은 기껏해야 7주품으로 별 관심을 갖지 못하다가, 주방문을 번역하는 과정에서 새롭게 깨달은 것이 있었다.

'무양주법'이란 주품을 발견하고서 그 호기심 때문에 잠을 설쳤다. '석탄향(惜呑香)' 이후 처음이었다. 그만큼 '석탄향'에 대한 충격이 컸던 까닭에 어지간한 주품명은 필자의 관심을 끌지 못했다. 한두 차례 실험을 하고 나면 싱겁다는 생각이 들었던 기억 때문에 더욱 그랬다.

굳이 개인적인 소감을 언급하자면, '무양주법'은 필자로 하여금 고문헌 속의 주품에 대해 천착할 수밖에 없도록 이끌었던 대상이기도 했다는 것이다. '무양주법'은 어찌 보면 매우 평범해 보이기도 하여 간과할 수 있으나, 술 빚는 방법에 있어서는 가장 기본적이면서도 매우 중요한 비밀을 간직하고 있는 주방문이기도 하다.

'무양주법'의 주방문을 보면, 밑술과 덧술의 쌀을 전처리하는 데 있어 "정세(淨洗)하여"라고 되어 있다. 특히 덧술 쌀은 "극히 흰찹쌀 10되를 정세하여"라고 되어 있는데, 처음에는 "깨끗하고 여문 정도가 충실한 찹쌀" 정도로 여겼던 데서 실패를 하게 되었다.

주방문을 보면 알 수 있듯 '무양주법'은 쌀 1말 5되에 1원(圓)의 누룩을 사용한다. 1원은 1전(錢)의 100배이므로, 375g의 누룩으로 쌀 1말 5되를 발효시키려면 누룩(백곡)의 품질이 뛰어나야 함은 물론이고, 원료 처리와 가공이 매우 중요한 성공 요인이 된다.

따라서 주방문에서 보듯 '극히 흰 찹쌀'과 '정세'한 쌀이 요구되었던 것이다. 이때 '극히 흰 찹쌀'은 도정(搗精)을 많이 하여 쌀의 전분 외의 영양소들을 거의 제거한 쌀을 가리키는 것이고, '정세'는 '백세(百洗, 白洗)'의 의미이다.

그런데 쌀의 선택에 소홀했던 것이 실패와 산패의 요인이었다는 것을 나중에야 할 게 된 것이다.

'무양주법'은 밑술을 빚는 작업이 매우 중요하다. 왜냐하면 1원(375g)밖에 되지 않는 적은 양의 누룩으로 찹쌀 5되를 삭혀서 효모균을 다량으로 증식시켜야만 덧술의 쌀 1말을 이길 수 있다.

이를 위해서는 "흰무리떡에 준비한 누룩(백곡) 1원을 화합(和合)하여 힘껏 치대어 물러지도록" 하는 작업이 요구되었던 것이다. 이러한 작업은 당화를 촉진시켜 발효를 원활하게 이끌 수 있도록 돕는 일이기 때문이다.

물론 누룩으로 백곡(白麯)을 사용하는 데 있어서도 "극히 곱게 빻아, 햇볕에 내어 바래고 바래어서"라고 하였듯, 법제(法製)를 많이 하라는 이유도 여기에 있다.

이렇게 여러 차례 실패를 통하여 터득한 술 빚기와 함께, 드디어 완성된 '무양주법'은 필자로 하여금 눈물이 날 정도로 아름다운 술 빛깔과 함께 다양하고 풍부한 방향(芳香), 특히 감칠맛이 뛰어난 명주(名酒)로 다가와 주었다.

정말 오랜만에 쾌재를 불렀다. 그리고 오랫동안 필자만의 비밀처럼 간직해 왔던 '나만의 비법'을 여기에 풀어놓고야 말았다.

## 무양주법 <농정찬요(農政纂要)>

술 재료 : 밑술 : 멥쌀 또는 찹쌀 5되, 흰누룩 1원(圓, 두레)
덧술 : 찹쌀 1말, 물 5되

술 빚는 법 :

* 밑술 :

1. 멥쌀 또는 찹쌀을 정세하여 (물에 담가 불렸다가, 다시 씻어 건져서 물기를 뺀 후) 작말한다.
2. 쌀가루를 시루에 안쳐서 흰무리떡을 쪄서 익었으면 퍼낸다(뜨거운 기운이 안 가게 식히되, 덩어리가 없게 잘게 쪼개어 놓는다).
3. 품질이 좋은 백국(흰누룩) 1원을 극히 곱게 빻아, 햇볕에 내어 바래고 바래어서 법제를 한 누룩을 준비해 놓는다.
4. 흰무리떡에 준비한 누룩 1원을 화합하여 힘껏 치대어 물러지도록 술밑을 빚는다.
5. 술밑을 술독에 담아 안치고, 예의 방법대로 하여 단단히 밀봉한 후 7~8일간 발효시킨다.

* 덧술 :

1. 극히 흰찹쌀 10되(1말)를 정세하여 (물에 담가 불렸다가, 다시 씻어 건져서 물기를 뺀 후) 시루에 쪄서 고두밥을 짓는다.
2. 고두밥이 익었으면, 시루에서 퍼내어 고루 펼쳐서 차게 식기를 기다린다.
3. 고두밥에 밑술을 합하고, 고루 치대어 술밑을 빚는다.
4. 술밑을 술독에 담아 안치고, 물 5되를 뿌려준 후 (예의 방법대로 하여) 14일간 발효시켜서 술이 익으면 마신다.

* 주방문 말미에 "이 법을 무양주법이라 한다."고 하였으므로, 다른 주품에서 유래된 주방문이 있었을 것으로 생각된다.

無釀酒法

白米(卽粘米)洗淨作末五升蒸餠和品好白麯(갈우누룩)一圓極細末先以向陽色白後和合堅封于瓮中七八日後以極白粘米(찹쌀)十升淨洗烝飯入于瓮中灌水五升二七日浚飮之此無釀酒之法也.

# 박향주

스토리텔링 및 술 빚는 법

<주방(酒方)>*의 '박향주방문'은 다른 문헌에서는 찾아볼 수 없는 유일한 기록이다. 처음에는 '박향주'를 '벽향주(碧香酒)'로 구분하였으나, <산가요록(山家要錄)>과 <언서주찬방(諺書酒饌方)> 이후에 등장하는 <감저종식법(甘藷種植法)>을 비롯하여 <고사신서(攷事新書)>, <고사십이집(攷事十二集)>, <군학회등(群學會騰)>, <농정회요(農政會要)>, <산림경제(山林經濟)>, <술방>, <시의전서(是議全書)>, <역주방문(曆酒方文)>, <의방합편(醫方合編)>, <임원십육지(林園十六志)>, <주방문(酒方文)>, <주방문조과법(造果法)>, <증보산림경제(增補山林經濟)>, <해동농서(海東農書)> 등 다수의 문헌에 수록된 이양주법(二釀酒法) '벽향주'와 비교하였을 때 그 성격을 규명하기가 어렵다는 결론을 내렸다.

'박향주'가 '벽향주'와 다른 주품이라는 이유로 두 가지 문제점을 들 수 있는데, <음식디미방>의 '벽향주', <임원십육지>의 '벽향주 우방(又方)', <주방문조과법>의 '벽향주법'과 유사하나, 밑술과 덧술에 사용되는 주원료의 비율이 크게 다르다

는 것이 첫째 이유이고, 대부분의 이양주법 '벽향주'는 밑술을 죽이나 백설기를 사용하는 방문을 보여주고 있다는 것이 둘째 이유이다.

따라서 '벽향주'는 <산가요록>과 <언서주찬방>에 수록된 주방문을 전적으로 수용하면서 변화 발전을 거듭해 왔을 것으로 추측할 수 있으며, <주방>*의 '박향주'는 '벽향주'와는 다른 주품이라는 결론을 내릴 수밖에 없었다.

우리의 전통주는 한 가지 원료를 가지고도 여러 가지로 가공방법을 달리하고, 누룩과 양주용수의 비율을 달리함으로써 각기 다른 맛과 향기, 알코올 도수와 술 빛깔을 구현하는 주품으로 발전시켜 왔음을 여러 차례 강조한 바 있다. 따라서 <주방>*의 '박향주' 역시 '벽향주'와는 다른 주품으로 보는 것이 옳다고 생각된다.

<주방>*의 '박향주'는 주품명 그대로 "박하 향기를 갖는 주품"이라는 뜻으로 풀이할 수 있겠는데, 우선 쌀의 양에 비해 양주용수의 양이 지나치게 많다는 것이 술의 향기가 엷어질 수밖에 없는 이유이다.

이와 같은 주방문은 <음식디미방>의 '유하주'를 비롯한 몇몇 주품에서도 목격할 수 있는데, 깔끔하고 담백한 맛을 즐기려는 사람들에게는 적합한 술일 수도 있겠으나, 주질을 평가하는 첫째 기준이 향기라는 점에서 명주와는 거리가 멀다는 느낌을 준다.

여러 차례의 양주 실험 결과 '박향주'의 맛과 향기를 위해서는 주방문에서처럼 "닐래나 닷쇄나 지내거든 괴는 양으로"에서 "밑술 술밑의 주발효가 끝나고 온도가 낮아지고 가라앉아서 밑술이 맑게 가라앉기를 기다렸다가" 덧술을 하는 것으로도 훨씬 부드러운 맛과 은은한 향기를 발현시킬 수 있었다는 점을 밝혀둔다.

## 박향주방문 <주방(酒方)>*

술 재료 : 밑술 : 멥쌀 2말, 누룩가루 1되 5홉, 밀가루 1되, 끓는 물 3말
덧술 : 멥쌀 3말, 끓는 물 4말 5되

술 빚는 법 :

* 밑술 :

1. 멥쌀 2말을 백세하여 (물에 담가 불렸다가, 다시 씻어 말갛게 헹궈서 물기를 뺀 후) 작말한다(가루로 빻는다).
2. 솥에 물 3말을 끓여 쌀가루에 퍼붓고, 주걱으로 고루 개어 범벅을 쑨 후, 넓은 그릇 여러 개에 나눠 담고 차게 식기를 기다린다.
3. 범벅에 누룩가루 1되 5홉, 밀가루 1되를 합하고, 고루 버무려 술밑을 빚는다.
4. 술밑을 술독에 담아 안치고, 예의 방법대로 하여 (차고 서늘한 곳에서) 5~7일간 발효시켜 익기를 기다린다.

* 덧술 :

1. 멥쌀 3말을 백세하여 (물에 담가 불렸다가, 다시 씻어 헹궈서 물기를 뺀 후) 시루에 안쳐 무른 고두밥을 짓는다.
2. 솥에 물 4말 5되를 팔팔 끓이고, 고두밥이 무르게 익었으면 한데 합한다(주걱으로 고두밥을 고루 헤쳐 놓는다).
3. 고두밥이 (물을 다 먹었으면 넓은 그릇에 나눠 담고 뚜껑을 덮어) 차게 식기를 기다린다.
4. 고두밥에 밑술을 한데 합하고, 고루 버무려 술밑을 빚는다.
5. 술밑을 술독에 담아 안치고, 예의 방법대로 하여 8일간 발효시키고 익기를 기다린다.

박향듀방문

ᄇᆡᆨ미 두 말 ᄇᆡᆨ셰ᄒᆞ야 ᄀᆞᄅᆞ 씨허 물 서 말 쓸히고 그 물의 ᄀᆡ여 식거든 ᄀᆞᄅᆞ누록 되가옷 진ᄀᆞᄅᆞ ᄒᆞᆫ 되 합ᄒᆞ여 섯거 닐래나 닷쇄나 지내거든 괴ᄂᆞᆫ 양으로 ᄇᆡᆨ미 서 말 ᄇᆡᆨ세ᄒᆞ야 ᄡᅧ 쓸힌 물 너 말 닷 되을 골라 그 밋틔 섯거 녀헛다가 여ᄃᆞ래 만의 쓰ᄂᆞ니라.

# 밤세향주

## 스토리텔링 및 술 빚는 법

'밤세향주'는 1700년대 후기 기록인 <온주법(醞酒法)>에 수록되어 있는 것으로 미루어, 경상북도의 안동 일대를 중심으로 한 가양주이자 토속주였을 것으로 짐작된다. 그러다가 전통주의 전성기에 이르러 가문마다 주품을 다투는 가양주 문화로 말미암아 '밤세향주'보다 맛과 향기가 뛰어난 다양한 주품이 개발되고 전승되는 과정에서 '밤세향주'는 뒷전으로 밀려 잊혀지고 사라지게 되었을 것이라는 추측을 할 수 있다.

물론 <온주법>은 안동 지방의 의성김씨 가문의 비전 기록으로, 음식과 함께 술 빚는 법을 수록한 한글 글씨본인데, 오랜 세월을 거쳐 오면서 특히 '밤세향주'의 주방문은 닳고 떨어져 나가고 말았다는 사실도 '밤세향주'가 널리 보급되지 못한 이유 가운데 적지 않은 영향을 미쳤을 것으로 생각된다.

<온주법>의 방문에 밑술의 재료와 비율, 술 빚는 방법의 언급 없이 덧술 빚는 법만 수록되어 있고, 말미에 "칠일 만에 청주 2병, 탁주 한 동이 나오고, 맛이 가장 좋으니라."고 하였다.

따라서 '밤세향주'는 '칠일주'이기도 하다는 사실을 알 수 있으나, 주품명의 유래나 어원, 특징을 살피기에는 무리가 따른다. 안타깝지만 '밤세향주'라는 주품명을 통해서 추측할 수 있는 것은, 특별한 향기가 있는 명주였을 것이라는 점뿐이다.

<온주법>에 수록된 56주품의 주방문 가운데 덧술 과정의 절대다수는, 쪄낸 고두밥과 끓는 물을 한데 섞어서 진고두밥을 만들고 진고두밥이 차게 식기를 기다렸다가 밑술과 혼화하여 덧술을 빚는 방법과, '밤세향주'처럼 쪄낸 고두밥을 그대로 방냉(放冷)하여 밑술과 섞어서 빚는 방법으로 이루어진다. 이 가운데 후자의 방법이 가장 전형적인 덧술 방법이라고 할 수 있는데, '밤세향주'는 여기에 속한다.

따라서 <온주법>의 '밤세향주'는 밑술의 과정을 대략이나마 추측해 볼 수 있는데, 특히 주방문 말미에 "칠일 만에 청주 2병, 탁주 한 동이 나오고, 맛이 가장 좋으니라."고 밝힌 내용으로 미루어, 밑술을 죽이나 범벅으로 빚는 과정을 담고 있으면서, <온주법>에 함께 수록된 '석항주'의 주방문에 가깝지 않을까 하는 생각이 든다.

또한 "칠일 만에 청주 2병, 탁주 한 동이 나오고, 맛이 가장 좋으니라."고 한 언급과 관련하여 생각해 보면, '급시청주' 또는 '칠일주'와 같은 유형의 속성주류의 한 가지로서, 완전발효가 끝난 술이라고 보기는 어렵다는 느낌을 받게 된다. 청주의 양에 비해 탁주의 양이 많은 이유가 그것이다.

## 밤세향주 <온주법(醞酒法)>

술 재료 : 밑술 : 누락
　　　　덧술 : 멥쌀 1말

술 빚는 법 :

* 밑술 : 누락

＊덧술 :

1. 멥쌀 1말을 백세하여 물에 담갔다가 (다시 씻어 건져서 물기를 뺀 뒤) 시루에 안쳐 고두밥을 짓는다.
2. 시루의 고두밥에 물을 뿌려서 익히고, 고두밥이 무르게 익었으면 퍼낸다(고루 펼쳐서 차게 식기를 기다린다).
3. 고두밥에 밑술을 합하고, 고루 버무려 술밑을 빚는다.
4. 술밑을 술독에 담아 안치고, 예의 방법대로 하여, 7일간 발효 숙성시킨다.

＊주방문에 밑술의 원료와 비율, 술 빚는 방법의 언급 없이 덧술 빚는 법만 수록되어 있다. 말미에 "칠일 만에 청주 2병, 탁주 한 동이 나고 맛이 가장 좋으니라."고 하였다. 따라서 '급청주' 또는 급시청주와 같이 탁주(막걸리)를 사용하여 빚는 주방문으로 여겨진다.

밤셰향듀

ᄇᆡᆨ미 일두 ᄇᆡᆨ셰ᄒᆞ여 ᄆᆞ이 쎠 식거든 젼술의 섯거 칠일 만의 ᄂᆡ면 쳥쥬 두 병 탁쥬 ᄒᆞᆫ 동히 ᄂᆞ고 마시 가장 됴흐니라.

# 방문주

## 스토리텔링 및 술 빚는 법

어느 날 후배로부터 "술과 관련된 귀한 문헌이 한 권 있는데 보겠느냐?"고 하여 만사를 제치고 나가 만나게 되었다. 그는 "나도 사본을 갖고 있다."면서 "나보다는 선배에게 더 필요할 것 같아 만나자고 하였다."는 것이었다. 그래서 밥도 사고 술도 사주었다. 그렇게 입수하게 된 것이 <주방문(酒方文)>이라는 고문헌의 사본이었다.

집에 돌아와 그 면면을 보니, 매우 단정한 사람이 정성을 들여 기록한 책이라는 것을 한눈에 알아볼 수 있을 정도였다. 더러 모르는 글자도 있었지만, 앞뒤 문맥으로도 이해할 수 있는 내용이었다.

그리하여 다른 주방문들도 찬찬히 살펴보고는 기어코 현대어로 번역을 하여 누구라도 알아볼 수 있었으면 좋겠다는 생각으로 소위 '술 빚는 법'을 작성하게 되었고, <주방문>에 나와 있는 술 가운데 가장 '깐깐한 놈' 하나를 골랐다. 도전해 볼 생각이었다. 처음으로 <주방문> 기록에 의한 술 '방문주(方文酒)'를 빚어 보게 되었는데, 그 맛과 향이 매우 좋았다.

'방문주'에 대한 기억은 이렇게 시작되었는데, 후일에야 필자가 입수했던 <주방문>은 <주방문>이 아니라 <술 만드는 법>이었으니, 참으로 황당하고 기가 찰 노릇이었다. 그리하여 다시 수소문하여 <주방문>을 입수하고 보니 진짜 <주방문>에는 '방문주' 주방문이 수록되어 있지 않다는 사실을 알았고, 그 충격은 말할 수 없었다.

각설하고, <주방문>이라는 문헌과 '방문주'라는 술 이름, 그러고 보면 이는 결코 우연이 아니라는 생각이 든다. <주방문>을 거꾸로 해석하면 '방문주'가 되기 때문이다. 생각이 여기에 미치자, '술 빚는 법'으로서 '주방문'에 대한 분석과 함께 본격적인 '방문주' 섭렵에 들어가게 되었던 것이 필자가 고서(古書)의 전통주 복원에 뜻을 두게 된 계기 가운데 한 가지 이유가 되었다고 할 수 있다. 화가 도리어 복이 된 셈이었다고나 할까.

약방에서 한약사들이 약을 법제(法製)·포제(炮製)하는 법에 근거하여 약 짓는 법을 '약방문(藥方文)'이라고 하듯이 '술 빚는 방법'을 '주방문' 또는 '양주법(釀酒法)'이라고 한다.

조선시대 술 관련 고문헌마다에는 <주방문>을 비롯하여 <술 빚는 법>, <술 만드는 법>, <술방>, <술방문>, <주방(酒方)>*, <양주방(釀酒方)> 등의 표기법이 등장한다. 소위 "술 빚는 방법"을 엮은 저술들이다.

여기서 "술 빚는 방법", 곧 '주방문'이란 태초에 동양에서 기장을 비롯한 곡물로 술 빚기가 이루어졌을 때 주재료를 처리함에 있어 '죽'과 '백설기' 형태로 술을 빚어오다가, '고두밥'으로 빚는 방법이 개발되어 술의 저장성을 갖게 되면서, '죽'과 '백설기', '고두밥'을 혼용하는 방법이 정착되었을 것으로 추측하는데, 이와 같은 원료처리 방법이 우리 전통 양주(釀酒)의 전형을 이루었다고 보고 있다.

따라서 이와 같은 방법의 술 빚기 형태를 근간으로 양주법이 누룩의 다양화와 발달로 이어지면서 '술 빚는 법' 곧 '주방문'이 되었으며, '주방문'에는 여섯 가지 기본 원칙과 절차가 있는 사실을 알게 되었다.

술을 빚는 데 따른 매우 기본적인 '주방문'으로서 원칙은 다음과 같다.

첫째, 주원료인 쌀을 비롯하여 누룩과 물 등 기본 원료의 처리와 가공 등에 따른, 소위 '육재(六材)의 준비'가 기본이다.

둘째, 한 번 빚는 단양주(單釀酒)를 기본으로 하여, '밑술'이나 '덧술'의 과정을 한 차례 더 거치게 되면 이양주(二釀酒)또는 삼양주(三釀酒) 등 중양주(重釀酒)가 되는데, 알코올 도수는 높아지고 맛은 부드러워지며 술의 발효과정에서 생성되는 향기 성분은 더욱 강하게 나타나게 되어 좋은 향취를 얻을 수 있게 된다는 것이 원칙이다.

셋째, 두 번 또는 세 번 빚는 중양주의 경우 먼저 빚는 '밑술'의 원료는 호화도를 높게 가져가고, 나중에 보태는 '덧술' 원료는 호화도를 낮추어야 알코올 도수가 높으면서 부드러운 맛의 술을 얻을 수 있게 된다는 것이다.

넷째, 밑술에 누룩을 한 번만 넣되, 소량을 사용하더라도 밑술의 발효를 통해서 발효원인 효모균의 증식을 유도, 안정된 발효를 도모할 수 있도록 하는 것이다. 부득이한 경우 덧술이나 2차 덧술에도 누룩을 사용하는데, 특별한 목적이나 의도가 아니면 밑술에 한 차례 사용하는 것을 기본으로 한다.

다섯째, '술을 빚는 작업'에 이어 '주발효'와 '냉각', 그리고 '후발효·숙성'에 이르기까지 술독의 온도를 일정하게 유지·관리하는 일이 중요하면서도 가장 힘든 과정이라고 할 수 있으며, 많은 시간과 인내심이 요구된다.

여섯째, 전통주는 "분명한 '목적과 용도'에 맞춰서 빚어야 한다."는 것이다. 술을 빚을 때 "목적을 가지라."는 말을 자주 하는데, 이 말의 뜻은 자신이 빚고자 하는 술을 언제 어떤 형태로 취할 것인지를 선택하는 것으로서, 술을 필요로 하는 날이나 술의 용도가 접대용인지, '잔치술'처럼 한꺼번에 많은 양을 필요로 하는지, '청주(淸酒)'인지 '탁주(濁酒)'인지 그 목적과 용도에 따라 술을 빚어야 한다는 것이다.

그 목적과 용도가 정해지면 술을 빚는 주방문을 택하게 되고, 또 같은 주방문이라도 기간이나 양, 술의 형태를 달리할 수 있기 때문이다.

이제 이 여섯 가지 원칙, 곧 주방문에 근거하여 술을 빚는데, '방문주'는 두 번 빚는 이양주로서 밑술의 재료를 쌀가루로 하여 빚는 만큼, 목적에 따라 또는 용도에 따라 감칠맛이 좋은 술을 빚을 수도 있고, 강한 향기와 함께 독한 술을 빚을 수도 있으며, 지극히 부드럽고 감미로운 술을 빚을 수도 있는 것이다.

이를테면, 쌀가루를 '백설기(흰무리떡, 白餠)' 형태로 찔 것인지, 아니면 설익힌

'범벅(담, 니)' 형태로 할 것인지, 그도 아니면 '죽(粥)'으로 할 것인지에 따라 술의 발효기간과 맛, 향기가 다른 술로의 변화와 응용을 달리할 수 있는 방문이라는 것이다.

'방문주'는 다른 술과는 다르게 이와 같은 응용과 변용이 가능한 술로, 술 빚는 이의 의지에 따라 알코올 도수와 맛, 특히 향기를 다르게 빚을 수 있는 술이다.

'방문주'란 술 이름에서 보듯 "방문(方文)대로 빚는 술", 곧 "술 빚는 방법대로 빚는 술"이란 뜻이다. 따라서 '방문주'는 우리 전통주 빚는 법의 기본을 담고 있는 상징적인 술이라는 것을 암시하고 있다고 하겠다.

'방문주'는 주로 봄, 가을철에 빚는 술로 알려져 있는데, 문헌 및 가전비법에 따라 원료의 처리 방법이 다양하면서도 일정한 형식과 절차를 갖게 된 주방문의 전형으로 뿌리를 내리게 되었고, 이러한 방법이 확산되면서 주품명으로까지 인식하게 되었다고 본다.

'방문주'에 대한 기록은 <고려대규합총서(高麗大閨閤叢書, 異本)>를 비롯하여 <민천집설(民天集說)>, <술 만드는 법>, <술 빚는 법>, <시의전서(是議全書)>, <양주방>*, <우음제방(禹飮諸方)>, <조선무쌍신식요리제법(朝鮮無雙新式料理製法)>, <주정(酒政)>, <주찬(酒饌)>, <증보산림경제(增補山林經濟)>, <한국민속대관(韓國民俗大觀)> 등 12종의 문헌에 17차례나 등장하는 것으로 미루어, '방문주'가 상당히 보편화되었던 주품이라는 사실을 확인할 수 있다.

특히 조선시대에는 대중적인 가양주로, 그리고 '주막(酒幕)' 등 대처에서 일찍이 상품화가 이뤄졌던 것으로 여겨진다. <춘향전(春香傳)>을 비롯하여 여러 문집에 주막에서 '방문주'를 팔았다거나 사 마셨다는 대목을 읽을 수 있듯, 조선시대에는 '백하주'나 '도화주'와 함께 주막의 단골메뉴로 등장할 만큼 대표적인 주품이었다.

'방문주'를 빚는 방법은 크게 몇 가지로 나타나는 것을 볼 수 있다.

첫째, 시대적으로 가장 앞선 기록인 <민천집설>과 <술 만드는 법>의 '별법'에서 찾아볼 수 있는 방법으로, 밑술을 죽을 쑨 후 누룩과 밀가루를 합하여 빚은 다음, 덧술은 고두밥에 끓는 물을 합하였다가, 식으면 재차 누룩과 함께 밑술을 섞어 빚는 전형적인 방법을 들 수 있다.

둘째, <고려대규합총서(이본)>과 <술 만드는 법>, <증보산림경제>, <한국민속대관>에서 보듯, 밑술을 쌀가루를 끓는 물로 익혀 범벅을 쑨 후, 누룩과 함께 섞어 밑술을 빚고, 덧술은 고두밥에 끓는 물을 합하였다가, 식으면 밑술을 섞어 빚는 방법이다. 조선시대에 가장 대중적으로 인기를 끌었던 방법이라고 할 수 있다.

셋째, <술 빚는 법>과 <양주방>*, <주정>에서 나타나는 방법으로, 백설기(흰무리떡)를 쪄서 사용하거나, 백설기(흰무리떡)에 끓는 물을 섞어 다시 죽 형태로 만들고 누룩과 섞어 밑술을 빚기도 하고, 고두밥에 끓는 물이나 냉수를 합하여 식힌 후, 밑술과 합하여 덧술을 빚는 방법도 생겨난 것을 볼 수 있다.

넷째, <양주방>*의 '별법'과 <시의전서>, <우음제방>에서와 같이 밑술을 범벅이나 백설기(흰무리떡)를 만든 후, 누룩을 섞어 빚은 밑술에 고두밥과 끓는 물을 합하고 식으면 밀가루를 섞어 덧술을 하는 방법이 주류를 이루고, <술 빚는 법>의 '별법'에서와 같이 덧술을 생략하여 단양주법으로 빚는 '방문주'와 <주찬>에서와 같이 덧술에 물을 사용하지 않는 방법도 있다.

다섯째, '방문주'는 멥쌀술이라고 할 수 있을 정도로 밑술과 덧술에서 다 같이 멥쌀을 사용하는 것을 볼 수 있는데, <우음제방>을 비롯하여 <주찬>, <증보산림경제>에서는 덧술을 찹쌀로 빚는 경우를 볼 수 있으며, 특히 <주정>에서는 덧술에서 멥쌀과 찹쌀을 반반씩 섞어서 사용하는 경우 등 다양한 변화를 나타내고 있다.

이상 '방문주'의 주방문을 요약해 보면, 쌀을 가공하는 단계에 있어 끓인 '죽' 형태에서 '범벅'으로 간편화되기도 하고, '백설기(흰무리떡)'로 변화되기도 하였으며, 흰무리떡에 끓는 물을 합하여 다시 죽처럼 만들어 빚는 방법으로 변화를 보이기도 한다는 것이다.

따라서 가장 높은 빈도를 보이고 있는 방법은 밑술이 '범벅', '죽', '백설기(흰무리떡)' 형태이고, 산패(酸敗) 예방과 청쾌(晴快)한 맛을 부여하기 위하여 '밀가루'를 사용하는 방법으로 나타나고 있으며, 덧술은 빠른 발효와 수율(收率)을 높이기 위하여 고두밥에 다시 끓는 물을 화합하여 '진고두밥' 형태로 하는 술 빚기기 전형을 이룬다고 할 수 있다.

이와 같은 '방문주'는 경향 각지의 반가(班家)와 부유층에서 방향주(芳香酒)로 즐겼으며, 한결같이 두 번 빚는 이양주라는 공통점을 보여주고 있다.

환언하면 '방문주'는 매우 까다로운 면이 없지 않으나, 맛과 향, 알코올 도수의 함량 등에서 단연 특별하다 싶을 정도로 뛰어난 맛과 향취를 자랑한다는 사실에서, 과거 주막의 단골메뉴로 자리 잡았던 까닭을 어렴풋이나마 짐작할 수 있으며, 이는 대중화를 위한 술 빚기가 어떠해야 하는지를 암시하고 있다고 생각된다.

그 반증으로 '백하주'와 '백로주' 주방문에서 '지주(旨酒) 빚는 법'이라고 하여 물을 줄여서 빚는 '별법'이 있는데, 부제(副題)로 "방문주라 한다."는 내용을 엿볼 수 있다. 이는 '방문주'가 곧 '지주'라는 뜻이고, 그만큼 대중적인 인기를 끌었던 주품이라는 사실을 짐작할 수 있다.

<임원십육지>와 <조선무쌍신식요리제법> 등의 '백하주방(白霞酒方)'을 보면 "속칭 방문주라고 한다. 멥쌀 1말을 깨끗하게 씻어 가루로 하여 그릇에 담고, 끓는 물 3병을 뜨거울 때 부어서 섞은 후, 식기를 기다려 누룩가루 1되 반을 넣는다. 밀가루 1되 반, 밑술 1되를 골고루 버무려 항아리에 8할 정도 담는다. 3~4일 지나 익기를 기다렸다가, 다시 멥쌀 2말을 여러 번 깨끗이 씻고 푹 찐 다음, 끓는 물 6병을 섞는다. 이것이 식으면 밑술에다 누룩가루 1되를 첨가한다.

<산림경제보>에서는 멥쌀 1말에 누룩 3홉을 섞는다."고 하여, 밑술(腐本)의 사용을 볼 수 있는데, 기타의 방법은 '방문주'와 같다는 것을 알 수 있다.

한편, 전라도 진도 지방의 천석꾼으로 유명세를 떨쳤던 한씨 가문에 백설기로 빚는 '방문주'가 전승되어 오고 있고, 조선시대 대장군을 지냈던 경남 밀양의 밀성손씨 집안에는 '죽'으로 빚는 '방문주'가 전승되고 있다는 사실을 확인할 수 있었다.

이렇듯 '방문주'는 전통 주방문에 기초한 양주기법을 보여주고 있어 매우 중요한 술이라고 생각한다. 그 까닭은, 이제부터라도 우리 전통주를 빚는 데 있어 과학적 접근, 체계적인 주방문의 기록과 보존, 보급을 위해서라도 '방문주'에 대한 이해를 넓혀야 한다는 것이었다.

그간 지나치게 서구의 양주기술과 일본의 양주기법을 무조건적으로 베끼고 그 방법을 공급해 온 결과, 우리에게는 한국을 대표하는 명주(名酒)가 없기도 하거니와, 우리 전통주가 차지하고 있어야 할 자리에 '와인'에 이어 '맥주', '사케'가 차지하고 있음을 볼 수 있다.

## 1. 박문주 <고려대규합총서(高麗大閨閤叢書, 異本)>

술 재료 : 밑술 : 멥쌀 1말, 누룩가루 1되 3홉, 끓인 물 1말 2되
덧술 : 멥쌀 2말, 끓인 물 2말

술 빚는 법 :

* 밑술 :

1. 멥쌀 1말을 (백세하여 물에 담가 불렸다가, 다시 씻어 건져서 물기를 뺀 후) 작말한다.
2. 쌀 되는 되로 물 1말 2되를 끓이다가, 쌀가루를 고루 섞고 주걱으로 골고루 치대어 범벅을 쑨 후, 넓은 그릇에 담아 얼음같이 차게 식기를 기다린다.
3. 범벅에 누룩가루 1되 3홉을 넣고, 고루 버무려서 술밑을 빚는다.
4. 술밑을 술독에 담아 안친 뒤, 베보자기를 씌우고 이불로 싸매서 7일간 발효시킨다. 뚜껑은 덮지 않는다.

* 덧술 :

1. 멥쌀 2말을 (백세하여) 물에 담가 불렸다가 (다시 씻어 건져서 물기를 뺀 후) 시루에 안쳐서 고두밥을 짓는다.
2. 쌀 되는 되로 물 2말을 끓이고, 고두밥이 익었으면 동이그릇 같은 데 퍼 담고, 끓는 물을 고두밥에 쏟아 붓고 섞어놓는다.
3. 고두밥이 물을 다 먹으면, 넓은 그릇에 담고 주걱으로 헤쳐서 서늘하게 식기를 기다린다.
4. 밑술에 물 먹인 고두밥을 함께 섞고, 고루 치대어 술밑을 빚는다.

5. 술독에 술밑을 안친 후, 예의 방법대로 하여 14일간 발효시킨다.
6. 술 뜨기 하루 전날 종이심지를 만들어 불을 붙인 후 들이밀어 보아 흔들리거나 꺼지지 않으면, 용수를 박아두었다가 그 이튿날 술을 뜬다.

박문주(方文酒)

희게 쓴 멥쌀 한 말을 씻고 또 씻어 가루로 만들어 되들이 그릇으로 물 말 두 되만 끓이다가 개어 사늘하게 식혀 누룩 되 서 홉만 넣어 밑하여 두라. 이레 후 멀겋거든 희게 쓴 멥쌀 두 말 담갔다가 지에를 익게 쪄, 물을 되들이로 스물만 끓여 그 밥을 바탱이 같은 데 담고 끓인 물을 부어두라. 물이 밥에 다 들거든 헤쳐 사늘하게 식혀 그릇 밑에 버무려 넣었다가 두이레 지난 후 쓴다. 그러나 불을 들이밀어 보아서 꺼지지 않거든 써라.

## 2. 방문주 <민천집설(民天集說)>

술 재료 : 밑술 : 멥쌀 1말, 누룩가루 7홉, 밀가루 1홉, 물 1말 5되
덧술 : 멥쌀 2말, 2~7홉, 끓는 물 3말

술 빚는 법 :

* 밑술 :

1. 멥쌀 1말을 백세하여(물에 백 번 씻어 새 물에 담가 불렸다가, 다시 씻어 말갛게 헹궈서 물기를 뺀 후) 작말하여(가루로 빻아) 그릇에 담아놓는다.
2. 물 1말 5되를 끓이다가 쌀가루를 풀어 합하고, 주걱으로 고루 저어가면서 팔팔 끓여 죽을 쑨 후 (넓은 그릇에 펴서) 차게 식기를 기다린다.
3. 차게 식힌 죽에 누룩가루 7홉과 밀가루 1홉을 넣고, 매우 치대어 술밑을 빚는다.
4. 술독에 술밑을 안치고, 예의 방법대로 하여 7일간 발효시킨다.

＊덧술 :

1. 멥쌀 2말을 백세하여 새 물에 담가 불렸다가 (다시 씻어 건져서 물기를 빼 놓는다).
2. 불린 쌀을 시루에 안쳐서 고두밥을 짓고, 솥에 물 3말을 오랫동안 팔팔 끓인다.
3. 고두밥이 익었으면 퍼내어 즉시 넓은 그릇에 담고, 시루밑물 30되를 골고루 뿌려주고, 주걱으로 고루 헤쳐서 풀어놓는다.
4. 고두밥이 물을 다 먹었으면 (그릇에 뚜껑을 덮어 두고) 차게 식기를 기다린다.
5. 식은 고두밥에 밑술과 누룩가루 2~7홉을 합하고, 고루 버무려 술밑을 빚는다.
6. 술독에 술밑을 안치고, 예의 방법대로 하여 7~8일간 발효시킨다.

方文酒

白米一斗百洗作末用水十五升作粥候冷之以曲末七合眞末七合調和入于瓷缸七日後白米二斗百洗浸水翌日爛蒸以蒸飯水三十升灌入拌拌候冷以和釀調和入缸以又以曲末二七合加入好(○○).

## 3. 방문주 <술 만드는 법>

술 재료 : 밑술 : 멥쌀 5되, 누룩가루 1되가웃(5홉), 끓는 물 5되
덧술 : 멥쌀 1말, 시루밑물 1말

술 빚는 법 :

1. 멥쌀 5되를 물에 백세하여 (매우 깨끗이 씻어 불렸다가, 다시 헹궈서 물기를 뺀 뒤) 작말하여 그릇에 담아놓는다.
2. 쌀 되던 그릇(되)으로 물 5되를 계량하여 솥에 끓이고, 끓는 김에 쌀가루에

붓고, 주걱으로 고루 개어 범벅을 만든다.

3. 범벅을 넓은 그릇에 퍼서 차게 식기를 기다렸다가, 누룩가루 1되가웃(5홉)을 한데 섞고, 떡 반죽하듯 고루 주물러서 술밑을 빚는다.
4. 술밑을 술독에 담아 안치고, 예의 방법대로 하여 겨울은 5일(봄과 가을철에는 3~4일)간 발효시켜 술이 괴어오르기를 기다린다.

* 덧술 :

1. 멥쌀 1말을 (물에 깨끗이 씻어 하룻밤 불렸다가, 건져서 물기를 뺀 다음 시루에 안쳐) 준비한다.
2. 솥에 물을 넉넉히 붓고 끓이다가, 시루를 올리고 불린 쌀을 안쳐서 고두밥을 찐다.
3. 시루에서 한 김 올라오면 물 1됫박을 뿌려주고, 다시 김을 올려서 익힌다.
4. 쌀그릇으로 시루밑물 1말을 계량하여 다시 끓였다가, 고두밥이 익었으면 넓은 그릇에 펴 담고, 끓는 물 5되를 고두밥에 붓고, 나머지 물은 식힌다.
5. 고두밥이 물을 빨아들였으면, 자리에 퍼내서 고루 펼쳐서 차게 식힌다.
6. 식힌 시루밑물 5되로 술그릇을 부셔서 고두밥에 밑술과 함께 합하고, 고루 버무려 술밑을 빚는다.
7. 술을 안친 술독은 예의 방법대로 하여 발효시키는데, 겨울철에는 7일이면 술이 익고, 봄·가을철에는 5~6일이면 술이 익는다.

* 주방문에 "술이 익어 괴어도 탁주 같으니, 주대로 드리우라."고 하였다. 또 "맛이 청쾌하려면 버무릴 때 진말 3홉을 넣으라."고 하였다.

방문쥬

빅미 ᄒᆞᆫ 말 ᄒᆞ랴면 슐밋 닷 되 빅세 작말ᄒᆞ야 ᄡᆞᆯ 된 그르스로 물 닷 되를 ᄭᅳᆯ여 범벅 ᄀᆡ여 식거든 곡말 되가옷 고로 셕거 가며 쳐 너헛다가 겨울은 닷싀만에 덧 ᄒᆞᆫ 말를 뼈셔 ᄒᆞ되 밥을 물를 언고 김을 올녀 시루솟히 물 ᄒᆞᆫ 말를 ᄡᆞᆯ 된 그르스로 되야 ᄭᅳᆯ히고 그 밥을 쇼라에 퍼 놋코 ᄭᅳᆯ인 물 반만 안구아

빌 만ᄒᆞ거든 식여 슐밋히 ᄭᅳᆯ인 물 식힌 거슬 들어부어 통쳐 식은 슐밥에 버무려 넛코 ᄭᅳᆯ인 물 남은 거슬 그릇 부시여 너흐라 겨울은 칠 일 만이면 ᄡᅳ고 츈츄에ᄂᆞᆫ 오륙 일 만에 ᄡᅳ나니 괴야도 탁쥬 갓흐니 쥬ᄃᆡ로 듸리우게 ᄒᆞ면 맛시 청쾌ᄒᆞ랴면 버무릴 졔 진말 셔 홉을 너흐라.

## 4. 방문주(별법) <술 만드는 법>

술 재료 : 밑술 : 멥쌀 5되, 누룩가루 1되가웃(5홉), 진말 3홉, 끓는 물 5되
덧술 : 멥쌀 1말, 시루밑물 1말

술 빚는 법 :

* 밑술 :

1. 멥쌀 5되를 물에 백세하여 (매우 깨끗이 씻어 불렸다가, 다시 헹궈서 물기를 뺀 뒤) 작말하여 그릇에 담아놓는다.
2. 쌀 되던 그릇(되)으로 물 5되를 계량하여 솥에 끓이고, 끓는 김에 쌀가루에 붓고, 주걱으로 고루 개어 범벅을 만든다.
3. 범벅을 넓은 그릇에 펴서 차게 식기를 기다렸다가, 누룩가루 1되가웃(5홉)과 밀가루 3홉을 한데 섞고, 떡 반죽하듯 고루 주물러서 술밑을 빚는다.
4. 술밑을 술독에 담아 안치고, 예의 방법대로 하여 겨울은 5일(봄과 가을철에는 3~4일)간 발효시켜 술이 괴어오르기를 기다린다.

* 덧술 :

1. 멥쌀 1말을 (물에 깨끗이 씻어 하룻밤 불렸다가, 건져서 물기를 뺀 다음 시루에 안쳐) 준비한다.
2. 솥에 물을 넉넉히 붓고 끓이다가, 시루에 불린 쌀을 안쳐서 고두밥을 찐다.
3. 시루에서 한 김 올라오면 물 1됫박을 뿌려주고, 다시 김을 올려서 익힌다.

4. 쌀그릇으로 시루밑물 1말을 계량하여 다시 끓였다가, 고두밥이 익었으면 넓은 그릇에 퍼 담고, 끓는 (시루밑)물 5되를 고두밥에 붓고, 나머지 물은 식힌다.
5. 고두밥이 물을 빨아들였으면, 자리에 퍼내서 고루 펼쳐서 차게 식힌다.
6. 식힌 시루밑물 5되로 술그릇을 부셔서 고두밥에 밑술과 함께 합하고, 고루 버무려 술밑을 빚는다.
7. 술을 안친 술독은 예의 방법대로 하여 발효시키는데, 겨울철에는 7일이면 술이 익고, 봄·가을철에는 5~6일이면 술이 익는다.

* 주방문에 "맛을 청쾌하게 하려면 버무릴 때 진말 3홉을 넣으라."고 하였으므로, 이에 진말을 넣는 주방문을 작성하였다.

방문쥬
겨울은 칠 일 만이면 ᄡᅳ고 츈츄에ᄂᆞᆫ 오륙 일 만에 ᄡᅳ나니 괴야도 탁쥬 갓ᄒᆞ니 쥬ᄃᆡ로 ᄃᆡ리우게 ᄒᆞ면 맛시 쳥쾌ᄒᆞ랴면 버무릴 졔 진말 셔 홉을 너흐라.

## 5. 방문주 <술 빚는 법>
–3말 빚이

술 재료 : 밑술 : 멥쌀 1말, 가루누룩 2되 1홉, 끓는 물 4말 5되(쌀되)
덧술 : 멥쌀 2말, 물 1말(쌀되 2말)

술 빚는 법 :
* 밑술 :
1. 멥쌀 1말을 백세하여 (물에 하룻밤 불렸다가, 다시 씻어 헹궈 건져서) 작말한다.

2. 쌀가루를 시루에 안쳐서 흰무리떡을 찐다.
3. 솥에 물을 4말 5되(쌀되)를 팔팔 끓여 흰무리떡과 골고루 섞고, 주걱으로 고루 개어 (덩어리 없이 하여) 죽처럼 만들어놓는다.
4. 죽처럼 만든 떡을 (넓은 그릇에 나눠 담고, 뚜껑을 덮어) 차게 식기를 기다린다.
5. 차게 식힌 떡에 가루누룩 2되 1홉을 섞고, 고루 치대어 술밑을 빚는다.
6. 술독에 술밑을 담아 안치고, 예의 방법대로 발효시켜 쓴맛 나면 덧술을 준비한다.

* 덧술 :
1. 멥쌀 2말을 백세하여 (물에 담가 불렸다가, 다시 씻어 건져서) 고두밥을 짓는다.
2. 고두밥이 익었으면, 냉수 1말(쌀되 2말)을 준비하였다가, 8되~7되를 고두밥에 골고루 뿌려준다.
3. 고두밥이 물을 다 빨아먹었으면, 돗자리에 고루 헤쳐서 차게 식기를 기다린다.
4. 차게 식힌 고두밥에 밑술과 쓰고 남은 물 2~3되를 끓여서 식힌 후, 한데 섞고 고루 버무려 술밑을 빚는다.
5. 술밑을 술독에 담아 안친 뒤, 예의 방법대로 하여 발효시킨다.

* 주방문 말미에 "쌀과 물의 되수가 같다."고 하였다. 따라서 물의 양은 쌀 되던 되(승)로 계량한 것이라는 것을 알 수 있다.

방문주

술 셔 말 허려면 빅미 한 말 빅셰 작말허여, 흰물리 쪄 물 한 말 그려 썩의 물 여달 된만 범우려 셔늘허게 씩은 후, 됴흔 가로누록 셰 칠홉만 남져지 물 두 되 모도 너허 범으러 두엇다가, 쁜 맛 들거든 빅미 두 말 빅셰허여 아니 쪄 물 한 말의 여달 되식이나 일곱 되 씩이나 보아 맛게 물 주고, 물이 밥의 든 후 다시 쪄 식여 셔늘허게 식은 후 밋술의 범으리되, 밥의 주고 나문 물 씩여 한데 너흐라. 살과 물이 되수가 갓치 허난이라.

## 6. 또 방문주 <술 빚는 법>

술 재료 : 멥쌀 2말 5되, 가루누룩 1되 3홉, 밀가루 7홉, 끓는 물 2말 5되(쌀되)

술 빚는 법 :

1. 정월 첫 해일에 멥쌀 2말 5되를 백세하여 (물에 백 번 씻어 새 물에 담가 불렸다가, 다시 씻어 말갛게 헹궈서 물기를 뺀 후) 작말하여 그릇에 담아놓는다.
2. 쌀 되던 되로 물 2말 5되를 팔팔 끓여 쌀가루와 합하고, 주걱으로 힘껏 치대어 범벅처럼 만들고, 하룻밤 재워 속까지 얼음같이 차게 식기를 기다린다.
3. 좋은 가루누룩을 볕에 내어 수차례 법제하여 가는체로 쳐서 내린 고운 가루누룩 1되 3홉을 마련한다.
4. 차게 식힌 범벅에 가루누룩 1되 3홉과 밀가루 7홉을 한데 합하고, 매우 고루고루 치대어 술밑을 빚는다.
5. 술독은 물에 매우 깨끗하게 씻어 (건조시켜) 가마니로 싸매 옷을 입힌다.
6. 술독에 술밑을 담아 안치고, 예의 방법대로 하여 덥지도 차지도 않은 곳에 두고 발효시켜 익기를 기다린다.

* <술 빚는 법>의 '또 방문주' 주방문은 유일하게 단양주법임을 알 수 있다. 그런데 술 빚는 법을 보면 쌀을 작말하여 범벅을 쑤어 빚는 것으로 되어 있는데, 방문 말미에는 "(술에) 가야미와 고치 담 속 뜨고 향내 가득하리니"라고 하고, 또 "오지병에 도청하면 무거운 밥 팔은 가라앉고 부의와 흰 꽃이 뜨나니"라고 하였다. 이와 같은 일이 가능한지는 알 수 없거니와, 이 기록이 맞는다고 하면 추측컨대 덧술 방문이 누락된 것이 아닌가 생각된다.
* 주방문 말미에 "물은 쌀 수대로 부어 개고" 하여, 물의 양이 2말 5되라는 것

을 알 수 있다. 또 "(술에) 가야미와 고치 담 속 뜨고 향내 가득하리니, 사병과 질병과 술이 변미하니 오지병에 도청하면 무거운 밥 팔은 가라앉고 부의와 흰 꽃이 뜨나니, 무릇 술은 쾌 식혀 지에도 쾌 쪄서 서늘토록 식혀 하면 쉴 염려 없고, 누룩을 바래여 하면 잡맛이 없고, 술빛이 냉수 같으니, 술은 잡내 아니 나는 고로 그릇에 정히 우렸다가, 여러 번 도청하면 맛이 청렬하고 변미 아니하나니라."고 하여, 술 빚을 때 주의할 일과 술을 떠서 보관할 때의 요령에 대해서도 언급한 것을 볼 수 있다.

ᄯᅩ 방문주

졍월 초 ᄒᆡ일의 ᄇᆡᆨ미 두 말가웃슬 ᄇᆡᆨ세작말허여, 물을 고붓지계 글여 가로을 쇼라의 담고, 쓸는 물을 부어 범덕만치 고로고로 ᄀᆡ되, 주걸으로 힘 셔 져어 한 덩이 미진헌 것 업시 ᄒᆞ고, 글인 물은 쌀 수ᄃᆡ로 부어 ᄀᆡ고, 하로밤 ᄌᆡ와 밋가지 어름갓치 식인 후, 조흔 가로누룩을 무수이 이슬 맛쳐 바ᄅᆡ여 빗치 보희도록 허여, 깁체의 노엿다가 되 셔 홉과 곱계 뇐 후, 진말 칠 홉과 너허 고로고로 버무려 항을 물의 졍히졍히 씻셔다가 공셕으로 옷 입피고, 항 속의 ᄯᅩ 집풀히며 ᄀᆡ야미와 ᄭᅩᆺ치 답속 ᄯᅳ고 향취 가득 허리니, ᄉᆞ병과 질병과 술리 변미한니 오지병의 도청허면, 무거온 밥팔은 가라안고 부의와 흰 곳치 데데드난니, 물의 술은 쐐 식여 지기도 쐐 쪄셔 셔늘토록 식여 ᄒᆞ면 실 염여 업고, 누룩을 발ᄅᆡ여 허면 좁마시 업고, 술빗치 ᄂᆡᆼ수 갓트니, 술을 잡ᄂᆡ 아니나는 그르ᄉᆡ 졍히 울엿다가, 얼어 번 도청ᄒᆞ면 맛시 쳥열ᄒᆞ고 변미 안니허난니라.

## 7. 방문주 별방 <시의전서(是議全書)>

-3말 빚이

술 재료 : 밑술 : 멥쌀 9되, 가루누룩 2되, 끓는 물 3그릇(7되들이)
덧술 : 멥쌀 3말, 밀가루 1되, 물 9사발

* 밑술 :

1. 멥쌀 9되를 백세하여 물에 하룻밤 불렸다가 (다시 씻어 헹궈 건져) 작말한다.
2. 7되들이 그릇으로 물 3그릇을 (팔팔 끓여) 멥쌀가루와 골고루 섞어 범벅을 쑨다.
3. 범벅을 넓은 그릇에 나눠 담고, 뚜껑을 덮어 (밤재워) 차게 식기를 기다린다.
4. 차게 식힌 멥쌀 범벅에 가루누룩 2되를 섞고, 고루 치대어 술밑을 빚는다.
5. 술독은 군내와 물기 없고 연기 쐬어 소독한 것으로, 냇내를 씻어 준비한 술독에 술밑을 담아 안치고, 예의 방법대로 하여 발효시켜, 괴어오르면 덧술을 빚어 넣는다.

* 덧술 :

1. 멥쌀 3말을 백세하여 (물에 담가 불렸다가, 다시 씻어 건져서) 고두밥을 짓는다.
2. 고두밥이 익었으면 냉수 9사발을 고두밥에 골고루 뿌려주고, 고두밥이 물을 다 빨아들이면 돗자리에 고루 헤쳐서 차게 식기를 기다린다.
3. 차게 식힌 고두밥에 밑술과 밀가루 1되를 한데 섞고, 고루 버무려 술밑을 빚는다.
4. 술밑을 소독해서 마련한 술독에 담아 안친 뒤, 예의 방법대로 하여 (이불로) 많이 싸매고 덥게 하여(따뜻한 곳에서) 발효시킨다.
5. 술이 한창 괴어오르면, 곧바로 찬 곳으로 옮겨 차게 식힌 다음, 숙성되기를 기다려 채주하여 마신다.

* 주방문 말미에 "술이 괼 때까지 술독을 싸매서 덥게 하고, 괸 후에는 즉시 차게 하라."고 하여 본방(本方) 없이 '방문주 별방(別方)'만 수록되어 있다.

방문쥬 별방

셔 말 비즈랴면 빅미 아홉 되을 빅세ᄒᆞ야 담가다가 잇튼날 ᄲᅡ아 칠곱 되드리로 셋만 부어 범벅ᄀᆡ여 ᄎᆞ거 업난 항에 날물 업시 ᄒᆞ고 칩ᄂᆡ 쏘여 가로누룩 두 되만 너허 고로고로 쳐 항에 너허 괴거든 ᄇᆡᆨ미 셔 말 ᄇᆡᆨ세ᄒᆞ여 가장 익게 쪄셔 담고 비달 더운 기음에 ᄂᆡᆼ슈 아홉 사발 셧거 물이들어든 헤쳐 셔늘ᄒᆞ게 ᄎᆞ거든 슐밋 셕거 비즈되 진말 ᄒᆞᆫ 되 너허 비져 만이 ᄊᆡᆨ 괸 후 드리우라. 슐을 아이에 덥게 ᄒᆞ고 괸 후 즉시 ᄎᆞ게 ᄒᆞ라.

## 8. 방문주 <양주방>*

술 재료 : 밑술 : 멥쌀 3되, 누룩가루 6홉, 끓는 물 3되
덧술 : 멥쌀 1말, 누룩가루 4되, 밀가루 3홉, 끓는 물 1말

술 빚는 법 :

* 밑술 :

1. 희게 쓿은 멥쌀 3되를 깨끗이 씻고 또 씻어 (백세하여 물에 담가 불렸다가, 다시 씻어 헹궈 건져서 물기를 뺀 후) 작말한다.
2. 쌀가루를 시루에 안쳐서 흰무리떡을 찌고, 다른 솥에 물 3되를 팔팔 끓인다.
3. 떡이 익었으면 퍼내어 넓은 그릇에 담고, 끓는 물 3되를 흰무리에 붓고 주걱으로 고루 개어서 죽처럼 만든 뒤, 넓은 그릇에 펴서 매우 차게 식기를 기다린다.
4. 죽처럼 된 떡에 좋은 누룩가루 6홉을 섞고, 고루 버무려 술밑을 빚는다.
5. 술밑을 술독에 담아 안치고, 예의 방법대로 하여 알맞은 온도의 방에 덮어 발효시킨다(술밑이 흠씬 익어야 맛이 콕 쏘고 쉽게 된다).

* 덧술 :

1. 희게 쓿은 멥쌀 1말을 깨끗이 씻고 또 씻어(백세하여) 물에 담가 하룻밤 불렸다가, 이튿날 일찍 (다시 씻어 헹궈서 물기를 뺀 후) 시루에 안쳐 고두밥

을 짓는다.
2. 고두밥을 무르게 찌는데, 주걱으로 뒤집어서 물을 뿌려서 흠씬 익게 쪄낸다.
3. 고두밥을 넓은 그릇에 퍼 담고, 끓는 물 1말을 고루 부어주고 덮어둔다.
4. 밥이 물을 다 먹었으면 여러 그릇에 나눠 담아서 매우 차게 식기를 기다린다.
5. 고두밥에 밑술과 밀가루 3홉을 한데 섞고, 고루 버무려 술밑을 빚는다.
6. 술밑을 술독에 담아 안치고, 단단히 싸매어 더운 방에 두고 발효시킨다.
7. 술이 익는 것을 보아가면서 알맞은 곳에 옮겨두었다가, 21일 후에 위가 맑아지면 따라서 마신다.

* 주방문 말미에 "너무 더운 방에 두어도 탈 지고, 찬 데에 두어도 얼괴어 못된다. 술을 우덮는 날은 밥이 차되, 아무렇게나 덮어두었다가는 얼기 쉬우니 이런 걱정 없게 덮어두었다가 익어가는 대로 차차 알맞은 데에 놓아두었다가 …(중략)… 얼며 괴면 달고, 술이 걸고, 밥을 태우거나 꽤 찌지 않고 설찌거나 덜 차갑거나 하면 술맛이 시고 물이 많아도 시고 좋지 아니하니 몹시 마음을 써야 한다. 누룩도 아주 좋은 누룩을 약간 찧어 밤낮으로 바래어 가루로 만들면 좋다."고 하였다.

방문쥬

ᄇᆡᆨ미 서 되를 ᄇᆡᆨ세작말ᄒᆞ야 무리 ᄡᅧ ᄭᅳᆯ힌 물 서 되예 쥭 ᄀᆞᆺ치 덩이 프러 ᄎᆡ와 조흔 국말 ᄂᆞᆨ 홉 못ᄎᆞ이 너허 버무려 항을 일긔를 ᄯᆞ라 알마ᄌᆞᆫ 방의 덥허 두엇다가 ᄆᆡᆺ치 쾌히 닉어야 마시 쥰ᄒᆞ고 술이 되ᄂᆞ니 닉어 물근 후 ᄇᆡᆨ미 ᄒᆞᆫ 말을 ᄇᆡᆨ셰 ᄒᆞ야 담가 이튼날 일즉 밥 ᄶᅵᄃᆡ 쥬걱 뒤고 물 ᄲᅳ려 흐시우 ᄡᅧ 큰 그르ᄉᆡ 모도 프고 ᄭᅳᆯ힌 물 ᄒᆞᆫ 말을 날물긔 업시 ᄭᅳᆯᄂᆞᆫ 물을 밥의 퍼부어 덥허두면 물이 밥의 드러 밥낫치 지은 밥쳐로 븟거든 너러 그(르)ᄉᆡ 난화 노화 온긔 업시 ᄎᆞ거든 진말 서 홉과 술밋희 버므려 ᄃᆞᆫᄃᆞᆫ이 ᄊᆞ미야 더운 방의 덥허두ᄃᆡ 너므 더운 방의 두어도 달치고 찬ᄃᆡ 두어도 얼괴여 못되ᄂᆞ니 술 엇ᄂᆞᆫ 날은 밥을 범연이 더퍼 예ᄉᆞ로이 더운 ᄃᆡ 두엇다가ᄂᆞᆫ 얽기 쉬오니 이런 념여 업시 두엇다가 닉어 가ᄂᆞᆫ ᄃᆡ로 챠챠 맛 가ᄌᆞᆫ ᄃᆡ ᄂᆞ하 두엇다가 삼칠일 후 우히 ᄆᆞᆰ어

지거든 드리워 쓰라. 얼괴면 술이 ᄃᆞᆯ고 걸고 섧지나 덜ᄎᆞ나 ᄒᆞ면 술마시 ᄉᆡ고 물이 만하도 조치 아니ᄒᆞᄂᆞ니 ᄀᆞ장 샹심하고 누록도 마이 조흔 누록을 약간 찌어 쥬야로 ᄇᆞ라여 작말ᄒᆞ면 죠코 서 말 비ᄌᆞ랴 ᄒᆞ면 쏠 ᄒᆞᆫ 말을 밋ᄒᆞ면 조흐니라. 누록ᄀᆞ로도 ᄒᆞᆫ 말의 너 홉 넉넉 너흐라.

## 9. 방문주 우법 <양주방>*

술 재료 : 밑술 : 멥쌀 1되 5홉, 섬누룩가루 1되 5홉, 끓는 물(1말)
덧술 : 멥쌀 2말, 밀가루 9홉, 끓는 물 3말

술 빚는 법 :

* 밑술 :

1. 희게 쓿은 멥쌀 1되 5홉을 깨끗이 씻고 또 씻어 (백세하여 물에 담가 불렸다가, 다시 씻어 헹궈 건져서 물기를 뺀 후) 작말한다.
2. 솥에 물(1말)을 끓이다가 쌀가루를 풀어 넣고 팔팔 끓여서 묽은 죽을 쑨 뒤, 넓은 그릇에 퍼서 매우 차게 식기를 기다린다.
3. 죽에 섬누룩가루 1되 5홉을 섞고, 고루 버무려 술밑을 빚는다.
4. 술밑을 술독에 담아 안치고, 예의 방법대로 하여 알맞은 온도의 방에 덮어 발효시켜 익기를 기다린다(술밑이 흠씬 익어야 맛이 콕 쏘고 쉽게 된다).

* 덧술 : ᄇᆡᆨ미 ᄒᆞᆫ 말 ᄇᆡᆨ셰ᄒᆞ야 물 쓰려 물(밥)을 녹게 쎠 끌힌 물 ᄒᆞᆫ 말 골나 붓거든 마이 ᄎᆡ와 술밋 걸너 진말 두 홉 섯거 버므려 알마초 덥허 잘 닉여 치괸 후 드리워 쓰라.

1. 희게 쓿은 멥쌀 1말을 백세하여 (물에 담가 불렸다가, 다시 씻어 헹궈서) 물기를 뺀 후) 시루에 안쳐 고두밥을 짓는다.
2. 고두밥을 무르게 찌는데, 주걱으로 뒤집어서 물을 뿌려서 흠씬 익게 쪄낸다.

3. 고두밥을 넓은 그릇에 펴 담고, 끓는 물 1말을 고루 부어주고 덮어둔다.
4. 밥이 물을 다 먹었으면 여러 그릇에 나눠 담아서 매우 차게 식기를 기다린다.
5. 고두밥에 밑술과 밀가루 2홉을 한데 섞고, 고루 버무려 술밑을 빚는다.
6. 술밑을 술독에 담아 안치고, 단단히 싸매어 더운 방에 두고 발효시킨다.
7. 술이 익는 것을 보아가면서 알맞은 곳에 옮겨두었다가, 10일 정도 지나서 위가 맑아지면 따라서 마신다.

* 주방문 말미에 "덧ᄒᆞᆫ 지 일슌이면 닉ᄂᆞ니 마시 죠코 조ᄒᆞ니라."고 하였으므로, 덧술의 발효기간이 10일이라는 것을 알 수 있다.

방문쥬 우일방
ᄇᆡᆨ미 되가옷 ᄇᆡᆨ셰작말ᄒᆞ야 ᄆᆞᆰ게 쥭 ᄡᅮ어 ᄎᆡ와 셥누록 되가옷 섯거 두엇다가 닉거든 ᄇᆡᆨ미 ᄒᆞᆫ 말 ᄇᆡᆨ셰ᄒᆞ야 물 ᄡᆡ려 물(밥)을 녹게 ᄡᅧ ᄡᆞᆯ힌 물 ᄒᆞᆫ 말 골나 붓거든 마이 ᄎᆡ와 술밋 걸너 진말 두 홉 섯거 버므려 알마초 덥허 잘 닉여 ᄎᆡ 괸 후 드리워 쓰라. 덧ᄒᆞᆫ 지 일슌이면 닉ᄂᆞ니 마시 죠코 조ᄒᆞ니라.

## 10. 방문주 <우음제방(禹飮諸方)>

술 재료 : 밑술 : 멥쌀 3되, 누룩가루 7홉, 끓는 물 7탕기
덧술 : 찹쌀 1말, 누룩가루 3홉, 밀가루 3홉

술 빚는 법 :
* 밑술 :
1. 멥쌀 3되를 특별히 쓿고(도정을 많이 하여) 백세하여 물에 담가 수일간 불렸다가, (다시 씻어 헹궈서 물기를 뺀 뒤) 작말한다.
2. 솥에 물 7탕기를 붓고 팔팔 끓여서 쌀가루에 골고루 나눠 붓고, 주걱으로 고

루 개어 범벅을 만든 다음, 차게 식힌다(식기를 기다린다).
3. 범벅에 누룩가루 7홉을 합하고, 고루 버무려 술밑을 빚는다.
4. 맑고 깨끗한 술독에 술밑을 담아 안치고, 예의 방법대로 하여 (서늘한 곳에서) 7일간 발효시킨다.

* 덧술 :
1. 찹쌀 1말을 (백세하여) 물에 담가 수일간 불렸다가 (다시 씻어 헹궈서 물기를 뺀 후) 시루에 안쳐서 고두밥을 짓는다.
2. 고두밥이 익었으면 퍼내고, 고루 펼쳐서 차게 식기를 기다린다.
3. 고두밥에 밑술과 누룩가루 3홉과 밀가루 3홉을 합하고, 고루 버무려 술밑을 빚는다.
4. 술독에 술밑을 담아 안치고, 예의 방법대로 하여 단단히 싸매어 (따뜻한 곳에 두고) 3~4일간 발효시킨다.

* 주방문 말미에 "방문주법이 김 나면(새면) 맛이 부족하니 싸매기를 각별히 단단히 하라."고 하였다.
* 다른 기록의 '방문주법'은 "술항아리는 빚어 넣고 괼 때까지는 덥게 하고, 괸 다음에는 즉시 차게 해야 한다."고 하였다.

방문쥬

ᄇᆡᆨ미 셔 되 각별 쓸코 ᄇᆡᆨ셰ᄒᆞ야 수일을 ᄃᆞᆷ가다가 작말ᄒᆞ야 ᄭᆞᆯ는 믈 닐곱 탕긔예 범벅 ᄀᆡ여 ᄎᆞ게 식여 국말 칠 홉 너허 정ᄒᆞᆫ 항의 너허 일칠일 마ᄂᆡ ᄎᆞᆯᄡᆞᆯ ᄒᆞᆫ 말 미리 ᄃᆞᆷ가 수일 마ᄂᆡ 닉게 쪄 셔늘ᄒᆞ게 식여 ᄀᆞ로누록 서 홉 진말 서 홉 너허 술밋치 버므려 마ᄌᆞᆫ 항의 비져 일칠 마ᄂᆡ 먹으ᄃᆡ 방문쥬법이 김 나면 마시 ᄇᆞ족ᄒᆞ니 싸ᄆᆡ기를 각별 ᄃᆞᆫᄃᆞᆫ이 ᄒᆞ라.

## 11. 방문주법 <조선무쌍신식요리제법(朝鮮無雙新式料理製法)>

술 재료 : 밑술 : 흰쌀 1말, 누룩가루 1되 5홉(또는 1되 2홉), 밀가루 1되 5홉, 끓는 물 3병
덧술 : 흰쌀 2말, 끓는 물 6병

술 빚는 법 :

* 밑술 :

1. 9월 그믐이나 10월 초승에 서리가 온 후, 흰쌀(멥쌀) 1말을 정히 찧어 백세하여 (물에 담갔다) 불려놓는다.
2. 불린 쌀을 (다시 씻어 건져서 물기를 뺀 뒤) 작말하여 넓은 그릇에 담아놓는다.
3. 물 2병 반을 팔팔 끓여 쌀가루에 붓고 주걱으로 고루 개어 범벅을 만든 다음, 차게 식기를 기다린다.
4. 별도의 끓여 식힌 물 1사발에 누룩가루 1되를 넣고, 막대(주걱)로 고루 휘저어 물누룩(水麴)을 만들어놓는다.
5. 범벅에 물누룩을 뿌려가면서 주걱으로 고루 휘저어 덩어리가 없고 묽어져 부드러워지도록 술밑을 빚는다.
6. 술독에 밀가루 5홉을 뿌린 다음 술밑을 안치고, 그 위에 다시 밀가루 1되를 두껍게 뿌려 덮은 뒤, 춥지도 덥지도 않은 곳에서 7일간 발효시킨다.
7. 술독을 두드려 보아서 술독에서 기포가 터지는 소리가 들리면 덧술을 준비한다.

* 덧술 :

1. 흰쌀 2말을 물에 백세하여 (물에 담갔다가 다시 씻어 건져서) 무른 고두밥을 짓는다.
2. 물 6병을 팔팔 끓여서 쪄내서 뜨거운 고두밥에 붓고, 고두밥이 물을 다 먹었으면 그릇 여러 개에 나눠 담고 차게 식기를 기다린다.

3. 식은 고두밥을 밑술 독에 넣어 합하고, 고루 휘저어 술밑을 빚는다.
4. 술독에 술밑을 안치고, 예의 방법대로 하여 7일간 발효시킨다.
5. 종이 심지에 불을 붙여 독 안에 넣어보아 불이 꺼지지 않으면 다 익은 것이다.

방문주법(方文酒法)
백로주(白露酒) 주방문은 이러하나 한 말 쌀에 누룩 닷 홉을 늘 것이요 우덥흘 제 두 말을 덥고 누룩은 말 것이요 빗은 희게 하랴면 한 말에 누룩을 세 홉만 느어도 되나니 이 위하는 법은 시속에 방문주라 하는 것이니 서리 온 뒤에 당글 것이요 만일 일긔가 조곰 더우면 맛이 시여 글러지나니라.

## 12. 방문주 <주정(酒政)>

–4말 빚이

술 재료 : 밑술 : 멥쌀 1말, 누룩가루 2되 8홉, 끓는 물 4주발
덧술 : 찹쌀 2말 5되, 멥쌀 5되, 끓는 물 1동이 3홉

술 빚는 법 :
* 밑술 :
1. 멥쌀 1말을 (백세하여 물에 담가 불렸다가, 다시 씻어 헹궈서 물기를 뺀 후) 매우 곱게 가루로 빻는다.
2. 쌀가루를 시루에 안쳐서 흰무리떡을 찌고, 솥에 물 4주발을 팔팔 끓인다.
3. 흰무리떡이 익었으면 퍼내어 큰 그릇 여러 개에 나눠 담고 끓는 물 4주발을 골고루 붓는다.
4. 끓는 물을 합한 흰무리떡을 막대기나 주걱으로 술거리를 무수히 휘저어서 (덩어리가 없이 풀어) 풀처럼 만들어 하룻밤 재워 차게 식기를 기다린다.
5. 차게 식은 떡에 (쌀 1말당 누룩가루 7홉씩) 누룩가루 2되 8홉을 고루 버무

려 술밑을 빚는다.

6. 술밑을 항에 담아 안치고, 예의 방법대로 하여 (덥지 않은 곳에 앉혀두고) 발효시켜서 술이 익어 맑기를 기다린다.

* 덧술 :

1. 찹쌀 2말 5되와 멥쌀 5되를 (각각) 정세하여 (물에 담가 불렸다가, 다시 씻어 헹궈서 물기를 뺀 후) 각각 시루에 안쳐서 고두밥을 짓는다.
2. 물 1동이 3홉을 길어다가 매우 끓여서 술독에 담아서 차게 식히고, 고두밥이 익었으면 퍼내어 고루 펼쳐서 차게 식기를 기다린다.
3. 멥쌀고두밥에 먼저 빚은 밑술과 끓여 식힌 물을 합하여 버무린 뒤, 재차 찹쌀고두밥을 합하고 고루 버무려서 술밑을 빚는다.
4. 술밑을 항에 담아 안치고, 예의 방법대로 하여 (덥지 않은 곳에 앉혀두고) 발효시켜서 술이 익기를 기다려서 마신다.

方文酒

欲釀 四斗 白米一斗精末蒸餌 按沸水四碗無數揮調 一宿凉息 麴末二升八合(米一斗麴末每七合式) 與餌均拌盛于缸待淸 粘米二斗五升 白米五升(相半可矣而 粘多則酒多而易淸) 精洗蒸餌又湯沸水一汲盆三合 各其凉息 與酶均拌而先調 白米餌次調粘餌待熟 而飮.

## 13. 방문주 <주정(酒政)>

–3말 빚이

> 술 재료 : 밑술 : 멥쌀 1말, 누룩가루 2되 8홉, 끓는 물 4주발
> 덧술 : 찹쌀 1말 5되, 멥쌀 1말 5되, 끓는 물 1동이 3홉

술 빚는 법 :

* 밑술 :

1. 멥쌀 1말을 (백세하여 물에 담가 불렸다가, 다시 씻어 헹궈서 물기를 뺀 후) 매우 곱게 가루로 빻는다.
2. 쌀가루를 시루에 안쳐서 흰무리떡을 찌고, 솥에 물 4주발을 팔팔 끓인다.
3. 흰무리떡이 익었으면 퍼내어 큰 그릇 여러 개에 나눠 담고 끓는 물 4주발을 골고루 붓는다.
4. 끓는 물을 합한 흰무리떡을 막대기나 주걱으로 술거리를 무수히 휘저어서 (덩어리가 없이 풀어) 풀처럼 만들어 하룻밤 재워 차게 식기를 기다린다.
5. 차게 식은 떡에 (쌀 1말당 누룩가루 7홉씩) 누룩가루 2되 8홉을 고루 버무려 술밑을 빚는다.
6. 술밑을 항에 담아 안치고, 예의 방법대로 하여 (덥지 않은 곳에 앉혀두고) 발효시켜서 술이 익어 맑기를 기다린다.

* 덧술 :

1. 찹쌀 1말과 멥쌀 1말을 (각각) 정세하여 (물에 담가 불렸다가, 다시 씻어 헹궈서 물기를 뺀 후) 각각 시루에 안쳐서 고두밥을 짓는다.
2. 물 1동이 3홉을 길어다가 매우 끓여서 차게 식히고, 고두밥이 익었으면 퍼내어 고루 펼쳐서 차게 식기를 기다린다.
3. 멥쌀고두밥에 먼저 빚은 밑술과 끓여 식힌 물을 합하고 고루 버무린 뒤, 다시 찹쌀고두밥을 합하여 술밑을 빚는다.
4. 술밑을 항에 담아 안치고, 예의 방법대로 하여 (덥지 않은 곳에 앉혀두고) 발효시켜서 술이 익기를 기다려서 마신다.

* 주방문에 "쌀 3말을 물 긷는 동이에 담으면 1동이를 채울 수 있다. 쌀과 물은 반반이 되니 쌀 4말에 팔팔 끓인 물 1동이 3홉을 혼화한 것은 양을 짐작한 것이다. 비록 쌀이 몇 두에서 10두가 되어도 끓인 물은 쌀을 헤아려 가감하면 된다."고 하였다. 이는 쌀에 대하여 술 빚기에 사용할 물의 양을 측정하는

방법으로 해석된다.

方文酒

欲釀 四斗 白米一斗精末蒸餌 按沸水四碗無數揮調 一宿凉息 麴末二升八合(米一斗麴末每七合式) 與餌均拌盛于缸待淸 粘米二斗五升 白米五升(相半可矣而 粘多則酒多而易淸) 精洗蒸餌又湯沸水一汲盆三合 各其凉息 與酶均拌而先調 白米餌次調粘餌待熟 而飮(米三斗 盛諸汲盆則可爲一盆矣 米與水欲相半故四斗米調和沸水一汲盆三合者斟量多少也 雖數斗與十斗沸水則 量米加減可也).

## 14. 방문주 <주찬(酒饌)>

술 재료 : 밑술 : 멥쌀 1말, 가루누룩 5홉, 밀가루 5홉(끓는 물 5되)
덧술 : 찹쌀 2말

술 빚는 법 :

* 밑술 :

1. 멥쌀 1말을 백세하여 (물에 담가 불렸다가, 다시 씻어 헹궈 건져서 물기를 뺀 뒤) 작말하여 넓은 그릇에 담아둔다.
2. 물(5되를) 끓여서 팔팔 끓을 때 쌀가루에 골고루 붓고, 주걱으로 고루 개서 죽(범벅)같이 만든다.
3. 죽(범벅)이 차디차게 식기를 기다렸다가, 가루누룩 5홉과 밀가루 5홉을 합하고, 고루 치대서 술밑을 빚는다.
4. 술밑을 술독에 담아 안치고, 예의 방법대로 하여 7일간 발효시킨다.

* 덧술 :

1. 찹쌀 2말을 백세하여 (물에 담가 불렸다가, 다시 씻어 헹궈 건져서 물기를 뺀 뒤) 시루에 안쳐 무른 고두밥을 짓는다.
2. 고두밥이 익었으면 퍼내고, 고루 펼쳐서 차게 식기를 기다린다.
3. 고두밥에 밑술을 합하고, 고루 치대어 술밑을 빚는다.
4. 술독에 술밑을 담아 안치고, 예의 방법대로 하여 14일간 발효시킨다.

* 쌀 1말에 물 5탕기씩 끓여 식힌 물로 후수한다.

方文酒

欲釀三斗酒則白米一斗百洗作末甚握成泥待冷每一斗末曲五合眞末七合式入之七日後粘米二斗濃蒸待冷調釀二七日後捲上垂之而每一斗水五湯器式湯煎注之.

## 15. 방문주 별법 <증보산림경제(增補山林經濟)>

–3말 빚이

술 재료 : 밑술 : 멥쌀 6되, 누룩가루 3되, 물(6되)
덧술 : 찹쌀 3말, 묵은 누룩가루 3되, 밀가루 5홉, 냉수(탕수) 9병

술 빚는 법 :

* 밑술 :

1. 멥쌀 6되를 (백세하여 물에 담가 불렸다가, 다시 씻어 말갛게 헹궈서 물기를 뺀 후) 작말한다.
2. 물(6되)을 팔팔 끓여 골고루 쌀가루에 붓고, 주걱으로 고루 치대어 진흙 같은 범벅을 쑤어 (넓은 그릇에 담아 뚜껑을 덮고) 차게 식기를 기다린다.
3. 범벅에 좋은 누룩가루 3되를 한데 섞고, 고루 버무려 술밑을 빚는다.

4. 술밑을 술독에 담아 안치고, 예의 방법대로 하여 4~5일간 발효시킨다.
5. 술이 숙성되면 덧술을 준비한다.

* 덧술 :
1. 찹쌀 3말을 치백(治白)하여(매우 깨끗하게 씻어 말갛게 헹군 후 물에 담갔다가, 다시 씻어 건져서 물기를 뺀 뒤) 시루에 안쳐 (무른) 고두밥을 짓는다.
2. (고두밥이 무르게 익었으면 시루에서 퍼내고, 넓게 헤쳐) 차게 식기를 기다린다.
3. 무른 고두밥에 밑술과 묵은 누룩가루 3되, 냉수(여름엔 탕수) 9병을 합하고, 고루 버무려 술밑을 빚는다.
4. 술밑을 술독에 담아 안치고, 예의 방법대로 하여 차지도 덥지도 않은 적당한 곳에서 21일간 발효 숙성시켜 술이 익기를 기다린다.
5. 술 빚은 지 21일 지나서 익었는지를 확인한 후, 익었으면 반드시 용수를 박고 퍼낸다.

* 주방문에 덧술의 쌀 씻는 법에 대하여 '치백(治白)'이라는 말이 처음 등장한다. 이 치백을 "매우 깨끗하게 씻어 말갛게 헹군 후 물에 담갔다가, 다시 씻어 건져서 물기를 뺀"으로 해석하였다. 상대적으로 밑술의 쌀 씻는 법에 대한 언급은 없다.
  또 주방문 말미에 "짜지 않는 것은 술기운이 달아나 싱겁게 될까 염려해서이다. 여름에는 물을 끓여 식힌 뒤 빚는데 맛이 쉴까 염려해서이다. 이 술은 여름에도 맛이 좋다. 정이천(鄭伊川) 집에서 이 방법을 얻었다. 새 누룩도 겨울에는 쓸 수 있다."고 하여, 정이천이라는 사람 집안의 가양주가 전해진 것을 알 수 있고, 여름철에는 냉수가 아닌 탕수(끓여 식힌 물)를 사용한다는 것을 언급하였다.

方文酒 別法

欲釀粘米三斗先以白米六升作末作餅如乾甑後冷以陳好曲末三升合餅打匀納

甕四五日則成酒本矣以粘米三斗治白作飯候冷傾出酒本和合之又以陳曲末三升冷水九甁泥同均合都納甕中置심冷通宜處三七日出必揷蒭不壓恐氣洒不烈矣春夏則以湯水候冷釀之恐味酸此酒夏月味亦烈得方鄭伊川家. 新曲則冬月亦可用.

## 16. 방문주 <한국민속대관(韓國民俗大觀)>

술 재료 : 밑술 : 멥쌀 9되, 가루누룩 2되, 끓는 물 2되 1홉
덧술 : 멥쌀 3말, 밀가루 1되, 냉수 9사발

술 빚는 법 :

* 밑술 :

1. 멥쌀 9되를 백세하여 하룻밤 불렸다가 (다시 씻어 헹궈서 물기를 뺀 뒤) 빻는다(작말하여 넓은 그릇에 담아놓는다).
2. 쌀가루에 끓여서 식힌(끓는) 물 2되 1홉을 붓고, 주걱으로 고루 개어 범벅을 만든 후 (흰무리떡을 찐 다음) 차게 식힌다(식기를 기다린다).
3. 흰무리떡(범벅 갠 것)에 가루누룩 2되를 넣고, 고루 버무려 술밑을 빚는다.
4. 술독에 술밑을 담아 안치고, 예의 방법대로 하여 술이 괼 때까지 발효시킨다.

* 덧술 :

1. 밑술이 괴면, 멥쌀 3말을 잘 씻어 (백세하여 하룻밤 물에 담가 불렸다가, 다시 씻어 헹궈서 물기를 뺀 후) 시루에 안쳐서 고두밥을 짓는다.
2. 고두밥이 더운 김에(뜨거울 때) 찬물 9사발을 붓고, 고두밥이 물을 다 빨아들였으면 고루 펼쳐서 차게 식기를 기다린다.
3. 고두밥에 밑술을 쏟아 붓고, 고루 버무려 술밑을 빚는다.
4. 술독에 술밑을 담아 안치고 예의 방법대로 하여 발효시킨다.

5. 술덧이 한창 괴어오르면 밀가루 1되를 넣고 고루 뒤적여 준 다음, 다시 밀봉하여 서늘한 곳으로 술독을 옮겨 익기를 기다린다.

* 주방문 말미에 "술이 한창 괴고 나서 밀가루 한 되를 넣는다. 괸 후에는 즉시 차게 하여 서늘한 곳에서 숙성시켜야 한다."고 하였다.
* 밑술 방법 중 쌀가루 익히는 방법을 '범벅', 익힌 것을 '흰무리떡'이라고 하였다.

方文酒(방문주)

백미 아홉 되를 잘 씻고, 물에 담가 불렸다가, 이튿날 빻아서 끓여 식힌 물 두 되 한 홉을 붓고, 범벅과 같이 개어서 차게 식힌다. 술항아리는 잘 우려서 군내가 안 나고 물기가 없도록 닦고, 볏짚을 태워서 그 내를 쏘이게 한 다음에 쓰도록 한다. 가루누룩 두 되를 흰무리떡에 골고루 잘 섞어 항아리에 담는다. 술이 괴게 되면 덧술을 해서 넣는다. 이때 백미 서 말을 잘 씻어 지에밥을 쪄 더운 김에 냉수(아홉 사발)를 뿌리게 되는데, 뿌린 물이 다 먹혀들었으면 헤쳐서 차게 식힌다. 이것을 밑술에 빚어 넣고, 술이 한창 괴고 나서 밀가루 한 되를 넣는다. 술항아리는 빚어 넣고 괼 때까지는 덥게 하고, 괸 다음에는 즉시 차게 해야 한다.

# 백단주

## 스토리텔링 및 술 빚는 법

"술 빚는 법이 이러하면 맛이 좋아질까." "술 빚는 법이 저러하면 향기가 좋아질까." "술 빚는 법이 또 어떠하면 빛깔이 맑아질까."

술 빚는 사람이면 누구나 안고 있는 고민이며 염원하는 바이지만, 뜻대로 되지도 않거니와 기대했던 바와는 어긋나기 쉬운 것이 술이기에 술 빚기가 어렵고 힘들다고 하는지도 모른다.

<양주방>*의 '백단주'는 그런 의미에서 갖가지 비법이 동원된 방문으로 이루어진 술이라고 할 수 있으며, 그런 만큼 매우 고급스럽고 향기 또한 좋은 명주(名酒)라고 할 수 있을 것 같다.

먼저, '백단(白檀)'은 단향과의 반기생(半奇生) 상록교목으로, 잎은 길고 둥글며 줄기는 청백색에 광택이 있는데, 심재는 누르스름하고 독특한 향기가 있어, 예로부터 향료로 이용되어 왔다.

따라서 이 백단향의 향기를 간직하고 있다고 하여 '백단주'란 술 이름을 빌려온 것이 아닌가 하는 추측이다. 그러나 '백단주'의 맛과 향기에 대해 말하자면, 다름 아닌 '향온주'와 비슷하다는 느낌을 받았다.

백단향을 사용하여 빚은 술에 대한 경험이 없고 보니, '백단향주'의 향기가 어떻다고 말하기가 곤란한 입장인데, <양주방>*의 '백단주'는 백단이 사용되지 않는데다, 백단의 향이 그대로 술에서 난다면 별반 문제가 없겠으나, 발효를 통해서 발현되는 술 향기는 또 다르기 때문에 자신할 수는 없다.

다만, '향온주'가 향온국이라는 특수누룩을 사용하고 있어, '향온주'의 향기가 백단향과 같다고 단언하기도 어렵다는 점을 말해 두고 싶다.

다만, '향온주'와는 달리 '백단주'는 일반 조곡(粗麯)으로 빚고, '향온주'가 단양주(單釀酒)인 반면 '백단주'는 이양주(二釀酒)라는 점, 그리고 '향온주'에서는 더러 엿기름가루를 사용하고 있는 데 반해 '백단주'는 밀가루를 사용한다는 점에서 상당한 차이를 보이고 있다.

<양주방>*의 '백단주' 주방문을 보면, <음식디미방>>의 '향온주' 빚는 법과 별반 차이가 없다는 것을 알 수 있는데, 덧술에서도 고두밥에 끓는 물을 부어 진밥을 만들고 있어, 고급 술 빚기에서 목격되고 있는 방법이라고 하겠다.

이러한 주방문은 대체적으로 술 향기를 좋게 하고 수율을 높이기 위한 방법에서 체득된 지혜라고 할 수 있으며, 상당수의 전통주에서 찾아볼 수 있다.

'백단주'를 빚을 때 주의하여야 할 요령으로 밑술의 역할이 매우 중요한데, 멥쌀가루는 가능한 한 곱게 빻도록 하고 깁체에 내려서 무거리가 없게 한 뒤, 끓는 물을 골고루 뿌려가면서 익히되, 가능한 한 많이 익도록 범벅을 쑤는 일에 신경을 써야 하고, 또 차게 식힌 후에 석임 등을 사용하여 술을 빚어야 한다.

특히 쌀 양과 물의 양이 동량이므로 자칫 범벅이 설익는 경우가 많아, 냉각 후에도 재발효와 함께 다시 품온이 상승하여 산패를 초래할 수 있다.

따라서 밑술은 특히 모든 재료가 충분히 혼화되도록 버무려서 술독에 안치도록 해야, 발효 중에 술밑이 끓어오르는 과정에서 술독 밖으로 넘치는 일이 없다.

또한 덧술은 밑술의 상태에 따라 달라지는데, 밑술이 충분히 발효되지 않은 상황에서 덧술을 하게 되면 품온이 상승하는 시간을 예측하기 어려워져 과발효로 인한 산패를 초래할 수 있으므로, 밑술이 끓는 현상이 활발하면 하루 정도 더 두었다가 4~5일 만에 덧술을 하는 것이 보다 안전하다는 것을 명심할 일이다.

이렇듯 좋은 술은 그 과정이 간단하지가 않다. 술 빚는 사람이면 누구나 쉽고 편하게 빚고 싶지만, "쉽고 편하게 빨리 익힌 술에 명주(名酒)란 있을 수 없다."는 것이 진리라는 것이 필자의 견해이다.

## 백단주 <양주방>*

술 재료 : 밑술 : 멥쌀 1말, 가루누룩 1되 5홉, 밀가루 1되 5홉, 석임 1되, 끓는 물 3병
덧술 : 멥쌀 2말, 가루누룩 5홉, 끓는 물 4병

술 빚는 법 :

* 밑술 :

1. 희게 쓿은 멥쌀 1말을 깨끗이 씻고 또 씻어 (백세하여 물에 담가 불렸다가, 다시 씻어 건져서 물기를 뺀 후) 작말한다.
2. 쌀가루에 끓는 물 3병을 골고루 붓고, 주걱으로 고루 개어 범벅을 쑨 후, 넓은 그릇에 나눠 담고 차게 식기를 기다린다.
3. 차게 식은 범벅에 가루누룩 1되 5홉과 밀가루 1되 5홉, 석임 1되를 한데 넣고, 고루 버무려 술밑을 빚는다.
4. 술독에 술밑을 담아 안치고, 예의 방법대로 하여 3일간 발효시킨다.

* 덧술 :

1. 희게 쓿은 멥쌀 2말을 깨끗이 씻고 또 씻어(백세하여) 물에 담가 밤재워 불렸다가 (다시 씻어 건져서 물기를 뺀 후) 시루에 안쳐 고두밥을 짓는다.
2. 고두밥이 익었으면 퍼내고, 끓는 물 4병을 합하여 넓은 그릇에 나눠 담고, 고루 헤쳐 놓는다.
3. 고두밥이 물을 다 먹었으면 고루 펼쳐 차게 식기를 기다린다.

4. 고두밥에 밑술과 가루누룩 1되를 넣고, 고루 버무려 술밑을 빚는다.
5. 술독에 술밑을 담아 안치고, 예의 방법대로 하여 8일간 발효시켜서 심지불을 켜 보아 불이 꺼지지 않으면 용수 박아 채주한다.

ᄇᆡᆨ단쥬

ᄇᆡᆨ미 ᄒᆞᆫ 말 ᄇᆡᆨ셰작말ᄒᆞ야 그르ᄉᆡ 담고 물 세 병 ᄭᅳᆯ혀 ᄀᆡ야 ᄎᆞ거든 국말 되가웃 진말 되가웃 서김 ᄒᆞᆫ 되 셧거 항의 너허 삼일 만의 ᄇᆡᆨ미 두 말 ᄇᆡᆨ셰ᄒᆞ야 이튼날 (닉게 쪄) 물 녀ᄉᆞᆺ 병을 밥의 셧거 물이 줄거든 밋슐 ᄂᆡ야 국말 ᄒᆞᆫ 되를 버무려 너허다가 칠팔일 되거든 심지불 혀 너허 보아 쓰라.

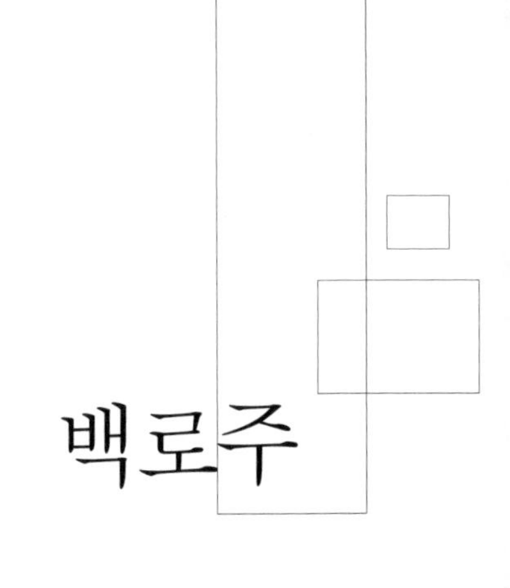

# 백로주

## 스토리텔링 및 술 빚는 법

'백로주(白露酒)'는 "술 빛깔이 흰 이슬같이 맑고 깨끗하다."는 뜻에서 유래한 주품명이다. 더러 '소주'를 '백로주'라고 부르기도 하는데, 여기에서 다루고자 하는 주품은 발효주로서의 청주(淸酒)의 한 가지를 지칭한 명칭으로, 조선시대 대표적인 주품의 하나였다.

<고사십이집(攷事十二集)>을 비롯하여 <고사신서(攷事新書)>, <양주방(釀酒方)>, <조선무쌍신식요리제법(朝鮮無雙新式料理製法)>, <학음잡록(鶴陰雜錄)> 등 여러 문헌에 12차례나 수록된 '백로주'는 그 방문이 거의 변함없이 수록되어 있는 것으로 미루어, 전형적인 전통주의 한 방문임을 알 수 있으며, <고사신서>와 <고사십이집>에서 '백로주(百露酒)'라고 하였으나 '백로주(白露酒)'의 오기(誤記)가 아닌가 싶다.

이러한 '백로주'는 <양주방>을 제외하고는 모든 문헌에서 "속칭 방문주(方文酒)라고 한다."고 하고, 주방문 말미에 '맛있게 하려면' 또는 '지주(旨酒)빚는 법'을 함께 수록하고 있음을 볼 수 있다.

그리고 그 방법이라고 하는 것이 밑술과 덧술에 사용되는 양주용수이 양을 줄이는 것으로 되어 있을 뿐 양주 방법에 있어서는 큰 변화가 없다는 것을 확인할 수 있다.

이처럼 '백로주'를 "속칭 '방문주'라고 한다."고 하고, '맛있게 하려면' 또는 '지주 빚는 법'을 함께 수록하고 있다는 사실은, 우리나라 전통주 주방문의 전형을 담고 있다는 의미이기도 하거니와, '백로주'가 조선시대 대표적인 대중주의 하나였던 '방문주'의 맛과 유사하다는 얘기의 다름 아니다.

또한 '백로주'는 '방문주', '백하주'와 함께 가장 널리 빚어져 애음의 대상이 되었다는 것을 반영한다고 할 것이다.

특히 <양주방>과 <조선무쌍신식요리제법>등 한글기록을 제외하고는 <고사십이집>을 비롯하여 <고사신서>, <학음잡록> 등 한문기록의 문헌에 수록된 주방문이 거의 변함없이 일치하고 있다는 사실을 확인할 수 있는데, 이와 같은 경우는 ''와 '과하주', '도화주', '두견주' 등 몇몇 주품을 제외하고는 목격하기 힘든 일이다.

그리고 이들 주품의 공통점은 '방문주', '백하주'와 함께 각처의 주막(酒幕)을 비롯하여 매주가(賣酒家)의 대표적인 메뉴였다는 사실이다. 그런 연유에서 이들 주품은 주방문의 큰 변화 없이 그 비법을 유지할 수 있었다는 것이 필자의 견해이다.

이러한 '백로주'도 엄밀하게 세 가지 주방문이 존재한다는 것을 알 수 있다.

첫째, '백로주'는 밑술에 누룩가루와 함께 밀가루(진말), 부본(腐本) 또는 주본(酒本)이 함께 사용된다는 것이다.

<고사신서>와 <고사십이집>, <학음잡록> 등 소위 한문 기록의 주방문에서는 반드시 부본을 사용하고 있는 것과는 달리, <양주방>과 <조선무쌍신식요리제법> 등 한글 기록에서는 부본이 사용되지 않는 것을 알 수 있다.

결국 '백로주'는 밑술을 반생반숙의 범벅을 만들어 누룩가루와 함께 밀가루와 부본을 섞어 밑술을 빚고, 멥쌀고두밥에 끓는 물을 섞어 만든 진고두밥에 누룩을 사용하는 방법으로 빚는다는 특징을 띠고 있으며, 쌀 1말당 끓는 물 2~3병씩을 사용하는 방법으로 이루어지는 양주기법을 지칭하는 것으로 이해할 수 있겠다.

둘째, '지주 빚는 법'이나 '맛있게 하려면'이라는 부제(副題)가 붙은 '백로주'는 쌀 1말당 끓는 물 2병 또는 2병 반을 사용하는 것을 기본으로 하고, 덧술에 누룩가루를 사용하지 않는 경우도 있다는 것이다.

그리고 필요에 따라 숙성된 술덧에 정화수(井華水) 2병을 후수(後水)하여 청주 또는 탁주로 걸러 사용한다는 것을 알 수 있다.

이른바 '지주 빚는 법'이나 '맛있게 하려면'이라는 주방문 말미의 기록에서 보듯 급수량을 줄이는 방법과 덧술에 누룩을 넣지 않는 방법, 후수하는 방법을 포함하고 있는 것이다.

셋째, <조선무쌍신식요리제법>과 <학음잡록>의 별법에서는 덧술에 누룩가루를 시용하지 않는 경우로, 발효기간이 길어져서 본법들에 비하여 훨씬 부드럽고 향미가 좋아진다는 것을 알 수 있다.

여기서 간과할 수 없는 한 가지 중요한 사실은, '지주 빚는 법'이나 '맛있게 하려면'으로 전제한 소위 별법(別法)들의 '급수량을 줄이는 방법'과 '덧술에 누룩을 넣지 않는 방법'에 담겨 있는 의미는, 다른 주품들과는 달리 가장 이상적인 양주방법을 제시하고 있다는 사실이다. 대개의 주방문에서 소위 '별법' 또는 '우법(又法)', '일방(一方)'으로 기록된 주방문들은 양조 과정의 편의를 위해 보다 손쉬운 방법들을 제공하고 있는 것과는 달리, '백로주'에서는 주질을 높이기 위한 방법의 모색을 볼 수 있다.

주지하다시피 양조 과정에서 급수량이 줄어들면 술을 빚는 작업이 힘들어지며, 수율도 낮아져서 비싼 술이 된다.

또한 누룩의 양을 줄이는 방법에서도, 자칫 미숙주(未熟酒)나 발효부진과 함께 잡균의 침입 등 여러 가지 문제를 야기할 수 있음에도 굳이 누룩의 양을 줄이는 방법은, 어떻게든 주질(酒質)을 향상시키려는 데 그 의도가 있다는 점에서 주목할 필요가 있으며, 또 한때 대중주로서 명성을 구가했던 주품인 만큼, 전통주에 관심 있는 사람이라면 '백로주'의 주방문은 연구할 가치가 있다고 할 것이다.

## 1. 백로주 <감저종식법(甘藷種植法)>

ㅡ속칭 방문주

술 재료 : 밑술 : 멥쌀 1말, 누룩가루 1되 5홉, 밀가루 1되 5홉, 부본 1되, 끓는 물 3병

덧술 : 멥쌀 2말, 누룩가루 1되, 끓는 물 6병

술 빚는 법 :

* 밑술 :

1. 멥쌀 1말을 물에 백세하여 가루로 빻아 넓은 그릇에 쌀가루를 담아놓는다.
2. 솥에 물 3병을 매우 오랫동안 끓이다가, 쌀가루에 고루 붓고 주걱으로 골고루 개어 범벅을 만든 다음, 차게 식기를 기다린다.
3. 범벅에 누룩가루 1되 5홉과 밀가루 1되 5홉, 부본 1되를 합하고, 매우 치대고 고루 버무려 술밑을 빚는다.
4. 술독에 술밑을 담아 안치고, 예의 방법대로 하여 3일간 발효시킨다.

* 덧술 :

1. 멥쌀 2말을 백세하여 시루에 안치고 푹 쪄서 무르게 익은 고두밥을 짓는다.
2. 물 6병을 오랫동안 팔팔 끓여서 뜨거운 고두밥에 붓고, 주걱으로 고루 헤쳐서 차게 식기를 기다린다.
3. 질어진 밥에 누룩가루 1되와 밑술을 합하고 고루 버무려 술밑을 빚는다.
4. 술독에 술밑을 담아 안치고, 예의 방법대로 하여 7~8일간 발효시킨다.
5. 종이로 심지를 만들어 불을 붙여 술독에 넣고, 불이 꺼지지 않고 잘 타고 있으면 술이 숙성된 것이고, 불이 꺼지면 덜 익은 것이니 익을 때까지 기다린다.

* <고사촬요>와 동일한 방문이다.

白露酒(俗稱 方文酒)

白米一斗百洗作末盛于器以熱水三甁乘沸調和待冷麴末一升半眞末一升半腐本一升調極勻入瓮第三日白米二斗百洗熟烹以沸湯六甁調和待冷與本釀添麯末一升調和過七八日乃熟以紙心燃火入于甕內驗其生熟熟則火不滅生則滅此後切勿添他水.

## 2. 백로주 <감저종식법(甘藷種植法)>

–속칭 방문주(俗稱 方文酒)

술 재료 : 밑술 : 멥쌀 1말, 누룩가루 1되 5홉, 밀가루 1되 5홉, 부본 1되, 끓는 물 2병 반

덧술 : 멥쌀 2말, 누룩가루 1되, 끓는 물 5병

술 빚는 법 :

* 밑술 :

1. 멥쌀 1말을 물에 백세하여 가루로 빻아 넓은 그릇에 쌀가루를 담아놓는다.
2. 솥에 물 3병을 매우 오랫동안 끓이다가, 쌀가루에 고루 붓고 주걱으로 골고루 개어 범벅을 만든 다음, 차게 식기를 기다린다.
3. 범벅에 누룩가루 1되 5홉과 밀가루 1되 5홉, 부본 1되를 합하고, 매우 치대고 고루 버무려 술밑을 빚는다.
4. 술독에 술밑을 담아 안치고, 예의 방법대로 하여 3일간 발효시킨다.

* 덧술 :

1. 멥쌀 2말을 백세하여 시루에 안치고 푹 쪄서 무르게 익은 고두밥을 짓는다.
2. 물 6병을 오랫동안 팔팔 끓여서 뜨거운 고두밥에 붓고, 주걱으로 고루 헤쳐서 차게 식기를 기다린다.

3. 질어진 밥에 누룩가루 1되와 밑술을 합하고 고루 버무려 술밑을 빚는다.
4. 술독에 술밑을 담아 안치고, 예의 방법대로 하여 7~8일간 발효시킨다.
5. 종이로 심지를 만들어 불을 붙여 술독에 넣고, 불이 꺼지지 않고 잘 타고 있으면 술이 숙성된 것이고, 불이 꺼지면 덜 익은 것이니 익을 때까지 기다린다.

白露酒(俗稱 方文酒)

白米一斗百洗作末盛于器以熱水三瓶乘沸調和待冷麴末一升半眞末一升半腐本一升調極匀入瓮第三日白米二斗百洗熟烹以沸湯六瓶調和待冷與本釀添麯末一升調和過七八日乃熟以紙心燃火入于甕內驗其生熟熟則火不滅生則滅此後切勿添他水. 欲作旨酒則調水時每斗以二瓶半爲限欲多出則上槽時井華水二瓶添調. <一云>一斗米用麴五合足矣添釀二斗時不可添麴欲使色白則每斗用麴三合.

## 3. 백로주 <감저종식법(甘藷種植法)>

–지주 빚는 법

술 재료 : 밑술 : 멥쌀 1말, 누룩가루 1되 5홉, 밀가루 1되 5홉, 부본 1되, 끓는 물 2병
덧술 : 멥쌀 2말, 누룩가루 1되, 끓는 물 4병

술 빚는 법 :

* 밑술 :

1. 멥쌀 1말을 물에 백세하여 가루로 빻아 넓은 그릇에 쌀가루를 담아놓는다.
2. 솥에 물 3병을 매우 오랫동안 끓이다가, 쌀가루에 고루 붓고 주걱으로 골고루 개어 범벅을 만든 다음, 차게 식기를 기다린다.
3. 범벅에 누룩가루 1되 5홉과 밀가루 1되 5홉, 부본 1되를 합하고, 매우 치대

고 고루 버무려 술밑을 빚는다.
4. 술독에 술밑을 담아 안치고, 예의 방법대로 하여 3일간 발효시킨다.

* 덧술 :
1. 멥쌀 2말을 백세하여 시루에 안치고 푹 쪄서 무르게 익은 고두밥을 짓는다.
2. 물 6병을 오랫동안 팔팔 끓여서 뜨거운 고두밥에 붓고, 주걱으로 고루 헤쳐서 차게 식기를 기다린다.
3. 질어진 밥에 누룩가루 1되와 밑술을 합하고 고루 버무려 술밑을 빚는다.
4. 술독에 술밑을 담아 안치고, 예의 방법대로 하여 7~8일간 발효시킨다.
5. 종이로 심지를 만들어 불을 붙여 술독에 넣고, 불이 꺼지지 않고 잘 타고 있으면 술이 숙성된 것이고, 불이 꺼지면 덜 익은 것이니 익을 때까지 기다린다.

* 주방문에 "지주를 빚으려면 쌀 1말당 끓는 물을 2병씩 제한하여 넣으면 된다."고 하고, 양을 늘리고자 하면 "정화수 2병을 첨가하여 걸러 짜서 조화하면 된다."고 하였다. 일명 '방문주'라고도 하며, "날이 더우면 시어지므로, 서리가 온 후에 담는 것이 좋다."고 하였다.

白露酒(旨酒法)
欲作旨酒則調水時每斗以二甁半爲限欲多出則上槽時井華水二甁添調.

## 4. 백로주 <고사신서(攷事新書)>
–속칭 방문주

술 재료 : 밑술 : 멥쌀 1말, 누룩가루 1되 5홉, 밀가루 1되 5홉, 부본 1되, 끓는 물 3병
덧술 : 멥쌀 2말, 누룩가루 1되, 끓는 물 6병

술 빚는 법 :

* 밑술 :

1. 멥쌀 1말을 물에 백세하여 가루로 빻아 넓은 그릇에 쌀가루를 담아놓는다.
2. 솥에 물 3병을 매우 오랫동안 끓이다가, 쌀가루에 고루 붓고 주걱으로 골고루 개어 범벅을 만든 다음, 차게 식기를 기다린다.
3. 범벅에 누룩가루 1되 5홉과 밀가루 1되 5홉, 부본 1되를 합하고, 매우 치대고 고루 버무려 술밑을 빚는다.
4. 술독에 술밑을 담아 안치고, 예의 방법대로 하여 3일간 발효시킨다.

* 덧술 :

1. 멥쌀 2말을 백세하여 시루에 안치고 푹 쪄서 무르게 익은 고두밥을 짓는다.
2. 물 6병을 오랫동안 팔팔 끓여서 뜨거운 고두밥에 붓고, 주걱으로 고루 헤쳐서 차게 식기를 기다린다.
3. 질어진 밥에 누룩가루 1되와 밑술을 합하고 고루 버무려 술밑을 빚는다.
4. 술독에 술밑을 담아 안치고, 예의 방법대로 하여 7~8일간 발효시킨다.
5. 종이로 심지를 만들어 불을 붙여 술독에 넣고, 익었는지를 확인한다.

* <고사촬요>의 '백하주'와 동일한 방문이다.

白露酒(俗稱 方文酒)

白米一斗百洗作末盛于器以熱水三甁乘沸調和待冷麴末一升半眞末一升半腐本一升調極匀入瓮第三日白米二斗百洗熟烹以沸湯六甁調和待冷與本釀添麯末一升調和過七八日乃熟以紙心燃火入于甕內驗其生熟熟則火不滅生則滅此後切勿添他水.

## 5. 백로주 <고사신서(攷事新書)>
–맛있게 빚는 법

술 재료 : 밑술 : 멥쌀 1말, 누룩가루 1되 5홉, 밀가루 1되 5홉, 부본 1되, 끓는 물 2병 반
덧술 : 멥쌀 2말, 누룩가루 1되, 끓는 물 5병

술 빚는 법 :

* 밑술 :

1. 멥쌀 1말을 물에 백세하여 가루로 빻아 넓은 그릇에 쌀가루를 담아놓는다.
2. 솥에 물 3병을 매우 오랫동안 끓이다가, 쌀가루에 고루 붓고 주걱으로 골고루 개어 범벅을 만든 다음, 차게 식기를 기다린다.
3. 범벅에 누룩가루 1되 5홉과 밀가루 1되 5홉, 부본 1되를 합하고, 매우 치대고 고루 버무려 술밑을 빚는다.
4. 술독에 술밑을 담아 안치고, 예의 방법대로 하여 3일간 발효시킨다.

* 덧술 :

1. 멥쌀 2말을 백세하여 시루에 안치고 푹 쪄서 무르게 익은 고두밥을 짓는다.
2. 물 6병을 오랫동안 팔팔 끓여서 뜨거운 고두밥에 붓고, 주걱으로 고루 헤쳐서 차게 식기를 기다린다.
3. 질어진 밥에 누룩가루 1되와 밑술을 합하고 고루 버무려 술밑을 빚는다.
4. 술독에 술밑을 담아 안치고, 예의 방법대로 하여 7~8일간 발효시킨다.
5. 종이로 심지를 만들어 불을 붙여 술독에 넣고, 불이 꺼지지 않고 잘 타고 있으면 술이 숙성된 것이고, 불이 꺼지면 덜 익은 것이니 익을 때까지 기다린다.

* 주방문 말미에 "맛있는 술을 만들려면 물을 조절하여야 한다. 쌀 1말에 2병 반으로 한계를 정한다. 많은 술을 만들고자 한다면 술통에 담을 때 정화수 2

병을 고르게 더한다(또는 1말의 쌀에 누룩 5홉을 사용하면 충분하다. 더 빚을 때 누룩을 첨가하면 좋지 않다. 술빛을 희게 하고자 한다면 매 1말마다 누룩 3홉을 쓴다).”고 하였다.

百露酒(旨酒法)
欲作旨酒則調水時每斗以二瓶半爲限欲多出則上槽時井華水二瓶添調.

## 6. 백로주 <고사신서(攷事新書)>
-지주 빚는 법

술 재료 : 밑술 : 멥쌀 1말, 누룩가루 1되 5홉, 밀가루 1되 5홉, 부본 1되, 끓는 물 2병
덧술 : 멥쌀 2말, 누룩가루 1되, 끓는 물 4병

술 빚는 법 :

* 밑술 :

1. 멥쌀 1말을 물에 백세하여 가루로 빻아 넓은 그릇에 쌀가루를 담아놓는다.
2. 솥에 물 3병을 매우 오랫동안 끓이다가, 쌀가루에 고루 붓고 주걱으로 골고루 개어 범벅을 만든 다음, 차게 식기를 기다린다.
3. 범벅에 누룩가루 1되 5홉과 밀가루 1되 5홉, 부본 1되를 합하고, 매우 치대고 고루 버무려 술밑을 빚는다.
4. 술독에 술밑을 담아 안치고, 예의 방법대로 하여 3일간 발효시킨다.

* 덧술 :

1. 멥쌀 2말을 백세하여 시루에 안치고 푹 쪄서 무르게 익은 고두밥을 짓는다.
2. 물 6병을 오랫동안 팔팔 끓여서 뜨거운 고두밥에 붓고, 주걱으로 고루 헤쳐

서 차게 식기를 기다린다.
3. 질어진 밥에 누룩가루 1되와 밑술을 합하고 고루 버무려 술밑을 빚는다.
4. 술독에 술밑을 담아 안치고, 예의 방법대로 하여 7~8일간 발효시킨다.
5. 종이로 심지를 만들어 불을 붙여 술독에 넣고, 불이 꺼지지 않고 잘 타고 있으면 술이 숙성된 것이고, 불이 꺼지면 덜 익은 것이니 익을 때까지 기다린다.

* 주방문에 "지주를 빚으려면 쌀 1말당 끓는 물을 2병씩 제한하여 넣으면 된다."고 하고, 양을 늘리고자 하면 "정화수 2병을 첨가하여 걸러 짜서 조화하면 된다."고 하였다. 일명 '방문주'라고도 하며, "날이 더우면 쉬므로, 서리가 온 후에 담는 것이 좋다."고 하였다.

百露酒(旨酒法)
欲作旨酒則調水時每斗以二甁半爲限欲多出則上槽時井華水二甁添調.

## 7. 백로주 <고사십이집(攷事十二集)>
–속칭 방문주

술 재료 : 밑술 : 멥쌀 1말, 누룩가루 1되 5홉, 밀가루 1되 5홉, 부본 1되, 끓는 물 3병
덧술 : 멥쌀 2말, 누룩가루 1되, 끓는 물 6병

술 빚는 법 :
* 밑술 :
1. 멥쌀 1말을 물에 백세하여 가루로 빻아 넓은 그릇에 쌀가루를 담아놓는다.
2. 솥에 물 3병을 매우 오랫동안 끓이다가, 쌀가루에 고루 붓고 주걱으로 골고루 개어 범벅을 만든 다음, 차게 식기를 기다린다.

3. 범벅에 누룩가루 1되 5홉과 밀가루 1되 5홉, 부본 1되를 합하고, 매우 치대고 고루 버무려 술밑을 빚는다.
4. 술독에 술밑을 담아 안치고, 예의 방법대로 하여 3일간 발효시킨다.

* 덧술 :
1. 멥쌀 2말을 백세하여 시루에 안치고 푹 쪄서 무르게 익은 고두밥을 짓는다.
2. 물 6병을 오랫동안 팔팔 끓여서 뜨거운 고두밥에 붓고, 주걱으로 고루 헤쳐서 차게 식기를 기다린다.
3. 질어진 밥에 누룩가루 1되와 밑술을 합하고 고루 버무려 술밑을 빚는다.
4. 술독에 술밑을 담아 안치고, 예의 방법대로 하여 7~8일간 발효시킨다.
5. 종이로 심지를 만들어 불을 붙여 술독에 넣고, 불이 꺼지지 않고 잘 타고 있으면 술이 숙성된 것이고, 불이 꺼지면 덜 익은 것이니 익을 때까지 기다린다.

白露酒(俗稱 方文酒)

白米一斗百洗作末盛于器以熱水三瓶乘沸調和待冷麴末一升半眞末一升半腐本一升調極勻入瓮第三日白米二斗百洗熟烹以沸湯六瓶調和待冷與本釀添麯末一升調和過七八日乃熟以紙心燃火入于甕內驗其生熟熟則火不滅生則滅此後切勿添他水.

## 8. 백로주 <고사십이집(攷事十二集)>

–속칭 지주법

술 재료 : 밑술 : 멥쌀 1말, 누룩가루 1되 5홉, 밀가루 1되 5홉, 부본 1되, 끓는 물 3병
덧술 : 멥쌀 2말, 누룩가루 1되, 끓는 물 6병

술 빚는 법 :

* 밑술 :

1. 멥쌀 1말을 물에 백세하여 가루로 빻아 넓은 그릇에 쌀가루를 담아놓는다.
2. 솥에 물 3병을 매우 오랫동안 끓이다가, 쌀가루에 고루 붓고 주걱으로 골고루 개어 범벅을 만든 다음, 차게 식기를 기다린다.
3. 범벅에 누룩가루 1되 5홉과 밀가루 1되 5홉, 부본 1되를 합하고, 매우 치대고 고루 버무려 술밑을 빚는다.
4. 술독에 술밑을 담아 안치고, 예의 방법대로 하여 3일간 발효시킨다.

* 덧술 :

1. 멥쌀 2말을 백세하여 시루에 안치고 푹 쪄서 무르게 익은 고두밥을 짓는다.
2. 물 6병을 오랫동안 팔팔 끓여서 뜨거운 고두밥에 붓고, 주걱으로 고루 헤쳐서 차게 식기를 기다린다.
3. 질어진 밥에 누룩가루 1되와 밑술을 합하고 고루 버무려 술밑을 빚는다.
4. 술독에 술밑을 담아 안치고, 예의 방법대로 하여 7~8일간 발효시킨다.
5. 종이로 심지를 만들어 불을 붙여 술독에 넣고, 불이 꺼지지 않고 잘 타고 있으면 술이 숙성된 것이고, 불이 꺼지면 덜 익은 것이니 익을 때까지 기다린다.

* 주방문 말미에 "지주를 빚으려면 쌀 1말당 끓는 물을 2병씩 제한하여 넣으면 된다."고 하고, 양을 늘리고자 하면 "정화수 2병을 첨가하여 걸러 짜서 조화하면 된다."고 하였다.

白露酒(旨酒法)

白米一斗百洗作末盛于器以熱水三瓶乘沸調和待冷麴末一升半眞末一升半腐本一升調極勻入瓮第三日白米二斗百洗熟烹以沸湯六瓶調和待冷與本釀添麯末一升調和過七八日乃熟以紙心燃火入于甕內驗其生熟熟則火不滅生則滅此後切勿添他水. 欲作旨酒則調水時每斗以二瓶半爲限欲多出則上槽時井華水二瓶添調.

## 9. 백노주법 <양주방(釀酒方)>

–서 말 빗이

술 재료 : 밑술 : 멥쌀 1말, 가루누룩 1되 5홉, 밀가루 1되 5홉, 끓는 물 3병
덧술 : 멥쌀 2말, 가루누룩 1되, 끓인 물 3병, 냉수 2병

술 빚는 법 :

* 밑술 :

1. 멥쌀 1말을 (백세하여 물에 담가 불렸다가, 다시 씻어 건져서 물기를 뺀 후) 작말하여 넓은 그릇에 담아놓는다.
2. 솥에 물 3병을 끓여 쌀가루에 골고루 붓고, 주걱으로 고루 익게 반죽하여 (고루 개어) 범벅을 쑨다.
3. 범벅을 넓은 그릇에 펴서 담고, 차게 식기를 기다린다.
4. 차게 식은 범벅에 가루누룩 1되 5홉, 밀가루 1되 5홉을 섞고, 고루 버무려 술밑을 빚는다.
5. 술밑을 독에 담아 안치고, 예의 방법대로 하여 3일간 발효시킨다.

* 덧술 :

1. 멥쌀 2말을 백세하여 (물에 담가 불렸다가, 다시 씻어 건져서 물기를 뺀 후) 시루에 안치고 익게 찐다.
2. 물 3병을 끓여 고두밥에 고루 붓고, 물이 잦아들면 식기를 기다린다.
3. 진고두밥이 식으면 가루누룩 1되와 밑술에 섞고, 고루 버무려 술밑을 빚는다.
4. 술밑을 독에 담아 안치고, 예의 방법대로 하여 7일 정도 발효시킨다.
5. 종이 심지에 불을 붙여 술독에 넣어 술의 숙성 정도를 보아, 익었으면 떠서 마신다.
6. 술을 뜰 때가 되면 냉수 2병을 길어다가, 그 술에 부어 드리우면 술이 많고 좋다.

* 주방문 말미에 "술 드리울 제 냉수 길어다가, 두 병을 그 술에 드리우면 술이 많으니라."고 하여, 냉수로 후수하는 방문을 보여주고 있다.

ᄇᆡᆨ노쥬법

서 말 비지. ᄡᆞᆯ 한 말 작말ᄒᆞ야 ᄭᅳᆯ힌 물 세 병의 반쥭ᄒᆞ야 식거든 ᄀᆞᄅᆞ누룩 한 되 닷 홉 진ᄀᆞᄅᆞ 한 되 닷 홉 그 밋헤 섯거 ᄃᆞᆺ다가 ᄉᆞ흘 지나거든 ᄡᆞᆯ 두 말을 ᄇᆡᆨ세ᄒᆞ야 닉게 ᄧᅧ ᄭᅳᆯᄂᆞᆫ 물 세 병의 골라 ᄃᆞᆺ다가 식거든 그 밋헤 ᄀᆞᄅᆞ누룩 한 되 더ᄒᆞ여 비저 ᄃᆞᆺ다가 한일헤 지나거든 죠희심지의 불 ᄧᅧ 술 ᄉᆡᆼ슉을 보아 ᄡᅳ라. 술 드리올 제 냉수 길어다가 두 병을 그 술에 부어 드리오면 술이 만흐니라.

## 10. 백로주 <조선무쌍신식요리제법(朝鮮無雙新式料理製法)>

술 재료 : 밑술 : 흰쌀(멥쌀) 1말, 누룩가루 1되 5홉, 밀가루 1되 5홉, 끓는 물 3병
덧술 : 흰쌀(멥쌀) 2말, 누룩가루 1되, 끓는 물 6병

술 빚는 법 :

* 밑술 :

1. 흰쌀(멥쌀) 1말을 물에 백세하여(물에 담갔다가, 다시 씻어 건져서 물기를 뺀 뒤) 작말한다(가루로 빻는다).
2. 쌀가루를 넓은 그릇에 담고, 물 3병을 팔팔 끓여 쌀가루에 붓고 주걱으로 고루 개어 범벅을 만든 다음, 차게 식기를 기다린다.
3. 범벅에 누룩가루 1되 5홉과 밀가루 1되 5홉을 넣고, 고루 버무려 술밑을 빚는다.
4. 술독에 술밑을 담아 안치고, 예의 방법대로 하여 3~4일간 발효시킨다.

* 덧술 :

1. 흰쌀(멥쌀) 2말을 물에 백세하여(물에 담갔다가, 다시 씻어 건져서 물기를 뺀 뒤) 고두밥을 짓는다.
2. 물 6병을 팔팔 끓여 쪄내서 뜨거운 고두밥에 붓고, 고두밥이 물을 다 먹었으면 그릇 여러 개에 나눠 담고 차게 식기를 기다린다.
3. 식은 고두밥에 누룩가루 1되와 밑술을 합하고, 고루 버무려 술밑을 빚는다.
4. 술독에 술밑을 담아 안치고, 예의 방법대로 하여 7~8일간 발효시킨다.
5. 종이 심지에 불을 붙여 독 안에 넣어보아 불이 안 꺼지면 다 익은 것이다.

* 주방문 말미에 이르기를, "술이 다 된 후에는 다른 물을 넣지 않아야 한다. 좋은 술을 빚으려면 처음 술(밑술)을 빚을 때 물을 적게 넣을 것이니, 쌀 한 말에 물 2병 반을 넣을 것이요, 술을 많이 내려면 술이 익어 주조에 넣어 짤 때, 정화수 2병만 더 넣고 짤 일이다."고 하였다.

백로주(白露酒, 白霞酒, 方文酒)>

흔쌀 한 말을 백 번 씨서 가루 만드러 그릇에 담고 더운 물 세 병을 끌는 김에 가루와 석거 식힌 후에 누룩가루와 밀가루 각 되가웃을 한데 고루 석거서 독에 너코 사흘 만에 (흑 삼사일 후에 익기를 기다리나니라) 또 흔쌀 두 말로 백 번 씨서서 쪄 익히고 끌는 물 여섯 병에 반죽하야 식기를 기다려 이왕 당근 것에 누룩가루 한 되와 합하야 느으면 칠팔일 만에 이에 익나니 종희심지에 불을 켜 독 안에 느어 보아 불이 안 써저야 다 익은 것이니 그 후에는 달은 물을 치지 말지니 조흔 술을 만들랴면 처음 술 비질 제 물을 적게 너을 것이니 한 말에 물을 두 병 반을 느을 것이요 만이 술을 내랴면 주조(酒糟)에 너을 제 정화수(井華水) 두 병만 더 느코 짤지니라.

## 11. 백로주 우법 <조선무쌍신식요리제법(朝鮮無雙新式料理製法)>

술 재료 : 밑술 : 흰쌀 1말, 누룩가루 1되, 밀가루 1되, 끓는 물 3병, 끓여 식힌 물 1사발

덧술 : 흰쌀 2말, 끓는 물 6병

술 빚는 법 :

* 밑술 :

1. 흰쌀(멥쌀) 1말을 물에 정히 씻어 백세하여(물에 담갔다가, 다시 씻어 건져서 물기를 뺀 뒤) 작말한다(가루로 빻는다).
2. 쌀가루를 넓은 그릇에 담고, 물 3병을 팔팔 끓여 쌀가루에 붓고 막대기로 고루 휘저어 죽 같은 범벅을 만든 다음, 차게 식기를 기다린다.
3. 끓여 식힌 물 1사발 남짓에 가루누룩 1되와 밀가루 1되를 넣고, 고루 풀어서 수곡을 만들어놓는다.
4. 차게 식은 범벅에 수곡을 합하고, 잘 섞이도록 골고루 버무려 술밑을 빚는다.
5. 술독에 술밑을 담아 안치고, 예의 방법대로 하여 춥지도 덥지도 않은 곳에 두고 7일간 발효시킨다.
6. 밑술이 희멀겋게 발효되면서 술거품이 생겨나면, 덧술을 준비한다.

* 덧술 :

1. 흰쌀(멥쌀) 2말을 물에 정히 씻어 백세하여(물에 담갔다가, 다시 씻어 건져서 물기를 뺀 뒤) 고두밥을 짓는다.
2. 물 6병을 팔팔 끓이고, 고두밥이 무르게 익었으면 퍼내서 뜨거운 고두밥에 끓는 물 6병을 골고루 퍼붓고, 고두밥이 물을 다 먹기를 기다린다.
3. 물 먹인 고두밥을 그릇 여러 개에 나눠 담고, 고루 헤쳐서 차게 식기를 기다린다.
4. 식은 고두밥에 밑술을 합하고, 고루 버무려 술밑을 빚는다.

5. 술독에 술밑을 담아 안치고, 예의 방법대로 하여 7~8일간 발효시킨다.
6. 종이 심지에 불을 붙여 독 안에 넣어보아 불이 안 꺼지면 다 익은 것이다.
7. 술이 익었으면 베자루에 술덧을 담고, 주조에 올려서 짜낸다.

백로주(白露酒) 또 하는 법
흰쌀 한 말을 정이 씨여 백 번 씨서 가루 만드러 큰 자박이에 담고 끌는 물 세 병을 붓고 막대기로 휘저어 죽가티 하야 식으면 단단하게 엉기리니 싸로 끌는 물 한 사발 남짓하게 하야 밀가루누룩 한 되를 느코 휘저서 다 풀린 후에 전에 쌀가루 단단한 죽을 휘저가며 누룩가루물을 점점 처서 두 가지가 십분이나 고르고 부드럽게 하야 조곰안 응어리도 업시 한 후에 정한 독에 느코 덥지 안코 칩지 안은 곳에 두고 니레 만에 독을 드려다 보면 약간 술 형용이 일으리니 곳 흰쌀 두 말을 전과 가티 쓸코 씻고 물으게 쪄서 식거든 끌는 물 여섯 병을 쩐 쌀에 드러붓고 식혀서 전에 느엇든 술가티 된 데다가 드러붓고 누룩은 쓰지 안코 휘저어 두엇다가 일에 만에 독을 열고 보면 술이 익엇스리니 심지에 불을 켜 보아 익은 걸 안 후에 가는 벼자루에 느코 주조에 눌이면 상품술이 되나니라.

## 12. 백로주 우법 <조선무쌍신식요리제법(朝鮮無雙新式料理製法)>
–맛있는 술 빚는 법

술 재료 : 밑술 : 흰쌀 1말, 누룩가루 1되 5홉, 밀가루 1되 5홉, 끓는 물 2병 반
덧술 : 흰쌀 2말, 누룩가루 1되, 밀가루 1되 5홉, 끓는 물 5병

술 빚는 법 :
* 밑술 :
1. 9월 그믐이나 10월 초승에 흰쌀(멥쌀) 1말을 정히 찧어 백세하여(물에 담

갔다가, 다시 씻어 건져서 물기를 뺀 뒤) 작말하여(가루로 빻아) 넓은 그릇에 담아놓는다.
2. 물 2병 반을 팔팔 끓여 쌀가루에 붓고 주걱으로 고루 개어 범벅을 만든 다음, 차게 식기를 기다린다.
3. 별도의 끓여 식힌 물 1사발에 누룩가루 1되를 넣고, 막대(주걱)로 고루 휘저어 물누룩(水麯)을 만들어놓는다.
4. 범벅에 물누룩을 뿌려가면서 주걱으로 고루 휘저어 덩어리가 없고 묽어져 부드러워지도록 술밑을 빚는다.
5. 술독에 밀가루 5홉을 뿌린 다음 술밑을 안치고, 그 위에 다시 밀가루 1되를 두껍게 뿌려 덮은 뒤, 춥지도 덥지도 않은 곳에서 7일간 발효시킨다.
6. 술독을 두드려 보아서 술독에서 기포가 터지는 소리가 들리면, 덧술을 준비한다.

* 덧술 :
1. 흰쌀 2말을 물에 백세하여(물에 담갔다, 다시 씻어 건져서) 무른 고두밥을 짓는다.
2. 물 5병을 팔팔 끓여 쪄내서 뜨거운 고두밥에 붓고, 고두밥이 물을 다 먹었으면 그릇 여러 개에 나눠 담고 차게 식기를 기다린다.
3. 식은 고두밥을 밑술 독에 넣어 합하고, 고루 휘저어 술밑을 빚는다.
4. 술독에 밀가루 5홉을 뿌린 다음 술밑을 안치고, 그 위에 다시 밀가루 1되를 두껍게 뿌려 덮은 뒤, 예의 방법대로 하여 7일간 발효시킨다.
5. 종이 심지에 불을 붙여 독 안에 넣어보아 불이 꺼지지 않으면 다 익은 것이다.

백로주(白露酒) 또 하는 법

본방은 비록 이러하나 쌀 한 말이면 밀가루 닷 홉을 느서 독 안에 쌔리되 술우에 쑥게처럼 쌔리이니 이 술은 구월금음 십월 초생이 맛당하고 만일 일긔가 조금 더우면 맛도 시고 주죠에서도 흐릴 것이니 맛당이 덥도 칩도 아니한 곳에 두나니라.

## 13. 백로주 <학음잡록(鶴陰雜錄)>

술 재료 : 밑술 : 멥쌀 1말, 누룩가루 1되 5홉, 밀가루 1되 5홉, 부본 1되, 끓는 물 3병
덧술 : 멥쌀 2말, 누룩가루 1되, 끓는 물 2병

술 빚는 법 :

* 밑술 :

1. 멥쌀 1말을 물에 백세하여 (새 물에 담가 불렸다가, 다시 씻어 말갛게 헹궈서 물기를 뺀 후) 작말하여 넓은 그릇에 쌀가루를 담아놓는다.
2. 솥에 물 3병을 매우 오랫동안 끓이다가, 쌀가루에 고루 붓고 주걱으로 골고루 개어 범벅을 만든 다음, 차게 식기를 기다린다.
3. 범벅에 누룩가루 1되 5홉과 밀가루 1되 5홉, 부본 1되를 합하고, 매우 치대고 고루 버무려 술밑을 빚는다.
4. 술독에 술밑을 담아 안치고, 예의 방법대로 하여 3일간 발효시킨다.

* 덧술 :

1. 멥쌀 2말을 백세하여 (새 물에 담가 불렸다가, 다시 씻어 말갛게 헹궈서 물기를 뺀 후) 시루에 안치고 푹 쪄서 무르게 익은 고두밥을 짓는다.
2. 물 2병을 오랫동안 팔팔 끓여서 뜨거운 고두밥에 붓고, 주걱으로 고루 헤쳐서 차게 식기를 기다린다.
3. 질어진 밥에 누룩가루 1되와 밑술을 합하고 고루 버무려 술밑을 빚는다.
4. 술독에 술밑을 담아 안치고, 예의 방법대로 하여 7~8일간 발효시킨다.
5. 종이로 심지를 만들어 불을 붙여 술독에 넣고, 불이 꺼지지 않고 잘 타고 있으면 술이 숙성된 것이고, 불이 꺼지면 덜 익은 것이니 익을 때까지 기다린다.

* 주방문에 "절대 객수(날물)를 들이지 말라."고 하였다.

百露酒

白米一斗百洗作末盛于器以熱水三甁乘沸調和待冷麴末一升半眞末一升半腐本一升調極勻入瓮第三日白米二斗百洗熟烹以沸湯六甁調和待冷與本釀添麯末一升調和過七八日乃熟以紙心燃火入于甕內驗其生熟熟則火不滅生則滅此後切勿添他水.

## 14. 백로주 <학음잡록(鶴陰雜錄)>

–지주 빚는 법, 일명 방문주

술 재료 : 밑술 : 멥쌀 1말, 누룩가루 1되 5홉, 밀가루 1되 5홉, 부본 1되, 끓는 물 2병 반

덧술 : 멥쌀 2말, 누룩가루 1되, 끓는 물 5병

술 빚는 법 :

* 밑술 :

1. 멥쌀 1말을 물에 백세하여 (새 물에 담가 불렸다가, 다시 씻어 말갛게 헹궈서 물기를 뺀 후) 작말하여 넓은 그릇에 쌀가루를 담아놓는다.
2. 솥에 물 2병 반을 매우 오랫동안 끓이다가, 쌀가루에 고루 붓고 주걱으로 골고루 개어 범벅을 만든 다음, 차게 식기를 기다린다.
3. 범벅에 누룩가루 1되 5홉과 밀가루 1되 5홉, 부본 1되를 합하고, 매우 치대고 고루 버무려 술밑을 빚는다.
4. 술독에 술밑을 담아 안치고, 예의 방법대로 하여 3일간 발효시킨다.

* 덧술 :

1. 멥쌀 2말을 백세하여 (새 물에 담가 불렸다가, 다시 씻어 말갛게 헹궈서 물기를 뺀 후) 시루에 안치고 푹 쪄서 무르게 익은 고두밥을 짓는다.

2. 물 4병을 오랫동안 팔팔 끓여서 뜨거운 고두밥에 붓고, 주걱으로 고루 헤쳐서 차게 식기를 기다린다.
3. 질어진 밥에 누룩가루 1되와 밑술을 합하고 고루 버무려 술밑을 빚는다.
4. 술독에 술밑을 담아 안치고, 예의 방법대로 하여 7~8일간 발효시킨다.
5. 종이로 심지를 만들어 불을 붙여 술독에 넣고, 불이 꺼지지 않고 잘 타고 있으면 술이 숙성된 것이고, 불이 꺼지면 덜 익은 것이니 익을 때까지 기다린다.
6. 술이 익었으면, 정화수 2병을 후수한 후(2~3일 두었다가) 여과하여 사용한다.

* 주방문에 "지주를 빚으려면 쌀 1말당 끓는 물을 2병씩 제한하여 넣으면 된다."고 하고, 양을 늘리고자 하면 "정화수 2병을 첨가하여 걸러 짜서 조화하면 된다."고 하였다. 일명 '방문주'라고도 하며, "날이 더우면 시어지므로, 서리가 온 후에 담는 것이 좋다."고 하였다. <고사촬요>와 동일한 방문이다.

百露酒 別法

白米一斗百洗作末盛于器以熱水三瓶乘沸調和待冷麴末一升半眞末一升半腐本一升調極勻入瓮第三日白米二斗百洗熟烹以沸湯六瓶調和待冷與本釀添麯末一升調和過七八日乃熟以紙心燃火入于甕內驗其生熟熟則火不滅生則滅此後切勿添他水. 欲作旨酒則調水時每斗以二瓶半爲限欲多出則上槽時井華水二瓶添調.

## 15. 백로주 별법 <학음잡록(鶴陰雜錄)>

술 재료 : 밑술 : 멥쌀 1말, 누룩가루 1되, 밀가루 1되 5홉, 부본 1되, 끓는 물 2병
덧술 : 멥쌀 2말, 끓는 물 4병

술 빚는 법 :

＊밑술 :

1. 멥쌀 1말을 물에 백세하여 (새 물에 담가 불렸다가, 다시 씻어 말갛게 헹궈서 물기를 뺀 후) 작말하여 넓은 그릇에 쌀가루를 담아놓는다.
2. 솥에 물 2병 반을 매우 오랫동안 끓이다가, 쌀가루에 고루 붓고 주걱으로 골고루 개어 범벅을 만든 다음, 차게 식기를 기다린다.
3. 범벅에 누룩가루 1되 5홉과 밀가루 1되 5홉, 부본 1되를 합하고, 매우 치대고 고루 버무려 술밑을 빚는다.
4. 술독에 술밑을 담아 안치고, 예의 방법대로 하여 3일간 발효시킨다.

＊덧술 :

1. 멥쌀 2말을 백세하여 (새 물에 담가 불렸다가, 다시 씻어 말갛게 헹궈서 물기를 뺀 후) 시루에 안치고 푹 쪄서 무르게 익은 고두밥을 짓는다.
2. 물 4병을 오랫동안 팔팔 끓여서 뜨거운 고두밥에 붓고, 주걱으로 고루 헤쳐서 차게 식기를 기다린다.
3. 질어진 밥에 누룩가루 1되와 밑술을 합하고 고루 버무려 술밑을 빚는다.
4. 술독에 술밑을 담아 안치고, 예의 방법대로 하여 7~8일간 발효시킨다.
5. 종이로 심지를 만들어 불을 붙여 술독에 넣고, 불이 꺼지지 않고 잘 타고 있으면 술이 숙성된 것이고, 불이 꺼지면 덜 익은 것이니 익을 때까지 기다린다.
6. 술이 익었으면, 정화수 2병을 후수한 후 (2~3일 두었다가) 여과하여 사용한다.

＊주방문 말미에 "본방은 이러하나 쌀 1말당 끓는 물을 2병씩 제한하여 넣으면 더욱 좋다. 매 쌀 1말당 누룩을 5씩 제한하고, 덧술에 누룩을 넣지 않으면 술 색깔이 희고 3홉씩하면 또한 좋다."고 하였다.

百露酒 別法

本方雖如此 ·斗米用麯五合足矣添釀二斗時不可添麯欲使色白則每斗用麯三合亦可矣. 此方卽俗稱方文酒 霜後可釀 若日候稍溫則味輒酸乘.

# 백병주

## 스토리텔링 및 술 빚는 법

'백병주(바삐 빚는 법)'는 <음식보(飮食譜)>에서만 찾아볼 수 있는 유일한 주방문이다. 그런데 <음식보>에 수록된 여러 주방문에서 목격할 수 있는 것은 불분명한 내용이 상당수 존재한다는 것으로서, '백병주(바삐 빚는 법)'도 예외는 아니라고 할 수 있다.

우선 '백병주(바삐 빚는 법)'라는 주품명과 관련하여 '백병'이 무슨 의미인지를 알 수 없다는 것이다. 대개 단위를 사용한 주품명에서는 그 의미를 찾기가 어렵지 않은데, '백병주(바삐 빚는 법)' 주방문을 보면 '백병(百瓶)'의 술을 얻을 수 있는 주방문이 아니라는 것을 확인할 수 있다.

일반적으로 주방문에서 1병(瓶)은 물 1되 또는 3되를 뜻하거니와, 술 빚기에 사용되는 물 양은 고작 5~6말에 불과하기 때문이다.

또한 '바삐 빚는 법'이라는 부제가 붙어 있는데, 주방문을 보면 이양주법(二釀酒法)에 밑술을 빚는 데 따른 재료 비율이 분명하지 않다는 것을 알 수 있다. '백병주(바삐 빚는 법)' 주방문 첫머리의 "가에 가루누룩 됴흔 닷 홉 석것다가 괴거든"이라고 하였는데, '가에'가 무슨 뜻인지를 확신할 수 없으나 "가을에"로 해석하였으며, 가루누룩과 무엇을 섞어야 하는 것인지 알 수 없다.

하지만 "괴거든"이라는 표현을 단서로 하여, 술과 가루누룩을 섞어 불려두면 물과 누룩을 섞어 불렸을 때보다 발효가 되면서 거품이 일어나는 것을 볼 수 있으므로, 막걸리를 사용하는 것으로 주방문을 완성하였다는 것을 밝혀둔다.

따라서 '백병주(바삐 빚는 법)'라는 주품명의 의미는 "많은 양의 술을 빚는 법" 쯤으로 이해할 수 있지 않을까 하는 것이다. 이러한 추측은 밑술을 범벅으로 하여 빚고 덧술도 고두밥에 끓는 물을 섞어 만든 진고두밥을 사용하는데, 술 빚기에 사용되는 누룩의 양이 5홉뿐이라는 데에서 빨리 발효시킬 수 있는 방법은 막걸리에 누룩을 섞어 만든 주곡(酒麯)을 사용하는 방법뿐이라는 결론에 이른다.

이와 같은 해석은 '바삐 빚는 법'이라는 부제 때문이다. 주지하다시피 '바삐 빚는' 주품들로 '급청주(急淸酒)'를 비롯하여 '시급주(時急酒)', '급시주', '급시청주(急時淸酒)', '급수청방' '삼일주(三日酒)' 등이 있으며, 이들 주방문에 수곡이나 주곡을 사용하는 경우를 볼 수 있다.

그 예로 <음식디미방>의 '시급주'는 "좋은 탁주를 찬물에 정히 걸러 항에 넣고, 찹쌀 닷 되를 밥 무르게 지어 식히고, 진말 5홉, 누룩 5홉 섞어 넣어두면 사흘 만에 청주 세 병이나 나느니라."고 하였고, <고사신서(攷事新書)>의 '삼일주'는 "끓는 물 1말을 식혀서 누룩가루 4되를 그 물에 담가 하룻밤을 묵힌다. 백미 1말을 백 번 씻어서 밥을 쪄서 푹 익힌 뒤 식기를 기다려, 가라앉은 누룩을 걸러 물을 취하고 찌꺼기는 버린다. 그 누룩 거른 물을 밥과 고르게 섞어 술을 빚는다. 3일 뒤면 먹을 수 있다. 다시 좋은 술 1사발을 넣으면 더욱 맛있다."고 한 것을 볼 수 있다.

또한 <해동농서(海東農書)>에 수록된 '청감주' 주방문에 "찹쌀 1말을 쪄서 누룩가루 반 되와 물을 넣지 말고 좋은 술 1병에 섞어 빚으면 그 맛이 꿀맛 같다."고 하여 술을 사용한 다양한 방법의 주방문을 엿볼 수 있다.

특히 '청주를 빨리 빚는 방법'으로서 '급시청주'와 '급청주'에서 보듯, "끓여 식힌 물로 좋은 탁주를 걸러 1동이를 준비한 다음, 찹쌀 5되를 시루에 안쳐서 무른 고두밥을 짓고 차게 식기를 기다린다. 고두밥에 준비한 탁주(막걸리) 1동이와 누룩

5홉, 밀가루 5홉을 섞고, 고루 버무려 술밑을 빚는다."고 하고, "사흘 후에 맑은 청주 3병 나고, 탁주 내도 밥 뜨고 가장 조흐니라."고 하였다.

이러한 주방문은 이미 마시고 있거나 완성된 탁주(濁酒, 막걸리)를 이용하는 술이라는 점에서, 우리나라 술 빚는 방법의 다양성과 함께 오랜 세월 술을 빚어 오면서 저절로 터득하게 된 조상들의 세련된 양조기술과 비법을 엿볼 수 있다.

즉, 상품가치가 높고 쓰임새가 많았던 청주(淸酒)를 단기간에 얻을 수 있는 주방문이라는 점에서 '백병주(바삐 빚는 법)'은 '급시청주', '급청주'와 같이 가치가 매우 높다고 할 것이다.

## 백병주(바삐 빚는 법) <음식보(飮食譜)>

술 재료 : 밑술 : 멥쌀 1말, 가루누룩(5홉), 좋은 술(막걸리 1말), 끓는 물 2말
덧술 : 멥쌀 3말, 끓는 물 3말

술 빚는 법 :

* 밑술 :

1. 가을에 가루누룩 5홉을 (좋은 술) 막걸리 1말에 섞어 주곡(酒麯, 술누룩)을 만들어놓았다가 괴거든 술밑을 준비한다.
2. 멥쌀 1말을 백세하여 (물에 담가 불렸다가, 다시 헹궈서 물기를 뺀 다음) 작말하여 체에 내려서 동이에 담아놓는다.
3. 솥에 물 2말을 팔팔 끓여서 쌀가루에 붓고, 주걱으로 고루 개어서 범벅을 쑤어, 그릇 여러 개에 나눠 서늘하게 식기를 기다린다.
4. 차게 식은 범벅에 먼저 만들어둔 주곡을 합하고, 고루 버무려 술밑을 빚는다.
5. 술밑을 술독에 담아 안치고, 예의 방법대로 하여 괴어올랐다가 가라앉을 때까지 발효시킨다.

* 덧술 :

1. 멥쌀 3말을 백세하여 물에 담가 하룻밤 불렸다가, 다시 헹궈서 물기를 뺀 다음 시루에 안쳐서 고두밥을 짓는다.
2. 솥에 물 3말을 팔팔 끓이고, 고두밥이 익었으면 퍼서 넓은 그릇에 퍼 담고, 끓는 물을 고두밥에 골고루 퍼 붓고, 주걱으로 고루 헤쳐 놓는다.
3. 고두밥을 돗자리나 그릇 여러 개에 나눠서 고루 헤쳐서 차게 식기를 기다린다.
4. 고두밥에 밑술을 퍼서 섞고, 고루 버무려 술밑을 빚는다.
5. 술독에 술밑을 담아 안치고, 예의 방법대로 하여 익을 때까지 발효시킨다.

* 주방문을 보면 원료 비율이 분명하지 않다는 것을 알 수 있다. 주방문 첫머리의 "가에 가루누룩 됴흔 닷 홉 석것다가 괴거든"이라고 하였는데, '가에'가 무슨 뜻인지를 확신할 수 없으나 "가을에"로 해석하였으며, 가루누룩과 무엇을 섞어야 하는 것인지 알 수 없다는 것이다. 따라서 "괴거든"이라는 표현을 단서로 하여, 술과 가루누룩을 섞어 불려두면 물과 누룩을 섞어 불렸을 때보다 발효가 되면서 거품이 일어나는 것을 볼 수 있으므로, '바삐 빚는 법'이라는 부제와 관련하여 막걸리를 사용하는 것으로 주방문을 완성하게 되었다.

ᄇᆡᆨ병듀 밧비 빗ᄂᆞᆫ 볍

ᄀᆞ에 ᄀᆞᄅᆞ누룩 됴ᄒᆞᆫ 닷 홉 석것다가 괴거든 ᄇᆡᆨ미 ᄒᆞᆫ 말 ᄇᆡᆨ셰 작말ᄒᆞ고 탕슈 두 말노 ᄀᆡ여 그 미틔 섯거 둣다가 괴거든 ᄇᆡᆨ미 서 말 ᄇᆡᆨ셰ᄒᆞ야 탕슈 서 말을 아 ᄎᆞ거든 그 밋틔 섯거 두라.

# 백수환동주

## 스토리텔링 및 술 빚는 법

요즘 갖가지 건강보조식품과 그라비아와 같은 치료약이 '강정제'로 알려지면서 불티나게 팔리고 있다. 술에 있어서도 예외는 아니다.

술의 경우, 약효나 효능 면에서 얼마만큼 효과가 있는지는 알 수 없으나 기능성을 내세운 약용약주류(藥用藥酒類)가 이미 유통시장을 주도하고 있고, 계속해서 새로운 상품들이 개발되어 출시를 앞두고 있다.

전통주에 있어서도 과장광고의 범주에서 벗어나기 힘든 주류들이 한둘이 아니라는 얘기이다. 굳이 이름을 대자면 '신선주(神仙酒)', '칠선주(七仙酒)', '팔선주(八仙酒)', '오선주(五仙酒)', '백세주(百歲酒)' 등이 대표적인 주품들이라고 하겠는데, '신선주'나 '백세주' 못지않게 우리의 눈길을 끄는 술이 있다.

<승부리안주방문>과 <양주방>*, <오주연문장전산고(五洲衍文長箋散稿)>, <홍씨주방문>에 수록된 '백수환동주(白首還童酒)'라고 하는 전통주가 그것인데, 앞서 예로 든 주품들과는 달리 일체의 약재가 들어가지 않는 순곡주(純穀酒)요, 전통 청주임에도 이른바 "백발의 노인이 어린아이의 얼굴처럼 동안(童顔)

이 된다."고 하는 술이다.

특히 <승부리안주방문>과 <양주방>*에 언급하기를 "한 기(12년)의 수(壽)를 더한다. 하늘나라에서도 비밀방문하니, 너무 헛되게 전하여 세상의 더러운 사람으로 하여금 배우게 하지 말라. 사람에게 몹시 보익하여 온갖 병을 물리치고, 골수를 꽉 차게 하여 허약한 사람에게 좋으니, 기운이 쇄한 이에게는 얻기 어려운 큰 약이다."고 하였으니, 현대인들이나 전문가들의 생각으로는 "사기도 이런 사기가 없다."고 할 것이다.

전통 청주라면 기껏해야 여러 가지 맛 성분에 의한 항암효과와 소화촉진 작용 등을 떠올릴 수 있기 때문이다.

그러나 <오주연문장전산고>에서는 "이 누룩은 마땅히 여름에 취해서 술을 빚어야 한다."고 하고, "술을 빚으면 더욱 쉽게 익고, '준순주(浚巡酒)'라 할 수 있다."고 하였으므로, 이들 문헌의 해석이 다르다는 것을 알 수 있다.

<승부리안주방문>과 <양주방>*, <오주연문장전산고>, <홍씨주방문>에서 공통적으로 언급되고 있는 사실은, 백수환동주곡은 여름에 빚고, 술은 한겨울인 정월에 빚는다는 것이다.

'백수환동주'를 실제로 빚어보고 그 맛을 보고, 또 오랜 기간 그 어떤 변화를 기다려보았지만, '혹시나' 했던 기대는 '역시나'로 바뀌고 말았다.

그래서 내린 나름의 결론이란 것이, "좋은 술을 마시고 난 후의 '고양된 감정변화와 그에 따른 만족감'일 수도 있겠다."는 것이다.

우리가 술을 마시게 되면 가장 먼저 일어나는 현상으로, '붉어지는 얼굴'을 들 수 있다. 물론 전혀 얼굴색이 변화가 없는 사람도 있지만, 그런 경우는 우리나라 사람의 30%, 동양인의 30% 정도가 해당되고, 나머지 70%는 얼굴색이 홍조를 띤다. 체내에 흡수된 알코올 때문이다.

가령, 모처럼 향기 좋고 맛있는 술을 마시고 나서 약간 들뜬 기분과 함께 은근하게 퍼져 오르는 취기로 인해 홍조를 띤 얼굴의 머리가 희끗희끗한 노인을 연상해 보는 것이다. 주름지고 핏기가 없어 보일 정도로 깡마른 노인의 얼굴에 술기운으로 인해 화색이 돌고, 그 술이 반주(飯酒)로서 일생을 함께한다면, 흔히 말하는 '술의 미덕' 가운데 하나인 '백약지장(百藥之長)'이 되지 않겠는가 하는 것이다.

'백수환동주'는 여느 술에 비해 독특한 풍미와 콕 쏘는 듯한 강한 맛을 자랑한다. 이는 무엇보다 '백수환동주'를 빚기 위해 특별히 만든 녹두누룩(백수환동주곡)을 발효제로 사용하기 때문인데, 일반에서는 이런 누룩이 있는지조차 몰랐을 정도로 귀하고, 품질이 좋은 것으로 알려져 있다.

또한 일반적으로 고두밥은 고루 펼쳐서 식히는 것인데, '백수환동주'는 찬물을 뿌려가면서 고두밥을 식혀 사용한다는 점에서 여느 술 빚기와는 차이를 나타낸다고 할 수 있다.

술을 빚는 방법에 있어, 고두밥이 익었으면 시루째 떼어 쳇다리 위에 놓고, 주걱으로 헤쳐가면서 찬물 2동이를 끼얹어 차게 식히고, 다시 찬물로 고두밥을 씻어야 한다. 이때 주의할 일은, 가장 뜨거운 상태의 고두밥에 가장 찬물을 한꺼번에 많이 퍼부어 빨리 가능한 한 차게 식히는 요령이 필요하다는 것이다.

고두밥이 식을수록 찬물을 끼얹게 되면 물을 많이 흡수하게 되고, 그 결과 고두밥이 진밥이 되어 술이 싱겁고 탁해질 뿐만 아니라, 자칫 변질될 수 있기 때문이다. 또 찬물 2말은 고두밥을 차게 식히는 데 사용하고, 식은 고두밥을 씻어 뜨물을 빼는 작업은 그 양을 추가하여도 괜찮다. 고두밥을 손으로 만졌을 때 차갑다는 느낌이 들 정도가 되어야 실패하는 일이 없다.

## 1. 백수환동법 <승부리안주방문>

–일명 상천삼원춘

누룩 재료 : 녹두 1말, 찹쌀 5되

술 재료 : 찹쌀 1말, 누룩가루(백수환동주곡) 2되, 찬물 2동이(말)

누룩 빚는 법 :

1. 정월 상순일에 녹두 한 말을 맷돌에 타서 껍질을 벗겨, 물에 깨끗이 씻어 불렸다가 껍질을 제거한 후, 건져서 물기를 빼놓는다.

2. 찹쌀 5되를 (물에 깨끗이 씻고 또 씻어 물에 담가 불렸다가, 다시 씻어 건져서 물기를 뺀 후) 가루로 빻는다.
3. 불린 녹두를 시루에 안쳐서 겨우 익을 만큼 쪄낸다.
4. 녹두 찐 것에 찹쌀가루를 켜켜로 넣어 한데 섞고, 고루 섞이도록 방아에 찧는다.
5. 녹두가루와 찹쌀가루 반죽을 배꽃술누룩같이 두 손으로 단단히 쥐어서 솔잎에 격지격지 묻어 재워 놓는다.
6. 한 7일째 되면 한 번 뒤집어 다시 재워놓고, 14일째엔 바람을 쐬고, 21일째엔 꺼내어 햇볕에 아주 말려서 법제하여 놓는다.

술 빚는 법 :
1. 여름날에 찹쌀 1말을 (깨끗이 씻고 또 씻어) 물에 담가 불렸다가 (다시 씻어 헹궈 건져서 물기를 뺀 후) 시루에 안쳐서 고두밥을 짓는다.
2. 고두밥이 익었으면 시루째 떼어 쳇다리 위에 놓고, 주걱으로 헤쳐가면서 찬물 2동이를 끼얹어 씻고 차게 식혀놓는다.
3. 고두밥이 더운 기운이 없으면 자배기에 퍼 담는다.
4. 백수환동주곡(누룩)을 (고운) 가루로 빻아 2되씩 넣고, 날물일랑 일체 넣지 말고, 고루 버무려 술밑을 빚는다.
5. 술독에 술밑을 담아 안친 후, 예의 방법대로 하여 단단히 싸매고 찬 데 두고 21일 발효시켜서 익은 후에 떠서 마신다.

ᄇᆡᆨ슈환동법
정월 샹슌일의 녹두 ᄒᆞᆫ 말 ᄆᆡ예 타 믈의 ᄃᆞᆷ갓다가 거피ᄒᆞ여 겨유 닉게 쪄 졈미 닷 되 작말ᄒᆞ여 녹두을 방하의 찌흐며 ᄎᆞᆯᄀᆞ로을 켜〻 녀허 도합ᄒᆞ거든 니화쥬 누록갓치 쥐여 숑엽의 씌여 칠일 만의 되ᄌᆡ여 이칠의 거풍ᄒᆞ여 삼칠 되거든 볏히 ᄆᆞᆯ니워 희일의 졈미 ᄒᆞᆫ 말 ᄃᆞᆷ갓다가 쐬 내여 체ᄃᆞ리 우희 노코 ᄎᆞᆫ 믈을 뇌리와 온긔 업거든 그 누록 작말ᄒᆞ여 두 되식 너허 비ᄌᆞᄃᆡ 객슈는 일졀 드리지 말고 굿게 싸ᄆᆡ여 남방의 두엇다가 삼칠 만의 드리으되 누록 ᄒᆞ기와 술 빗기 다쇼ᄂᆞᆫ 임의로 ᄒᆞ라. 이 술 일명은 샹텬삼원츈이라. 샹천 세가치 웃듬 봄이라. 마시 입의 먹음은 후ᄂᆞᆫ ᄉᆞᆷ키기 앗가울분 아니라 사ᄅᆞᆷ의게 극히 보익ᄒᆞ여 ᄇᆡᆨ병이 물니치고 골슈을 예 ᄎᆞ게 ᄒᆞ니 허약ᄒᆞᆫ 사ᄅᆞᆷ의게 죠흐니 긔쇠 줄 사ᄅᆞᆷ의게ᄂᆞᆫ 엇디모홀 큰 악이라. 일두의 일슈을 긔식ᄒᆞᆫ 다 ᄒᆞ여시니 일긔ᄂᆞᆫ 열두ᄒᆡ라 샹텬의 비밀ᄒᆞᆫ 방법이니 너모 헛도이 셰샹의 뎐ᄒᆞ여 사오나온 사ᄅᆞᆷ으로 ᄒᆞ여 뵈흐게 말나.

## 2. 백수환동주 <양주방>*

-속칭 상천삼원춘

누룩 재료 : 녹두 1말, 찹쌀 5되

술 재료 : 찹쌀 1말, 누룩가루(백수환동주곡) 2되, 찬물 2동이(말)

누룩 빚는 법 :

1. 정월 초열흘 전에 녹두 한 말을 맷돌에 타서 껍질을 벗겨 (물에 깨끗이 씻어 불렸다가, 껍질을 제거한 후) 건져서 물기를 빼놓는다.
2. 찹쌀 5되를 물에 깨끗이 씻고 또 씻어 (물에 불렸다, 다시 씻어 건져) 작말한다.
3. 불린 녹두를 시루에 안쳐서 겨우 익을 만큼 쪄낸다.
4. 녹두 찐 것에 찹쌀가루를 켜켜로 넣어 한데 섞고, 고루 섞이도록 방아에 찧는다.
5. 녹두가루 반죽을 배꽃술누룩같이 단단히 쥐어서 솔잎에 격지격지 묻어놓는다.
6. 한 7일째 되면 한 번 뒤집어 다시 재워 놓고, 14일째엔 바람을 쐬고, 21일째엔 꺼내어 햇볕에 아주 말려서 법제하여 놓는다.

술 빚는 법 :

1. 여름에 찹쌀 1말을 깨끗이 씻고 또 씻어(백세하여) 물에 담가 불렸다가 (다시 씻어 헹궈 건져서 물기를 뺀 후) 시루에 안쳐서 고두밥을 짓는다.
2. 고두밥이 익었으면 시루째 떼어 쳇다리 위에 놓고, 주걱으로 헤쳐가면서 찬물 2동이를 끼얹어 씻고, 차게 식혀놓는다.
3. 고두밥이 더운 기운이 없으면 자배기에 퍼 담고, 백수환동주곡(누룩)을 (고운) 가루로 빻아 2되씩 넣고, 날물일랑 일체 넣지 말고 고루 버무려 술밑을 빚는다.
4. 술독에 술밑을 담아 안친 후, 예의 방법대로 하여 단단히 싸매고 찬 데 두고 21일 발효시켜서 익은 후에 떠서 마신다.

* 주방문에 "세이레 뒤에 따르되, 누룩을 만들며 술 빚기의 다소는 마음대로 하라. 이 술의 이름은 '상천삼원춘(上天三元春)'이라고 하니 '하늘나라의 세 가지 으뜸가는 봄'이라고 한다. 술맛이 입에 머금은 후에도 삼키기 아깝고, 사람에게 몹시 보익하여 온갖 병을 물리치고, 골수를 꽉 차게 하여 허약한 사람에게 좋으니 기운이 쇠한 이에게는 얻기 어려운 큰 약이다. 한 말에 '한 기의 수를 더한다.' 하였으니 한 기는 열두 해다. 하늘나라에서도 비밀방문하니 너무 헛되게 전하여 세상의 더러운 사람으로 하여금 배우게 하지 말라." 고 하였다.

빅슈환동쥬

원월 샹슌 젼의 녹두 ᄒᆞᆫ 말을 ᄆᆡ예 타 거피ᄒᆞ야 계유(거의) 닉을 만치 찌고 졈미 닷 되를 빅셰세말ᄒᆞ여 녹두 씬 거술 방하의 ᄶᅵ흐며 출ᄀᆞ로를 케케 너허 교합ᄒᆞ거든 니화쥬 누록 ᄀᆞᆺ치 쥐여 송엽의 재와 일칠일의 되 재와 이칠일의 거풍ᄒᆞ야 삼칠일의 아조 말뇌여 두엇다가 하월의 졈미 ᄒᆞᆫ 말을 빅셰ᄒᆞ야 담갓다가 닉게 쪄 시로재 체ᄃᆞ리 우희 노코 ᄂᆡᆼ슈 두 동희나 언져 온긔 업시 져어가며 씨셔 그 누록 작말ᄒᆞ야 두 되식 너허 비ᄌᆞᄃᆡ ᄀᆡᆨ수란 일졀 드리지 말고 잘 버무려 너허 항부리 ᄀᆞᆺ게 ᄊᆞᄆᆡ야 ᄎᆞᆫᄃᆡ 두엇다가 삼칠일 후 드리우ᄃᆡ 누록

ᄆᆡᆫ들며 술 빗기 다소란 임의로 ᄒᆞ라. 이 술 일명 샹텬삼원츈이라니 텬샹의 세 가지 웃듬 봄이라 ᄒᆞ니 술마시 닙의 먹음은 후ᄂᆞᆫ 삼키기 앗갑고 사ᄅᆞᆷ의게 극히 보익ᄒᆞ야 ᄇᆡᆨ병을 물니치고 골수ᄅᆞᆯ ᄎᆞ게 ᄒᆞ니 허약ᄒᆞᆫ 사ᄅᆞᆷ의게 조흐니 긔허ᄒᆞᆫ 사ᄅᆞᆷ의 엇지 못ᄒᆞᆯ 큰 약이라. 일두의 일수ᄅᆞᆯ 긔식ᄒᆞ라 하야시니 일긔는 열두 ᄒᆡ라. 샹텬의도 비밀ᄒᆞᆫ 방문이라. 너므 헛되이 뎐ᄒᆞ여 셰상 부졍ᄒᆞᆫ 사ᄅᆞᆷ으로 ᄒᆞ여곰 ᄇᆡ흐게 말나.

## 3. 백수환동주 <오주연문장전산고(五洲衍文長箋散稿)>

–별칭 준순주

누룩 재료 : 백미 1말, 녹두 1말. 준비 물품(고석, 자배기, 절구, 볏짚, 달걀껍질)
술 재료 : 멥(찹)쌀 1말, 백수환동주곡 2되, (찬물)

누룩 빚는 법 :

1. 멥쌀과 녹두 각 1말을 각각 백세하여 물에 담가서 하룻밤 재워놓는다.
2. 먼저 녹두를 씻어 건져서 물기를 뺀 후, 햇볕에 널어서 꾸들꾸들하도록 반만 건조시킨다.
3. 멥쌀을 다시 씻어 헹궈서 물기를 뺀 후 녹두와 한데 섞고, 절구통에 넣고 뜨겁도록 찧어서 반죽을 한다.
4. 쌀과 녹두 찧은 것을 작은 크기로 만들어서 누룩틀에 채워 넣고, 발로 밟아서 누룩밑을 만든다.
5. 누룩밑은 볏짚으로 싸서 건조하고, 밝은 처마 밑에 매단다.
6. 낮에는 햇볕을 쬐고, 밤에는 이슬을 맞혀서 족히 7일 후에 거둬들인다.
7. 누룩밑을 볏짚과 함께 켜켜로 쌓아, 후발효와 숙성이 되도록 한다.
8. 누룩이 완성된 후, 다시 가루를 내어 체에 쳐서 무거리가 없게 가루로 만든다.
9. 계란 빈 껍질에 누룩가루를 넣어서 새지 않게 단단히 봉한 후, 달걀을 품고

있는 닭으로 하여금 49일을 품도록 한 후, 꺼내어 사용한다.

술 빚는 법 :

1. 멥(찹)쌀 1말을 (백세하여 물에 담가 불렸다가, 다시 씻어 헹궈 건져서 물기를 뺀 후) 시루에 안쳐서 고두밥을 짓는다.
2. 고두밥이 익었으면 (시루째 떼어 쳇다리 위에 놓고, 주걱으로 헤쳐가면서 찬물 2동이를 끼얹어 씻고) 차게 식기를 기다린다.
3. 고두밥이 더운 기운이 없으면 자배기에 퍼 담는다.
4. 백수환동주곡을 (고운) 가루로 빻아 2되씩 넣고, 날물일랑 일체 넣지 말고, 고루 버무려 술밑을 빚는다.
5. 술독에 술밑을 담아 안친 후, 예의 방법대로 하여 단단히 싸매고 따뜻한 곳에 두고 (10일간) 발효시켜서 익은 후에 떠서 마신다.

* '백수환동주곡' 제조법으로 주방문이 구체적이지 않으나 주재료의 비율이 <양주방>*, <홍씨주방문>과 동일하다는 것을 알 수 있다. 따라서 이를 참고하여 술 빚는 방법을 작성하였다. 그리고 "술을 빚으면 더욱 쉽게 익고, '준순주(浚巡酒)'라 할 수 있다."고 하였는바, 10일 이내에 익히기 위하여 따뜻한 곳에서 발효시키는 방법을 취하였다.

### 백수환동주곡 변증설(白首還童酒麯 辯證說)

백미 녹두 각 1말을 각각 물에 담가서 재우고 먼저 녹두를 취해서 헤쳐서 반만 말리고 멥쌀을 씻어서 물기를 빼고 녹두와 아울러 뜨겁도록 찧어서 꺼내어 누룩을 적게 만들어서 밟아서 띄우기를 위의 법과 같이 하고 쌀 1말을 밥을 지어서 누룩을 2되 넣어서 빚기를 공식으로 삼아라. 이 누룩은 마땅히 여름에 취해서 술을 빚어야 한다. 무릇 누룩이 완성된 후에 다시 가루를 내어 계란 빈 껍질에 넣어서 새지 않게 단단히 봉해서 알 품은 닭한테 넣어서 49일을 지나서 꺼내어 술을 빚으면 더욱 쉽게 익고, '준순주'라 할 수 있다. 쌀 1말을 밥을 지어서 누룩을 2되 넣어서 빚기를 공식으로 삼아라. 이 누룩은 마땅히 여름에 취해서 술을 빚어야 한다.

## 4. 백수환동주 <홍씨주방문>

누룩 재료 : 녹두 1말, 찹쌀 5되, 솔잎 3말
술 재료 : 찹쌀(1말), 녹두누룩(백수환동주곡) 2되, 찬물(3~4말)

누룩 빚는 법 :

1. 정월 상수일(초 삼사일)에 녹두 1말을 물에 깨끗이 씻고 (맷돌에 올려 많이 타개서) 물에 담가 불린 다음, 제물에 대껴서 거피한다.
2. 녹두가루를 물에 담갔다가, 충분히 불었으면 씻어 건져서 시루에 안치고, 익을 만치 쪄서 차게 식힌다.
3. 찹쌀 5되를 백세하여(백 번 씻어 매우 깨끗하게 하여 말갛게 헹궈 건졌다가, 물기를 뺀 후) 가루로 빻는다.
4. 찐 녹두와 찹쌀가루를 방아에 넣고 절굿공이로 쳐서 찧은 뒤, 한 주먹씩 쥐어 오리알만 한 크기로 단단히 뭉쳐 애누룩을 만든다.
5. 애누룩을 이화곡 띄우듯 솔잎에 묻고, 빈 섬으로 싸서 7일간 띄우고 햇볕에 내어 잠깐 동안 말린다.
6. 애누룩을 다시 솔잎에 묻고, 예의 방법대로 하여 7일간 띄웠다가, 다시 볕에 내어 거풍하여 다시 묻어 띄운다.
7. 누룩을 띄운 지 21일 정도 되었으면, 햇볕에 내어 바짝 말려서 고운 가루로 빻아서 쓴다.

술 빚는 법 :

1. 5월에 찹쌀(1말)을 백세하여(백 번 씻어 매우 깨끗하게 하여 말갛게 헹궈 건져) 물에 담가 불렸다가 (다시 씻어 말갛게 헹궈서 물기를 뺀 후) 시루에 안

쳐서 고두밥을 짓는다.

2. 고두밥을 무르게 쪄서 익었으면, 시루째 떼어 우물가로 가져가서 쳇다리 위에 올려놓는다.
3. (주걱으로 고두밥을 뒤적여준 다음) 바가지로 계속해서 찬물을 끼얹어 고두밥을 차디차게 식힌다.
4. 고두밥이 식었으면, 날물이 들어가지 않게 하여 준비한 녹두누룩가루 2되를 합하고, 고루 버무려 술밑을 빚는다.
5. 술밑을 소독하여 준비한 술독에 담아 안치고, 예의 방법대로 하여 유지로 단단히 싸매고, 서늘한 방에 두어 21일간 발효시킨다.

* <양주방>*, <오주연문장전산고>의 '백수환동주' 주방문과 동일하다. 술 빚을 찹쌀의 양이 언급되어 있지 않았으나, <양주방>*을 참고하여 1말로 하였다. 술 빚는 법은 <양주방>*의 '청명향'이나 <양주집>의 '하시절품주' 덧술 주방문과 유사하다.

백수환동주

원월 상사일에 녹두 한 말 매우 타닥이다가 거피하여 익을 만치 찌고, 점미 닷 되 백세작말하여 누룩을 방아에 찧으며, 찰가루를 케케히 넣어 교합하거든, 이화곡같이 쑤어 송잎에 띄웠다가, 이칠일 또 거풍하여 재와 삼칠일 넘거든 볕에 말라 두었다가, 오월에 좋은 찹쌀 정히 쓸어 담갔다가, (고두밥) 지어 내어 시루 밑에 다리 위에 놓고, 찬물 얹어 나리워 온기 없거든 녹두누룩 세 말하여 두 되를 넣어 빚으되, 객수 일절 드리지 말고 유지로 같게 싸매어 서늘한 방에 두었다가, 삼칠일 만에 드리우나니라. 누룩 만들기와 술 빚기 다소간에 임의로 하라.

# 백오주

## 스토리텔링 및 술 빚는 법

'백오주(百五酒)'에 대한 기록은 <양주집(釀酒集)>이 유일하다. 따라서 어떠한 이유나 유래에서 '백오주'란 이름을 얻었는지 알 수는 없다.

다만, <양주집>을 비롯하여 기타의 문헌에 수록된 '오병주'를 비롯 '일두육병주', '일두사병주', '육병주', '삼두주', '육두주' '구두주'와 같이 주품명의 유래가 술 빚기에 사용되는 주원료인 쌀이나 물의 양과 관련이 있고, '삼일주'를 비롯하여 '칠일주' '십일주', '스므주', '백일주'와 같이 발효기간에 따른 주품명이 있고 보면, '백오주'에 대한 주품명의 유래도 어렴풋이나마 추측할 수 있을 것 같다.

<양주집>의 '백오주'는 이양주(二釀酒)로, 두 차례에 걸쳐 사용되는 쌀과 물의 양이 각각 7말 5되로서, 술의 숙성 시에 얻을 수 있는 청주의 양이 105되(210ℓ) 정도 된다는 데에서 유래된 주품명이 아닌가 생각된다. 그렇지 않고서는 술 빚는 법이나 재료 배합비율, 발효기간, 술 빚는 때, 사용 누룩의 종류 등 모든 가능한 방법을 통해서도 '백오주'란 술 이름을 추측할 수 있는 방법이 없기 때문이다.

그만큼 '백오주'는 다른 방문과 비교했을 때 큰 차이를 발견할 수 없는, 어떤 면

에서는 <양주집>을 비롯하여 다른 문헌에 수록된 일반적인 주류와 같이 매우 평이한 방문이라고 할 수 있는데, 마치 의도적으로 만든 방문이 아닌가 싶을 정도이다.

또한 '백오주' 역시 <양주집>을 비롯한 다른 문헌에서도 자주 드러나듯 두 번에 걸쳐 끓인 물을 사용하고 있음을 볼 수 있다.

다만, 재료 배합비율에서 보듯, 쌀 양에 비해 누룩 양이 극히 적게 사용된다는 사실과 관련하여, 밑술의 중요성이 극히 강조되는 술이다. '백오주'는 특히 향이 좋고, 맑고 밝은 빛깔을 띠는 경향에 있어서는 '벽향주(碧香酒)'를, 맛에서는 <양주집>에 함께 수록되어 있는 '우백화주'를 연상케 한다.

술을 빚을 때 주의할 일은, 밑술의 경우 쌀가루에 비해 물의 양이 많지 않은 편이므로, 쌀가루를 골고루 익히는 일과 완성된 범벅은 자연스럽게 차게 식을 때까지 기다려야 술 빚는 일이 수월하다.

또한 누룩을 잘 섞어주어 발효가 용이하도록 도와주어야 한다. 그러자면 힘이 들 것이나 요령을 피우면 곤잘 넘친다.

덧술에 있어서는 고두밥과 끓는 물을 합하는데, 처음에는 주걱으로 고두밥을 헤쳐서 물과 잘 섞이도록 저어주되, 빨리 식힐 요령으로 자주 젓지 말아야 한다는 것이다. 시간이 경과하면 고두밥이 물을 다 먹게 되는데, 그 과정에서 고두밥이 부풀어 물 위로 돌출되면 한 번 정도 주걱으로 뒤섞어주는 것은 좋으나, 자주 섞거나 뒤집지는 말아야 한다.

## 백오주 <양주집(釀酒集)>

술 재료 : 밑술 : 멥쌀 2말 5되, 가루누룩 1되 5홉, 진말 1되, 끓는 물 2말 5되
덧술 : 멥쌀 5말, 끓는 물 5말

술 빚는 법 :

* 밑술 :

1. 멥쌀 2말 5되를 백세하여 물에 담가 하룻밤 불렸다가 (새 물에 다시 씻어 맑게 헹궈 건져서 물기를 뺀 후) 작말한다(가루로 빻는다).
2. 쌀가루에 끓는 물 2말 5되를 붓고, 주걱으로 고루 개어 담(범벅)을 만들어 넓은 그릇에 나눠 담고, 차게 식기를 기다린다.
3. 차게 식힌 담(범벅)에 가루누룩 1되 5홉과 진말 1되를 섞고, 고루 치대어 술밑을 빚는다.
4. 술독에 술밑을 담아 안치고, 예의 방법대로 하여 7일간 발효시킨다.

* 덧술 :

1. 멥쌀 5말을 백세하여 물에 담가 하룻밤 불렸다가 (새 물에 다시 씻어 맑게 헹궈 건져서 물기를 뺀 후) 시루에 안쳐 무른 고두밥을 짓는다.
2. 솥에 물 5말을 붓고 끓여 고두밥이 익었으면 끓는 물과 함께 넓고 큰 그릇에 펴 담고, 고루 섞은 뒤, 차게 식기를 기다린다.
3. 고두밥에 밑술을 합하고, 고루 버무려 술밑을 빚는다.
4. 술독에 술밑을 담아 안치고, 예의 방법대로 하여 (14~21일간) 발효시킨 다음, 익는 대로 채주한다.

### 百五酒

白米 二斗 五升 百洗ᄒᆞ야 ᄒᆞ로밤 자여 作末ᄒᆞ야 쓸인 믈 두 말 닷 되예 ᄀᆡ여 식거든 ᄀᆞ로누록 一升 五合 眞末 一升을 섯거 둣다가 七日 만의 白米 五斗 百洗ᄒᆞ야 ᄒᆞ로밤 자여 닉게 밥 뼈 쓸인 믈 五斗의 골화 밋술의 섯거다가 닉거든 쓰라.

# 백일주

스토리텔링 및 술 빚는 법

"술 빚은 지 백 일, 또는 백 일에 걸쳐 술이 빚어진다."고 하여 이름 붙여진 술 이름이 '백일주(百日酒)'이다.

이러한 '백일주'에 대한 기록은 <규중세화>를 비롯하여 <술 빚는 법>과 <양주방(釀酒方)>, <양주집(釀酒集)>, <우음제방(禹飮諸方)>, <주방(酒方)>*, <주식방(酒食方, 高大閨壼要覽)>, <주정(酒政)>, <홍씨주방문> 등 9가지 문헌에 14차례 수록되어 있는 것이 전부이다.

'백일주'라는 술 이름에 담긴 의미를 찾다 보면 몇 가지 사실을 깨닫게 된다. 그 첫째는, 대부분의 '백일주'는 겨울철에 빚는 계절주(季節酒)라는 사실이다. 술을 백 일간 발효시키기 위해서는 낮은 온도를 필요로 하기 때문에 추운 계절인 겨울철에 빚게 된다.

둘째는, 대부분의 '백일주'는 저온장기발효주로서 이양주(二釀酒)와 삼양주(三釀酒)가 주류를 이룬다. 밑술과 덧술, 또는 2차 덧술의 발효기간을 각각 1개월(36일)로 하여 3개월(100일)간 발효시키거나, 밑술에 12일 간격으로 덧술을 두 번에 걸쳐 빚고 숙성 기간을 60~70일간 걸쳐 빚는 경우가 많다.

'백일주'처럼 오랜 발효·숙성 시간을 거치는 술로 '삼해주', '호산춘'이 대표적이며, 가양주로서 이양주 '백일주'로는 충청남도 무형문화재 제3호 '계룡백일주(鷄龍百日酒)'와 고흥 지방의 토속주인 '고흥백일주(高興百日酒)'도 이양주이면서 장기 발효시키는 '백일주'이다.

따라서 술 빚는 방법이나 요령에 있어서는 삼양주법보다 사양주법(四釀酒法)인 '백일주'가 더 까다롭고 귀한 고급술이라고 할 수 있다. 밑술과 덧술의 발효기간이 길어지게 되면 밑술의 과숙이나 과발효로 인해 덧술 과정이 용이하지 못하거나, 덧술에서 백 일을 채우지 못하고 발효가 끝나버리기도 하기 때문이다.

셋째는, '백일주'를 빚는 과정을 유심히 살펴보면, 몇 가지 패턴을 읽을 수 있다. 특히 삼양주법의 '백일주'는 <술 빚는 법>을 비롯하여 <양주방>, <양주집>, <우음제방>, <주정>, <홍씨주방문>에서 6차례 목격할 수 있는데, <술 빚는 법>과 <양주방>, <주정>, <홍씨주방문>에서 보듯 밑술을 구멍떡으로 하고 덧술은 흰무리떡, 2차 덧술은 고두밥으로 하는 방법이 주류를 이루는 가운데, <양주집>에서 밑술과 덧술을 범벅으로 하고, 2차 덧술을 고두밥으로 하는 방법을 볼 수 있다.

그리고 <홍씨주방문>에서는 밑술을 죽으로 하고 덧술을 범벅, 2차 덧술을 고두밥으로 하는 방법을, <우음제방>에서는 밑술을 범벅으로 하고 덧술은 흰무리떡, 2차 덧술은 고두밥으로 하는 등 4가지 유형을 볼 수 있다.

또 삼양주법 '백일주'는 밑술에 반드시 밀가루(진말)를 사용하는 것으로 되어 있다. 2차 덧술의 경우, 물 없이 쪄낸 고두밥을 차게 식혀서 하는 경우와 고두밥과 물을 각각 차게 식혀서 빚는 경우는 드물고, 갓 쪄낸 고두밥에 끓는 물을 합하여 두었다가 차게 식혀서 빚는 경우가 주류를 이룬다는 것이다.

한편, 이양주법 '백일주'의 경우에는 밑술을 범벅으로 하고 덧술을 갓 쪄낸 고두밥에 끓는 물을 합하여 차게 식기를 기다렸다가 사용하는 경우가 주류를 이루고, 밑술을 구멍떡으로 하고 덧술을 갓 쪄낸 고두밥에 끓는 물을 합하여 차게 식기를 기다렸다가 사용하는 경우가 다음을 잇는다.

또 이양주법 '백일주'에서도 밀가루를 사용하는 것을 원칙으로 하고 있는데, <홍

씨주방문>과 <양주방>의 '백일주 별법'에서는 밀가루가 사용되지 않는다. 그 이유를 알고 보니 발효기간이 100일 아닌 14일과 21일로, '백일주' 개념에서 벗어난 주품이라는 사실이다.

또한 <주식방(고대규곤요람)>의 '백일주' 주방문을 보면, 밑술의 재료 배합비율에서 독특한 점을 발견하기에 이른다.

즉, 밑술에 사용되는 주재료인 찹쌀의 양과 누룩, 밀가루의 양이 같다는 것이다. 특히 밀가루의 양이 다른 술에 비해 월등히 많은 것을 비롯, 밑술과 덧술에 전체적으로 사용되는 쌀 양에 비해 누룩의 양이 대단히 많다.

이와 같이 하는 이유는 밑술의 발효기간이 36일이라는 이유와 밀접한 관련이 있다. 밑술을 빚어 서늘한 곳에 두어 술을 장기간 익히게 되면 자칫 발효가 잘 일어나지 않아 감패되기 쉽고, 발효 온도를 높이게 되면 산패가 일어나기 쉽다.

더욱이 36일간이라는 발효기간은 전통주로서는 매우 긴 발효기간으로서, 특히 잡균 번식에 의한 이상발효와 함께 적정 산도를 유지하기 어렵다.

때문에 밀가루를 이용, 잡균 번식에 의한 이상발효를 예방하기 위한 조치로서, 밀가루 사용은 큰 의미가 있다.

하지만 밀가루는 유기산의 생성을 촉진하여 자칫 필요 이상으로 밑술의 산도가 높은 상태를 초래할 수 있는데도 이와 같은 밑술의 방문이 만들어지게 된 것은, 덧술에 그 해답이 있다고 하겠다. 덧술에도 물을 넣어주는 방법이 그것이다.

그런데 문제는 덧술의 재료를 밑술에서와 같이 무리떡인 설기를 지어 사용한다는 사실이다. 대개 덧술은 고두밥 형태였을 때가 많고, 맑은 술을 얻기 위한 방법이라고 한다는 점에서 본 '백일주'가 청주(淸酒)가 아닌 탁주(濁酒)라고 단정짓기에 무리가 있다. 바로 밑술에 사용되는 많은 양의 밀가루가 덧술이 탁해지는 것을 막아주고 있기 때문이다.

그리고 밑술이나 덧술을 범벅(담)으로 하고, 덧술과 2차 덧술은 고두밥에 끓는 물을 합하여 고두밥이 끓는 물을 다 먹은 후에 식혀서 사용하는 진고두밥 형태의 술 빚기가 이양주법과 삼양주법의 '백일주'에서 공통적으로 나타나는 현상을 볼 수 있는데, 이러한 경우는 누룩의 사용량 또는 횟수와 관련이 깊다.

'백일주'에서는 공통적으로 밑술에 한 번 누룩을 넣는 것으로 되어 있기 때문이다. 누룩의 사용 횟수가 늘어나면 발효는 원활하게 끌고 갈 수 있지만, 좋은 향취를 기대할 수는 없다.

때문에 누룩의 사용량을 최소한으로 줄이려는 노력을 꾀하게 되는데, '백일주'에서와 같이 1회 사용하게 될 경우 2차 덧술에 사용되는 비교적 많은 양의 고두밥을 삭히지 못하는 현상이 발생하기 때문에, 호화도를 높인 진고두밥을 사용함으로써 발효를 원활하게 도모하게 된 것이다.

뿐만 아니라 2차 덧술에 진고두밥을 사용함으로써 얻을 수 있는 효과는, 발효가 빨라질 뿐만 아니라 수율이 높아진다는 장점 또한 있다는 것이다.

이상의 문헌마다의 주방문을 통해서 '백일주'의 특징을 살펴보았는데, 예의 방문대로 하여 몇몇 문헌의 '백일주'들을 빚어본 결과, 여느 술에 비해 특히 밝고 맑은 빛깔로 황금색을 자랑하는데, 매우 부드럽고 단맛이 느껴지는 미주(美酒)였으며, 삼양주를 빚을 때 장기간에 걸쳐 저온발효를 시키는 이유를 새삼 깨닫게 해주었다.

특히 땅속에 묻어 2달간 발효·숙성시킨 결과, 온도를 일정하게 유지할 수 있어 담백한 맛과 함께 은은한 향취의 '백일주'를 즐길 수가 있었다.

## 1. 백일주방문 <규중세화>

술 재료 : 밑술 : 멥쌀 2말, 누룩 2되 5홉, 진말 1되, 끓는 물 1놋동이 반
덧술 : 멥쌀 8말, 끓여 식힌 물 6놋동이

술 빚는 법 :

* 밑술 :

1. 정월 초순 전에 멥쌀 2말을 백세하여 (물에 담가 불렸다가, 다시 씻어 헹궈서 물기를 뺀 뒤) 작말하여 넓고 큰 그릇에 담아놓는다.
2. 솥에 물 1놋동이 반을 팔팔 끓여 쌀가루에 골고루 붓고, 주걱으로 고루 개

어 범벅을 쑨다.
3. 범벅을 넓은 그릇에 펴서 담고 (밤재워) 차게 식기를 기다린다.
4. 차게 식은 범벅에 누룩 2되 5홉과 밀가루 1되를 섞고, 고루 힘껏 치대어 술밑을 빚는다.
5. 술밑을 독에 담아 안치고, 예의 방법대로 하여 밀봉하여 찬 곳에서 발효시키는데, 술밑이 얼 정도로 차면 좋다.
6. 밑술이 맛이 달기를 기다려 덧술을 준비한다.

* 덧술 :
1. 멥쌀 8말을 백세하여 (물에 담가 불렸다가, 다시 씻어 헹궈서 물기를 뺀 후) 시루에 안쳐서 고두밥을 짓는다.
2. 솥에 물 6놋동이를 팔팔 끓여 넓은 그릇 여러 개에 퍼서 차게 식힌다.
3. 고두밥이 익었으면 퍼내고, 고루 헤쳐서 차게 식기를 기다린다.
4. 고두밥에 식혀둔 물 6놋동이와 함께 밑술에 섞고, 고루 버무려 술밑을 빚는다.
5. 술밑을 독에 담아 안치고, 예의 방법대로 하여 100일간 발효시킨 후, 술이 맑아지면 냉수 같고 향기 좋으니, 채주하여 마신다.

* '경면녹파주'를 연상케 하는 술이다. 덧술의 발효기간이 100일이다.

백일주방문
정월 초순 전에 백미 두 말 백세장말하여 탕수 한 놋동이 반으로 개어 차노라. 누룩 두 되 닷 홉, 진말 한 되 넣어 찬 데 두면 얼수록 좋으니라 익기를 기달려 백미 여덟 말 백세하여 익게 쪄 차거든 탕수 여섯 놋동이에 끓여 (차게 식으면) 밑술에 섞어 넣으라. 무릇 도시말로 백일 만에 익으면 술빛이 냉수 같고 향내 나느니라.

## 2. 백일주법 <규중세화>

–너 말 빚이

술 재료 : 밑술 : 멥쌀 2말, 누룩 2되 5홉, 밀가루 1되, 끓는 물 1동이 반
덧술 : 멥쌀 8말, 끓는 물 6동이

술 빚는 법 :

* 밑술 :

1. 정월에 멥쌀 2말을 많이 씻어(백세하여 물에 담가 불렸다가, 다시 씻어 말갛게 헹궈서 물기를 뺀 후) 작말한다(가루로 빻는다).
2. 물 1동이 반을 팔팔 끓여서 쌀가루에 고루 퍼붓고, 주걱으로 고루 개어 범벅을 쑨 후, 넓은 그릇에 담아놓는다(차게 식기를 기다린다).
3. 범벅에 누룩 2되 5홉과 밀가루 1되를 한데 합하고, 고루 버무려 술밑을 빚는다.
4. 술밑을 술독에 담아 안치고, 예의 방법대로 하여 발효시켜 술밑이 괴어오르기를 기다린다.
5. 밑술을 찬물 그릇에 넣어두고 차게 식힌다.

* 덧술 :

1. 멥쌀 8말을 좋게 씻어(백세하여 물에 담가 불렸다가, 다시 씻어 헹궈서 물기를 뺀 후) 시루에 안쳐 가장 익게 고두밥을 짓는다.
2. 솥에 물 6동이를 팔팔 끓이고, 고두밥이 익었으면 퍼내어 넓은 그릇에 담아놓고, 끓고 있는 물 6동이를 골고루 붓고, 주걱으로 고루 헤쳐서 풀어놓는다.
3. 고두밥은 (물을 다 먹었으면) 그릇 여러 개에 나눠 담고 차게 식기를 기다린다.
4. 차게 식은 고두밥에 밑술을 한데 섞고, 고루 버무려 술밑을 빚는다.
5. 술독에 술밑을 담아 안치고, 예의 방법대로 하여 100일간 발효시킨다.

* 주방문 말미에 "밋술을 정월 내에 찬물에 두어 식기라."고 하였다. 한겨울에 빚는 술임을 알 수 있다. <주방>*의 '백일주법'과 유사하다. 덧술의 발효기간이 100일이다.

백일주법

너 말 빚이라. 쌀 두 말 조히 씻어서 작말하여 물 동이 반에 개어 가로누룩 두 되 닷 홉 진말 한 되 섞어 넣어 둣다가 괴거든 백미 여덟 말 조히 씻어 가장 익게 쪄 물 여섯 동이 끓여 찐 밥에 골라 식거든 밑술에 섞어 둣다가, 일백 날 만에 쓰라. 밑술을 정월 내에 찬물에 두어 식히라.

## 3. 백일주방문 <술 빚는 법>

−6말 빚이

술 재료 : 밑술 : 찹쌀 1말, 누룩가루 1되, 밀가루 1되, 떡 삶은 물 1병
덧술 : 멥쌀 2말, 끓는 물 2말
2차 덧술 : 멥쌀 2말, 찹쌀 2말

술 빚는 법 :

* 밑술 :

1. 정월 첫 해일에 찹쌀 1말을 (백세하여 물에 담가 불렸다가, 다시 씻어 건져서 물기를 뺀 뒤) 작말한다(가루를 낸다).
2. (찹쌀가루에 따뜻한 물을 고루 뿌려가면서 섞고, 익반죽을 만들어놓는다.)
3. 솥에 물을 넉넉히 붓고 끓이고 (익반죽을 한 주먹씩 떼어) 구멍떡을 빚어 넣고 삶는다.
4. 구멍떡이 익었으면(물 위로 떠오르면) 건져서 그릇에 담고, 떡 삶은 물도 다른 그릇에 퍼놓는다.

5. 풀젓개(주걱)로 구멍떡을 쳐대는데(풀어 한 덩어리로 만들어 놓는데), 이때 떡 삶은 물을 쳐가면서 (덩어리 없이) 풀고 하룻밤 재워 차게 식기를 기다린다.
6. 식은 구멍떡에 누룩가루 1되와 밀가루 1되를 한데 섞고, 고루 치대어 술밑을 빚는다.
7. 술밑을 술독에 담아 안치고, 예의 방법대로 하여 찬 곳에 두고 발효시킨다.

* 덧술 :
1. 멥쌀 2말을 백세하여 (물에 담가 불렸다가, 다시 씻어 건져서 물기를 뺀 뒤) 작말한다(가루를 낸다).
2. 쌀가루를 시루에 안쳐서 흰무리떡을 찌고 (넓은 그릇에 펴 담고 덩어리를 으깨어) 차게 식기를 기다린다.
3. 물 2말에 (끓여서 차게 식히고) 흰무리떡과 밑술을 합하고, 고루 버무려 술밑을 빚는다.
4. 술독에 술밑을 담아 안치고 예의 방법대로 하여 (양기 없는 서늘한 곳에 두고) 발효시키는데, 쓴맛이 돌면 덧술을 준비한다.

2차 덧술 :
1. 멥쌀 2말과 찹쌀 2말을 백세하여 각각 (물에 담가 불렸다가, 다시 씻어 헹궈서 건져 물기를 뺀 후) 한데 섞고 시루에 안쳐 고두밥을 무르게 짓는다.
2. 고두밥이 익었으면, 퍼서 고루 펼쳐 서늘하게 식기를 기다린다.
3. 고두밥에 덧술을 섞고, 고루 버무려 술밑을 빚는다.
4. 술밑을 술독에 담아 안치고, 예의 방법대로 하여 4월 초순까지 발효시킨다.

* 주방문 말미에 "볏가지 아니케(햇볕 들지 않게) 차고(찬 곳에 두고) 날물기 밑(밑술) 할 적과 우 더플 적(덧술할 때) (들어)가지 않게 하라."고 하였다.

빅일주방문

정월 초ᄒᆡ일의 엿 말 허려면 찰쌀 한 말 구멍덕 ᄆᆡᆫ드러 쐐 쌀마, 날물긔 업시 그릇세 건져 살문 물을 단 그르세 펴 풀젓ᄀᆡ로 그 물을 떡의 쳐 가며 져셔, 하로밤 ᄎᆡ와 진말 한 되 가루누룩 한 되 범우려, 무ᄉᆞᆫ(부ᄉᆞᆫ) 항의 너허 찬 ᄃᆡ 두되, 망울 죄 다 ᄋᆞᆨᄀᆡ라. ᄇᆡᆨ미 두 말 ᄇᆡᆨ셰작말허여 ᄋᆡᆨ께 지고, 물 두 말 덕과 밤 ᄉᆡ여 술밋 헌 것과 범으려 마른 그릇셰 너허 양긔 업시 셔늘헌 데 두엇다가, 쁜맛 들거든 ᄇᆡᆨ미 두 말 점미 두 말 ᄇᆡᆨ셰ᄒᆞ여, 무ᄉᆞᆫ(부ᄉᆞᆫ) 그릇셜 ᄊᆞ의 ᄆᆞᆺ고, 밥 지여 밋술 범으려 사월 초ᄉᆡᆼ 쓰난니라. ᄇᆡᆺ 가지 아니케 허고, 날물긔 밋헐 젹과 우 더풀 젹 가지 안니케 하라.

## 4. 백일주법 <양주방(釀酒方)>

–닷 말 빗이

술 재료 : 밑술 : 찹쌀 1말, (누룩 3되, 밀가루 5홉), 물 5되
덧술 : 멥쌀 4말, 밀가루(1되), 끓는 물 6말

술 빚는 법 :

* 밑술 :

1. 정월에 가장 추울 때 찹쌀 1말을 백세하여 (물에 담가 불렸다가, 다시 씻어 건져서 물기를 뺀 후) 작말하여(가루로 빻아) 넓은 그릇에 담아놓는다.
2. 솥에 물 5되를 팔팔 끓여 쌀가루에 붓고, 주걱으로 고루 개어 죽(범벅)을 쑨다.
3. 범벅을 매우 찬 곳에 두고, 하룻밤 재워 얼 정도로 차게 식기를 기다린다.
4. 범벅에 (누룩 3되, 밀가루 5홉을 섞고) 고루 힘껏 치대어 술밑을 빚는다.
5. 술독에 술밑을 담아 안치고, 예의 방법대로 하여 매우 찬 곳에 두어 (21~28일간) 발효시킨다.

* 덧술 :

1. 2월이나 3월에 초성 때가 되면 멥쌀 4말을 백세하여 물에 담가 하룻밤 불렸다가, 다시 씻어서 (물기를 뺀 후) 시루에 안쳐서 고두밥을 익게 찐다.
2. 물 6말을 팔팔 끓이다가, 고두밥이 익었으면 넓은 그릇에 퍼 담고, 끓는 물 6말을 골고루 붓고, 주걱으로 고루 헤쳐서 차게 식기를 기다린다.
3. 고두밥에 밀가루(1되)와 밑술을 한데 섞고, 고루 버무려 술밑을 빚는다.
4. 술밑을 독에 담아 안치고, 예의 방법대로 하여 찬 곳에 두고 3월 15일까지 발효시킨다.

* 주방문 말미에 "삼월 망후(보름, 15일 후)에 쓰라."고 하고, "술밑은 정월 초순에 하여 얼면 좋으니라."고 하였다. 한겨울에 빚는 술로, 밑술과 덧술의 발효기간이 거의 같다. 밑술과 덧술의 누룩과 밀가루 양이 언급되어 있지 않아 임의대로 하였다.

ᄇᆡᆨ일쥬법

닷 말 비지. ᄀᆞ쟝 치올 제 ᄇᆡᆨ미 한 말 ᄇᆡᆨ세작말ᄒᆞ야 ᄭᅳᆯ힌 물 닷 되의 ᄀᆡ되 ᄀᆞᄅᆞ를 그릇싀 담고 물 한듸 두어 ᄆᆞ이 어러야 죠흐니라. 이월이나 삼월이나 쵸싱으로 ᄇᆡᆨ미 너 말 ᄇᆡᆨ세ᄒᆞ야 담갓다가 이튼날 시서 닉게 ᄲᅧ 물 엿 말 ᄭᅳᆯ혀 밥의 골라 식거든 진ᄀᆞᄅᆞ 밋술의 고로 섯거 너헛다가 삼월 망후의 ᄡᅳ라. 술 밋츤 졍월 쵸싱으로 ᄒᆞ야 얼면 죠흐니라.

## 5. 백일주법 <양주방(釀酒方)>

–한 석 빚이

술 재료 : 밑술 : 찹쌀 3되, 누룩가루 3되, 밀가루 3되
덧술 : 멥쌀 4말, 끓는 물 12병(4말)
2차 덧술 : 멥쌀 5말, 끓는 물 15병

술 빚는 법 :

* 밑술 :

1. 정월 첫 돌날 찹쌀 3되를 백세하여 (물에 담가 불렸다가, 다시 씻어 건져서 물을 뺀 후) 작말한다.
2. 찹쌀가루에 따뜻한 물을 붓고, 익반죽하여 구멍떡을 빚는다.
3. 끓는 물에 구멍떡을 삶아서, 익어 떠오르면 (물기 없는 그릇에 건져서) 온기 없이 차게 식기를 기다린다.
4. 구멍떡에 누룩가루 3되, 밀가루 3되를 고루 섞어 힘껏 치대어 술밑을 빚는다.
5. 술밑을 알맞은 항아리에 담아 안치고, 부리(입구)를 붙여(밀봉하여) 두고 36일간 발효시킨다.

* 덧술 :

1. 2월 첫 돌날 멥쌀 4말을 백세하여 (물에 담가 불렸다가, 다시 씻어 건져서 물을 뺀 후) 시루에 안쳐 흰무리떡을 찐다.
2. 끓는 물 12병(4말)을 끓이다가, 흰무리떡이 익었으면 한데 합하고, 더운 김에 덩어리 없이 개어 죽처럼 만든 후, 매우 차게 식기를 기다린다.
3. 떡(죽)에 밑술을 한데 섞고, 고루 치대어 술밑을 빚는다.
4. 술밑을 술독에 담아 안치고, (차고 서늘한 곳에서) 36일간 발효시킨다.

* 2차 덧술 :

1. 3월 첫 돌날 멥쌀 5말을 백세하여 (물에 담가 불렸다가, 다시 씻어 건져서 물을 뺀 후) 시루에 안쳐서 고두밥을 짓는다.
2. 솥에 물 15병(5말)을 붓고 끓이다가, 고두밥이 익었으면 한데 합하고, 고두밥이 물을 다 빨아먹었으면 고루 헤쳐서 매우 차게 식기를 기다린다.
3. 고두밥에 밑술을 내어 섞고, 고루 버무려 술밑을 빚는다.
4. 술밑을 술독에 담아 안치고, (찬 곳에) 4월 10일까지 40여 일간 발효시킨다.

* 주방문 말미에 "사월 초열흘 되면 술이 말갛고 흰 밥이 가득 뜨거든 청주 뜨

고, 드리워(걸러서) 쓰라."고 하였다. <술 빚는 법>의 '백일주'와 배합비율은 다르나, 술 빚는 과정은 동일하다. 덧술 간격이 36일로 '삼해주'를 연상할 수 있으며, 숙성시켜서 마시기도 한다는 것을 알 수 있다.

ᄇᆡᆨ일쥬법

ᄇᆡᆨ일쥬 한 젹 비즈려 ᄒᆞ면 정월 첫 돗날 졈미 삼승 ᄇᆡᆨ세작말ᄒᆞ야 구무떡 만다러 닉게 ᄉᆞᆯ마 식여 온긔 업시 ᄎᆞ거든 진ᄀᆞᄅᆞ 서 되 누록ᄀᆞᄅᆞ 서 되 한대 고로: : 섯거 쳐서 알마즌 항의 너허 항부리 붓쳐 둣다가 이월 쳠돗날 ᄇᆡᆨ미 ᄉᆞ두 ᄇᆡᆨ세작말ᄒᆞ야 흰물이떡 만다러 물 열두 병 ᄭᅳᆯ혀 떡의 부허 더온 김의 고로 덩이 업시 ᄀᆡ여 ᄆᆞ이 식여 차거든 쳠 ᄒᆞᆫ 술밋출 한대 고로쳐 독의 너허 둣다가 삼월 첫돗날 ᄇᆡᆨ미 오두 ᄇᆡᆨ세ᄒᆞ야 지에 닉게 ᄧᅧ 물 열다ᄉᆞᆺ 병 ᄭᅳᆯ혀 지에밥의 부어 물들거든 헛쳐 노하 ᄆᆞ이 식거든 술밋히 고로 버무려 너허두면 ᄉᆞ월 쵸 열흘긔면 술이 말ᄀᆞᄒᆞ고 흰밥이 ᄀᆞ득 ᄯᅳ거든 쳥쥬 ᄯᅳ고 드리워 ᄡᅳ나니라. 두 말 비즈려 ᄒᆞ면 ᄇᆡᆨ미 두 되 ᄇᆡᆨ세 ᄒᆞ로ᄇᆞᆷ 담갓다가 ᄀᆞᄅᆞ 만다러 구무떡 만다러 닉게 ᄉᆞᆯ마 더온 김의 누록ᄀᆞᄅᆞ 두 되를 섯거 버무려 ᄉᆞ긔에 담아두면 ᄉᆞ흘 만의 떡 우희 털이 나고 맛시 달거든 찹ᄡᆞᆯ 두 말 담갓다가 물 ᄭᅳᆯ혀 ᄧᅧ 더온 김의 술밋히 버무린 후 ᄭᅳᆯ힌 물 두 병만 식여 부허 아온 밥낫 업시 고로 섯거 항의 너흐되, 술밋츨 ᄭᅳᆯ힌 물의 타 지에의 섯거야 죠코, 항 안희 ᄂᆞᆯ물긔 업시ᄒᆞ야 더온 ᄯᆡᄂᆞᆫ 서늘ᄒᆞᆫ 대 두어 이칠일 만의 내이면 맛시 달고 오라면 달고도 매오니라.

## 6. 백일주(별법) <양주방(釀酒方)>

–두 말 빚이

술 재료 : 밑술 : 멥쌀 2되, 누룩가루 2되
덧술 : 찹쌀 2말, 끓여 식힌 물 2병(6되)

술 빚는 법 :

* 밑술 :

1. 정월 첫 돌날 멥쌀 2되를 백세하여 하룻밤 물에 담갔다가 (다시 씻어 헹궈서 물기를 뺀 후) 가루를 만든다.
2. 멥쌀가루에 따뜻한 물을 골고루 붓고, 익반죽하여 구멍떡을 빚는다.
3. 끓는 물에 구멍떡을 넣고 삶아, 떠오르면 건져 온기가 남게 식힌다.
4. 구멍떡이 더운 김에 누룩가루 2되를 고루 섞고, 힘껏 치대어 술밑을 빚는다.
5. 술밑을 알맞은 사기 항아리에 담아 안친 후, 예의 방법대로 하여 발효시킨다.
6. 술을 빚은 지 3일 만에 떡 위에 털이 나고(곰팡이가 자라고) 맛이 달거든 덧술을 준비한다.

* 덧술 :

1. 찹쌀 2말을 (백세하여) 물에 담갔다가 (다시 헹궈서 물기를 뺀 후) 시루에 안쳐 고두밥을 짓는다.
2. 솥에 물 2병을 끓여서 넓은 그릇에 퍼 담고, 차게 식혀놓는다.
3. 고두밥이 익었으면 퍼서 식히되, 한 김 나가게 하여 더운 김이 남게 식힌다.
4. 밑술에 끓여 식혀둔 물 2병을 합하고, 다시 고두밥을 합하여 고두밥이 낱낱이 되도록 고루 버무려 술밑을 빚는다.
5. 술밑을 술독에 담아 안치고, 더운 때는 서늘한 데 앉혀서 14일간 또는 오랫동안 발효시킨다.

* 숙성시켜서 마시기도 한다는 것을 알 수 있다. '백일주' 가운데 특히 덧술의 발효기간이 가장 짧은 17일인데도 '백일주'라고 하였으므로, 숙성과 여과 후 청주가 얻어지기까지의 정치기간을 포함한 것으로 판단된다.

백일주(별법)

두 말 비즈려 ᄒᆞ면 ᄇᆡᆨ미 두 되 ᄇᆡᆨ세 ᄒᆞ로ᄇᆞᆷ 담갓다가 ᄀᆞᄅᆞ 만다러 구무떡 만다러 닉게 ᄉᆞᆯ마 더온 김의 누록ᄀᆞᄅᆞ 두 되를 섯거 버무려 ᄉᆞ긔에 담아두면 ᄉᆞ

흘 만의 쩍 우희 털이 나고 맛시 달거든 찹쌀 두 말 담갓다가 물 셜혀 뼈 더온 김의 술밋희 버무린 후 셜힌 물 두 병만 식여 부혀 아온 밥낫 업시 고로 섯거 항의 너흐되, 술밋츨 셜힌 물의 타 지에의 섯거야 죠코, 항 안희 늘물긔 업시ᄒᆞ야 더온 쌔는 서늘ᄒᆞᆫ 대 두어 이칠일 만의 내이면 맛시 달고 오라면 달고도 매오니라.

## 7. 백일주 <양주집(釀酒集)>

술 재료 : 밑술 : 찹쌀 3되, 가루누룩 3되, 밀가루 3되, 끓는 물 3사발
덧술 : 멥쌀 5말, 끓는 물 15병
2차 덧술 : 멥쌀 4말, 끓는 물 12병

술 빚는 법 :

* 밑술 :

1. 정월 초 5일쯤에 찹쌀 3되를 가장 쓿어(도정하여) 백세하여 (물에 담가 불렸다가, 새 물에 다시 씻어 맑게 헹궈 건져서 물기를 뺀 후) 작말한다(가루로 빻는다).
2. 솥에 물 3사발을 끓여 쌀가루에 붓고, 주걱으로 고루 개어 담(범벅)을 쑨 뒤 차게 식기를 기다린다.
3. 담(범벅)에 좋은 가루누룩 3되와 진말 3되를 합하고, 고루 치대어 술밑을 빚는다.
4. 잘 구워 만든 술독에 술밑을 담아 안치고, 유지(油紙)로 싸매고, 덥지 않고 서늘한 곳에 앉혀두고 1개월간 발효시킨다.

* 덧술 :

1. 이월 초에 멥쌀 5말을 백세하여 (물에 담가 불렸다가, 새 물에 다시 씻어 맑

게 헹궈 건져서 물기를 뺀 후) 작말한다(가루로 빻는다).

2. 쌀 1말에 끓는 물 3병씩 15병을 쌀가루에 골고루 붓고, 주걱으로 고루 개어 담(범벅)을 쑤어, 넓은 그릇에 나눠 담고 차게 식기를 기다린다.
3. 담(범벅)에 밑술을 합하고, 고루 치대어 술밑을 빚는다.
4. 술독에 술밑을 담아 안치고, 예의 방법대로 하여 1개월간 발효시킨다.

* 2차 덧술 :

1. 멥쌀 4말을 백세하여 (물에 담가 불렸다가, 새 물에 다시 씻어 맑게 헹궈 건져서 물기를 뺀 후) 시루에 안쳐서 고두밥을 짓는다.
2. 고두밥이 익었으면 넓은 그릇에 펴 담고, 쌀 1말당 3병씩 끓는 물 12병을 골고루 붓고 주걱으로 고루 섞어 차게 식기를 기다린다.
3. 고두밥에 덧술을 합하고, 고루 버무려 술밑을 빚는다.
4. 술독에 술밑을 담아 안치고, 예의 방법대로 하여 1개월간 발효시킨다.

* "정월 초 10일 후에 빚으면 맛이 시다."고 하였고, 술이 익어 "위에 맑고 귀덕이(개미) 같은 것이 뜨니, 맑은 술만 따로 뜨고 흐린 술은 드리오라(체에 걸러라)."고 하였다. 또 밑술에서 "담을 갠 것에 누룩가루와 진말을 합하고"라고 되어 있는데, 담을 갠 후 차게 식혀 사용해야 할 것으로 여겨진다.
* <양주방>의 '백일주'와 술 빚는 과정이 동일하나, 덧술과 2차 덧술의 원료의 배합비율이 바뀌었다. 덧술 간격이 30일이란 것을 알 수 있다.

### 百日酒

正月初 五日긔 粘米 三升 ᄀᆞ장 슬허 百洗 作末ᄒᆞ야 ᄡᆞᆯ인 믈 세 사발ᄋᆡ ᄃᆞᆷ ᄀᆡ여 식거든 됴ᄒᆞᆫ ᄀᆞ로누록 서 되 眞末 서 되예 고로 섯거 ᄆᆡ오 닉은 그릇ᄉᆡ 녀코 독가온 油紙로 ᄡᆞ미고 덥지 아니ᄒᆞ고 서ᄂᆞᆯᄒᆞᆫ ᄃᆡ 둣다가 一月 지나거든 白米 五斗 百洗 作末ᄒᆞ야 每 一斗ᄋᆡ ᄡᆞᆯ인 믈 三甁式 녀ᄒᆞ되 甁드리로 되어 녀코 ᄃᆞᆷ ᄀᆡ여 식거든 ᄆᆡᆺ술과 고로 쳐 마ᄌᆞᆫ 독ᄋᆡ 녀허ᄡᅡ가 ᄯᅩ 一月 지나거든 白米 四斗 百洗ᄒᆞ야 닉게 밥 뼈 ᄂᆞᆯ믈긔 업시ᄒᆞ고 每 一斗ᄋᆡ ᄡᆞᆯ인 믈 三甁式 녀허 골화

식거ᄃᆞᆫ 밋술ᄋᆡ 셧거다가 一月 만ᄋᆡ ᄡᅳ되 우희 ᄆᆞᆰ고 귀덕이 ᄀᆞᆺ튼 거시 쓰ᄂᆞ니 ᄆᆞᆰ으니란 쓰고 흐리니란 드리오라. 正月初 十日 後ᄋᆡ 비ᄌᆞ면 맛시 싀ᄂᆞ니라.

## 8. 백일주 <우음제방(禹飮諸方)>

–3말 빚이

술 재료 : 밑술 : 찹쌀 1되, 누룩가루 1되, 밀가루 1되, 끓는 물 1되
덧술 : 멥쌀 1말 5되, 끓는 물 4식기, 냉수 4식기
2차 덧술 : 멥쌀 5말, 끓는 물 4식기 반, 냉수 4식기

술 빚는 법 :

* 밑술 :

1. 정월 초순에 찹쌀 1되를 (백세하여 물에 담가 불렸다가, 다시 씻어 건져서 물기를 뺀 뒤) 작말한다(가루를 낸다).
2. 쌀가루에 (끓는) 물 1되를 고루 섞고, 주걱으로 개어 범벅을 만들어 차게 식힌다.
3. 범벅에 누룩가루 1되와 밀가루 1되를 한데 섞고, 고루 치대어 술밑을 빚는다.
4. 술밑을 술독에 담아 안치고, 예의 방법대로 하여 찬 곳에 두고, 2월 초승이 되면 덧술을 준비한다.

* 덧술 :

1. 2월 초승에 멥쌀 1말 5되를 도정을 많이 하여 (백세하여 물에 담가 불렸다가, 다시 씻어 건져서 물기를 뺀 뒤) 작말한다(가루를 낸다).
2. 쌀가루를 시루에 안쳐서 흰무리떡을 찌고, 물솥에 물 4식기를 끓이다가, 떡이 익었으면 냉수 4식기와 합하여 떡에 붓고, (고루 풀어서) 하룻밤 재워 식힌다.

3. 흰무리떡에 밑술을 합하고, 고루 버무려 멍우리 없이 풀어 술밑을 빚는다.
4. 술독에 술밑을 담아 안치고, 예의 방법대로 하여 단단히 싸매어 (서늘한 곳에 두고) 발효시키는데, 3월 초순이 되면 2차 덧술을 준비한다.

* 2차 덧술 :
1. 멥쌀 5말을 백세하여 물에 담가 하룻밤 재웠다가 (다시 씻어 헹궈서 물기를 뺀 후) 시루에 안쳐서 고두밥을 짓는다.
2. 고두밥이 익었으면 큰 그릇에 퍼내고, 고루 헤쳐서 차게 식기를 기다린다.
3. 솥에 물 4식기 반을 팔팔 끓여 냉수 4식기와 합하고, 고두밥과 밑술을 한데 합하고, 고루 치대어 술밑을 빚는다.
4. 술독에 술밑을 담아 안치고, 예의 방법대로 하여 단단히 밀봉하여 두고 4월 순간(초순 10일 기간)까지 발효시킨다.

* 주방문 머리의 “한 제가 쌀 서 말인데”라고 하였는데, 실제 술 빚는 데 사용된 쌀은 6말 5되이다. 그리고 방문 말미에 “4월 순간(초순 10일 기간) 열어보면 맑게 삭아 우에(술덧 표면) 옷(말라 굳은 껍질이나 딱지)이 입었을 것이니 가운데를 헤쳐야 묽은 줄을 아나니, 그 전 조금이라도 기운(기온) 낮아지면 그릇되고, 막 익을 때 부풀어 항 속에 테가 지나니, 행주로 조금 씻어야 군내가 아니 나고, 사월 순간부터 시작하여 웃국(맑은 술) 다 쓴 후에는 드리워 쓰나니라(걸러 쓴다).”고 하였다. 덧술 간격이 30일이란 것을 알 수 있다.

ᄇᆡᆨ일쥬

ᄒᆞᆫ 졔가 쌀 서 말인ᄃᆡ 뎡월 초ᄉᆡᆼ의 졈미 일 승을 작말ᄒᆞ여 믈 ᄒᆞᆫ 되 부어 범벅 ᄀᆡ야 식여 국말 누록ᄀᆞ로라 ᄒᆞᆫ 되 진말 ᄒᆞᆫ 되 버므려 ᄎᆞᆫ ᄃᆡ 두엇다가 이월 초ᄉᆡᆼ의 ᄇᆡᆨ미 일 두 오 승을 뎡히 플허 작말ᄒᆞ여 므리떡 쪄 탕슈 네 식긔 반 ᄂᆡᆼ슈 네 식긔 반 합ᄒᆞ여 아홉 식긔를 그 떡의 부어 셔늘ᄒᆞ게 식여 ᄒᆞ로밤 ᄌᆡ와 문져 ᄒᆞᆫ 술미틔 ᄒᆞᆫᄃᆡ 부어 그 떡을 ᄆᆞᆼ울 업시 플 ᄯᆡ 아니 플니거든 칼노 졈여 가며 프러 세ᄎᆞ니 ᄂᆞ론ᄒᆞ게 쳐 너허 ᄃᆞᆫᄃᆞᆫ이 싸ᄆᆡ야 두엇다가 삼월 초ᄉᆡᆼ ᄇᆡᆨ미

말 닷 되를 빅셰ᄒᆞ야 ᄒᆞ로밤 ᄌᆡ와 지에를 ᄂᆡᆨ게 쪄 큰 그ᄅᆞ싀 펴 노코 식여 탕
슈 네 식긔 반 ᄂᆡᆼ슈 네 식긔 반 모도 술밋치 ᄒᆞᆫᄃᆡ 버므려 고로고로 석거 무수
히 쳐 너코 부리를 든든이 봉ᄒᆞ야 두엇다가 ᄉᆞ월 슌간 여러 보면 ᄆᆞᆰ가케 삭아
우희 오시 넙혀실 거시니 가온ᄃᆡ를 헤쳐야 ᄆᆞᆰ은 줄을 아ᄂᆞ니 그 젼 죠곰이 ᄂᆞᆯ
긔운 어리면 그릇되고 막 ᄂᆡᆨ을 ᄊᆡᆨ 북희여 항 속 테가 지ᄂᆞ니 힝ᄌᆞ로 조금 씨셔
야 군ᄂᆡᆨ 아니 나고 ᄉᆞ월 슌간부터 시작ᄒᆞ야 웃국 다 쓴 후ᄂᆞᆫ 드리워 쓰ᄂᆞ니라.

## 9. 백일주방문 <주방(酒方)>*

술 재료 : 밑술 : 멥쌀 2말, 누룩 4되, 밀가루 2되, 끓는 물 3말
덧술 : 멥쌀 8말, 끓는 물 13말

술 빚는 법 :

* 밑술 :

1. 멥쌀 2말을 백세하여 (물에 담가 불렸다가, 다시 씻어 말갛게 헹궈서 물기를 뺀 후) 작말한다(가루로 빻는다).
2. 물 3말을 끓여서 쌀가루에 고루 퍼붓고 주걱으로 개어 죽(범벅)을 쑨 후, 넓은 그릇에 담아 차게 식기를 기다린다.
3. 범벅에 누룩 4되와 밀가루 2되를 한데 합하고, 고루 버무려 술밑을 빚는다.
4. 술밑을 술독에 담아 안치고, 예의 방법대로 하여 술독을 찬 땅에 묻어두고 발효시켜 술밑이 무르익기를 기다린다.

* 덧술 :

1. 멥쌀 8말을 백세하여 (물에 담가 불렸다가, 다시 씻어 헹궈서 물기를 뺀 후) 시루에 안쳐 무른 고두밥을 짓는다.
2. 솥에 물 13말을 끓여놓는다(고두밥이 익었으면 퍼내어 넓은 그릇에 담아놓

고, 끓고 있는 물 4말을 골고루 뿌려주고, 주걱으로 고루 헤쳐서 풀어놓는다).

3. (고두밥이 물을 다 먹었으면, 그릇 여러 개에 나눠 담고 차게 식기를 기다린다.)
4. 고두밥이 식은 후 밑술과 남은 물 9말을 한데 섞고, 고루 버무려 술밑을 빚는다.
5. 술독에 술밑을 담아 안치고, 예의 방법대로 하여 17일간 발효시킨다.

* 주방문에 덧술의 고두밥과 끓인 물을 식혀서 사용하라는 말이 없으나, <주방>*의 주방문에서 고두밥에 끓는 물을 합하여 고두밥이 물을 다 먹은 후에 사용하는 방법이 빈번하게 등장하므로, 같은 방법으로 주방문을 작성하였다. 주방문 말미에 "술맛이 독하거든 찬물에 타서 쓰나니라."고 하였으나, 덧술에서 물의 양을 줄여서 빚는 것이 더 맛과 향이 좋은 술이 될 수 있다.

ᄇᆡᆨ일듀방문

ᄇᆡᆨ미 두 말 ᄇᆡᆨ셰작말ᄒᆞ야 ᄭᅳᆯᄒᆞᆫ 물 서 말의 누록 너 되 진ᄀᆞᄅᆞ 두 되ᄅᆞᆯ ᄒᆞᆫᄃᆡ 교합ᄒᆞ야 항의 녀허 ᄎᆞᆫ ᄯᅡ희 두어 합ᄒᆞ야 이러 무르니거 프러질 ᄣᅢᄅᆞᆯ 기ᄃᆞ려 ᄇᆡᆨ미 여ᄃᆞᆲ 마ᄅᆞᆯ ᄇᆡᆨ셰ᄒᆞ야 ᄲᅧ ᄭᅳᆯᄒᆞᆫ 물 열서 말을 처엄 비ᄌᆞᆫ 술을 ᄒᆞᆫ되 교합ᄒᆞ야 비저 십칠 일 지낸 후의 먹그되 술 마시 독ᄒᆞ거든 ᄎᆞᆫ물의 타셔 ᄉᆞ월의 ᄡᅳᄂᆞ니라.

## 10. 백일주법 <주식방(酒食方, 高大閨壼要覽)>

술 재료 : 밑술 : 찹쌀 3되, 누룩가루 3되, 밀가루 3되, 끓는 물 1병
덧술 : 멥쌀 4말, 끓는 물 15병

술 빚는 법 :

* 밑술 :

1. 1월 첫 돝날(해일)에 찹쌀 3되를 깨끗하게 도정하여 백세하여(물에 담가 불렸다가, 다시 씻어 건져서 물기를 뺀 뒤) 작말한다(가루를 낸다).
2. 쌀가루에 (끓는) 물 1병을 고루 섞고, 주걱으로 개어 범벅을 만들어 차게 식기를 기다린다.
3. 범벅에 누룩가루 3되와 밀가루 3되를 한데 섞고, 고루 치대어 술밑을 빚는다.
4. 술밑을 술독에 담아 안치고, 예의 방법대로 하여 마루에 두고, 2월 초승이 되면 덧술을 준비한다.

* 덧술 :

1. 2월 초승에 멥쌀 4말을 (백세하여 물에 담가 불렸다가, 다시 씻어 건져서 물기를 뺀 뒤) 작말한다(가루를 낸다).
2. 물솥에 물 15병을 끓여 쌀가루에 붓고, 고루 개어 범벅을 만들어 (넓은 그릇 여러 개에 나눠 담고) 차게 식기를 기다린다.
3. 범벅에 밑술을 합하고, 고루 버무려 술밑을 빚는다.
4. 술독에 술밑을 담아 안치고 예의 방법대로 하여 (서늘한 곳에 두고) 발효시키는데, 4월이 되면 채주한다.

* 주방문 머리의 "1월 첫 돌날"을 첫 해일(亥日)로 해석하였다. 흔히 '백일주'는 정월 해일(亥日)에 빚는 술이기 때문이다.

빅일쥬법

뎡월 첫 돗날 출쏠 서 되 쓸허 ᄇᆡᆨ셰ᄌᆞᆨ말ᄒᆞ여 물 ᄒᆞᆫ 병의 ᄀᆡ여 ᄎᆡ와 국말 진말 각 서 되식 셧거 항의 너허 마로 우ᄒᆡ 두엇다가 이월 초ᄉᆡᆼ의 ᄇᆡᆨ미 너 말 작말ᄒᆞ여 쎠 물 열닷 병 부어 식여 셧거 너헛다가 ᄉᆞ월의 쓰라.

## 11. 백일주 <주정(酒政)>

술 재료 : 밑술 : 찹쌀 1말, 누룩가루 3되, 밀가루 3되, 떡 삶았던 물 1말
덧술 : 멥쌀 3말, 끓는 물 12주발
2차 덧술 : 멥쌀 2말, 찹쌀 4말, 백비탕 2동이

술 빚는 법 :

* 밑술 :

1. 찹쌀 1말을 (백세하여 물에 담가 불렸다가, 다시 씻어 헹궈서) 매우 곱게 가루로 빻는다.
2. 쌀가루에 찬물을 뿌려서 매우 많이 치대서 된반죽을 만들고 (한 주먹씩 떼어서) 둥근 떡을 빚는다.
3. 솥에 물을 많이 붓고 끓으면, 빚은 떡을 넣고 삶아서 떡이 위로 떠오르기를 기다렸다가, 함지박 같은 나무그릇에 건져낸다.
4. 익은 떡은 건져내는 대로 계속해서 방망이로 으깨서 떡이 풀처럼 한 덩어리가 되게 만드는데, 떡 삶은 물을 쌀과 동량을 섞어도 좋다.
5. 풀처럼 풀어놓은 떡을 하룻밤 재워 차게 식기를 기다린다.
6. 차게 식은 떡에 밀가루 3되와 누룩가루 3되를 골고루 섞어 술밑을 빚는다.
7. 술밑을 술독에 담아 안친 후, 예의 방법대로 하여 얼지 않을 정도로 찬 곳에 앉혀서 술밑이 맵고 맑아지기를 기다린다.

* 덧술 :

1. 멥쌀 3말을 (백세하여 물에 담가 불렸다가, 다시 씻어 헹궈서 곱게 가루로 빻아) 시루에 안쳐서 흰무리떡을 찐다.
2. (떡이 익는 동안 솥에 물 12주발을 붓고 팔팔 끓인다.)
3. 떡이 익었으면 쌀 1말당 큰주발로 팔팔 끓는 물 4주발씩 흰무리떡에 골고루 붓고, 고루 휘저어서 하룻밤 재워서 차게 식기를 기다린다.

4. 차게 식은 떡에 밑술을 합하고 고루 버무려 술밑을 빚는다.
5. 술밑을 큰 항아리에 담아 안치고, 예의 방법대로 하여 발효시키는데, 만약 날씨가 따뜻하면 곳간에 앉혀두고 술이 맑게 익기를 기다린다.

* 2차 덧술 :
1. 멥쌀 2말과 찹쌀 4말을 각각 매우 깨끗하게 씻어 (물에 담가 불렸다가, 다시 씻어 말갛게 헹궈서 물기를 뺀 후) 각각 시루에 안쳐서 고두밥을 짓는다.
2. 솥에 냉수 2동이 반을 끓여서 2동이가 되게 백비탕을 만들고, 고두밥이 익었으면 각각 넓은 그릇에 펴 담는다.
3. 갓 펴낸 고두밥에 백비탕 1말씩을 골고루 합한다(물을 조금 남긴다. 고두밥이 물을 다 먹으면, 넓은 그릇 여러 개에 나눠 담고 서늘하게 식기를 기다린다).
4. 술독을 땅(햇볕이 들지 않는 그늘진 곳)에 묻어놓는다.
5. 각각의 물을 먹인 고두밥에 밑술을 등분하여 합하고, 골고루 버무려서 술밑을 빚는다.
6. 술독에 멥쌀고두밥 술밑을 먼저 안치고, 찹쌀고두밥 술밑을 그 위에 안치는데, 쓰고 남은 백비탕으로 그릇과 손을 씻어서 술밑 위에 뿌려준다.
7. (술독은 예의 방법대로 하여) 술이 익기를 기다린다.

* 주방문 말미에 "감칠맛이 좋고 또 아름답다. 더위가 물러간 후에 빚어야 실패하지 않는다."고 하였다. 즉, 주원료인 떡이나 고두밥을 차게 식힐 수 있는 시기를 지칭한 것으로 여겨진다.

百日酒

欲釀 一劑 粘米一斗精末 以冷水乾調(되게)作圜 餌無數以水鼎沸而投飩 連加揮攉待飩浮 拯出同沸水量可 以和均盛于木器 以椎爛磨如糊 一宿凉息 同眞末三升屑麴三升均拌入缸 置諸不凍之處 淸而味辛然後 白米三斗精末蒸餌每一斗以大碗湯沸水四碗式 和餌揮調一宿凉息 同酶均拌移入大缸 若値日煖

置缸于庫間 待其淸熟 白米二斗粘米四斗精洗 以各甑蒸餌 冷水二汲盆半 沸煎爲二盆餌與沸水各一 而埋甕地中 餌與中酶以沸置水和 而均拌先入白米餌 次入粘米餌而酶器以 所餘沸水滌而盡灌于甕 待釀而飮旣旨且美 而往暑不敗.

## 12. 백일주 별법 <홍씨주방문>

술 재료 : 밑술 : 찹쌀 1되, 누룩가루 1되
덧술 : 찹쌀 1말, 찬물 1병 반

술 빚는 법 :

* 밑술 :

1. 찹쌀 1되를 백세하여(백 번 씻어 매우 깨끗하게 하여 말갛게 헹궈 불렸다가, 다시 씻어 건져서 물기를 뺀 다음) 작말한다(가루로 빻는다).
2. 물을 솥에 넉넉히 붓고 (끓이다가, 뜨거운 물 1홉가량을 쌀가루에 뿌려 익반죽을 만든 뒤) 둥글납작한 구멍떡을 빚는다.
3. 나머지 물이 끓으면 구멍떡을 넣고 삶아, 익어서 물 위로 떠오르면 건져내고 (주걱으로 짓이겨서 한 덩어리로 풀어) 차게 식기를 기다린다.
4. 식은 떡에 누룩가루 1되를 한데 섞고, 고루 버무려 술밑을 빚는다.
5. 소독하여 물기 없는 독에 술밑을 담아 안치고, 예의 방법대로 7일간 발효시킨다.

* 덧술 :

1. 찹쌀 1말을 백세하여(백 번 씻어 옥같이 깨끗하게 하여 말갛게 헹궈 건졌다가, 하룻밤 담가 불린다).
2. 다음날 아침에 불린 쌀을 (다시 씻어 건져서 물기를 뺀 다음) 시루에 안쳐

서 고두밥을 짓는다.
3. 고두밥에 찬물 1병 반을 골고루 뿌려 익게 뜸을 들이고, 익었으면 퍼내어 고루 펼쳐서 차게 식기를 기다린다.
4. 고두밥에 밑술을 합하고, 고루 버무려 술밑을 빚는다.
5. 소독한 술독에 술밑을 담아 안치고, 예의 방법대로 하여 7일간 발효시켜 술이 익기를 기다린다.

* '하향주' 또는 '점주'와 유사한 방문이나 오랜 기간 발효·숙성으로 단맛을 줄인 방문이란 것을 알 수 있다.

백일주 별법
점미 한 되 백세작말하여 구멍떡 만들어 익게 삶아 차거든 좋은 누룩가루 한 되 넣어 고루 펴 좋은 항에 날물기 없이 넣어두었다가 칠일 만에 점미 한 말 백세하여 하루이나 담갔다가 찔 적에 물 병 반 남즉 뿌려 익게 쪄 가장 차거든 밑술에 고루 섞어 넣어 칠일 만에 익나니 맛이 달고 맵나니라.

## 13. 백일주법 <홍씨주방문>

술 재료 : 밑술 : 찹쌀 3되, 누룩가루 3되, 밀가루 3되, 물 3사발
덧술 : 찹쌀 4말, 끓는 물 1말
2차 덧술 : 멥쌀 5말, 끓는 물 1말

술 빚는 법 :
* 밑술 :
1. 정월 첫 돌날 찹쌀 3되를 백세하여(백 번 씻어 매우 깨끗하게 하여 말갛게 헹궈 불렸다가, 다시 씻어 건져서 물기를 뺀 다음) 작말한다(가루로 빻는다).

2. 물 3사발을 솥에 붓고 (불을 지펴서 끓이다가, 1사발을 쌀가루에 풀어 아이죽을 만든 뒤, 나머지 물이 끓으면 아이죽을 넣고) 팔팔 끓여 죽을 쑨다.
3. 죽이 끓어 퍼지게 익었으면, 넓은 그릇에 펴서 차게 식기를 기다린다.
4. 죽에 누룩가루 3되, 밀가루 3되를 섞고, 고루 버무려 술밑을 빚는다.
5. 소독한 술독에 술밑을 담아 안치고, 예의 방법대로 하여 30일가량 발효시킨다.

* 덧술 :
1. 2월 첫째 하룻날 찹쌀 4말을 백세하여(백 번 씻어 매우 깨끗하게 하여 말갛게 헹궈 불렸다가, 다시 씻어 건져서 물기를 뺀 다음) 작말한다(가루로 빻는다).
2. 쌀가루를 넓은 그릇에 담아놓고, 물 1말을 솥에 붓고 팔팔 끓여서 쌀가루에 골고루 퍼붓고, 주걱으로 고루 개어 범벅을 쑨다.
3. 범벅이 투명한 죽같이 익었으면, 넓은 그릇에 펴서 차게 식기를 기다린다.
4. 식은 범벅에 밑술을 한데 섞고, 고루 버무려 술밑을 빚는다.
5. 소독한 술독에 술밑을 담아 안치고, 예의 방법대로 하여 30일가량 발효시킨다.

* 2차 덧술 :
1. 삼월에 술 빚는 날이 돌아오면, 멥쌀 5말을 백세하여(백 번 씻어 옥같이 깨끗하게 하여 말갛게 헹궈 건졌다가, 새 물에 하룻밤 담가 불린다).
2. 다음날 아침에 불린 쌀을 (다시 씻어 건져서 물기를 뺀 다음) 시루에 안쳐서 고두밥을 짓는다.
3. 고두밥에 쌀 되는 되로 물 1말을 팔팔 끓이다가, 고두밥이 익었으면 퍼내어 끓는 물과 한데 합하여 섞어놓는다.
4. 고두밥이 물을 다 먹었으면, 넓은 그릇에 나눠서 차게 식기를 기다린다.
5. 고두밥에 덧술을 합하고, 고루 버무려 술밑을 빚는다.
6. 소독한 술독에 술밑을 담아 안치고, 예의 방법대로 하여 30일간 발효시켜 술

이 익기를 기다렸다가, 4월 초순이 되어 말갛게 익으면 채주한다.

* 덧술 간격이 30일로, 밀가루의 사용량이 많아진 이유이기도 하다.
* 염간(念間) : 전후 어떤 달의 스무 날 무렵.
* 초명물 : 초순을 뜻함.

백일주법
정월 첫째 돗날, 점미 서 되 작말하여 물 세 사발에 죽 쑤어 (많이) 채와 누룩가루 서 되, 진말 서 되 섞어 항에 넣어 한데 두었다가 이월 념간 찹쌀 너 말 백세작말하여 물 한 말 부어 죽 개여 채와 술밑에 버무려 두었다가 삼월에 쌀 닷 말 지에 쪄 물 되말 식혀 버무려 두었다가, 물든 후에 채와 예삿날 너릇이 버무려 넣어 두었다가 사월 초 명몰 거쳐거든 떠 쓰라.

## 14. 백일주 <홍씨주방문>

술 재료 : 밑술 : 멥쌀 3되, 누룩가루 1되, 밀가루 3되, 물 1병
덧술 : 멥쌀 4말 5되, 끓는 물 13병 반
2차 덧술 : 멥쌀 4말 2되, 끓는 물 12병 반

술 빚는 법 :
* 밑술 :
1. 멥쌀 3되를 백세하여(백 번 씻어 매우 깨끗하게 하여 말갛게 헹궈 불렸다가, 다시 씻어 건져서 물기를 뺀 다음) 작말한다(가루로 빻는다).
2. 솥에 물 1병을 붓고 (끓이다가, 뜨거운 물 1되가량을 쌀가루에 뿌려 익반죽을 만든 뒤) 둥글납작한 구멍떡을 빚는다.
3. 솥의 물이 끓으면 구멍떡을 넣고 삶아, 익어서 물 위로 떠오르면 건져내고 (떡

삶은 물에 죽처럼 풀어) 차게 식기를 기다린다.
4. 식은 떡에 누룩가루 1되를 한데 섞고, 매우 고루 버무려 술밑을 빚는다.
5. 소독하여 물기 없는 술독에 술밑을 담아 안치고, 예의 방법대로 하여 30일 가량 발효시킨다.

* 덧술 :
1. 멥쌀 4말 5되를 백세하여(백 번 씻어 매우 깨끗하게 하여 말갛게 헹궈 불렸다가, 다시 씻어 건져서 물기를 뺀 다음) 작말한다(가루로 빻는다).
2. 시루에 쌀가루를 안치고 쪄서 백설기를 짓고, 익었으면 퍼서 넓은 그릇에 담아놓는다.
3. 솥에 물 13병반을 끓여 설기떡에 붓고, 개어 (주걱으로 골고루 풀어 멍우리 없는 된죽)같이 만들어 차게 식기를 기다린다.
4. 떡에 밑술을 한데 섞고, 고루 버무려 술밑을 빚는다.
5. 소독하여 물기 없는 술독에 술밑을 담아 안치고, 예의 방법대로 하여 30일 가량 발효시킨다.

* 2차 덧술 :
1. 삼월에 술 빚는 날이 돌아오면, 멥쌀 4말 2되를 백세하여(백 번 씻어 옥같이 깨끗하게 하여 말갛게 헹궈 건졌다가, 하룻밤 담가 불린다).
2. 다음날 아침에 불린 쌀을 (다시 씻어 건져서 물기를 뺀 다음) 시루에 안쳐서 고두밥을 짓는다.
3. 고두밥에 물 12병 반을 팔팔 끓이다가, 고두밥이 익었으면 퍼내어 끓는 물과 한데 합하여 섞어놓는다.
4. 고두밥이 물을 다 먹었으면, 넓은 그릇에 나눠서 차게 식기를 기다린다.
5. 고두밥에 덧술을 합하고, 고루 버무려 술밑을 빚는다.
6. 소독한 술독에 술밑을 담아 안치고, 예의 방법대로 하여 30일간 발효시켜 술이 익기를 기다렸다가, 5월 초순이 되어 말갛게 익으면 채주한다.

* 덧술 간격이 30일로, 밑술에 한 차례 사용되는 밀가루가 누룩 양보다 많아진 이유이기도 하다.
* 망아락 : 풀어지지 않고 뭉쳐 있는 떡 덩어리(멍우리).

백일주

정월에 백미 서 되 백세작말하여 구멍떡 빚어 물 한 병만 부어 익게 삶아 망아락이 없이 개여 식거든 바랜 누룩가루 서 되, 진가루 서 되 합하며 맞은 항에 넣었다가 이월에 백미 너 말가웃 백세작말하여 무리떡 지어 한 말 끓인 물 세 병씩 부어 망아락이 없이 풀어 많이 개여 그릇에만 채와 밑술에 버무려 넣었다가 삼월에 백미 너 말 두 되 백세하여 하룻밤 담갔다가 익게 쪄 한 말에 끓인 물 세 병씩 채워 부어 밥에 들거든 헤쳐 식혀 밑술에 더 넣었다가 오월 지간에 잇거밀 하여 밥이 위로 뜨거든 윗국을 뜨고 드리우라.

# 백탄향

## 스토리텔링 및 술 빚는 법

우리나라의 술은 원료의 선택에서 출발하여 전처리 과정이며 가공방법, 술을 빚고 발효시키는 방법과 숙성, 후주나 채주, 여과 과정에 이르기까지 한 가지 술을 빚는 데 따른 여러 가지 원칙과 방법들이 정말 다양하다. 때문에 쌀 한 가지로 빚는 술의 종류가 수백 가지에 이른다.

그러면서도 각자의 향기와 맛, 색, 형태를 띠게 되는 것이 특징이자 매력으로 다가오기도 하는데, 한편으로는 너무나 복잡하고 다양하다는 것이 단점으로 작용하여, 다양하고 개성 있는 주품들은 오히려 외면당하고 사라져버린 것이 아닌가 하는 생각을 하기에 이른다. 술 빚는 방법이 다양한 만큼 갖가지 주품들을 다 잘 빚어낼 수 없는, 그런 한계로 나타나기 때문이다.

그런 생각은 '백탄향(白灘香)'에서 더욱 사실적으로 깨닫게 된다. '백탄향'은 <주찬(酒饌)>에 유일하게 수록되어 있는 주품으로, <주찬>의 주방문을 살펴보면 한 가지 의구심이 떠오른다. 특히 '석탄향(惜呑香)' 또는 '석탄향'로 불리는 주품의 주방문과 너무나 유사하기 때문에 "혹 '석탄향'을 잘못 표기한 것이 아닌가?"

하는 생각이고, "또는 '황금주(黃金酒)'의 이명(異名)이 아닐까?" 하는 그런 생각인 것이다.

하여, <봉접요람>을 비롯하여 '백탄향'과 유사한 '석탄향'의 주방문을 수록하고 있는 <술방문>, <시의전서(是議全書)>, <양주방>*, <임원십육지(林園十六志)>, <조선무쌍신식요리제법(朝鮮無雙新式料理製法)>, <한국민속대관(韓國民俗大觀)>, <홍씨주방문> 등의 문헌을 다시 살펴보게 되었는데, '석탄향'은 밑술을 죽으로 하여 빚는다는 사실과 함께 가루누룩을 사용한다는 점에서 '백탄향'의 주방문과 달랐다.

또 '황금주'를 수록하고 있는 문헌들의 주방문을 점검하였는데, <김승지댁주방문(金承旨宅廚方文)>을 비롯하여 <산가요록(山家要錄)>과 <수운잡방(需雲雜方)>, <요록(要錄)>, <음식지미방(飮食旨味方)> 등의 주방문에서는 밑술의 멥쌀가루를 죽을 쑤어서 사용하기도 하고, 범벅을 만들어 술을 빚기도 하는 등 일정한 방법이 정해져 있지 않고, 누룩가루를 사용한다는 점에서 '석탄주'와는 다른 사실을 확인할 수 있었다.

여기서 한 가지, "그렇다면 '백탄향'은 '석탄향'나 '황금주'와 어떻게 다른가?"하는 의문이 남게 된다. 그 실마리를 풀기 위해 원문을 다시 점검하고 분석하기를 수차례 한 결과, 우선 '백탄향'과 앞서 언급한 문헌들에 수록된 '석탄향'와 '황금주'의 공통점에서 오는 혼동이기는 하지만, 이들 세 가지 주품 모두가 주재료의 종류나 배합비율이 동일하다는 것이다. 때문에 '석탄향' 또는 '석탄주'가 '황금주'라는 일부의 주장도 불러왔던 것이다.

결국 문제의 초점은 '백탄향'이 '석탄향'이나 '황금주'와 어떻게 다른가 하는 문제로서, 그 차이점을 밝히자면 '백탄향'은 밑술을 범벅으로 하여 가루누룩으로 사용한다는 점이다. 이 점이 밑술을 죽으로 하여 가루누룩으로 빚는 '석탄향'과 다른 점이고, 밑술을 죽이나 범벅으로 하여 가루누룩이나 누룩가루를 사용하여 빚는 '황금주'와 구별된다고 할 수 있다.

여기서 핵심은 누룩가루와 가루누룩의 차이인데, 표현의 차이일 뿐이라고 생각하기에는 그 결과가 너무나 다르다는 사실이다. 우선 '누룩가루'는 조곡(粗麯)을 곱게 빻은 것을 가리키고, '가루누룩'은 백곡(白麯)을 분쇄하여 만든 고운 가루 형태를 가리킨다는 것이다. 누룩의 종류가 달라지게 되면 그에 따른 술 빛깔이나 향기, 맛도 달라지는 것이 이치이므로 '백탄향'이라는 주품명을 갖게 된 것이라는 생각이다.

따라서 '백탄향'은 '석탄향'과 유사한 맛과 향, 색깔을 간직한다고 할 수 있는데, 죽과 범벅의 차이에서 오는 알코올 도수와 향기, 맛의 미묘한 차이는 있겠으나, '석탄향'에 비해 더욱 아름다운 빛깔과 향기를 간직한 것으로 평가할 수 있을 것 같다. 죽으로 빚는 술이 범벅으로 빚은 술을 따라오지는 못한다는 결론에서이다.

## 백탄향 <주찬(酒饌)>

술 재료 : 밑술 : 멥쌀 2되, 가루누룩 1되, 끓는 물 1말
덧술 : 찹쌀 1말

술 빚는 법 :

* 밑술 :

1. 멥쌀 2되를 백세하여 (물에 담가 불렸다가, 다시 씻어 헹궈 건져서 물기를 뺀 후) 작말하여 중간체에 내린 후, 넓은 그릇에 담아놓는다.
2. 물 1말을 팔팔 끓여서 쌀가루에 골고루 붓고 주걱으로 고루 개어 죽(범벅)을 만든 다음, 넓은 그릇에 담아 차게 식기를 기다린다.
3. 죽(범벅)에 가루누룩 1되를 합하고, 고루 치대어 술밑을 빚는다.
4. 술독에 술밑을 담아 안치고, 예의 방법대로 하여 3일(겨울 7일, 봄가을 5일)간 발효시킨다.

* 덧술 :

1. 찹쌀 1말을 백세하여 (물에 담가 불렸다가, 다시 씻어 헹궈 건져서 물기를 뺀 후) 시루에 안쳐 고두밥을 짓는다.

2. 고두밥이 익었으면 퍼내고, 고루 펼쳐서 차게 식기를 기다린다.
3. 고두밥에 밑술을 합하고, 고루 버무려 술밑을 빚는다.
4. 술독에 술밑을 담아 안치고, 예의 방법대로 하여 7일간 발효시킨다.

* 주방문 말미에 "맛이 너무나 기이하고 독해서 입에 머금고 마셔 넘기기가 아깝다."고 첨기한 내용이나, 주방문이 동일한 것으로 미루어 '석탄주'의 별명으로 생각된다.

白灘香

白米二升百洗作末湯水一斗竝作粥末曲一升調釀冬七日春秋五日夏三日後粘米一斗百洗烝熟待冷調釀於本酒七日後用味甚奇烈口含呑之可惜.

# 백향주

스토리텔링 및 술 빚는 법

<술 만드는 법>의 '석탄주'가 필자로 하여금 술을 공부하는 길로 이끌었다면, <임원십육지(林園十六志)>의 '동정춘'이나 <음식디미방>의 '동양주'와 '하향주', '감향주', '과하주', <수운잡방(需雲雜方)>의 '백화주(白花酒)', <규합총서(閨閤叢書)>의 '백화주(百花酒)'는 우리 술의 진경을 느낄 수 있게 해주었다. 그리고 끝으로 한 가지 추가하고 싶은 술이 <주식방(酒食方, 高大閨壼要覽)>의 '백향주'이다.

사실, 처음으로 고서 수록 전통주의 복원을 시작할 당시만 해도 '백향주'는 '벽향주'의 한가지로 분류했었으나, '벽향주'의 복원 과정에서 '백향주'가 '벽향주'와는 다른 주품이라는 것을 알게 되었고, 특히 주방문은 필자의 눈길을 끌었다.

<주식방(고대규곤요람)>의 '백향주'가 필자의 눈길을 끌었던 이유는 다름 아닌 주방문의 주품명 바로 밑에 병기한 "주방 중 극품"이라는 수식어 때문이다. 그리고 그 이유가 바로 "백가지 향기를 품은 술"이라는 의미로 와 닿았다는 것이다.

그동안 향기를 살리는 방법의 추구가 한국 전통주의 미래이고, 앞으로 나아갈

방향이라고 강조해 왔다.

그리고 이러한 견해와 주장의 배경에는, 필자 개인의 전통주 연구에 대한 또 다른 만족감과 우리 전통주의 우수성을 입증하는 주품 가운데 한가지로, 그리고 이제까지 누차 강조해 왔던 우리나라 전통 양주법에 있어 중요한 '잣대', 곧 척도가 된다는 생각 때문이다.

<주식방(고대규곤요람)>의 '백향주'에 대한 필자의 이러한 생각은 가히 절대적이라고 말할 수 있다. <주식방(고대규곤요람)>의 '백향주'가 우리나라 전통 양주법의 중요한 척도가 된다는 근거를 주방문을 통해서 얘기하고자 한다.

주방문을 보면, 첫 머리에 "이 술이 듀방 즁 극품이라."고 전제한 것을 볼 수 있으며, 그 방법으로 "ᄇᆡᆨ미 두 말 닷 되ᄅᆞᆯ ᄇᆡᆨ셰ᄌᆞᆨ말ᄒᆞ고 날물 너 말을 ᄭᅳᆯ혀 서 말 되거든 그 물노 쥭 ᄡᅮ어 쥭을 ᄊᆞᆯ 뎨 셜 푸역 나모로 무수히 저허 쥭이 반은 닉고 반은 설게 ᄒᆞ여 식거든"이라고 하였다. 밑술을 빚는 방법으로 반생반숙법(半生半熟法)의 범벅을 쑤는 과정에 쌀은 백세하여 가루로 빻고, 물을 매우 오랫동안 끓인 백비탕(白沸湯)을 사용하는 것을 볼 수 있다. '백비탕'의 의미는 물의 성질을 바꾸는 데 있다고 생각된다. 발효 과정 중에 효소에 의한 당화와 효모에 의한 발효를 돕기 때문이다. 또 백비탕과 쌀가루를 나무주걱을 사용하여 무수히 젓는데, 이 과정은 쌀가루가 끓는 물을 고루 먹도록 함으로써, 반생반숙의 범벅이지만 전체적으로 쌀가루를 고루 익히는 것이 목적이다.

그리고 "가는 누룩가로 서 홉과 진말 칠 홉을 교합ᄒᆞ여 항의 너헛다가"라고 하였는데, 이때의 '교합(交合)'은 매우 중요한 의미를 갖는다.

그 이유는 쌀 2말 5되로 만든 쌀가루와 물 5말의 비율로 쑨 반생반숙의 범벅을 누룩가루 3홉으로 발효시켜야 한다는 데 있다. 밑술의 쌀 2말 5되에 사용되는 누룩가루가 3홉이라면, 누룩의 사용비율이 1.2%에 그친다. 이러한 비율은 배양효모를 사용한다고 하더라고 가히 쉽지 않은 방법이다.

결국 <주식방(고대규곤요람)>의 '백향주'는 밑술의 결과에 따라서 주질은 물론이고 덧술의 성패가 달려 있다고 해도 과언이 아닌 것이다.

그러자면 누룩의 품질도 좋아야 하지만, 먼저 쌀가루를 가능한 한 많이 익혀야 하고, 고루 익어야 한다는 것이 전제된다. 범벅을 쑤는 과정이 얼마나 중요한지를 엿볼 수 있는 과정이라고 할 것이다.

바로 이러한 이유 때문에 '백향주'의 덧술은 특정 기간 발효시키는 것이 아니라 "바야흐로 겹품 일고 차 필 제" 덧술을 준비해야 한다는 것이다.

<주식방(고대규곤요람)>의 '백향주' 덧술 과정은, 다른 주품들과는 달리 밑술의 발효가 막 시작될 때 덧술 쌀을 준비하는 것으로, 덧술 준비가 끝나면 밑술은 발효가 정점 단계를 지나 안정기에 접어들게 된다.

'백향주'의 덧술에 사용된 쌀의 가공방법에 대하여 "빅미 오두를 빅셰 침슈ᄒᆞ여 일애 지ᄂᆞᆫ 후의 건져 닉게 쪄 탕슈 엿 말을 버므려 샤운 후"라고 하였으므로, 덧술 쌀의 침지 기간이 7일에 이른다는 것을 알 수 있다.

대개 덧술용 쌀의 침지 기간은 길어야 하룻밤이고 길게는 3~4일이 고작인데, '백향주'의 덧술 쌀은 침지 기간이 7일이다. 덧술 쌀의 7일이라는 침지 기간은 쌀이 부패되기에 충분한 시간이다.

양주용 쌀의 침지는 수분흡수도를 높여 호화도를 높게, 그리고 고루 익히기 위한 방법이지만, 부패된 쌀에 다시금 끓는 물을 섞어 진고두밥 형태로 만들어 사용하는 궁극적인 목적은, 무엇보다 당화(糖化)를 용이하게 하는 한편으로, 발효 속도보다 당화 속도를 빠르게 함으로써, 그에 따른 잔당(殘糖)이 풍부한 술을 얻을 목적으로 한다는 것이다.

이러한 양주기술은 고도의 기술과 숙련된 경험에서 오는 것이기도 하지만, 궁극적으로는 술의 감미(甘味)와 향기(香氣)로 발현된다는 것은 이미 여름철에 빚는 하절 주품들과 '감향주'와 같은 주품편에서 누차 설명했었다.

물론, 이와 같은 방법에서 자칫 초래되기 쉬운 농당(濃糖) 상태의 술덧은 발효부진을 초래하기 쉽거니와, 특히 밑술에 사용된 누룩의 양이 적게 사용된 데에서 오는 감패를 막고자 덧술에도 누룩을 넣어주는데, '백향주'에서는 그 양을 1되로 한정하고 있다. 밑술에 사용되는 3홉보다 훨씬 많은 양이지만, 덧술에 사용되는 쌀의 양을 고려하면 2%에 그친다는 것을 알 수 있다.

<주식방(고대규곤요람)>의 '백향주'라는 주품명의 의미는 바로 여기에 있다. 쌀 양 7말 5되에 대하여 누룩의 양이 고작 1.7%라는 점에서 술의 빛깔이 얼마만큼 밝고 깨끗한 흰색으로, 그리고 1.7%에 그치는 누룩의 양을 사용하여 발효되

는 만큼 누룩의 사용에 따른 누룩 냄새가 아닌 풍부하면서도 깨끗한 청향(淸香)을 중심으로 한 풍부한 방향(芳香)을 갖는 주품이 될 것이라는 결론에 이른다.

그리고 이러한 누룩 사용비율은 조선시대 고식문헌에 수록된 530여 주품, 1천여 주방문 가운데 가장 낮은 주품이라는 사실을 언급하지 않을 수 없다. <주식방(고대규곤요람)>의 '백향주' 주방문 첫머리에 "주방 중 극품(酒方中極品)"이라는 수식어가 결코 허언이 아니라는 것을 알 수 있을 것이다.

끝으로 <주식방(고대규곤요람)>의 '백향주'는 필요에 따라서 2차 덧술을 하는 것으로 되어 있다. 주방문 말미에 "닉은 후의 너모 즐ᄒ거든, 빅미 두 되를 빅셰ᄒ여 듁 ᄒ 동희를 쑤어 술의 부엇다가 닉거든 드리오라."고 한 것이다. 덧술의 상태를 보아가면서 술의 양이 적거나 발효상태가 약간 부진하여 술덧이 질척한 상태를 가리키는 것으로, 죽을 쑤어 붓는 것으로 보다 원활한 발효를 도모하려는 목적에 있다.

하지만 이러한 방법은 후주(後酒)를 하는 방식이지, 결코 본술로서 2차 덧술의 개념은 아니라는 것을 알아야 한다.

어떻든 <주식방(고대규곤요람)>의 '백향주'를 통해서 다시금 우리의 전통 양주기법의 진면목을 자세히 살필 수 있었거니와, '백향주'로 표현되는 아름다운 방향을 간직한 술 빚기기 얼마나 힘든 일인지를 다시금 생각하게 해준다고 하겠다.

## 백향주법 <주식방(酒食方, 高大閨壼要覽)>

–주방 중 극품

술 재료 : 밑술 : 멥쌀 2말 5되, 누룩가루 3홉, 밀가루 7홉, 백비탕 3말
덧술 : 멥쌀 5말, 누룩가루 1되, 끓는 물 6말
2차 덧술 : 멥쌀 2되, 물 1동이

술 빚는 법 :

* 밑술 :

1. 멥쌀 2말 5되를 백세하여 (물에 담가 불렸다가, 다시 씻어 말갛게 헹궈서 물기를 뺀 후) 작말한다(가루로 빻는다).
2. 솥에 물 4말을 팔팔 끓여 3말이 되도록 백비탕을 만들고, 쌀가루를 백비탕 3말과 한데 합하고, 주걱으로 무수히 저어 반생반숙의 범벅을 쑤어놓는다.
3. 범벅을 (담은 그릇에 뚜껑을 덮어) 차게 식기를 기다린다.
4. 범벅에 누룩가루 3홉과 밀가루 7홉을 한데 합하고, 고루 힘껏 치대어 술밑을 빚는다.
5. 술밑을 술독에 담아 안치고, 예의 방법대로 하여 발효시켜 거품이 일고 괴어오를 때를 기다린다.

* 덧술 :

1. 멥쌀 5말을 백세하여 (물에 하룻밤 담가 불렸다가, 다시 씻어 헹궈서 물기를 뺀 후) 시루에 안쳐 무른 고두밥을 짓는다.
2. 솥에 물 6말을 팔팔 끓이고, 고두밥이 무르게 익었으면 한데 합하고 (주걱으로 고루 헤쳐) 그릇 여러 개에 나눠 담아놓는다.
3. 고두밥이 (물을 다 먹었으면 넓은 그릇에 나눠 담고 뚜껑을 덮어) 차게 식기를 기다린다.
4. 고두밥에 누룩가루 1되를 합하고 고루 치댄 후, 다시 밑술을 한데 합하고 고루 버무려 술밑을 빚는다.
5. 술밑을 술독에 담아 안치고, 예의 방법대로 하여 발효시키고 익기를 기다린다.

* 2차 덧술 :

1. 멥쌀 2되를 백세하여 (물에 담가 불렸다가, 다시 씻어 말갛게 헹궈서 건져낸 다음) 물기를 빼놓는다.
2. 물 1동이에 불린 쌀을 합하고, 죽을 쑤어 차게 식기를 기다린다.
3. 식은 죽 1동이를 덧술 독에 붓고, 예의 방법대로 하여 발효시켜 익기를 기

다린다.

* 덧술을 빚는 시기가 밑술이 '괴어오를 때'인데, 그 배경에는 누룩가루의 양이 3홉에 그치기 때문이다. 이 시기를 놓치게 되면 덧술을 삭힐 수 없다.

ᄇᆡᆨ향듀법

이 술이 듀방 즁 극품이라. ᄇᆡᆨ미 두 말 닷 되ᄅᆞᆯ ᄇᆡᆨ셰즉말ᄒᆞ고 날물 너 말을 ᄭᅳᆯ혀 서 말 되거든 그 물노 쥭 쑤어 쥭을 쑬 졔 셜 푸역 나모로 무수히 저허 쥭이 반은 닉고 반은 설게 ᄒᆞ여 식거든 가는 누룩가로 서 홉과 진말 칠 홉을 교합ᄒᆞ여 항의 너헛다가, 바야흐로 겹품 일고 차 괼 졔, ᄇᆡᆨ미 오두ᄅᆞᆯ ᄇᆡᆨ셰 침슈ᄒᆞ여 일애 지ᄂᆞᆫ 후의 건져 닉게 ᄶᅧ 탕슈 엿 말을 버므려 샤운 후, 국말 일승을 고로 섯거 젼의 술과 버므려 항의 봉ᄒᆞ여 닉은 후의 너모 즐ᄒᆞ거든, ᄇᆡᆨ미 두 되ᄅᆞᆯ ᄇᆡᆨ셰ᄒᆞ여 듁 ᄒᆞᆫ 동히ᄅᆞᆯ 쑤어 술의 부엇다가 닉거든 드리오라.

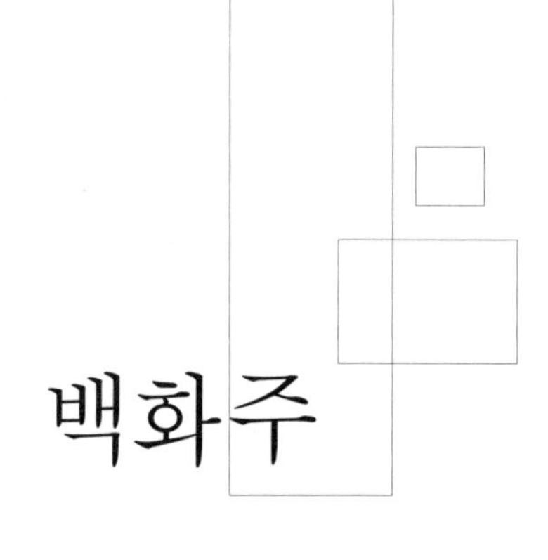

# 백화주

**스토리텔링 및 술 빚는 법**

'백화주(白花酒)'란 술 이름이 등장한 시기는 1500년대 초기의 <수운잡방(需雲雜方)>을 시작으로 이후 <주방문(酒方文)>, <음식디미방>, <규중세화>, <김승지댁주방문(金承旨宅廚方文)>, <양주방>*, <양주방(釀酒方)>, <양주집(釀酒集)>, <역주방문(曆酒方文)>, <음식보(飮食譜)>, <주방(酒方)>*, <주방문조과법(造果法)>, <주방문초(酒方文抄)>, <주찬(酒饌)>, <침주법(浸酒法)>, <홍씨주방문> 등 16개 문헌에 26회나 등장한다.

'백화주'는 '백화주(白花酒)', '백화주(百花酒)'로 혼용하여 사용하고 있는 것을 볼 수 있는데, 엄밀하게는 술의 종류에 따라 '백화주(白花酒)'와 '백화주(百花酒)'로 표기하는 것이 옳다는 생각이다. '백화주(白花酒)'는 쌀과 누룩, 물이 주원료로 일제의 첨가물이나 부재료가 사용되지 않는 반면, '백화주(百花酒)'는 백 가지 꽃(百花)을 부재료로 사용했을 경우에 사용하는 명칭이기 때문이다.

따라서 '백화주(白花酒)'는 술 이름 그대로 "흰 꽃이 피어 있는 듯하다."는 데서 유래한 술로서, 순곡주(純穀酒)인 까닭에 술이 익으면 하얀 밥알이 수면으로 떠오른 까닭에 멀리서 바라보면 마치 하얀 꽃밭과도 같아, 이것이 과연 술인가 하는 의구심과 함께, 그 맑고 깨끗한 모습에 감탄하게 된다.

그러기에 <주찬>에서는 '백화주(白花酒)'에 대해 "술 빚는 법 중에서 가장 좋은 법이다. 맛과 빛깔의 아름다움은 글로 표현할 수가 없다(酒方文中最爲第一酒也色興味之美不可勝記)."라고 하여 으뜸으로 꼽고 있음을 볼 수 있다.

반면, 백 가지 꽃 또는 다양하면서도 많은 종류의 꽃을 사용하여 빚은 술을 '백화주(百花酒)'라고 하는 까닭에 가향주(佳香酒)로 분류되며, 백 가지 꽃을 넣어 빚은 술을 '백화주(白花酒)'라고 표기하는 경우는 없다.

<수운잡방>을 비롯하여 <주방문>, <음식디미방>, <규중세화>, <김승지댁주방문>, <양주방>*, <양주방>, <양주집>, <역주방문>, <음식보>, <주방>*, <주찬> 등에 수록된 '백화주(白花酒)'는 여느 술에 비해 그 맛이 강하고 향기로운 데다, 순곡주 특유의 참맛을 잘 간직하고 있어 전통 청주의 대명사처럼 인식되어 왔던 술인데, 지금은 맥이 끊기고 말았으니 안타까움에 그치는 것이 아니라 부아가 치민다.

'백화주(白花酒)'와 같이 "밥알(개미)이 떠 있다."고 해서 이름 붙여진 '(浮蟻酒)'나 민간의 '동동주'가 있지만, 술 빚는 방법이나 과정은 물론이고, 맛과 향기를 비롯하여 술 빛깔, 알코올 도수 등 모든 면에서 '백화주(白花酒)'에 미치지 못한다.

이러한 '백화주(白花酒)'는 문헌에 따라 특히 밑술을 빚는 법으로 볼 때 백설기를 비롯하여 죽, 구멍떡, 범벅 등 주재료를 다양하게 처리하고 있으나, 주로 반생반숙(半生半熟)의 범벅을 쑤어 누룩가루와 밀가루를 섞어 빚는 것이 특징이라고 할 수 있다.

덧술 빚기에서는 동일하게 고두밥에 끓는 물을 부어두었다가, 고두밥이 물을 다 빨아들이면 차게 식혀 사용하는 방법을 취하고 있다는 공통점과 함께, 여러 가지 패턴을 보여주고 있다. 즉, 고두밥에 끓는 물을 합하여 진고두밥 형태로, 누룩이나 다른 재료를 사용하지 않는 경우와 진고두밥과 누룩을 사용하여 빚는 경우, 그리고 밑술과 똑같이 진고두밥과 누룩, 밀가루를 함께 사용하는 경우가 그것이다.

따라서 '백화주(白花酒)'의 특징은 범벅과 누룩, 밀가루를 주원료로 하여 빚은 밑술을 바탕으로 한 덧술 빚기에 달려 있다고 할 수 있으며, 덧술의 발효가 얼마나 잘 이루어지느냐에 따라 '백화주(白花酒)'의 특징인 밥알이 떠오르기도 하고, 반대로 일반 청주류와 같이 밥알이 가라앉기도 한다는 사실이다.

주방문이 다른 '백화주(白花酒)'의 몇 가지 사례를 살펴보면, <수운잡방>의 '백화주(白花酒)'는 밑술을 백설기로 하여 빚는 방법을 취하고 있고, <양주방>*에서는 구멍떡을 빚어 사용하는 것으로 나타나고 있음을 볼 수 있다.

또 <양주방>*의 '당백화주'와 <양주방>의 '백화주법', <주방문>의 '백화주(白花酒)' 등은 '석임' 또는 '니금'을 사용하는 것을 볼 수 있고, <양주집>의 '우백화주(又白花酒)'에서는 엿기름가루를 사용하는 등 별법 형태를 나타내고 있어, 여느 '백화주(白花酒)'와는 다른 양상을 보여주고 있다.

특히 <양주집>에는 3가지 방법의 '백화주(白花酒)'가 등장하고 있어 주목되는데, 그 차이를 살펴보면 다른 문헌의 '백화주(白花酒)'에 대한 이해가 빠를 것으로 생각된다.

<양주집>의 '백화주(白花酒)'는 멥쌀 1말을 작말하여 끓는 물 3병으로 범벅을 쑤고, 여기에 가루누룩 2되와 밀가루 2되를 사용하여 밑술을 빚는 것으로 전형을 이룬다. 덧술은 멥쌀 2말로 고두밥을 짓고, 끓는 물 5~6병을 합하여 진고두밥을 만드는데, "끓는 물을 5병만 부으면 지주(旨酒, 맛 좋은 술)가 된다."고 하였다.

한편 <양주집>의 '우백화주'는 엿기름가루를 사용함으로써, 누룩의 부족에서 초래되기 쉬운 이상발효와 산패를 방지하고 있다는 점에서 주목할 필요가 있다.

때문에 '백화주(白花酒)'에서는 덧술을 해 넣기까지 밑술의 발효에 따른 시간이 7일이 요구되는데 비해, 본 방문에서는 밑술의 발효에 따른 시간이 3일로 짧아진다.

이렇게 보면, 본법의 '백화주(白花酒)'보다 '우백화주'의 술 빚기가 훨씬 더 과학적이고 손쉬운 방법으로 여겨진다고 할 수 있겠으나, 반드시 그렇다고는 단언할 수 없다.

발효가 빨라진다는 것은, 결국 술이 빨리 익는다는 이야기와 다름없다. 우리가 "급히 달군 쇠가 빨리 식는다."는 속담에서 배우듯, 빨리 익힌 술이 맛과 향 등 모든 면에서 좋은 결과를 아직 목격하지 못하였기 때문이다.

또 '우우백화주(又又白花酒)'는 본법 '백화주(白花酒)'의 또 다른 별법(別法)이라고 할 수 있다. 앞서 소개한 '백화주(白花酒)'나 '우백화주'와 비교해 보면 또 다른 점을 발견할 수 있는데, 다름 아닌 술 빚는 물, 곧 양주용수의 양이다. '백화주(白花酒)'와 '우백화주'에서는 쌀 3말에 대해 물이 9병~7(8)병이었는데, 본 방문에서는 쌀 6말에 물의 양이 8말이나 되어, 쌀의 양보다 많은 양의 물이 사용된다는 것을 알 수 있다. 즉, 쌀 양이 2배로 늘어나면서 누룩 양도 2배로 늘려 보다 안정적이고 빠른 발효를 도모하고 있음을 알 수 있다.

이로써 '우우백화주'의 특징은 무엇보다 많은 양의 술을 얻기 위한 방편에서 이루어진 것임을 알 수 있다.

이밖에 주목할 주방문은 <주찬>의 '우백화주'로서 삼양주법(三釀酒法)이다. '우백화주'는 앞서의 '별 백화주(別白花酒)'에 한 차례 더 덧술을 하는 것으로 되어 있는데, 멥쌀 2되를 물 1동이와 섞어서 죽을 쑤어 식힌 후에 덧술에 붓는 방식이다. 이른바 술의 양을 늘리기 위한 방법이라는 것이다.

<주방>*을 비롯하여 <규중세화>와 <음식보>의 '백화주(白花酒)' 주방문에서 보듯, 덧술에도 누룩과 밀가루를 사용하고 있는 주방문의 경우, 멥쌀 2말에 대하여 끓는 물 3말로 범벅을 쑤고 가루누룩 3홉과 밀가루 1되를 사용하여 밑술을 빚은 후, 멥쌀 2말에 대하여 끓는 물 7말 5되로 진고두밥을 만드는데, 쌀 양이 많아진 데 따라 가루누룩 7홉, 밀가루 2되로 누룩과 밀가루의 양도 많아지거나 <규중세화>의 경우, 밑술과 동량의 누룩을 사용하고 있다는 사실을 확인할 수 있었다.

그리고 덧술에 누룩을 사용하는 경우와 밀가루를 사용하는 경우도 확인되어, 다양한 형태의 '백화주(白花酒)' 주방문이 존재한다는 사실을 엿볼 수 있었다.

특히 단양주(單釀酒)의 경우, 2가지 주방문을 <역주방문>에서 찾아볼 수 있는데, 찹쌀 1말을 정화수 1동이에 3일간 불렸다가 고두밥을 짓고 별도의 누룩물(누룩 5홉, 물 3~4되)을 만들어서 술밑을 빚는 방법과 함께, 멥쌀 1말 5되를 백세작말하여 백비탕 6말 5되로 범벅을 쑤는데, 범벅을 7일간 삭힌 후에 다시 끓는 물 3말을 화합하여 죽처럼 만들어 누룩가루 1되와 밀가루 1되를 섞어 술밑을 빚는 방법을 엿볼 수 있다.

<역주방문>의 단양주법 '백화주(白花酒)'는 다른 주방문에서는 찾아보기 힘들 정도로 매우 특별한 방문으로 여겨진다.

이상 여러 가지 형태의 '백화주(白花酒)' 주방문을 살펴보았는데, 다른 주품들과는 달리, 밑술과 덧술의 쌀 양에서 동량이거나 2배 정도의 적은 양의 쌀이 사용된다는 특징을 목격할 수 있다는 것이다. 물론, 밑술을 구멍떡으로 빚는 <양주방>*의 '백화주(白花酒)'처럼 덧술의 쌀 양이 10배를 사용하는 예도 있기는 하다.

결국 '백화주(白花酒)'를 빚는 데 따른 가장 중요한 성공적 요소는, 밑술의 범벅을 얼마만큼 고르게 잘 익히느냐에 달려 있다는 사실을 간과하면 안 된다.

우리가 이미 경험하듯, 쌀의 양이 많아지면 술맛도 부드럽고 향기도 좋아진다는 사실은 누구나 공감하는 바이지만, 쌀 양이 지나치게 많아지면 오히려 술맛과 향기를 그르치게 된다는 사실을 새삼 일깨워주는 술이 바로 '백화주(白花酒)'라고 하겠다.

## 1. 백화주법 <규중세화>

-닷 말 빗이

술 재료 : 밑술 : 멥쌀 1말 5되, 누룩가루 1되 6홉, 밀가루 7홉, 끓는 물 2말
덧술 : 멥쌀 3말 5되, 누룩가루 1되 6홉, 밀가루 7홉, 끓여 식힌 물 6~7되, 냉수 적당량

술 빚는 법 :

* 밑술 :

1. 멥쌀 1말 5되를 백세하여 (물에 담가 불렸다가, 다시 씻어 헹궈 건져서 물기를 뺀 후) 작말하여 넓은 그릇에 담아놓는다.
2. 솥에 물 2말을 팔팔 끓여서 쌀가루에 골고루 붓고, 주걱으로 고루 개어서 반은 설게 범벅을 쑤어, 그릇 여러 개에 나눠 담고 서늘하게 식기를 기다린다.

3. 차게 식은 죽에 누룩가루 1되 6홉과 밀가루 7홉을 합하고, 고루 버무려 술밑을 빚는다.
4. 술밑을 술독에 담아 안치고, 예의 방법대로 하여 7일간 발효시킨다.

* 덧술 :

1. 멥쌀 3말 5되를 백세하여 물에 담가 하룻밤 불렸다가 (다시 씻어 헹궈서 물기를 뺀 후) 시루에 안쳐서 고두밥을 짓는다.
2. 솥에 물 6~7되를 팔팔 끓여 미지근하게 식기를 기다린다.
3. 고두밥이 익었으면 퍼내고, 고루 펼쳐서 서늘하게 식기를 기다린다.
4. 고두밥에 밑술과 누룩가루 1되 6홉, 밀가루 7홉을 한데 합하고, 고루 버무려 술밑을 빚는다.
5. 술밑을 술독에 담아 안치고, 예의 방법대로 하여 7일간 발효시킨다.
6. 술이 익어 단맛이 있으면, 맛 보아가며 냉수를 적당량 부어두었다 채주한다.

* <음식보>의 '백화주법'과 누룩 등의 비율에서 다소 차이가 날 뿐 그 과정은 매우 유사하다.

백화주법

백미 마(말) 닷 되를 백세작말하여 물 두 말 끓여 장연 설게 개어 차거든, 국말 되 엿 홉, 진말 칠 홉 섞어둣다가, 칠일 만에 백미 서 말 닷 되를 백세하여 담가다가 일야 지나거든 익게 쪄 식기고 물 예닐곱 되를 미온하게 채워 국말 되 엿 홉, 진말 칠 홉 섞어 쳐 넣어둣다가, 칠일이면 달 것이니 맛보아 가며 냉수 부었다가 쓰라. 닷 말 빗으라.

## 2. 백화주방문 <김승지댁주방문(金承旨宅廚方文)>

-3말 빚이

술 재료 : 밑술 : 멥쌀 1말, 누룩가루 2되, 밀가루 5홉, 끓는 물 9되(쌀되)
덧술 : 멥쌀 3말, 끓는 물 2말 7되(쌀되), 맹물(냉수) 3식기

술 빚는 법 :

* 밑술 :

1. 멥쌀 1말을 매우 희게 쓿어(도정을 많이 하여) 백세하여 (새 물에 담가 불렸다가, 다시 씻어 말갛게 헹궈서 물기를 뺀 후) 작말하여 그릇에 담아놓는다.
2. 쌀 되던 되로 물 9되를 팔팔 끓이다가 쌀가루에 합하고, 주걱으로 고루 섞어 (반생반숙의 범벅을 만들고) 펴서 차게 식기를 기다린다.
3. 차게 식힌 범벅에 흰 누룩가루를 쌀 되던 되로 2되와 밀가루 5홉을 넣고, 매우 고루고루 치대어 술밑을 빚는다.
4. 술독에 술밑을 안치고, 덥지도 차지도 않은 곳에 두고 발효시켜 익기를 기다린다.

* 덧술 :

1. 멥쌀 3말을 많이 쓿어(도정하여) 백세하여 새 물에 담가 하룻밤 재워 불린다.
2. 불린 쌀을 (다시 씻어 건져서 물기를 빼고) 시루에 안쳐서 무른 고두밥을 짓는다.
3. 솥에 쌀되로 물 2말 7되를 오랫동안 팔팔 끓이다가, 고두밥이 익었으면 퍼내어 넓은 그릇에 담아놓고, 끓고 있는 물을 즉시 멥쌀고두밥에 골고루 뿌려준다.
4. 고두밥이 물을 다 먹었으면, 그릇 여러 개에 나눠 담고, 차게 식기를 기다린다.
5. 식은 고두밥에 밑술과 합하고, 고루 버무려 술밑을 빚는다.
6. 알맞은 술독에 술밑을 안치고, 예의 방법대로 하여 7~8일간 발효시킨다.

7. 술이 익었으면, 맹물 3식기를 술독에 부어두었다가 주조에 올려 짜서 거른다.

ᄇᆡᆨ화쥬방문

셔 말 비ᄌᆞ랴 ᄒᆞ면 ᄡᆞᆯ ᄒᆞᆫ 말 ᄆᆞ이 희게 쓸허 ᄇᆡᆨ셰작말ᄒᆞ여 ᄡᆞᆯ 된 되 물 아홉 되만 ᄭᆞᆯ혀 ᄭᆞᆯᄂᆞᆫ 물의 ᄀᆞᆯ로 너허 ᄀᆡ야 퍼 ᄆᆞ이 식은 후의 ᄒᆞᆫ 녹말 ᄡᆞᆯ 된 되로 두 되 진말 닷 홉 너허 고로고로 무궁히 쳐 항의에 너허 덥도 ᄎᆞ도 아닌 ᄃᆡ 두어 ᄎᆡ 닉거든 ᄡᆞᆯ 처음 된 되로 서 말을 희게 쓸허 ᄇᆡᆨ세ᄒᆞ여 ᄒᆞ로밤 ᄌᆡ여 희 ᄆᆡ오 ᄲᅧ 로 데혀 노코 쌀 된 되로 물을 두 말 닐곱 되만 ᄆᆞ이 ᄭᆞᆯ혀 그 밥을 큰 그릇에 노코 그 물을 다 부어 밥의 물이 프적이 져즌 후 여러 그르ᄉᆡ 노화 서늘ᄒᆞ게 식힌 후 밋술의 ᄃᆞ로ᄃᆞ로 섯거 알맛ᄂᆞᆫ 독에 너허 두엇다가 ᄎᆡ 닉거든 ᄆᆡᆼ물을 세 식긔만 부어 이튼날 ᄯᅳ되 처 ᄡᅳ라.

## 3. 백화주 <수운잡방(需雲雜方)>

술 재료 : 밑술 : 멥쌀 3말, 누룩 3되, 밀가루 2되, 끓는 물 4말
덧술 : 멥쌀 3말, 끓는 물 3말

술 빚는 법 :

* 밑술 :

1. 멥쌀 3말을 백세하여 (물에 담가 불렸다가, 다시 씻어 헹궈 건져서) 세말한다(고운 가루로 빻는다).
2. 솥에 물 4말을 붓고 끓여서 3말이 되면 쌀가루에 붓고, 주걱으로 고루 개어서 죽(범벅)을 만들어 (넓은 그릇에 나눠 담고) 차게 식기를 기다린다.
3. 차게 식힌 죽(범벅)에 누룩 3되와 밀가루 2되를 한데 합하고, 고루 힘껏 치대어 술밑을 빚는다.
4. 술밑을 술독에 담아 안치고, 예의 방법대로 하여 4일간 발효시킨다.

* 덧술 :
1. 멥쌀 3말을 백세하여 (물에 담가 불렸다가, 다시 씻어 헹궈 건져서 물기를 뺀 후) 시루에 안쳐서 무른 고두밥을 찐다.
2. 물 3말을 팔팔 끓이고 (고두밥이 익었으면 넓고 큰 그릇에 펴 담고) 끓는 물을 골고루 합하고, 물이 다 잦아들면 고루 펼쳐서 차게 식기를 기다린다.
3. 진고두밥에 밑술을 쏟아 합하고, 고루 버무려 술밑을 빚는다.
4. 술독에 술밑을 담아 안치고, 예의 방법대로 하여 발효 숙성시켜 익으면 채주하여 마신다.

白花酒

白花(米)三斗百洗細末水四斗沸煎至三斗作粥待冷麴三升眞末二升和納瓮第五日白米三斗百洗全蒸湯水三斗均拌待冷無麴和前酒納甕待熟用之.

## 4. 백화주 <수운잡방(需雲雜方)>

술 재료 : 밑술 : 멥쌀 5말, 누룩가루 7되, 밀가루 3되, 끓는 물 7말
덧술 : 찹쌀 5말, 멥쌀 10말, 누룩 3되, 끓는 물 13말

술 빚는 법 :

* 밑술 :
1. 정월 안에 멥쌀 5말을 백세하여 (물에 담가 불렸다가, 다시 씻어 헹궈 건져서) 작말한다(가루로 빻는다).
2. 쌀가루를 시루에 안쳐서 백설기를 무르게 짓는다.
3. 솥에 물 7말을 끓이다가, 백설기가 익었으면 큰 그릇에 펴 담고, 끓는 물 7말을 백설기에 골고루 붓고 고루 개어 멍우리 없는 죽처럼 만들어 차게 식기를 기다린다.

4. 차게 식은 죽에 누룩가루 7되와 밀가루 3되를 넣고, 고루 버무려 술밑을 빚는다.
5. 술밑을 술독에 담아 안치고, 예의 방법대로 하여 단단히 밀봉하여 차지도 덥지도 않은 곳에서 발효시킨다.

* 덧술 :
1. 백화(百花)가 만발할 때 찹쌀 5말과 멥쌀 10말을 백세하여 많이 쪄서 무른 고두밥(난증)을 짓는다.
2. 솥에 물 13말을 붓고 끓여서 차게 식히고, 고두밥도 고루 펼쳐 차게 식힌다.
3. 고두밥과 끓여 식힌 물 13말, 좋은 누룩 3되, 밑술을 한데 합하고 고루 버무려 술밑을 빚는다.
4. 술독에 술밑을 담아 안치고, 예의 방법대로 하여 (차지도 덥지도 않은 곳)에서 단오날까지 발효시킨다.

* 주방문에 "여기에 쓰는 그릇은 끓는 물로 씻어야 하며, 생수는 금한다."고 하였다.
백화가 필 때 빚는 술로, '이화주'와 같은 의미를 갖는데, 백 가지 꽃이 들어가지는 않는다. 따라서 이름만 '백화주(百花酒)'일 뿐, 엄밀한 의미로는 '백화주(白花酒)'이다. 다른 문헌의 '백화주'에 비해 수율은 높았으나, 맛과 향기에 있어서는 가장 떨어졌다.

百花酒

正月內白米五斗百洗作末爛蒸湯水七斗作粥冷曲末七升和合置不寒不熱處待百花滿開粘米五斗白米十斗百洗爛蒸湯水十三斗好曲三升和前酒合釀端午時開用所用器皿湯水洗忌生水.

## 5. 백화주 <양주방>*

술 재료 : 밑술 : 멥쌀 3되, 누룩가루 7홉
덧술 : 찹쌀 3말, 끓는 물 7병(2말 1되)

술 빚는 법 :

* 밑술 :

1. 희게 쓿은 멥쌀 3되를 깨끗이 씻고 또 씻어(백세하여) 물에 담가 불렸다가 (다시 씻어 말갛게 헹궈서 물기를 뺀 후) 작말한다.
2. 멥쌀가루에 뜨거운 물을 쳐가면서 익반죽한 다음, 구멍떡을 빚는다.
3. 구멍떡을 끓는 물솥에 넣고 삶아서, 익어 떠오르면 건져낸다.
4. 구멍떡을 (식기 전에 덩어리를 풀어 인절미처럼 만든 다음, 그릇의 뚜껑을 덮어) 차게 식기를 기다린다.
5. 풀어서 식힌 떡에 누룩가루 7홉을 넣고 고루 버무려서 술밑을 빚는다.
6. 술독에 술밑을 담아 안친 다음, 예의 방법대로 하여 2~3일간 발효시켜, 술밑이 막 괴어오르면 덧술을 준비한다.

* 덧술 :

1. 희게 쓿은 찹쌀 3말을 깨끗이 씻고 또 씻어(백세하여) 물에 담가 불렸다가 (다시 씻어 말갛게 헹궈서) 물기를 뺀다.
2. 끓는 물솥에 시루를 올리고 찹쌀을 안친 후, 고두밥을 짓는다.
3. 물 7병(2말 1되)을 팔팔 끓여 고두밥이 익었으면 퍼내어 함께 그릇에 담고, 주걱으로 고루 섞어놓는다.
4. 고두밥이 물을 다 빨아들였으면, 고루 펼쳐서 차게 식기를 기다린다.
5. 고두밥을 밑술과 합하고, 고루 버무려 술밑을 빚는다.
6. 술독에 술밑을 담아 안치고, 예의 방법대로 하여 발효시킨다.

* 주방문 말미에 "술칩(빛)이 찬물 같고 맛이 '소주' 같다."고 하였다. 맛이 매우 담백하여 남성적인 술이다.

ᄇᆡᆨ화쥬

ᄇᆡᆨ미 서되 을 ᄇᆡᆨ셰작말ᄒᆞ야 구무썩 살마 ᄎᆞ거든 국말 칠 홉 섯거 너허 ᄎᆡ 괴거든 ᄇᆡᆨ미 서 말 ᄇᆡᆨ셰 침슈 ᄒᆞ얏다가 ᄆᆡ이 쪄 ᄆᆡ 말의 물 두 병 반 식 ᄒᆞ나 ᄎᆡ와 섯거 ᄎᆡ와다가 ᄂᆡᆨ거든 쓰라. 비치 ᄂᆡᆼ슈갓고 마시 쇼쥬 갓ᄒᆞ니라.

## 6. 백화주법 <양주방(釀酒方)>

술 재료 : 밑술 : 멥쌀 1말, 누룩가루 1되 5홉, 밀가루 1되 5홉, 니금 1되, 끓인 물 2병 반
덧술 : 멥쌀 2말, 누룩가루(1되), 끓는 물 5병

술 빚는 법 :

* 밑술 :

1. 멥쌀 1말을 백세하여 (물에 담가 불렸다가, 다시 씻어 건져서 물을 뺀 후) 가루로 빻아 넓은 그릇에 담아놓는다.
2. 더운(끓는) 물 2병 반을 쌀가루에 고루 붓고, 주걱으로 고루 개어 범벅을 만든다.
3. 범벅을 넓은 그릇에 담고, 고루 헤쳐서 차게 식기를 기다린다.
4. 범벅에 누룩가루 1되 5홉, 밀가루 1되 5홉, 니금(석임) 1되를 한데 섞고, 고루 치대어 술밑을 빚는다.
5. 술독에 술밑을 담아 안치고, 예의 방법대로 하여 3일간 발효시킨다.

* 덧술 :

1. 멥쌀 2말을 백세하여 물에 담가 불렸다가 (다시 씻어 건져서 물을 뺀 후) 시루에 안쳐서 고두밥을 짓는다.
2. 끓는 물 5병을 끓이다가, 고두밥이 익었으면 한데 합하고, 고루 헤쳐서 차게 식기를 기다린다.
3. 고두밥에 밑술과 누룩가루(1되)를 더 넣고, 고루 버무려 술밑을 빚는다.
4. 술밑을 독에 담아 안치고, 예의 방법대로 하여 7일간 발효시킨다.

* 주방문 말미에 "술을 많이 나게 하려면 술 주위에 정화수 두세 병 임의로 부어 드리우라."고 하였다. 후수하는 방법이다. 후수는 술이 숙성된 후에 해야만 실패가 없다.

ᄇᆡᆨ화쥬법

ᄇᆡᆨ미 한 말 ᄇᆡᆨ 번 씨서 ᄀᆞᄅᆞ 만다러 그ᄅᆞᆺ싀 담고 더온 물 두 병 반 부어 섯거 식거든 누록ᄀᆞᄅᆞ 되ᄀᆞ옷 밀ᄀᆞᄅᆞ 되ᄀᆞ옷 싀금 한 되 섯거 항의 너헛다가 ᄉᆞ흘 만의 ᄇᆡᆨ미 두 말 ᄇᆡᆨ세ᄒᆞ야 닉게 쪄 ᄭᅳᆯ힌 물 다ᄉᆞᆺ 병 부어 섯거 식은 후의 쳐음 비즌 술밋츨 섯글 제 누록ᄀᆞᄅᆞᆯ 써 너허 닐헤 지나거든 닉ᄂᆞ니 심지불 ᄒᆞ야 독 쇽의 너허 써지:아니면 닉고 써지면 서럿ᄂᆞ니 술을 만히 내려ᄒᆞ면 쥬주의 드리올 제 정화슈 두세 병 임의로 부어 드리우라.

## 7. 백화주 <양주집(釀酒集)>

술 재료 : 밑술 : 멥쌀 1말, 가루누룩 2되, 진말 2되, 끓는 물 3병
덧술 : 멥쌀 2말, (끓는) 물 5~6병

술 빚는 법 :

* 밑술 :

1. 멥쌀 1말을 백세하여 (물에 담가 불렸다가, 새 물에 다시 씻어 맑게 헹궈 건져서 물기를 뺀 후) 세말한다(고운 가루로 빻는다).
2. 솥에 물 3병을 붓고 끓여서 멥쌀가루에 골고루 붓고, 주걱으로 고루 개어 담(범벅)을 만들어 하룻밤 재워 차게 식기를 기다린다.
3. 차게 식힌 담에 가루누룩 2되와 진말 2되를 섞고, 고루 버무려 술밑을 빚는다.
4. 술독에 술밑을 담아 안치고, 예의 방법대로 하여 7일간 발효시킨다.

* 덧술 :
1. 멥쌀 2말을 백세하여 물에 담가 하룻밤 불렸다가 (새 물에 다시 씻어 맑게 헹궈 건져서 물기를 뺀 후) 시루에 안쳐서 고두밥을 짓는다.
2. 고두밥이 익었으면 넓은 그릇에 펴내고 (끓는) 물 5~6병을 합하여 하룻밤 재워두었다가, 고두밥이 차게 식기를 기다린다.
3. 차게 식은 고두밥에 밑술을 쏟아 붓고, 고루 버무려 술밑을 빚는다.
4. 술독에 술밑을 담아 안치고, 예의 방법대로 하여 이칠일(14일)간 발효시킨다.

* 주방문에 "쌀과 누룩을 더하여 빚으면 좋고, 추우면 14일이 더 걸리고 밑술도 7일이 더 걸린다. 물을 5병 두면 지주(旨酒)라."하였다. 덧술을 빚을 때 "멥쌀 2말을 백세하여 하룻밤 재워 쌀 1말에 물 3병씩 두었다가 이튿날 섞어 넣으라."고 되어 있으나, 고두밥을 짓고 '끓는 물'을 고두밥에 합한 뒤에 차게 식을 때까지 하룻밤 재워서 빚는 것이 옳을 것으로 생각된다.

白花酒(試之則此酒三方中无爲香甘至毒第一極好也)

白米 一斗 百洗 細末ᄒᆞ야 믈 세 병ᄋᆡ ᄃᆞᆷ ᄀᆡ여 ᄃᆞᆺ다가 이틋날 ᄀᆞ로누록 두 되 진말 두 되 섯거ᄃᆞ가 七日 지나거든 白米 二斗 百洗ᄒᆞ야 밤 자여 밥 뼈 ᄒᆞᆫ 말ᄋᆡ 믈 세 병식 두엇다가 잇틋날 섯거 너허 二七日 지나거든 ᄡᅳ라. ○ 헤아려 ᄡᆞᆯ과 누록을 더 더ᄒᆞ 비ᄌᆞ면 됴코, 치위면 二七日이 남고 밋술도 치위면 七日 남ᄂᆞ니라. 믈을 다ᄉᆞᆺ 병 두면 지듀라.

## 8. 우(又) 백화주 <양주집(釀酒集)>

술 재료 : 밑술 : 멥쌀 1말, 가루누룩 1되, 진말 1되, 엿기름 3홉, 끓는 물 2병
덧술 : 멥쌀 2말, 끓는 물 5(6)병

술 빚는 법 :

* 밑술 :

1. 멥쌀 1말을 백세하여 (물에 담가 불렸다가, 새 물에 다시 씻어 맑게 헹궈 건져서 물기를 뺀 후) 세말한다(고운 가루로 빻아 넓은 그릇에 담아놓는다).
2. 솥에 물 2병을 붓고 끓여 쌀가루에 고루 붓고, 주걱으로 고루 개어 담(범벅)을 쑨 후, 차게 식기를 기다린다.
3. 차게 식은 담(범벅)에 가루누룩 1되와 진말 1되, 엿기름가루 3홉을 섞고, 고루 치대어 술밑을 빚는다.
4. 술독에 술밑을 담아 안치고, 예의 방법대로 하여 3일간 발효시킨다.

* 덧술 :

1. 밑술이 괴어오르면, 멥쌀 2말을 백세하여 (물에 담가 불렸다가, 새 물에 다시 씻어 맑게 헹궈 건져서 물기를 뺀 후) 시루에 안쳐서 고두밥을 짓는다.
2. 솥에 물 5~6병을 끓이다가, 고두밥이 익었으면 넓은 그릇에 펴 담고, 끓는 물을 고두밥에 합하여 차게 식기를 기다린다.
3. 고두밥에 밑술을 쏟아 붓고, 고루 버무려 술밑을 빚는다.
4. 술독에 술밑을 담아 안치고, 예의 방법대로 하여 (14~21일간) 발효시킨다.

* 밑술의 발효 도중 술이 끓어 넘쳤다. 끓어 넘친 양을 감안하여 덧술의 양을 줄였으나 마찬가지였다. 주방문에 "되게 하려면 5병이오, 늦게 하려면 물 6병을 끓여 골화다가 식거든 밑술에 섞었다가 익어 물이 안거든 드리오라."고 한 이유를 알게 되었다. 필요에 따라서 물의 양을 가감하고 담을 만들 때 끓

는 물의 온도와 주걱으로 개는 일이 매우 단시간에 이뤄져야 한다는 사실을 깨닫게 되었다.

又 白花酒(試之則味甘辛毒好矣然酒出甚小)

白米 一斗 百洗細末ᄒᆞ야 ᄭᅳᆯ인 믈 두 병의 ᄃᆞᆷ 가여 식거든 ᄀᆞ로누록 ᄒᆞᆫ 되 진말 ᄒᆞᆫ 되 엿기롬ᄀᆞ로 서 홉 섯거 녀허다가 三日 만의 막 괴여 오를 제 白米 二斗 百洗ᄒᆞ야 밥 ᄶᅧ 믈을 되게 ᄒᆞ면 다삿 병이오, 늣게 ᄒᆞ면 여삿 병을 ᄭᅳᆯ혀 골화다가 식거든 밋술의 섯거다가 닉어 믈이 안거든 드리오라.

## 9. 우우(又又) 백화주 <양주집(釀酒集)>

술 재료 : 밑술 : 멥쌀 3말, 누룩 3되, 진말 3되, 끓는 물 4말
덧술 : 멥쌀 3말, 끓는 물 4말

술 빚는 법 :

* 밑술 :

1. 멥쌀 3말을 백세하여 (물에 담가 불렸다가, 새 물에 다시 씻어 맑게 헹궈 건져서 물기를 뺀 후) 세말한다(고운 가루로 빻는다).
2. 솥에 물 4말을 끓여 쌀가루에 골고루 붓고, 주걱으로 고루 개어 담(범벅)을 만들어 차게 식기를 기다린다.
3. 담(범벅)에 누룩 3되와 진말 3되를 한데 섞고 고루 힘껏 치대어 술밑을 빚는다.
4. 술독에 술밑을 담아 안치고, 예의 방법대로 하여 7일간 발효시킨다.

* 덧술 :

1. 멥쌀 3말을 백세하여 (물에 담가 불렸다가, 새 물에 다시 씻어 맑게 헹궈 건

져서 물기를 뺀 후) 시루에 안쳐서 고두밥을 짓는다.
2. 솥에 물 4말을 끓이다가, 고두밥이 익었으면 넓은 그릇에 퍼 담고 끓는 물과 합하여, 차게 식기를 기다린다.
3. 고두밥에 밑술을 합하고, 고루 버무려 술밑을 빚는다.
4. 술독에 술밑을 담아 안치고, 예의 방법대로 하여 7일간 발효시킨다.

* 7일 만에 완숙되지는 않는다.

又又 白花酒(試之則酒多味好矣)
白米 三斗 百洗細末ᄒᆞ야 ᄭᅳᆯ인 믈 너 말ᄋᆡ 듬 ᄀᆡ여 식거든 曲子 眞末 各 三升 섯거다가 七日 만ᄋᆡ 白米 三斗 百洗ᄒᆞ야 밥 ᄶᅧ ᄭᅳᆯ인 믈 너 말ᄋᆡ 골화 식거든 밋술ᄋᆡ 섯거다가 七日 지나거든 ᄡᅳ라.

## 10. 백화주방 <역주방문(曆酒方文)>

술 재료 : 멥쌀 3말, 누룩가루 1되, 밀가루 1되, 백비탕 3말 5되, 끓는 물 3말

술 빚는 법 :
1. 멥쌀 1말 5되를 백세하여(물에 백 번 씻어 매우 깨끗하게 헹군 뒤, 새 물에 담가 불렸다가 다시 씻어 말갛게 헹궈서) 물기를 뺀 뒤, 작말한다(가루로 빻는다).
2. 물 4말을 백비탕으로 끓여 3말 5되가 되게 한 다음, 쌀가루에 골고루 나눠 붓고, 주걱으로 고루 섞고, 힘껏 치대어 속까지 투명한 반생반숙의 범벅을 만든다.
3. 범벅을 항아리에 담아 안치고 뚜껑을 덮어 7일간 삭힌다.
4. 7일째 되는 날, 끓는 물 3말을 삭힌 범벅에 붓고 골고루 저어준 뒤, 식기를 기다린다.

5. 술독에 누룩가루 1되와 밀가루 1되를 한데 섞고, 고루 버무려 술밑을 빚는다.
6. 술밑을 담아 안친 술독은 (술독 주둥이에 묻은 것을 깨끗하게 씻어내고, 베 보자기와 뚜껑을 덮어) 7일간 발효시켜 사용한다.

白花酒方

白(斗/米)三斗百洗作末更以四斗水煎湯經三斗五升甚匀和合挼匀挼磨之候極冷經七日後又湯水三斗調匀入曲末一升眞末一升和匀於釀本經七後用之.

## 11. 백화주방 <역주방문(曆酒方文)>

술 재료 : 밑술 : 멥쌀 1말, 누룩가루 1되 2홉~1되 5홉, 밀가루 1되 5홉, 서김 1되, 끓는 물 3병
덧술 : 멥쌀 2말, 누룩가루 1되, 끓는 물 6병

술 빚는 법 :

* 밑술 :

1. 멥쌀 1말을 백세하여(물에 백 번 씻어 새 물에 담가 불렸다가, 다시 씻어 말갛게 헹궈서 물기를 뺀 후) 작말하여(가루로 빻아) 그릇에 담아놓는다.
2. 물 3병을 팔팔 끓여 쌀가루에 붓고, 주걱으로 고루 섞어 (반생반숙의 범벅을 만들어 뚜껑을 덮고) 차게 식기를 기다린다.
3. 차게 식힌 범벅에 누룩가루 1되 5홉과 밀가루 1되 5홉, 서김 1되를 넣고, 매우 치대어 술밑을 빚는다.
4. 술독에 술밑을 안치고, 예의 방법대로 하여 7일간 발효시킨다.

* 덧술 :

1. 멥쌀 2말을 백세한다(새 물에 담가 불렸다가, 다시 씻어 건져서 물기를 빼

놓는다).

2. 불린 쌀을 시루에 안쳐서 무른 고두밥을 짓고, 솥에 물 6병을 오랫동안 팔팔 끓인다.
3. 고두밥이 익었으면 퍼내어 넓은 그릇에 담아놓고, 끓고 있는 물 6병을 즉시 멥쌀고두밥에 골고루 뿌려주고, 주걱으로 고루 헤쳐서 풀어놓는다.
4. 고두밥이 물을 다 먹었으면, 그릇에 뚜껑을 덮어두고 차게 식기를 기다린다.
5. 식은 고두밥에 밑술과 누룩가루 1되를 합하고, 고루 버무려 술밑을 빚는다.
6. 술독에 술밑을 안치고, 예의 방법대로 하여 18일간 발효시킨다.

白花酒方

白米一斗百洗作末以湯水三瓶調匀候冷曲末眞末各一升五合鉏金一升和合盛于瓮中七日後又收白米二斗百洗農作飯以湯水六瓶調合後極冷又收曲末一升同釀於上酒本十八日後以紙炷燃大納于瓮中火不滅其己熟矣熟後更以添水若欲味烈(則)初以水二瓶半量取釀之.

## 12. 백화주방 <역주방문(曆酒方文)>

–지주 빚는 법

술 재료 : 밑술 : 멥쌀 1말, 누룩가루 1되 2홉~1되 5홉, 밀가루 1되 5홉, 끓는 물 2병 반

덧술 : 멥쌀 2말, 누룩가루 1되, 끓는 물 6병

술 빚는 법 :

* 밑술 :

1. 멥쌀 1말을 백세하여(물에 백 번 씻어 새 물에 담가 불렸다가, 다시 씻어 말갛게 헹궈서 물기를 뺀 후) 작말하여(가루로 빻아) 그릇에 담아놓는다.

2. 물 2병 반을 팔팔 끓여 쌀가루에 붓고, 주걱으로 고루 섞어 (반생반숙/범벅을 만들어 뚜껑을 덮고) 차게 식기를 기다린다.
3. 차게 식힌 범벅에 누룩가루 1되 5홉과 밀가루 1되 5홉을 넣고, 매우 치대어 술밑을 빚는다.
4. 술독에 술밑을 안치고, 예의 방법대로 하여 7일간 발효시킨다.

* 덧술 :
1. 멥쌀 2말을 백세한다(새 물에 담가 불렸다가, 다시 씻어 건져서 물기를 빼 놓는다).
2. 불린 쌀을 시루에 안쳐서 무른 고두밥을 짓고, 솥에 물 6병을 오랫동안 팔팔 끓인다.
3. 고두밥이 익었으면 퍼내어 넓은 그릇에 담아놓고, 끓고 있는 물 6병을 즉시 멥쌀고두밥에 골고루 뿌려주고, 주걱으로 고루 헤쳐서 풀어놓는다.
4. 고두밥이 물을 다 먹었으면, 그릇에 뚜껑을 덮어두고 차게 식기를 기다린다.
5. 식은 고두밥에 밑술과 누룩가루 1되를 합하고, 고루 버무려 술밑을 빚는다.
6. 술독에 술밑을 안치고, 예의 방법대로 하여 18일간 발효시킨다.

* '백화주방(百花酒方)' 주방문에 "만일 맛있는 술을 하려면 처음에 물 2병 반을 사용하여 빚는다."고 하였으므로 이에 따랐다. 본 방문은 <증보산림경제>의 '백하주법(白霞酒法)'과 동일하다. 따라서 '백하주(白霞酒)'를 '백화주'로 잘못 옮긴 듯하다. <증보산림경제>는 1767년간이고, <역주방문>은 1800년대 중엽에 간행된 기록이기 때문이다.

百花酒方

白米一斗百洗作末以湯水三瓶調匀候冷曲末眞末各一升五合鉏金一升和合盛于瓮中七日後又收白米二斗百洗農作飯以湯水六瓶調合後極冷又收曲末一升同釀於上酒本十八日後以紙炷燃大納于瓮中火不滅其己熟矣熟後更以添水若欲味烈(則)初以水二瓶半量取釀之.

## 13. 백화주방 <역주방문(曆酒方文)>

술 재료 : 찹쌀 1말, 누룩가루 적당량(1되), 정화수 1동이, 물 적당량(3~4되)

술 빚는 법 :

1. 찹쌀 1말을 깨끗하게 일어내고, 백세하여(물에 백 번 씻어 매우 깨끗하게 헹군 뒤) 물기를 뺀다.
2. 정화수 1동이에 씻어낸 쌀을 합하고, 3일간 담가놓는다.
3. 쌀을 다시 씻어 헹궈 건져서 시루에 안치고, 잘 익은 고두밥을 쪄낸다(차디차게 식기를 기다린다).
4. 누룩가루 적당량(1되)을 물(3~4되)에 풀어 넣고, 수곡을 만들어 놓는다.
5. 찹쌀고두밥에 미리 준비해 둔 수곡을 한데 섞고, 고루 버무려 술밑을 빚는다.
6. 소독하여 물기 없이 준비한 술독에 술밑을 담아 안친 다음 (술독 주둥이에 묻은 것을 깨끗하게 씻어내고, 베보자기와 뚜껑을 덮어) 3일간 발효시킨다.

* 단양주법 '백화주'는 매우 드물다. 수곡을 사용한 이유가 여기에 있다. '백화주(白花酒)'의 오기인 듯하다.

百花酒方

粘米一斗精舂百洗浸於井華水一盆三日後極出濃蒸飯入曲末量宜釀之而(如)用浸曲水過三日後用之.

## 14. 백화주 <음식디미방>

술 재료 : 밑술 : 멥쌀 2말, 누룩가루 2되, 밀가루 1되, 끓는 물 2말
덧술 : 멥쌀 4말, 누룩가루 1되, 끓는 물(2말)

술 빚는 법 :

* 밑술 :

1. 멥쌀 2말을 백세하여(깨끗하게 씻어 물에 담가 불렸다가, 다시 씻어 헹궈서 물기를 뺀 후) 작말한다(가루로 빻는다).
2. 솥에 물 2말을 붓고 팔팔 끓여 쌀가루에 골고루 나눠 붓고, 주걱으로 고루 개어서 담(범벅)을 만들어 차게 식기를 기다린다.
3. 차게 식힌 담(범벅)에 누룩가루 2되와 밀가루 1되를 섞고, 고루 버무려 술 밑을 빚는다.
4. 술밑을 술독에 담아 안치고, 예의 방법대로 하여 7일간 발효시킨다.

* 덧술 :

1. 멥쌀 4말을 백세하여(깨끗하게 씻어 물에 담가 불렸다가, 다시 씻어 헹궈서 물기를 뺀 후) 시루에 안쳐서 고두밥을 짓는다.
2. 물 (2)말을 (팔팔 끓여) 고두밥에 골고루 붓고 고두밥을 헤쳐 두었다가, 고두밥이 물을 다 먹었으면 (그릇 여러 개에 나눠) 차게 식기를 기다린다.
3. 고두밥에 누룩가루 1되와 밑술을 합하고, 고루 버무려 술밑을 빚는다.
4. 술독에 술밑을 담아 안치고, 예의 방법대로 하여 20일간 발효·숙성시킨다.

ᄇᆡᆨ화쥬
ᄇᆡᆨ미 두 말 ᄇᆡᆨ셰작말ᄒᆞ여 믈 두 말 글혀 ᄃᆞᆷ ᄀᆡ여 국말 두 되 진말 ᄒᆞᆫ 되 녀허 ᄃᆞᆺ다가 닐웨 지내거든 ᄡᆞᆯ 너 말 ᄇᆡᆨ셰ᄒᆞ여 ᄂᆡᆨ게 쪄 밥애 믈이즐 분ᄒᆞᆯ만 골라 국말 ᄒᆞᆫ 되 섯거 녀허 ᄉᆞ무 날 후 ᄡᅳᄂᆞ니라.

## 15. 백화주법 <음식보(飮食譜)>

술 재료 : 밑술 : 멥쌀 1말 5되, 누룩가루 1되 5홉, 밀가루 1홉, 끓는 물 2말
덧술 : 멥쌀 3말 5되, 가루누룩 1되 7홉, 밀가루 1되 7홉, 끓는 물 4말 7되

술 빚는 법 :

* 밑술 :

1. 멥쌀 1말 5되를 백세(깨끗하게 씻어 물에 담가 불렸다가, 다시 씻어 헹궈서 물기를 뺀 후) 작말하여 체에 내려서 동이에 담아놓는다.
2. 솥에 물 2말을 팔팔 끓여서 쌀가루에 붓고, 주걱으로 고루 개어서 범벅을 쑤어, 그릇 여러 개에 나눠 서늘하게 식기를 기다린다.
3. 차게 식은 죽에 가루누룩 1되 5홉과 밀가루 1홉을 합하고, 고루 버무려 술밑을 빚는다.
4. 술밑을 술독에 담아 안치고, 예의 방법대로 하여 괴어올랐다가 가라앉을 때까지 발효시킨다.

* 덧술 :

1. 멥쌀 3말 5되를 백세하여 (물에 담가 불렸다가, 다시 헹궈서 물기를 뺀다.)
2. 불린 찹쌀을 시루에 안쳐서 고두밥을 짓고, 솥에 물 4말 7되를 팔팔 끓인다.
3. 익었으면 넓은 그릇 여러 개에 펴 담고, 끓는 물을 고두밥에 골고루 퍼붓고, 주걱으로 고루 헤쳐서 서늘하게 식기를 기다린다.
4. 고두밥에 밑술과 가루누룩 1되 7홉과 밀가루 1되 7홉을 합하고, 고루 버무려 술밑을 빚는다.
5. 술밑을 술독에 담아 안치고, 예의 방법대로 하여 발효시켜서 익으면 채주한다.

* 덧술에 밀가루를 사용하지 않는 방법보다 맛이 좋지 못하였다.

ᄇᆡᆨ화듀법

ᄇᆡᆨ미 마 닷 되 ᄇᆡᆨ셰작말ᄒᆞ야 믈 두 말 ᄭᅳᆯ려 그 ᄀᆞᆯᄅᆞᆫ 동ᄒᆡ에 담고 그 믈을 ᄲᅧ 부어 ᄀᆡ면 반은 ᄂᆡᆨ고 반은 서ᄂᆞ니 ᄎᆡ거든 ᄀᆞᄅᆞ누록 칠 홉 진ᄀᆞᄅᆞ 홉 섯거 ᄃᆞᆺ 닷가 괴여 ᄀᆞᆯ안거든 ᄇᆡᆨ미 서 말 닷 되 ᄇᆡᆨ세ᄒᆞ야 밥 져 탕슈 너 말 닐곱 되 ᄭᅳᆯ 와 식거든 ᄀᆞᄅᆞ누록 되 칠 홉 진ᄀᆞᄅᆞ 되 칠 홉 섯거 너흐라.

## 16. 백화주방문 <주방(酒方)>*

술 재료 : 밑술 : 멥쌀 2말, 가루누룩 3홉, 밀가루 1되, 끓는 물 3말
덧술 : 멥쌀 5말, 가루누룩 7홉, 밀가루 2되, 끓는 물 7말 5되

술 빚는 법 :

* 밑술 :

1. 멥쌀 2말을 백세하여 (물에 담가 불렸다가, 다시 씻어 말갛게 헹궈서 물기를 뺀 후) 작말한다(넓은 그릇에 담아놓는다).
2. 솥에 물 3말을 고붓지게(솟구치게) 끓이고, 쌀가루에 끓는 물을 퍼붓고, 주걱으로 고루 개어 반생반숙의 범벅을 쑨다.
3. 범벅은 주걱으로 고루 헤쳐 덩어리진 것이 없이 풀어놓고, 차디차게 식기를 기다린다.
4. 범벅에 가루누룩 3홉, 밀가루 1되를 한데 합하고, 고루 버무려 술밑을 빚는다.
5. 술밑을 술독에 담아 안치고, 예의 방법대로 하여 발효시켜 물이 앉는 듯하면 덧술을 준비한다.

* 덧술 :

1. 멥쌀 5말을 백세하여 (물에 담가 불렸다가, 다시 씻어 헹궈서 물기를 뺀 후) 시루에 안쳐 무른 고두밥을 짓는다.
2. 솥에 물 7말 5되를 팔팔 끓이다가, 고두밥이 무르게 익었으면 넓은 그릇에 퍼 담고, 끓는 물을 한데 합한다(주걱으로 고두밥을 고루 헤쳐 놓는다).
3. 고두밥이 (물을 다 먹었으면 넓은 그릇에 나눠 담고 뚜껑을 덮어) 차게 식기를 기다린다.
4. 고두밥에 밑술과 가루누룩 7홉, 밀가루 2되를 한데 합하고, 고루 버무려 술밑을 빚는다.
5. 술밑을 술독에 안치고, 예의 방법대로 하여 27일간 발효시켜 익기를 기다린다.

ᄇᆡᆨ화듀방문

ᄇᆡᆨ미 두 말 ᄇᆡᆨ셰작말ᄒᆞ야 물을 고ᄇᆡ나게 ᄭᆞᆯ혀 ᄀᆞᄅᆞᄅᆞᆯ 그ᄅᆞ싀 담고 ᄭᆞᆯᄒᆞᆫ 물 서 말 닓곱 되를 ᄀᆞᄅᆞ 다믄 그ᄅᆞ싀 퍼 부어 ᄀᆡ면 반은 닉고 반은 설게 ᄀᆡ여 ᄀᆞ장 ᄎᆡ와 ᄀᆞᄅᆞ누록 서 홉과 진ᄀᆞᄅᆞ ᄒᆞᆫ 되 녀허 두엇다가 고여 물 안ᄂᆞᆫ ᄃᆞᆺᄒᆞ거든 ᄇᆡᆨ미 닷 말 ᄇᆡᆨ셰ᄒᆞ야 뼈 ᄭᆞᆯᄒᆞᆫ 물 닓곱 말 닷 되 골라 ᄎᆞ거든 ᄀᆞᄅᆞ누록 칠 홉과 진ᄀᆞᄅᆡ 두 되 섯거 그 밋틔 교합하여 비ᄌᆞ면 쓰므닐웨 만의 쓰거니와 괴ᄂᆞᆫ 양으로 먹ᄂᆞ니라.

## 17. 백화주 <주방문(酒方文)>

술 재료 : 밑술 : 멥쌀 1말, 누룩 1되 5홉, 서김 1복자, 끓는 물 1말 8되
덧술 : 멥쌀 2말, 밀가루 7홉, 끓는 물 3말 6되

술 빚는 법 :

* 밑술 :

1. 멥쌀 1말을 백세하여 물에 담가 하룻밤 불렸다가, 다시 씻어 말갛게 헹궈서 물기를 뺀 후) 작말한다(가루로 빻는다).
2. 솥에 물 1말 8되를 팔팔 끓여 쌀가루에 골고루 나눠 붓고, 주걱으로 개어 범벅을 쑨 후, 넓은 그릇에 펴서 차게 식기를 기다린다.
3. 죽에 누룩가루 1되 5홉과 서김 1복자를 합하고, 고루 버무려 술밑을 빚는다.
4. 술밑을 술독에 담아 안치고, 예의 방법대로 하여 발효시킨다.

* 덧술 :
1. 멥쌀 2말을 백세하여 물에 담아 밤재웠다가 (다시 씻어 헹궈서 물기를 뺀 후) 시루에 안쳐 고두밥을 짓는다.
2. 솥에 물 3말 6되를 팔팔 끓이고, 고두밥이 익었으면 한데 합한다(주걱으로 고두밥을 고루 헤쳐 놓는다).
3. 고두밥이 (물을 다 먹었으면 넓은 그릇에 나눠 담고 뚜껑을 덮어) 차게 식기를 기다린다.
4. 고두밥에 밑술과 밀가루 7홉을 합하고, 고루 버무려 술밑을 빚는다.
5. 술밑을 술독에 담아 안치고, 예의 방법대로 하여 발효시키고 익기를 기다린다.

* 주방문 말미에 "서김이 없으면 덧술을 할 때 누룩 7홉을 더 넣으라. 석김 넣어 하면 5~6일 만에 익는다."고 하였으나 7일만에는 술이 익지는 않았다.

백화주(白花酒)

백미 한 말 백세하든 밤자여 작말하여 물 말 여덟 되 끓여 게되 반은 선듯하게 하여 식거든 누룩 되가웃 서김 한 복자 고룻 석거 대엿쇈 만의 닉거든 백미 두 말 백세하든 밤자여 니기 쪄 물 서 말 엿 되 끓여 골와 식거든 진가루 칠 홉 녀허 매이 쳐 비져 닉거든 쓰라. 쌀 한 말의 매 물 여듧 되 드나니 서김이 업거든 다플 제 누록 칠 홉을 더 녀흐라. 석김 곳 녀하면 대여쇄 만의 닉나니라.

## 18. 백화주 <주방문조과법(造果法)>

–엿 말 비지법

술 재료 : 밑술 : 멥쌀 2말, 누룩 3되, 밀가루 3되, 끓는 물 3말
덧술 : 멥쌀 4말, 누룩 2되, 끓는 물 5말

술 빚는 법 :

* 밑술 :

1. 멥쌀 2말을 백세하여 물에 담가 하룻밤 불렸다가 (다시 씻어 헹궈서) 작말한다.
2. 솥에 물 3말을 팔팔 끓여 쌀가루에 골고루 나눠 붓고, 주걱으로 고루 담(범벅)을 개어 (그릇 여러 개에 나눠 담고 뚜껑을 덮어) 차게 식기를 기다린다.
3. 담(범벅)에 누룩 3되와 밀가루 3되를 합하고, 고루 치대어 술밑을 빚는다.
4. 술밑을 술독에 담아 안치고, 예의 방법대로 하여 3일간 발효시킨다.

* 덧술 :

1. 멥쌀 4말을 백세하여 물에 담가 하룻밤 불렸다가 (다시 씻어 헹궈서 물기를 뺀 후) 시루에 안쳐서 고두밥을 짓는다.
2. 솥에 물 5말을 팔팔 끓이다가, 고두밥이 익었으면 그릇에 퍼 담고, 끓는 물을 고두밥에 골고루 붓고, 주걱으로 고루 섞어놓는다.
3. 고두밥이 물을 다 먹었으면, 진고두밥을 (삿자리에 골고루 펼쳐서) 차게 식기를 기다린다.
4. 차게 식은 진고두밥에 누룩 2되와 덧술을 합하고, 고루 치대어 술밑을 빚는다.
5. 술밑을 술독에 담아 안치고, 예의 방법대로 하여 7일간 발효시킨다.

백화쥬

엿 말 비지법. 백미 두 말 백셰하여 밤자여 가른(루) 찌허 믈 서 말을 가장 끌

혀 담 개여 차거든 누록 서 되 진가른 서 되 쳐 녀혓다가 삼밀(일) 후의 백미 너 말 백셰하야 닉게 쪄 물 닷 말들(을) 끌혀 와 골라(와) 게른(거른) 누록 두 되 그 밋술의 섯거 여 덧(하였)다가 칠일 후의 쓰라.

## 19. 백화주법 <주방문조과법(造果法)>

–열두 말 빗이

> 술 재료 : 밑술 : 멥쌀 5말, 누룩 1되, 밀가루 1켜(되), 끓는 물 4말
> 덧술 : 멥쌀 5말, 누룩 1되, 밀가루 1되, 끓는 물 4말

술 빚는 법 :

＊밑술 :

1. 멥쌀 5말 백세하여 물에 담가 밤재워 불렸다가 (다시 씻어 헹궈) 가루로 빻는다.
2. 솥에 물 4말을 붓고 팔팔 끓여 쌀가루에 고루 나눠 붓고, 주걱으로 고루 개어 담(범벅)을 쑨다.
3. 담(범벅)을 그릇 여러 개에 나눠 담고 (뚜껑을 덮어서) 차게 식기를 기다린다.
4. 차게 식은 담(범벅)에 누룩 1되와 밀가루 1되를 한데 합하고, 고루 치대어 술밑을 빚는다.
5. 술밑을 술독에 담아 안치고, 예의 방법대로 하여 7일간 발효시켜, 술밑이 괴어오르면 덧술을 한다.

＊덧술 :

1. 멥쌀 5말을 백세하여 물에 담가 밤재워 불렸다가 (다시 씻어 헹궈서 물기를 뺀 후) 시루에 안쳐 고두밥을 짓는다.
2. 솥에 물 4말을 팔팔 끓이다가, 고두밥이 익었으면 넓고 큰 그릇에 펴 담고, 즉

시 끓는 물을 한데 합하고 고루 섞어, 얼음같이 차게 식기를 기다린다.
3. 차게 식은 고두밥에 누룩가루 1되와 밀가루 1되, 밑술을 한데 섞고, 고루 버무려 술밑을 빚는다.
4. 술밑을 술독에 담아 안치고, 예의 방법대로 하여 발효시킨다.

* 주방문 머리에 "열두 말 비지면 열 말식하고"라고 하였으므로, 이로 미루어 쌀 양이 아닌 완성된 술(청주) 양에 따른 주품명임을 알 수 있다. 이에 주방문을 작성하였다.

백화쥬법
열두 말 비지면 열 말식 하고 열 말 비지면 백미 서 말 백셰하여 하론발 담가 닷가 가른 지혀 믈 너 말 끌혀 그 글릐 섯(거) 식거든 진가른(루) 한 켜 누록 한 되 섯거 독의 녀코 괴거든 닌원만의 백미 서 말 백셰하여 담갓다가 이튼날 밥을 떠(쪄) 또 물 너 말 글혀 그 물로 골와 식거든 또 진가른 한 되 누룩 한 되 섯거 녀흐면 백 번의 한 번도 그릇되어지 아니하나니라.

## 20. 백화주법 <주방문조과법(造果法)>
–열 말 빗이

술 재료 : 밑술 : 멥쌀 3말, 누룩 1되, 밀가루 1켜(되), 끓는 물 4말
덧술 : 멥쌀 3말, 누룩 1되, 밀가루 1되, 끓는 물 4말

술 빚는 법 :
* 밑술 :
1. 멥쌀 3말 백세하여 물에 담가 밤재워 불렸다가 (다시 씻어 헹궈) 가루로 빻는다.

2. 솥에 물 4말을 붓고 팔팔 끓여 쌀가루에 고루 나눠 붓고, 주걱으로 고루 개어 담(범벅)을 쑨다.
3. 담(범벅)을 그릇 여러 개에 나눠 담고 (뚜껑을 덮어서) 차게 식기를 기다린다.
4. 차게 식은 담(범벅)에 누룩 1되와 밀가루 1되를 한데 합하고, 고루 치대어 술밑을 빚는다.
5. 술밑을 술독에 담아 안치고, 예의 방법대로 하여 7일간 발효시켜, 술밑이 괴어오르면 덧술을 한다.

* 덧술 :
1. 멥쌀 3말을 백세하여 물에 담가 밤재워 불렸다가 (다시 씻어 헹궈서 물기를 뺀 후) 시루에 안쳐 고두밥을 짓는다.
2. 솥에 물 4말을 팔팔 끓이다가, 고두밥이 익었으면 넓고 큰 그릇에 펴 담고, 즉시 끓는 물을 한데 합하고 고루 섞어, 얼음같이 차게 식기를 기다린다.
3. 차게 식은 고두밥에 누룩가루 1되와 밀가루 1되, 밑술을 한데 섞고 고루 버무려 술밑을 빚는다.
4. 술밑을 술독에 담아 안치고, 예의 방법대로 하여 발효시킨다.

백화쥬법

열두 말 비지면 열 말식 하고 열 말비지면 백미 서 말 백셰하여 하론발 담가 닷가 가른 지혀 믈 너 말 끌혀 그 글릐 섯(거) 식거든 진가른(루) 한 켜 누록 한 되 섯거 독의 녀코 괴거든 닌원만의 백미 서 말 백셰하여 담갓다가 이튼날 밥을 떠(쪄) 또 물 너 말 글혀 그 물로 골와 식거든 또 진가른 한 되 누룩 한 되 섯거 녀흐면 백 번의 한 번도 그릇되어지 아니하나니라.

## 21. 백화주 <주방문조과법(造果法)>

–서 말 비지법

술 재료 : 밑술 : 멥쌀 1말, 누룩 1되 5홉, 밀가루 1되 5홉, 끓는 물 5되(4되)
덧술 : 멥쌀 2말, 누룩 1되, 끓는 물 2말 5되(2말 4되)

술 빚는 법 :

* 밑술 :

1. 멥쌀 1말을 백세하여 물에 담가 불렸다가 (다시 씻어 헹궈서) 가루로 빻는다.
2. 솥에 물 5되를 붓고 팔팔 끓여 쌀가루에 고루 나눠 붓고, 주걱으로 고루 개어 담(범벅)을 쑨다.
3. 담(범벅)을 그릇 여러 개에 나눠 담고 (뚜껑을 덮어서) 차게 식기를 기다린다.
4. 차게 식은 담(범벅)에 누룩 1되 5홉과 밀가루 1되 5홉을 한데 합하고, 고루 치대어 술밑을 빚는다.
5. 술밑을 술독에 담아 안치고, 예의 방법대로 하여 3일간 발효시킨다.

* 덧술 :

1. 멥쌀 2말을 백세하여 물에 담가 불렸다가 (다시 씻어 헹궈서 물기를 뺀 후) 시루에 안쳐 고두밥을 짓는다.
2. 솥에 물 2말 5되(2말 4되)를 팔팔 끓이다가, 고두밥이 익었으면 넓고 큰 그릇에 펴 담고, 즉시 끓는 물을 한데 합하고 고루 섞어, 얼음같이 차게 식기를 기다린다.
3. 차게 식은 고두밥에 누룩가루 1되와 밑술을 한데 합하고, 고루 버무려 술밑을 빚는다.
4. 술밑을 술독에 담아 안치고, 예의 방법대로 하여 7일간 발효시킨다.

* 주방문 말미에 "물을 한 되식 덜면 쥬(술이)가 돈(좋)나니라."고 하였다.

백화쥬

서 말 비지법. 백미 한 말 백셰하여 가른 찌허 물 말 닷 되을(를) 가장 끌허 반생반숙하게 담 억(닉)게 개여 차거든 가른누록 되가웃 진가른 되가웃 한데 쳐 녀헛가가 살일 후의 백미 두 말 백셰하여 닉게 떠(쪄) 물 두 말 닷 되을 끌혀 채와 골라 가른누록 한 되들(를) 그 밋술의 섯거 녀헛다가 칠일 후의 쓰라. 물을 한 되식 덜면 쥬가 돈(좋)나니라.

## 22. 백화주법 <주방문초(酒方文抄)>

술 재료 : 밑술 : 멥쌀 5말, 가루누룩 4되, 밀가루 2되, 끓는 물 8말
덧술 : 멥쌀 5말, 끓는 물 8말

술 빚는 법 :

* 밑술 :

1. 멥쌀 5말 백세하여 (물에 담가 밤재워 불렸다가, 다시 씻어 헹궈서) 가루로 빻는다.
2. 솥에 물 8말을 붓고 팔팔 끓여 쌀가루에 고루 나눠 붓고, 주걱으로 고루 개어 죽(범벅)을 쑨다.
3. 죽(범벅)을 그릇 여러 개에 나눠 담고 (뚜껑을 덮어서) 차게 식기를 기다린다.
4. 차게 식은 죽(범벅)에 가루누룩 4되와 밀가루 2되를 한데 합하고, 고루 치대어 술밑을 빚는다.
5. 술밑을 술독에 담아 안치고, 예의 방법대로 하여 춘추는 5일, 여름은 3일, 동절은 7일간 발효시킨다.

* 덧술 :

1. 멥쌀 5말을 백세하여 (물에 담가 밤재워 불렸다가, 다시 10회 정도 씻어 헹

귀서 물기를 뺀 후) 시루에 안쳐 고두밥을 짓는다.
2. 솥에 물 8말을 팔팔 끓이다가, 고두밥이 익었으면 넓고 큰 그릇에 펴 담고, 즉시 끓는 물을 한데 합하고 고루 섞어, 얼음같이 차게 식기를 기다린다.
3. 차게 식은 진고두밥에 밑술을 섞고, 고루 버무려 술밑을 빚는다.
4. 술밑을 술독에 담아 안치고, 예의 방법대로 하여 발효시키고 익기를 기다려 채주한다.

白花酒法

白米 五斗 百洗 作末 湯水 八斗 作粥 後冷 末麴 四升 眞末 二升 調和粥春秋則五日 夏則 三日 冬則 七日後 白米 五斗 百洗 過夜 又洗十餘度 熟蒸 湯水八斗 調和 後寒 和合於本酒 後熟 用之.

ᄇᆡᆨ화듀ᄂᆞᆫ ᄉᆞ시로 다 ᄒᆞ야 먹ᄂᆞᆫ 술이어니와 ᄇᆡᆨ미 닷 말을 ᄇᆡᆨ 번이나 시서 ᄀᆞᆯᄂᆞᆯ ᄉᆡᆨ아 ᄭᅳᆯ힌 물 여ᄃᆞᆲ 말의 쥭 수어 ᄎᆞ거든 ᄀᆞᄅᆞ누룩 너 되 진ᄀᆞᄅᆞ 두 되 쥭의 섯거 봄과 ᄀᆞ을의ᄂᆞᆫ 닷쇄오 여름의ᄂᆞᆫ 사흘이오 겨울의ᄂᆞᆫ 일웻 만의 ᄇᆡᆨ미 닷 말 ᄇᆡᆨ 번이나 시서 밤자여 ᄯᅩ 열 불이나 시서 닉게 ᄧᅧ ᄭᅳᆯ힌 물 여ᄃᆞᆲ 말의 골나 식거든 본듀를 펴내여 ᄒᆞᆫᄃᆡ 부엇더가 닉기를 기ᄃᆞ려 ᄡᅳ라.

## 23. 별(別) 백화주 <주찬(酒饌)>

술 재료 : 밑술 : 멥쌀 2말 5되, 누룩가루 7홉, 밀가루 7홉, 끓는 물 1동이 반
덧술 : 멥쌀 5말, 누룩가루 1되, 끓는 물 6말

술 빚는 법 :

* 밑술 :

1. 멥쌀 2말 5되를 백세(깨끗하게 씻어 물에 담가 불렸다가, 다시 씻어 헹궈서 물기를 뺀 후) 작말하여 넓은 그릇에 담아둔다.

2. 물 2동이를 팔팔 끓여 1동이 반이 되면 쌀가루에 붓고, 주걱으로 휘저어 죽(범벅)처럼 개서 차게 식힌다.
3. 죽에 누룩가루와 밀가루 각 7홉씩을 합하고, 고루 치대서 술밑을 빚는다.
4. 술독에 술밑을 담아 안치고, 예의 방법대로 하여 7일간 발효시킨다.

* 덧술 :
1. 멥쌀 5말을 백세하여 하룻밤 불렸다가, 새 물에 헹궈서 고두밥을 짓는다.
2. 솥에 물 6말을 붓고 팔팔 끓여 고두밥에 붓고, 고루 섞어 차게 식기를 기다린다.
3. 진밥에 누룩가루 1되와 밑술을 합하고, 고루 버무려 술밑을 빚는다.
4. 술독에 술밑을 담아 안치고, 예의 방법대로 하여 발효시킨다.

* 주방문에 이르기를 덧술이 익어 "지나치게 독하면 멥쌀 2되로 죽 1동이를 만들어 식혀서 술독에 부어주었다가 익으면 쓴다."고 하였다. 또 "술 빚는 법 중에서 가장 좋은 법이다. 맛과 빛깔의 아름다움은 글로 표현할 수가 없다(酒方文中最爲第一酒也色與味之美不可勝記)."고 하였다.

別 白花酒

白米二斗五升百洗作末水二東海煎至一東海半同和作粥宜冷半生半熟出以木揮開待冷好曲末七合眞末七合竝調釀待熟後白米五斗百洗浸宿熟烝湯水六斗同調冷曲一升合釀本酒又待熟嘗之其味極烈將欲熟欲降之時白米二升作粥爲一東海注入於酒又待熟用之此酒方文中最爲第一酒也色與味之美不可勝記.

## 24. 우(又) 백화주 <주찬(酒饌)>

술 재료 : 밑술 : 멥쌀 2말 5되, 누룩가루 7홉, 밀가루 7홉, 끓는 물 2동이
덧술 : 멥쌀 5말, 누룩가루 1되, 끓는 물 6말
2차 덧술 : 멥쌀 2되, 물 1동이

술 빚는 법 :

* 밑술 :

1. 멥쌀 2말 5되를 백세하여 (물에 담가 불렸다가, 다시 씻어 헹궈 건져서 물기를 뺀 후) 작말하여 넓은 그릇에 담아둔다.
2. 물 2동이를 팔팔 끓여 1동이 반이 되면 쌀가루에 골고루 붓고, 주걱으로 개어 죽(범벅)처럼 만든 뒤 (넓은 그릇 여러 개에 나눠 담고) 차게 식기를 기다린다.
3. 죽(범벅)에 누룩가루와 밀가루 각 7홉씩을 합하고, 힘껏 치대서 술밑을 빚는다.
4. 술독에 술밑을 담아 안치고, 예의 방법대로 하여 7일간 발효시킨다.

* 덧술 :

1. 멥쌀 5말을 백세하여 물에 담가 하룻밤 불렸다가 (다시 씻어 헹궈 건져서 물기를 뺀 후) 시루에 안쳐서 고두밥을 짓는다.
2. 솥에 물 6말을 붓고 팔팔 끓이고, 고두밥이 익었으면 넓은 그릇에 퍼 담고, 끓는 물을 고두밥에 골고루 붓고, 주걱으로 헤쳐 놓는다.
3. 고두밥이 물을 다 먹었으면 그릇 여러 개에 나눠 담고, 차게 식기를 기다린다.
4. 고두밥에 누룩가루 1되와 밑술을 합하고, 고루 버무려 술밑을 빚는다.
5. 술독에 술밑을 담아 안치고, 예의 방법대로 하여 발효시킨다.

* 2차 덧술 :

1. 멥쌀 2되를 백세하여 물에 담가 불렸다가 (다시 씻어 헹궈 건져서) 물기를 뺀다.
2. 솥에 물 1동이를 붓고 팔팔 끓으면 불린 쌀 2되를 넣고 팔팔 끓는 죽을 쑨 다음, 죽이 익었으면 넓은 그릇에 퍼 담고 차게 식기를 기다린다.
3. 덧술독에 차게 식힌 죽을 합하고 주걱으로 휘저어 준 뒤, 예의 방법대로 하여 서늘한 곳에 두고 발효시켜 익기를 기다린다.

* 주방문 말미에 "지나치게 독하면 멥쌀 2되로 죽 1동이를 만들어 식혀서 술독에 부어주었다가 익으면 쓴다."고 하였으므로 주방문을 작성하였다.

## 25. 백화주(白花酒) <침주법(浸酒法)>

술 재료 : 밑술 : 멥쌀 5말, 누룩가루 2되, 밀가루 2되, 끓는 물 5말
덧술 : 멥쌀 5말, 누룩가루 1되, 끓는 물 6말

술 빚는 법 :
* 밑술 :
1. 매번 돌아오는 정월 스무날 사이에 멥쌀 5말을 백세하여 하루밤 불렸다가, (다시 씻어 헹궈서 물기를 뺀 후) 가루로 빻아 체에 친 후 넓은 그릇에 담아 둔다.
2. 물 5말을 팔팔 끓여 쌀가루에 붓고, 주걱으로 고루 휘저어 범벅을 개서 차게 식기를 기다린다.
3. 범벅에 가루누룩과 밀가루 각 2되씩을 합하고, 고루 힘껏 치대서 술밑을 빚는다.
4. 술독에 술밑을 담아 안치고, 예의 방법대로 하여 복숭아꽃이 필 때까지 발효시킨다.

＊ 덧술 :

1. 찹쌀 10말을 백세하여 하룻밤 불렸다가, 새 물에 헹궈 건져서 고두밥을 짓고, 다른 솥에 물 10말을 붓고 팔팔 끓인다.
2. 고두밥이 익었으면 큰 그릇에 퍼 담고 즉시 끓는 물 10말을 골고루 붓고, 주걱으로 고루 섞어놓는다.
3. 고두밥이 물을 다 먹었으면 여러 개의 그릇에 나눠 담고 차디차게 식기를 기다린다.
4. 진고두밥에 밑술을 합하고, 고루 버무려 술밑을 빚는다.
5. 술독에 술밑을 담아 안치고, 예의 방법대로 하여 발효시키고 익기를 기다린다.

＊ 주방문에 이르기를 밑술을 빚어두고 "복숭아꽃이 막 피거든"이라고 하여 '도화주'를 연상케 한다. 술을 빚는 방법도 유사하다.

백화쥬(白花酒)—옐닷 말

ᄆᆡ 졍월 스므날 ᄉᆞ이어든 ᄇᆡᆨ미 닷 말 일ᄇᆡᆨ 믈 시서 ᄒᆞᄅᆞ ᄡᅡᆷ 재여 ᄀᆞ른 ᄆᆡᆼ그라 믈 닷말 쓸혀 ᄃᆞᆷ ᄀᆡ되 반으란 설고 반으란 ᄂᆡᆨ게 ᄀᆡ여 ᄀᆞ장 식거든 ᄀᆞ른누록 두 되와 진ᄀᆞ른 두 되 섯거더가 복셩홰 막 픠거든 출ᄇᆡᆨ미 옐 말 일ᄇᆡᆨ 믈 시서 ᄒᆞᄅᆞ ᄡᅡᆷ 재여 밥 ᄂᆡᆨ게 쪄 믈 옐 말 쓸혀 바배 골라 ᄀᆞ장 식거든 누록 업시 몬져 미틔 녀코 ᄒᆞᄂᆞ니 가장 죠ᄒᆞ니라.

## 26. 백화주 <홍씨주방문>

술 재료 : 밑술 : 멥쌀 1말, 가루누룩 1되 1홉, 밀가루 1되, 물 1말 5되
덧술 : 멥쌀 1말, 끓는 물 5되

술 빚는 법 :

* 밑술 :

1. 멥쌀 1말을 백세하여(백 번 씻어 매우 깨끗하게 하여 말갛게 헹궈 불렸다가, 다시 씻어 건져서 물기를 뺀 후) 작말한다(가루로 빻는다).
2. 쌀가루를 넓은 그릇에 담아놓고, 물 1말 5되를 솥에 붓고 끓여 쌀가루에 고루 붓고, 재빨리 주걱으로 개어 반생반숙(범벅)을 만든다.
3. 반생반숙(범벅)은 (투명하게 익었으면) 그릇 여럿에 퍼 담고 차게 식기를 기다린다.
4. 차게 식은 범벅에 법제한 가루누룩 1되 1홉과 밀가루 1되를 섞고, 고루 버무려 술밑을 빚는다.
5. 술독에 술밑을 담아 안치고, 예의 방법대로 하여 7일간 익기를 기다린다.

* 덧술 :

1. 멥쌀 1말을 백세하여(백 번 씻어 말갛게 헹궈 건졌다가) 새 물에 담가 불렸다가 (다시 씻어 건져서 물기를 뺀 다음) 시루에 안쳐서 고두밥을 찐다.
2. 물 5되를 팔팔 끓이다가 멥쌀고두밥이 익었으면 넓은 그릇에 퍼 담고, 끓는 물을 고두밥에 합하고 고루 헤쳐서 식기를 기다린다.
3. 식은 고두밥과 밑술을 한데 합하고, 고루 치대어 술밑을 빚는다.
4. 술밑을 술독에 담아 안치고, 예의 방법대로 하여 차지도 덥지도 않은 곳에 앉혀두고, 7일간 발효시키고 10일 후에 뜨면 술맛이 맵고 깔끔하다.

백화주

백미 한 말 백세작말하여 소라에 담고 물 한 말에 닷 되를 고붓지게 끓여 가루에 퍼부어 바삐 저어 개면 반숙반생 하나니, 많이 채와 가루누룩 한 되 한 홉, 진말 한 되 섞어 넣었다가, 칠일 만에 백미 말 백세하여 담갔다가, 물 뿌려 가며 매우 쪄 새 끓인 물 닷 되를 골나 쳐 술에 섞어 넣은 칠일 만에 익거니와, 한 여흘이나 넘어지거든 드리워라. 술맛이 매끔하나니라.

# 백화춘

스토리텔링 및 술 빚는 법

<양주방>*의 주방문을 근거로 매력 있는 이름의 '백화춘(白花春)'을 빚기로 했다. 술 빚는 사람이면 누구나 한 번쯤 생각해 본 일이겠지만 "어떻게 하면 간편하고 신속하게 빨리 술을 빚을 수 있을 것인가.", "어떻게 하면 맛 좋고 향기도 좋은 술을 한꺼번에 많이 빚어낼 수 있을까?" 하는 궁리를 하게 되었다.

'백화춘'에 대한 도전은 그런 불순한(?) 생각에서 비롯되었다. 우선 술 이름에 춘(春) 자가 붙었으니 고급술임에 틀림없을 것이요, 쌀 한 말에 물이 한 말이니 술이 최소한 한 말은 넘게 얻을 것이며, 또 쌀을 씻어 불렸다가 바로 고두밥으로 쪄서 하는 한 번 빚는 방법이라 간단하게 여겨졌기 때문이다.

그런데 그런 나의 기대를 사정없이 무너뜨리듯 '백화춘'은 세 번째 술 빚기에 가서야 성공한 술로 오랫동안 기억에 남았다. 날이 갈수록 요령 부리기와 술 빚는 일에 경솔해지는 자신을 되돌아보게 해주기에 충분했다.

처음 빚었던 술은 산패가 일어나 탁하고 뿌옇게 된데다, 신맛이 세서 혀를 내두를 정도로 형편없었다. 두 번째 빚었을 때에도 발효가 일어나지 않아서 역시 신맛이 있었다. 이 두 번의 술 빚기에서 깨달은 것은 두 가지였다.

첫째, 한 번 빚는 단양주(單釀酒)가 이양주(二釀酒)나 삼양주(三釀酒)보다 더 어렵다는 것으로, 그 이유는 잡균 침입이나 오염균에 대한 대비가 보다 철저해야 한다는 것이다. '백화춘'은 쌀을 침지하는 시간이 많으므로, 오히려 발효가 더디어지는 까닭에 반드시 누룩을 법제시켜 사용해야 하고, 가능한 한 고운 가루를 만들어 사용해야 한다.

둘째, 쌀을 불렸던 물은 반드시 갈앉혀서 앙금과 부유물을 제거한 뒤 정량하여 사용하고, 쪄낸 고두밥은 가능한 한 차게 식혀서 방문대로 하여 빚어야만 한다는 것이다.

이상의 주의사항을 고려하여 빚어보니, 과연 여느 술과 다름없이 향기롭고 아름다운 술 빛깔을 자랑하였다. 또 3~5일이 되니 수면 위의 맑게 뜬 고두밥이 '부의(浮蟻)' 같았는데, '향온주'나 '백화주'를 연상케 하였다. '백화춘'을 단양주이면서도 '춘주(春酒)'라고 칭하게 된 까닭을 이해할 수 있었다.

술 빚는 일은 역시 정직해야만 한다는 사실을 새삼 깨닫게 해준 술이 '백화춘'이고, 간단하고 가볍게 여겼던 술 빚기가 오히려 더 까다롭고 힘든 과정을 필요로 한다는 사실을 거듭 확인하게 된 계기의 술이 또한 '백화춘'이라고 하겠다.

이러한 '백화춘'은 <양주방>*을 비롯하여 <군학회등(群學會騰)>, <동의보감(東醫寶鑑)>, <임원십육지(林園十六志)>, <주찬(酒饌)>, <쥬식방문>, <홍씨주방문> 등에서 8차례나 기록된 것을 찾아볼 수 있다.

이들 문헌에서 나타나는 '백화춘' 주방문은 공통점을 갖고 있다. 무엇보다 단양주의 경우 찹쌀을 사용하고 백세하여 물에 담가 3일간 불리는데, 쌀을 불렸던 물을 양주용수로 사용하고, 또 쌀을 반드시 고두밥을 지어 술을 빚는다는 것이다.

따라서 '백화춘'의 비법은 쌀을 3일간 불린다는 사실과 함께 쌀을 불린 물을 양주용수로 사용한다는 점이 특징이라고 하겠는데, 이와 같은 주방문의 등장은 '감향주'에서도 찾아볼 수 있다.

'감향주'는 그 맛이 매우 달고 향기롭다는 술로 유명한데, 덧술의 과정에서 찹쌀을 3일간 불리는 것으로 되어 있는 주방문을 <온주집(醞酒法)>을 비롯하여 <음식디미방> 등의 문헌에서 찾아볼 수 있다.

이처럼 찹쌀을 오랜 시간 침지하는 이유는 찹쌀을 의도적으로 부패시키기 위한 것으로, 그렇게 되면 당화가 빨라지고 부패과정에서 좋지 못했던 향분(香紛, 구린 냄새)은 향기로 바뀌기 때문이다. 또한 쌀의 오랜 시간 침지 과정에서 용출되었던 미량의 미네랄 성분은 쌀을 불렸던 물을 양주용수로 사용함으로써, 발효원인 효모(酵母)의 영양원으로 공급되어 발효에 영향을 미치게 된다. 이 때문에 활발한 발효는 잡맛이나 이취가 없는 뛰어난 주질로 반영되는 것이다.

한편 <쥬식방문>과 <주찬>에는 이양주법(二釀酒法)의 '백화춘'이 수록된 것을 볼 수 있는데, 지금까지 알려진 단양주법(單釀酒法)의 '백화춘'과는 전혀 다른 방문이다.

'백화춘'은 단양주 주방문이 주류를 이루고 있으며 일반 춘주류와는 다른 방문을 보이고 있다는 점에서 차별되었는데, <쥬식방문>과 <주찬>의 이양주법 '백화춘'은 멥쌀로만 빚는 술로, 그 방문이 '백화주(白花酒)'나 '백하주(白霞酒)'와 매우 유사하다는 점에서 주목된다. 그리고 <주찬>이 1800년대 말엽의 기록이라는 사실에서 "전통주가 전성기를 이뤘을 때 인기를 누렸던 '백화주'나 '백하주'와 동일시하고 있는 것은 아닐까?" 하는 생각과 함께 "혹시 '백화주'를 '백화춘'으로 잘못 기록한 것 아닐까?" 하는 생각도 하게 된다.

그 이유는 첫째, 이양주법의 '백화춘'이 <쥬식방문>과 <주찬>에만 등장하고, 단양주법의 '백화춘'은 문헌마다 다르지만 술 빚는 과정이 동일하다는 것이다. 즉, 이양주법의 '백화주'나 '백하주' 두 종류의 술 빚기가 다 같이 쌀가루를 '반생반숙'하는 범벅(죽) 형태로 밑술을 빚고 밀가루를 사용하며, 끓는 물을 용수로 사용하는 등 공통점을 나타내면서도, '백화주'에서는 '석임'을 사용하지 않는 것이 일반적인 반면, '백하주'에서는 '석임'을 사용하고 있다는 점에서 분명히 차별화된다는 것이다.

둘째, <주찬>에는 '백화주'는 수록되어 있지 않은 반면, 이양주법의 '백화춘'에 이어 '우백화주' 주방문이 수록되어 있다는 사실이다.

여기서 사실 여부를 증명하기는 어렵지만, <쥬식방문>과 <주찬>의 이양주법 '백화춘'을 어떻게 분류해야 하며, 그 주방문에 있어 특징과 술 빚는 요령은 무엇이냐는 것이다.

먼저, <쥬식방문>의 '백화춘'은 "ᄇᆡᆨ미 ᄒᆞᆫ 말 ᄆᆡ호 씨셔 ᄒᆞ로밤 담가다가 이튿날 작말ᄒᆞ야 노코 ᄭᆡ린 물 세 병을 풀러 덩이 읍시 쥬물너 익게 쓔어 ᄎᆡ우고 가로누룩 ᄒᆞᆫ 되 진말 한 되 조ᄒᆞᆫ 슐 한 보의 너허 두어다가 삼 일 만의 ᄇᆡᆨ미 두 말 졍히 씨셔 ᄆᆡ호 ᄶᅧ ᄎᆡ우고 밋슐의 버무려 너흐되 가로누록 닷 홉 너코 물 여섯 병을 너허고 ᄆᆡᆸ게 ᄒᆞ랴면 한 병을 둘 늣난니라. 익은 후의난 날물은 붓지 말나."고 한 것을 볼 수 있어, 전형적인 '백하주' 주방문을 연상시킨다는 것이다.

그리고 <주찬>의 술 빚는 법에서 특징이나 요령은, 다른 주품과는 차별화된다고 할 수 있을 정도로 밑술의 발효제로 사용되는 누룩의 양이 매우 적다는 것이다. 또한 <주찬>에 수록된 '은화춘', '도화춘', '경액춘', '광릉춘' 등의 춘주류에서 보아 알 수 있듯, 다른 문헌의 춘주류와는 덧술 방문이 사뭇 다른 점을 엿볼 수 있는데, 이는 다양한 춘주류의 등장과 특징으로 이해하면 좋겠다는 것이다.

이러한 사실은 술의 품질을 결정짓는 한편으로, 술 빚기와 발효에 적잖은 신경을 써야 한다는 것을 의미하고, 그 대응책으로서 '석임'을 사용하는 이유가 된다고 할 수 있다. 따라서 밑술의 초기 발효 시 다소 높은 온도에서 개방 발효시켜 효모증식에 힘써야 하고, 발효가 활발히 진행되는 상태를 보아 온도를 낮추어 안전한 발효를 유도할 수 있어야 한다는 사실이다.

따라서 두 문헌의 '백화춘'은 다른 주품들과는 달리 까다로운 양주 과정을 보여주고 있으며, 전통주의 특징이자 장점이 다양성에 있는 만큼, 다른 문헌에 수록되어 있는 '호산춘'이나 '약산춘'과 같은 춘주류로 분류하는 것이 옳을 것 같다.

주품명 끝에 '춘(春)'자가 붙게 되면, 흔히 이른 바 삼양주와 같은 주류로 분류하여 '고급 청주', 또는 '명주(銘酒)'로 인식해 온 것이 지금까지의 관례인 만큼, 두 문헌의 전혀 다른 주방문도 맛과 향기가 좋은 술을 빚기 위한 다양한 시도로 받아들여야 할 것이라는 생각을 하기에 이른다.

그리고 '백화춘'이 춘주의 범주에 들기 위해선 어떻게 빚을 것인가, 어떤 맛과 향기를, 그리고 얼마나 맑은 술 빛깔을 간직해야 하는가에 대해 고민할 필요가 있다.

## 1. 백화춘 <군학회등(群學會騰)>

**술 재료 : 찹쌀 1말, 흰누룩(1~2되), 쌀 담근 물(1말 2되)**

술 빚는 법 :

1. 찹쌀 1말을 백을 세면서 씻어(백세하여) 동이에 담가 3일간 불렸다가 (다시 씻어 헹궈 건져서 물기를 뺀 후) 시루에 안쳐서 고두밥을 짓는다.
2. 고두밥이 익었으면, 시루에서 퍼내고 (돗자리에 고루 헤쳐서 차게 식기를 기다린다.)
3. 고두밥에 쌀을 담갔던 동이의 물(1말 2되)과 흰누룩(1~2되)를 한데 합하고, 고루 버무려 술밑을 빚는다.
4. 술독에 술밑을 담아 안치고 예의 방법대로 하여 (3일간) 발효시킨다.

* 주방문에 술 빚는 법에 대하여 '상법(常法)'으로 빚으라고 하고, 누룩의 양이나 쌀 담갔던 물의 양에 대해서는 언급되지 않았다. 따라서 쌀을 불리는 데 필요한 양(1말 2되) 정도를 산정하였다. 또 주방문 말미에 "3일이 지난 후에 술이 익어 하얀 부의(고두밥알)가 뜨면 가장 아름답다."고 한 것으로 미루어 '백화춘'이라는 주품명은 부의가 주면으로 떠올라 마치 봄에 백화(白花)가 만개한 것을 표현한 것으로 추측할 수 있다. <주찬>의 '백화춘'은 이양주로, 본 방문과는 전혀 다른 방문이다. 매우 독특한 향기가 있다.

白花春

糯米一斗 百度淨洗 浸一盆水中過三日 蒸熟 以所浸水淸之 入白麴 如常法釀之 過三日 卽成美醞 白蟻浮上最佳.

## 2. 백화춘 <동의보감(東醫寶鑑)>

술 재료 : 찹쌀 1말, 백곡(1되), 쌀 담근 물 1동이

술 빚는 법 :

1. 찹쌀 1말을 숫자를 백까지 세어가면서 깨끗하게 씻어 새 물 1동이에 담가 불려둔다.
2. 3일 후 찹쌀을 건져내고, 새 물에 (다시 씻어 헹궈서 물기를 뺀 후) 시루에 안쳐서 무른 고두밥을 짓는다.
3. 고두밥이 익었으면 시루에서 퍼낸다(고루 펼쳐서 차게 식기를 기다린다).
4. 쌀 불렸던 물에 고두밥과 백곡가루(1되)를 합하고, 고루 치대어 술밑을 빚는다.
5. 술밑을 술독에 담아 안치고, 예의 방법대로 하여 3일간 발효시킨다.

* 주방문에 쌀 씻는 법에 대하여 "수를 백까지 세어가면서(百度淨洗)"라고 하여 쌀 씻는 법에 대해 강조하였다.

白花春

糯米一斗 百度淨洗 浸一盆水中過三日, 蒸熟, 以所浸水淸之, 入白麴, 如常法釀之, 過三日, 卽成美醞. 白蟻浮上最佳. <俗方>.

## 3. 백화춘 <양주방>*

술 재료 : 찹쌀 1말, 누룩가루 5홉, 쌀 불린 물 1말

술 빚는 법 :

1. 찹쌀 1말을 옥같이 씛어 물에 깨끗이 씻고 또 씻어 헹궈 건졌다가, 다시 물에 담가 3일간 불려놓는다.
2. 쌀 담갔던 물을 따라 다른 그릇에 담아놓고, 쌀을 (다시 씻어 헹궈서 건진 다음 물기를 빼고) 쌀을 시루에 안쳐 고두밥을 짓는다.
3. 고두밥이 익었으면 퍼내고, 고루 펼쳐서 차디차게 식기를 기다린다.
4. 차게 식힌 고두밥에 쌀 불렸던 물과 누룩가루 5홉을 섞고, 고루 버무려서 술밑을 빚는다.
5. 술밑을 술독에 담아 안친 후, 예의 방법대로 하여 3~4일간 발효시킨다.

* 주방문 말미에 "술이 익으면 개미가 동동 뜨고, 먹으면 향기롭고 맑고 콕 쏘게 매워 맛이 좋다."고 하였다.

ᄇᆡᆨ화츈

졈미 ᄒᆞᆫ 말을 울윽 ᄀᆞᆺ치 쓸허 ᄇᆡᆨ셰ᄒᆞ야 담가다가 나흘 만의 물 싸라 ᄒᆞᆫ 말만 되야 노코 쏠을 닉게 쎠 국말 오홉을 그 물과 밥의 섯거 너허다가 삼ᄉᆞ일 후 가야미 쓰거든 먹으면 향긔롭고 청녈ᄒᆞ야 마시 죠흐니라.

## 4. 백화춘방 <임원십육지(林園十六志)>

술 재료 : 찹쌀 1말, 백곡(흰누룩 2되), 쌀 불린 물(7되)

술 빚는 법 :

1. 찹쌀 1말을 백세하여 동이에 담고 물을 채워 3일간 불렸다가 (다시 씻어 헹궈서 물기를 뺀 후) 시루에 안쳐서 고두밥을 짓는다.
2. 쌀 담갔던 물(7되)을 끓여서 사용한다(차게 식힌다).

3. 고두밥이 익었으면 퍼내고, 고루 펼쳐서 차게 식기를 기다린다.
4. 고두밥에 끓여 식혀둔 쌀 불렸던 물과 흰누룩(2되)을 합하고, 고루 버무려 술밑을 빚는다.
5. 술독에 술밑을 담아 안치고, 예의 방법대로 하여 3일간 발효시킨다.

* 주방문 말미에 "하얀 술지게미가 뜨면 가장 좋다."고 하였다. 누룩을 비롯하여 쌀 불렸던 물에 대한 분량이 구체적으로 언급되어 있지 않다.

白花春方
糯米一斗百洗浸盆水中三日烝熟以所浸水澆之用白麴如常法釀之過三日卽成美醞白蟻浮上最佳. <飮饍要覽>.

## 5. 백화춘 <주찬(酒饌)>

술 재료 : 밑술 : 멥쌀 3되, 누룩가루 5홉, 밀가루 5홉, 끓는 물 1병 2되, 석임 5홉
덧술 : 멥쌀 1말, 끓는 물 2병

술 빚는 법 :
* 밑술 :
1. 멥쌀 3되를 백세하여 물에 담가 하룻밤 불렸다가 (다시 씻어 헹궈 건져서 물기를 뺀 후) 작말하여 넓은 그릇에 담아놓는다.
2. 솥에 물 1병 2되를 팔팔 끓여 쌀가루에 골고루 붓고, 주걱으로 고루 개어 죽(범벅)처럼 갠 뒤, 차게 식기를 기다린다.
3. 죽에 누룩가루와 밀가루와 석임 각 5홉을 합하고 고루 치대어 술밑을 빚는다.
4. 술독에 술밑을 담아 안치고, 예의 방법대로 하여 3일간 발효시킨다.

* 덧술 :

1. 멥쌀 1말을 매우 깨끗하게 씻어(백세하여 물에 담가 불렸다가, 다시 씻어 헹궈서 물기를 뺀 후) 작말한다.
2. 물 2병을 매우 팔팔 끓이고, 쌀가루를 시루에 안쳐서 백설기를 찐다.
3. 백설기가 익었으면 퍼서 넓은 그릇에 담아놓고, 끓는 물 2병을 떡에 골고루 붓고, 주걱으로 풀어 헤쳐서 멍우리 없는 죽처럼 만들어 차게 식기를 기다린다.
4. 죽처럼 만든 떡에 밑술을 합하고, 고루 버무려 술밑을 빚는다.
5. 술독에 술밑을 담아 안치고, 예의 방법대로 하여 7일간 발효시킨다.

* 주방문 말미에 "맛이 기이하고 독하다."고 하였는데, '소곡주'와 같은 맛이다.

白花春

糯米一斗百度洗淨浸一盆水中過三日烝熟以所浸水澆之入白曲如常法釀之過三日卽成美醞白蟻浮上最佳.

## 6. 백화춘 <쥬식방문>

술 재료 : 찹쌀 1말, 백곡가루(1되), 쌀 불렸던 물 1동이

술 빚는 법 :

1. 찹쌀 1말을 백세하여 물 1동이에 담가 3일간 불렸다가 (다시 씻어 헹궈서 물기를 뺀 후) 시루에 안쳐서 고두밥을 짓는다.
2. 쌀을 불렸던 물은 버리지 않고, 다른 그릇에 담아놓는다.
3. 고두밥이 익었으면 퍼내고, 고루 펼쳐서 차게 식기를 기다린다.
4. 쌀 불렸던 물에 고두밥과 백곡가루(1되)를 합하고, 고루 치대어 술밑을 빚

는다.
5. 술밑을 술독에 담아 안치고, 예의 방법대로 하여 3일간 발효시킨다.

* 주방문 말미에 "3일이 되어 하얀 부의가 뜨면 술맛이 매우 아름답다."고 하였다.

白花春
白米三升百洗浸宿作末水一瓶二升同調待冷眞末曲末各五合錫金五合調釀三日後最精米一斗作末烝之百沸湯水二瓶同調俟冷調釀於本酒七日後垂之合十日後垂之也味奇且烈.

## 7. 백화춘 술방문 <쥬식방문>

술 재료 : 밑술 : 멥쌀 1말, 가루누룩 1되, 밀가루 1되, 좋은 술 1보(보시기), 끓는 물 8말
덧술 : 멥쌀 5말, 끓는 물 8말

술 빚는 법 :
* 밑술 :
1. 멥쌀 1말 매우 많이 씻어(백세하여) 물에 담가 밤재워 불렸다가 (다시 씻어 헹궈서) 가루로 빻는다.
2. 솥에 물 3병을 붓고 팔팔 끓여 쌀가루에 고루 나눠 붓고, 주걱으로 고루 개어 범벅을 쑨다.
3. 범벅을 그릇 여러 개에 나눠 담고 (뚜껑을 덮어서) 차게 식기를 기다린다.
4. 차게 식은 범벅에 가루누룩 1되와 밀가루 1되, 좋은 술 1보시기를 한데 합하고, 고루 치대어 술밑을 빚는다.

5. 술밑을 술독에 담아 안치고, 예의 방법대로 하여 3일간 발효시킨다.

* 덧술 :
1. 멥쌀 2말을 백세하여 (물에 담가 불렸다가, 다시 씻어 헹궈서 물기를 뺀 후) 시루에 안쳐 고두밥을 짓는다.
2. (솥에 물 6병을 팔팔 끓여서 얼음같이 차게 식기를 기다린다.)
3. 고두밥이 익었으면 퍼내고, 고루 펼쳐서 차게 식기를 기다린다.
4. 차게 식은 고두밥에 밑술과 가루누룩 5홉, 끓여 식힌 물 6병(또는 5병)을 섞고, 고루 버무려 술밑을 빚는다.
5. 술밑을 술독에 담아 안치고, 예의 방법대로 하여 발효시키고, 익기를 기다려 채주한다.

ᄇᆡᆨ화츈 술방문

ᄇᆡᆨ미 ᄒᆞᆫ 말 ᄆᆡ호 씨셔 ᄒᆞ로밤 담가다가 이튼날 작말ᄒᆞ야 노코 ᄭᅳ린 물 세 병을 풀러 덩이 읍시 쥬물너 익게 쓔어 ᄎᆡ우고 가로누록 ᄒᆞᆫ 되 진말 한 되 조ᄒᆞᆫ 슐 한 보의 너허 두어다가 삼일 만의 ᄇᆡᆨ미 두 말 정히 씨셔 ᄆᆡ호 쪄 ᄎᆡ우고 밋슐의 버무려 너흐되 가로누록 닷 홉 너코 물 여셧 병을 너허고 밉게 ᄒᆞ랴면 한 병을 둘(덜?) 늣난니라. 익은 후의난 날물은 붓지 말나.

## 8. 백화춘 <홍씨주방문>

술 재료 : 찹쌀 1말, 누룩가루 1홉(되), 쌀 불렸던 물 1말

술 빚는 법 :
1. 찹쌀 1말을 백세한다(백 번 씻어 옥같이 깨끗하게 하여 말갛게 헹궈 건졌다가, 새 물을 넉넉히 하여 3일간 담가 불린다).

2. 불린 쌀을 건져서 (새 물에 다시 씻어 말갛게 헹궈서 물기를 뺀 다음) 시루에 안쳐서 고두밥을 짓는다.
3. 쌀을 불렸던 물은 버리지 말고 1말을 계량하여 놓는다.
4. 고두밥이 익었으면 퍼내고, 넓게 펼쳐서 차게 식기를 기다린다.
5. 고두밥에 누룩가루 1홉(되)과 쌀을 불렸던 물을 1말을 한데 합하고, 고루 버무려 술밑을 빚는다.
6. 소독한 술독에 술밑을 담아 안치고, 예의 방법대로 하여 덥지도 차지도 않은 곳에 두고 발효시킨다.
7. 술이 익기를 기다렸다가 술 위에 하얀 밥알이 떠오르면 채주하는데, 맛이 시원하면서도 독하다.

백화춘

점미 한 말 옥같이 쓸어 담갔다가 나흘 만에 건져 익게 쪄 채와 국말 한 홉과 찹쌀 담갔다가 건진 물 따라 두었다가 한 말만 되어 밥과 섞어 넣어 불한불열한데 두었다가 개아미 쓰거든 쓰면 맛이 청열하나니라.

# 백환주

## 스토리텔링 및 술 빚는 법

‘백환주’라는 주품은 <김승지댁주방문(金承旨宅廚方文)> 외에는 거의 보이지 않는 것으로 미루어, 한 집안의 가양주(家釀酒)로 개발된 술이 아닐까 생각된다. 그 이유가 주방문에서 보듯 ‘백환주’를 빚는 데 있어 그 방법이 매우 힘들고 특별한 점을 들 수 있다.

이를테면 밑술에서 멥쌀 1말을 작말하여 끓는 물 10복자로 개어서 죽(범벅)을 쑤라고 되어 있는데, 이와 관련하여 고도의 기술과 지혜를 필요로 하고, 그에 따른 노동력 또한 고통스러울 정도로 힘들다.

또한 덧술에서는 지금까지 그 어떤 방문에서도 목격하지 못했던 과정의 하나로, 고두밥을 찔 때 “뿌득뿌득할 만큼 더운 물을 주어 익게 찌라.”고 되어 있다. 상법의 술 빚기는 고두밥을 찔 때 ‘쇄수(灑水)’라 하여 찬물을 살수하는 것으로, ‘무르게’ 익히는 방법이 선호되고 있는데, 본 방문은 ‘온수쇄수(溫水灑水)’라는 점에서 매우 이채롭기 때문이다. 고두밥을 찔 때에 더운 물을 살수하는 것은 오히려 쌀이 익는 데 따른 시간이 오래 걸리고 자칫 진밥이 될 수 있기 때문인데, 일부러

뿌득뿌득한 고두밥을 짓는다는 것은 상식에서 벗어난 일이라 하겠다.

그 결과 발효가 안정적이지 못하고 또한 술이 탁해지며, 알코올 도수도 낮아지는 등 문제점이 한두 가지가 아니라는 점에서, 본 방문에 대한 의구심을 떨칠 수가 없었다.

술을 빚어본 사람이면 누차 경험했을 터이므로 "왜?"라고 하는 의문을 갖게 되는데, 특히 덧술 방문이나 밑술 방문이 주품의 명칭과 어떤 관련이 있는 것은 아닐까 하는 생각을 하게 된다.

결국 방문대로 술을 빚어보지 않고서는 그 해답을 찾을 수 없는 일이었다. 하여 예의 방법대로 '백환주'를 빚으면서 밑술의 힘든 작업 과정이나 발효 상태 등을 그간 수차례 언급하였는바, 힘들다는 것 외에는 크게 문제 될 것도 궁금한 점도 없었으나, 덧술의 발효 상태를 예의 주시하게 되었다.

어쩌면 덧술의 방문을 위해서 밑술의 방문을 도입했을지도 모른다는 생각이 불현듯 떠올랐고, 한편으로는 매우 실험적인 방문이라는 생각이 들었기 때문이다.

결과는 역시 기대 밖이었다. 예상했던 대로 밑술은 다른 방문과 별다른 차이를 찾아볼 수 없었으나, 덧술은 술 빛깔이 탁하다 못해 누렇게 된 것으로 보아 산도가 매우 높은 상태로, 그 맛이란 마치 보관을 잘못하여 산패한 술보다 못한 상태였다.

"무엇이 문제였을까?", "왜 이러한 주방문을 만들었을까?" 하는 의문은 의문을 불러와 의문으로 남았다. 한동안 생각에 잠긴 끝에 문득 떠오른 발상이 이 모든 문제를 단번에 해소시켜 주었다.

그것은 다름 아닌 덧술의 양주용수였다. 덧술의 고두밥을 물과 합한 뒤에 밑술과 합하여 버무리는 일로써, 이때의 양주용수는 가능한 한 온도를 낮게 만든 찬물을 쓰는 것이었다.

그리하여 재차 술 빚기에 도전한 결과, 비교적 만족스런 결과를 얻게 되었다. 처음의 술보다 빛깔은 훨씬 맑아졌으며, 부드럽고 감미로웠다. 가장 염려스러웠던 산도도 낮아져 감칠맛을 주었는데, 오래 두고 마실 만한 술은 아니라는 생각이 들었다.

참으로 술을 빚는 일이 어렵고 힘들다는 것을 다시금 깨닫게 해준 방문이었다.

그러나 아직까지도 이 주방문의 주품명이 왜 '백환주'인지에 대해서는 막연한 추측도 할 수 없었다는 것이 아쉬움으로 남는다. 그저 막연하나마 '온수쇄수'를 예외로 하면, <양주집(釀酒集)>을 비롯하여 <홍씨주방문>에 수록되어 있는 '백화주(白花酒)'와 주방문과 너무나도 유사하다는 것이다.

따라서 '백화주'를 '백환주'로 잘못 기록한 것이 아닌가 하는 생각이 드는데, 확신할 수는 없다.

## 백환주법 <김승지댁주방문(金承旨宅廚方文)>

술 재료 : 밑술 : 멥쌀 1말, 누룩가루 1되, 밀가루 7홉, 물 10복자
덧술 : 멥쌀 2말, (끓는, 더운) 물 16복자

술 빚는 법 :

* 밑술 :

1. 멥쌀 1말을 백세하여 (물에 담가 불렸다, 다시 씻어 건져 물 빼고) 가루로 빻는다.
2. 물 10복자를 솥에 끓이다가, 물이 뜨거워지면 쌀가루를 풀어 넣고 주걱으로 고루 개어 범벅을 쑨다.
3. 범벅을 넓은 그릇에 퍼 나눠 담고, 차게 식기를 기다린다.
4. 범벅에 누룩을 가루 내어 고운 것으로 1되와 밀가루 7홉을 섞고, 고루 치대어 술밑을 빚는다.
5. 술독에 술밑을 담아 안치고, 예의 방법대로 물기 없이 하여 짚으로 싸매서 얼지 않을 정도로 (서늘한 곳에서) 발효시키고, 밑술이 풀어지면(삭았으면) 덧술을 준비한다.

* 덧술 :

1. 멥쌀 2말을 백세하여 (물에 담가 하룻밤 불렸다가, 다시 씻어 건져서 물기를 뺀 후) 시루에 안쳐서 고두밥을 짓는다.
2. 고두밥은 많이 뿌리지 말고 뿌득뿌득할 만큼 더운 물을 주어 익게 찌고, 익었으면 고루 펼쳐서 차게 식힌다.
3. 고두밥에 밑술과 (끓는, 더운) 물 16복자를 붓고, 고두밥이 물을 다 먹으면 그릇 여러 개에 나눠 차게 식기를 기다린다.
4. 물 먹인 고두밥에 밑술을 합하고, 고루 버무려 술밑을 빚는다.
5. 술독에 술밑을 담아 안치고, 예의 방법대로 하여 (14일가량) 발효시킨다.

* 술 빚는 방문으로 미루어 다른 기록에 수록된 '백화주' 방문과 유사하다.

ᄇᆡᆨ환쥬법

ᄇᆡᆨ미 ᄒᆞᆫ 말 ᄇᆡᆨ셰작말ᄒᆞ여 물 열 복자 부어 ᄀᆞ장 ᄂᆡᆨ게 ᄊᆞᆯ혀 ᄀᆡ면 (알)니 ᄂᆡᆨ은 것 같으니 사날이 ᄎᆞ거든 가루누룩 ᄀᆞ늘게 뇌여 ᄒᆞᆫ 되만 너코 진ᄀᆞ르 칠 홉이나 너허 ᄀᆞᆯᄀᆞᆯ 쳐 ᄒᆞᆼ의 물기 업시ᄒᆞ고 집의 쏘여 어지 아닐 만치 간ᄉᆞ하여 푸러지거든 ᄇᆡᆨ미 듀 말 ᄇᆡᆨ셔ᄒᆞ여 밤 담가다가 ᄂᆡᆨ개 찌되 물을 만히 쥬지 말고 밥이 비득비득ᄒᆞᆯ 만치 더운 물 주어 가장 ᄂᆡᆨ개 쪄 ᄒᆞᆫ 말의 ᄯᅩ 물 여ᄃᆞᆲ 복ᄌᆞ식 부어 ᄆᆡ이……

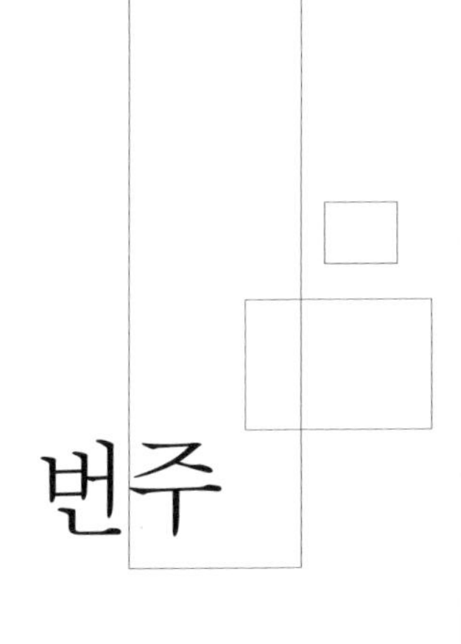

# 번주

스토리텔링 및 술 빚는 법

최근 발굴된 것으로 알려진 <봉접요람>은 한글 붓글씨본으로 여인네에 의해 작성된 저술로 여겨진다. '번주법'을 비롯하여 모두 18주품이 수록되어 있는데, '삼칠주법'을 비롯하여 '보원주법' 등이 처음 등장한 것으로 밝혀졌다.

따라서 '번주법' 또한 <봉접요람>에서만 찾아볼 수 있는 방문으로, 매우 특이한 술이라고 할 수 있겠다.

주방문을 소개하자면, "백미 두 말 백세작말하여 끓인 물 두 동이 여 반죽하여 식거든, 누룩 칠 홉, 진말 너 홉 섞어 넣어두었다가, 괴거든 백미 너 말 백세하여 하루밤 담가두었다가, 익게 쪄 끓인 물 네 동이로 골라 식거든 가루누룩 네 칠 홉, 진말 팔 홉 섞어두었다가, 가루 앉거든 드리우라. 한 말에 한 동이 나느니라. 물이 많은 듯하리라."고 하였다.

주방문에서 보듯 어떤 의미에서 '번주'라는 주품명을 붙이게 되었는지 알 수가 없다. 여느 주방문과 별반 차이가 없는 것으로 보이고, 또 특별히 주품명에 대한 언급도 없기 때문이다. '번주법'의 주방문이 다른 주방문과 다른 점을 찾기 힘들다. 밑술에서 쌀가루를 끓는 물로 익히는 범벅을 사용하고, 덧술은 고두밥을 쪄서 역시 끓는 물과 합하여 진고두밥 형태로 빚는, 매우 흔하면서도 전형적인 주방문을 나타내고 있다는 점이다. 밑술과 덧술에서 모두 끓는 물을 두 번 사용하는 예는 너무 흔하기 때문이다.

그런데 한 가지 눈에 띄는 점은 밑술과 덧술에서 다 같이 밀가루를 사용한다는 사실이다. 전통주에서는 주로 밑술에 밀가루를 사용하고, 덧술에는 넣지 않거나 더러 덧술에 밀가루를 사용하는 경우가 있긴 하나, '번주법'처럼 두 차례에 걸쳐 밀가루를 사용하는 예는 매우 드물기 때문이다. 그렇다고 해서 이 주방문이 특별한 것은 아니다.

여기서 한 가지 <봉접요람>의 '번주법'이 특별한 점은, 밑술의 쌀 양에 비하여 누룩의 양이 매우 적다는 사실과 함께, 덧술에 사용되는 누룩은 상대적으로 많다는 사실이다. 밑술의 누룩 양으로 미루어 밑술은 당화에 그칠 가능성이 많고, 덧술에서 본격적인 발효가 진행된다는 가정을 하면, 다른 어떤 술보다 발효가 빠르게 진행되어 잔당이 많이 남게 될 것이라는 것을 알 수 있다.

그 이유 가운데 하나가, 밑술이 발효를 시작할 무렵에 덧술을 해 넣는 과정을 주방문에서 찾아볼 수 있기 때문이다. 이와 같은 방법은 덧술의 발효 시기가 어느 정도 빨라진다는 사실을 술을 빚어본 사람이면 알 수 있다.

물론, 이러한 방법이 빌미가 되어 과발효와 그로 인한 산패를 경험했을지도 모른다. 그리고 결정적인 단서는 덧술의 누룩 양이 밑술과 동량이거나 많다는 사실이다. 이렇게 되면 덧술의 발효는 매우 빠른 시간 안에 정점에 도달할 만큼 왕성해지는데, 특히 여름철과 같이 날씨가 더울 때에는 고두밥이 잘 식지 않아서 술빚은 지 12시간도 되지 않아 술덧의 온도가 최정점에 도달하는 경우가 종종 발생하고, 이러한 이유로 하여 산패를 경험한 사람이 많을 것으로 안다.

그리하여 <봉접요람>의 '번주법'은 술 빚기에 능한 사람이라야 가능하고, 특히 술독 관리가 가능하다는 것을 미루어 짐작할 수가 있다.

또한 그런 의미에서 '번주'라는 주품명에 담긴 의미는, 추측하건대 "매우 급하게", "번개처럼" 빚는 술이라는 의미로 다가온다.

하지만 이러한 추론에도 확신이 서지 않는다는 것이 솔직한 고백이다. 양주 실험 결과 밑술의 누룩 양으로는 주방문에 나와 있는 것처럼 빠른 시일 내에 술이 끓지도 않거니와, 덧술에서도 안정적인 발효를 도모할 수 없었다. 밑술의 힘이 부족하기 때문이었다.

결국 술 빚기 과정에 따른 번거로움만큼의 기대에 부응하지 못한 술이라는 의미는 아닐까 하는 생각을 하게 되었는데, 이 또한 확신할 수는 없다.

어떻든 밑술의 쌀 양 또는 누룩의 양이 잘못 표기되었을 가능성을 전제로, 밑술의 쌀 양을 2말이 아닌 2되로 한 양주 결과 주방문의 의도를 어느 정도 살릴 수 있었다.

한편, 누룩의 양을 7되로 늘린 결과 오히려 밑술이 괴어오르는 힘과 상태가 좋았으며, 덧술을 한 후에도 안정적으로 발효가 이루어져 10일 만에 술을 뜰 수 있었고, 그 맛이나 상태가 아주 좋았다는 사실을 밝혀둔다.

따라서 <봉접요람>의 '번주법'에 따른 술 빚기를 도모할 때 주의할 일은, 덧술의 술독을 완전히 밀봉하지 말거나, 자주 술독을 만져보아 뜨겁다고 느껴지거나 품온이 정점에 도달했다고 판단되면 재빨리 독 뚜껑을 열어 뜨거운 기운을 빼주고 환기를 시켜서 독 주변의 온도를 낮추어 주어야 한다는 것이다.

다만, 술독의 품온이 더 이상 오르지 못하도록 해주되, 술독의 품온을 떨어뜨리거나 냉각시키지는 말아야 한다.

이때 술독을 냉각시키게 되면 후발효 중에 자칫 산패하게 된다. 술덧의 온도가 빠른 시간에 상승하였을 뿐 발효가 많이 진행된 것은 아니기 때문에 알코올 도수가 낮은 술이 되었을 가능성이 많은 것이다.

끝으로 주방문 말미에 "가루 앉거든 드리우라."는 말의 뜻은, 덧술의 고두밥을 끓는 물로 익힌 탓에 진고두밥이 되고 밑술과 진고두밥을 한데 섞어 버무리다 보면 술밑이 인절미처럼 되기 십상인데, 이때 짓뭉개진 고두밥의 부스러기들을 뜻하는 것이 아닐까 생각된다.

주방문에서 보듯 덧술의 고두밥을 끓는 물로 익힌 탓에 퍼진 고두밥이 발효되면서 떨어져나간 부스러기가 많아지게 되는데, 특히 빨리 식히기 위하여 주걱으로 자주 뒤집어주는 경우에 고두밥 부스러기는 많이 떠오르게 된다. 이러한 고두밥 부스러기를 '가루'로 표현한 것으로 판단된다.

## 번주법 <봉접요람>

술 재료 : 밑술 : 멥쌀 2말, 누룩 7홉, 진말 4홉, 끓는 물 2동이
덧술 : 멥쌀 4말, 누룩 2되 8홉, 진말 8홉, 끓는 물 4동이

술 빚는 법 :

* 밑술 :

1. 멥쌀 2말을 백세하여 (물에 담갔다가, 다시 씻어 헹궈 건져서 물기를 뺀 다음) 작말한다(가루로 빻는다).
2. 솥에 물 2동이를 끓여 쌀가루에 고루 붓고, 주걱으로 고루 개어 멍우리 없이 반죽을 하여, 넓은 그릇에 펴서 가장 차게 식기를 기다린다.
3. 차게 식은 죽에 누룩 7홉, 진말 4홉을 합하고, 고루 힘껏 치대어 술밑을 빚는다.
4. 술밑을 술독에 담아 안치고, 예의 방법대로 발효시켜 괴어오르기를 기다린다.

* 덧술 :

1. 멥쌀 4말을 백세하여 물에 담가 하룻밤 불렸다가 (다시 씻어 헹궈 건져서) 물기를 뺀 다음, 시루에 안쳐서 고두밥을 짓는다.
2. 솥에 물 4동이를 끓이다가, 고두밥이 익었으면 퍼내어 골고루 합하고 (그릇의 뚜껑을 덮어) 차게 식기를 기다린다.
3. 끓는 물과 합하여 식힌 고두밥에 밑술과 가루누룩 2되 8홉, 진말 8홉을 한데 합하고, 고루 힘껏 치대어 술밑을 빚는다.
4. 술밑을 술독에 담아 안치고, 예의 방법대로 하여 서늘한 곳에 앉혀서 발효시키는데, 가루 앉으면 드리운다(채주한다).

* 덧술 주방문에 "가루누룩 네 칠 홉을 진말 팔 홉 섞어"라고 하였는데, "가루누룩 네(만들어)"라는 뜻인지, 네칠 홉(2되 8홉)인지 정확히 알 수 없다. 덧

술 쌀 양과 밑술의 누룩 양을 감안하면 칠 홉이어도 맞다. 다만, 위의 분량대로라면 '번주'라는 주품명과는 거리가 멀어진다는 사실에서 주방문의 오기를 생각하지 않을 수 없었다.

번쥬법

ᄇᆡᆨ미 두 말 ᄇᆡᆨ세작말ᄒᆞ여 ᄭᅳᆯ힌 물 두 동의 퍼 반쥭ᄒᆞ여 식거든 누룩 칠 홉 진말 너 홉 셧거 너허 두엇다가 괴거든 ᄇᆡᆨ미 너 말 ᄇᆡᆨ셰ᄒᆞ여 ᄒᆞ로밤 ᄃᆞᆷ가 두엇다가 ᄭᅳᆯ힌 물 네 동의로 골나 식거든 ᄀᆞ로누룩 네칠 홉 진말 팔 홉 셧거 두엇다가 ᄀᆞ로 안거든 드리우라 ᄒᆞᆫ 말의 ᄒᆞᆫ 동의 ᄂᆞᄂᆞ니라. 물리만 ᄒᆞᆫ 듯ᄒᆞᄂᆞ 조ᄒᆞ리라.

# 법주

## 스토리텔링 및 술 빚는 법

처음 술을 공부할 때 "우리 술을 빚는 일련의 과정을 어떻게 표현하지?" 하는 고민에 빠졌었다. 전국의 민가를 돌면서 할머니 할아버지들을 통해서 가문비법의 가양주들을 섭렵하게 되었는데, 사람마다 "술 담근다", "술 만든다", "술 빚는다", "술 닦는다", "술 내린다" 등 각각의 표현들을 써 혼돈스러웠다.

"왜 한 가지 일을 두고 저마다 다르게 표현하지?" 하는 의문과 함께 이 땅의 양주문화를 이해할 수 없었다. "아무리 가양주라고 하지만, 술을 빚는 용어조차 통일이 안 되어서야! 그간 학자들은 무엇을 하고 있었지?" 하는.

그러다가 우리 술 빚는 법에 대한 단초를 찾게 된 것이 경주최씨 가문의 '교동법주(校洞法酒)'를 찾아 주품명에 얽힌 유래와 현장에서 술을 빚는 과정을 목격하고서 나름 우리 술 빚는 법에 대한 정리를 해보자는 생각을 하게 되었다.

그리하여 '법주'를 비롯하여 고서에 수록된 수백 가지 주품명에 따른 주방문을 분석하게 되었는데, 그 결과를 살펴보니, 전통주는 이양주(二釀酒)가 주류를 이루고, 탁주(濁酒)나 증류주(蒸溜酒)보다는 청주(淸酒)가 압도적인 비율로 나타나고 있으며, 밑술과 덧술을 빚는 데 따른 어떤 원칙이 존재한다는 사실을 깨닫게 되었는데, 이를 두고 '주방문(酒方文)'이라고 하며, 주방문에 기초한 대표적인 술로 '법주(法酒)' 또는 '방문주(方文酒)'가 그 중심에 있다는 사실을 깨닫게 된 것이다.

주방문에 대한 자세한 이야기는 '방문주'편에서 언급하였으므로 여기서는 '법주'에 한하여 설명과 함께 주품명에 따른 의미를 부여하기로 한다.

경주 지방에서 빚어지고 있는 '교동법주'의 유래는 "조선 중종 대에 궁중과 조정의 문무백관이나, 외국 사신들만이 즐겨 마실 수 있도록 제한하였던 술로, 궁중의 사옹원(司饔院)에서 빚었던 특별주였는데, 이를 현재 '교동법주를 빚고 있는 최경(중요문형문화재) 선생의 선대(先代) 최국선 공께서 가양주로 전승하게 된 것"이라는 것이다.

'경주 교동법주'의 가양주 전승 유래에 따르면 '법주'는 "궁중의 술(법온, 法醞)"이라는 뜻이 있고, 다른 설로는 "이름 있는 절간 주변에서 빚어지고 있는 술을 모두 '법주'라고 불러왔다."고 하였으므로, '법주'는 과거 고려시대부터 대량생산을 하여 왔던, "사찰에서 빚는 법식(法式)대로 빚는 술"이라는 뜻도 있다.

따라서 주방문에 의한 '법주'는 그 흔적을 찾기가 쉽지 않다. '법주'의 주방문을 수록하고 있는 우리나라 최초의 문헌 기록은 조선시대 후기의 서유구에 의해 저술된 <임원십육지(林園十六志)>이다.

그런데 <임원십육지>의 주방문을 보니, 중국 문헌인 <제민요술(齊民要術)>의 '우법주방(又法酒方)'을 전제한 것이다. <제민요술>에는 기장으로 빚는 '서미법주방'을 기본으로 하여 대들보 밑에 놓고 발효시키는 '당량법주', 주재료를 멥쌀로 빚는 '갱미법주', 나병을 만들어 띄운 누룩으로 빚는 '식경법주', 그리고 별법(別法)의 '우법주방' 이 있다.

특히 '우법주방'은 '서미법주'의 변형인데, <임원십육지>에서는 이를 인용 '법주방(法酒方)'으로 기록하였다는 사실을 알 수 있다.

그리고 대한제국 말기의 기록인 <조선무쌍신식요리제법(朝鮮無雙新式料理製法)>에도 '법주'를 수록하고 있는데, <임원십육지>의 기록을 한글로 번역하여 전제한 것에 불과하다.

한편 1982년 고려대학교 민족문화연구소에서 출간한 <한국민속대관(韓國民俗大觀)>에는 주방문 없이 '법주'에 대해 "이 술은 언제 어떻게 이름 붙여졌는지 확실하지 않다. 이름 있는 절간 주변에서 빚어지고 있는 술을 모두 '법주'라고 불러왔다. 그 중에서도 신라 고도(古都)인 경주의 '법주'가 특히 유명한 것이었다. '법주'를 '법식대로 만든 술'로 보는 사람도 있다. 경주 지방에서 전해지고 있는 '법주'의 유래는 다음과 같다고 한다. 조선 중기 중종 대에 궁중과 조정의 문무백관이나 외국 사신들만이 즐겨 마실 수 있도록 제한하는 특별주라는 것이다. 그 제조법 역시 구구해서 알기 어려우나, 다음과 같은 것도 전래되고 있다. 찹쌀에 국화와 솔잎을 따서 빚어 넣고, 백 일 동안 땅에 묻어 숙성시키므로 '백일주'라고도 불렀다."고 하여, 현재 중요무형문화재로 지정되어 전승되고 있는 '경주 교동법주'와는 다르다는 것을 알 수 있다.

따라서 '법주'는 주품명이라기 보다는 "궁중이나 절간에서 술을 빚는 법식"이라는 의미를 내포한다고 할 것이다.

그리고 기록에서 보듯 <임원십육지>와 <조선무쌍신식요리제법>의 '법주' 역시 철저하게 중국식 양주기법을 보여주고 있다고 하겠는데, 그 특징이 밑술을 빚는 방법을 덧술과 2차 덧술에서도 동일하게 이루어진다는 점이다.

또한 고두밥을 쪄서 끓는 물을 적당량 합하고, 고두밥이 불으면 식혀서 누룩이나 밑술과 합하여 안치는 방식이며, 횟수를 더할수록 쌀 양을 같은 비율로 가져가기도 하고 늘려 나가기도 하는 특징을 보여주고 있다.

따라서 '법주'는 '서미법주'를 비롯한 중국의 양주기법이 우리나라에 도입되었던 것이지만, 이미 고려시대 때부터 사찰을 중심으로 민간에서도 술 빚는 법이 체계를 이루기 시작했고, 중국식 양주기법에서 벗어나 우리나라만의 양주기술이 정착되었다는 것을 살필 수 있는 중요한 단서가 된다고 할 수 있을 것 같다.

'법주'를 빚을 때는 신국(神麴)이 아니더라도 좋은 누룩을 법제를 많이 하여 사용하는 것을 기본으로 하고, 어떤 원료가 되었든 세미(洗米)를 잘해야 한다. 그것이 기장과 같은 잡곡일수록 세미의 중요성은 강조된다.

특히 <임원십육지>와 <조선무쌍신식요리제법>의 '법주방'에 근거하여 기장쌀로 술을 빚고자 할 때는 덧술 간격을 7일 이상으로 길게 가져가야 한다는 사실을 명심해야 한다.

기장쌀과 같이 잡곡쌀로 고두밥을 만들어 빚는 경우, 덧술 간격이 짧아지면 자칫 잔당(殘糖)이 많아져서 2차 덧술을 삭이지 못하거나 산도가 높아져서 산패하는 결과를 초래할 수 있기 때문이다.

'법주'가 이 땅에 도입되어 정착되었다고 하더라도, 우리의 음주문화는 '법주'를 '황주(黃酒)'처럼 오랜 시간 숙성시켜 마시거나, 술을 채주하여 마시는 중간에 계속해서 덧술을 하여 빚는 문화가 아니라는 사실이다.

## 1. 법주방 <임원십육지(林園十六志, 高麗大本)>

술 재료 : 밑술 : 기장 1석, 초맥곡가루 1석, 끓여 식힌 물 1석
덧술 : 기장 1~2석, 끓여 식힌 물 1석
2차 덧술 : 기장 2~3석, 끓여 식힌 물 1석

술 빚는 법 :

* 밑술 :

1. 볶은 보리로 만든 초맥곡가루 1석을 햇볕에 말리어 (2~3일간 법제하여) 준비한다.
2. 술 빚는 날인 2월 2일에 물 1석을 솥에 끓여서 차게 식힌다.
3. 기장 1석으로 술거리를 준비한다(백세하여 물에 담가 불렸다가, 다시 씻어 건져서 물기를 뺀 후, 시루에 안쳐서 고두밥을 짓는다).
4. (고두밥이 익었으면 퍼내고, 고루 펼쳐서 차게 식기를 기다린다.)
5. (고두밥에) 물 9말 5되와 초맥곡가루 1석을 한데 섞고, 고루 버무려 술밑을 빚는다.
6. 술독에 술밑을 담아 안치고, 남겨둔 물 5되로 손과 그릇을 씻어 술독에 붓고 (덥지도 차지도 않은 곳에서) 10일간 발효시킨다.

* 덧술 :

1. 술 빚기 하루 전인 2월 11일에 물 1석을 솥에 끓여서 차게 식힌다.
2. 기장 1~2석으로 술거리를 준비한다(백세하여 물에 담가 불렸다가, 다시 씻어 건져서 물기를 뺀 후 시루에 안쳐서 고두밥을 짓는다).
3. (고두밥이 익었으면 퍼내고, 고루 펼쳐서 차게 식기를 기다린다.)
4. (고두밥에) 밑술과 물 9말 5되를 한데 섞고, 고루 버무려 술밑을 빚는다.
5. 술독에 술밑을 담아 안치고, 남겨둔 물 5되로 손과 그릇을 씻어 술독에 붓고 (덥지도 차지도 않은 곳에서) 8일간 발효시킨다.

* 2차 덧술 :

1. 술 빚기 하루 전인 2월 19일에 물 1석을 솥에 끓여서 차게 식힌다.
2. 기장 2~3석을 (백세하여 물에 담가 불렸다가, 다시 씻어 건져서 물기를 뺀 후 시루에 안쳐서 고두밥을 짓는다.)
3. (고두밥이 익었으면 퍼내고, 고루 펼쳐서 차게 식기를 기다린다.)
4. 고두밥에 덧술과 물 9말 5되를 한데 섞고, 고루 버무려 술밑을 빚는다.
5. 술독에 술밑을 담아 안치고, 남겨둔 물 5되로 손과 그릇을 씻어 술독에 붓고 (덥지도 차지도 않은 곳에서) 발효시킨다.

* 주방문에 "<제민요술>의 '우법주방(又法酒方)'을 인용하였다."고 하였으나, 주원료로 미루어 '서미법주'라는 것을 알 수 있으며, '초맥국(焦麥麴)'을 사용한다는 점에서 법주의 특징을 찾을 수 있다.

法酒方

焦麥麴末一石曝令乾煎湯一石黍一石合柔令甚熟以二月二日收水卽預煎湯停之令冷初酘之時十日一酘不得使狗鼠近之後或八日六日一酘會以偶日酘之不得(隻)日二月中節酘令(足)常預煎湯停之酘畢以五升洗手湯其米多少依焦麴殺之. <齊民要術>.

## 2. 법주 <조선무쌍신식요리제법(朝鮮無雙新式料理製法)>

술 재료 : 밑술 : 기장쌀 1섬, 볶은 누룩가루(초맥곡) 1섬, 물 1섬
덧술 : 기장쌀(또는 멥쌀 4말 5되), 끓는 물 5되
2차 덧술 : 기장쌀(또는 멥쌀 6말), 끓는 물 5되

술 빚는 법 :

* 밑술 :

1. (2월 2일 10일 전) 볶은 보리누룩(초맥곡) 1섬을 햇볕에 말려 법제한다.
2. 기장쌀 1섬으로 술거리를 준비한다(백세하여 물에 담갔다가, 다시 씻어 건진다).
3. 물 1섬을 팔팔 끓이다가 기장쌀을 퍼붓고, 주걱으로 고루 개어 밥을 짓고 뜸을 들였다가, 뚜껑을 덮어 차게 식기를 기다린다.
4. 기장밥에 법제한 누룩 1섬을 합하고, 고루 버무려 술밑을 빚는다.
5. 술밑을 술독에 담아 안치고, 예의 방법대로 하여 10일간 발효시킨다.

* 덧술 :

1. 2월 2일에 기장쌀(또는 멥쌀 4말 5되)을 백세하여 (물에 하룻밤 불렸다가, 다시 씻어 건져서 물기를 뺀 후) 시루에 안쳐서 고두밥을 짓는다.
2. 물 5되를 팔팔 끓여 고두밥에 붓고, 고두밥이 물을 다 먹었으면 고루 펼쳐서 차게 식기를 기다린다.
3. 고두밥을 밑술과 합하고, 고루 버무려서 술밑을 빚는다.
4. 술독에 술밑을 담아 안치고, 예의 방법대로 하여 8~6일간 발효시킨다.

* 2차 덧술 :

1. 2월 15일경에 기장쌀(또는 멥쌀 6말)을 백세하여 (물에 불렸다가, 다시 씻어 건져서 물기를 뺀 후) 시루에 안쳐서 고두밥을 짓는다.

2. 물 5되를 팔팔 끓여 고두밥에 붓고, 고두밥이 물을 다 먹었으면 고루 펼쳐서 차게 식기를 기다린다.
3. 고두밥을 덧술과 합하고, 고루 버무려서 술밑을 빚는다.
4. 술독에 술밑을 담아 안치고, 예의 방법대로 발효시켜 채주한다.

법주

복근 보리누룩가루 한 섬을 볏헤 쬐여 말리고 끌는 물 한 섬에 지장쌀 한 섬을 합하야 익게 하고 이월 이일에 물을 기러다가 먼저 스려 식거든 처음 우더풀 제 열흘 만에 한 번 더프되 개와 쥐를 갓가이 하지 말지니 그 후에 여드레나 엿세 만에 한 번 우더프되 싹 맛는 날에 더플 것이요 이월 중절(中節)에 우덥는 것이 족한데 항상 미리 끌는 물을 두엇다가 우덥기를 맛칠 제 닷 되로 할것이요 쌀의 다소는 복근 누룩을 의지하야 취기나니라.

## 3. 법주 <한국민속대관(韓國民俗大觀)>

법주(法酒)

이 술은 언제 어떻게 이름 붙여졌는지 확실하지 않다. 이름 있는 절간 주변에서 빚어지고 있는 술을 모두 '법주'라고 불러왔다. 그 중에서도 신라 고도(古都)인 경주의 '교동법주'가 특히 유명한 것이었다. '법주'를 법식대로 만든 술로 보는 사람도 있다. 경주 지방에서 전해지고 있는 '교동법주'의 유래는 다음과 같다고 한다.

조선 말엽 중종 대에 궁중과 조정의 문무백관(文武百官)이나, 외국 사신들만이 즐겨 마실 수 있도록 제한하는 특별주라는 것이다.

그 제조법 역시 구구해서 알기 어려우나, 다음과 같은 것도 전래되고 있다. 찹쌀에 국화와 솔잎을 따서 빚어 넣고, 백 일 동안 땅에 묻어 숙성시키므로, '백일주'라고도 불렀다.

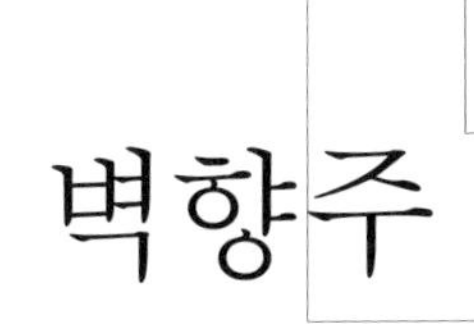

# 벽향주

## 스토리텔링 및 술 빚는 법

고려시대와 조선시대를 거치면서 서울 이북의 중심지로 대도시를 형성해 왔던 곳이 평양이다. 이북 지방으로서는 드물게 평야지대가 형성되어 있어, 그런대로 도시의 규모를 갖추었으면서도 논농사가 발달했던 곳인 만큼 미곡 생산량도 비교적 많았던 것 같다.

이 지방의 명주로 '관서감홍로'와 함께 일찍이 명성을 날렸던 술이 '벽향주(碧香酒)'이다. '벽향주'는 여타의 술에 비해 빛깔이 맑고 밝으면서도 콕 쏘는 맛이 있어, 흡사 '청명향(淸明香의)'의 술맛을 연상케 한다.

'벽향주'는 여러 가지 술 빚는 방법이 기록으로 전해 오고 있는데, 문헌에 따라서는 단양주(單釀酒)와 이양주(二釀酒), 삼양주(三釀酒)로 각각 달리 소개하고 있음을 볼 수 있다.

조선시대 전기에서부터 20세기 초에 이르기까지의 문헌으로 <감저종식법(甘藷種植法)>을 비롯하여 <고사신서(攷事新書)>, <고사십이집(攷事十二集)>, <군학회등(群學會騰)>, <주식방(酒食方, 高大閨壼要覽)>, <역주방문(曆酒方

文)>, <요록(要錄)>, <해동농서(海東農書)>, <홍씨주방문>, <산림경제(山林經濟)>, <수운잡방(需雲雜方)>, <농정회요(農政會要)>, <술 만드는 법>, <술방>, <시의전서(是議全書)>, <양주방>*, <양주집(釀酒集)>, <언서주찬방(諺書酒饌方)>, <산가요록(山家要錄)>, <음식디미방>, <의방합편(醫方合編)>, <임원십육지(林園十六志)>, <주방(酒方)>*, <주방문(酒方文)>, <주방문조과법(造果法)>, <증보산림경제(增補山林經濟)> 등 25종의 문헌에 39차례나 등장하고 있음도 '벽향주'의 인기와 대중성을 확인시켜 주는 근거가 된다고 생각된다.

먼저 시대적으로 가장 앞선 기록인 <산가요록>과 <언서주찬방>에 각각 삼양주법과 이양주법이 수록되어 있는데, <산가요록>의 삼양주법은 쌀가루와 끓는 물을 섞어 만든 죽(범벅)을 차게 식힌 후, 누룩가루와 밀가루를 섞어 빚은 밑술에 죽(범벅)과 누룩가루를 섞어 덧술을 하고, 2차 덧술은 죽(범벅)을 단독으로 사용하는 방법을 보여주고 있는 것을 볼 수 있다. <산가요록>의 삼양주법 '벽향주'의 특징은 죽(범벅)이 3차례나 사용되고 밀가루는 밑술에만 사용하며, 누룩은 밑술과 덧술에 2차례 사용하는 방법으로 이루어진다는 것을 알 수 있다. 특히 누룩과 물의 양은 동량으로 하되, 필요에 따라 밑술과 덧술의 쌀 양을 2배로도 빚을 수 있다고 한 것을 볼 수 있는데, 이와 같은 주방문은 <산가요록>의 삼양주법 '벽향주'가 유일한 것으로 판단된다.

반면 <언서주찬방>의 삼양주법은 3차례에 걸쳐 백설기를 쪄서 끓는 물과 섞어 만든 죽을 사용하는데, 밑술에는 누룩가루와 밀가루를 섞어 사용하고, 덧술에서는 누룩가루만을 섞어 빚으며, 2차 덧술에서는 백설기와 끓는 물을 섞어 만든 죽을 단독으로 사용하는 방법으로 이루어진다. 따라서 <언서주찬방>의 삼양주법 '벽향주'는 <산가요록>과는 주방문은 동일하지만 쌀의 가공방법에서 차이를 볼 수 있을 뿐이다.

<산가요록>과 <언서주찬방>에 처음 등장하는 삼양주법 '벽향주'는 이들 문헌보다 최소 60여 년 뒤늦게 발간된 <수운잡방>에 이르러 밑술과 덧술을 죽(범벅)으로 하고, 2차 덧술을 고두밥과 끓는 물을 섞어 만든 진고두밥을 비롯 무리떡(설기)과 끓는 물을 섞어 만든 죽, 고두밥 단독으로 하는 등 각각 변형된 3가지 주방문을 볼 수 있다.

그리고 조선 중기 이후의 문헌인 <농정회요>와 <요록>, <임원십육지>, <주식방(고대규곤요람)>, <증보산림경제>에 수록되어 있음을 볼 수 있고, 1915년경에 발간된 것으로 추정되는 <주방문조과법>에서도 <산가요록>과 <언서주찬방>의 주방문을 찾아볼 수 있어, 다른 주품들이 삼양주법에서 이양주법으로 간소화된 경향과는 다르게 삼양주법 '벽향주'가 이양주법과 함께 그 명맥을 이어왔음을 확인할 수 있다.

<산가요록>의 이양주법 '벽향주'는 2말 5되의 멥쌀을 백세작말하여 만든 쌀가루와 끓는 물 3말로 만든 죽(범벅)과 누룩가루 4되를 섞어 밑술을 빚고, 멥쌀 3말 5되로 지은 고두밥과 끓는 물 3말을 섞어 만든 진고두밥과 누룩가루 2되를 덧술로 하는 방법을 볼 수 있다.

<언서주찬방>의 이양주법 '벽향주'는 1말의 멥쌀을 백세작말하여 쪄서 만든 설기떡과 끓는 물 5사발을 섞어 만든 죽과 누룩가루1되, 밀가루 1되를 사용하여 빚은 밑술에 멥쌀 2말로 지은 고두밥과 끓는 물 4병을 섞어 만든 진고두밥으로 덧술을 하는 주방문을 수록하고 있음을 알 수 있다.

그런데 <산가요록>과 <언서주찬방> 이후에 등장하는 <감저종식법>을 비롯하여 <고사신서>, <고사십이집>, <군학회등>, <농정회요>, <산림경제>, <술방>, <시의전서>,  <역주방문>, <의방합편>, <임원십육지>, <주방문>, <주방문조과법>, <증보산림경제>, <해동농서> 등 다수의 문헌에 수록된 이양주법 '벽향주'는 그 성격을 규명하기가 어렵다.

왜냐하면 특히 밑술을 빚는 방법과 과정은 <산가요록>과 같은데, 주원료의 비율은 <언서주찬방>의 주방문과 동일하기 때문이다. 물론 <주방문>에서는 덧술에 밀가루가 추가되고, <주방문조과법>의 '삼두벽향주'에서는 덧술에 누룩이 사용되지 않는 경우도 있다.

그리고 <농정회요>의 '벽향주 별법(別法)'과 <임원십육지>의 '벽향주 우방(又方)', <증보산림경제>의 '벽향주법 별법'은 <언서주찬방>의 주방문을 그대로 수록하고 있음을 볼 수 있어, '벽향주'는 <산가요록>과 <언서주찬방>의 주방문을 전적으로 수용하면서 변화 발전을 거듭해 왔을 것으로 추측할 수 있다.

다만 <시의전서>를 비롯하여 <음식디미방>, <임원십육지>의 '벽향주 이법(理

法)', <주방>*, <홍씨주방문>의 '벽향주' 주방문은 문헌마다 다른 비율과 가공방법을 취사선택하고 있으며, 멥쌀과 찹쌀을 섞어 사용하는 등 다양하게 나타나고 있다.

특히 <술 만드는 법>의 '벽향주'는 찹쌀고두밥과 수곡(水麯), 청주(淸酒)가 사용되는 등 단양주법을 보이고 있어, '벽향주'가 속성주화(速成酒化)하는 경향까지를 엿볼 수 있다.

<술 만드는 법>의 속성주법의 '벽향주'는 <고사신서>를 비롯 <술방>, <시의전서>, <후생록(厚生錄)> 등에 수록된 '삼일주'에서와 같이 '술(청주)'을 사용하여 빚는 방법인데, 주원료인 찹쌀의 양이나 수곡에 따른 술 빚는 물의 양보다 많은 양의 청주가 사용되는 경우로, 극히 예외적인 양주기법을 읽을 수 있다. 따라서 청주의 양이 많이 사용되는 경우, 청주의 알코올 도수를 염두에 두어야 한다는 사실을 잊지 말아야 한다.

'벽향주'는 평양 등 관서 지방의 명주로 알려져 왔다. 술 이름이 암시하듯 "술 빛깔이 푸르고 향기롭다."는 뜻에서 유래한 술이다. 푸른 술 빛깔은 그만큼 맑다는 뜻으로 이해되어야 할 부분으로, 이 술의 특징을 반영하고 있다고 해야 할 것이다.

<산가요록>과 <언서주찬방>을 비롯하여 <농정회요>, <수운잡방>, <임원십육지>, <증보산림경제> 등의 문헌에 수록된 주방문을 중심으로 한 '벽향주'는 이양주법과 삼양주법이 주류를 이룬 가운데, 반생반숙(半生半熟)의 죽(범벅)과 백설기로 만든 죽에 백곡(白麯, 粉麯)을 섞어 빚거나, 누룩가루와 함께 밀가루를 섞어 빚는 방법으로 밑술을 빚고, 고두밥과 끓는 물을 섞어 만든 진고두밥에 백곡을 섞어 덧술을 빚는 형식이 주류를 이루고 있다는 사실을 확인할 수 있다.

이와 같은 양주기법은 겨울철의 양주나 저온장기발효법을 추구하고 있는 삼양주법에서 나타나는 것으로서, '벽향주'가 삼양주법에서 이양주법으로 간소화되었다는 사실을 확인케 해준다고 할 것이다.

'벽향주'를 빚는 과정에서 주의할 일은, 밑술의 쌀가루를 끓는 물로 익힌 반생반숙법의 죽(범벅)이나 백설기를 끓는 물로 다시 익힌 죽(粥)의 호화(糊化) 상태가 고르게 되어야 한다는 것이고, 덧술 또는 2차 덧술로 하는 진고두밥의 경우, 고두밥이 끓는 물을 다 빨아먹기 전에 빨리 냉각시키기 위해 자주 뒤적이거나, 차게 식히기 위해서 여러 그릇에 나누거나, 펼쳐 식히는 동안 자주 뒤적거려서는 안 된다는 것이다.

'벽향주'는 그 특징과 장점이 극히 맑은 술 빛깔에 달려 있는 만큼, 특히 덧술의 진고두밥을 차디차게 식기를 기다렸다가 사용하도록 하면 실패가 없고, 맑은 술 빛깔도 얻을 수 있어 좋다. 또 '벽향주'는 쌀 양에 비해 비교적 물의 양이 많은 편에 속하는 술로, 수율도 좋고 발효기간도 비교적 짧은 편에 속하는 주품이며, 콕 쏘게 독한 맛을 특징으로 꼽을 수 있다.

'벽향주'에 대한 시음 평가 결과, 여러 문헌의 '벽향주' 주방문 가운데 술 빚는 물의 양이 비교적 적게 사용된 것으로 판단되는 <수운잡방>의 '우벽향주(又碧香酒)'와 <양주방>*의 '벽향주' <양주집>의 '우벽향주', <언서주찬방>의 '벽향주 또 별법', <음식디미방>의 '벽향주', <임원십육지>의 '벽향주 우방' 등 주품들에 대한 반응이 좋았었던 것을 생각하면, 음주량이 적은 반면 맛과 향기를 즐기려는 패턴의 현대인들 기호에 맞는 것으로 여겨졌다.

이들 대부분의 '벽향주'에서는 고급 방향주(芳香酒)에서 맛볼 수 있는 단맛과 함께 강한 자두꽃 향기를 뿜어내고 있었다.

## 1. 벽향주 <감저종식법(甘藷種植法)>

술 재료 : 밑술 : 멥쌀 1말, 참누룩(분곡) 2되, 끓는 물 2말
덧술 : 멥쌀 2말, 참누룩(분곡) 2홉, 끓는 물 3말

술 빚는 법 :

* 밑술 :

1. 멥쌀 1말을 백세하여 (물에 담가 하룻밤 불렸다가, 다시 씻어 말갛게 헹궈서 물기를 뺀 후) 작말한다(가루로 빻는다).
2. 솥에 물 2말을 끓여 쌀가루에 고루 붓고, 주걱으로 고루 개어 죽(범벅)을 쑨

후, 넓은 그릇에 펴서 차게 식기를 기다린다.

3. 죽(범벅)에 참누룩(분곡) 2되를 합하고, 고루 버무려 술밑을 빚는다.
4. 술밑을 술독에 담아 안치고, 예의 방법대로 하여 7일간 발효시킨다.

* 덧술 :

1. 멥쌀 2말을 백세하여 (물에 담가 불렸다가, 다시 씻어 헹궈서 물기를 뺀 후) 시루에 안쳐 무른 고두밥을 짓는다.
2. 솥에 물 3말을 팔팔 끓이고, 고두밥이 익었으면 한데 합한다(주걱으로 고두밥을 고루 헤쳐 놓는다).
3. (고두밥이 물을 다 먹었으면 넓은 그릇에 나눠 담고 뚜껑을 덮어 차게 식기를 기다린다.)
4. 고두밥에 밑술과 참누룩(분곡) 2홉을 한데 합하고, 고루 버무려 술밑을 빚는다.
5. 술밑을 술독에 담아 안치고, 예의 방법대로 하여 발효시키고 익기를 기다려 주조에 올려 거른다.

* 주방문 말미에 "술 빚는 법은 어려우나, 이와 같이 반드시 누룩을 적게 써서 빚으면 좋다."고 하였다.

碧香酒

白米一斗百洗作末用湯水斗作粥待冷真麴二升和合釀之七日後白米二斗百洗濃蒸湯水二斗均調待冷真麴二合合釀待熟上槽法雖如此麴必少加如乃好.

## 2. 벽향주 <고사신서(攷事新書)>

술 재료 : 밑술 : 멥쌀 1말, 참누룩(백곡) 2되, 끓는 물 1말
덧술 : 멥쌀 2말, 참누룩(백곡) 2홉, 끓는 물 2말

술 빚는 법 :

* 밑술 :

1. 멥쌀 1말을 물에 백세하여 물에 담가 불렸다가, 씻어 건져서 물기를 뺀 뒤 가루로 빻아놓는다.
2. 솥에 물 2말을 끓이다가, 뜨거운 물 1말 정도를 떠서 쌀가루에 고루 붓고 주걱으로 골고루 개어 걸쭉한 아이죽을 만든다.
3. 끓고 있는 물에 개어놓은 아이죽을 넣고 팔팔 끓여 죽을 쑨 다음, 넓은 그릇 여러 개에 나눠 담고, 차게 식기를 기다린다.
4. 죽에 참누룩(백곡) 2되를 합하고, 고루 버무려 술밑을 빚는다.
5. 술독에 술밑을 담아 안치고, 예의 방법대로 하여 7일간 발효시킨다.

* 덧술 :

1. 멥쌀 2말을 백세한다(새 물에 담가 불렸다가, 다시 헹궈 건져서 물기를 뺀다).
2. 불린 쌀을 시루에 안치고, 푹 쪄서 무르게 익은 고두밥을 짓는다.
3. 물 2말을 오랫동안 팔팔 끓이다가, 고두밥이 익었으면 끓는 물을 뜨거운 고두밥에 붓고, 주걱으로 고루 헤쳐서 차게 식기를 기다린다.
4. 질어진 밥에 밑술과 참누룩(백곡) 2홉을 합하고, 고루 버무려 술밑을 빚는다.
5. 술독에 술밑을 담아 안치고, 예의 방법대로 하여 발효시킨다.
6. 술이 익을 때까지 기다려 숙성된 술을 주조에 올려 짜면 5말을 얻는다.

* <고사촬요>와 동일한 방문이다.

## 碧香酒

白米一斗百洗作末湯水二斗作粥待冷真麴二升和合釀之七日後白米二斗百洗濃蒸湯水二斗均調待冷真麴二合合釀待熟上槽法雖如此麴必少加乃好.

## 3. 벽향주 <고사십이집(攷事十二集)>

술 재료 : 밑술 : 멥쌀 1말, 참누룩(백곡) 2되, 끓는 물 1말
덧술 : 멥쌀 2말, 참누룩(백곡) 2홉, 끓는 물 2말

술 빚는 법 :

* 밑술 :

1. 멥쌀 1말을 물에 백세하여 물에 담가 불렸다가, 씻어 건져서 물기를 뺀 뒤 가루로 빻아놓는다.
2. 솥에 물 1말을 끓이다가, 뜨거운 물 5되 정도를 떠서 쌀가루에 고루 붓고 주걱으로 골고루 개어 걸쭉한 아이죽을 만든다.
3. 끓고 있는 물에 개어놓은 아이죽을 넣고 팔팔 끓여 죽을 쑨 다음, 넓은 그릇 여러 개에 나눠 담고 차게 식기를 기다린다.
4. 죽에 참누룩(백곡) 2되를 합하고, 고루 버무려 술밑을 빚는다.
5. 술독에 술밑을 담아 안치고, 예의 방법대로 하여 7일간 발효시킨다.

* 덧술 :

1. 멥쌀 2말을 백세한다(새 물에 담가 불렸다가, 다시 헹궈 건져서 물기를 뺀다).
2. 불린 쌀을 시루에 안치고, 푹 쪄서 무르게 익은 고두밥을 짓는다.
3. 물 2말을 오랫동안 팔팔 끓이다가, 고두밥이 익었으면 끓는 물을 뜨거운 고두밥에 붓고, 주걱으로 고루 헤쳐서 차게 식기를 기다린다.
4. 질어진 밥에 밑술과 참누룩(백곡) 2홉을 합하고, 고루 버무려 술밑을 빚는다.
5. 술독에 술밑을 담아 안치고, 예의 방법대로 하여 발효시킨다.
6. 술이 익을 때까지 기다려 숙성된 술을 주조에 올려 짜면 5말을 얻는다.

* 주방문에 '진국(眞麴)'은 '백곡(白麯, 粉麴)'이다. 주방문 말미에 "만드는 방법은 이와 같아도 누룩은 반드시 적게 첨가해야 좋다."고 하였다. <고사촬요>

와 동일한 방문이다.

碧香酒
白米一斗百洗作末湯水如斗作粥待冷真麴二升和合釀之七日後白米二斗百洗濃蒸湯水二斗均調待冷真麴二合合釀待熟上槽或云麴少加乃好.

## 4. 벽향주법 <군학회등(群學會騰)>

술 재료 : 밑술 : 멥쌀 1말, 참누룩 2되, 끓는 물 2말
덧술 : 멥쌀 2말, 참누룩 2홉, 끓는 물 2말

술 빚는 법 :

* 밑술 :

1. 멥쌀 1말을 백세하여 (물에 담가 불렸다가, 다시 씻어 말갛게 헹궈서 물기를 뺀 후) 작말한다(가루로 빻는다).
2. 솥에 물 2말을 팔팔 끓여 쌀가루에 고루 붓고 죽(범벅)을 쑨 후, 넓은 그릇에 펴서 차게 식기를 기다린다.
3. 죽(범벅)에 참누룩 2되를 합하고, 고루 버무려 술밑을 빚는다.
4. 술밑을 술독에 담아 안치고, 예의 방법대로 하여 7일간 발효시킨다.

* 덧술 :

1. 멥쌀 2말을 백세하여 (물에 담가 불렸다가, 다시 씻어 헹궈서 물기를 뺀 후) 시루에 안쳐 고두밥을 짓는다.
2. 솥에 물 2말을 팔팔 끓이고, 고두밥이 무르게 익었으면 한데 합한다(주걱으로 고두밥을 고루 헤쳐 놓는다).
3. 고두밥이 (물을 다 먹었으면 넓은 그릇에 나눠 담고 뚜껑을 덮어) 차게 식

기를 기다린다.

4. 고두밥에 밑술과 참누룩 2홉을 한데 합하고, 고루 버무려 술밑을 빚는다.
5. 술밑을 술독에 담아 안치고, 예의 방법대로 하여 발효시키고 익기를 기다린다.

* 주방문에 '진말(眞末) 이승(二升)'이라고 하였을 뿐, 진국말이나 국말이란 표기는 보이지 않는다. 따라서 방문 말미에 "방법은 비록 이렇지만 필히 누룩을 조금 넣어야 좋다(如法 麴末小加万好)."고 한 것으로 미루어, 참누룩(眞麴末) 이승(二升)으로 해석해야 옳거나 누락된 것으로 이해해야 옳을 것 같다.

碧香酒法

白米一斗百洗作末用湯水二斗作粥候冷眞麴二升和合釀之七日後白米二斗百洗濃蒸湯水二斗均調候冷眞麴二合合釀待熟上槽法雖如此麴必少加方好

## 5. 벽향주법 <농정회요(農政會要)>

술 재료 : 밑술 : 멥쌀 1말, 참누룩 2되, 끓는 물 2말
덧술 : 멥쌀 2말, 참누룩 2홉, 끓는 물 2말

술 빚는 법 :

* 밑술 :

1. 멥쌀 1말을 백세하여 (물에 담가 불렸다가, 다시 씻어 말갛게 헹궈서 물기를 뺀 후) 작말한다(가루로 빻는다).
2. 솥에 물 2말을 팔팔 끓여 쌀가루에 고루 붓고, 죽(범벅)을 쑨 후 넓은 그릇에 펴서 차게 식기를 기다린다.

3. 죽(범벅)에 참누룩 2되를 합하고, 고루 버무려 술밑을 빚는다.
4. 술밑을 술독에 담아 안치고, 예의 방법대로 하여 7일간 발효시킨다.

* 덧술 :
1. 멥쌀 2말을 백세하여 (물에 담가 불렸다가, 다시 씻어 헹궈서 물기를 뺀 후) 시루에 안쳐 고두밥을 짓는다.
2. 솥에 물 2말을 팔팔 끓이고, 고두밥이 무르게 익었으면 한데 합한다(주걱으로 고두밥을 고루 헤쳐 놓는다).
3. 고두밥이 (물을 다 먹었으면 넓은 그릇에 나눠 담고 뚜껑을 덮어) 차게 식기를 기다린다.
4. 고두밥에 밑술과 참누룩 2홉을 한데 합하고, 고루 버무려 술밑을 빚는다.
5. 술밑을 술독에 담아 안치고, 예의 방법대로 하여 발효시키고 익기를 기다린다.

* 주방문 말미에 "방법은 비록 이렇지만 필히 누룩을 조금 넣어야 좋다."고 하였다.

碧香酒法
白米一斗百洗作末用湯水二斗作粥候冷眞麯二升和合釀之七日後白米二斗百洗濃蒸湯水二斗均調候冷眞麯二合合釀待熟上槽法雖如此麯必少加方好.

## 6. 벽향주 우방 <농정회요(農政會要)>

술 재료 : 밑술 : 찹쌀 1말, 멥쌀 1말, 누룩 5되, 밀가루 1되 5홉, 끓는 물 2말
덧술 : 멥쌀 4말, 누룩 1되, 끓는 물 6말
2차 덧술 : 멥쌀 4말, 끓는 물 6말

술 빚는 법 :

* 밑술 :

1. 찹쌀과 멥쌀 각 1말을 섞어 백세하여 (새 물에 담가 불렸다가, 다시 씻어 건져서) 작말한다.
2. 솥에 물 2말을 팔팔 끓이고, 쌀가루를 시루에 안쳐서 떡을 찐 다음, 떡이 익었으면 끓는 물과 한데 합하고 (멍우리가 없게 풀어) 차게 식기를 기다린다.
3. 물에 풀어 차게 식은 떡에 누룩가루 5되와 밀가루 1되 5홉을 한데 합하고, 고루 힘껏 치대어 술밑을 빚는다.
4. 술밑을 술독에 담아 안치고, 예의 방법대로 하여 (차고 서늘한 곳에서) 겨울에는 7일, 여름에는 3일, 봄가을에는 5일간 발효시켜 익기를 기다린다.

* 덧술 :

1. 멥쌀 4말을 백세하여 (물에 담가 불린 다음, 다시 씻어 말갛게 헹궈서 물기를 뺀 후) 작말한다.
2. 솥에 물 6말을 팔팔 끓이고, 쌀가루를 시루에 안쳐서 떡을 찐다.
3. 떡이 익었으면 끓는 물과 한데 합하고, 주걱으로 고루 헤쳐 덩어리진 것이 없이 풀어놓는다.
4. 떡이 (담긴 그릇에 뚜껑을 덮어) 차게 식기를 기다린다.
5. 죽처럼 된 떡과 밑술, 누룩 1되를 한데 합하고, 고루 버무려 술밑을 빚는다.
6. 술밑을 술독에 담아 안치고, 예의 방법대로 하여 (차고 서늘한 곳에서) 겨울에는 7일, 여름에는 3일, 봄가을에는 5일간 발효시켜 익기를 기다린다.

* 2차 덧술 :

1. 멥쌀 4말을 백세하여 (물에 담가 불린 다음, 다시 씻어 말갛게 헹궈서 물기를 뺀 후) 작말한다.
2. 솥에 물 6말을 팔팔 끓이고, 쌀가루를 시루에 안쳐서 떡을 찐다.
3. 떡이 익었으면 끓는 물과 한데 합하고, 주걱으로 고루 헤쳐 덩어리진 것이 없이 풀어놓는다.

4. 떡이 (담긴 그릇에 뚜껑을 덮어) 차게 식기를 기다린다.
5. 죽처럼 된 떡과 덧술을 한데 합하고, 고루 버무려 술밑을 빚는다.
6. 술밑을 술독에 담아 안치고, 예의 방법대로 하여 (차고 서늘한 곳에서) 발효시켜 익기를 기다린다.
7. 술이 익었으면 주조에 올려 거른다.

* 덧술과 2차 덧술의 재료 배합비율이 같다. 다만 2차 덧술에서는 누룩을 사용하지 않는다는 점에서 차이가 있다.

碧香酒 又方

白米一斗粘米一斗相雜百洗作末蒸熟用湯水二斗調均候冷麯末五升眞末一升五合相和冬七夏三春秋五日後又白米四斗百洗作末蒸熟湯水六斗調均候冷以麯末一升與前酒相和入瓮四時依上日馥數滿又白米四斗如前細(洗)末蒸熟湯水六斗調均候冷納前酒候熟上槽.

## 7. 벽향주 별법 <농정회요(農政會要)>

술 재료 : 밑술 : 멥쌀 1말, 누룩가루 1되, 밀가루 1되, 백비탕 5동이
덧술 : 멥쌀 2말, 백비탕 4병

술 빚는 법 :
* 밑술 :
1. 멥쌀 1말을 백세하여 (물에 담가 불렸다가, 다시 씻어 말갛게 헹궈서 물기를 뺀 후) 작말한다(가루로 빻는다).
2. 솥에 물 5동이를 오랫동안 팔팔 끓여 백비탕을 만들고, 쌀가루를 시루에 안쳐서 떡을 무르게 찐다.

3. 떡이 익었으면 백비탕과 한데 합하고, 주걱으로 고루 헤쳐 덩어리진 것이 없이 풀어놓는다.
4. 떡이 (담긴 그릇에 뚜껑을 덮어) 차게 식기를 기다린다.
5. 죽처럼 된 떡과 누룩가루 1되, 밀가루 1되를 한데 합하고, 고루 버무려 술밑을 빚는다.
6. 술밑을 술독에 담아 안치고, 예의 방법대로 하여 7일간 발효시켜 익기를 기다린다.

* 덧술 :
1. 멥쌀 2말을 백세하여 (물에 담가 투명하게 불렸다가, 다시 씻어 헹궈서 물기를 뺀 후) 시루에 안쳐 무른 고두밥을 짓는다.
2. 솥에 물 4병을 팔팔 끓여 식히고, 고두밥도 무르게 익었으면 퍼내고 주걱으로 고두밥을 고루 헤쳐 차게 식기를 기다린다.
3. 고두밥에 밑술과 끓여 식힌 물 4병을 한데 합하고, 고루 버무려 술밑을 빚는다.
4. 술밑을 술독에 담아 안치고, 예의 방법대로 하여 발효시키고 익기를 기다린다.

* 주방문 말미에 "익으면 걸러 독에 담는데, 독을 따뜻한 물로 씻어 따뜻하게 한다. 생수 기를 금해야 한다."고 하였다. 밑술과 덧술의 물을 계량하는 단위가 다르다.

### 碧香酒 別法

白米一斗百洗作末蒸爛沸湯五盆調和候冷麯末眞末各一升相和入瓮七日後白米二斗百洗浸潤爛蒸每一斗調沸湯二甁爲率候冷和前本納瓮待熟上槽.瓮子以溫水洗煖之禁生水氣.

## 8. 벽향주 <산가요록(山家要錄)>

–쌀 15말 빚이

술 재료 : 밑술 : 멥쌀 1말 5되, 찹쌀 1말 5되, 누룩가루 5되, 밀가루 1되 5홉, 끓는 물 4말

덧술 : 멥쌀 8말(또는 4말), 누룩가루 1되, 끓는 10말(또는 6말)

2차 덧술 : 멥쌀 4말(또는 8말), 끓는 6말(또는 10말)

술 빚는 법 :

* 밑술 :

1. 멥쌀과 찹쌀 각 1말 5되를 한데 섞고 (백세하여) 물에 담가 불렸다가 (다시 씻어 건져서 물기를 뺀 후) 가루로 빻는다(넓은 그릇에 담아놓는다).
2. 물 4말을 끓여 쌀가루에 붓고, 고루 개어 죽(범벅)을 쑤어 (넓은 그릇 여러 개에 나눠 담고) 차게 식기를 기다린다.
3. 죽(범벅)에 누룩가루 5되와 밀가루 1되 5홉을 넣고, 고루 버무려 술밑을 빚는다.
4. 술독에 술밑을 담아 안치고, 예의 방법대로 하여 겨울은 7일, 봄가을은 5일, 여름은 3일간 발효시킨다.

* 덧술 :

1. 멥쌀 8말(또는 4말)을 (백세하여) 물에 담가 불렸다가 (다시 씻어 건져서 물기를 뺀 후) 가루로 빻는다(넓은 그릇에 담아놓는다).
2. 솥에 물 10말(또는 6말)을 끓여 쌀가루에 붓고, 주걱으로 고루 개어 죽(범벅)을 쑨 다음, 차게 식기를 기다린다.
3. 죽(범벅)에 누룩가루 1되와 밑술을 넣고, 고루 버무려 술밑을 빚는다.
4. 술밑을 술독에 담아 안치고, 예의 방법대로 하여 2일간 발효시킨다.

* 2차 덧술 :

1. 멥쌀 4말(또는 8말)을 (백세하여) 물에 담가 불렸다가 (다시 씻어 건져서 물기를 뺀 후) 가루로 빻는다(넓은 그릇에 담아놓는다).
2. 솥에 물 6말(또는 10말)을 끓여 쌀가루에 붓고, 주걱으로 고루 개어 죽(범벅)을 쑨 다음, 차게 식기를 기다린다.
3. 죽(범벅)에 덧술을 넣고, 고루 버무려 술밑을 빚는다.
4. 술밑을 술독에 담아 안치고, 예의 방법대로 하여 21일간 발효시킨다.

* 덧술 쌀을 가루로 만들라는 말이 없으나, '탕수육두 혹 십두 작죽(湯水六斗 或 十斗 作粥)'이라고 하였으므로, 밑술과 같은 방법의 범벅으로 처리하였다.

碧香酒

米十五斗. 白米粘米 各一斗五升 合洗浸水 搗羅細末 湯水四斗 作粥待冷. 匊末五升 眞末一升五合 和入瓮. 冬七日 春秋五日 夏三日. 白米八斗 或四斗 湯水十斗 或六斗 作粥 待冷 匊末一升 和前酒 入瓮如前. 隔日後 白米四斗 或八斗 如前作末 湯水六斗 或十斗 作粥 待冷 和前酒入瓮. 三七日後 開用.

## 9. 벽향주 우법 <산가요록(山家要錄)>

–쌀 6말 빚이

술 재료 : 밑술 : 멥쌀 2말 5되, 누룩가루 4되, 끓는 물 3말
덧술 : 멥쌀 3말 5되, 누룩가루 2되, 끓는 물 3말

술 빚는 법 :

* 밑술 :

1. 멥쌀 2말 5되를 (백세하여) 물에 담가 불렸다가 (다시 씻어 건져서 물기를

뺀 후) 가루로 빻는다(넓은 그릇에 담아놓는다).
2. 솥에 물 3말을 끓여 쌀가루에 붓고, 주걱으로 고루 개어 죽(범벅)을 쑨 다음, 차게 식기를 기다린다.
3. 죽(범벅)에 누룩가루 4되를 섞고, 고루 버무려 술밑을 빚는다.
4. 술밑을 술독에 담아 안치고, 예의 방법대로 하여 7일간 발효시킨다.

* 덧술 :
1. 멥쌀 3말 5되를 (백세하여) 물에 담가 불렸다가 (다시 씻어 건져서 물기를 뺀 후) 시루에 안쳐서 고두밥을 짓는다.
2. 솥에 물 3말을 끓이다가, 고두밥이 익었으면 넓은 그릇에 퍼 담고, 끓는 물 3말을 고두밥에 붓고, 주걱으로 고루 헤쳐 놓는다.
3. 고두밥이 물을 다 빨아들였으면 (그릇 여러 개에 나눠 담고) 차게 식기를 기다린다.
4. 고두밥에 누룩가루 2되와 밑술을 한데 섞고, 고루 버무려 술밑을 빚는다.
5. 술밑을 술독에 담아 안치고, 예의 방법대로 하여 14일(이칠일)간 발효시킨다.

* 주방문 말미에 "이외 두 가지 방법이 있으나, 여기에 다 쓰지 못한다."고 하였다.

### 碧香酒 又法

白米二斗五升侵水作末 湯水三斗作粥 待冷匊末四升和入瓮 七日後 白米三斗五升 浸水熟蒸爲飯 湯水三斗 和之待冷 匊末二升 和前醅入瓮. 置寒暖適中處 二七日後 開用 此外. 又有二法 今不盡書.

## 10. 벽향주 <산림경제(山林經濟)>

술 재료 : 밑술 : 멥쌀 1말, 누룩가루 2되, 물 2말
덧술 : 찹쌀 2말, 끓는 물 3말

술 빚는 법 :

* 밑술 :

1. 멥쌀 1말을 (백세하여) 물에 담가 하룻밤 불렸다가, 다시 씻어 말갛게 헹궈서 물기를 뺀 후) 작말한다(가루로 빻는다).
2. 솥에 물 2말을 끓이다가, 뜨거워지면 1말을 퍼서 쌀가루에 고루 붓고, 가루를 풀어 아이죽을 만든다.
3. (솥의 나머지 물이 끓으면) 아이죽을 합하고 팔팔 끓여 죽을 쑨 후, 넓은 그릇에 퍼서 차게 식기를 기다린다.
4. 죽에 누룩가루 2되를 합하고, 고루 버무려 술밑을 빚는다.
5. 술밑을 술독에 담아 안치고, 예의 방법대로 하여 발효시킨다.

* 덧술 :

1. 찹쌀 2말을 (백세하여 물에 담가 밤재웠다가, 다시 씻어 헹궈서 물기를 뺀 후) 시루에 안쳐 고두밥을 짓는다.
2. 솥에 물 3말을 팔팔 끓이고, 고두밥이 익었으면 한데 합한다(주걱으로 고두밥을 고루 헤쳐 놓는다).
3. (고두밥이 물을 다 먹었으면 넓은 그릇에 나눠 담고 뚜껑을 덮어 차게 식기를 기다린다.)
4. 고두밥에 밑술을 합하고, 고루 버무려 술밑을 빚는다.
5. 술밑을 술독에 담아 안치고, 예의 방법대로 하여 발효시키고 익기를 기다린다.

* <사시찬요보>를 인용하였다.

碧香酒

白米一斗 百洗作末 用湯水二斗 作粥候冷 眞麴一升 和合釀之. 七日後. 白米二斗 百洗濃蒸 湯水二斗 均調待冷. 眞麴二合合釀. 待熟上槽. 法雖如此 麴必少加乃好. 上同.

## 11. 벽향주 <수운잡방(需雲雜方)>

-오천양법(吳川釀法)

술 재료 : 밑술 : 멥쌀 1말 5되, 찹쌀 1말 5되, 누룩 5되, 밀가루 5되, 끓는 물 4말
덧술 : 멥쌀 8말, 누룩 5되, 끓는 물 9말
2차 덧술 : 멥쌀 4말, 끓는 물 5말

술 빚는 법 :

* 밑술 :

1. 멥쌀 1말 5되와 찹쌀 1말 5되를 백세하여 물에 하룻밤 담가 두었다가 (다시 씻어 헹궈 건져서) 작말하여 넓은 그릇에 담아놓는다.
2. 솥에 물 4말을 팔팔 끓여 쌀가루에 붓고 개어 죽(범벅)을 만든 다음 (넓은 그릇 여러 개에 나눠 담고) 차게 식기를 기다린다.
3. 식힌 죽(범벅)에 누룩 5되와 밀가루 5되를 합하고, 고루 버무려 술밑을 빚는다.
4. 술독에 술밑을 담아 안치고, 예의 방법대로 하여 7일간 발효시킨다.

* 덧술 :

1. 멥쌀 8말을 백세하여 물에 하룻밤 담가 두었다가 (다시 씻어 헹궈 건져서)

작말하여 넓은 그릇에 담아놓는다.
2. 솥에 물 9말을 팔팔 끓여 쌀가루에 붓고, 고루 풀고 개어 죽(범벅)을 쑨 뒤 (넓은 그릇 여러 개에 나눠 담고) 차게 식기를 기다린다.
3. 밑술을 체에 걸러 누룩찌꺼기를 제거한 후, 다시 누룩 5되와 죽(범벅)을 한데 합하고, 고루 버무려 술밑을 빚는다.
4. 술독에 술밑을 담아 안치고, 예의 방법대로 하여 7일간 발효시킨다.

* 2차 덧술 :
1. 멥쌀 4말을 백세하여 (물에 담가 불렸다가, 다시 씻어 헹궈 건져서) 시루에 안쳐 온전(全蒸)하게 고두밥을 짓는다.
2. 물 5말을 팔팔 끓이다가 고두밥이 익었으면 (고두밥을 넓은 그릇에 펴 담고) 끓는 물을 고두밥에 골고루 붓는다.
3. 고두밥이 물을 다 먹었으면 (넓은 그릇 여러 개에 나눠 담고) 고두밥이 차게 식기를 기다린다.
4. 진고두밥을 발효 중인 술독에 넣어 합하고, 주걱으로 골고루 휘저어 준다.
5. 술독을 예의 방법대로 하여 14일간 발효시킨 다음, 익었으면 술주자에 올려 짠다.

* 저자(김유)의 고향(안동)인 '오천에서 빚는 법'이라 하여 '오천양법(吳川釀法)'이라고 하였다. 따라서 <수운잡방>에 수록된 주방문은 다른 문헌에 근거한 기록임을 추측할 수 있다.

碧香酒

白米一斗五升糯米一斗五升百洗浸一宿作末湯水四斗作粥待冷好麯五升眞末五升和納瓮隔七日白米八斗如前法湯水九斗作粥待冷好麯一斗殿出前酒和納瓮又七日白米四斗百洗全蒸湯水五斗和飯待冷納瓮二七日上槽.

## 12. 벽향주 <수운잡방(需雲雜方)>

술 재료 : 밑술 : 멥쌀 4말, 누룩 1말, 끓는 물 5말
덧술 : 멥쌀 4말, 끓는 물 5말
2차 덧술 : 멥쌀 8말, 끓는 물 9말

술 빚는 법 :

* 밑술 :

1. 멥쌀 4말을 백세하여 (물에 담가 불렸다가, 다시 씻어 헹궈 건져서 물기를 뺀 후) 세말한(고운 가루로 빻은) 다음, 넓은 그릇에 담아놓는다.
2. 물 5말을 끓여 쌀가루에 골고루 붓고, 주걱으로 고루 개어 죽(범벅)을 쑤어 (넓은 그릇 여러 개에 나눠 담고) 차게 식기를 기다린다.
3. 차게 식힌 죽(범벅)에 누룩 1말을 넣고, 고루 버무려 술밑을 빚는다.
4. 술독에 술밑을 담아 안치고, 예의 방법대로 하여 5일간 발효시킨다.

* 덧술 :

1. 멥쌀 4말을 백세하여 (물에 담가 불렸다가, 다시 씻어 헹궈 건져서 물기를 뺀 후) 세말한(고운 가루로 빻은) 다음, 넓은 그릇에 담아놓는다.
2. 물 5말을 끓여 쌀가루에 골고루 붓고, 주걱으로 고루 개어 죽(범벅)을 쑤어 (넓은 그릇 여러 개에 나눠 담고) 차게 식기를 기다린다.
3. 죽에 밑술을 합하고, 고루 버무려 술밑을 빚는다.
4. 술독에 술밑을 담아 안치고, 예의 방법대로 하여 5일간 발효시킨다.

* 2차 덧술 :

1. 멥쌀 8말을 백세하여 (물에 담가 불렸다가, 다시 씻어 헹궈 건져서 물기를 뺀 후) 세말한다(고운 가루로 빻는다).
2. 쌀가루를 시루에 안쳐 무리떡을 무르게 찐 다음, 끓는 물 9말에 풀어 죽을

쑨다 (넓은 그릇 여러 개에 나눠 담고, 차게 식기를 기다린다).
3. 죽에 덧술을 합하고, 고루 버무려 술밑을 빚는다.
4. 술밑을 술독에 담아 안치고, 예의 방법대로 20일간 발효시켜 술주자에 짠다.

* 주방문에 "덧술은 밑술과 같은 방법으로 한다."고 하였으나, 누룩의 사용 여부는 알 수 없다. 그리고 2차 덧술의 죽은 "차게 식히라."는 말이 없어 상법(常法)대로 하였다.

碧香酒
白米四斗百洗細末湯水五斗作粥待冷麴一斗和納瓮隔五日白米四斗如前法隔五日白米八斗百洗細末熟蒸湯水九斗作粥如前法納瓮經二十日上槽.

## 13. 우(又) 벽향주 <수운잡방(需雲雜方)>

술 재료 : 밑술 : 멥쌀 3말, 누룩가루 3되, 밀가루 4되, 끓는 물 1동이 반
덧술 : 멥쌀 8말, 누룩 5되, 끓는 물 4동이
2차 덧술 : 멥쌀 4말

술 빚는 법 :
* 밑술 :
1. 멥쌀 3말을 백세하여 물에 담가 하룻밤 불렸다가 (다시 씻어 헹궈서) 작말한다.
2. 솥에 물 1동이 반을 솟구치게 끓여 쌀가루에 붓고 고루 개어서 죽(범벅)을 쑨다.
3. 죽(범벅)을 하룻밤 재워 매우 차게 식기를 기다린다.
4. 죽(범벅)에 누룩가루 3되와 밀가루 4되를 합하고, 고루 버무려서 술밑을 빚

는다.

5. 술밑을 술독에 담아 안치고, 예의 방법대로 하여 6일간 발효시킨다.

* 덧술 :

1. 멥쌀 8말을 백세하여 하룻밤 담가 불렸다가 (다시 씻어 헹궈) 작말한다.
2. 물 4동이를 소쿠라치게 끓여 쌀가루에 골고루 붓고 주걱으로 고루 개어서 죽(범벅)을 쑨다.
3. 죽(범벅)을 하룻밤 재워 매우 차게 식힌 후 누룩 5되와 밑술을 합하고, 고루 버무려서 술밑을 빚는다.
4. 술밑을 술독에 담아 안치고, 예의 방법대로 하여 6일간 발효시킨다.

* 2차 덧술 :

1. 7일째 되는 날 멥쌀 4말을 백세하여 하룻밤 불렸다가 (다시 씻어 헹궈서 물기를 뺀 후) 시루에 안쳐서 무른 고두밥을 짓는다.
2. 고두밥이 익었으면 퍼내고, 고루 펼쳐서 매우 차게 식기를 기다린다.
3. 고두밥에 밑술을 합하고, 고루 버무려 술밑을 빚는다.
4. 술밑을 술독에 담아 안치고, 예의 방법대로 하여 14일간 발효시킨다.
5. 술이 익으면 주자에 올려 짠다.

## 又 碧香酒

烏川釀法. 白米三斗百洗浸一宿拯出作末水一盆半沸湯作粥待極冷翌日麴末三升眞末四升和合納瓮第七日白米八斗百洗浸宿作末水四盆沸湯作粥待冷翌日麴五升和前酒納瓮第七日白米四斗百洗浸宿全蒸待極冷無麴和前酒納甕二七日後上槽.

## 14. 벽향주 <술 만드는 법>

술 재료 : 찹쌀 1말, 누룩가루 1되, 청주 25복자, 물(끓인 물 1되)

술 빚는 법 :

1. 찹쌀 1말을 백세하여 (물에 담가 불렸다가, 다시 씻어 건져서 물기를 뺀 뒤) 시루에 안쳐서 고두밥을 무르게 짓는다.
2. 물(1되)에 누룩가루 1되를 넣고 불렸다가, 명주 주머니에 넣고 짜서 찌꺼기를 제거한 누룩물을 만들어놓는다.
3. 불린 쌀을 시루에 안쳐서 고두밥을 찌고, 익었으면 퍼내어 자리에 고루 펼쳐서 차게 식기를 기다린다.
4. 고두밥에 누룩물과 준비한 분량의 청주 25복자를 합하고, 고루 버무려 술밑을 빚는다.
5. 술밑을 술독에 담아 안치고, 예의 방법대로 하여 서늘한 곳에 두었다가 21일간 발효시키면 맛이 달고 맵고 기이하다.

* 주방문에는 고두밥을 차게 식히라는 말은 쓰여 있지 않다. 또 누룩을 불릴 물의 양도 나와 있지 않다. 찹쌀을 사용하는 단양주법의 '벽향주'는 드물다.

벽향쥬

졈미 ᄒᆞᆫ 말 ᄇᆡᆨ셰ᄒᆞ야 ᄋᆡᆨ게 ᄶᅧ 곡말 ᄒᆞᆫ 되 물에 담앗다가 명쥬 쥬머니에 너허 ᄡᅡ셔 밥에 셕거 넛코 죠흔 슐 스물다셧 복ᄌᆞ를 부어 셔늘ᄒᆞᆫ ᄃᆡ 두엇다가 ᄉᆞᆷ칠일 되면 맛시 달고 ᄆᆡᆸ고 긔이ᄒᆞ니라.

## 15. 벽향주 <술방>

술 재료 : 밑술 : 멥쌀 1말, 누룩가루 2되, 끓는 물 2말
덧술 : 멥쌀 2말, 누룩 2홉, 끓는 물 2말

술 빚는 법 :

* 밑술 :

1. 멥쌀 1말 백세하여 (물에 담가 불렸다가, 다시 씻어 건져서 물기를 뺀 뒤) 작말하여 그릇에 담아 준비한다.
2. 멥쌀가루에 끓는 물 2말로 범벅(죽)을 개어 차게 식기를 기다린다.
3. 식힌 범벅에 누룩가루 2되를 한데 섞고, 고루 버무려 술밑을 빚는다.
4. 술독에 술밑을 담아 안치고, 예의 방법대로 하여 7일간 발효시킨다.

* 덧술 :

1. 멥쌀 2말을 백세하여 물에 불렸다가, 다시 씻어 헹궈서 물기를 뺀다.
2. 멥쌀을 시루에 안쳐서 무른 고두밥을 짓는다.
3. 물 2말을 팔팔 끓여서 고두밥에 섞고, 고루 버무려 차게 식기를 기다린다.
4. 고두밥에 밑술과 누룩 2홉을 합하고, 고루 버무려 술밑을 빚는다.
5. 술독에 술밑을 담아 안치고, 예의 방법대로 하여 발효시킨다.

벽향쥬
ᄇᆡᆨ미 일 두ᄅᆞᆯ ᄇᆡᆨ셰작말ᄒᆞ여 ᄭᅳ린 물 두 말의 쥭 쑤어 식혀, 곡말 두 되 너어 비져다가, 칠일 후의 ᄇᆡᆨ미 두 말 ᄇᆡᆨ셰ᄒᆞ여 익게 쪄 ᄭᅳ린 물 두 말의 식혀 누룩 두 홉 너허 덧ᄒᆞ되, 누룩을 죠곰 너어야 죠ᄒᆞ니라.

## 16. 벽향주 <시의전서(是議全書)>

술 재료 : 밑술 : 멥쌀 1말 5되, 누룩 2되, 물 1말 5되
덧술 : 멥쌀 2말, 가루누룩 2되, 물 2말

술 빚는 법

* 밑술 :

1. 멥쌀 1말 5되를 백세하여 (물에 담가 불렸다가, 다시 씻어 건져서 물기를 뺀 후) 작말한다.
2. 물 1말 5되를 솥에 끓이다가, 뜨거워지면 8되를 퍼서 쌀가루에 붓고 고루 개어 아이죽을 만든다.
3. 나머지 끓고 있는 물에 아이죽을 붓고, 주걱으로 천천히 저어가면서 팔팔 끓여 죽을 쑨 다음, 넓은 그릇에 퍼서 차게 식기를 기다린다.
4. 차게 식은 죽에 누룩 2되를 섞고, 고루 버무려 술밑을 빚는다.
5. 술밑을 술독에 담아 안친 다음, 예의 방법대로 하여 7일간 발효시킨다.

* 덧술 :

1. 멥쌀 2말을 백세하여 (물에 담가 불렸다가, 다시 씻어 헹궈 건져서 물기를 뺀 후 시루에 안쳐서 고두밥을 짓는다).
2. (고두밥이 익었으면, 시루에서 퍼내고 돗자리에 고루 펼쳐서 차게 식기를 기다린다.)
3. 고두밥에 가루누룩 2되와 물(끓여 식힌 물 2말), 밑술을 한데 섞고, 고루 버무려 술밑을 빚는다.
4. 술밑을 술독에 담아 안치고, 예의 방법대로 하여 7일간 발효시킨다.

* 밑술의 물과 쌀이 동량으로, 끓인 물이라고도 쓰여 있지 않으나, "개여 닉거든"이라는 표현으로 미루어 끓는 물로 범벅을 짓는 것으로 해석할 수 있다.

또 덧술의 쌀은 씻거나 불리라는 말이 없고, 고두밥을 찌라는 말도 없으나 발효기간이 7일인 점으로 미루어 충분히 불리고, 덥지도 차지도 않은 곳 또는 따뜻한 곳에서 발효시키는 것이 옳을 듯하다.

碧香酒(벽ᄒᆡᆼ쥬)

ᄇᆡᆨ미 말가옷 ᄇᆡᆨ셰작말ᄒᆞ야 물 말ᄀᆞ옷셰 ᄀᆡ여 ᄂᆡᆨ거든 만히 ᄎᆡ와 가로누룩 두 되 셕거 두엇다가 칠일 만에 ᄇᆡᆨ미 두 말 ᄇᆡᆨ셰ᄒᆞ여 물 두 말에 ᄀᆞ로누룩 두 되 셕거 젼 ᄉᆞᆯ밋과 덧(쳐) 칠 일 만에 드리우라.

## 17. 벽향주 <양주방>*

술 재료 : 밑술 : 찹쌀 5되, 멥쌀 5되, 누룩가루 2되, 밀가루 5홉, 물 5사발
덧술 : 멥쌀 2말, 끓는 물 6사발

술 빚는 법 :

* 밑술 :

1. 희게 쓿은 멥쌀과 찹쌀 각 5되를 깨끗이 씻고 또 씻어(백세하여) 물에 담가 불렸다가 (다시 씻어 건져서 물기를 뺀 후) 작말한다.
2. 쌀가루에 물 5사발을 합하고 끓여서 죽을 쑨 후, 넓은 그릇에 담아 차게 식기를 기다린다.
3. 죽에 누룩가루 2되와 밀가루 5홉을 넣고 고루 버무려 술밑을 빚는다.
4. 술독에 술밑을 담아 안치고, 예의 방법대로 하여 봄가을은 5일간, 겨울엔 10일간 발효시킨다.

* 덧술 :

1. 희게 쓿은 멥쌀 2말을 깨끗이 씻고 또 씻어(백세하여 물에 담가 밤재워 불

렸다가, 다시 씻어 헹궈 건져서) 물기를 뺀다.
2. 끓는 물솥에 시루를 올리고, 불린 쌀을 안쳐서 고두밥을 무르게 짓는다.
3. 고두밥에 끓는 물 6사발을 붓고, 고두밥이 물을 다 먹었으면 고루 펼쳐 차게 식기를 기다린다.
4. 고두밥에 밑술을 합하고, 고루 버무려 술밑을 빚는다.
5. 술독에 술밑을 담아 안치고, 예의 방법대로 하여 7일간 발효시켜서 용수 박아 채주한다.

벽향쥬

빅미 졈미 각 닷 되식 작말ᄒᆞ야 물 다ᄉᆞᆺ 사발노 쥭 쑤어 누록 두 되 진말 닷 홉 섯거 너허 츈츄ᄂᆞᆫ 오일이오 겨울은 십일 만의 빅미 이두 빅셰ᄒᆞ야 닉게 쪄 탕슈 여ᄉᆞᆺ 사발노 골나 식여 밋슐의 섯거 쓰라. 칠일 후 쓰라.

## 18. 벽향주 <양주집(釀酒集)>

술 재료 : 밑술 : 멥쌀 1말 5되, 누룩 5되, 진말 3홉, 끓는 물 3말
덧술 : 멥쌀 3말 5되, 끓는 물 4말 6되

술 빚는 법 :

* 밑술 :

1. 멥쌀 1말 5되를 백세하여 물에 담가 하룻밤 불렸다가, 새 물에 다시 씻어 맑게 헹궈 건져서 (물기를 뺀 후) 작말한다(가루로 빻는다).
2. 솥에 물 3말을 끓여 쌀가루에 섞고, 주걱으로 고루 개어 범벅을 만든 뒤, 넓은 그릇에 나눠 담고 차게 식기를 기다린다.
3. 차게 식은 범벅에 누룩 5되와 진말 3홉을 넣고, 고루 버무려 술밑을 빚는다.
4. 술독에 술밑을 담아 안치고, 예의 방법대로 하여 발효시켜 익기를 기다린다.

* 덧술 :

1. 멥쌀 3말 5되를 백세하여 (물에 담가 불렸다가, 새 물에 다시 씻어 맑게 헹궈 건져서 물기를 뺀 후) 시루에 안치고 매우 오래 쪄서 고두밥을 짓는다.
2. 솥에 물 4말 6되를 끓여 고두밥이 익었으면 퍼내어 한데 합하고, 고루 헤쳐서 차게 식기를 기다린다.
3. 차게 식은 고두밥에 밑술을 합하고, 고루 버무려 술밑을 빚는다.
4. 술독에 술밑을 담아 안치고, 예의 방법대로 하여 (21일간) 발효시킨 다음, 술이 맑아지면 채주한다.

碧香酒(試之則好也二月釀)

白米 一斗 五升 百洗ᄒᆞ야 ᄒᆞ로밤 자야 다시 ᆢ어 作末ᄒᆞ야 ᄡᆞᆯ인 믈 서 말ᄋᆡ 섯거 ᄎᆞ거든 曲子 五升 眞末 三合 섯거다가 닉거든 白米 三斗 五升 百洗ᄒᆞ야 ᄆᆡ오 뼈 ᄡᆞᆯ인 믈 四斗 六升ᄋᆡ 골화 식거든 밋술ᄋᆡ 섯거다가 ᄆᆞᆰ거든 ᄡᅳ라.

## 19. 우(又) 벽향주 <양주집(釀酒集)>

술 재료 : 밑술 : 멥쌀 3말, 누룩 1되 5홉, 끓는 물 4말
　　　　덧술 : 멥쌀 3말

술 빚는 법 :

* 밑술 :

1. 멥쌀 3말을 백세하여 물에 담가 하룻밤 불렸다가 (새 물에 다시 씻어 맑게 헹궈 건져서 물기를 뺀 후) 작말한다(가루로 빻는다).
2. 솥에 물 4말을 끓여 쌀가루에 고루 합하고, 주걱으로 고루 개어 범벅을 만든 뒤 넓은 그릇에 퍼서 차게 식기를 기다린다.
3. 차게 식은 범벅에 누룩 1되 5홉을 섞고, 고루 치대어 술밑을 빚는다.

4. 술독에 술밑을 담아 안치고, 예의 방법대로 하여 3일간 발효시킨다.

* 덧술 :

1. 멥쌀 3말을 백세하여 (물에 담가 불렸다가, 새 물에 다시 씻어 맑게 헹궈 건져서 물기를 뺀 후) 시루에 안쳐 고두밥을 짓는다.
2. 고두밥이 익었으면 퍼내고, 고루 펼쳐서 차게 식기를 기다린다.
3. 차게 식은 고두밥에 밑술을 쏟아 붓고, 고루 버무려 술밑을 빚는다.
4. 술독에 술밑을 담아 안치고 예의 방법대로 하여 발효시키는데, 술이 맑게 고이면 채주한다.

又 碧香酒

白米 三斗 百洗ᄒᆞ야 ᄒᆞ로밤 자여 作末ᄒᆞ야 ᄭᅳᆯ인 믈 너 말ᄋᆡ ᄀᆡ여 식거든 曲子 一升 五合 섯거다가 三日 後ᄋᆡ 白米 三斗 百洗ᄒᆞ야 닉게 ᄡᅧ 식거든 밋술ᄋᆡ 섯거다가 ᄆᆞᆰ거든 ᄡᅳ라.

## 20. 벽향주 <언서주찬방(諺書酒饌方)>

술 재료 : 밑술 : 멥쌀 1말 5되, 찹쌀 1말 5되, 누룩가루 5되, 밀가루 1되 5홉, 끓는 물 4말
덧술 : 멥쌀 4말, 누룩가루 1되, 끓는 물 6말
2차 덧술 : 멥쌀 4말, 끓는 물 10말

술 빚는 법 :

* 밑술 :

1. 멥쌀과 찹쌀 각 1말 5되씩 한데 섞어 백 번 씻어 (물에 담가 불렸다가, 다시 씻어 헹궈 건져서 물기를 뺀 후) 가루로 빻는다.

2. 쌀가루를 시루에 안쳐서 무른 백설기를 쪄놓는다.
3. 끓는 물 4말에 백설기를 풀어 넣고 골고루 화합하여 죽을 쑨 뒤, 차게 식기를 기다린다.
4. 백설기죽에 누룩가루 5되와 밀가루 1되 5홉을 한데 섞고, 고루 치대어 술밑을 빚는다.
5. 술밑을 술독에 넣어 안치고, 예의 방법대로 하여 겨울은 7일, 여름은 3일, 봄 가을은 5일간 발효시킨다.

* 덧술 :
1. 멥쌀 4말을 일백 번 씻어 (물에 담가 불렸다가, 다시 씻어 헹궈 건져서 물기를 뺀 후) 작말한다(가루로 빻는다).
2. 쌀가루를 시루에 안쳐서 무른 백설기를 쪄놓는다.
3. 끓는 물 6말에 백설기를 풀어 넣고 골고루 화합하여 죽을 쑨 뒤, 차게 식기를 기다린다.
4. 백설기죽에 밑술과 누룩가루 1되를 한데 섞고, 고루 치대어 술밑을 빚는다.
5. 술밑을 술독에 넣어 안치고, 예의 방법대로 하여 겨울은 7일, 여름은 3일, 봄 가을은 5일간 발효시킨다.

* 2차 덧술 :
1. 멥쌀 4말을 일백 번 씻어 (물에 담가 불렸다가, 다시 씻어 헹궈 건져서 물기를 뺀 후) 작말한다(가루로 빻아놓는다).
2. 끓는 물솥에 시루를 올리고, 쌀가루를 안쳐서 무른 설기떡을 쪄낸다.
3. 설기떡이 익었으면 자배기에 퍼 담고, 끓는 물 10말을 골고루 부어 백설기죽을 만들어놓는다.
4. 백설기죽을 덩어리 없이 풀어서 (뚜껑을 덮어 찬 곳에 두고) 저절로 식기를 기다린다.
5. 백설기죽을 덧술에 넣고, 고루 버무려 술밑을 빚는다.
6. 술밑을 술독에 담아 안친 후, 예의 방법대로 하여 21일 정도 발효시켜 마신다.

벽향쥬(碧香酒)一白米九斗半 麴六升 水十六斗 粘米一斗半 眞末一升半

ᄇᆡᆨ미 졈미 각 ᄒᆞᆫ 말 닷 되식 ᄒᆞᆫᄃᆡ 섯거 일ᄇᆡᆨ 번 시서 ᄀᆞᄅᆞ디허 ᄂᆡᆨ게 뼈 글흔 믈 너 말로 골와 ᄎᆞ거든 누록ᄀᆞᄅᆞ 닷 되와 진말 ᄒᆞᆫ 되 닷 홉 섯거 녀허 겨을 흔 닐웨오 녀름은 삼일 츈츄ᄂᆞᆫ 닷새 후에 또 ᄇᆡᆨ미 너 말을 ᄇᆡᆨ셰작말ᄒᆞ야 ᄂᆡᆨ게 뼈 셜힌 믈 연말 골오 골와 ᄎᆞ거든 누록ᄀᆞᄅᆞ ᄒᆞᆫ 되로 젼술의 섯거 녀허 츈하츄동을 젼원 날대로 ᄃᆞᆺ다가 또 ᄇᆡᆨ미 너 말을 ᄇᆡᆨ셰작말ᄒᆞ야 뼈 글힌 믈 열 말로 골와 ᄎᆞ거든 젼술에 섯거 녀허 ᄂᆡᆨ거든 드리워 쓰라.

## 21. 벽향주 또 별법 <언서주찬방(諺書酒饌方)>

술 재료 : 밑술 : 멥쌀 1말, 누룩가루 1되, 밀가루 1되, 끓는 물 5사발
덧술 : 멥쌀 2말, 끓는 물 4병

술 빚는 법 :

* 밑술 :

1. 멥쌀 1말을 백세하여 (물에 담가 불렸다가, 다시 씻어 헹궈 건져서 물기를 뺀 후) 작말한다(가루로 빻는다).
2. 쌀가루를 시루에 안쳐서 무른 백설기를 쪄놓는다.
3. 끓는 물 5사발에 백설기를 골고루 화합하여 백설기죽을 쑨 뒤, 차게 식기를 기다린다.
4. 백설기죽에 누룩가루 1되와 밀가루 1되를 한데 섞고, 고루 치대어 술밑을 빚는다.
5. 술밑을 술독에 넣어 안치고, 예의 방법대로 하여 7일간 발효시킨다.

* 덧술 :

1. 멥쌀 2말을 백 번 씻어 (물에 담가 불렸다가, 다시 씻어 헹궈 건져서 물기를

빤 후) 시루에 안쳐서 고두밥을 쪄놓는다.
2. 쌀 1말에 2병씩 4병을 끓이다가, 고두밥이 익었으면 퍼내어 한데 골고루 화합한 뒤, 차게 식기를 기다린다.
3. 고두밥에 밑술을 한데 섞고, 고루 치대어 술밑을 빚는다.
4. 술밑을 술독에 넣어 안치고, 예의 방법대로 하여 (21일간) 발효시킨다.

* 주방문 말미에 "독을 더운 물로 씻고, 날물기를 일절 범하지 말라."고 하였다.

벽향쥬 또 별법

ᄇᆡᆨ미 ᄒᆞᆫ 말을 ᄇᆡᆨ셰작말ᄒᆞ야 닉게 ᄧᅧ 글힌 믈 다ᄉᆞᆺ 사발로 골와 ᄎᆞ거든 누록ᄀᆞᄅᆞ 진ᄀᆞᄅᆞ 각 ᄒᆞᆫ 되식 섯거 독의 녀허 닐웨 후에 ᄇᆡᆨ미 두 말 ᄇᆡᆨ 번 시서 붇거든 닉게 ᄧᅧ ᄆᆡ ᄒᆞᆫ 말애 글힌 믈 두 병식 골와 식거든 젼 미틔 섯거 녀허 닉거든 드리우라. 독을 더운 믈로 덥게 싯고 ᄂᆞᆯ믈ᄭᅴᄅᆞᆯ 일졀 범티 말라.

## 22. 벽향주방 <역주방문(曆酒方文)>

술 재료 : 밑술 : 멥쌀 1말, 누룩가루 1되 5홉, 끓는 물 2말
덧술 : 멥쌀 2말, 밀가루 3홉, (끓는) 물 1말

술 빚는 법 :

* 밑술 :
1. 멥쌀 1말을 백세하여 (매우 깨끗하게 헹군 뒤) 새 물에 담가 하룻밤 불렸다가 (다시 씻어 말갛게 헹궈서) 작말한다(가루로 빻는다).
2. 물 2말을 팔팔 끓여 쌀가루에 붓고, 주걱으로 매우 치대어서 범벅을 만든 후, 넓은 그릇에 펴서 차게 식기를 기다린다.
3. 범벅에 누룩가루 1되 5홉을 합하고, 고루 버무려서 술밑을 빚는다.

4. 술밑을 술독에 담아 안치고 (술독 주둥이에 묻은 것을 깨끗하게 씻어내고 베보자기와 뚜껑을 덮어) 겨울철에는 7일(봄가을에는 5일)간 발효시킨다.

* 덧술 :

1. 멥쌀 2말을 백세하여 (매우 깨끗하게 헹군 뒤) 새 물에 담가 하룻밤 불렸다가, 다시 씻어 말갛게 헹궈서) 물기를 빼놓는다.
2. 불린 쌀을 시루에 안치고 쪄서 무른 고두밥을 짓는다.
3. 고두밥이 익었으면 넓은 그릇에 퍼 담고, (끓는) 물 1말을 합하고, 고루 버무려 고두밥이 물을 다 먹고 식기를 기다린다.
4. 고두밥에 밑술과 밀가루 3홉을 합하고, 고루 버무려 술밑을 빚는다.
5. 준비한 술독에 술밑을 담아 안친 다음 (술독 주둥이에 묻은 것을 깨끗하게 씻어내고, 베보자기와 뚜껑을 덮어) 14일간 발효시킨다.

碧香酒方

白米一斗百洗經一宿作末水二斗猛煮和勻挼磨之候冷入曲末一升五合冬月則七日後又將白米二斗百洗經一宿作飯以一斗水和勻候冷以上酒本和眞末三合同爲調勻二七日後用.

## 23. 벽향주 <요록(要錄)>

술 재료 : 밑술 : 멥쌀 1말 5되, 누룩가루 5되, 끓는 물 4말
덧술 : 멥쌀 8말, 누룩 1말, 끓는 물 10말
2차 덧술 : 멥쌀 4말, 끓는 물 6말

술 빚는 법 :

* 밑술 :

1. 정월 안에 멥쌀 1말 5되를 백세(백 번 씻고 또 씻어 물에 담가 불렸다가, 새 물에 다시 씻어 건져서 물기를 뺀 뒤)세말하여 넓은 그릇에 담아둔다.
2. 솥에 물 4말을 팔팔 끓여 쌀가루에 나눠 붓고, 주걱으로 고루 개어 죽(범벅)을 쑨 다음, 넓은 그릇에 나눠 차게 식기를 기다린다.
3. 식힌 죽(범벅)에 누룩가루 5되를 넣고, 고루 버무려 술밑을 빚는다.
4. 술독에 술밑을 담아 안치고, 예의 방법대로 하여 겨울철에는 7일, 봄과 가을에는 5일간 발효시킨다.

* 덧술 :
1. 멥쌀 8말을 백세(백 번 씻고 또 씻어 물에 담가 불렸다가, 새 물에 다시 씻어 건져서 물기를 뺀 뒤)세말하여 넓은 그릇에 담아둔다.
2. 솥에 물 10말을 팔팔 끓여 쌀가루에 나눠 붓고, 주걱으로 고루 개어 죽(범벅)을 쑨 다음, 넓은 그릇에 나눠 차게 식기를 기다린다.
3. 식힌 죽(범벅)에 밑술과 누룩 1말을 넣고, 고루 버무려 술밑을 빚는다.
4. 술독에 술밑을 담아 안치고, 예의 방법대로 하여 3일간 발효시킨다.

* 2차 덧술 :
1. 멥쌀 4말을 백세(백 번 씻고 또 씻어 물에 담가 불렸다가, 새 물에 다시 씻어 건져서 물기를 뺀 뒤)세말하여 넓은 그릇에 담아놓는다.
2. 솥에 물 6말을 팔팔 끓여 쌀가루에 나눠 붓고, 주걱으로 고루 개어 죽(범벅)을 쑨 다음, 넓은 그릇에 나눠 차게 식기를 기다린다.
3. 식힌 죽(범벅)에 덧술을 합하고, 고루 버무려 술밑을 빚는다.
4. 술독에 술밑을 담아 안치고, 예의 방법대로 하여 14일간 발효시킨 다음, 익었으면 채주하여 마신다.

### 碧香酒

正月內白米粘米各一斗五升百洗細末熟水四斗和作粥待冷好麯五升和合冬則七日春則五日後白米八斗百洗細末熟水十斗作粥待冷麴一斗以前酒交合如前

隔三日白米四斗細末熱水六斗和作粥待冷前酒交合二七日用之.

## 24. 벽향주 <음식디미방>

술 재료 : 밑술 : 멥쌀 3말 5되, 누룩 2되 6홉, 밀가루 2되 6홉, (끓는) 물 2동이
덧술 : 멥쌀 3말 5되, 물 1동이 반

술 빚는 법 :

* 밑술 :

1. 멥쌀 3말 5되를 백세(깨끗하게 씻어 물에 담가 불렸다가, 다시 씻어 헹궈서 물기를 뺀 후)하여 작말한다(가루로 빻는다).
2. 쌀가루를 (끓는) 물 2동이로 담(범벅)을 개어 (솥에 물 2동이를 붓고 팔팔 끓여 쌀가루에 골고루 나눠 붓고, 주걱으로 고루 개어서 범벅을) 만든다.
3. 담(범벅)을 (여러 개의 그릇에 나눠 담고 뚜껑을 덮어) 차게 식기를 기다린다.
4. 차게 식힌 죽(범벅)에 누룩 2되 6홉과 밀가루 2되를 섞고, 고루 버무려 술밑을 빚는다.
5. 술밑을 술독에 담아 안치고, 예의 방법대로 하여 발효시키는데, 술밑이 찰랑찰랑하면(익어 맑아졌으면) 덧술을 한다.

* 덧술 :

1. 멥쌀 3말 5되를 백세하여(깨끗하게 씻어 물에 담가 불렸다가, 다시 씻어 헹궈서 물기를 뺀 후) 시루에 안쳐서 고두밥을 짓는다.
2. 물 1동이 반을 고두밥에 골고루 붓고 헤쳐 두었다가, 고두밥이 물을 다 먹었으면 (그릇 여러 개에 나눠) 차게 식기를 기다린다.
3. 고두밥과 밑술을 합하고, 고루 버무려 술밑을 빚는다.
4. 술독에 술밑을 담아 안치고, 예의 방법대로 하여 (서늘한 곳에 두어) 2개월

간 발효 숙성시킨다.

벽향쥬
ᄇᆡᆨ미 서 말 닷 되 작말ᄒᆞ여 물 두 동히로 ᄃᆞᆷ ᄀᆡ야 누록 두 되 여솝 진말 두 되 여솝 녀코 미치 ᄌᆞᄅᆞᄌᆞᄅᆞᄒᆞ거든 ᄇᆡᆨ미 서 말 닷 되 ᄇᆡᆨ셰ᄒᆞ여 쪄 믈 ᄒᆞᆫ 동히 가옷 골라 녀헛다 두 둘만 ᄡᅳ라.

## 25. 벽향주 <음식디미방>

술 재료 : 밑술 : 멥쌀 2말 5되, 누룩 4되, 밀가루 2되, 더운(끓인) 물 3말
덧술 : 멥쌀 3말 5되, 누룩 2되, (끓는) 물 3말

술 빚는 법 :

* 밑술 :

1. 멥쌀 2말 5되를 백세하여 (물에 담가 불렸다가, 다시 씻어 헹궈서 물기를 뺀 후) 작말한다(가루로 빻는다).
2. 더운(끓인) 물 3말을 쌀가루에 골고루 붓고 (주걱으로 고루 개어) 죽(범벅)을 쑤어 차게 식기를 기다린다.
3. 죽에 누룩가루 4되와 밀가루 2되를 넣고, 고루 버무려 술밑을 빚는다.
4. 술독에 술밑을 담아 안치고, 예의 방법대로 하여 4일간 발효시킨다.

* 덧술 :

1. 멥쌀 3말 5되를 백세하여 물에 하룻밤 담가 불렸다가 (다시 씻어 헹궈서 물기를 뺀 후) 시루에 안쳐서 고두밥을 짓는다.
2. 물 3말을 (솥에 끓이다가) 고두밥이 익었으면 퍼서 고두밥에 붓고, 고두밥이 물을 다 빨아들였으면 고루 펼쳐 차게 식기를 기다린다.

3. 고두밥에 누룩가루 2되를 먼저 넣고 버무린 뒤, 밑술을 한데 섞어 재차 고루 버무려 술밑을 빚는다.
4. 술밑을 술독에 담아 안치고, 예의 방법대로 하여 14일(이칠일)간 발효시킨다.

벽향쥬

ᄇᆡᆨ미 두 말 닷 되 ᄇᆡᆨ셰작말ᄒᆞ여 더운 믈 서 말로 쥭 수어 ᄎᆞ거든 누록 너 되 진말 두 되 섯거 녀허 나흘 댓쇄 만애 ᄇᆡᆨ미 서 말 닷 되 ᄇᆡᆨ셰ᄒᆞ여 믈에 ᄃᆞᆷ가 ᄒᆞᄅᆞ밤 ᄌᆞ여 닉게 쪄 믈 서 말애 골라 ᄎᆞ거든 누록 두 되 몬져 밋술에 섯거 녀허 ᄃᆞᆺ다가 이칠일 만애 쓰라.

## 26. 벽향주 <의방합편(醫方合編)>

술 재료 : 밑술 : 멥쌀 1말, 진국(밀누룩가루) 2되, 끓는 물 2말
덧술 : 멥쌀 2말, 밀가루누룩 2홉, 끓는 물 2말

술 빚는 법 :

* 밑술 :
1. 멥쌀 1말을 백세작말하여 넓은 그릇에 담아놓는다.
2. 솥에 물 2말을 끓여 쌀가루에 붓고, 주걱으로 고루 개어 죽(범벅)을 쑤어 익힌 다음 차게 식힌다.
3. 차게 식힌 죽(범벅)에 진국(밀누룩가루) 2되를 넣고, 고루 버무려 술밑을 빚는다.
4. 술독에 술밑을 담아 안치고, 예의 방법대로 하여 7일간 발효시킨다.

* 덧술 :
1. 멥쌀 2말을 백세하여 (하룻밤 물에 담갔다가, 다시 씻어 건져서) 물기를 뺀다.

2. 불린 쌀을 시루에 안쳐 푹 익혀, 무른 고두밥을 짓는다.
3. 솥에 물 2말을 붓고 팔팔 끓여서 고두밥에 고루 풀고, 차게 식기를 기다린다.
4. 고두밥에 밀가루누룩 2홉과 밑술을 합하고, 고루 버무려 술밑을 빚는다.
5 술독에 술밑을 담아 안치고 예의 방법대로 발효시킨 뒤, 익었으면 술통에 담는다.

* 주방문 말미에 "술을 빚는 방법은 이와 같으나 누룩은 반드시 적게 첨가해야 좋다."고 하였다.

碧香酒
白米一斗白洗作末用湯水二斗作粥待冷眞曲二升和合釀之七日後白米二斗白洗濃蒸湯水二斗均調待冷眞曲二合合釀待熟上槽法雖如此曲必小加乃好.

## 27. 벽향주방 <임원십육지(林園十六志)>

술 재료 : 밑술 : 멥쌀 1말, 참누룩 2되, 끓는 물 2말
덧술 : 멥쌀 2말, 참누룩 2홉, 끓는 물 2말

술 빚는 법 :
* 밑술 :
1. 멥쌀 1말을 백세하여 (물에 담가 불렸다가, 다시 씻어 말갛게 헹궈서 물기를 뺀 후) 작말한다(가루로 빻는다).
2. 솥에 물 2말을 팔팔 끓여 쌀가루에 고루 붓고 죽(범벅)을 쑨 후, 넓은 그릇에 펴서 차게 식기를 기다린다.
3. 죽(범벅)에 참누룩 2되를 합하고, 고루 버무려 술밑을 빚는다.
4. 술밑을 술독에 담아 안치고, 예의 방법대로 하여 7일간 발효시킨다.

* 덧술 :

1. 멥쌀 2말을 백세하여 (물에 담아 불렸다가, 다시 씻어 헹궈서 물기를 뺀 후) 시루에 안쳐 고두밥을 짓는다.
2. 솥에 물 2말을 팔팔 끓이고, 고두밥을 무르게 익혀서 끓는 물과 한데 합한다(주걱으로 고두밥을 고루 헤쳐 놓는다).
3. 고두밥이 (물을 다 먹었으면 넓은 그릇에 나눠 담고 뚜껑을 덮어) 차게 식기를 기다린다.
4. 고두밥에 밑술과 참누룩 2홉을 한데 합하고, 고루 버무려 술밑을 빚는다.
5. 술밑을 술독에 담아 안치고, 예의 방법대로 하여 발효시키고 익기를 기다린다.

* 주방문 말미에 "방법은 비록 이렇지만, 필히 누룩을 조금 넣어야 좋다."고 하였다.
* <사시찬요>를 인용하였다.

碧香酒方

白米一斗百洗作末用湯水二斗作粥待冷眞麴二升和合釀之七日後白米二斗百洗濃蒸湯水二斗均調待冷眞麴二合合釀待熟上槽或云麴少加方好. <四時纂要>.

## 28. 벽향주 일방 <임원십육지(林園十六志)>

술 재료 : 밑술 : 찹쌀 1말, 멥쌀 1말, 누룩가루 5되, 밀가루 1되 5홉, 끓는 물 3말
덧술 : 멥쌀 4말, 누룩가루 1되, 끓는 물 6말
2차 덧술 : 멥쌀 4말, 끓는 물 6말

술 빚는 법 :

＊ 밑술 :

1. 찹쌀과 멥쌀 각 1말을 섞어 백세하여 (새 물에 담갔다가, 다시 씻어 건져서) 작말한다.
2. 솥에 물 3말을 팔팔 끓이고, 쌀가루를 시루에 안쳐서 떡을 찐 다음, 떡이 익었으면 끓는 물과 한데 합하고, (멍우리가 없게 풀어) 차게 식기를 기다린다.
3. 물에 풀어 차게 식은 떡에 누룩가루 5되와 밀가루 1되 5홉을 한데 합하고, 고루 버무려 술밑을 빚는다.
4. 술밑을 술독에 담아 안치고, 예의 방법대로 하여 (차고 서늘한 곳에서) 겨울에는 7일, 여름에는 3일, 봄가을에는 5일간 발효시켜 익기를 기다린다.

＊ 덧술 :

1. 멥쌀 4말을 백세하여 (물에 담가 불린 다음, 다시 씻어 말갛게 헹궈서 물기를 뺀 후) 작말한다.
2. 솥에 물 6말을 팔팔 끓이고, 쌀가루를 시루에 안쳐서 떡을 찐다.
3. 떡이 익었으면 끓는 물과 한데 합하고, 주걱으로 고루 헤쳐 (덩어리진 것이 없이 풀고, 그릇에 뚜껑을 덮어) 차게 식기를 기다린다.
4. 죽처럼 된 떡과 밑술, 누룩가루 1되를 한데 합하고, 고루 버무려 술밑을 빚는다.
5. 술밑을 술독에 담아 안치고, 예의 방법대로 하여 (차고 서늘한 곳에서) 겨울에는 5일, 여름에는 3일, 봄가을에는 5일간 발효시켜 익기를 기다린다.

＊ 2차 덧술

1. 멥쌀 4말을 백세하여 (물에 담가 불린 다음, 다시 씻어 말갛게 헹궈서 물기를 뺀 후) 작말한다.
2. 솥에 물 6말을 팔팔 끓이고, 쌀가루를 시루에 안쳐서 떡을 찐다.
3. 떡이 익었으면 끓는 물과 한데 합하고, 주걱으로 고루 헤쳐 덩어리진 것이 없이 풀어놓고, 떡이 (담긴 그릇에 뚜껑을 덮어) 차게 식기를 기다린다.

4. 죽처럼 된 떡과 덧술을 한데 합하고, 고루 버무려 술밑을 빚는다.
5. 술밑을 술독에 담아 안치고, 예의 방법대로 하여 (차고 서늘한 곳에서) 발효시켜 익기를 기다린다.
6. 술이 익었으면 주조에 올려 거른다.

* 덧술과 2차 덧술의 재료 배합비율이 같다. 다만 2차 덧술에서는 누룩을 사용하지 않는다는 점에서 차이가 있다.

碧香酒 一方

白米粘米各一斗相雜百洗作末烝熟用湯水二斗調匀候冷麴末五升麥麵一升五合相和釀之冬七夏春秋五日後又以白米四斗百洗作末蒸熟湯水六斗調均候冷入麴末一升與前酒釀相和入瓮四時依上日數數滿又以白米四斗如前細末蒸熟湯水六斗調匀候冷納之候熟上槽. <增補山林經濟>.

## 29. 벽향주 우방 <임원십육지(林園十六志)>

술 재료 : 밑술 : 멥쌀 1말, 누룩가루 1되, 밀가루 1되, 백비탕 5동이
덧술 : 멥쌀 2말, 끓는 물 4병

술 빚는 법 :

* 밑술 :

1. 멥쌀 1말을 백세하여 (물에 담가 불렸다가, 다시 씻어 말갛게 헹궈서 물기를 뺀 후) 작말한다(가루로 빻는다).
2. 솥에 물 5동이를 오랫동안 팔팔 끓여 백비탕을 만들고, 쌀가루를 시루에 안쳐서 떡을 찐다.
3. 떡이 익었으면 백비탕과 한데 합하고, 주걱으로 고루 헤쳐 (덩어리진 것이 없

이 풀고, 그릇에 뚜껑을 덮어) 차게 식기를 기다린다.

4. 떡에 누룩가루 1되와 밀가루 1되를 한데 합하고, 고루 버무려 술밑을 빚는다.
5. 술밑을 술독에 담아 안치고 (차고 서늘한 곳에서) 7일간 발효시켜 익기를 기다린다.

* 덧술 :

1. 멥쌀 2말을 백세하여 (물에 담가 불렸다가, 다시 씻어 헹궈서 물기를 뺀 후) 시루에 안쳐 무른 고두밥을 짓는다.
2. 솥에 물 4병을 팔팔 끓이고, 고두밥이 무르게 익었으면 한데 합한다(주걱으로 고두밥을 고루 헤쳐 놓는다).
3. 고두밥이 (물을 다 먹으면 넓은 그릇에 나눠 뚜껑을 덮고) 차게 식기를 기다린다.
4. 고두밥에 밑술을 한데 합하고, 고루 버무려 술밑을 빚는다.
5. 술밑을 술독에 담아 안치고, 예의 방법대로 하여 발효시킨 다음, 익기를 기다려 주조에 올려 거른다.

* <증보산림경제>를 인용하였다.

### 碧香酒 又方

白米一斗百洗作末烝爛沸湯五盆調和候冷麴末(麥)麵各一升相和入瓮七日後白米二斗百洗浸潤爛蒸每一斗調沸湯二瓶爲率候冷和前本納瓮待熟上槽　以溫水洗瓮煖之禁生水氣. <上同>.

## 30. 벽향주방 이법 <임원십육지(林園十六志)>

술 재료 : 밑술 : 찹쌀 1되, 누룩가루 4냥
　　　　　덧술 : 찹쌀 9되, 흰누룩가루 16냥, 쌀 담갔던 물 10~20근

술 빚는 법 :

* 밑술 :

1. 찹쌀 1말을 도림극청(淘淋極淸, 淘淋淸淨, 물을 부어가면서 깨끗이 씻어 일고 말갛게 헹궈서 건져냄)한다.
2. 씻어낸 찹쌀 1말 중 9되를 깨끗한 술독에 담고 새 물을 부어 담가 불려둔다.
3. 나머지 찹쌀 1되를 (물에 담가 불렸다가, 다시 씻어 건져서 물기를 뺀 뒤) 시루에 안쳐서 고두밥을 짓는다.
4. 고두밥이 익었으면 퍼내고, 그릇에 담는다(차게 식기를 기다린다).
5. 고두밥에 흰누룩가루 4냥을 섞고, 고루 힘껏 치대어 술밑을 빚는다.
6. 술밑을 작은 단지에 담아 안쳐서 (따뜻한 곳에 앉혀서) 발효시킨다.

* 덧술 :

1. 밑술 빚는 날 담가두었던 9되의 찹쌀을 건져내고, 쌀 담갔던 장수(漿水)는 다른 그릇에 담아놓는다.
2. 건져둔 9되의 찹쌀을 (다시 씻어 헹궈서) 시루에 안쳐서 고두밥을 짓는다.
3. 고두밥이 익었으면 퍼내고, 고루 펼쳐서 차게 식기를 기다린다.
4. 고두밥에 흰누룩가루 16냥과 쌀을 담가두었던 장수 10~20근을 부어 섞고, 고루 버무려 술밑을 빚는다.
5. 술밑을 술독에 담아 안치고, 예의 방법대로 하여 주둥이를 종이로 4~5겹 밀봉한 후, 봄에는 수일 만에 익고, 겨울에는 1개월 후면 익는다.

* 쌀을 씻는 방법으로 "도림극청(淘淋極淸)하라."고 하였다. '도림극청'이란 물

을 부어가면서 매우 깨끗이 씻어 일고 말갛게 헹구는 일을 뜻한다.

碧香酒方

(案)與我東碧香酒名同法異. 糯米一斗淘淋淸淨內將九升浸瓮內一升炊飯拌白麯末四兩用芻埋所浸米內候飯浮撈起烝九升米飯拌白麯末十六兩先將淨飯置低次以浸米飯置瓮內以原淘米漿水十斤或二十斤以紙四五重密封瓮九春數日如天寒一月熟. <遵生八牋>.

## 31. 벽향주 <주방문(酒方文)>

술 재료 : 밑술 : 멥쌀 1말, 누룩가루 1되 5홉, 끓는 물 2말
덧술 : 멥쌀 2말, 밀가루 7홉, 끓는 물 3말

술 빚는 법 :

* 밑술 :

1. 멥쌀 1말을 백세하여(물에 매우 깨끗하게 씻어 말갛게 헹구고, 다시 새 물에 담가 불렸다가, 다시 씻어 말갛게 헹궈서 물기를 뺀 후) 작말한다(가루로 빻는다).
2. 솥에 물 2말을 팔팔 끓여 쌀가루에 골고루 붓고, 주걱으로 고루 개어 범벅을 쑨 후, 넓은 그릇에 펴서 차게 식기를 기다린다.
3. 죽에 누룩가루 1되 5홉을 합하고, 고루 버무려 술밑을 빚는다.
4. 술밑을 술독에 담아 안치고, 예의 방법대로 하여 (4~5일간) 발효시킨다.

* 덧술 :

1. 멥쌀 2말을 백세하여(물에 매우 깨끗하게 씻어 헹구고, 다시 새 물에 담가 불렸다가, 다시 씻어 헹궈서 물기를 뺀 후) 시루에 안쳐 고두밥을 짓는다.

2. 솥에 물 3말을 팔팔 끓이고, 고두밥이 익었으면 넓은 그릇에 펴서 끓는 물을 골고루 붓고, 주걱으로 고두밥을 고루 헤쳐 놓는다.
3. (고두밥이 물을 다 먹었으면) 뚜껑을 덮어 차게 식기를 기다린다.
4. 고두밥에 밑술과 밀가루 7홉을 합하고, 고루 버무려 술밑을 빚는다.
5. 술밑을 술독에 담아 안치고, 예의 방법대로 하여 7일간 발효시키고 익기를 기다린다.

벽향쥬(碧香酒)

ᄇᆡᆨ미 ᄒᆞᆫ 말 ᄇᆡᆨ세작말 탕슈 두 말 반듁 ᄃᆡ링 누록 ᄒᆞᆫ 되 다ᄉᆞᆸ 섯거 비저 닉거ᄃᆞᆫ ᄇᆡᆨ미 두 말 ᄇᆡᆨ세 뼈 탕슈 서 말 골와 ᄃᆡ링ᄒᆞ여 진ᄀᆞᄅᆞ 서 홉 석거 비저 닐웨 후의 ᄡᅳ라.

## 32. 벽향주법 <주방문조과법(造果法)>

–팔두오승 빚이

술 재료 : 밑술 : 멥쌀 7되 5홉, 찹쌀 7되 5홉, 가루누룩 3되 5홉, 밀가루 3되 5홉, 끓는 물 반동이 남짓(넘게)
덧술 : 멥쌀 4말, 끓는 물 2동이 반

술 빚는 법 :

* 밑술 :

1. 멥쌀 7되 5홉과 찹쌀 7되 5홉을 백세하여 새 물에 담가 밤재워 불렸다가, 다시 씻어 헹궈서 세말한다(고운 가루로 빻는다).
2. 솥에 물 반 동이를 팔팔 끓여 쌀가루에 골고루 붓고, 주걱으로 고루 개어 담(범벅)을 쑨다.
3. 범벅을 그릇에 담고 (뚜껑을 덮어 밤재워) 차게 식기를 기다린다.

4. 차게 식은 담(범벅)에 가루누룩 3되 5홉과 밀가루 3되 5홉을 한데 섞고, 고루 치대어 술밑을 빚는다.
5. 술밑을 술독에 담아 안치고, 예의 방법대로 하여 7일간 발효시킨다.

* 덧술 :
1. 멥쌀 4말을 백세하여 (새 물에 담가 불렸다가, 다시 씻어 헹궈 건져서 물기를 뺀 후) 작말한다(가루로 빻는다).
2. 솥에 물 2동이 반을 팔팔 끓여 쌀가루에 골고루 붓고, 주걱으로 고루 개어 담(범벅)을 쑨다(그릇의 뚜껑을 덮어 저절로 차게 식기를 기다린다).
3. 차게 식은 범벅에 밑술을 합하고, 고루 치대어 술밑을 빚는다.
4. 술밑을 술독에 담아 안치고, 예의 방법대로 하여 7일간 발효시킨다.

팔두오승 벽향쥬법

ᄇᆡᆨ미 칠(승)오홉 졈ᄎᆞᄡᆞᆯ미 칠승오홉 ᄇᆡᆨ셰ᄒᆞ여 밤자 믈 다시 ᄀᆞ롸(라) 셰말ᄒᆞ여 믈 반 동희 남즉 ᄀᆞ장 ᄂᆡ게 글혀 ᄃᆞᆷ ᄀᆡ야 ᄀᆞ장 ᄎᆞ거든 (ᄀᆞᄅᆞᆫ누록 삼승오홉) 진말 삼승오홉 섯거둣다가 칠일 만의 ᄇᆡᆨ미 너 말 ᄇᆡᆨ셰작말ᄒᆞ여 믈 두 동희 글혀 ᄃᆞᆷ ᄀᆡ여 밋술 섯거둣다가 칠일 후의 ᄇᆡᆨ미 서 말 ᄇᆡᆨ셰하여 뼈(쪄) 물 두 동희 가옷 골와 ᄎᆞ거든 밋술의 섯거둣다가 칠일 만의 쓰라.

## 33. 벽향주법 <주방문조과법(造果法)>

–삼두 빚이

술 재료 : 밑술 : 멥쌀 1말, 가루누룩 2되 5홉, 끓는 물 2말
덧술 : 멥쌀 2말, 끓는 물 1말

술 빚는 법 :

* 밑술 :

1. 멥쌀 1말을 백세하여 새 물에 담가 밤재워 불렸다가 (다시 씻어 헹궈서) 작말한다(가루로 빻는다).
2. 솥에 물 2말을 팔팔 끓여 쌀가루에 골고루 붓고, 주걱으로 고루 개어 담(범벅)을 쑨다.
3. 범벅을 그릇에 담고 (뚜껑을 덮어 밤재워) 차게 식기를 기다린다.
4. 차게 식은 담(범벅)에 가루누룩 2되 5홉을 한데 섞고, 고루 힘껏 치대어 술밑을 빚는다.
5. 술밑을 술독에 담아 안치고, 예의 방법대로 하여 7일간 발효시킨다.

* 덧술 :

1. 멥쌀 2말을 백세하여 (새 물에 담가 불렸다가, 다시 씻어 헹궈 건져서 물기를 뺀 후) 시루에 안쳐서 고두밥을 짓는다.
2. 솥에 물 1말을 팔팔 끓이다가, 고두밥이 익었으면 그릇에 퍼 담고, 끓는 물을 고두밥에 골고루 붓고, 주걱으로 고루 섞어놓는다.
3. 고두밥이 물을 다 먹은 진고두밥은 여러 개의 그릇에 나눠 담고, 차게 식기를 기다린다.
4. 차게 식은 진고두밥에 밑술을 합하고, 고루 치대어 술밑을 빚는다.
5. 술밑을 술독에 담아 안치고, 예의 방법대로 하여 7일간 발효시킨다.

## 삼두 벽향쥬법

ᄇᆡᆨ미 일두 ᄇᆡᆨ셰ᄒᆞ여 밤자여 작말ᄒᆞ(여) 물 두 말 글혀 ᄃᆞᆷ ᄀᆡ여 ᄎᆞ거든 ᄀᆞᄅᆞᆫ누록 두 되 오 홉 섯거ᄃᆞᆺ다가 칠일 만의 ᄇᆡᆨ미 두 말 ᄇᆡᆨ셰ᄒᆞ여 밤(밥) ᄂᆡᆨ게 ᄡᅧ 믈 ᄒᆞᆫ 말 글혀 골다(라) ᄎᆞ거든 진ᄀᆞᄅᆞᆫ 서 홉 밋술의 섯거ᄃᆞᆺ다가 칠일 후의 ᄡᅳ라.

## 34. 벽향주 <주식방(酒食方, 高大閨壼要覽)>

술 재료 : 밑술 : 찹쌀 7되 5홉, 멥쌀 7되 5홉, 누룩가루 5되, 밀가루 1되 5홉, 끓는 물 4말
덧술 : 멥쌀 4말, 누룩 8되, 끓는 물 6말(또는 10말)
2차 덧술 : 멥쌀 4말, 끓는 물 6말

술 빚는 법 :

* 밑술 :

1. 찹쌀과 멥쌀 합하여 1말 5되를 백세하여 물에 담갔다가 (다시 씻어 말갛게 헹궈서) 작말한다.
2. 솥에 물 4말을 팔팔 끓이다가 쌀가루에 합하고, 주걱으로 고루 개어 멍우리가 없게 풀어 범벅을 쑨 후, 넓은 그릇에 나눠서 차게 식기를 기다린다.
3. 범벅에 누룩가루 5되와 밀가루 1되 5홉을 합하고, 고루 버무려 술밑을 빚는다.
4. 술밑을 술독에 담아 안치고, 예의 방법대로 밀봉하여 (차고 서늘한 곳에서) 7일간 발효시켜 익기를 기다린다.

* 덧술 :

1. 멥쌀 4말을 백세하여 (물에 불린 다음, 다시 씻어 헹궈서 물기를 뺀 후) 작말한다.
2. 솥에 물 6말(또는 10말)을 팔팔 끓이다가, 쌀가루에 합하고 주걱으로 고루 개어 범벅을 쑨 후, 그릇 여러 개에 나눠 담고 차게 식기를 기다린다.
3. 범벅에 밑술, 누룩 8되를 한데 합하고, 고루 버무려 술밑을 빚는다.
4. 술밑을 술독에 담아 안치고, 예의 방법대로 밀봉하여 (차고 서늘한 곳에서) 겨울에는 7일, 여름에는 3일, 봄가을에는 5일간 발효시켜 익기를 기다린다.

* 2차 덧술 :

1. 멥쌀 4말을 백세하여 (물에 불린 다음, 다시 씻어 헹궈서 물기를 뺀 후) 작말한다.
2. (솥에 물 6말을 팔팔 끓이다가, 쌀가루에 합하고 주걱으로 고루 개어 덩어리진 것이 없이 풀어 범벅을 쑨 후, 그릇 여러 개에 나눠 담고 차게 식기를 기다린다.)
3. (범벅에) 덧술을 한데 합하고, 고루 버무려 술밑을 빚는다.
4. 술밑을 술독에 담아 안치고 (차고 서늘한 곳에서) 21일간 발효시켜 익기를 기다린다.

* 주방문에는 2차 덧술의 "백미 사두를 백세작말하여 전의 술과 버무려 삼칠일 후의 쓰라."고 되어 있을 뿐, 쌀의 가공방법에 대한 언급이 없다.

벽향쥬

ᄇᆡᆨ미 졈미 합 일두오승을 한ᄃᆡ 섯거 ᄇᆡᆨ셰 침슈ᄒᆞ여 ᄌᆞᆨ말ᄒᆞ고 물 너 말노 ᄀᆡ여 식여 국말 오승 진말 일승오홉 듁의 버므려 항의 너허 봉ᄒᆞ여 칠일 후의 ᄯᅩ ᄇᆡᆨ미 ᄉᆞ두ᄅᆞᆯ ᄇᆡᆨ셰ᄌᆞᆨ말ᄒᆞ고 탕슈 십두나 뉵두나 듁 ᄡᅮ어 국말 팔승을 뎐의 술과 버므려 항의 봉ᄒᆞ야 겨울은 칠일이오 녀름은 삼일 츈츄ᄂᆞᆫ 오일만 ᄯᅩ ᄇᆡᆨ미 ᄉᆞ두ᄅᆞᆯ ᄇᆡᆨ셰ᄌᆞᆨ말ᄒᆞ여 젼의 슐과 버므려 삼칠일 후의 ᄡᅳ라.

## 35. 벽향주법 <증보산림경제(增補山林經濟)>

술 재료 : 밑술 : 멥쌀 1말, 참누룩 2되, 끓는 물 2말
덧술 : 멥쌀 2말, 참누룩 2홉, 끓는 물 2말

술 빚는 법 :

* 밑술 :

1. 멥쌀 1말을 백세하여 (물에 담가 불렸다가, 다시 씻어 말갛게 헹궈서 물기를 뺀 후) 작말한다(가루로 빻는다).
2. 솥에 물 2말을 팔팔 끓여 쌀가루에 고루 붓고, 죽(범벅)을 쑨 후 넓은 그릇에 펴서 차게 식기를 기다린다.
3. 죽(범벅)에 참누룩 2되를 합하고, 고루 버무려 술밑을 빚는다.
4. 술밑을 술독에 담아 안치고, 예의 방법대로 하여 7일간 발효시킨다.

* 덧술 :

1. 멥쌀 2말을 백세하여 (물에 담아 불렸다가, 다시 씻어 헹궈서 물기를 뺀 후) 시루에 안쳐 고두밥을 짓는다.
2. 솥에 물 2말을 팔팔 끓이고, 고두밥이 무르게 익었으면 한데 합한다(주걱으로 고두밥을 고루 헤쳐 놓는다).
3. 고두밥이 (물을 다 먹었으면 넓은 그릇에 나눠 담고 뚜껑을 덮어) 차게 식기를 기다린다.
4. 고두밥에 밑술과 참누룩 2홉을 한데 합하고, 고루 버무려 술밑을 빚는다.
5. 술밑을 술독에 담아 안치고, 예의 방법대로 하여 발효시키고 익기를 기다린다.

* 주방문 말미에 "방법은 비록 이렇지만 필히 누룩을 조금 넣어야 좋다."고 하였다.

碧香酒法

白米一斗百洗作末用湯水二斗作粥候冷眞麯二升和合釀之七日後白米二斗百洗濃蒸湯水二斗均調候冷眞麯二合合釀待熟上槽法雖如此麯必少加方好.

## 36. 벽향주(우방) <증보산림경제(增補山林經濟)>

술 재료 : 밑술 : 찹쌀 1말, 멥쌀 1말, 누룩가루 5되, 밀가루 1되, 끓는 물 3말
덧술 : 멥쌀 4말, 누룩 1되, 끓는 물 6말
2차 덧술 : 멥쌀 4말, 끓는 물 6말

술 빚는 법 :

* 밑술 :

1. 찹쌀과 멥쌀 각 1말을 섞어 백세하여 (새 물에 담갔다가, 다시 씻어 건져서) 작말한다.
2. 솥에 물 3말을 팔팔 끓이고, 쌀가루를 시루에 안쳐서 떡을 찐 다음, 떡이 익었으면 끓는 물 3말과 한데 합하고 멍우리가 없게 풀어 차게 식기를 기다린다.
3. 물에 풀어 차게 식은 떡에 누룩가루 5되와 밀가루 1되를 한데 합하고, 고루 버무려 술밑을 빚는다.
4. 술밑을 술독에 담아 안치고, 예의 방법대로 하여 (차고 서늘한 곳에서) 겨울에는 7일, 여름에는 3일, 봄가을에는 5일간 발효시켜 익기를 기다린다.

* 덧술 :

1. 멥쌀 4말을 백세하여 (물에 담가 불린 다음, 다시 씻어 말갛게 헹궈서 물기를 뺀 후) 작말한다.
2. 솥에 물 6말을 팔팔 끓이고, 쌀가루를 시루에 안쳐서 떡을 찐다.
3. 떡이 익었으면 끓는 물과 한데 합하고, 주걱으로 고루 헤쳐 덩어리진 것이 없이 풀어놓는다.
4. 떡이 (담긴 그릇에 뚜껑을 덮어) 차게 식기를 기다린다.
5. 죽처럼 된 떡과 밑술, 누룩 1되를 한데 합하고, 고루 버무려 술밑을 빚는다.
6. 술밑을 술독에 담아 안치고, 예의 방법대로 하여 (차고 서늘한 곳에서) 겨울에는 7일, 여름에는 3일, 봄가을에는 5일간 발효시켜 익기를 기다린다.

* 2차 덧술 :

1. 멥쌀 4말을 백세하여 (물에 담가 불린 다음, 다시 씻어 말갛게 헹궈서 물기를 뺀 후) 작말한다.
2. 솥에 물 6말을 팔팔 끓이고, 쌀가루를 시루에 안쳐서 떡을 찐다.
3. 떡이 익었으면 끓는 물과 한데 합하고, 주걱으로 고루 헤쳐 덩어리진 것이 없이 풀어놓는다.
4. 떡이 (담긴 그릇에 뚜껑을 덮어) 차게 식기를 기다린다.
5. 죽처럼 된 떡과 덧술을 한데 합하고, 고루 버무려 술밑을 빚는다.
6. 술밑을 술독에 담아 안치고, 예의 방법대로 하여 (차고 서늘한 곳에서) 발효시켜 익기를 기다린다.
7. 술이 익었으면 주조에 올려 거른다.

* 덧술과 2차 덧술의 재료 배합비율이 같다. 다만 2차 덧술에서는 누룩을 사용하지 않는다는 점에서 차이가 있다.

碧香酒(又方)

白米粘米各一斗相雜百洗作末蒸熟用湯水三斗調均候冷麯末五升眞末一升五合相和冬七夏三春秋五日後又白米四斗百洗作末蒸熟湯水六斗調均候冷以麯末一升與前酒相和入甕四時依上日數數滿又白米四斗如前細末蒸熟湯水六斗調均候冷納前酒候熟上槽.

## 37. 벽향주 별법 <증보산림경제(增補山林經濟)>

술 재료 : 밑술 : 멥쌀 1말, 누룩가루 1되, 밀가루 1되, 백비탕 5동이
덧술 : 멥쌀 2말, 끓는 물 2말

술 빚는 법 :

* 밑술 :

1. 멥쌀 1말을 백세하여 (물에 담가 불렸다가, 다시 씻어 말갛게 헹궈서 물기를 뺀 후) 작말한다(가루로 빻는다).
2. 물 5동이를 오랫동안 끓여 백비탕을 만들고, 쌀가루를 시루에 안쳐서 떡을 찐다.
3. 떡이 익었으면 백비탕과 한데 합하고, 주걱으로 고루 헤쳐 덩어리진 것이 없이 풀어놓는다.
4. 떡이 (담긴 그릇에 뚜껑을 덮어) 차게 식기를 기다린다.
5. 떡과 누룩가루 1되, 밀가루 1되를 한데 합하고, 고루 버무려 술밑을 빚는다.
6. 술밑을 술독에 담아 안치고, 예의 방법대로 하여 (차고 서늘한 곳에서) 7일간 발효시켜 익기를 기다린다.

* 덧술 :

1. 멥쌀 2말을 백세하여 (물에 담가 불렸다가, 다시 씻어 헹궈서 물기를 뺀 후) 시루에 안쳐 무른 고두밥을 짓는다.
2. 솥에 물 2말을 팔팔 끓이고, 고두밥이 무르게 익었으면 한데 합한다(주걱으로 고두밥을 고루 헤쳐 놓는다).
3. 고두밥이 (물을 다 먹으면 넓은 그릇에 나눠 뚜껑을 덮고) 차게 식기를 기다린다.
4. 고두밥에 밑술을 한데 합하고, 고루 버무려 술밑을 빚는다.
5. 술밑을 술독에 담아 안치고, 예의 방법대로 하여 발효시키고 익기를 기다린다.

碧香酒 別法

白米一斗百洗作末蒸爛沸湯五盆調和候冷麯末眞末各一升相和入甕七日後白米二斗百洗浸宿潤爛蒸每一斗調沸湯二瓶爲率候冷和前本納甕待熟上槽.甕子以溫水洗熯之禁生水氣.

## 38. 벽향주 <해동농서(海東農書)>

술 재료 : 밑술 : 멥쌀 1말, 참누룩(백곡) 1되, 끓는 물 2말
덧술 : 멥쌀 2말, 참누룩(백곡) 2홉, 끓는 물 2말

술 빚는 법 :

* 밑술 :

1. 멥쌀 1말을 물에 백세하여 물에 담가 불렸다가, 씻어 건져서 물기를 뺀 뒤 가루로 빻아놓는다.
2. 솥에 물 2말을 끓이다가, 뜨거운 물 1말 정도를 떠서 쌀가루에 고루 붓고 주걱으로 골고루 개어 걸쭉한 아이죽을 만든다.
3. 끓고 있는 물에 개어놓은 아이죽을 넣고 팔팔 끓여 죽을 쑨 다음, 넓은 그릇 여러 개에 나눠 담고 차게 식기를 기다린다.
4. 죽에 참누룩(백곡) 1되를 합하고, 고루 버무려 술밑을 빚는다.
5. 술독에 술밑을 담아 안치고, 예의 방법대로 하여 7일간 발효시킨다.

* 덧술 :

1. 멥쌀 2말을 백세한다(새 물에 담가 불렸다, 다시 헹궈 건져서 물기를 뺀다).
2. 불린 쌀을 시루에 안치고, 푹 쪄서 무르게 익은 고두밥을 짓는다.
3. 물 2말을 오랫동안 팔팔 끓이다가, 고두밥이 익었으면 끓는 물을 뜨거운 고두밥에 붓고, 주걱으로 고루 헤쳐서 차게 식기를 기다린다.
4. 질어진 밥에 밑술과 참누룩(백곡) 2홉을 합하고, 고루 버무려 술밑을 빚는다.
5. 술독에 술밑을 담아 안치고, 예의 방법대로 하여 발효시킨다.
6. 술이 익을 때까지 기다려 숙성된 술을 주조에 올려 짜면 5말을 얻는다.

* 방문 말미에 "익기를 기다려 주조에 올려 짜는데, 누룩을 적게 넣으면 더욱 좋다."고 하였다. <고사촬요>, <증보산림경제>에도 누룩의 양이 1되로 동일

한 방문이다. <사시찬요보>를 인용하였다.

碧香酒
白米一斗百洗作末用湯水二斗作粥待冷眞麯一升和合釀之七日後白米二斗百洗濃蒸湯水二斗均調待冷眞麯二合合釀待熟上槽. 法雖如此麯必少加乃和(以上上同).

## 39. 벽향주 <홍씨주방문>

술 재료 : 밑술 : 멥쌀 1되, 누룩가루 2되, 밀가루 2되, 물 1말
덧술 : 멥쌀 3말(또는 4말), 누룩 3홉, 밀가루 3홉, 끓여 식힌 물 6병(또는 8병)

술 빚는 법 :

* 밑술 :

1. 멥쌀 1되를 백세하여(백 번 씻어 매우 깨끗하게 하여 말갛게 헹궈 불렸다가, 다시 씻어 건져서 물기를 뺀 다음) 작말한다(가루로 빻는다).
2. 쌀가루를 넓은 그릇에 담아놓고, 물 1말을 솥에 붓고 팔팔 끓여서 쌀가루에 골고루 퍼붓고, 주걱으로 고루 개어 범벅을 쑨다.
3. 범벅이 투명한 죽같이 익었으면, 넓은 그릇에 퍼서 차게 식기를 기다린다.
4. 범벅에 누룩가루 2되, 밀가루 2되를 섞고, 고루 버무려 술밑을 빚는다.
5. 소독한 술독에 술밑을 담아 안치고, 예의 방법대로 하여 발효시킨다.

* 덧술 :

1. 밑술이 막 괴어오를 때 멥쌀 3말(또는 4말)을 백세하여(백 번 씻어 옥같이 깨끗하게 하여 말갛게 헹궈 건졌다가) 하룻밤 담가 불린다.

2. 다음날 아침에 불린 쌀을 (다시 씻어 건져서 물기를 뺀 다음) 시루에 안쳐서 고두밥을 짓는다.
3. 고두밥이 고루 익었으면 퍼내고, 팔팔 끓여 식힌 물 6병(또는 8병)을 고루 합한 뒤, 고루 펼쳐서 차게 식기를 기다린다.
4. 고두밥에 밑술과 누룩 3홉, 밀가루 3홉을 한데 합하고, 날물이 들어가지 않게 고루 버무려 술밑을 빚는다.
5. 소독한 술독에 술밑을 담아 안치고, 예의 방법대로 하여 발효시키고 술이 익기를 기다린다.

벽향주

백미 일되 백세작말하여 물 세 병 끓여 익게 개여 식거든 진말 두 되, 국말 두 되 섞어 넣고 막 괼 제 백미 서 말이나 너 말이나 더트되 밥 한 말에 끓인 물 두 병씩 식혀 밥에 골나 채워 하되, 날물기 조심하여 하면 좋으니라. 넣을 제 쉬이 괴게 국말 진말 서 홉씩이나 넣으면 좋으니라.

# 별별약주

## 스토리텔링 및 술 빚는 법

'별별약주'는 <주식시의(酒食是儀)>에서 찾아볼 수 있을 뿐이다. '별별약주'가 다른 문헌에는 등장하지 않는 까닭은 '별별약주'를 수록하고 있는 <주식시의>가 한 집안의 가양주(家釀酒)를 수록하고 있는 문헌이기 때문이다.

<주식시의>는 <우음제방(禹飮諸方)>과 함께 대전 지방에서 세가(世家)를 이루었던 은진송씨 동춘당 송준길(1606~1672)의 둘째 손자였던 수우재 송병하(1646~1697)의 가문에 세전(世傳)되어 오던 기록이다.

<주식시의>가 실제 작성된 연대는 송준길의 9세손 송영노(1803~1881)의 부인 연안이씨에 의해 주로 19세기에 쓰여진 것으로 추정되고, <우음제방>은 여러 대에 걸쳐 계속해서 보완 수정되는 과정을 거친 기록으로 알려지고 있다.

따라서 '별별약주'는 은진송씨 가문에서만 맛볼 수 있었던 주품이라고 할 수 있으며, '별별약주'라는 주품명을 얻게 된 배경도 이 주방문에 의해 평상시에는 약주(藥酒, 淸酒)를 얻기 위한 방문으로 사용되다가 특별한 목적과 용도에 따라 '두견주'나 '송순주', '과하주'로 만들기도 했다는 배경 때문으로 풀이된다.

<주식시의>의 '별별약주' 주방문 말미에 "술밑을 오래둘수록 좋으니라. 봄이면 꽃이 피기 전에 밑하였다가, 덧할 제 두견화 약간 섞어 하면 '두견주'요, 여름에 '소주' 식기 더하면 '과하주'요, 송순을 약간 넣으면 '송순주'요, 이 술은 날물이 아니든 술인 고로, 치담하고 두통이 없느니라."고 하였다.

이로써 반가의 가양주 또한 특별히 빚는 술이 따로 있었다는 사실을 확인할 수 있게 되었는데, '별별약주'의 또 다른 점은 같은 문헌에 수록되어 있는 다른 주품의 주방문보다도 더 자세하고 순서에 어긋남이 없이 비교적 잘 쓰여진 주방문이라고 하는 사실이다.

<주식시의>의 다른 주방문의 경우, 순서가 뒤바뀌기도 하고 재료 배합비율이 다르기도 하여 종잡을 수 없는 경우가 많다는 사실에서도 '별별약주'의 주품명에 담긴 의미를 찾을 수 있다고 할 것이다.

'별별약주'가 은진송씨 가문의 가양주로 철저하게 이어져 내려왔다는 사실을 입증할 수 있는 또 다른 배경은 주방문에 드러난 도량형(度量衡) 때문이다. <주식시의>를 비롯하여 <우음제방>의 여러 주방문에서도 '별별약주'처럼 철저하게 가정용 식기에 의한 도량형을 단위로 작성된 주방문이 없다는 사실이 이를 입증한다고 할 것이다.

'별별약주'는 철저하리만큼의 전형적인 가양주법의 주방문을 고수하고 있다. 우선, 밑술은 멥쌀 2말 5되와 누룩가루 1주발 1탕기, 밀가루 1식기, 끓인 물 25식기의 비율로 이루어지는데, 쌀의 가공은 범벅 형태로 하고, 20일 이상의 장기 발효를 거친다. 이렇게 밑술의 발효기간이 길어진 이유는 범벅을 쑬 때 끓는 물이 아닌 반쯤 식힌 뜨거운 물을 사용하기 때문이다.

따라서 밑술의 발효를 길게 가져가도록 주방문이 작성되었다는 것을 알 수 있다. 덧술은 멥쌀과 찹쌀 각 30식기와 끓여 식힌 물 62식기의 비율인데, 각각 차게 식혀서 밑술과 버무린다.

이때 필요와 목적에 따라서 진달래꽃이나 송순, 소주를 준비하였다가 용도에 맞는 양주(釀酒)를 꾀하고 있어, 한 집안의 가양주가 어떻게 빚어지고 이루어져 전승되어 왔는지를 실감케 해준다.

특히 술 빚을 그릇인 술독에 대하여도 강조를 하였는데, 밑술과 덧술 술독 모두 "군내 없는 항아리에 짚내(불연기) 쏘여 소독한 후에"라고 하여 살균소독법에 대해서까지도 언급하였다.

이러한 '별별약주'는 비교적 손쉬우면서도 까다로운 면이 없지 않다. 우선, 밑술의 범벅을 쑬 때 뜨거운 물의 온도가 너무 낮으면 쌀가루가 전혀 익지를 않고, 너무 익게 되면 덧술을 일찍 해 넣어야 하는 문제와 함께 덧술에서는 멥쌀과 찹쌀고두밥의 호화도를 고려해야 원활한 발효를 도모할 수 있기 때문이다.

자칫 멥쌀고두밥이 진밥이 되어서도 안 되고, 된고두밥이 되어서도 안 된다. 찹쌀과 고두밥을 함께 사용하는 경우, 멥쌀고두밥의 당화가 찹쌀고두밥보다 늦어져 산패나 두 번 끓는 현상을 초래하기 때문인데, 이에 따른 조치는 오랜 경험이 필요하다. 따라서 이에 따른 문제 해결 방법은 '두견주' 주방문을 참고하면 도움이 될 것이다.

## 별별약주법 <주식시의(酒食是儀)>

술 재료 : 밑술 : 멥쌀 2말 5되, 누룩가루 1주발 1탕기, 밀가루 1식기, 끓인 물 25식기

덧술 : 멥쌀·찹쌀 각 30식기, 끓인 물 62식기

술 빚는 법 :

* 밑술 :

1. 멥쌀 2말 5되를 희게 쓿어(도정을 많이 하여 백세한 후) 물에 담가 불렸다가 (다시 씻어 건져서 물기를 뺀 후) 곱게 빻아 가는체로 쳐서 넓은 그릇에 담는다.
2. 솥에 맛 좋은 물 25식기를 고붓지게(솟구치게) 끓여 뜨겁지도 차지도 않게 하여 쌀가루에 붓고 주걱으로 골고루 개어, 멍우리 없는 범벅을 짓는다.
3. 범벅을 온기 없이 차게 식힌 다음, 좋은 누룩 1주발 1탕기와 밀가루 1식기를

섞고, 고루 버무려 술밑을 빚는다.

4. 군내 나지 않는 술독을 짚불연기 쏘여 소독한 후에 술밑을 담아 안치고, 예의 방법대로 하여 덥지도 차지도 않는 곳에 두어 20일간 발효시킨다.

* 덧술 :

1. 좋은 물 62식기를 팔팔 끓여 밤재워 차게 식기를 기다린다.
2. 멥쌀 30식기와 찹쌀 30식기를 희게 쓿어(도정을 많이 하여 백세한 후) 물에 담갔다가, 다시 씻어 건져서 물기를 뺀 후) 각각 시루에 안쳐서 고두밥을 짓는다.
3. 고두밥은 좋은 물을 안친 솥에 올려 찌되, 멥쌀고두밥에는 물을 많이 뿌려서 질게 찌고, 고두밥이 익었으면 각각 퍼내어 차게 식기를 기다린다.
4. 멥쌀고두밥과 찹쌀고두밥에 차게 식혀둔 물을 등분하여 한데 섞는다.
5. 각각의 고두밥에 밑술을 골고루 버무려 술밑을 빚는다.
6. 군내 나지 않는 술독을 짚불연기 쏘여 소독한 후에 술밑을 담아 안치고, 예의 방법대로 하여 김이 새지 않게 밀봉한다.
7. 술독은 덥지도 차지도 않는 곳에서 발효시켜, 푹 가라앉으면 용수 박아 채주한다.

* '별별약주'는 한 집안의 기본이 되는 술로, 필요에 따라 두견화나 기타의 절기에 맞는 부재료를 사용하여 가향약주로도 빚는다는 것을 확인할 수 있다. 주방문 말미에 "술밑을 오래 둘수록 좋으니라."고 하였다. 또 "이 술은 날물이 아니 든 술인 고로 치담하고 두통이 없느니라."고 하였다.

별별약쥬법

멥살 슈물다셧 되을 희계 씰러 담가다가 곱계 섁아 가는 쳬로 쳐셔 물 맛 죠ᄒᆞᆫ 것스로 고부지계 싀려 슈물다셧 식기을 듭도 ᄎᆞ도 안케 ᄒᆞ여 망울 업시 반죽ᄒᆞᆫ 후 온긔 읍시 식이여 누룩 ᄒᆞᆫ 쥬발 ᄒᆞᆫ 탕긔 진말 ᄒᆞᆫ 식기 넉고 고로 버물리여 군ᄂᆡ 읍은 항아리 집ᄂᆡ 쏘이여 항아리의 너허 덥도 ᄎᆞ도 안이ᄒᆞᆫ ᄃᆡ 두엇ᄃᆞ 이십 일 만의 멥살 셔른 식긔 찹살 셔른 식긔 희계 씰러 쓰되 각각 죠흔 물의 씨계 ᄒᆞ고 메밥은 물 만이 쌰려 질게 써셔 더운 긔운 읍시 식인 후 죠흔 물 고부지계 ᄉᆞ려 ᄒᆞ로밤 ᄌᆡ운 후의 예슌두 식긔을 ᄒᆞᆫᄃᆡ 여흐되 찹살밥과 멥살밥 밋쳘 ᄂᆡ여 고로 셕거 ᄒᆞᆫᄃᆡ 버무려 알마진 항아리의 군ᄂᆡ 읍시 집ᄂᆡ 쏘이여 넉코 짐 안니 나계 부리을 봉ᄒᆞ여 덥도 ᄎᆞ도 안이ᄒᆞᆫ ᄃᆡ 두고 슐이 다 되면 푹 가라안나이 용슈 너어 써먹ᄂᆞ니 밋쳘 오ᄅᆡ 둘ᄉᆞ록 조흐이라.

봄이면 ᄭᅩᆺ 피기 젼의 밋 ᄒᆞ여ᄡᅡ가 뎟틀 졔 두견화 약간 셕거 ᄒᆞ면 두견쥬요, 여름의 소쥬 식기 더ᄒᆞ면 과하주요, 송슌을 약간 너흐면 송슌쥬요, 이 슐은 날물이 안이 든 슐인 고로 치담ᄒᆞ고 두통이 업ᄂᆞᆫ이라.

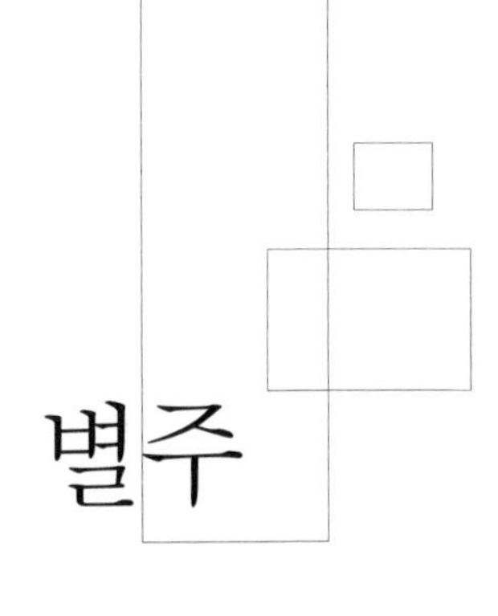

# 별주

스토리텔링 및 술 빚는 법

'별주(別酒)'는 흔치 않은 주품명이다. 술을 빚는 주방문도 자주 목격되지 않는다. 때문에 '별주'가 어떤 의미를 담고 있는지 알 수 없다.

그런데 한 가지 중요한 사실은, '별주'의 주방문을 싣고 있는 문헌으로 <수운잡방(需雲雜方)>과 <음식디미방>이 있으며, 이들 두 문헌이 경상북도의 안동과 영양이라는 같은 문화권에서 집필되었다는 사실과 관련하여, 이 지역에서 특별하게 빚은 술이라는 뜻이 주품명이 아닐까 생각된다.

단언할 수는 없지만, 특별한 날을 기념하거나 잔치에 사용하거나 하여 그 양을 늘리려는 목적에서 빚거나, 한꺼번에 많은 양의 술이 필요했을 때 빚는 술이 아닐까 하는 추측인 것이다. 시대적으로 앞선 기록인 <수운잡방>의 '별주'는 삼양주법(三釀酒法)인데, 밑술과 덧술을 범벅으로 하여 두 번에 걸쳐 누룩과 끓는 물을 사용하는 빚은 후, 2차 덧술은 고두밥을 지어 덧술과 합하는 방법을 취하고 있다. 이와 같은 방법은 알코올 도수가 높은 술을 빚고자 이루어지는 주방문이라는 사실이 그와 같은 추측을 가능케 한다.

또한 한글 기록인 <음식디미방>에서는 이양주법(二釀酒法)의 '별주' 주방문을 싣고 있는데, 밑술은 범벅으로 하여 누룩과 밀가루를 사용하고, 별도로 누룩물을 만들어두었다가 술밑 위에 덮은 후, 발효되면 고두밥과 끓는 물을 합하여 만든 진고두밥을 사용하는데, 덧술에서도 누룩과 밀가루를 사용하는 것으로 되어 있어, <수운잡방>과는 현저한 차이가 있지만, 얻어지는 술의 양에서는 <수운잡방>의 '별주' 주방문과 별반 다를 바 없다.

이 두 문헌의 주방문은 차이를 정리하면, 주원료인 쌀의 가공방법은 물론이고, 밀가루의 사용 여부와 누룩의 사용 횟수에 있어서도 차이를 나타내고 있다.

<수운잡방>은 3차례의 술 빚는 과정 가운데 밑술과 덧술에 두 차례 누룩을 사용한 반면, <음식디미방>에서는 두 번의 술 빚는 과정, 곧 밑술과 덧술에서 누룩가루와 함께 밀가루를 사용하고, 누룩은 쌀 양에 비례하여 늘어나는 것으로 되어 있다.

<음식디미방>의 수록 주품 가운데 '별주'와 같은 주방문은 거의 목격하기 힘들 정도로 특별하다고 할 수 있겠는데, 그 배경은 무엇보다 알코올 도수가 높은 술을 얻고자 하는 데 초점이 모아져 있다는 점에서 나름의 '별주'에 대한 의미 부여와 특징을 찾고자 하였으나, 자신할 수는 없다는 것이 솔직한 고백이다. 이로써 기록의 중요성을 다시 한 번 강조하고, 이러한 노력이 전통문화의 지속적인 발전과 계승으로 이어진다는 사실을 강조해 두고 싶다.

필자 자신이 이처럼 '별주'에 대한 의미 부여와 함께 나름의 스토리를 개발하고자 애를 쓰는 이유는 다름 아니다. 조선시대 양주 관련 기록으로 80권이 넘는 다양한 문헌 가운데 집안의 내림술에 대한 유래나 술 빚는 데 따른 우선순위와 술 빚는 사람이 지켜야 할 원칙 등에 대해 자세한 내용을 수록하고 있는 문헌이 없다는 것은 실로 안타까운 일이 아닐 수 없다. 따라서 이제부터라도 상세하고 구체적인 기록을 통해서 우리문화의 정수를 후손에 전해야 할 것이라는 판단에서이다.

주품 하나하나에 얽힌 소소하고 일상적인 이야기라고 하찮게 여길지 모르겠지만, 귀찮고 가치 없다고 여길 수도 있는 기록들이 후세에 어떠한 영향을 미치게 되고, 얼마만 한 문화유산으로 뿌리내릴지 아무도 '내일의 일'을 알 수 없겠기에 하는 말이다.

## 1. 별주 <수운잡방(需雲雜方)>

술 재료 : 밑술 : 멥쌀 3말, 누룩가루 6되, 물 3말
덧술 : 멥쌀 3말, 누룩가루 6되, 물 3말
2차 덧술 : 멥쌀 2말, 찹쌀 1말

술 빚는 법 :

* 밑술 :

1. 멥쌀 3말을 백세하여 물에 담가 하룻밤 불렸다가 (다시 씻어 헹궈서) 작말한다.
2. 쌀가루에 끓는 물 3말을 골고루 붓고, 주걱으로 고루 개어서 죽(범벅)을 만든 후, 넓은 그릇에 펴서 차게 식기를 기다린다.
3. 죽(범벅)에 좋은 누룩가루 6되를 합하고, 고루 버무려서 술밑을 빚는다.
4. 술밑을 술독에 담아 안치고, 단단히 봉하여 봄과 가을이면 6일간 발효시킨다.

* 덧술 :

1. 멥쌀 3말을 백세하여 물에 하룻밤 불렸다가 (다시 씻어 헹궈서) 작말한다.
2. 쌀가루에 끓는 물 3말을 골고루 붓고, 주걱으로 고루 개어서 죽(범벅)을 만든 후, 넓은 그릇에 펴서 차게 식기를 기다린다.
3. 죽(범벅)에 좋은 누룩가루 6되와 밑술을 합하고, 고루 버무려서 술밑을 빚는다.
4. 술밑을 술독에 담아 안치고, 단단히 봉하여 봄과 가을이면 6일간 발효시킨다.

* 2차 덧술 :

1. 멥쌀 2말과 찹쌀 1말을 백세하여 물에 담가 하룻밤 불렸다가 (다시 씻어 헹궈서 물기를 뺀 후) 시루에 안쳐서 무른 고두밥을 짓는다.
2. 고두밥이 익었으면 퍼내고 (고루 펼쳐서 뜨거운 김만 빼고) 더운 김이 나가

기 전에 밑술독에 담아 안친다.
3. 술밑을 고루 섞어 주고, 예의 방법대로 단단히 밀봉하여 발효시킨다.
4. 술이 익으면 주자에 올려 짠다.

別酒
白米三斗百洗沈宿作末湯水三斗作粥待冷好麴末六升和合納甕堅封六日後白米三斗百洗浸一宿作末如前法和納甕 又六日後白米二斗粘米一斗百洗浸一宿全蒸無麴水不歇氣納瓮和均堅封待熟上槽其味甘香冽.

## 2. 별주 <음식디미방>

술 재료 : 밑술 : 멥쌀 1말, 누룩 1되, 밀가루 1홉, (떡 삶은) 물(1사발)
덧술 : 멥쌀 2말, 누룩 2되, 밀가루 1홉, 끓는 물 4말

술 빚는 법 :
* 밑술 :
1. 멥쌀 1말을 (깨끗하게 씻어 물에 담가 불렸다가, 다시 씻어 헹궈서 물기를 뺀 후) 작말한다(가루로 빻는다).
2. 구멍떡을 빚는다(가마솥에 물을 넉넉히 붓고 끓이다가, 물이 뜨거워지면 3~4홉 정도를 떠서 쌀가루에 뿌리고 치대어 익반죽을 한다).
3. (익반죽을 한 주먹씩 떼어 둥글납작한 구멍떡을 빚어 물솥에 넣고 삶는다.)
4. (구멍떡이 익으면 떠오르므로 건져서 마르지 않게 뚜껑을 덮어 차게 식기를 기다린다.)
5. 누룩 1되 중 1홉을 (떡 삶은)물(1사발)에 풀어 수곡을 만들어놓는다.
6. 구멍떡에 남은 누룩 9홉, 밀가루 1홉을 섞고, 고루 버무려 술밑을 빚는다.
7. (술밑을 술독에 담아 안치고, 만들어둔 수곡을 이용하여 술 빚었던 그릇을

씻어 술밑 위에 덮는다.)

8. 술독은 예의 방법대로 하여 3일간 발효시킨다.

* 덧술 :

1. 멥쌀 2말을 (백세하여 물에 담가 불린 후, 다시 씻어 헹궈 물기를 뺀다).
2. 물을 뺀 멥쌀을 시루에 안치고, 무른 고두밥을 짓는다.
3. 물 4말을 팔팔 끓이다가 고두밥이 익었으면 한데 합하고 (주걱으로 뒤적여 놓은 후) 고두밥이 차게 식기를 기다린다.
4. 고두밥에 밑술, 누룩 2되, 밀가루 1홉을 섞고, 고루 버무려 술밑을 빚는다.
5. 술밑을 술독에 담아 안치고, 예의 방법대로 하여 10일간 발효시키는데, 익었으면 (용수 박아 뜨는데) 청주 2동이를 채주할 수 있다.

* 주방문에 밑술의 구멍떡을 삶거나 식히라는 등 방법에 대한 구체적인 언급이 없다. 덧술의 쌀도 씻거나 불리라는 언급이 없어 예의 방법을 택하였다. 또한 밑술과 덧술에 누룩과 밀가루가 사용되는 드문 경우의 방문이라서 '별주'라고 하게 된 것 같다.

별쥬

ᄇᆡᆨ미 ᄒᆞᆫ 말 작말ᄒᆞ여 구무썩 ᄒᆞ야 누록 ᄒᆞᆫ 되 진말 ᄒᆞᆫ 홉 글힌 믈 ᄒᆞᆫ 말 섯그ᄃᆡ 누록 ᄒᆞᆫ 홉만 몬져 믈에 플고 ᄒᆞᆫᄃᆡ 쳐 녀허 사흘 만애 ᄡᆞᆯ 두 말 밥 쎠 므너 말 ᄉᆞᆯ혀 던운 결에 하ᄀᆞ장 식거든 밋술 퍼 누록 두 되 진말 ᄒᆞᆫ 홉 ᄒᆞᆫᄃᆡ 섯거 녀헛다가 열흘 만애 ᄡᅳᄃᆡ 청쥬 두 동ᄒᆡ ᄂᆞ오ᄂᆞ니라.

# 별춘주방문

## 스토리텔링 및 술 빚는 법

"한 졔(一劑) 하랴면 빅미(白米) 흔 말(一斗) 빅셰작말(百洗作末)하여 쓸힌 물 흔 말(一斗)의 개여 식거든 진국말(眞麯末) 칠 홉(七合)을 셧거흔데 너허다가 나흘(四日) 만의 빅미(白米) 두 말(二斗)을 빅셰(百洗)하야 익게 쪄 쓸힌 물(水) 두 말(二斗) 부어 식거든 술밋희 버무려 너허다가 익는 대로 나여 쓰라."

1827년간 또는 1887년간으로 알려지고 있는 임용기(전 연세대 교수) 소장본인 <주방(酒方)>*에 수록되어 있는 '별춘주방문(別春酒方文)'이다. '별춘주방문'은 임용기소장본인 <주방>* 외에서는 목격되지 않는 유일한 주방문이자 주품명이다.

주지하다시피 '춘주(春酒)'라는 주품명의 단양주법(單釀酒法)과 주품명 끝에 '춘(春)' 자를 붙인 춘주류(春酒類)가 있는데, 춘주류는 이양주법(二釀酒法)과 삼양주법(三釀酒法)의 주방문을 볼 수 있다. 따라서 '별춘주방문'은 위의 춘주류와는 다른 주방문이라는 의미로 해석된다.

특히 <임원십육지(林園十六志)>의 '춘주방(春酒方)'은 <제민요술(齊民要術)>

을 인용하여 "누룩을 디딜 때 깨끗이 하여 곱게 빻고, 햇볕에 잘 말리는 것이 좋다. 정월 그믐날에 황하(황하) 물을 많이 길어 온다. 누룩 1말에 멥쌀 7말, 물 4말의 비율로 담는다."고 하였고, 고려대본(高麗大本)의 '상시춘주(常時春酒)'도 <제민요술>을 인용하여 "기장누룩 1말에 멥쌀 1석의 비율로 담는다. 누룩은 반드시 앞뒤로 4두둑 구멍을 내고 깨끗이 한 후에 대추나 밤 크기로 빻아 햇볕에 말려 사용한다. 누룩 1말에 물 1말 5되를 넣으며, 10월 서리가 내린 후의 물로 술을 빚는 것이 보통 봄술이 된다. 10월에 수확한 벼로 '춘주'를 빚으면 '동료(凍醪)'라고 한다."고 한 사실에서 '별춘주방문'과는 매우 상이하다는 것을 확인할 수 있다.

그리고 '동정춘'을 비롯하여 '두강춘', '광릉춘', '약산춘', '은화춘', '도화춘', '경액춘', '호산춘' 등의 주방문과 비교해도 '별춘주방문'은 술을 빚는 과정은 유사해도 상이한 주원료의 배합비율을 나타내고 있는 것을 알 수 있다. 다시 말해 '별춘주방문'은 다른 문헌의 '춘주류'와는 다른 배합비율로 이루어지는 주방문이라는 뜻이다. 특히 다른 춘주류에 비해 누룩의 양이 매우 적게 사용되는데, 그 이유는 술 빚는 방법은 힘들겠지만 주향(酒香)과 부드러운 맛을 위한 방법이라는 것을 알 수 있다. '별춘주방문'의 의미가 여기에 있다고 할 것이다.

따라서 밑술은 매우 많이 치대어 빚고, 보쌈을 하여 따뜻한 곳에서 발효시켜야만 4일 만에 덧술을 할 수 있다. 또한 덧술은 4일이 되었더라도 밑술의 상태를 보아가며 할 일이고, 밑술의 술빛이 맑고 가라앉기를 기다렸다가 하는 것이 좋다.

특히 덧술의 고두밥은 끓는 물과 골고루 섞어주어야 하고, 밤을 재워서라도 매우 차게 식혀서 하되, 매우 치대서 발효가 잘 이루어지도록 도와주어야 하고, 주발효가 활발해지면 빨리 서늘한 곳으로 옮겨서 싸늘하게 식혀서 후발효를 도모해야만 한다.

<주방(임용기소장본)>의 '별춘주방문'은 누룩의 양에 비해 밑술의 당도가 높고, 덧술의 쌀 양이 많은 까닭에 자칫 감패가 일어날 수 있기 때문인데, 그 조치 방법으로 서늘한 곳에서 발효시키면 춘주에 합당한 술맛과 향기를 간직할 수 있을 것이다.

<주방(임용기소장본)>의 '별춘주방문'을 통해서 춘주류의 다양성과 함께 우리나라의 가양주가 그저 술을 얻기 위한 답습적인 방법에 그치지 않고, 보다 다양

한 향기와 맛을 추구하려는 노력과 시도가 끊임없이 지속되었다는 사실을 거듭 확인할 수 있었다.

## 별춘주방문 <주방(酒方, 임용기소장본)>

술 재료 : 밑술 : 멥쌀 1말, 흰누룩가루 7홉, 끓는 물 1말
덧술 : 멥쌀 2말, 끓는 물 2말

술 빚는 법 :

* 밑술 :

1. 멥쌀 1말을 백세하여 (물에 담가 불렸다가, 다시 씻어 건져서 물기를 뺀 후) 작말한다(가루로 빻는다).
2. 따뜻한 솥에 물을 1말을 붓고 팔팔 끓여 쌀가루에 골고루 붓고, 주걱으로 고루 개어 범벅(반생반숙)을 쑨다.
3. 범벅이 익었으면, 넓은 그릇에 퍼서 차게 식기를 기다린다.
4. 범벅에 흰누룩가루 7홉을 한데 합하고, 고루 치대어 술밑을 빚는다.
5. 술밑을 술독에 담아 안치고 예의 방법대로 (따뜻하게 하여) 4일간 발효시킨다.

* 덧술 :

1. 멥쌀 2말을 백세하여 (물에 담가 불렸다가, 다시 씻어 헹궈 건져서) 물기를 뺀다.
2. 불린 쌀을 시루에 안쳐 익게 쪄서 고두밥을 짓고, 익었으면 퍼내어 넓은 그릇에 담아놓는다.
3. 갓 퍼낸 고두밥에 끓는 물 2말을 골고루 붓고, 차게 식기를 기다린다.
4. 고두밥에 밑술을 한데 합하고, 고루 버무려 술밑을 빚는다.

5. 술밑을 술독에 담아 안친 뒤, 예의 방법대로 (밀봉하여) 발효시켜서 익기를 기다려 채주하여 마신다.

* 다른 문헌의 '춘주류' 주방문과는 다른 방법으로 이루어지는 주방문이라는 뜻으로, 누룩의 양이 매우 적게 사용된다. 따라서 밑술은 매우 많이 치대어 빚고, 따뜻한 곳에서 보쌈을 하여 발효시켜야만 4일 만에 덧술을 할 수 있다.
* <주방(酒方, 임용기 소장본)>에서의 '한 제'는 "쌀 3말로 빚은 술"이라는 의미로 해석된다.

별춘쥬방문(別春酒方文)

한 졔(一劑) 하랴면 ᄇᆡᆨ미(白米) ᄒᆞᆫ 말(一斗) ᄇᆡᆨ셰작말(百洗作末)하여 ᄭᅳᆯ힌 물 ᄒᆞᆫ 말(一斗)의 개여 식거든 진국말(眞麯末) 칠 홉(七合)을 셧거 ᄒᆞᆫ데 너허다가 나흘(四日) 만의 ᄇᆡᆨ미(白米) 두 말(二斗)을 ᄇᆡᆨ셰(百洗)하야 익게 쪄 ᄭᅳᆯ힌 물(水) 두 말(二斗) 부어 식거든 술밋희 버무려 너허다가 익ᄂᆞᆫ 대로 나여 쓰라.

# 별향주

## 스토리텔링 및 술 빚는 법

'별향주'는 한글본 고문헌인 <양주방(釀酒方)>과 <주방(酒方, 임용기소장본)>, <주식방(酒食方, 高大閨壼要覽)>에 수록되어 있는 주품이다. 주품명이 한글로 되어 있어, 어떤 유래와 의미를 담고 있는 주품인지는 알 수 없다.

'별향주'의 주방문을 보면 그 과정이 '벽향주(碧香酒)'와 매우 유사하다는 판단에 처음에는 '벽향주'를 '별향주'로 잘못 표기하였거나 방언적 표기 방법으로 생각하기도 하였으나, <주식방(酒食方, 高大閨壼要覽)>에 '별향주방문(別香酒方文)'으로 되어 있어, 이들 술이 다른 주품임을 알 수 있었다.

먼저 시대가 앞선 <양주방>의 '별향주' 주방문을 보면, 삼양주법(三釀酒法)임을 알 수 있다. 또한 술을 빚는 데 있어 밑술은 죽을 쑤어 누룩과 밀가루를 사용하여 빚는데, 덧술은 고두밥을 끓는 물과 섞어 진고두밥을 만들어 사용한다. 2차 덧술도 밑술과 동일한데 누룩을 한 차례 더 넣는 것으로 되어 있으며, 2차 덧술은 그 양이 덧술 쌀 양의 8%밖에 되지 않는다.

이는 수율(收率)을 높이기 위한 방법으로 여겨지며, 방문 말미에도 언급되어 있듯이 "이렇게(2차 덧술) 하기를 서너 순(3~4회) 하여도 좋다."고 한 사실만으로도 알코올생성이나 주질을 높이기 위한 방법이 아닌, 주질을 유지하면서 수율을 높이기 위한 '후주(後酒)'의 개념이라는 것을 알 수 있다.

<양주방>의 '별향주' 주방문에 굳이 '후주'의 개념을 언급한 까닭을 생각해 보면, 그 본뜻을 이해할 수 있을 것이다. '별향주'가 주질이 뛰어나다는 증거이다. 특별한 방법으로 빚어 특히 향기가 좋은 술이 되고 보니, 그 양을 늘리고 싶은 욕구가 '후주'를 도입하게 된 배경인 것이다.

일반적으로 '후주'는 발효된 술을 떠서 마시고 술이 더 이상 고이지 않으면 남은 술덧찌꺼기에 끓여 식힌 물을 계속해서 추가하여 술덧의 술기운을 우려낸 보다 싱거운 술을 뜻하는데, 한두 차례 하다 보면 맛이 싱거워지거나 변질될 위험성이 있다.

하지만 '별향주'에서와 같이 된죽을 쑤어서 누룩을 섞어 정상적인 술밑을 빚어 첨가하게 되면 본술의 변질을 예방하는 한편으로, 추가하여 넣은 양만큼의 정상적인 술을 계속해서 얻을 수 있다는 장점에서 선호된다. 이를 "후주한다."고 하고, 후수(後水)하여 익힌 술을 '후주'라고 부른다.

따라서 '후주'는 먼저 떠낸 술을 '전주(前酒)' 또는 '본주(本酒)'라고 칭하는 데 대한 상대적 개념이다. '전주'나 '본주'는 집안 어른들과 귀한 손님 접대와 의례에 사용하고, 필요에 따라서는 '전주'나 '본주'에 '후주'를 섞어서 마시기도 하며, '후주'는 여인들 몫으로 남겨놓기도 한다.

생각에 따라서는 '전주'나 '본주'에 '후주'를 섞어 마시는 음주문화는 소위 현대 양주에서의 '블랜딩'의 개념과 같으며, '전주'나 '본주'에 '후주'를 섞어 마시는 음주문화는 오히려 서양의 '블랜딩' 문화보다 앞섰다고 말할 수 있을 것이다. 그런데도 우리의 이러한 양주기법과 문화를 '짬뽕'으로 여기는 폄훼의식은 사라져야만 할 것이다.

어떻든 이로써 '후주'는 민간의 전승가양주에서만 이루어진 문화가 아닌, 이미 조선시대 중엽에도 활발하게 이루어졌던 술 빚는 법의 한 형태였음을 알 수 있다.

한편, <주식방(고대규곤요람)>의 '별향주방문'은 다소 특이한 방법으로 이루어지는 술임을 알 수 있다. 밑술을 찹쌀 2말로 매우 된죽을 쑤어 7홉의 누룩을 섞어 술을 빚고 보니, 밑술이 싱겁고 발효가 활발하지 못하였던 것 같다. 때문에 덧술에서는 다시 누룩의 양을 2배 가까이 늘려 사용하고, 안정적인 발효를 도모하고자 밀가루를 첨가하는 방법으로 이루어진 것이다.

이러한 문제의 원인과 배경에는 덧술의 투입 시기가 1~2일밖에 안 되는 매우 짧은 기간이 이루어진다는 사실과 함께, 밑술이 발효를 시작하여 이제 막 활발해지는 시기에 덧술을 해 넣는 방법에서 알 수 있다. 이렇게 되면 덧술은 매우 짧은 시간에 발효가 끝나게 된다. 덧술의 발효가 짧은 시간에 끝나게 되면 절대 도수 높은 술을 얻을 수 없다. 따라서 인위적으로 온도를 낮추어 발효기간을 늘려주어야 할 필요가 있다.

이러한 비밀을 안고 있는 술이 <주식방(고대규곤요람)>의 '별향주'인데, 도수는 낮을지언정 진한 술맛의 향기가 좋은 술이 된다. <주식방(고대규곤요람)>의 '별향주'가 <양주방>의 '별향주'처럼 '후주'를 할 수 없는 이유가 여기에 있다. 본주의 알코올 도수가 기본적으로 낮기 때문에 '후주'를 생각할 수 없는 것이다.

끝으로 한글 주방문에 한문을 병기한 <주방(임용기소장본)>의 '별향주방문'은 밑술을 범벅으로 하고 덧술은 고두밥과 끓는 물을 섞어 만든 진고두밥으로 하는데, 밑술과 덧술에 두 차례 누룩가루를 사용하고 있다.

<주방(임용기소장본)>의 '별향주방문'이 <주식방(고대규곤요람)>의 '별향주'와 다른 점은 범벅과 죽, 밀가루의 사용 여부이다. 밑술 양의 2배에 달하는 비율로 덧술을 하는 방법은 <주식방(고대규곤요람)>의 '별향주'와 유사한데, 물의 양에서 차이를 나타내고 있음을 볼 수 있어, '후주'의 필요성을 못 느낀 것으로 여겨진다.

실제로 <주방(임용기소장본)>의 '별향주방문'에 의한 양주 실험 결과, 그 맛이 매우 남성적이면서 담백하고 뒷맛이 깔끔하다는 것을 느낄 수 있으나 누룩취가 있어 부담으로 다가왔다.

이렇듯 고문헌에 수록된 전통주의 주방문에서 찾게 되는 소위 '비법(秘法)'들은 매우 정교하면서도 철저하게 목적과 용도에 맞춰 이루어진 것으로, 과학과 조리 가공기술의 집약이라고 하기에 부족함이 없다는 사실을 거듭 확인하게 된다.

## 1. 별향주법 <양주방(釀酒方)>

–여덟 말 빗이

술 재료 : 밑술 : 멥쌀 2말, 누룩 3되, 밀가루 1되, 물 4말
덧술 : 멥쌀 6말, 끓는 물 8말
2차 덧술 : 멥쌀 5되, 누룩 1되 5홉, 물 1동이 반

술 빚는 법 :

* 밑술 :

1. 멥쌀 2말을 백세하여 (물에 담갔다가, 다시 씻어 헹궈 건져서) 물기를 빼놓는다.
2. 솥에 물 4말을 끓이다가, 불린 쌀을 합하고 팔팔 끓여서 죽을 쑨다.
3. 죽을 넓은 그릇에 나눠 담고 차게 식기를 기다린다.
4. 차게 식은 죽에 누룩 3되와 밀가루 1되를 섞고, 고루 버무려 술밑을 빚는다.
5. 술밑을 독에 담아 안치고, 예의 방법대로 하여 5~6일간 발효시킨다.

* 덧술 :

1. 멥쌀 6말을 백세하여 (물에 담가 불렸다가, 다시 씻어 헹궈 건져서 물기를 뺀 후) 시루에 안쳐서 고두밥을 짓는다.
2. 물 8말을 팔팔 끓이다가, 고두밥이 익었으면 퍼내고, 끓는 물을 골고루 섞어 물이 잦아들면, 고루 헤쳐서 두었다가 차게 식기를 기다린다.
3. 고두밥이 식었으면 밑술과 섞고, 고루 버무려 술밑을 빚는다.
4. 술밑을 독에 담아 안치고, 예의 방법대로 하여 발효시켜 술이 말갛게 익으면 용수 박아 떠 마신다.
5. 술독에 청주가 더 이상 고이지 않으면 2차 덧술을 준비한다.

* 2차 덧술:

1. 멥쌀 5되를 백세하여 (물에 담가 불렸다가, 다음날 다시 씻어) 건져낸다.
2. 솥에 물 1동이 반을 넣고 끓이다가, 불린 쌀을 합하고 팔팔 끓여 2동이가 되게 된죽을 쑨 다음, 넓은 그릇에 펴서 차게 식기를 기다린다.
3. 죽이 식었으면 누룩 1되 5홉과 밑술을 한데 합하고, 고루 버무려 술밑을 빚는다.
4. 술밑을 술독 용수 주변으로 돌려 붓고 (주걱으로 휘젓지 말고) 예의 방법대로 하여 발효시키면 6일 정도 지나서 다시 술(청주)을 뜰 수 있다.

* 주방문 말미에 "이렇게 하기를 서너 순(3~4회) 하여도 좋다."고 하였다. 따라서 필요에 따라 삼양주나 사양주로의 전환이 가능하다는 것을 알 수 있다.

별향듀법

여듧 말 비지. ᄇᆡᆨ미 두 말 ᄇᆡᆨ세ᄒᆞ야 ᄭᅳᆯ힌 물 너 말로 죽 쑤허 식거든 누록 서 되 진ᄀᆞᄅᆞ 한 되 섯거 너헛다가 대엿ᄉᆡ 후의 ᄇᆡᆨ미 엿 말 ᄇᆡᆨ세ᄒᆞ야 닉게 ᄡᅥ ᄭᅳᆯ힌 물 여듧 말을 골라 젼술의 고로 섯거 너헛다가 ᄆᆞᆰ거든 뇽소 ᄭᅩ쟈 ᄡᅥ ᄡᅳ다가 쳥듀 업거든 ᄇᆡᆨ미 ᄃᆞᆺ 되 죽 두 동의 되게 쑤어 식거든 누록 되가옷 섯거 엿ᄉᆡ 되거든 ᄡᅳ라 이리ᄒᆞ기를 서너 순이나 ᄒᆞ야도 죠ᄒᆞ니라.

## 2. 별향주방문 <주방(酒方, 임용기소장본)>

술 재료 : 밑술 : 멥쌀 1말, 흰누룩가루 1되, 끓는 물 1말 5되
덧술 : 멥쌀 2말, 흰누룩가루 1되 5홉, 끓는 물 3말, 끓여 식힌 물 1사발(동이)

술 빚는 법 :
* 밑술 :

1. 멥쌀 1말을 백세하여 준비한다(물에 담가 하룻밤 불렸다가, 다시 서른 번 씻어 건져서 물기를 뺀 후 작말한다).
2. 솥에 물 1말 5되를 팔팔 끓여서 쌀가루와 골고루 섞고, 주걱으로 고루 갠다(범벅을 쑨다).
3. (범벅을) 넓은 그릇에 펴서 차게 식기를 기다린다.
4. 죽에 흰누룩가루 1되를 합하고, 고루 치대어 술밑을 빚는다.
5. 술밑을 술독에 담아 안치고 예의 방법대로 하여 3일간 발효시킨다.

* 덧술 :
1. 멥쌀 2말을 백세하여 (물에 담가 불렸다가, 다시 씻어 헹궈 건져서 물기를 뺀 뒤) 시루에 안쳐 고두밥을 짓는다.
2. 솥에 물 3말을 끓이다가 고두밥이 익었으면 퍼내고, 끓는 물 2말을 고루 합하고  넓은 그릇 여러 개에 펴서 차게 식기를 기다린다.
3. 고두밥에 밑술과 끓여 식힌 물 1사발(동이), 흰누룩가루 1되 5홉을 한데 합하고, 고루 버무려 술밑을 빚는다.
4. 소독한 술독에 술밑을 담아 안친 뒤, 예의 방법대로 하여 밀봉한 후 (서늘한 곳에서) 발효시킨다.

## 별향쥬방문(別香酒方文)

ᄇᆡᆨ미(白米) ᄒᆞᆫ 말(一斗)을 ᄇᆡᆨ셰(百洗)하여 ᄭᅳᆯ인 물 ᄒᆞᆫ 말가옷ᄉᆡ(一斗五升) 개어 식거든 진국말(眞麯末) ᄒᆞᆫ 되(一升) 섯거 삼일(三日) 만의 ᄇᆡᆨ미(白米) 두 말(二斗)을 ᄇᆡᆨ셰(百洗)하여 익게 쪄 ᄭᅳᆯ힌 물(水) 셔 말(三斗)을 밥의 고로고 ᄒᆞᆫ 사발(一盆) 두워다가 진국말(眞麯末) ᄒᆞᆫ 되가옷ᄉᆡ(一升五合) 셕거 너나니라.

## 3. 별향주 <주식방(酒食方, 高大閨壼要覽)>

술 재료 : 밑술 : 멥쌀 2말, 누룩가루 2되, 밀가루 1되, 끓는 물 2동이
덧술 : 멥쌀 4말, 누룩 3되, 밀가루 1되, 끓는 물 4동이

술 빚는 법 :

* 밑술 :

1. 멥쌀 2말을 백세하여 (물에 담가 하룻밤 불렸다가, 다시 서른 번 씻어 건져서 물기를 뺀 후) 작말한다(가루로 빻는다).
2. 솥에 물 2동이를 팔팔 끓이다가 쌀가루와 골고루 섞고, 주걱으로 천천히 저어가면서 팔팔 끓여 죽을 쑨다.
3. 죽이 익었으면, 넓은 그릇에 퍼서 차게 식기를 기다린다.
4. 죽에 누룩가루 2되와 밀가루 1되를 한데 합하고, 고루 치대어 술밑을 빚는다.
5. 술밑을 술독에 담아 안치고 예의 방법대로 하여 1~2일간 발효시켜 술밑이 막 괴어오르면 덧술을 준비한다.

* 덧술 :

1. 멥쌀 4말을 (백세하여) 물에 담가 하룻밤 불린다(다시 씻어 헹궈 건져서 물기를 뺀다).
2. 솥에 물 4동이를 끓이고, 불린 쌀을 시루에 안쳐 고두밥을 짓는다.
3. 고두밥이 익었으면 퍼내고, 고루 펼쳐서 차게 식기를 기다리고, 물도 넓은 그릇 여러 개에 퍼서 차게 식힌다.
4. 고두밥에 밑술과 끓여 식힌 물 4동이, 누룩가루 3되, 밀가루 1되를 한데 합하고, 고루 버무려 술밑을 빚는다.
5. 소독한 술독에 술밑을 담아 안친 뒤, 예의 방법대로 하여 밀봉한 후 (서늘한 곳에서) 발효시킨다.

* 방문 말미에 "술이 많이 나니라. (쌀) 한 말에 한 동이 나니라."고 하였다.

## 별향듀

ᄇᆡᆨ미 이두를 ᄇᆡᆨ셰ᄌᆞᆨ말ᄒᆞ여 탕슈 두 동ᄒᆡ예 죽을 쑤어 식은 후의 국말 두 되와 진말 ᄒᆞᆫ 되예 교합ᄒᆞ여 항의 너허 막 괴거든 ᄇᆡᆨ미 너 말을 침슈ᄒᆞ여 하로밤 직여 ᄂᆡᆨ게 ᄶᅧ 탕슈 네 동ᄒᆡ예 교합ᄒᆞ여 국말 서 되 진말 ᄒᆞᆫ 되 고로 섯거 봉ᄒᆞ여 ᄂᆡᆨ거든 쓰라. 술이 만히 나ᄂᆞ니라. ᄒᆞᆫ 말의 ᄒᆞᆫ 동ᄒᆡ식 나ᄂᆞ니라.

# 보경가주

## 스토리텔링 및 술 빚는 법

'보경가주(寶卿家酒)'는 <수운잡방(需雲雜方)>에 유일하게 수록된 전통주이다. '보경가주'가 <수운잡방>에만 등장한다는 얘기는 <수운잡방>을 저술했던 순천김문 김유(1481-1552) 집안의 가양주였다는 것을 뜻한다.

주품명에서도 '가주(家酒)'라는 암시를 볼 수 있듯이 이 술은 <수운잡방>의 저자 가문 외에는 전파되지 않은 가양주로서 자리매김 되었고, 언제부턴가는 맥이 끊기고 자취를 감추었던 것으로 여겨진다. 따라서 '보경가주'라는 주품명에 얽힌 유래나 기원은 알 수 없다. 다만, '보경가주'의 제조 과정을 통하여 주품명에 얽인 유래를 짐작할 수 있을 뿐이나, 확실하지는 않다.

'보경가주'의 제조 과정을 보면, 찹쌀 2말을 씻어서 독에 담고 끓는 물 1말을 부어 4일간 불린다. 이 과정에 찹쌀은 몹시 불어서 반쯤은 익고 반쯤은 생쌀이 되는데, 4일간 불리다 보면 쌀에서 붉거나 주황색의 곰팡이와 함께 구린 냄새가 진동을 한다. 이때 쌀은 부식이 많이 이뤄진 상태여서 냄새를 맡을 수 없을 정도인데, 이 쌀을 헹궈서 시루에 쪄서 고두밥으로 익히게 되면 고두밥은 온통 주황색으로 물들게 되고, 냄새 역시 가시지 않는다. 이 고두밥을 다시 끓는 물과 섞어서 죽처럼 만든다. 이때의 밥은 싸라기죽처럼 되는데, 좋지 못한 악취와 함께 손으로 만지기 싫을 정도가 된다.

이렇게 하여 죽이 식어, 누룩 2되를 섞어 버무리면 쉽게 묽은 죽이 되고 부드러워진다. 술밑을 술독에 담아 안치고 7일 정도 발효시키면, 밥알이 떠오르면서 술이 익는다. 술덧의 상태를 보아가면서 주면 위로 떠오른 고두밥알을 조리로 건져서 그릇에 담아두고, 남은 술덧은 체에 비벼 짜서 탁주(濁酒)로 거른 후에 건져 두었던 밥알을 섞어서 마신다.

'보경가주'를 빚어본 사람이면 경험했겠지만, 술을 빚는 과정에서 맡게 되는 기분 나쁜 냄새와 손에 와 닿는 느낌에 극도의 불쾌감을 느꼈을 것이다. 그리고 그 순간 "어떻게 이렇게 나쁜 냄새 나는 원료로 술 빚을 생각을 하게 되었지?" 하는 생각을 하게 되었을 것이고, 또 발효가 진행되는 과정을 지켜본 사람이면 한결같이 "그렇게 기분 나쁜 냄새가 나던 술에서 어떻게 이렇듯 좋은 방향(芳香)이 생길 수 있을까" 하고 감탄했을 것이다.

이처럼 술을 빚을 때의 느낌이나 생각과는 달리, 술이 익는 과정과 술이 완성되었을 때 그 맛과 향기를 경험한 사람이면, '보경가주'의 매력에 빠졌을 법 하다. 따라서 '보경가주'는 정말 묘한 매력을 가지고 있는 술이라고 할 수 있으며, 맛과 향기가 매우 뛰어난 주품 가운데 하나라고 할 수 있을 것이다.

이러한 '보경가주'도 몇 가지 단점이 있는데, 무엇보다 알코올 도수가 낮아 저장성이 떨어진다는 것이다. 이유인즉, 빠른 당화를 위해 인위적으로 쌀을 부식시키는 방법을 취하고 있어, 당농도가 높아 부드럽고 맛있긴 하나, 실질적인 알코올 도수는 낮은 술이다. 그런 이유 때문에 방문 말미에 "생수는 일체 금하라."고 하는 주문을 하고 있음을 볼 수 있다.

주방문에 "그 맛이 매우 좋다."고 한 것을 목격할 수 있는데, 더운 여름철이 아니면 그 맛과 향을 얻기가 힘들다는 것이다. 또한 '차역하일주(此亦夏日酒)'라고 하여 "이 방문 역시 여름철에 빚는 술이다."고 소개하고 있는 까닭도 쌀을 부식시킬 수 있는 조건이 무덥고 습한 여름철이기 때문이다.

혹자는 밥알을 띄워 마신다고 한 근거를 바탕으로 '동동주(浮蟻酒)'의 일종이라고 할 수 있겠으나, 사실 '동동주'는 맑은 청주(淸酒)의 한 가지이고 '보경가주'는 탁주이므로, 전혀 다른 술이라고 할 것이다.

이렇게 되면 '보경가주'가 왜 한 가정의 가양주로 국한되어 빚어졌는지를 알 수 있을 것 같다. 술 빚는 과정을 본 사람이나, 직접 술을 빚은 사람까지도 그 냄새와 죽의 색깔 등에 대한 느낌으로부터 자유롭지 못했을 것이기 때문이다.

어떻든 이렇듯 기발하고 다양한 술 빚기가 우리의 가정과 가정주부들에 의해 개발되고 가문의 전통과 자랑으로 뿌리내려왔다는 사실에 자긍심을 갖게 되고, 또한 소중히 기록되어 오늘날에 그 현장을 목격하는 것 같은 사실감을 보여준다고 하는 점에서 기록의 중요성과 위대함을 다시 실감하게 된다.

## 보경가주 <수운잡방(需雲雜方)>

술 재료 : 찹쌀 2말, 누룩 2되, 끓인 물 4병

술 빚는 법 :

1. 찹쌀 2말을 백세하여 (물에 담가 불렸다가, 다시 씻어 헹궈 건져서) 술독에 담아 안친다.
2. 물 1말을 팔팔 끓여서 더울 때에 술독에 쏟아 붓고, 따뜻한 온돌방에 3일간 둔다.
3. 4일째 되는 날 불린 찹쌀을 건져 시루에 안쳐서 푹 익은 고두밥을 찐 다음, 끓인 물 4병을 넣고 주걱으로 저어 죽처럼 만든다.
4. 죽처럼 된 고두밥을 넓은 그릇에 펴서 차게 식기를 기다린다.
5. 고두밥에 누룩 2되를 넣고, 고루 버무려 술밑을 빚는다.
6. 새 술독에 술밑을 담아 안치고, 예의 방법대로 하여 7일간 발효시킨다.
7. 밥알이 뜨면 건져두고, 술은 체에 걸러 찌꺼기를 제거한 탁주를 만든 다음, 건져둔 밥알과 함께 다시 술독에 담아 7일간 숙성시킨 후 마신다.

* 주방문에 "쪄낸 고두밥에 끓인 물을 섞어 죽처럼 만든다."고 하였는데, 죽이 아닌 진고두밥 상태이다. 또 주방문 말미에 "차역하일주(此亦夏日酒)"라고 하여 "이 방문 역시 여름철에 빚는 술이다."고 소개하고 있으며, "그 맛이 매우 좋다."고 하고, "생수는 일체 금하라."고 하였다.

寶卿家酒

此亦夏日酒　粘米二斗百洗熟水稍熱一盆入甕置溫堗三日後熟蒸煎水四瓶和之如粥攪之待冷麴二升和釀待七日先拯浮米以篩法滓還注甕浮米亦還注又待七日用之其味愈好切忌生水.

# 보도주법

## 스토리텔링 및 술 빚는 법

우리 술의 향기, 곧 방향(芳香)과 관련하여 그 방법이나 비법에 대해 이미 수차례 언급한 바 있다. 또한 우리나라의 전통주가 앞으로 나아가야 할 방향으로 순수발효에 의한 방향을 띠어야 한다는 것을 강조하였다.

우리가 잃어버렸던 전통주의 순수발효에 의한 향기로서 방향에 대한 근거라고 할 수 있는 주품명으로 '감향주'를 비롯하여 '매화주'·'백향주'·'석탄향'·'정향주'·'정향극렬주'·'인유향'·'하향주'·'만전향주'·'만년향'·'백탄향'·'벽향주'·'서향주'·'선초향주'·'세향주'·'순향주'·'집성향'·'청명향'·'청향주'·'추향주'·'향료방'·'향설주' 등 수십 종에 달한다.

<현풍곽씨언간주해(玄豊郭氏諺簡注解)>에 수록된 '보도주법(葡萄酒)'은 쌀로만 빚는 순곡주이면서 '포도주'라는 주품명은 발효에 의한 방향으로서 포도 향기를 발현한다고 해서 붙여진 이름이라고 할 수 있다.

실제로 필자는 KBS와 함께 역사스페셜 프로그램에서 <현풍곽씨언간주해>에 대한 조명으로서 편지 속에 기록된 보도주(포도주)를 재현하게 되었는데, 발

효 시 생성되는 방향으로서 포도 향기를 느낄 수 있었으며, 술의 색깔 또한 포도주와 같이 붉은색을 띤다는 사실을 확인한 바 있다.

<현풍곽씨언간주해>에 기록된 '보도주법(포도주)'은 쌀과 물의 양이 거의 동량으로 사용되고 누룩의 양은 10% 내외로, 밑술의 쌀 양에 대해 덧술의 쌀 양은 50%밖에 사용되지 않는 방법인데, 밑술과 덧술 모두 찹쌀고두밥을 사용하여 빚는다는 것이 특징이다.

물과 누룩은 밑술에 한 차례 사용되는데, 발효가 끝난 밑술은 그냥 마셔도 될 정도로 맛과 향도 좋다. 그런데도 굳이 덧술을 하는 까닭은, 밑술에 사용되는 물의 양이 많은 관계로 술맛이 칼칼한 편이어서 술맛을 부드럽게 하고, 향기를 살리고자 적은 양의 찹쌀을 사용하여 덧술을 하는데, 덧술을 해 넣는 시기는 밑술의 발효가 끝나 술이 맑아지기를 기다려서 체에 걸러 지게미를 제거한 탁주만을 밑술로 사용한다는 것이다.

따라서 '보도주(포도주)'의 특징이자 포도 향기를 살리는 비법을 찾기란 어렵지 않다. 즉, 덧술의 방법에서 보듯 밑술의 발효를 완전히 끝내서 술찌꺼기를 제거한 탁주만을 사용함으로써 누룩취를 줄이는 방법을 구현하고 있다는 것이 그 비법이라고 할 것이다.

이와 같은 보도주법은 삼일주나 급청주 등의 술 빚는 방법에서 찾아볼 수 있으며, 그 목적이 빠른 시일 내에 맑은 청주를 얻는 한편으로, 누룩취를 줄여서 방향이 뛰어난 술을 얻는 데 그 목적이 있다는 점이다.

<주찬(酒饌)>의 '추포주(秋葡酒)'에 이어 <현풍곽씨언간주해>의 '보도주법(포도주)'에서 다시 한 번 우리 조상들의 뛰어난 지혜와 전통 양주기법의 우수성과 세계화의 가능성을 찾기에 이른다.

## 보도주법(포도주) <현풍곽씨언간주해(玄豊郭氏諺簡注解)>

술 재료 : 밑술 : 찹쌀 1말, 누룩가루 1되 7홉, 물 1말 3되
덧술 : 찹쌀 5되, 가루누룩(누룩가루) 1되

술 빚는 법 :

* 밑술 :

1. 찹쌀 1말을 (물에 백 번 씻어서 말갛게 헹군 후, 다시 물에 담가 불렸다가, 다시 살짝 씻어 말갛게 헹군 후) 소쿠리에 밭쳐 물기를 뺀다.
2. 불린 찹쌀을 시루에 안쳐서 찐다(무르게 고두밥을 찌고, 익었으면 퍼내고 고루 펼쳐서 차게 식기를 기다린다).
3. 고두밥에 가루누룩 1되 7홉과 냉수 1말 3되를 섞고, 고루 버무려 술밑을 빚는다.
4. 소독하여 물기를 없이 하여 건조시킨 술독에 술밑을 담아 안치고, 술독 주둥이에 묻은 것을 깨끗이 닦아내고, 베보자기와 뚜껑을 덮어 3일간 발효시킨다.
5. 술 빚은 지 3일 만에 술이 끓어오르면, 막대(죽젓광이)로 서너 번 휘저어 끓어오르던 술밑이 가라앉으면, 베보자기를 씌워 (찬 곳으로 옮겨) 놓는다.
6. 술이 숙성되어 맑아지면 채주하여 밑술로 사용한다.

* 덧술 :

1. 찹쌀 5되를 (물에 백 번 씻어서 말갛게 헹군 후, 다시 물에 담가 불렸다가, 다시 살짝 씻어 말갛게 헹군 후) 소쿠리에 밭쳐 물기를 뺀다.
2. 찹쌀을 시루에 안쳐서 고두밥을 짓고, 익었으면 고루 펼쳐 차게 식기를 기다린다.
3. 찹쌀고두밥에 밑술(탁주)을 섞고, 고루 버무려 술밑을 빚는다.
4. 소독하여 물기를 없이 하여 건조시킨 술독에 술밑을 담아 안치고, 술독 주

둥이에 묻은 것을 깨끗이 닦아내고, 베보자기와 뚜껑을 덮어 (2~일간) 발효시킨다.

5. 술 빚은 지 2~3일 만에 술이 끓어오르면, 베보자기를 벗겨 (찬 곳에 옮겨) 두었다가, 술독이 차게 식었으면 다시 베보자기와 뚜껑을 씌워 12~15일간 발효시킨다.
6. 술이 숙성되어 맑아지면 채주하여 사용한다.

### 보도쥬법(포도주법)

뫼ᄡᆞᆯ ᄒᆞᆫ 마ᄅᆞᆯ 듀엽쥬 법으로 비저셔 ᄆᆞᆰ근 후에 즈의란 바타 ᄇᆞ리고 그 ᄆᆞᆯ근 수울로셔 ᄯᅩ 비ᄌᆞ되 ᄎᆞᄡᆞᆯ 닷 되ᄅᆞᆯ 실릐 뼈셔 식거든 ᄀᆞᄅᆞ누룩 ᄒᆞᆫ 되ᄅᆞᆯ 섯거 그 ᄆᆞᆯ근 수레 비저 ᄃᆞᆺ다가 ᄆᆞᆰ거든 ᄡᅳ라. 수이 ᄡᅳ면 열이ᄐᆞᆯ 마늬도 ᄡᅳ거니와 보롬 만이면 ᄀᆞ장 둇ᄂᆞ니라.

# 보름주

## 스토리텔링 및 술 빚는 법

<양주(釀酒)>의 '보름주'는 '십오일주'이다. '보름주'의 의미를 찾자면 "술을 빚은 지 15일이면 술이 익어 마실 수 있다."는 뜻에서 유래한 주품명이라는 것이다. 민간에서 15일을 '보름'이라고 한 데서 '보름주'라고 부르게 된 것으로 여겨지며, 고령의 '스무주'와 상주의 '백일주', 공주의 '계룡백일주', 고흥 포두의 '백일주' 등 민간의 전승가양주를 떠올릴 수 있다.

한편 전남 해남 지방의 계곡면을 중심으로 이웃하고 있는 옥천면, 해남읍 연동, 마산면 일대에서 '보름주'가 가양주로 전승되었던 사실을 확인할 수 있는데, 그중 계곡면 덕정리의 나주임씨 가문에 전승되고 있는 전남도 '해남진양주'가 대표적인 '보름주'로 전남도 지정 무형문화재(기능보유자 최옥림)가 되었다.

<양주>라는 시대 미상의 한글 문헌에 수록된 '보름주'는 해남 지방에서 전승되고 있는 '보름주'를 수록하고 있는 것으로 여겨진다. '해남진양주'와 술 빚는 법이 유사한 것을 볼 수 있으며, 필자도 어렸을 적 고향에서 어른들의 심부름으로 30여 리 떨어진 덕정리까지 술심부름을 다녔던 기억이 있다.

'해남진양주'의 달짝지근한 맛에 빠져 홀짝거리다 보면 금세 술주전자는 바닥이 나기 마련이어서 줄어든 술 때문에 어른들께 야단을 맞기 십상이거니와, 다시 30리 길을 다녀와야만 했다. 이에 주인은 작은 병에 술지게미를 담아주면서 "술 마시고 싶거든 가는 길에 논물을 섞어 마시면 좋을 것이니, 술에는 손대지 말라."고 이르던 기억이 새롭다.

우선, <양주>의 '보름주' 주방문은 "쌀 ᄒᆞᆫ 되 빅셰ᄒᆞ야 밤재여 작말ᄒᆞ야 물 ᄒᆞᆫ 말의 쥭 쑤어 식거든, 국말 ᄒᆞᆫ 되 ᄎᆞᆫ물의 살와 그 죽의 교합ᄒᆞ고, 닷새 만의 빅미 ᄒᆞᆫ 말 빅셰ᄒᆞ야 쪄 그 밋티 덧고, 닷새 만의 물 ᄒᆞᆫ 말 ᄒᆞᆫ 되롤 ᄉᆞᆯ혀 식거든 부엇다가 닷새 만의 쓰라. ᄀᆞᄅᆞ누록 두 홉 니 잇티 너흐면 됴ᄒᆞ니라."고 하였다.

그 방법을 자세히 살펴보면, 멥쌀 1말 1되에 누룩가루 1되(또는 1되 2홉)와 물 1말 1되가 사용된 것을 볼 수 있으며, 술이 발효되면 물 1말 1되를 끓여서 차게 식힌 후 후수(後水)로 사용하고 있다는 것을 알 수 있다.

한편, '해남진양주'를 비롯하여 민간의 '보름주'는 집안의 형편에 따라 멥쌀이나 찹쌀을 사용하는 것을 볼 수 있으며, 누룩의 양은 밑술에 한 차례 2되까지 사용하고, 발효된 후의 후수 양은 5되에서 1말까지 집안마다 그 양이 다르다는 점에서, <양주>의 '보름주'가 해남 지방의 '보름주'와 유사하다는 사실을 확인할 수 있다.

이러한 사실로 미루어 '보름주'를 비롯하여 <양주>에 수록된 13종의 주방문은 전라남도 일대에서 빚어졌던 토속주이자, 전남의 해남 지방을 세거지(世居地)로 한 양반 가문의 가양주를 수록한 문헌이라는 근거를 찾을 수 있다고 할 것이다.

<양주>의 '보름주'는 밑술의 죽을 쑬 때 오래 끓여서 죽이 끈적거릴 정도로 퍼지게 익혀야 하고, 반드시 차디차게 식힌 후에 누룩과 섞고, 덧술도 고두밥을 무르게 익히고 차디차게 식혀서 사용하는 것이 비결이다. <양주>의 '보름주'는 밑술에서 자주 실패하는 경우를 보는데, 그 이유가 죽이 고르게 쑤어지지 않는 경우가 대부분으로서 결국 산패로 이어지는 것을 볼 수 있으며, 고루 익지 않는 경우, 주발효가 길어지거나 1차 냉각 후의 후발효 또는 후숙 과정에서 재차 발효가 활발하게 일어나기 때문이다.

이렇듯 밑술의 상태가 불량하거나 발효가 길어져서 문제가 되는 경우 누룩을

넣기도 하는데, 덧술에 사용할 누룩은 곱게 빻은 가루누룩을 사용하는 것이 좋다. 그리고 후수의 양이 1말일 때는 누룩을 넣고, 물의 양이 5되 정도 또는 그 이하이거나 후수를 하지 않을 때는 누룩을 사용하지 않는 것이 더 좋다.

## 보름주 <양주(釀酒)>

술 재료 : 밑술 : 멥쌀 1되, 누룩가루 1되, 물 1말, 찬물(끓여 식힌 물 1되)
덧술 : 멥쌀 1말, 가루누룩 2홉, 끓여 식힌 물 1말

술 빚는 법 :

* 밑술 :

1. 멥쌀 1되를 백세하여 물에 담가 밤재워 불렸다가, 다시 씻어 헹궈서 물기를 뺀 후) 작말한다(넓은 그릇에 담아놓는다).
2. 솥에 물 1말을 붓고 끓이다가, 물이 따뜻해지면 쌀가루를 풀어 넣고, 주걱으로 고루 저어 죽을 쑨 후 (넓은 그릇에 퍼서) 차게 식기를 기다린다.
3. 누룩가루 1되를 찬물(끓여 식힌 물 1되)에 살와(풀어) 차게 식은 죽에 합하고, 고루 버무려 술밑을 빚는다.
4. 술밑을 술독에 담아 안치고, 예의 방법대로 하여 (5일간) 발효시킨다.

* 덧술 :

1. 멥쌀 1말을 백세하여 (물에 담가 불렸다가, 다시 씻어 헹궈서) 물기를 빼놓는다.
2. 불린 쌀을 시루에 안쳐서 고두밥을 찐다(고두밥이 익었으면 퍼내고, 고루 펼쳐서 차게 식기를 기다린다).
3. 고두밥이 차게 식었으면 밑술에 합하고, 고루 버무려 술밑을 빚는다.
4. 술밑을 술독에 담아 안치고, 예의 방법대로 하여 5일간 발효시킨다(익기를

기다린다).

5. 솥에 물 1말 1되를 (백비탕으로) 끓여 (1말이 되면) 넓은 그릇에 퍼서 차게 식기를 기다린다.
6. 끓여 차게 식힌 물을 가루누룩 2홉과 함께 밑술에 붓고, 다시 예의 방법대로 하여 (5일간) 후숙시킨다.
7. 술의 발효가 잦아들고 술덧이 맑게 가라앉았으면, 5일 후에 용수 박아 채주하여 사용한다.

보름쥬

ᄡᆞᆯ ᄒᆞᆫ 되 ᄇᆡᆨ셰ᄒᆞ야 밤재여 작말ᄒᆞ야 물 ᄒᆞᆫ 말의 쥭 쑤어 식거든 국말 ᄒᆞᆫ 되 ᄎᆞᆫ 물의  살와 그 죽의 교합ᄒᆞ고 닷새 만의 ᄇᆡᆨ미 ᄒᆞᆫ 말 ᄇᆡᆨ셰ᄒᆞ야 ᄶᅧ 그 밋ᄐᆡ 덧고 닷새 만의 물 ᄒᆞᆫ 말 ᄒᆞᆫ 되를 ᄭᅳᆯ혀 식거든 부엇다가 닷새 만의 ᄡᅳ라. ᄀᆞᄅᆞ누룩 두 홉 (니나) 밋ᄐᆡ 너흐면 됴ᄒᆞ니라.

# 부겸주

## 스토리텔링 및 술 빚는 법

'부겸주(浮兼酒)'는 1800년대 말엽의 기록인 <주찬(酒饌)> 이외의 다른 문헌에서는 목격되지 않는 방문이다.

어떤 이유로 '부겸주'란 술 이름을 얻게 되었는지는 알 수 없지만, 본 문헌에 수록되어 있는 '시급주'나 <주방문(酒方文)>의 '급청주', <산가요록(山家要錄)>의 '급시청주', 그리고 <침주법(浸酒法)>의 '부점주'와 동일한 속성주류의 하나로 여겨진다.

우선 '부겸주'란 술 이름의 유래에 관하여 나름대로 추측을 해본 결과, '부겸주'가 '부아주', '녹의주'와 같이 발효 중에 고두밥알이 '동동' 떠올라 있을 때 채주하여, 밥알과 함께 마시는 술이 아닌가 하는 생각을 가질 수도 있겠다.

왜냐하면 술을 빚어본 사람이면 알 수 있는 사실로, 고두밥은 그것이 찹쌀이든 멥쌀이든 술이 숙성되어 발효가 끝난 상태의 밥알은 맛이 없어 먹을 수가 없다. 따라서 이 밥알을 술과 함께 마시려면 술이 숙성되지 않은 상태라야 단맛이 남아 있어서 맛있게 느껴지고 부드러워서 목에 넘길 수가 있기 때문이다.

<주방문>을 비롯한 여러 문헌의 '부의주' 방문을 보면 "술을 담아 안쳐서 발효시킨 지 3일이면 뜰 수 있다."고 되었는데, 이렇게 되면 술이 숙성되지 않은, 다시 말하면 주발효만 끝난 상태이다.

이와 같은 예를 본 방문에서도 목격할 수 있다. <주찬>의 '부겸주' 주방문에 "고두밥과 누룩을 합하여 버무리고 술독에 담아 안친 후, 좋은 탁주를 붓고 발효시킨 지 3일이면 좋은 청주가 된다."고 쓰여 있는 것을 볼 수 있다. 따라서 '부겸주'는 술을 빚은 지 3일이 지나면 가벼워진 고두밥이 술독에서 발생되는 이산화탄소의 분출로 인하여 마치 식혜밥알처럼 술 위로 떠오르게 되는 단계에서, 수면 위로 떠올라 있는 고두밥알과 함께 떠 마시는 술로 해석할 수밖에 없다.

따라서 이 주품은 <주찬>과 <음식디미방>의 '시급주'나 <주방문>의 '급청주', <산가요록>의 '급시청주', 그리고 <침주법>의 '부점주'와 동일한 속성주류의 하나로 여기는 것이 타당하고, 술 빚는 과정에 있어서는 특히 <침주법>의 '부점주'를 참고할 일이다.

왜냐하면 <주찬>의 '부겸주'나 <침주법>의 '부점주'가 동일한 방문이라는 사실 때문이다. 더욱이 <침주법>은 한글 붓글씨본이고, <주찬>은 한문 붓글씨본으로 다르다고는 하지만, 주방문이 너무나 동일하다는 점에서는 후기의 문헌이 앞선 기록을 베꼈다고 볼 수밖에 없다.

따라서 어떤 기록이 앞서느냐가 중요할 수 있다. '부겸주'나 '부점주'가 여느 주품의 경우와 같이 여러 문헌에 자주 등장하는 것도 아니고, 주원료의 배합비율이나 그 과정이 동일한 경우는 극히 드물기 때문이다.

자세한 내용은 <침주법>의 '부점주'를 참고하면 '부겸주'를 이해하는 데 도움이 될 것이다.

## 부겸주 <주찬(酒饌)>

술 재료 : 찹쌀 1되, 누룩 1되, 탁주 1동이

술 빚는 법 :

1. 찹쌀 1되를 백세하여 (물에 담가 불렸다가, 다시 씻어 헹궈 건져서 물기를 뺀 뒤) 시루에 안쳐서 밥(고두밥)을 짓는다.
2. 밥(고두밥)은 물러 터지게 익히고, 퍼내서 차게 식힌 후, 누룩 1되를 섞어 고루 치대어 술밑을 빚는다.
3. 술독에 술밑을 담아 안친다.
4. 좋은 탁주 1동이를 술밑 위에 붓고, 단단히 밀봉하여 예의 방법대로 3일간 발효시키면 좋은 청주가 된다.

* <침주법>의 '부점주'와 매우 유사한 주방문이나, 술을 안치는 방법에서 차이가 있다.

浮兼酒

粘米一升爛熟作飯麯一升匀合貼瓮低以好濁酒一東海灌注其上堅封三日後便成淸酒.

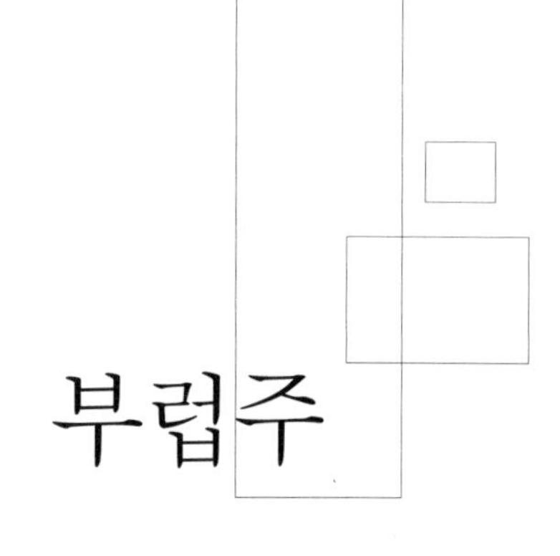

# 부럽주

스토리텔링 및 술 빚는 법

1795년경에 저술된 것으로 알려진 <주식방(酒食方, 高大閨壼要覽)>이란 문헌에 수록된 주품 가운데 다른 문헌에서는 찾아볼 수 없는 독특한 주품이 '부럽주'이다. '부럽주'는 그 이름도 생경하거니와, 술 이름이 우리말인 점에 매력을 느끼게 되었다.

맥이 끊긴 채 사라져버렸거나 문헌에만 묻혀 있는 전통주의 재현에 뜻을 두고 재현 작업을 시작한 지 3년여 지나자, 이젠 돈도 떨어지고 지쳐가기 시작하여 잔꾀를 부리고 싶던 때였다. 그리하여 오랜만에 좀 더 손쉽고 경제적 부담이 적은 술 빚기를 통하여 여유를 찾자는 마음 한편으로, 지금껏 복원해 왔던 주품만으로도 우리 고유의 미풍이자 전통문화의 하나였던 가양주 문화를 다시 부활시켜 보자는 본래의 취지에 한 걸음 더 가까이 다가갈 수도 있겠다는 생각을 하게 되었다. 그래서 선택하게 된 주품 가운데 하나가 <주식방(고대규곤요람)>의 '부럽주'를 비롯하여 '급청주'와 '청감주' '벼락술' 등의 단양주(單釀酒)이자 속성주(速成酒)들이었다.

<주식방(고대규곤요람)>의 '부렵주'는 흔치 않게 양주용수(물) 대신에 이미 만들어져 있는 술인 탁주류의 막걸리를 이용하고 있음을 볼 수 있는데, 이와 같은 예는 옛 음식 관련 문헌으로 1600년대 문헌의 하나인 <주방문(酒方文)>에 수록되어 있는 '급청주'를 비롯하여 <음식디미방>의 '시급주', <침주법(浸酒法)>의 '부점주', <주찬(酒饌)>의 '부겸주' 등과 방문이 거의 같다는 것을 알 수 있다.

이와 같은 사실과 함께 '부렵주'가 우리말 술 이름인 점으로 미루어 민가에서 널리 빚어 마셨던 속성주류의 하나로, 민가에서는 상당히 자유롭게 애용되었던 방문이라는 추측을 할 수 있다. 실제로 이와 같은 방문의 전통주가 전남 진도 지방에 전승되어 오던 '동방주'와 그 제조 과정이나 방법이 동일하기 때문이며, <침주법>의 '부점주', <주찬>의 '부겸주' 등과 비교해도 거의 동일하다고 밖에 볼 수 없다.

이들 문헌에서 알 수 있는 한 가지 사실은, 특히 술 빚기에 사용되는 쌀의 종류나 양에 있어 획일적이지 않고 어느 정도 가감을 허용하고 있다는 사실에서다. 또한 앞서 예로 든 두 문헌의 '급청주'와 '시급주'에서도 그와 같은 사실을 확인할 수 있다.

'부렵주'는 그 특징이 매우 적은 양의 쌀을 이용하여 맑은 청주를 얻고자 하는 방문인데, 알코올 도수를 높이기 위한 방문이라기보다는 사용할 막걸리의 맛에 감미와 부드러움을 부여하기 위한 방법이라는 사실이다. 또한 일반에서 흔히 '동동주'라고 하는, 밥알이 동동 뜬 상태의 보기에 아름다운 술을 만들고자 하는 데 있는데, 필자의 경험으로는 3~4일 만에 사용할 경우에는 구취와 두통 등 숙취를 감내할 수밖에 없다는 것이다.

특히 '시급주', '급청주'에서 보듯 술 빚는 방법에 있어 고두밥과 누룩을 섞어 독에 안치고 막걸리를 붓고 저어준다고 되어 있는데, 이러한 방법은 술독 밑에 앙금이 앉게 되고 숙성 후에도 신맛과 함께 곧 쉬어지는 단점을 안게 된다. 따라서 막걸리에 누룩과 고두밥을 함께 넣고 고루 버무려주어야 안정적인 발효를 도모할 수 있고, 알코올 도수도 높아져 술맛과 향이 좋아진다.

반면 '부렵주'는 누룩을 사용하지 않아 성공하기가 쉽지 않지만, 앞서 제기한 문제는 없다는 점에서 관심을 가져볼 일이다. 문제는 탁주의 알코올 도수가 너무 높아도 안 되고, 그 양이 적어도 좋지 않다.

'부렵주'는 어떠한 연유에서 그와 같은 술 이름을 얻게 되었는지 알 수가 없다. 또한 '부렵주'와 같은 주방문은 속성주류에서 흔히 찾아볼 수 있는 것으로서, 그 성격이 평상시에 빚어 마시는 방문이라기보다는 급한 일이 생겼을 때나 빚어둔 술이 맛이 없었을 때, 그리고 많은 양의 청주가 급하게 필요할 때 빚어 마시는 술이라는 점에서 '부렵주'의 특징을 찾기에 이른다.

이와 같이 다양한 주종의 속성주가 여러 문헌에 등장하고 있는 것으로 미루어, '부렵주' 역시도 부유층이나 사대부가에서 빚어 마셨던 술이 일반 서민층에까지 보급되면서, 빈부의 차이나 신분의 높고 낮음을 가리지 않고 폭넓은 층에서 즐겼을 것이란 추측을 할 수가 있다. 박한 막걸리를 이용하여 빠른 시간에 맛과 향기가 좋고, 무엇보다 적은 양의 쌀을 이용하여 알코올 도수도 높고 맑은 청주를 얻을 수 있다는 장점 때문이다.

그런데 흔히 하는 얘기처럼 맛이 있고 향기도 좋은 청주를 얻기가 그리 쉬운 일이 아니라는 것이다. 이러한 술 빚기에서 유념할 일은, 주재료로 사용되는 쌀의 양이 지나치게 적거나 많아도 안 되고, 기주(基酒)가 되는 막걸리에 신맛이 있어서는 결코 좋은 술을 얻을 수 없다는 것이다.

때문에 대부분의 가정에서 이 술을 빚을 때, 발효가 시작되어 술이 한 번 끓어올랐을 때 바로 냉각시킨 다음, 고두밥알이 술의 표면에 떠오르면 바로 채주하여 마시는 경우를 볼 수 있다. 자칫 신맛이 날 우려가 높기 때문인데, 이런 경우 쌀의 양을 늘려줄 필요가 있고, 특히 고두밥을 고르게 잘 익혀야 한다.

## 부렵주 <주식방(酒食方, 高大閨壼要覽)>

술 재료 : 찹쌀 2되, 탁주 1동이

술 빚는 법 :

1. 찹쌀 2되를 백세하여 (물에 담가 불렸다가, 다시 씻어 건져서 물기를 뺀 뒤) 시루에 안쳐서 고두밥을 짓는다.
2. 고두밥이 익었으면, 그릇에 담아 고루 헤쳐서 차게 식기를 기다린다.
3. 술독에 고두밥을 먼저 담아 안친다.
4. 마시고 있던 술(탁주) 1동이를 걸러, 고두밥을 안친 술독에 붓고 고루 섞어 준다.
5. 술밑을 안친 술독은 예의 방법대로 하여 3일간 발효시키면, 맛이 삼해주와 같다.

부렵쥬

뎜미 두 되 ᄇᆡᆨ셰ᄒᆞ여 밥 지어 죠흔 셥누룩 ᄒᆞᆫ 되 셧거 항 미틔 브치고 됴흔 탁쥬 먹ᄂᆞᆫ 술ᄀᆞᆺ치 걸너 ᄒᆞᆫ 동히 부어 사흘 만이면 눈이 쓰고 삼히쥬 ᄀᆞᆺᄐᆞ니라.

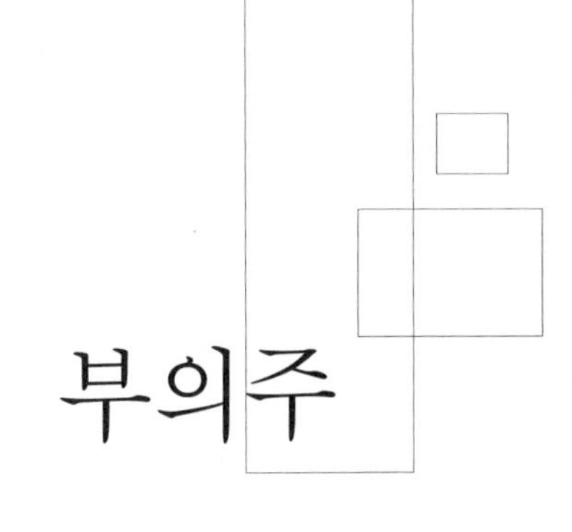

# 부의주

## 스토리텔링 및 술 빚는 법

우리나라 술 빚기는 여러 형태로 나뉜다. 다양한 방법의 술을 빚어보기란 쉽지가 않지만, 필자는 술을 배우려는 사람들에게 "이것저것 욕심 내지 말고 부의주(浮蟻酒) 한 가지만이라도 꾸준히 실습을 하다 보면, 우리 전통주의 참맛을 알게 될 것이다."고 강조한다.

그만큼 '부의주'는 중요하면서 매력 있는 술이다. '부의주'에 관한 기록으로는 조선조 초기의 문헌인 <목은집(牧隱集)>을 비롯하여 <고사신서(攷事新書)>, <고사십이집(攷事十二集)>, <고사촬요(故事撮要)>, <김승지댁주방문(金承旨宅廚方文)>, <농정회요(農政會要)>, <민천집설(民天集說)>, <산가요록(山家要錄)>, <산림경제(山林經濟)>, <술 만드는 법>, <양주(釀酒)>, <양주방>*, <언서주찬방(諺書酒饌方)>, <음식디미방>, <음식방문(飮食方文)>, <의방합편(醫方合編)>, <임원십육지(林園十六志)>, <정일당잡지(貞一堂雜識)>, <조선무쌍신식요리제법(朝鮮無雙新式料理製法)>, <주식방(酒食方, 高大閨壼要覽)>, <주찬(酒饌)>, <증보산림경제(增補山林經濟)>, <치생요람(治生要覽)>, <침주법(浸酒

法)>, <한국민속대관(韓國民俗大觀)>, <해동농서(海東農書)>, <홍씨주방문> 등 26종의 문헌에서 32차례나 등장하는 것으로 미루어, 대중적인 술로 깊은 뿌리를 내렸음을 짐작할 수 있다.

전통 양주 관련 문헌으로 가장 앞선 기록인 1450년간 <산가요록>의 '부의주' 주방문을 보면, '쌀 5되 빚이(米五升)'라고 하고, "白米五升 全蒸待冷 好匊末一升 實柏子一升半 熳搗合釀 六七日 待熟 好淸酒二甁 加添 二三日 待熟 其分之酒盆多 任意用之无窮(멥쌀 5되를 푹 찐 다음, 식으면 좋은 누룩가루 1되와 잣 1되 반을 함께 찧어 술을 빚는다. 6~7일 되어 술이 익으면, 좋은 청주 2병을 붓고 2~3일 동안 둔다. 익은 뒤에 술동이에 나누어 담아서 임의로 먹는데, 넉넉하게 먹을 수 있다)."고 하여, 지금까지 알려진 '부의주와는 다른 방문을 볼 수 있다.

우리가 흔히 알고 있는 '찹쌀'이 아닌 '멥쌀'을 쓰고 '수곡(水麯, 물누룩)'을 사용하지 않는 것으로 되어 있다. 고두밥과 누룩 외 잣(栢子)이 사용되는데, 이들 원료를 함께 짓찧어 발효시킨 후에 청주(淸酒)를 부어 숙성시키는 방법으로, <언서주찬방>과 <정일당잡지>, <양주방>*에서도 볼 수 있다.

그런데 <언서주찬방>의 '부의주' 주방문은 "빅졈미 닷 되를 빅셰ᄒᆞ야 닉게 뼈 식거든 누록ᄀᆞᄅᆞ ᄒᆞᆫ 되 과실 빅ᄌᆞ ᄒᆞᆫ 되 반을 ᄀᆞ장 즐게 즛두드려 ᄒᆞᆫᄃᆡ 셧거 비저 여닐웬 만의 됴ᄒᆞᆫ 청쥬 두 병을 브어 녀허 삼일 후에 ᄡᅳ라."고 하여, 멥쌀이 아닌 찹쌀을 사용한다는 점에서 차이가 있다. <양주방>*과 <정일당잡지>에서도 '찹쌀'을 사용하고 있다.

그리고 <언서주찬방>에서는 "ᄯᅩ ᄒᆞᆫ 방문에 빅미 ᄒᆞᆫ 말을 빅 번 시서 닉게 뼈 그르세 헤텨 ᄎᆡ와 ᄉᆞᆯ혀 ᄎᆡ온 믈 세 병에 누록 ᄒᆞᆫ 되를 몬져 프러고 오ᄃᆞᆼ당이 텨 밥애 섯거 독의 녀허 사흘 후제 닉거든 우희 ᄠᅳᆫ 건시랑 ᄡᅥ내여 제곰 그르세 ᄃᆞᆺ다가 드리온 후제 술의 ᄠᅴ워 개야미 ᄠᅳᆫ 형상 ᄀᆞ티 ᄒᆞ야 ᄡᅳ라. 마시 ᄃᆞᆯ고 ᄡᅳ니 하졀에 ᄡᅳ기 됴ᄒᆞ니라."고 하여, 가장 널리 알려진 '부의주' 주방문을 처음 볼 수 있는데, 이후의 문헌인 <고사신서>, <김승지댁주방문>, <술 만드는 법>, <양주>, <양주방>* '별방', <음식방문>, <의방합편>, <임원십육지>, <주식방(고대규곤요람)>, <주찬>, <치생요람>, <침주법>, <해동농서> '일방', <홍씨주방문>에서도 동일한 주방문 13종을 수록하고 있음을 볼 수 있다.

따라서 '부의주'는 <산가요록>의 '부의주' 주방문과 <언서주찬방>의 '부의주 또 한 방문'을 원형으로 생각할 수 있으며, 이후 <고사십이집>과 <고사촬요>, <농정회요>, <민천집설>, <산림경제>, <조선무쌍신식요리제법>, <증보산림경제>, <한국민속대관>, <해동농서>에서와 같이 수곡을 체에 걸러 누룩찌꺼기를 제거함으로써 술의 색깔을 보다 맑고 깨끗하게 만드는 방법으로, 한 단계 발전된 9종의 주방문을 볼 수 있다.

특히 술덧의 발효 시 떠오른 '부의(浮蟻, 밥알, 개미)'를 따로 건져두었다가 맑게 뜬 청주에 띄우는 방법은 운치(韻致)가 있을 뿐만 아니라, 음주자의 흥취를 한껏 돋울 수 있어 우리만의 풍류(風流)이자 아름다운 음주문화라고 할 수 있을 것이다.

한편 <음식디미방>을 비롯하여 <의방합편>, <민천집설> '우법'에서와 같이 쌀과 물의 양이 달라지는 변화를 볼 수 있으며, 특히 <양주방>*의 '부의주 별방'의 경우는 이양주법(二釀酒法)으로, 밑술을 백설기와 끓는 물을 합하여 죽을 만들어 밑술을 빚고, 덧술은 밀가루를 사용하며, 술독을 찬물에 담가서 발효시키는 '하월수중양법(夏月水中釀法)'을 동원하는 등 이양주법(異釀酒法)으로 바뀐 경우도 있어, '부의주' 역시도 다양한 시도가 이루어졌다는 것을 알 수 있으나, 일반화되지는 못했던 것 같다.

이러한 '부의주'는 현재 경기도 무형문화재로 지정된 것을 비롯하여 전국적으로 가장 널리 빚어지고 있는데, '부의주'라는 본디의 주품명보다는 '동동주'라는 이름으로 더 알려져 왔었다.

전통주 가운데는 조선시대 후기로 접어들면서 쇠퇴를 거듭하였고, 일제에 의한 '주세법' 제정과 해방 후의 '양곡관리법'으로 말미암은 밀주단속에 의해 아예 자취를 감췄거나 맥이 끊긴 채 기록으로만 전하는 술들이 수백 종에 이른다. 하지만 '부의주'만큼은 현재까지도 맥이 끊이지 않고 전국 일원에서 가양주로, 또는 지방마다의 토속주로 빚어져 그 전통을 이어오고 있으며, 그 이면에는 술 빚기가 한 번에 그치기 때문에 손쉽고, 이양주법에 비해 수율이 높아 경제적이라는 이유가 깔려 있다.

하지만 오랜 역사를 간직한 술임에도 일반인들은 '동동주'는 알아도 '부의주'라고 하면 잘 모르는 술로 생각하는 듯하다. '부의주'가 '동동주'로 인식된 데에는 여러 가지 이유가 따르고, 무엇보다 찹쌀이 귀해진 데에 그 원인이 있긴 하지만, 이제부터라도 본래의 이름을 되찾아야 할 일이라는 생각을 갖게 된다. 그 이유는 '부의주'라는 주품명을 보다 분명하고 정확하게 밝힘으로써, 우리 전통주의 특징과 술의 발효와 관련한 이해가 넓어진다는 사실 때문이다.

전통 '부의주'는 찹쌀로 지은 고두밥과 물을 주원료로 하고 누룩을 발효제로 하여 빚게 되는데, 술이 익는 과정에서 쌀 중심의 녹말이 효소에 의해 당(포도당)으로 바뀌게 되면 고두밥은 껍질만 남게 된다. 이때 효모가 당을 분해하여 알코올을 만드는 과정에서 부산물인 이산화탄소를 발생시키고, 이산화탄소는 공기 중으로 분출되면서 가벼워진 고두밥을 위로 밀어 올리게 된다.

이와 같은 화학적 변화, 곧 술이 익는 과정에서 고두밥이 술 표면에 떠 있는 형상으로 나타나게 되는 현상을 두고, 옛 선조들은 마치 "술(酒) 위에 개미 유충(蟻)이 떠 있는(浮) 것 같다."고 하여 '부의주(浮蟻酒)'라는 주품명을 붙이게 된 것이다.

대개의 전통주들이 바로 '부의주'와 거의 같은 과정을 거쳐 술이 익는 까닭에 '부의주'를 우리 전통 양주법(釀酒法)의 기본으로 삼고 있는 것이고, 그러한 이유에서 그 중요성이 강조되는 것이다.

따라서 '부의주'는 우리나라 전통 양주의 전형적인 주품으로 꼽을 수 있는데, 한 번 빚은 단양주(單釀酒)이면서도 감칠맛과 함께 상쾌한 맛을 느낄 수 있다. 그 맛의 특징은 누룩을 수곡 형태로 하여 술을 빚는다는 데 있다. 그리고 수곡 형태의 술 빚기는 문헌에 따라 다른데, 술 빚을 물을 끓여서 이용하는 것이 상례이다. 특히 술 빚는 경험이 부족하거나 처음 시작하는 사람들은, 술 빚을 물의 양을 조절하여 술 빚는 법을 터득한 후에 원래의 재료 배합비율대로 하여 보는 것이 좋다.

'부의주', 곧 동동주를 잘 빚는 비결은 무엇보다 누룩 불린 물과 고두밥이 고루 섞이도록 충분히 오랫동안 잘 비벼서 안치고, 잘 끓어올랐을 때 찬 곳으로 옮겨서 냉각시킨 후에 서늘한 곳에서 숙성시키는 데 있음을 명심할 일이다.

'부의주' 빚기를 경험해 본 사람이면 다 아는 바와 같이 '부의주'와 같은 단양주가 쉽지 않다는 것은, 술을 한 번에 걸쳐서 빚고 단시일에 발효시키기 때문에 알코올 도수가 낮아 자칫 산패되기 쉽다는 것이다. 이를 보완하기 위하여 물을 끓여 사용하기도 하고 수곡을 만들어 술을 빚는가 하면, 엿기름을 이용한 방법의 술 빚기로 나타나기도 한다.

민가의 가양주로 전해 오고 있는 한 예를 보면, <산림경제>를 비롯한 대부분의 주방문에서는 '찹쌀 1말, 물 3되, 누룩 1되'로 빚던 것이 '찹쌀 3~5되, 누룩 1되, 엿기름 2홉, 물 1말'로 바뀌었음을 알 수 있고, 경기도 무형문화재(기능보유자 권오수)로 지정되었던 '경기 부의주'의 제조법에서도 '찹쌀 5되, 누룩 1.5되, 물 6되'로 변화되었음을 알 수 있다.

또한 가양주법에서는 수곡을 만드는 대신 엿기름물을 만들어 술을 빚고 있는 등 점차 후대로 내려오면서 경제성 추구와 편의성 위주의 술 빚기로 변화되고 있음을 엿볼 수 있다.

특히 시중에서는 '탁주'도 '막걸리'도 아닌, 그렇다고 '청주'는 더더욱 아닌 청주와 탁주의 중간 형태에 밥알이 섞여 있는 출처불명의 '동동주'가 '부의주' 행세를 하고 있다. 밀가루나 옥수수 전분을 이용한 저급 탁주에 식혜밥을 띄운, 이름뿐인 '동동주'들까지 등장, 전통주의 이미지를 흐려 놓고 있다.

다수의 사람들이 "전통주를 마실 때는 좋은데, 마시고 나면 머리가 아프다."거나 "헛배가 부르고 트림이 나와 거북하다.", "다음날 구취가 심하고 갈증이 난다." 등 그간의 음주 경험을 이유로 전통주를 기피해 왔으며, "차라리 돈 더 주고 숙취 없는 '와인'이나 '맥주'를 마신다."고 하여 양주(洋酒)를 선호하는 결과를 낳게 되었다. 실로 부끄럽기 짝이 없고 한탄스러운 일이 아닐 수 없다.

옛날이나 지금이나 술 빚는 일은 대사(大事)라 할 만큼 복잡하고 힘든 것으로, 술을 빚어본 사람이면 누구라 할 것 없이 보다 간편한 방법의 술 빚기를 추구하게 되어 있다. 따라서 여러 번에 걸쳐 빚는 술보다 한 번으로 끝내는 술 빚기가 선호되었을 것이고, 한 번 빚는 술 가운데서도 '부의주'처럼 씻어 불린 쌀을 별다른 가공작업 없이 시루에 안쳐 찌는 방법이 간단하고 또 투입되는 쌀의 양에 비해 보다 많은 양의 청주를 얻을 수 있으므로, 한 번에 술 빚기가 이루어지는 '부의주'가 유행했을 것이라는 추측이다.

그런데 술을 빚어본 결과, 점차 똑같은 방법의 술 빚기라도 보다 많은 양의 술을 얻고자 했을 것이고, 본래의 '부의주'보다 많은 양의 물을 넣고 빚게 되면 발효과정에서 고두밥알이 동동 떠오르게 되는데, 술 빚는 사람들의 대부분이 과거에 한자 공부를 할 기회를 별로 갖지 못했던 이 땅의 여인들인 관계로 한자 표기의 '부의주'는 잃어버리고, 발효과정에서 나타나는 현상(고두밥알이 떠오르는)을 두고 "밥알이 동동 떠 있다."고 해서 '동동주'라는 이름을 붙이게 되었을 것으로 추측된다.

이러한 추론을 뒷받침할 수 있는 기록으로, 고려 말의 문신이었던 이색의 <목은집>에 수록된 시 가운데 '개미(부의, 浮蟻)가 동동 뜬 술'이라고 표현된 문구가 있어 '동동주'로 전해지고 있으나, 실은 '부의주'를 지칭하는 것임을 알 수 있다.

그런데 사실 '부의주'에는 떠오른 밥알이 없어야 하니 유감이 아닐 수 없다. '부의주'와 같은 발효주는 발효와 숙성이란 과정을 거치는 동안 떠올랐던 밥알은 다시 가라앉고, 맑은 술인 청주가 고이게 된다. 때문에 '부의주'는 탁주나 막걸리 형태의 뿌연 술이 아닌 정통 청주라는 것을 알 수 있다.

또한 이렇게 스스로 고두밥이 가라앉은 '부의주'라야 아무리 많이 마셔도 일체의 숙취가 없고, 특히 누룩 냄새가 아닌 사과나 포도 향기와 같은 방향(芳香)이 특징이라는 사실을 알고 나면, 우리 전통주에 대한 생각이 바뀌고 만다.

## 1. 부의주 <고사신서(攷事新書)>

술 재료 : 찹쌀 1말, 누룩가루 1되, 끓여 식힌 물 3병

술 빚는 법 :

1. 물 3병을 끓여서 차게 식힌 후, 누룩가루 1되를 담가 하룻밤 불려서 물누룩(水麴)을 만들어놓는다.
2. 찹쌀 1말을 (백세하여 물에 담가 불렸다가, 다시 씻어 건져서 물기를 뺀 다음, 시루에 안쳐서) 고두밥을 찐다.

3. 찹쌀 고두밥이 익었으면 퍼내고, 넓은 그릇에 담아 식기를 기다린다.
4. 누룩물을 체에 걸러 누룩찌꺼기를 제거한 후, 고두밥에 합하고 고루 버무려 술밑을 빚는다.
5. 술독에 술밑을 담아 안치고, 예의 방법대로 하여 3일간 발효시키면 술이 익는다.
6. 위에 떠오른 주배(고두밥알)를 건져서 따로 모아두었다가, 마실 때 술 위에 띄워 마시면 더욱 운치가 있다.

浮蟻酒

粘米一斗蒸飯盛器冷之水三瓶沸湯冷之以麴末一升先調於水與蒸飯調和入甕三宿乃熟澄淸後以酒醅少許浮而用之其形如浮蟻味甘而冽正合於夏節之用.
麴末先一日浸水篩下用之妙.

## 2. 부의주 별법 <고사신서(攷事新書)>

술 재료 : 찹쌀 1말, 누룩가루 1되, 끓여 식힌 물 3병

술 빚는 법 :

1. 물 3병을 끓여서 차게 식힌 후, 누룩가루 1되를 담가 하룻밤 불려서 물누룩(水麯)을 만들어놓는다.
2. 찹쌀 1말을 (백세하여 물에 담가 불렸다가, 다시 씻어 건져서 물기를 뺀 다음, 시루에 안쳐서) 고두밥을 찐다.
3. 찹쌀 고두밥이 익었으면 퍼내고, 넓은 그릇에 담아 식기를 기다린다.
4. 물누룩을 체에 걸러 누룩찌꺼기를 제거한 후, 고두밥에 합하고 고루 버무려 술밑을 빚는다.
5. 술독에 술밑을 담아 안치고, 예의 방법대로 하여 3일간 발효시키면 술이 익

는다.

6. 위에 떠오른 주배(고두밥알)를 건져서 따로 모아두었다가, 마실 때 술 위에 띄워 마시면 더욱 운치가 있다.

浮蟻酒

粘米一斗蒸飯盛器冷之水三瓶沸湯冷之以麴末一升先調於水與蒸飯調和入甕三宿乃熟澄淸後以酒醅少許浮而用之其形如浮蟻味甘而冽正合於夏節之用.
<(別法)> 麴末先一日浸水篩下用之妙.

## 3. 부의주 <고사십이집(攷事十二集)>

주재료 : 찹쌀 1말, 누룩가루 1되, 끓여 식힌 물 3병

술 빚는 법 :

1. 물 3병을 끓여서 차게 식힌 후, 누룩가루 1되를 담가 하룻밤 불려서 물누룩(수곡, 水麯)을 만들어놓는다.
2. 찹쌀 1말을 (백세하여 물에 담가 불렸다가, 다시 씻어 건져서 물기를 뺀 다음, 시루에 안쳐서) 고두밥을 찐다.
3. 찹쌀 고두밥이 익었으면 퍼내고, 넓은 그릇에 담아 식기를 기다린다.
4. 누룩물을 체에 걸러 누룩찌꺼기를 제거한 후, 고두밥에 합하고 고루 버무려 술밑을 빚는다.
5. 술독에 술밑을 담아 안치고, 예의 방법대로 하여 3일간 발효시키면 술이 익는다.
6. 위에 떠오른 주배(고두밥알)를 건져서 따로 모아두었다가, 마실 때 술 위에 띄워 마시면 더욱 운치가 있다.

* 주방문에는 "찹쌀 1말을 쪄서 그릇에 담아 식히고, 물 3병을 팔팔 끓여 식힌다. 먼저 누룩가루 1되를 물에 탄 다음 찐 지에밥과 섞어서 독에 넣어 사흘 밤을 재우면 이내 익는다. 맑게 가라앉은 뒤에 약간의 주배(酒醅, 하얀 밥알)를 띄워서 쓰면 마치 하얀 개미알이 동동 뜬 것 같고, 맛은 달고도 콕 쏘아 실로 여름철에 쓰기 알맞다. 누룩가루를 하루 먼저 물에 담가 체에 걸러 쓰면 좋다."고 하였다. <고사촬요>와 동일한 방문이다.

浮蟻酒
粘米一斗蒸飯盛器冷之水三瓶沸湯冷之以麴末一升先調於水與蒸飯調和入甕三宿乃熟澄淸後以酒醅少許浮而用之其形如浮蟻味甘而洌正合夏用.麴末先一日浸水篩下用之妙.

## 4. 부의주 <고사촬요(故事撮要)>

술 재료 : 찹쌀 1말, 누룩가루 1되, 끓여 식힌 물 3병

술 빚는 법 :

1. 찹쌀 1말을 (물에 백 번 씻어 깨끗하게 헹군 다음, 새 물에 담가 불렸다가, 다시 씻어 말갛게 헹군 후) 건져서 물기를 뺀다.
2. 물에 불린 쌀을 시루에 안쳐 찌고, 다른 솥에 물 3병을 팔팔 끓여서 차게 식힌다.
3. 차게 식힌 물 3병에 누룩가루 1되를 섞고, 고루 비벼 물누룩(水麯)을 만들어놓는다.
4. 고두밥이 무르게 익었으면 넓은 그릇에 펴내고, 주걱으로 고루 헤쳐 두었다가 차게 식기를 기다린다.
5. 고두밥이 식었으면 물누룩을 합하고, 고루 버무려 술밑을 빚는다.

6. 술독에 술밑을 담아 안치고 (주둥이에 묻은 것을 깨끗이 닦아내고, 베보자기를 씌우고 뚜껑을 덮어) 발효시키면 3일 후에 밥알이 떠올라서 개미와 같다.

* 방문 말미에 "항에 넣고 3일 밤 지내고 맑게 익은 후에 부의가 떠오르면 쓴다."고 하였다. 또 "그 형태가 개미(浮蟻) 같으며, 맛은 달고 맵다. 하절에 쓴다."고 하여, '부의주'가 여름철 술이었음을 알 수 있다.

浮蟻酒
釀法. 粘米一斗蒸飯盛器冷之水三瓶沸湯冷之以麴末一升先調於水與蒸飯調和入甕三宿乃熟澄淸後以酒醅少許浮而用之其形如浮蟻味甘而冽政合於夏節之用.

## 5. 부의주법 <김승지댁주방문(金承旨宅廚方文)>

술 재료 : 찹쌀 1말, 누룩가루 1되, 끓여 식힌 물 3병

술 빚는 법 :
1. 찹쌀 1말을 백세하여 물에 담가 밤재워 불린다(다시 씻어 헹궈서 물기를 뺀다).
2. 불린 쌀을 끓고 있는 물솥의 시루에 안치고, 쪄서 무른 고두밥을 짓는다.
3. 고두밥이 익었으면 퍼내어, 돗자리에 펼쳐서 고루 차게 식기를 기다린다.
4. 물 3병을 팔팔 끓여 차게 식혀놓는다.
5. 고두밥에 누룩가루 1되와 함께 끓여 식힌 물 3병을 한데 합하고, 고루 버무려 술밑을 빚는다.
6. 소독한 술독에 술덧을 담아 안치고, 예의 방법대로 하여 3일간 발효시키면 급히  쓸 수 있고, 5일이면 익는다.

부의쥬법

졈미 ᄒᆞᆫ 말 ᄇᆡᆨ셰ᄒᆞ여 ᄃᆞᆷ가 밤차여 닉게 ᄭᅳᆯᄂᆞᆫ 물 세 병을 ᄎᆡ와 물과 ᄎᆞ거든 ᄀᆞ로누룩 ᄒᆞᆫ 되 셔김 서 홉 너허 석거허 밧부면 사흘의 쓰고 오 일의ᄂᆞᆫ 채 닉ᄂᆞ니라.

## 6. 부의주법 <농정회요(農政會要)>

술 재료 : 찹쌀 1말, 누룩가루 1되, 끓여 식힌 물 3병

술 빚는 법 :

1. 물 3병을 끓여서 차게 식힌 후, 누룩가루 1되를 담가 하룻밤 불려서 물누룩(수곡, 水麴)을 만들어놓는다.
2. 찹쌀 1말을 (백세하여) 물에 담가 투명하게 불렸다가 (다시 씻어 건져서 물기를 뺀 후) 시루에 안쳐서 고두밥을 짓는다.
3. 고두밥이 익었으면 퍼내고, 넓은 그릇에 담아 차게 식기를 기다린다.
4. 수곡을 체에 밭쳐 주물러 짜서 찌꺼기를 제거하여 만든 누룩물을 고두밥에 합하고, 고루 버무려 술밑을 빚는다.
5. 술독에 술밑을 담아 안치고, 예의 방법대로 하여 3일 밤 발효시키면 술이 익는다.
6. 술이 맑아지기를 기다려, 위에 떠오른 주배(고두밥알)를 건져서 따로 모아두었다가, 마실 때 술 위에 띄워 마시면 더욱 운치가 있다.

* 주방문 말미에 "맛이 달고 콕 쏘아 여름철에 구미를 돋우는 술이다."고 하고, 또 "주배(고두밥알)를 건져두었다가, 마실 때 술 위에 띄워 마시면 더욱 운치가 있다."고 하였다. 또 '부의주'에 관한 기록 가운데 수곡을 만들어 누룩찌꺼기를 제거한 누룩물로 빚는 방문임을 알 수 있다.

浮蟻酒法

先以沸湯三瓶候冷調麯末一升經宿用粘米一斗浸潤蒸飯盛器候冷次以所浸麯就其水中揉取汁篩去滓與蒸飯調和入瓮經三宿乃熟澄淸後醅酒少許而用之收如浮蟻味甘烈正合夏節之用.

## 7. 부의주 <민천집설(民天集說)>

술 재료 : 찹쌀 1말, 누룩가루 1되, 끓여 식힌 물 3병

술 빚는 법 :

1. 물 3병을 백비탕으로 끓여서 차게 식힌 후, 누룩가루 1되를 담가 하룻밤 불려서 물누룩(水麯)을 만들어놓는다.
2. 찹쌀 1말을 (백세하여 물에 담가 불렸다가, 다시 씻어 건져서 물기를 뺀 다음, 시루에 안쳐서) 고두밥을 찐다.
3. 찹쌀 고두밥이 익었으면 퍼내고, 넓은 그릇에 담아 식기를 기다린다.
4. 물누룩을 체에 걸러 누룩찌꺼기를 제거한 후 고두밥에 합하고, 고루 버무려 술밑을 빚는다.
5. 술독에 술밑을 담아 안치고, 예의 방법대로 하여 3일간 발효시키면 술이 익는다.
6. 위에 떠오른 주배(고두밥알)를 건져서 따로 모아두었다가, 마실 때 술 위에 띄워 마시면 더욱 운치가 있다.

* 주방문 말미에 "맑게 가라앉은 뒤에 약간의 주배(酒醅, 하얀 밥알)를 띄워서 쓰면 마치 하얀 개미알이 동동 뜬 것 같고, 맛은 달고도 콕 쏘아 실로 여름철에 쓰기 알맞다. 누룩가루를 하루 먼저 물에 담가 체에 걸러 쓰면 좋다."고 하였다. <고사촬요>와 동일한 방문이다.

浮蟻酒

粘米一斗蒸飯冷之水三瓶沸湯冷之以曲末一升先調於水與蒸飯調和入甕三宿乃熟澄淸後以酒醅少許浮而用之其形如浮蟻味甘烈其合於夏月之用.先一日浸水用時篩下入瓮(○)美粘米一升則水三鉢曲末一合.

## 8. 부의주(우법) <민천집설(民天集說)>

술 재료 : 찹쌀 1되, 누룩가루 1홉, 끓여 식힌 물 3작은 사발

술 빚는 법 :

1. 작은 사발로 물 3그릇을 백비탕으로 끓여서 차게 식힌 후, 누룩가루 1홉을 담가 하룻밤 불려서 물누룩(水麯)을 만들어놓는다.
2. 찹쌀 1되를 (백세하여 물에 담가 불렸다가, 다시 씻어 건져서 물기를 뺀 다음, 시루에 안쳐서) 고두밥을 짓는다.
3. 찹쌀 고두밥이 익었으면 퍼내고, 넓은 그릇에 담아 식기를 기다린다.
4. 누룩물을 체에 걸러 누룩찌꺼기를 제거한 후 고두밥에 합하고, 고루 버무려 술밑을 빚는다.
5. 술독에 술밑을 담아 안치고, 예의 방법대로 하여 3일간 발효시키면 술이 익는다.

浮蟻酒(右法)

粘米一斗蒸飯冷之水三瓶沸湯冷之以曲末一升先調於水與蒸飯調和入甕三宿乃熟澄淸後以酒醅少許浮而用之其形如浮蟻味甘烈其合於夏月之用.先一日浸水用時篩下入瓮(○)美粘米一升則水三鉢曲末一合.

## 9. 부의주 <산가요록(山家要錄)>

–쌀 5되 빗이

술 재료 : 멥쌀 5되, 누룩가루 1되, 잣 1되 5홉, 청주 2병

술 빚는 법 :

1. 멥쌀 5되를 (백세하여 물에 담가 불렸다가, 다시 씻어 건져서 물기를 뺀 후) 시루에 안쳐서 무른 고두밥을 짓는다.
2. 고두밥이 익었으면 시루에서 퍼내고, 고루 펼쳐서 차게 식기를 기다린다.
3. 좋은 잣 1되 5홉과 누룩가루 1되를 한데 섞고, 절구에 윤이 나게 찧는다.
4. 고두밥과 찧은 잣과 누룩가루를 한데 합하고, 고루 힘껏 치대어 술밑을 빚는다.
5. 술밑을 술독에 담아 안치고, 예의 방법대로 하여 6~7일간 발효시킨다.
6. 술이 익었으면 좋은 청주 2병을 붓고, 2~3일간 두었다가 떠서 여러 동이에 나눠 담아놓고 임의대로 마시는데, 끝이 없다.

* 주방문에 술 빚는 물에 대한 언급이 없다. 주방문 말미에 "청주 2병을 붓고, 2~3일간 두었다가 떠서 여러 동이에 나눠 담아놓고 임의대로 마시는데, 끝이 없다."고 하였는데, 이렇게 되려면 술 빚는 물이 들어가지 않고서는 불가능하다.

  따라서 고두밥에 살수를 많이 하여 충분히 무르게 찌든지, 물의 양을 빠뜨린 것으로 보아야 한다. 물을 사용하지 않고 청주 2병을 부어서 얻을 수 있는 양은, 대략 3병 정도로 한정되기 때문이다.

浮蟻酒

米五升. 白米五升 全蒸待冷. 好匊末一升, 實柏子一升半, 熳搗合釀. 六七日 待熟. 好淸酒二瓶 加添 二三日 待熟. 其分之酒盆多. 任意用之无窮.

## 10. 부의주 <산림경제(山林經濟)>

술 재료 : 찹쌀 1말, 누룩가루 1되, 끓여 식힌 물 3병

술 빚는 법 :

1. 물 3병을 끓여서 차게 식힌 후, 누룩가루 1되를 담가 하룻밤 불려서 물누룩(水麯)을 만들어놓는다.
2. 찹쌀 1말을 (백세하여) 물에 담가 불렸다가, 다시 씻어 건져서 물기를 빼놓는다.
3. 고두밥이 익었으면 퍼내고, 그릇에 담아 식기를 기다린다.
4. 물누룩을 체에 밭쳐 주물러 짜서 찌꺼기를 제거하여 만든 누룩물을 고두밥에 합하고, 고루 버무려 술밑을 빚는다.
5. 술독에 술밑을 담아 안치고, 예의 방법대로 하여 3일간 발효시키면 술이 익는다.
6. 위에 떠오른 주배(고두밥알)를 건져서 따로 모아두었다가, 마실 때 술 위에 띄워 마시면 더욱 운치가 있다.

* <고사촬요>를 인용하였다.

浮蟻酒

粘米一斗蒸飯 盛器冷之 水三甁沸湯冷之 以麴末一升 先調於水 與蒸飯調和入瓮. 經三宿乃熟 澄淸後 以酒醅少許浮而用之 其形如浮蟻 味甘而烈 正合於夏節之用. 上同 麴末 先一日沈水 篩下用之妙.

## 11. 부의주 <술 만드는 법>

술 재료 : 찹쌀 1말, 누룩가루 1되, 물 3병

술 빚는 법 :

1. 찹쌀 1말을 백세한다(물에 담가 불렸다가, 다시 씻어 헹궈서 물기를 뺀다).
2. 불린 쌀을 끓고 있는 물솥의 시루에 안치고, 쪄서 무른 고두밥을 짓는다.
3. 고두밥이 익었으면, 퍼내어 돗자리에 펼쳐서 고루 차게 식기를 기다린다.
4. 물 3병을 팔팔 끓여 차게 식혀, 누룩가루 1되와 함께 고두밥에 합하고, 고루 버무려 술밑을 빚는다.
5. 소독한 술독에 술덧을 담아 안치고, 예의 방법대로 하여 3일간 발효시키면 술이 익는다.
6. 술이 익으면 개미(밥알)가 떠오르므로, 밥알을 따로 건져두었다가 마실 때 술에 뜨게 마신다.

부의쥬

졈미 ᄒᆞᆫ 말를 ᄒᆞ랴면 ᄇᆡᆨ셰ᄒᆞ야 쪄 ᄎᆡ우고 ᄭᅳᆯ인 물 셰 병 ᄎᆡ와 곡말 ᄒᆞᆫ 되 밥에 셕거 비져 ᄉᆞᆷ 일 후에 익나니 익거든 ᄯᅳᆫ 밥을 ᄯᅳ게 ᄒᆞ야 ᄡᅳ라.

## 12. 부의주 <양주(釀酒)>

술 재료 : 찹쌀 1말, 가루누룩 1되, 끓여 식힌 물 2말

술 빚는 법 :

1. 물솥에 물 2말을 붓고 팔팔 끓인 후 (넓은 그릇에 퍼서) 차게 식힌다.

2. 끓여서 식힌 물 2말에 가루누룩 1되를 넣고 (주물러) 물누룩을 만들어놓는다.
3. 찹쌀 1말을 (백세하여 물에 담가 밤재워 불렸다가, 다시 씻어 헹궈서 물기를 뺀 후) 시루에 담아놓는다.
4. (끓는 물솥에) 쌀을 안친 시루를 올려서 고두밥을 짓고, 익었으면 퍼낸다(고루 펼쳐서 차게 식기를 기다린다).
5. 찹쌀고두밥에 물누룩을 한데 합하고, 고루 버무려 술밑을 빚는다.
6. 술밑을 술독에 담아 안치고, 예의 방법대로 하여 발효시키면 3일 만에 익거든 사용한다.

* 주방문 말미에 "맛이 달고 매우니 여름에 하라."고 하였다.

부의쥬

ᄎᆞᆸᄡᆞᆯ ᄒᆞᆫ 말 닉게 ᄶᅧ ᄎᆞ거든 물 두 말 ᄭᅳᆯ혀 ᄎᆡ와 ᄀᆞᄅᆞ누록 ᄒᆞᆫ 되 몬져 물의 섯거다가 ᄶᅵᆫ밥의 ᄀᆞ(골)와 비ᄌᆞ면 사흘 만의 닉거든 쓰라. 마시 ᄃᆞᆯ고 ᄆᆡ오니 여름의 ᄒᆞ라.

## 13. 부의주 <양주방>*

술 재료 : 밑술 : 멥쌀 2말, 누룩가루 3되, 끓는 물 3말
덧술 : 멥쌀 5되, 누룩 한 줌(5홉), 밀가루 1되

술 빚는 법 :
* 밑술 :
1. 희게 쓿은 멥쌀 2말을 깨끗이 씻고 또 씻어(백세하여) 물에 담가 불렸다가 (다시 씻어 건져서 물기를 뺀 후) 작말한다(가루로 빻는다).

2. 끓는 물솥에 시루를 올리고, 멥쌀가루를 시루에 안쳐 흰무리를 짓는다.
3. 솥에 물 3말을 끓이다가 흰무리가 익었으면 넓은 그릇에 퍼내고, 끓는 물을 합하여 주걱으로 고루 섞어 멍우리가 없게 만들어놓는다.
4. 흰무리떡이 물을 다 먹었으면, 고루 헤쳐서 차게 식기를 기다린다.
5. 흰무리떡에 좋은 누룩가루 3되를 합하고, 고루 버무려 술밑을 빚는다.
6. 술밑을 술독에 담아 안치고, 예의 방법대로 하여 3일간 발효시킨다.

* 덧술 :
1. 4일째 되는 날 희게 쓿은 멥쌀 5되를 깨끗이 씻고 또 씻어 물에 담가 불렸다가 (다시 씻어 건져서) 물기를 빼놓는다.
2. 끓는 물솥에 시루를 올린 후, 불린 쌀을 시루에 안쳐 고두밥을 짓는다.
3. (고두밥이 익었으면 퍼내고, 고루 펼쳐서 차게 식기를 기다린다).
4. 고두밥에 밑술과 누룩 한 줌(5홉), 밀가루 1되를 섞어 넣고, 고루 버무려 술밑을 빚는다.
5. 밑술 독에 술밑을 담아 안치고, 예의 방법대로 하여 여름이면 물에 채워두고 발효시켜 채주한다.

부의쥬
ᄇᆡᆨ미 이두 ᄇᆡᆨ셰작말ᄒᆞ야 물리 쎠 탕슈 서 말노 마라 락 업시 쳐 ᄎᆞ거든 죠흔 국말 서 되 섯거 항의 너허 두엇다가 사일 만의 ᄇᆡᆨ미 오승 밥 쎠 누록 한 즘 진말 ᄒᆞᆫ 되 섯거 덧터 녀름이면 ᄎᆡ와 두고 쓰라.

## 14. 부의주 일법 <양주방>*

술 재료 : 찹쌀 1말, 누룩가루 1되, 시루밑물(3~4되), 정화수 2병

술 빚는 법 :

1. 희게 쓿은 찹쌀 1말을 깨끗이 씻고 또 씻어(백세하여) 물에 담가 불렸다가 (다시 씻어 건져서 물기를 뺀 후) 시루에 안쳐 고두밥을 짓는다.
2. 고두밥이 익었으면 퍼내고, 고루 헤쳐서 차게 식기를 기다린다.
3. 시루밑물(3~4되)을 넓은 그릇에 퍼서 차게 식힌 후, 누룩가루 1되를 풀어 물누룩을 만들어놓는다.
4. 물누룩에 고두밥을 합하고, 고루 버무려 술밑을 빚는다.
5. 술밑을 술독에 담아 안치고, 예의 방법대로 하여 3일(21일)간 발효시킨다.
6. 술이 익어 맑아진 뒤에 떠내고, 개미(술덧 속의 밥알)를 띄워서 마시면 달고 매워 콕 쏜다.

* 술을 많이 얻고자 하면 주전자에 따르되, 정화수 2병만 부어서 2~3일 두었다가 채주한다. 주방문 말미에 "한여름에 빚는 술이니, 많이 내고자 하거든 주전자에 따르되, 정화수 2병만 부어 따라라."고 하였다.

부의쥬 일법

졈미ᄅᆞᆯ ᄇᆡᆨ셰 침슈ᄒᆞ야 밥을 ᄂᆡᆨ게 쎠 ᄎᆡ우고 국말 일승을 밥 쎈 물의 ᄎᆡ와 누록을 타셔 밥과 섯거 너허 세 밤 지나면 ᄂᆡᆨᄂᆞ니 ᄆᆰ은 후의 귀덕이 ᄯᅴ워 쓰면 마시 ᄃᆞᆯ고 ᄆᆡ우니라. 졍히 녀름의 빗ᄂᆞᆫ 슐이니 만히 ᄂᆡ고져 ᄒᆞ거든 쥬ᄌᆞ의 드리오ᄃᆡ 졍화슈 두  병만 부어 드리우라.

## 15. 부의주 일법 <양주방>*

술 재료 : 찹쌀 5되, 누룩가루 1되, 껍질 벗긴 잣 1되 5홉, 맛 좋은 맑은 술 2병

술 빚는 법 :

1. 희게 쓿은 찹쌀 5되를 깨끗이 씻고 또 씻어(백세하여) 물에 담가 불렸다가 (다시 씻어 건져서 물기를 뺀 후) 시루에 안쳐 고두밥을 짓는다.
2. 고두밥이 익었으면 퍼내고, 고루 헤쳐서 차게 식기를 기다린다.
3. 시루밑물을 넓은 그릇에 퍼서 차게 식힌다.
4. 고두밥에 누룩가루 1되와 껍질 벗긴 잣 1되 5홉을 곱게 두드려 한데 넣고, 고루 버무려 술밑을 빚는다.
5. 술밑을 술독에 담아 안치고, 예의 방법대로 하여 7일간 발효시킨다.
6. 술 빚은 지 7일 만에 좋은 맑은 술 2병을 부어 3일 뒤에 채주한다.

* 주품명에는 '부의주 또 다른 별방'이라고 되어 있으나, '부의주'를 응용한 '백자주'라고 할 수 있다.

부의쥬 일법

졈미 오승 ᄇᆡᆨ셰ᄒᆞ야 밥 닉게 쪄 식거든 국말 ᄒᆞᆫ 되와 실ᄇᆡᆨ자 되가옷ᄉᆞᆯ 물을 이두 ᄃᆞ려 밥의 섯거 칠일 만의 죠흔 쳥쥬 두 병을 부어 삼일 후 쓰라.

## 16. 부의주 <언서주찬방(諺書酒饌方)>

술 재료 : 백찹쌀 5되, 실백자 1되 5홉, 누룩가루 1되, 좋은 청주 2병

술 빚는 법 :
1. (매우 깨끗하게 찧어 도정을 많이 한) 백찹쌀 5되를 백세하여 (물에 담가 불렸다가, 다시 씻어 헹궈 건져서 물기를 뺀 후) 시루에 안쳐서 고두밥을 짓는다.
2. 고두밥이 익었으면, 퍼내어 고루 펼쳐서 차게 식기를 기다린다.
3. 실백자 1되 5홉을 (물에 깨끗하게 씻어서 물기를 제거한 후) 두드려서 가장

잘게 짓찧어 놓는다.
4. 실백자가루와 누룩가루 1되를 함께 고두밥에 넣고, 고루 치대어 술밑을 빚는다.
5. 술독에 술밑을 담아 안치고, 예의 방법대로 6~7일간 발효시킨다.
6. 좋은 청주 2병을 술독에 부어주고, 3일 후에 용수 박아 뜬다.

* 주방문에 '백찹쌀'이라고 하였다. 특별히 도정을 많이 한 깨끗한 찹쌀이다.

부의쥬(浮蟻酒)一粘米五升 曲末一升 實柏子一升五合 淸酒二甁
ᄇᆡᆨ졈미 닷 되ᄅᆞᆯ ᄇᆡᆨ셰ᄒᆞ야 닉게 뼈 식거ᄃᆞᆫ 누록ᄀᆞᄅᆞ ᄒᆞᆫ 되과 실ᄇᆡᆨᄌᆞ ᄒᆞᆫ 되 반을 ᄀᆞ장ᄌᆞᆯ게 즛두드려 ᄒᆞᆫᄃᆡ 섯거 비저 여닐웬 만의 됴ᄒᆞᆫ 청쥬 두 병을 브어 녀허 삼일 후에 ᄡᅳ라.

## 17. 부의주 또 한 방문 <언서주찬방(諺書酒饌方)>

**술 재료 : 멥쌀 1말, 누룩 1되, 끓여 식힌 물 3병**

술 빚는 법 :
1. 멥쌀 1말을 백 번 씻어서 (물에 담가 불렸다가, 다시 씻어 헹궈 건져서 물기를 뺀 후) 시루에 안쳐서 고두밥을 짓는다.
2. 물 3병을 끓여 차게 식힌 다음, 누룩 1되를 풀어 넣고 고루 휘저어 물누룩을 만들어놓는다.
3. 고두밥을 넓은 그릇에 펴서 헤쳐 두고 차게 식기를 기다린다.
4. 물누룩에 고두밥을 섞고, 고루 치대어 술밑을 빚는다.
5. 술밑을 술독에 담아 안치고, 예의 방법대로 하여 3일간 발효시킨다.
6. 술독을 열어 주면에 뜬 개미(고두밥)를 떠서 그릇에 담아놓는다.

7. 술독에 용수 박아 청주를 떠내고, 술을 마실 때 건져둔 개미를 띄워 마신다.

* 주방문 말미에 "(술) 으희 뜬 건지랑 떠내어 제곰 그릇에 둣다가, 드리운 후제 술에 띄워 개야미 뜬 형상같이 하여 쓰라. 맛이 달고 쓰니 하절에 쓰기 좋으니라."고 하였다.

부의쥬(浮蟻酒)一又方 白米一斗 曲末一升 (ᄉᆞᆯ여 ᄎᆡ온 물 三瓶)
ᄯᅩ ᄒᆞᆫ 방문에 ᄇᆡᆨ미 ᄒᆞᆫ 말을 ᄇᆡᆨ 번 시서 닉게 ᄡᅧ 그르세 헤텨 ᄎᆡ와 ᄉᆞᆯ혀 ᄎᆡ온 믈 세 병에 누록 ᄒᆞᆫ 되를 몬져 프러고오 ᄃᆞᆼ당이 텨 밥애 섯거 독의 녀허 사흘 후제 닉거든 우희 ᄠᅳᆫ 건시랑 ᄡᅧ 내여 제곰 그르세 둣다가 드리온 후제 술의 ᄠᅴ워 개야미 ᄠᅳᆫ 형상ᄀᆞ티 ᄒᆞ야 ᄡᅳ라. 마시 ᄃᆞᆯ고 ᄡᅳ니 하절에 ᄡᅳ기 됴ᄒᆞ니라.

## 18. 부의주 <음식디미방>

술 재료 : 찹쌀 1말, 누룩가루 1되, 끓여 식힌 물 3병

술 빚는 법 :

1. 물 3병을 팔팔 끓여 넓은 그릇에 담아 차게 식힌다.
2. 찹쌀 1말을 백세하여 (물에 깨끗하게 씻어 담가 불렸다가, 다시 씻어 건져서 물기를 뺀 뒤) 시루에 안쳐 고두밥을 짓는다.
3. 차게 식은 물에 누룩가루 1되를 풀어 넣고, 술독에 담아 수곡(水麯)을 만들어놓는다.
4. 고두밥이 무르게 익었으면 퍼내고, 고루 펼쳐서 차게 식기를 기다린다.
5. 고두밥에 수곡을 합하고, 고루 버무려 술밑을 빚는다.
6. 술독에 술밑을 담아 안치고 예의 방법대로 하여 발효시키는데, 3일이면 익어 맑은 부의가 뜨고, 맛이 맵고 달고 하절에 마시기 좋다.

* 주방문 말미에 “사흘 만이면 익어 맑은 술 가에 구더기(하얀 밥알) 뜨고, 맛이 맵고 달아 하절에 쓰기에 좋다”고 하였다. 따라서 부의주는 여름에 빚는 술이라는 것을 알 수 있다.

부의쥬
ᄎᆞᆸᄡᆞᆯ ᄒᆞᆫ 말 ᄇᆡᆨ셰ᄒᆞ여 닉게 쎠 그ᄅᆞ싀 담아 ᄎᆡ오고 믈 세 병 ᄭᆞᆯ혀 ᄎᆡ와 국말 ᄒᆞᆫ 되 몬져 믈에 프러 독의 녀허 사흘 만이면 닉어 ᄆᆞᆯ가 귀덕이 ᄯᅳ고 마시 ᄆᆡᆸ고 ᄃᆞᆯ고 하졀의 ᄡᅳ기 죠ᄒᆞ니라.

## 19. 부의주 <음식방문(飮食方文)>

술 재료 : 찹쌀 1말, 누룩가루 1되, 끓여 식힌 물 3병

술 빚는 법 :
1. 솥에 물 3병을 끓여서 넓은 그릇에 담아 차게 식힌다.
2. 끓여 식힌 물에 누룩가루 1되를 풀어 물누룩을 만들고, 맑아지기를 기다린다.
3. 찹쌀 1말을 (백세하여 물에 담가 불렸다가, 다시 씻어 건져서 물기를 뺀 후) 시루에 안쳐서 고두밥을 짓는다.
4. (고두밥이 익었으면 퍼내고, 넓은 그릇에 담아 주걱으로 고루 헤쳐서 차게 식기를 기다린다.)
5. 물누룩에 고두밥을 합하고, 고루 버무려 술밑을 빚는다.
6. 술밑을 술독에 담아 안치고, 예의 방법대로 하여 겨울이면 7일, 봄가을이면 5일간 발효시켜 채주한다.

* 다른 기록에서는 ‘부의주’가 “여름철에 좋다.”고 언급되어 있는 것과 달리, <음

식방문>에서는 봄가을과 겨울철에 빚는 술로 수록되어 있다.

부의쥬

ᄎᆞᆸ쌀 ᄒᆞᆫ 말 ᄡᅥ ᄎᆡ오고 ᄭᅳᆯ인 물 셰 병을 ᄎᆡ와 국말 ᄒᆞᆫ 되 물에 셧거 범으려 ᄆᆞᆰ거든 ᄡᅳ되 겨울이면 칠 일이요 봄과 가을이면 ᄉᆞᆷ 일 만에 ᄡᅳ라.

## 20. 부의주 <의방합편(醫方合編)>

술 재료 : 찹쌀 1말, 누룩가루 1되, 끓여 식힌 물 2병

술 빚는 법 :

1. 찹쌀 1말을 (백세하여 물에 하룻밤 담갔다가, 다시 씻어 건져서 물기를 뺀 다음) 시루에 안쳐서 무른 고두밥을 짓는다.
2. 물 2병을 팔팔 끓여서 넓은 그릇에 담아 차게 식힌 다음, 누룩가루(1되)를 풀고 물누룩을 만들어놓는다.
3. 고두밥이 익었으면, 넓은 그릇에 담아서 차게 식기를 기다린다.
4. 누룩물에 고두밥을 합하고, 고루 버무려 술밑을 빚는다.
5. 술밑을 술독에 담아 안치고, 예의 방법대로 하여 3일간 발효시킨다.
6. 술이 익어 맑게 가라앉으면 고두밥알이 몇 개 떠오르는데, 그 형상이 마치 물에 떠 있는 개미 모양(부의, 浮蟻) 같다.

* 술맛이 달고 차면서 진하고, 여름철에 마시면 좋다. 고두밥에 대하여 "쌀을 백세하여 하룻밤 불렸다가 다시 씻어 건져서 하라."는 말은 없으나, 이와 같이 하여 빚는 것이 좋은 방법이다.
* 주방문 말미에 "하루 먼저 탕수에 누룩가루를 넣고 수곡(水麯, 물누룩)을 만들어 불렸다가, 체에 밭쳐 찌꺼기를 제거한 누룩물로 술밑을 빚는 데 사용

하면 더욱 좋다."고 하였다.

浮蟻酒

粘米一斗蒸飯盛器冷之沸湯二瓶冷之以曲末一升先調於水與蒸飯調和入瓮待三宿乃熟澄淸後以酒醅小許浮以用之其形如浮蟻味甘而烈正合於夏節之用.
曲末先一日浸水下用之尤妙冷時酒.

## 21. 부의주방 <임원십육지(林園十六志)>

술 재료 : 찹쌀 1말, 누룩가루 1되, 끓여 식힌 백비탕 3병

술 빚는 법 :

1. 물 3병을 백비탕으로 끓여서 차게 식힌 후, 누룩가루 1되를 담가 하룻밤 불려서 물누룩(수곡, 水麯)을 만들어놓는다.
2. 찹쌀 1말을 (백세하여 물에 담가 불렸다가, 다시 씻어 건져서 물기를 뺀 후) 시루에 안쳐서 고두밥을 짓는다.
3. 고두밥이 익었으면 퍼내고, 넓은 그릇에 담아 차게 식기를 기다린다.
4. 수곡을 고두밥에 합하고, 고루 버무려 술밑을 빚는다.
5. 술독에 술밑을 담아 안치고 예의 방법대로 하여 3일간 발효시켜, 술이 익어 맑아지기를 기다린다.
6. 술 위에 떠오른 주배(고두밥알)를 건져서 따로 모아두고, 마실 때 술 위에 띄워 마시면 더욱 운치가 있다.

* 주방문 말미에 "맛이 달고 콕 쏘아 여름철에 구미를 돋우는 술이다."고 하고, 또 "주배(고두밥알)를 건져두었다가 마실 때 술 위에 띄워 마시면 더욱 운치가 있다."고 하였다. 누룩가루를 우선 하룻밤 물에 담갔다가 찌꺼기를 제거

하고 사용하면 더욱 좋다.

浮蟻酒方

候調麯末一升經宿用 粘米一斗蒸飯盛器冷之水三瓶沸湯冷之以麴末一升先調於水更與飯拌勻入瓮經三宿乃熟澄清後以酒醅少許浮而用之其形如浮蟻味甘而烈正於夏夏用. <山林經濟補>麴末先一日浸水篩下用之妙. <故事撮要>.

## 22. 부의주 <정일당잡지(貞一堂雜識)>

술 재료 : 찹쌀 5되, (누룩 5홉~1되), 실백자 5홉, 청주 2병

술 빚는 법 :

1. 찹쌀 5되를 백세하여 (물에 담가 불렸다가, 다시 씻어 건져서 물기를 뺀 뒤) 시루에 안쳐서 고두밥을 짓는다.
2. 고두밥은 뼈 없이 쪄서 익히고, 익었으면 그릇에 담아 고루 헤쳐서 차게 식기를 기다린다.
3. 실백자(잣)를 물에 깨끗하게 씻어 껍질과 고깔을 제거한 후, 물기를 없이 하여 방망이로 살짝 두드려서 부수어 잣가루를 만들어놓는다.
4. 고두밥에 (누룩 5홉~1되), 잣가루를 한데 섞고, 고루 버무려 술밑을 빚는다.
5. 술독에 술밑을 담아 안치고, 예의 방법대로 하여 7일간 발효시킨 후, 좋은 청주 2병을 술독에 붓는다.
6. 청주를 부은 지 3일이 지나 술이 익어 맑아지면 채주하여 마신다.

* 주방문 말미에 "삼일 후 쓰면 기특하니라."고 하였다. 술 이름은 '부의주'인데, 실백자를 넣는다는 점에서 이채롭다. 다른 기록에서 이와 유사한 방법의 '백자주(栢子酒)'를 엿볼 수 있다. 다만, 술 빚는 데 양주용수가 사용되지 않고

누룩도 사용하지 않는 것으로 되어 있어, 아주 생경한 방문으로 여겨진다. 누룩을 사용하는 것으로 주방문을 작성하였다. <산가요록>과 <언서주찬방>에도 이와 같은 방법의 '부의주'가 수록되어 있는 것을 볼 수 있기 때문이다.

부의쥬
졈미 닷 되 빅셰ᄒᆞ여 쌔 업시 쪄 식거든 실빅ᄌᆞ 닷 홉 잠간 두ᄃᆞ려 ᄒᆞᆫᄃᆡ 비저 칠 일 후 됴흔 청쥬 두 병 부어 삼 일 후 쓰면 긔특ᄒᆞ니라.

## 23. 부의주 <조선무쌍신식요리제법(朝鮮無雙新式料理製法)>

**술 재료 : 찹쌀 1말, 누룩가루 1되, 끓여 식힌 물 3병**

술 빚는 법 :

1. 먼저 물 3병을 끓여서 차게 식힌 후에 누룩가루 1되를 풀어서 물누룩을 만들어놓는다.
2. 찹쌀 1말을 (백세하여) 물에 담가 불렸다가 (다시 씻어 건져서 물기를 뺀 후) 시루에 안쳐서 고두밥을 짓는다.
3. 고두밥이 익었으면, 그릇에 펴서 식기를 기다린다.
4. 누룩을 불려둔 지 하룻밤 지나서, 체에 담고 비벼 짜서 누룩찌꺼기를 제거한 누룩물(수곡)을 준비한다.
5. 수곡을 고두밥에 붓고 고루 섞어 술밑을 빚는다.
6. 술독에 술밑을 담아 안치고, 예의 방법대로 하여 발효시키면 3일 후에 밥알(주배, 酒醅)이 떠올라서 개미와 같다.
7. 술을 떠서 맑게 된 후에 떠올랐던 밥알을 조금 띄워 마신다.

* 주방문 말미에 이르기를 "그 모양이 마치 개미가 뜬 것 같고, 마시면 맛이 달

고 씩씩하고 여름에 합당하니라. 누룩가루를 물에 하루쯤 담갔다가 걸러서 쓰는 것이 묘한 법이니라."고 하였다.

부의주(浮蟻酒)

먼저 쑳는 물 세 병을 식혀서 누룩가루 한 되를 푸러 하로밤 지내고 찹쌀 한 말을 불려서 밥 지여 그릇에 담고 식혀서 푸럿든 누룩을 체에 처서 찟기를 버리고 찐밥과 한데 버무려 독에 느은 지 사흘이면 익나니, 쪄서 맑게 된 후에 재강에 밥풀(酒醅)을 조금 씌워 쓰면 모양이 개암이 쓴 거와 갓고 맛이 달고 씩씩하고 여름에 합당하니라. 누룩가루를 물에 하로쯤 당갓다가 걸너서 쓰는 것이 묘한 법이니라.

## 24. 부의주법 <주식방(酒食方, 高大閨壺要覽)>

술 재료 : 찹쌀 1말, 누룩 1되, 끓여 식힌 물 3병

술 빚는 법 :

1. 물 3병을 끓여서 차게 식힌다.
2. 식힌 물에 누룩가루 1되를 풀어 불려 물누룩을 만들어놓는다.
3. 찹쌀 1말을 백세하여 (물에 담가 불렸다가, 다시 씻어 건져서 물기를 뺀 뒤) 시루에 안쳐서 고두밥을 짓는다.
4. 고두밥이 익었으면, 그릇에 담아 고루 헤쳐서 차게 식기를 기다린다.
5. 고두밥과 물누룩을 고루 섞고, 고루 버무려 술밑을 빚는다.
6. 술독에 술밑을 담아 안치고, 예의 방법대로 하여 3일간 발효시키면 익는데, 맑아지면 (동동 뜬 밥알을 건져두었다가) 띄워서 마신다.

부의쥬법

뎜미 한 말 빅셰ᄒᆞ여 닉게 쪄 그ᄅᆞᄉᆡ 담아 ᄎᆡ오고 ᄭᅳᆯ힌 물 세 병을 ᄎᆡ와 국말 ᄒᆞᆫ 되를 그 물의 골나 밥의 섯거 독의 너허 두면 사흘 밤 지ᄂᆞᆫ 후의 닉ᄂᆞᆫ 거시니 ᄎᆡ 맑거든 ᄯᅩ 밥을 ᄯᅴ워 쓰라.

## 25. 부의주 <주찬(酒饌)>

술 재료 : 찹쌀 1말, 누룩가루 1되, 끓여 식힌 물 1말

술 빚는 법 :

1. 물 1말을 팔팔 끓여 차게 식힌 다음, 누룩가루 1되를 넣고 불려 물누룩(水麯)을 만들어놓는다.
2. 찹쌀 1말 백세하여 (물에 담가 불렸다가, 다시 씻어 헹궈 건져서 물기를 뺀 후) 시루에 안쳐서 고두밥을 짓는다.
3. 고두밥이 익었으면 퍼내고, 고루 펼쳐 차게 식기를 기다린다.
4. 불려둔 물누룩에 고두밥을 합하고, 고루 버무려 술밑을 빚는다.
5. 술독에 술밑을 담아 안치고, 예의 방법대로 하여 발효시킨다.
6. 3일 지나 술이 익어 맑아지면서 술개미(浮蟻)가 떠 있으면 마신다.

* 주방문 말미에 “맛은 달고 독하며, 여름에 쓰기에 적합한 술로, 온수나 냉수에 섞어 마신다.”고 하였다.

浮蟻酒

粘米一斗蒸飯盛器冷之水一斗湯沸冷之以曲末一升先調於水與烝飯和調入瓮經三宿乃熟澄淸後以酒發小許浮而用之其形如浮蟻味甘而烈政合於夏節之用也或溫水或冷水調和用之.

## 26. 부의주법 <증보산림경제(增補山林經濟)>

술 재료 : 찹쌀 1말, 누룩가루 1되, 끓여 식힌 물 3병

술 빚는 법 :

1. 물 3병을 끓여서 차게 식힌 후, 누룩가루 1되를 담가 하룻밤 불려서 물누룩(수곡, 水麯)을 만들어놓는다.
2. 찹쌀 1말을 (백세하여) 물에 담가 불렸다가, 다시 씻어 건져서 물기를 빼놓는다.
3. 고두밥이 익었으면 퍼내고, 그릇에 담아 차게 식기를 기다린다.
4. 수곡을 체에 밭쳐 주물러 짜서 찌꺼기를 제거하여 만든 누룩물을 고두밥에 합하고, 고루 버무려 술밑을 빚는다.
5. 술독에 술밑을 담아 안치고, 예의 방법대로 하여 3일간 발효시키면 술이 익는다.
6. 위에 떠오른 주배(고두밥알)를 건져서 따로 모아두었다가, 마실 때 술 위에 띄워 마시면 더욱 운치가 있다.

* 주방문 말미에 "맛이 달고 콕 쏘아 여름철에 구미를 돋우는 술이다."고 하고, 또 "주배(고두밥알)를 건져두었다가 마실 때 술 위에 띄워 마시면 더욱 운치가 있다."고 하고, 또 "여름철에 쓰기에 꼭 알맞다."고 하였다.

浮蟻酒法

先以沸湯三瓶候冷調麯末一升經宿用粘米一斗浸潤蒸飯盛器候冷次以所浸麯就其水中揉取汁篩去滓與蒸飯調和入甕經三宿乃熟澄淸後以酒醅少許浮而用之其形如浮蟻味甘而洌正合夏用.

## 27. 부의주 <치생요람(治生要覽)>

술 재료 : 찹쌀 1말, 누룩가루 1되, 끓여 식힌 물 3병

술 빚는 법 :

1. 찹쌀 1말을 (물에 백 번 씻어 깨끗하게 헹군 다음, 새 물에 담가 불렸다가, 다시 씻어 말갛게 헹군 후, 건져서 물기를 뺀다).
2. (물에 불린 쌀을 시루에 안쳐 찌고) 다른 솥에 물 3병을 팔팔 끓여서 차게 식힌다.
3. 차게 식힌 물 3병에 누룩가루 1되를 섞고, 고루 섞어 물누룩(水麯)을 만들어놓는다.
4. 고두밥이 무르게 익었으면, 넓은 그릇에 퍼내고, 주걱으로 고루 헤쳐 두었다가 차게 식기를 기다린다.
5. 고두밥이 식었으면 물누룩을 합하고, 고루 버무려 술밑을 빚는다.
6. 술독에 술밑을 담아 안치고 (주둥이에 묻은 것을 깨끗이 닦아내고, 베보자기를 씌우고 뚜껑을 덮어) 발효시키면 3일 후에 밥알이 떠올라서 개미와 같다.

* 주방문 말미에 "항에 넣고 3일 밤 지내고 맑게 익은 후에 부의가 떠오르면 쓴다."고 하였다. 또 "그 형태가 개미(浮蟻) 같으며, 맛은 달고 맵다. 하절에 쓴다."고 하여, 부의주가 여름철 술이었음을 알 수 있다.

浮蟻酒

粘米一斗蒸飯冷之水一斗湯沸冷之曲末一升先調於水與飯調釀三宿乃熟澄清後以醅少許浮而用.

## 28. 부의주 <침주법(浸酒法)>

술 재료 : 찹쌀 1말, 누룩 1되, 끓여 식힌 물 3병

술 빚는 법 :

1. 여름에 찹쌀 1말을 (백세하여 하룻밤 물에 담가 불렸다가, 다시 씻어 건져서 물기를 뺀 다음) 시루에 안쳐 고두밥을 짓는다.
2. 물 3병을 팔팔 끓여 잠깐 차게 식히고, 누룩 1되를 물에 풀어 물누룩(수곡)을 만들어놓는다.
3. 고두밥도 무르게 익었으면, 그릇에 퍼내어 잠깐 차게 식힌다.
4. 물누룩에 고두밥을 합하고, 고루 풀어 술밑을 빚는다.
5. 술밑을 술독에 담아 안치고, 예의 방법대로 하여 발효시키면 3일 만에 익는다.
6. 술이 맑아지기를 기다리면 부의(가야미)가 뜬 듯하고 맛이 달고 또한 매워(독하여) 더운 여름철에 사용하가 좋다.

부의쥬(浮蟻酒)—ᄒᆞᆫ 말

ᄎᆞᆸᄡᆞᆯ ᄒᆞᆫ 말을 ᄲᅧ 그르세 다마 잠ᄭᆞᆫ ᄎᆞ거든 물 세 병을 슳혀 잠ᄭᆞᆫ ᄎᆡ와 ᄀᆞᄅᆞ누록 ᄒᆞᆫ되를 몬져 믈에 플며 밥의 ᄌᆞ화ᄒᆞ야 독의 녀허 사ᄒᆞᆯ 쌤 지나면 ᄂᆡ거 멀거 ᄒᆞᆫ 후의 쥬비로 잠 ᄭᆞᆫ 쬐서 ᄡᅳ며 그 형상이 가야미 ᄯᅳᆫ ᄃᆞᆺ ᄒᆞᆫ 마시ᄃᆞᆯ고 ᄆᆡ오니 정히 하졀의 섬즉 ᄒᆞ니라.

## 29. 부의주 <한국민속대관(韓國民俗大觀)>

술 재료 : 찹쌀 1말, 누룩 1되, 끓여 식힌 물 3병

술 빚는 법 :

1. 물 3병은 끓여서 차게 식힌다.
2. 물에 누룩가루 1되를 풀어 물누룩을 만들고 하룻밤 재워놓는다.
3. 찹쌀 1말은 물에 깨끗이 씻어(백세하여 하룻밤 담가 불렸다가, 다시 씻어 헹궈서 물기를 뺀 후) 시루에 안쳐서 고두밥을 짓는다.
4. 고두밥이 익었으면 퍼내어 (소독하여 준비해 둔) 술독에 담고, 차게 식기를 기다린다.
5. 누룩은 (손으로 주물러서) 체에 밭쳐 (찌꺼기를 제거한 후) 술독의 고두밥과 고루 섞어 술밑을 빚는다.
6. 술밑을 술독에 담아 안치고, 예의 방법대로 하여 3일간 발효시키는데, 밥알이 동동 뜨면 채주한다.

* 주방문 말미에 "달고 독하여 여름에 쓰기 좋다."고 하였다. 고두밥을 술독에 퍼 담고 식히는 것이 특색이다. '부의주'에 대하여, "고려시대 이후 알려진 술인데, 이른 바 '동동주'에 해당하는 술이다. 맑은 술에 밥알이 동동 뜨게 빚어져 개미가 물에 떠 있는 것과 같다고 해서 붙여진 이름이다. '부의주' 또는 '녹의주(綠蟻酒)'라는 별명도 있다. 조선 초기의 처방문은 다음과 같다." 고 하여 '부의주' 방문을 싣고 있다.

부의주(浮蟻酒)

끓는 물 세 병을 식혀서 누룩가루 한 되와 섞어 하루를 재우고, 찹쌀 한 말을 깨끗이 씻어 밥을 지은 후 항아리에 넣어 식힌다. 누룩가루를 푼 물(침국)을 체로 걸러 찐 밥과 섞는다. 항아리에 담은 지 3일이면 맑게 익으며, 삭은 밥알이 개미같이 뜨니 그 맛이 달고 독하여 여름에 쓰면 좋다.

## 30. 부의주법 <해동농서(海東農書)>

술 재료 : 찹쌀 1말, 누룩가루 1되, 끓여 식힌 물 3병

술 빚는 법 :

1. 물 3병을 끓여서 차게 식힌 후, 누룩가루 1되를 담가 하룻밤 불려서 물누룩(수곡, 水麯)을 만들어놓는다.
2. 찹쌀 1말을 (백세하여) 물에 담가 불렸다가, 다시 씻어 건져서 물기를 빼놓는다.
3. 고두밥이 익었으면 퍼내고, 그릇에 담아 차게 식기를 기다린다.
4. 수곡을 체에 밭쳐 주물러 짜서 찌꺼기를 제거하여 만든 누룩물을 고두밥에 합하고, 고루 버무려 술밑을 빚는다.
5. 술독에 술밑을 담아 안치고 예의 방법대로 하여 3일간 발효시키면 술이 익는다.
6. 위에 떠오른 주배(고두밥알)를 건져서 따로 모아두었다가, 마실 때 술 위에 띄워 마시면 더욱 운치가 있다.

* 주방문 말미에 "맛이 달고 콕 쏘아 여름철에 구미를 돋우는 술이다."고 하고, 또 "주배(고두밥알)를 건져두었다가 마실 때 술 위에 띄워 마시면 더욱 운치가 있다."고 하였다. <고사촬요>를 인용하였다고 하였으나 주방문 기록의 내용은 차이가 많다.

浮蟻酒法

粘米一斗蒸飯盛器冷 水三瓶沸湯冷之麯末一升先調 於水與蒸飯調和入甕經三宿乃熟澄淸後以酒醅少許浮而用之其形如浮蟻味甘而烈正合於夏節之用. (上同 古事).

## 31. 부의주 <홍씨주방문>

술 재료 : 찹쌀 1말, 누룩 1되, 끓여 식힌 물 3병

술 빚는 법 :

1. 물 3병을 팔팔 끓여서 차게 식기를 기다렸다가, 누룩가루 1되를 담가 하룻밤 불려 수곡(물누룩)을 만들어놓는다.
2. 찹쌀 1말을 백세하여(백 번 씻어 매우 깨끗하게 하여 말갛게 헹궈 건졌다가) 새 물에 담가 하룻밤 불려놓는다.
3. 다음날 불린 찹쌀을 (다시 씻어 말갛게 헹궈서 물기를 뺀 뒤) 시루에 안쳐서 고두밥을 짓는다.
4. 고두밥이 익었으면 퍼내고, 고루 펼쳐서 차게 식기를 기다린다.
5. 고두밥과 수곡(물누룩)을 합하고, 고루 버무려 술밑을 빚는다.
6. 술밑을 술독에 담아 안치고, 예의 방법대로 하여 3~5일간 발효시킨다.

* 채워 : 차게 식혀.
* 말가 하여 : 맑아져서, 맑게 되어.

부의주

점미 일 두 백세하여 익게 쪄 채워 물 세 병을 끓여 채우고 누룩가루 한 되를 그 물에 풀어 밥에 섞어 빚어 사흘 밤 지내거든 보면 말가 하여 부의 뜨나니라.

# 부점주

## 스토리텔링 및 술 빚는 법

술 빚는 일이 여느 음식 만드는 일에 비해 쉬운 주품이 한 가지도 없다는 사실에 기운이 빠질 때가 있다. 사람이기 때문이다. 그래서 좀 더 손쉬운 방법을 강구하게 되는데, 주질이 나빠지는 것은 어쩔 수 없는 일이다. 하지만 사람이라면 "보다 쉽고 빨리, 값싸게, 맛있게 빚을 수 있는 술이 어떤 것이 있을까?" 하고 기웃거리지 않을 수 없다.

하여, 필자는 이런 사람들을 두고 '양심불량'이라고 말한다. 세상에 그런 술은 없기 때문이다. 사람이 먹을 수 있는 모든 음식도 마찬가지이다. 좋은 술, 곧 "몸에 맞고, 맛과 향기도 좋고, 건강에 좋은 술"은 반드시 제값을 치러야 하기 때문에 싼 술이 있을 수 없기 때문이다.

오늘 모처럼 값싸고 빨리 빚을 수 있는 술을 목격했다. 그러나 맛있는지는 자신할 수 없다. 하지만 "값싸게 빚을 수 있는 술"이라는 점에서는 어떤 술도 따라오지 못할 것이라는 생각 때문이다.

'부점주(浮粘酒)'라는 주품명은 저자와 연대 미상의 문헌인 <침주법(浸酒法)>

에 등장한다. <침주법>에 대해서는 궁중음식연구원장 한복려 선생으로부터 사본을 입수한 것이라는 것만 밝힐 수 있다. 이 <침주법>에 수록되어 있는 '부점주'가 먼저 눈길이 닿는 것은 주품명도 이채롭거니와 간편한 주방문 때문이다.

'부점주'라는 주품명은 "찹쌀로 빚는데, 찹쌀고두밥이 주면으로 떠올라(浮) 있는 술"이라고 할 수 있을 것 같다. 그러고 보면 자칫 '부의주(浮蟻酒)'나 흔히 사람들이 말하는 '동동주'쯤으로 여길 수 있겠으나, 사실은 전혀 다른 술이다. 오히려 '부점주'는 '급청주'나 '시급주', 민간의 '동방주'와 더 유사하다.

<침주법>의 '부점주' 주방문을 보면 "찹쌀 한 되를 밥을 익게 쪄서 식게 두었다가, 누룩 한 되에 섞어 독 밑에 단단히 봉하고, '탁주'를 (4자 누락) 걸러 한 동이만 붓고 사흘 만에 보면 맑은 술 한 동이 나느니라."라고 되어 있는 것이 술 빚는 법의 전부이다.

이미 '급청주'나 '급시청주'의 '특징 및 술 빚는 법'에 언급하였듯이 이때의 탁주는 청주를 걸러내고 난 술덧에 물을 타서 거른 도수 낮은 술이라야 한다. 알코올 도수가 높은 '탁주'를 사용하게 되면 발효가 원활하지도 않거니와, 쌀이 적게 사용된 경우 탁주 맛보다 못한 쓰고 거친 맛의 술이 되고 말기 때문이다.

또한 '부점주'처럼 쌀의 양은 적고 '탁주'와 누룩의 양이 많이 사용되는 술에서는, 따뜻한 곳에 두지 말고 차지도 않은 곳에서 발효가 일어나면 즉시 차게 식혀 두었다가, 누룩찌꺼기는 가라앉고 밥알만 떠올랐을 때 밥알을 따로 떠둔 후 마실 술에 띄워 마시는 것이 효과적이다.

<주찬(酒饌)>의 '부겸주(浮兼酒)'는 발효 시 떠오른 고두밥알과 함께 마시는 술이라는 의미를 부여할 수 있을 것 같다. 또한 술 빚기에 사용되는 찹쌀에 의한 알코올 발효를 통해서 도수 높은 청주를 얻기 위한 목적이 아니라, 찹쌀고두밥의 당화에 의한 부드러운 맛과 함께 밥알을 띄워서 마실 때의 운치를 위한 속성주라는 점에서, 우리 술 빚기의 다양한 기교를 엿볼 수 있을 것 같다.

환언하면, <주찬>의 '부겸주'는 '탁주'를 내놓기 미안하고 그렇다고 손님 대접에 소홀할 수 없는 경우를 당하여, 가장 빠른 시간 내에 찹쌀로 빚은 술(청주)의 흉내를 낸, 매우 기교적인 방법의 술이라는 점이다.

<침주법>의 '부점주' 주방문대로 술을 여러 차례 빚어보았지만, 그 맛이 좋지

를 못하였다. 하여 찹쌀을 1말로 고두밥을 지어 술을 빚어본 결과, 예의 맑은 술빛깔과 함께 향취가 뛰어나고 감칠맛이 뛰어난 '청주'를 얻을 수 있었다. '급청주'나 '급시청주'편을 참고하면 좋다.

## 부점주 <침주법(浸酒法)>

–한 되 빚이

술 재료 : 찹쌀 1되(말), 누룩 1되, 탁주(막걸리) 1동이

술 빚는 법 :

1. 찹쌀 1되를 백세한다(물에 담가 하룻밤 불렸다가, 다시 헹궈서 물기를 빼놓는다).
2. 불린 쌀을 시루에 안치고 쪄서 고두밥을 짓고, 고두밥이 되게 익었으면 퍼내고, 고루 펼쳐서 차디차게 식기를 기다린다.
3. 고두밥과 누룩을 한데 합하고, 고루 버무려 술밑을 빚는다.
4. 술밑을 독에 담아 굳게 다져 안친 후, 탁주(막걸리) 1동이를 붓고 밀봉하여 3일간 발효시킨다.
5. 3일 후에 맑은 술 1동이를 얻는다.

* 주원료인 찹쌀을 1말로 할 경우, 감칠맛이 뛰어난 청주를 얻을 수 있었다.

부졈쥬(浮粘酒)—ᄒᆞᆫ 되

ᄎᆞᆸᄉᆞᆯ ᄒᆞᆫ 되를 밥을 닉게 뼈 ᄎᆡ와 누록 ᄒᆞᆫ되예 섯거 독미틔 굿게 봉ᄒᆞ고 탁쥬ᄅᆞᆯ (믈에 타서) 걸러 ᄒᆞᆫ 동히만 붓고 사ᄒᆞᆯ 만의 보면 ᄆᆞᆯ근 술 ᄒᆞᆫ 동히 나ᄂᆞ니라.

# 분국상락주방

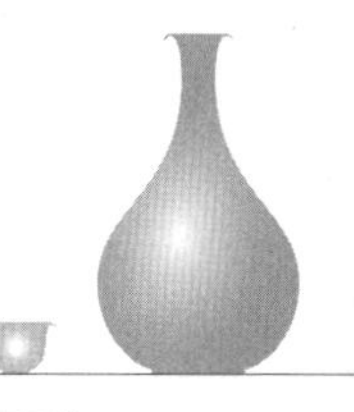

## 스토리텔링 및 술 빚는 법

'분국상락주방(笨麴桑落酒方)'은 <임원십육지(林園十六志, 高麗大本)>에 수록되어 있는 고급 주품으로, 중국의 주품이 수록된 것으로 여겨진다. 이를 자전적으로 풀이하면 "분국으로 빚은 상락주"라는 뜻이다.

그러면 '상락주(桑落酒)'는 어떤 술일까? '상락주'는 "뽕잎이 떨어질 때 빚는 술"이라는 뜻이다. <임원십육지(고려대본)>를 제외하면 우리나라 음식이나 술 관련 문헌에는 '상락주'가 보이지 않는다. 때문에 '분국상락주방' 역시 중국의 술이라는 얘기를 하는 것인데, 이 '상락주'의 의미를 알면, 이 술이 어떤 때에 어떤 의미로 사용되는지를 알 수 있을 것이다.

조선 후기의 문인 유만공(柳晩恭)이 지은 <세시풍요(歲時風謠)>를 보면 중구(重九)의 풍속에 대한 시가 있는데, 그 내용은 "금꽃을 처음 거두어다가 둥근 떡을 구워놓고, '상락주'를 새로 걸러 자그마치 술지게미를 짜냈다. 붉은 잎 가을 동산에 아담한 모임을 이루었으니, 이 풍류가 억지로 등고(登高)놀이하는 것보다는 낫다."고 하여, '중양절(重陽節)의 절기주'로 '상락주'가 있다는 것을 알 수 있다.

이러한 사실로 미루어 이 땅에서도 '상락주'가 빚어져 특히 시인묵객들 사이에서 감상의 대상이 되었다는 것을 알 수 있는데, "왜 '상락주'라는 술에 대한 주방문이 나타나지 않는 것일까?", "또 '상락주'와 '분국상락주'는 같은 주품일까?" 하는 의문을 기질 수밖에 없다.

추측하건대 <세시풍요>에 나타난 중구의 습속을 읊은 이 시는, 조선의 선비 유만공이 중구를 맞아 읊은 시가 아닌, 당시의 9월 9일인 중구의 풍습과 관련된 노래와 시를 옮겨 적은 것이다. 당시 조선의 사대부들은 예외라고 할 수 없을 정도로 명나라의 습속이나 문물을 숭상해 왔고, 중국의 세시풍속을 그대로 좇는 경우가 허다했다는 것을 알 수 있다. 특히 중구는 우리나라의 명절이라기보다 중국의 명절을 숭상한 사대부들에 의해 널리 퍼진 중국의 습속이다.

일테면 중양절의 '국화주 감상'이라든가 '등고풍속'이 그와 같은 예다. 또한 <임원십육지(고려대본)>의 주방문을 보면 알 수 있듯이 '분국상락주방'는 9월 9일에 술 빚기를 시작한다고 되어 있다. 중양절 무렵에 술 빚기를 시작한다고 한다면 단풍이 들고 낙엽이 질 무렵으로, "뽕나무잎이 떨어질 무렵에 빚는 술"이라는 해석이 가능해진다. 따라서 '분국상락주'라고 하면, "중국 누룩의 하나인 '분국(笨麴)'을 사용하여 뽕잎이 질 무렵에 빚는 계절주"쯤으로 풀이할 수 있겠다.

그리고 칠양주(七釀酒)인 '분국상락주방'이 익으려면 최소한 50일이 지나야 한다는 결론에 이른다. 가을에 빚에 겨울철에 마시는 술인 것이다.

어떻든 <임원십육지(고려대본)>에 수록된 주품인 만큼, 그 주방문을 살펴보면 몇 가지 중국인다운 풍습을 목격하기에 이르는데, 먼저 주재료의 배합비율이 그것으로, 주방문을 자세히 살펴볼 필요가 있다.

<임원십육지(고려대본)>의 '분국상락주방' 주방문을 보면 알 수 있듯 첫째, 밑술에 사용되는 메기장쌀이 9말이고, 누룩도 9말이며, 양주용수도 9말이라는 것이다. 또한 6차례에 걸친 덧술을 하는데, 매회 덧술로 사용되는 메기장쌀도 9말씩이다. 따라서 술 빚기에 사용되는 메기장쌀의 양은 모두 5석 4말로 엄청난 분량이다.

둘째, 밑술이 완성되는 데 걸리는 기간은 7일간으로, 덧술과 2차, 3차, 4차, 5차, 6차 덧술에 이르기까지 매회 동일한 발효기간을 갖는다는 것이다.

셋째, 밑술에 이어 3차례의 덧술은 고두밥만을 사용하고, 4차 덧술부터 6차 덧술까지는 매번 시루밑물을 양주용수로 사용하고 있음을 볼 수 있다.

따라서 이와 같은 주방문은 '9월 9일에 빚는 상락의 계절술'이라는 의미를 부여하기 위해 의도적으로 마련한 주방문임을 알 수 있다.

<임원십육지(고려대본)>의 '분국상락주방'이 매우 특별하다고 생각되는 점은, 4차 덧술부터 6차 덧술까지는 매번 시루밑물을 양주용수로 사용하는데, 그 방법은 "고두밥이 익었으면 퍼내고, 술 빚을 독에 담아 안친 다음, 고두밥을 찔 때의 뜨거운 시루밑물을 고두밥 위에 붓되, 물이 고두밥 위로 손가락 한 마디 정도 올라오면 그친다."는 것이다.

그리고 이와 같은 방법은 우리나라의 가양주법에서도 자주 목격할 수 있거니와, 중국의 술 빚는 법과 우리의 술 빚는 법이 다른 점이라면, 우리나라에서는 끓는 물로 다시 익힌 고두밥이 먼저 사용되고, 일반 고두밥을 마지막 덧술에 사용하는 것을 원칙으로 하고 있다는 것이다.

<임원십육지(고려대본)>의 '분국상락주방'을 비롯하여 중국의 술 빚는 법은 몇 차례 시도해 보았으나. 성공하지 못했다. 4차 이상의 덧술은 반드시 산패하는 결과를 경험했기 때문인데, 그것이 누룩, 곧 '분국'에 있지 않을까 생각되었다. 우리나라의 조곡과는 다른 누룩이라는 것이다.

따라서 성공해 보지도 못한 '분국상락주방'의 주방문에 대해 논한다는 사실 자체가 무례일 수 있겠기에 특징에 대해서만 언급하였다.

## 분국상락주방 <임원십육지(林園十六志, 高麗大本)>

술 재료 : 밑술 : 메기장쌀 9말, 누룩 9말, 물 9말, 시루밑물(4말)
덧술 : 메기장쌀 9말
2차 덧술 : 메기장쌀 9말
3차 덧술 : 메기장쌀 9말

4차 덧술 : 메기장쌀 9말, 시루밑물(4말)
5차 덧술 : 메기장쌀 9말, 시루밑물(4말)
6차 덧술 : 메기장쌀 9말, 시루밑물(4말)

술 빚는 법 :

* 밑술 :

1. 9월 9일 중양절에 해가 뜨기 전에 물 9말을 길어다 누룩 9말과 합하여 큰 그릇에 담아 물누룩을 만들어놓는다.
2. 메기장쌀 9말을 (백세하여 물에 담가 불렸다가) 극히 깨끗하게 일어서 (물기를 뺀 후) 시루에 안쳐서 고두밥을 짓는다.
3. 고두밥이 익었으면 퍼내어 독에 담아 안친 다음, 고두밥을 찔 때의 뜨거운 시루밑물을 고두밥 위에 붓되, 물이 고두밥 위로 손가락 한 마디 정도 올라오면 그친다.
4. 큰 자배기를 술독 위에 덮어두면, 고두밥이 물을 먹어 고두밥이 극히 부드러워지는데, 자리 위에 퍼내고 고루 펼쳐서 차게 식기를 기다린다.
5. 물누룩을 술독에 담아 안치고, 그 위에 차게 식은 고두밥을 풀어 넣고, 손으로 버무려 술밑을 빚는다.
6. 술독은 볏짚으로 싸매고, 예의 방법대로 하여 2겹으로 된 천으로 밀봉하고 (차지도 덥지도 않은 곳에 두고) 7일간 발효시킨다.

* 덧술 :

1. 메기장쌀 9말을 (백세하여 물에 담가 불렸다가) 극히 깨끗하게 일어서 (물기를 뺀 후) 시루에 안쳐서 고두밥을 짓는다.
2. 고두밥이 익었으면 퍼내고, 고루 펼쳐서 차게 식기를 기다린다.
3. 밑술독에 차게 식은 고두밥을 풀어 넣고, 손으로 버무려 술밑을 빚는다.
4. 술독은 예의 방법대로 하여 2겹으로 된 천으로 밀봉하고 (차지도 덥지도 않은 곳에 두고) 7일간 발효시킨다.

* 2차 덧술 :

1. 메기장쌀 9말을 (백세하여 물에 담가 불렸다가) 극히 깨끗하게 일어서 (물기를 뺀 후) 시루에 안쳐서 고두밥을 짓는다.
2. 고두밥이 익었으면 퍼내고, 고루 펼쳐서 차게 식기를 기다린다.
3. 덧술독에 차게 식은 고두밥을 풀어 넣고, 손으로 버무려 술밑을 빚는다.
4. 술독은 예의 방법대로 하여 2겹으로 된 천으로 밀봉하고 (차지도 덥지도 않은 곳에 두고) 7일간 발효시킨다.

* 3차 덧술 :

1. 메기장쌀 9말을 (백세하여 물에 담가 불렸다가) 극히 깨끗하게 일어서 (물기를 뺀 후) 시루에 안쳐서 고두밥을 짓는다.
2. 고두밥이 익었으면 퍼내고, 고루 펼쳐서 차게 식기를 기다린다.
3. 2차 덧술독에 차게 식은 고두밥을 풀어 넣고, 주걱으로 휘저어 술밑을 빚는다.
4. 술독은 예의 방법대로 하여 2겹으로 된 천으로 밀봉하고 (차지도 덥지도 않은 곳에 두고) 7일간 발효시킨다.

* 4차 덧술 :

1. 메기장쌀 9말을 (백세하여 물에 담가 불렸다가) 극히 깨끗하게 일어서 (물기를 뺀 후) 시루에 안쳐서 고두밥을 짓는다.
2. 고두밥이 익었으면 퍼내고, 독에 담아 안친 다음, 고두밥을 찔 때의 뜨거운 시루밑물을 고두밥 위에 붓되, 물이 고두밥 위로 손가락 한 마디 정도 올라오면 그친다.
3. 큰 자배기를 술독 위에 덮어두면, 고두밥이 물을 먹어 고두밥이 극히 부드러워지는데, 자리 위에 퍼내고 고루 펼쳐서 차게 식기를 기다린다.
4. 3차 덧술독에 차게 식은 고두밥을 풀어 넣고, 주걱으로 휘저어 술밑을 빚는다.
5. 술독은 예의 방법대로 하여 2겹으로 된 천으로 밀봉하고 (차지도 덥지도 않

은 곳에 두고) 7일간 발효시킨다.

* 5차 덧술 :

1. 메기장쌀 9말을 (백세하여 물에 담가 불렸다가) 극히 깨끗하게 일어서 (물기를 뺀 후) 시루에 안쳐서 고두밥을 짓는다.
2. 고두밥이 익었으면 퍼내고, 독에 담아 안친 다음, 고두밥을 찔 때의 뜨거운 시루밑물을 고두밥 위에 붓되, 물이 고두밥 위로 손가락 한 마디 정도 올라오면 그친다.
3. 큰 자배기를 술독 위에 덮어두면, 고두밥이 물을 먹어 고두밥이 극히 부드러워지는데, 자리 위에 퍼내고 고루 펼쳐서 차게 식기를 기다린다.
4. 4차 덧술독에 차게 식은 고두밥을 풀어 넣고, 주걱으로 휘저어 술밑을 빚는다.
5. 술독은 예의 방법대로 하여 2겹으로 된 천으로 밀봉하고 (차지도 덥지도 않은 곳에 두고) 7일간 발효시킨다.

* 6차 덧술 :

1. 메기장쌀 9말을 (백세하여 물에 담가 불렸다가) 극히 깨끗하게 일어서 (물기를 뺀 후) 시루에 안쳐서 고두밥을 짓는다.
2. 고두밥이 익었으면 퍼내고, 독에 담아 안친 다음, 고두밥을 찔 때의 뜨거운 시루밑물을 고두밥 위에 붓되, 물이 고두밥 위로 손가락 한 마디 정도 올라오면 그친다.
3. 큰 자배기를 술독 위에 덮어두면, 고두밥이 물을 먹어 고두밥이 극히 부드러워지는데, 자리 위에 퍼내고 고루 펼쳐서 차게 식기를 기다린다.
4. 5차 덧술독에 차게 식은 고두밥을 풀어 넣고, 주걱으로 휘저어 술밑을 빚는다.
5. 술독은 예의 방법대로 하여 2겹으로 된 천으로 밀봉하고 (차지도 덥지도 않은 곳에 두고) 7일간 발효시킨다.

* 주방문에 "누룩을 깨끗이 닦아 잘게 빻아서 햇볕을 쬐어 말려서 술을 빚는다. 짚으로 항아리를 싸매지 않으면 술이 단맛이 나게 된다. 볏짚을 사용하면 지나치게 열을 받는다."고 하였다. 또 "항아리에 가득 차고 잘 익었을 때 거르면 향미와 술기운이 보통 술보다 배나 좋다."고 하였다.

苯麴桑落酒方

預前淨麴細剉曝乾作釀池以藁茄甕不茹甕則酒甛用穰則大熱黍米淘須極淨九月九日日未出前收水九斗浸麴九斗當日卽炊米九斗爲饋.(案, 饋音頹本餠饋之名此取云者盖指釀酒飯也)下饋著空甕中以釜內炊湯及熱沃之令饋上著水深一寸餘便止盆合頭良久水盡饋熟極軟瀉著席上攤之令冷把取麴汁於甕中溺壞令破瀉甕中復以酒把攪之每酘皆然兩重布蓋甕口七日一酘每酘皆用米九斗隨甕大小以滿爲限假令六酘半前三酘皆用沃饋半後三酘作再餾黍其七酘者四炊沃饋三炊黍飯甕滿好熟然後押出香美勢力倍勝常酒. <齊民要術>.

# 사두주

## 스토리텔링 및 술 빚는 법

우리나라 전통주 가운데 주품명을 짓는 데 여러 가지 방법이 있지만, 술 빚는 주원료의 단위에 따른 주품명은 의외로 그 수가 많다는 것을 알 수 있다. 주원료의 사용량에 따른 주품명을 헤아리건대 '일두주'를 비롯하여 '삼두주'와 '오두주', '오두오승주', '칠두오승주', '오호주', '오병주', '육병주', '일두육병주', '노주이두방' 등이 있는 것으로 알려져 왔었다.

그러다가 1450년 발간으로 알려진 <산가요록(山家要錄)>에는 '사두주(四斗酒)'를 포함하여 '오두주' '육두주' '칠두주' '구두주' 등이 있어, 갑자기 그 수가 더 늘어나는 것을 알 수 있다.

<산가요록>의 '사두주'는 쌀 4말 6되로 빚은 술이다. 그런데도 주품명은 '사두주'이다. <수운잡방(需雲雜方)>에서 '오두오승주'를 비롯하여 '칠두오승주' 등 구체적인 단위를 뜻하는 주품명이 등장하는 것과는 대조적이다. 그 단서를 추측하건대, <산가요록>의 '사두주' 주방문 말미에 "급히 쓰는 술로 물이 조금 많다."고 한 것으로 미루어 "맑은 술 4말을 뜰 수 있다."는 의미의 주품명으로도 해석할 수

있을 것 같다.

이렇듯 주원료의 양에 따른 단위를 주품명으로 하는 주방문에서는 별 의미도, 술 빚는 데 따른 독특한 기교도, 연구해 볼 소지도 별로 없다는 것이 필자의 경험이다.

<산가요록>의 '사두주' 주방문을 보면, "멥쌀 4말로 백설기를 찌고 끓는 물 6말로 다시 죽을 쑤어, 누룩가루 8되와 밀가루 2되를 화합하여 밑술을 빚는다. 그리고 덧술은 찹쌀 6되를 시루에 안쳐서 고두밥을 짓고 차게 식기를 기다려서 밑술 독에 담고, 술밑을 흔들어 휘저어 놓는다."고 하였다.

따라서 '사두주'는 밑술이 본술에 해당되고, 덧술은 맑은 술을 얻기 위해 최소한의 고두밥을 지어 덧술로 사용하는 방법을 보여주고 있다고 생각된다. 때문에 방문 말미에서 "물이 많다."고 한 것을 볼 수 있다. 이를 역으로 해석하면, 덧술의 고두밥은 알코올 도수를 높이기 위해 사용되는 것이 아니라는 뜻이다. 알코올 도수를 높이기 위한 조치는 누룩이 8되나 사용됨으로써, 이미 주방문의 의도를 알 수 있다.

따라서 가능한 한 빠른 시간 내에 비교적 맛도 있고 맑은 술을 얻기 위해서는 밑술을 죽이나 떡 형태로 하였을 때이나, 맑은 술을 얻을 수 없다는 문제에 부딪친다. 그런 이유로 덧술을 고두밥으로 해야 할 필요가 있는데, 그 양을 많이 넣게 되면 발효에 따른 시간이 길어질 수밖에 없다. 하여 편의상 고두밥으로 하되, 밑술의 쌀 양보다 훨씬 적은 최소한의 쌀을 투입하는데, 그것이 멥쌀보다는 찹쌀이 맛이 부드럽고 감칠맛이 좋다는 이유 때문에 선호된 것이다.

이러한 주품의 술을 빚을 때는 밑술이 매우 중요한데, 흰무리가 끓는 물에 잘 풀어져서 멍우리가 남지 않도록 해야 하고, 가능한 한 차게 식혀서 누룩과 혼화(混和)되어야 실패가 없다.

술을 빚은 지 2~3일 정도 지나면 밑술이 활발하게 끓었다가 내려앉았을 때로, 이때 덧술을 해 넣는데, 맑은 술을 얻기 위한 방문이므로 고두밥을 찔 때 찬물을 흩뿌려서 뜸을 잘 들인 무른 고두밥을 짓는 것이 중요하다. 이때의 고두밥은 '무른' 것이지 '질은' 고두밥이 결코 아니다. 질은 고두밥으로는 결코 단시간 내에 맑은 술을 얻을 수 없기 때문이다.

그렇다면 왜 '사두주'와 같은 주품명과 주방문을 작성하게 되었을까 하는 궁금증이 고개를 쳐든다. 1400년대 초기의 <활인심방(活人心房)> 이후 1926년간 <조선무쌍신식요리제법(朝鮮無雙新式料理製法)>에 이르기까지 80여 권에 가까운 고식문헌에 수록된 1천여 가지의 주방문을 다 뒤져도, 단위 용량에 따른 주방문의 작성 배경을 찾을 수 없었다.

하지만 몇 가지 단서가 있는데, 필자의 추론이기도 하고 또 그것이 너무 막연하다고 할 수도 있어 확신할 수도 없지만, 비교적 많은 주방문을 수록하고 있으면서도 시대가 비교적 앞선 문헌들, 곧 <산가요록>을 비롯하여 <수운잡방> 등에서 주로 많이 나타난다는 것이다. 앞서 예로 든 주품명 가운데서도 <산가요록>의 '사두주'를 비롯하여 '오두주' '육두주', '구두주'를 들 수 있고, <수운잡방>에서는 '칠두주', '오두주', '칠두오승주', '우 오두오승주'가 있으며, <양주방>*에도 '오호주', '육병주', '오두주'를 찾아볼 수 있다.

따라서 한 문헌에 많은 주품들을 수록하자면 주품명 역시 다양하게 나타나야 하는데, 마땅한 주품명이 떠오르지 않을 경우, 이렇듯 주원료의 단위량에 따른 작명도 하게 되었을 것이라는 그런 생각이다.

참 순진한, 아니면 정말 어리석은 생각이길 바란다.

## 사두주 <산가요록(山家要錄)>

–급히 쓰는 술(此急用酒). 물이 많다. 쌀 4말 6되 빚이

술 재료 : 밑술 : 멥쌀 4말, 누룩가루 8되, 밀가루 2되, 끓는 물 6말
덧술 : 찹쌀 6되

술 빚는 법 :

* 밑술 :

1. 멥쌀 4말을 (백세하여 물에 담가 불렸다가, 다시 씻어 건져서 물기를 뺀 후)

작말하여 시루에 안쳐서 무리떡을 찐다.
2. 무리떡이 익었으면 시루에서 퍼내어 그릇에 담고, 끓는 물 6말을 합하여 (주걱으로 고루 치대어 덩어리 없이 풀어) 죽처럼 만든다.
3. 죽처럼 만든 떡을 뚜껑을 덮어놓고, 하룻밤 재워 서늘하게 식기를 기다린다.
4. 떡에 누룩가루 8되와 밀가루 2되를 넣고, 고루 버무려 술밑을 빚는다.
5. 술독에 술밑을 담아 안치고, 예의 방법대로 하여 3일간 발효시킨다.

* 덧술 :
1. 찹쌀 6되를 (백세하여 물에 담가 불렸다가, 다시 씻어 건져서 물기를 뺀 후) 시루에 안쳐서 고두밥을 짓는다.
2. 고두밥이 익었으면 시루에서 퍼내고, 고루 펼쳐서 차게 식기를 기다린다.
3. 고두밥을 밑술독에 담고, 술밑을 흔들어 (주걱으로) 휘저어 놓는다.
4. 술독을 예의 방법대로 하여 발효시키면 겨울은 7일, 여름은 3~4일이 되지 않아서  맑게 가라앉는다.

* 주방문 머리에 "급히 쓰는 술로 물이 조금 많다."고 하였다.

四斗酒

此急用酒 稍多水 米四斗六升 白米四斗 細末熟蒸 沸湯水六斗 和經宿 待冷 匊八升 眞末二升 和釀 三日 粘米六升 全蒸待冷 瀉其酒瓮 和搖盪之 冬不過 七日 夏不過三四日 坐淸.

# 사시절주

## 스토리텔링 및 술 빚는 법

'절주(節酒)'는 "그 맛이 매우 뛰어나다."는 뜻에서 유래한 주품명이다. '절주'는 <김승지댁주방문(金承旨宅廚方文)>을 비롯하여 <봉접요람>과 <산가요록(山家要錄)>, <양주방>*, <온주법(醞酒法)>, <음식디미방>, <주찬(酒饌)>, <증보산림경제(增補山林經濟)>, <한국민속대관(韓國民俗大觀)>, <홍씨주방문> 등의 문헌에 등장한다.

반면 '사시절주(四時節酒)'는 1800년대 말엽의 기록으로 알려진 <주찬>에만 등장하는 주품으로, '절주'보다 한 가지 의미가 더 있다. "일 년 내내 맛이 뛰어난 술을 빚는 방법"이라는 뜻이다. 그런데 '절주'와 '사시절주'가 어떤 차이가 있는지 자세한 설명을 할 수가 없다.

<주찬>에는 '절주'에서와 같이 밑술을 '쌀가루를 곱게 내려서 찐 흰무리떡을 차게 식히고, 끓여 식힌 물과 누룩가루와 밀가루를 사용하여 여름에는 3일 추운 때는 4~5일간 발효시킨 다음, 밑술 쌀의 2배에 달하는 양의 쌀로 고두밥을 지어 빚는데, 멥쌀이나 찹쌀 등 임의로 빚는데, 7일이면 익는다'고 하였다.

반면 '사시절주'와 함께 <주찬>에 수록된 '절주'를 살펴봄으로써 '사시절주'의 의미를 보다 확실하게 하고자 한다. <주찬>의 주방문에 '절주'는 "찹쌀 1말을 작말하여 공병을 만들어 끓는 물에 삶은 다음 차게 식기를 기다려 누룩가루1되를 합하고 고루 치대어 빚고 익기를 기다려 찹쌀 1말을 가장 무르게 쪄서 차게 식거든 밑술과 탕수를 조금 섞어 체에 걸러서 고두밥과 합하고 고루 버무려 항에 담고 단단히 밀봉하여 14일간 발효시킨 후 사용한다(粘米一斗作末作孔餅烹之待冷好曲末一升合打釀待熟後粘米一斗烝飯最熟後待冷本酒湯水少許漉出合釀堅鎮而堅封二七日後用之)."고 하였다.

이 두 주품의 차이는 밑술에 사용되는 쌀의 종류와 누룩의 양, 밀가루의 사용 여부, 쌀의 가공방법에 있어 구멍떡과 백설기떡의 차이로 나타난다.

그리고 덧술에서는 '절주'가 밑술을 걸러 만든 탁주를 사용한 반면, '사시절주'는 밑술을 그대로 사용한다는 것이다. 또한 두 주품의 주방문에서 보듯 '사시절주'가 '절주'의 2배에 달하는 쌀의 양으로 빚는다는 차이를 알 수 있다.

'사시절주'의 특징을 찾기 위하여 술 빚는 과정이 유사한 다른 문헌의 '절주'와도 비교하여 보았는데, <산가요록>과 <주방문(酒方文)> 등에서 '사시절주'와 유사한 과정을 찾아볼 수 있었으나, 두 문헌의 '절주'는 상대적으로 적은 물 양을 나타내고 있었다는 사실이다.

다시 말하면 여러 문헌에 등장하는 '절주'는 밑술의 쌀 가공방법이 여러 형태로 나타나고, 덧술의 쌀 양이 밑술보다 적은 경우가 있고, 단양주법(單釀酒法)의 '절주'도 등장하는데, '절주'의 공통점은 한결같이 쌀 양에 비하여 누룩과 물의 양을 적게 사용함으로써 농순한 맛과 향기의 술을 얻고자 하는 방문이라는 사실이다.

한편, '사시절주'의 특징은 밑술에 백설기떡을 만들어 사용함으로써 감칠맛을 얻고자 한 주방문으로, 누룩 양과 조곡을 사용하는 데 따른 밀가루 등을 첨가하여 여름철의 잡균이나 오염에 대비하는 한편으로, 안전한 발효를 빨리 진행시킬 목적으로 쌀 양의 30% 정도 되는 적당량의 물을 사용하고 있다는 점이다.

이러한 '사시절주'의 주방문은 그 의도가 무엇보다 '절주'가 갖고 있는 뛰어난 주질의 확보에 있는 만큼, 밑술을 백설기로 하고 쌀 양을 2배로 늘려서 사용하는 공식이 숨겨 있다고 할 것이다.

'사시절주' 주방문 말미에 "이화주 보다 맛이 좋다."고 하고, "7일간 발효시킨다."고 하였으나, 21일 이상은 발효시켜야 술이 익는다. 직접 술을 빚어보고 7일간 발효시킨 결과 계속하여 이산화탄소의 발생 등 미숙주(未熟酒)로 남이 있었고, 그 맛이 쏘는 듯하면서도 달고 부드럽기는 하였으나, 음주 후의 뒤끝이 썩 좋지 않았다.

'사시절주' 역시 '하절주'나 '사절소곡주', '사철소주'와 같이 여름철을 염두에 둔 주방문이라는 사실을 잊지 말아야 한다.

## 사시절주 <주찬(酒饌)>

술 재료 : 밑술 : 멥쌀 1말, 누룩가루 2되 5홉, 밀가루 5홉, 끓여서 식힌 물 3병
덧술 : 멥(찹)쌀 2말

술 빚는 법 :

* 밑술 :

1. 멥쌀 1말을 백세하여 (물에 담가 불렸다가, 다시 씻어 건져서 물기를 뺀 후) 작말하여 시루에 안치고, 떡(설기)을 쪄낸다.
2. 떡(설기)이 익었으면 퍼내고, 덩어리를 잘게 풀어서 차게 식기를 기다린다.
3. 솥에 팔팔 끓여 차디차게 식힌 물 3병을 준비한다.
4. 차디차게 식힌 물 3병에 좋은 누룩 2되 5홉과 진말 5홉, 떡(설기)을 풀어 넣고 고루 버무려 술밑을 빚는다.
5. 술독에 술밑을 담아 안치고, 예의 방법대로 하여 3일(여름), 추울 때는 (4~5일간) 발효시킨다.

* 덧술 :

1. 멥쌀(찹쌀도 좋음) 2말을 백세하여 (물에 담가 불렸다가, 다시 씻어 건져서

물기를 뺀 후) 시루에 안쳐서 고두밥을 짓는다.
2. 고두밥이 익었으면 퍼내고, 고루 펼쳐서 차게 식기를 기다린다.
3. 고두밥에 밑술을 합하고, 고루 버무려 술밑을 빚는다.
4. 술독에 술밑을 담아 안치고, 예의 방법대로 하여 7일(15~21일)간 발효시킨다.

* 주방문 말미에 "이화주 보다 맛이 좋다."고 하고, "7일간 발효시킨다."고 하였으나, 21일 이상은 발효시켜야 술이 익는다. 7일간 발효 시 미숙주로, 그 맛이 달콤하나 음주 후의 뒤끝이 썩 좋지 않았다.

四時節酒

白米一斗百洗細篩熟烝好曲末二升五合眞末五合湯水三瓶合調釀暑時三日寒時四五日後粘米間某米二斗烝飯待冷合釀本酒七日後用味勝梨花酒也.

# 사시주

## 스토리텔링 및 술 빚는 법

우리나라의 전통주들은 대개 봄, 가을과 겨울철에 빚어진다. 여름철은 다른 계절에 비해 습도가 높기 때문에 술의 발효에 부적절한 계절이기 때문이다. '과하주' '부의주', '하절주', '하절삼일주'와 같이 주로 여름철에 빚는 술이 따로 존재하는 것을 보더라도, 우리나라의 여름철은 술 빚기에 적합하지 못한 계절임을 알 수 있다.

그런데 일 년 열두 달 그 어느 때라도 빚을 수 있다는 뜻에서 유래한 이름의 술이 있어 관심을 끌었다. '사시주(四時酒)'란 주품명이 그것인데, <산가요록(山家要錄)>을 비롯하여 <양주방>*과 <양주집(釀酒集)>, <음식디미방> 등의 문헌에 술 이름과 함께 빚는 방법이 수록되어 있는 것으로 미루어, 상당히 대중화되었던 것으로 짐작된다.

먼저 시대적으로 가장 앞선 <산가요록>과 220여년 후의 기록인 <음식디미방>의 '사시주'는 "멥쌀을 가루 내어 죽(범벅)을 쑤고 누룩과 밀가루를 섞어 밑술을 빚은 후에 다시 멥쌀로 고두밥을 지어 찬물을 뿌린 뒤 싸늘하게 식으면 덧술을 하여 넣는데, 밑술에 밀가루를 넣고 섞은 후, 멥쌀로 지은 고두밥을 안친 뒤, 다시 섞어 7일간 익히는데 술이 독하고 좋다."고 하여 주방문이 동일한 것을 알 수 있다.

물론 "술이 익으면 냉수같이 빛깔이 맑고 그 맛이 매우 좋다."는 언급은 <양주방>*에서도 찾을 수 있다. <양주방>*의 주방문을 근거로 하여 재현해 본 '사시주'는 그 빛깔이 아주 맑고 밝으며, 청량한 맛과 함께 부드럽게 쏘는 맛이 있어, 아주 특이한 술맛을 자아내었다. 술이 다 익었어도 덧술을 하여 넣은 고두밥이 고스란히 형태를 간직하고 있었으며, 매우 깨끗한 상태를 유지하고 있었다.

'사시주'는 여느 술과는 다르게 덥지도 차지도 않는 곳에서 발효시키는 술로서, 발효 온도에 유의해야만 '사시주'만의 독특한 풍미를 즐길 수 있다. 때때로 빚어두고 술 좋아하는 손님 접대에 사용하면 좋을 것이라는 느낌을 받았다.

한편 <양주집>의 '사시주'는 <음식디미방>과 <양주방>*에 기록된 '사시주'와는 달리 삼양주(三釀酒)로서, 보기 드물게 밑술에 엿기름가루와 덧술에 누룩을 사용하고, 각 과정마다의 재료 처리 방법이 다르며, 특히 3회에 걸쳐 끓는 물을 이용한다. 또한 2차 덧술에 사용되는 찹쌀의 양이 덧술 쌀 양의 25%밖에 안 되는데다 죽을 쑤어 넣는다는 점에서 앞서의 주방문들과 차이가 있다.

이는 덧술의 발효기간이 4일간으로서, 2차 덧술을 죽으로 하기 때문인데, 결국 이러한 방문은 술의 양을 늘리기 위한 방편이라고 할 수 있으며, 이와 같은 예는 <술 만드는 법>의 '삼선주'를 비롯하여 몇몇의 경우에서 찾아볼 수 있다.

<산가요록>을 비롯 <음식디미방>과 <양주방>*, <양주집>에 수록된 '사시주'의 주방문에서 알 수 있는 공통점은, 덧술의 쌀 양에 비하여 밑술의 쌀 양이 비교적 많은 편에 속하며, 술을 빚기 시작해서 익기까지 10~15일 정도가 소용되는, 비교적 속성으로 익히는 술이라는 사실로서, 이와 같은 비법들이 여름철에도 술 빚기가 가능하도록 안배가 되었다는 것을 알 수 있다.

이상의 사실에서 여름철에 국한된 양주기법과 사시사철을 아우르는 양주기법은 분명하게 차이를 나타내고 있다는 것으로서, 여름철 양주기법은 쌀 양에 비해서 물의 양을 줄이는 한편으로 밀가루를 사용하는 것으로 나타난다.

'사시주'와 같은 사철양주를 통해서 배우게 되는 것은, 술을 빚을 때 쌀 양과 물의 양을 동량 내외로 하되, 밀가루나 엿기름가루를 사용하여 당화 촉진과 함께 잡균의 오염을 막는 대비책을 강구하고 있다는 사실로, 양주 전문가도 아니었던 우리 선조들이 얼마나 술 빚기에 능했는지, 그들의 지혜에 감탄하게 된다.

## 1. 사시주 <산가요록(山家要錄)>

–쌀 3말 빚이

술 재료 : 밑술 : 멥쌀 1말, 누룩가루 1되 5홉, 끓는 물 3말
덧술 : 멥쌀 2말, 밀가루 3홉

술 빚는 법 :

* 밑술 :

1. 멥쌀 1말을 씻어(백세하여) 물에 담가 불렸다가 (다시 씻어 건져서 물기를 뺀 후) 세말하여(고운 가루로 빻아) 넓은 그릇에 담아놓는다.
2. 물 3말을 팔팔 끓여 쌀가루에 붓고, 고루 치대어 죽(범벅)을 만들어 차게 식기를 기다린다.
3. 죽(범벅)에 누룩가루 1되 5홉을 넣고 고루 치대어 술밑을 빚는다.
4. 술독에 술밑을 담아 안치고, 예의 방법대로 하여 3일간 발효시킨다.

* 덧술 :

1. 멥쌀 2말을 (백세하여 물에 담가 불렸다가, 다시 씻어 건져서 물기를 뺀 후) 시루에 안쳐서 무른 고두밥을 짓는다.
2. 고두밥이 익었으면 시루에서 퍼내고, 고루 펼쳐서 차게 식기를 기다린다.
3. 먼저 밀가루 3홉을 밑술에 넣어준 뒤, 주걱으로 휘저어 둔다.
4. 고두밥을 밑술에 넣고, 주걱으로 뒤적여 고루 섞어 술밑을 빚는다.
5. 술독을 단단히 밀봉하고 예의 방법대로 하여 7~14일간 발효시킨다.

* 주방문에 "7일이면 쓸 수 있고, 14일이면 맑아져 매우 좋다."고 하였으나, 7일 후에는 발효가 끝나지 않는 것을 볼 수 있다.

四時酒
米三斗. 白米一斗 洗浸細末 湯水三斗 和作粥 待冷 匊一升五合 和入 三日 白米二斗 全蒸待冷 眞末三合 先入瓮 攪之 次入蒸飯 攪之 堅封 七日後 用之 二七日 坐淸 甚好.

## 2. 사시주 <양주방>*

술 재료 : 밑술 : 멥쌀 1말, 누룩가루 1되, 밀가루 1되, (끓는) 물 3병
덧술 : 멥쌀 3말, 누룩가루 조금(5홉), 찬물 9병

술 빚는 법 :
* 밑술 :
1. 희게 쓿은 멥쌀 1말을 물에 깨끗이 씻고 또 씻어(백세하여 물에 담가 불렸다가, 다시 씻어 건져서 물기를 뺀 뒤) 가루로 빻는다.
2. 쌀가루를 (끓는) 물 3병으로 개어 죽(범벅)을 쑨 다음, 넓은 그릇에 퍼서 차게 식기를 기다린다.
3. 죽(범벅)에 누룩가루 1되와 밀가루 1되를 섞어 넣고, 고루 버무려 술밑을 빚는다.
4. 술밑을 술독에 담아 안친 뒤, 예의 방법대로 하여 차지도 덥지도 않은 곳에 두고 발효시킨다.

* 덧술 :
1. 밑술이 괴어오르면, 희게 쓿은 멥쌀 3말을 물에 깨끗이 씻고 또 씻어(백세하

여 물에 담가 불렸다가, 다시 씻어 건져서) 물기를 뺀다.

2. 불린 쌀을 시루에 안쳐 고두밥이 꽤(푹) 익게 찌되, 고두밥이 익었으면 넓은 그릇에 퍼 담는다.
3. 찬물 9병을 정량하여 그릇 안의 고두밥에 고루 뿌려준 뒤, 고두밥이 물을 다 먹었으면, 여러 그릇에 나눠 담아 고루 차게 식기를 기다린다.
4. 차게 식힌 고두밥과 밑술을 함께 섞은 뒤, 고루 버무려 술밑을 빚는다.
5. 술독에 술밑을 담아 안친 다음, 누룩가루를 조금(5홉) 뿌려 넣고 예의 방법대로 하여 발효시킨다.

* 주방문 말미에 "빛이 맑아 냉수 같고, 맛이 매우 좋다. 물 3병은 열두 복자다. 밀다리나 되오려나 좋은 쌀로 술을 빚는다."고 하였는데, '밀다리'와 '되오려'가 무엇인지를 알 수가 없어, '밑술'과 '덧술'을 뜻하는 것이 아닌가 추측할 뿐이다.

ᄉᆞ시쥬

ᄇᆡᆨ미 일두 ᄇᆡᆨ셰작말ᄒᆞ야 물 셰 병으로 죽 ᄀᆡ야 국말 진말 각 ᄒᆞᆫ 되 고로고로 쳐 불ᄒᆞᆫ불열ᄒᆞᆫ ᄃᆡ 두엇다가 괴거든 ᄇᆡᆨ미 셔 말 ᄇᆡᆨ셰ᄒᆞ야 닉게 쪄 ᄂᆡᆼ슈 아홉 병의 퍼 다마 덥허다가 물이 밥의 ᄇᆡ거든 녀ᄅᆞ 그ᄅᆞᄉᆡ 난화 서ᄂᆞᆯᄒᆞ게 ᄎᆡ와 밋술의 고로고로 쳐 너코 국말 죠곰 ᄲᅵ려 너허다가 닉거든 드리우면 빗치 ᄆᆞᆰ아 ᄂᆡᆼ슈 ᄀᆞᆺ고 마시 마이 죠ᄒᆞ나니라.

## 3. 사시주 <양주집(釀酒集)>

술 재료 : 밑술 : 멥쌀 1말, 가루누룩 1되, 진말 1되, 엿기름가루 1되, 끓는 물 1동이
덧술 : 멥쌀 2말, 가루누룩 5홉, 끓는 물 5병
2차 덧술 : 찹쌀 5되, (물 1~2말)

술 빚는 법 :

* 밑술 :

1. 멥쌀 1말을 백세하여 (물에 담가 불렸다가, 새 물에 다시 씻어 맑게 헹궈 건져서 물기를 뺀 후) 세말한다(고운 가루로 빻는다).
2. 솥에 물 1동이를 붓고 끓여 쌀가루에 골고루 붓고, 주걱으로 고루 개어 담(범벅)을 만들어 넓은 그릇에 담고, 하룻밤 재워 식기를 기다린다.
3. 차게 식힌 담(범벅)에 가루누룩 1되와 진말 1되, 엿기름가루 1되를 섞고, 고루 힘껏 치대어 술밑을 빚는다.
4. 술독에 술밑을 담아 안치고, 예의 방법대로 하여 3일간 발효시킨다.

* 덧술 :

1. 멥쌀 2말을 백세하여 (물에 담가 불렸다가, 새 물에 다시 씻어 맑게 헹궈 건져서 물기를 뺀 후) 시루에 안쳐서 고두밥을 (무르게) 짓는다.
2. 솥에 물 5병을 끓이다가, 고두밥이 익었으면 넓은 그릇에 퍼 담고, 끓는 물을 한데 합하여 고루 섞어 하룻밤 재워서 차게 식기를 기다린다.
3. 차게 식힌 고두밥에 가루누룩 5홉과 밑술을 섞고, 고루 버무려 술밑을 빚는다.
4. 술독에 술밑을 담아 안치고, 예의 방법대로 하여 5일간 발효시킨다.

* 2차 덧술 :

1. 찹쌀 5되를 백세하여 (물에 담가 불렸다, 물에 다시 씻어 맑게 헹궈) 물기를 뺀다.
2. 솥에 물(1~2말)을 붓고 끓으면, 불린 찹쌀을 넣고 죽을 쑨 뒤, 넓은 그릇에 펴서 차게 식기를 기다린다.
3. 덧술에 식힌 죽을 합하고, 날물이 들어가지 않게 고루 버무려 술밑을 빚는다.
4. 술독에 술밑을 담아 안치고, 예의 방법대로 하여 술이 익기를 기다린다.

* 주방문에 "술을 빚어본즉, 술도 많이 나고 맛도 좋다."고 하였다.

四時酒(試之則酒多味好也)

白米 一斗 百洗細末ᄒᆞ야 믈 ᄒᆞᆫ 동희ᄋᆡ ᄃᆞᆷ ᄀᆡ여 ᄒᆞ로밤 자여 ᄀᆞ로누록 一升 眞末 一升 牟芽末 一升 섯거 녀허ᄡᅡ가 三日 만ᄋᆡ 白米 二斗 百洗ᄒᆞ야 ᄀᆞ장 닉게 밥 ᄶᅧ 믈 五瓶 ᄭᅳᆯ혀 골화 ᄒᆞ로밤 자여 ᄀᆞ로누록 五合과 밋술ᄋᆡ 섯거 녀허ᄡᅡ가 五日 만ᄋᆡ 粘米 五升 쥭 ᄡᅮ어 부어다가 ᄡᅳ라. 늘믈긔 업시ᄒᆞ야라.

## 4. 사시주 <음식디미방>

술 재료 : 밑술 : 멥쌀 1말, 누룩 1되 5홉, 더운(끓는) 물 3말
덧술 : 멥쌀 2말, 밀가루 3홉

술 빚는 법 :

* 밑술 :

1. 멥쌀 1말을 (백세하여 하룻밤 물에 불렸다가, 다시 씻어 헹궈서 물기를 뺀 후) 작말한다(가루로 빻는다).
2. 물 3말로 쌀가루를 익혀 죽(범벅) 쑤어(쌀가루에 끓는 물 3말을 골고루 나눠 붓고, 주걱으로 개어 범벅을 만들어) 넓은 그릇에 펴서 차게 식기를 기다린다.
3. 차게 식은 죽(범벅)에 누룩 1되 5홉을 섞고, 고루 버무려서 술밑을 빚는다.
4. 술독에 술밑을 담아 안치고, 예의 방법대로 하여 3일간 발효시킨다.

* 덧술 :

1. 멥쌀 2말을 (백세하여 물에 담가 하룻밤 재웠다가, 다시 씻어 헹궈서 건져 물기를 뺀 후) 시루에 안쳐 무른 고두밥을 짓는다.
2. 고두밥이 무르게 익었으면, 퍼내어 고루 펼쳐서 차게 식기를 기다린다.
3. 밑술에 밀가루 3홉을 풀어 넣고, 주걱으로 고루 저어준 뒤, 고두밥을 합하고

다시 고루 저어 술밑을 빚는다.

4. 술독은 예의 방법대로 하여 봉하여 7일간 발효시키면 맛이 맵고 좋다.

ᄉᆞ시쥬

ᄇᆡᆨ미 ᄒᆞᆫ 말 작말ᄒᆞ여 더운 믈 서 말로 쥭 수어 식거든 누록 ᄒᆞᆫ 되 다솝 섯거 녀헛다가 사흘 지내거든 ᄇᆡᆨ미 두 말 밥 ᄶᅧ 식거든 진말 서 홉 몬져 녀허 젓고 ᄶᅵᆫ밥을 미처 녀허 젓고 봉ᄒᆞ엿다가 칠 일 휘면 ᄆᆡᆸ고 죠ᄒᆞ니라.

# 사시통음주

## 스토리텔링 및 술 빚는 법

우리 전통주는 다양성을 가장 두드러진 특징으로 하는, 그러면서도 일정한 공식과 규칙이 있는데, '사시통음주'처럼 특별한 주방문을 읽게 되면 적잖이 당황스럽다. 양주 지식이 짧아서도 그렇거니와, 그 끝이 어디까지인가 하는, 너무나 막연하고 종점을 알 수 없어 미명(未明)을 헤매는 꼴이 아닌가 하는 두려움 같은 것이리라.

'사시통음주'란 술 이름이 등장한 것은 <술 만드는 법>이 유일하다. <술 만드는 법>은 1700년대 문헌으로서, '사시통음주' 외에도 다양한 주종을 수록하고 있는 전문서적이랄 수 있다.

어떻게 해서 '사시통음주'라고 하는 방문의 이름을 얻게 되었는지는 밝혀진 바가 없지만, 자전 풀이 그대로라면 '사시통음주'야말로 '천하명주'라는 생각이 들 정도로 매력 있는 술 이름이라고 할 수 있겠다. 가끔 옛 선비들의 시문집(詩文集)에서 "오랜만에 찾아온 절친한 벗과 함께 밤새 통음했다."는 얘기를 읽곤 했기 때문이다. 밤을 새워 이야기할 수 있는 절친한 벗이 있다는 것도 선망의 대상이거니와, 주거니 받거니 하면서 마시고 또 마셔도 취하지 않을 정도로 맛있는 술이 있다면, 또 술을 내어놓을 수 있다면, 그 누군들 군침을 흘리지 않으랴.

"호기심이 큰일을 낸다."고 했던가! "통음할 수 있는 술이라면 그 향기는 어떠하고, 맛은 과연 어떤 술에 견줄 수 있을까?" 하는 호기심이 다시금 나를 미치게 했다.

술 빚는 법에 있어, 지금까지 그 어떤 방문에서도 찾아볼 수 없었던 특별한 점으로, 덧술에서 좋은 술(청주)에 진말을 넣고 불렸다가 사용하는 방법이다. 좋은 술과 진말의 사용 목적은 그간 다른 방문에서 수차례 설명하였는바, 여기서는 생략하기로 한다. 다만, 이와 같은 술 빚기에 대해서는 좀 더 연구할 필요가 있다고 생각한다.

술 못 마시는 내 처지에서는 '삼해주'는커녕 '소곡주'에도 못 미친다는 생각이었는데, 술이라면 사족을 못 쓰는 친구들은 깔끔한데다 특히 "술 빛깔이 아름답다."면서 한 병을 순식간에 해치워 버렸다.

주지하다시피, 통상적으로 밑술을 빚는 목적과 그 용도상 술 빚기에 사용되는 재료의 양은 누룩의 양에 비례하는 것으로 되어 있고, 그 양이 많은 것은 오히려 발효상태나 밑술의 용도로서 재료의 양이 적은 경우보다 좋지 못하다. 더욱이 '사시통음주'의 경우에는 1말 1되가 사용되고 있어, 그 양이 많기도 하거니와 굳이 1말 1되를 사용해야 하는 까닭을 알 수 없었다.

별 문제가 아닐 수도 있지만, 그 어디에도 '사시통음주'에 대한 언급이나 소개한 글이 없고, 재미있는 이름이어서 도전해 본 술이다.

'사시통음주'의 주방문을 읽으면서 재미있는 몇 가지 사실을 목격하게 되었는데, 우선 그중 하나가 밑술의 재료가 쌀 1말 1되라는 양이었다. "왜 1말이면 1말이고 1되면 1되지, 하필이면 1말 1되냐?" 하는 생각에 실오라기 하나라도 붙잡고자 하는 심정이었다.

이러한 의문에 대한 답을 구하는 적극적인 방법은 직접 술을 빚어볼 수밖에 없었는데, 의외로 빨리 그 해답을 찾았다.

우선, '사시통음주'는 밑술을 죽으로 빚는데, 주방문의 원료 배합비율대로 쌀을 백세하여 헹구고, 다시 가루로 빻아 물과 함께 죽을 쑤는 과정에서 소량의 손실이 발생한다. 특히 물 양이 적으면 죽을 잘 쑤는 사람도 의외로 솥바닥에 눋는 일이 발생한다. 이때 솥바닥에 눋는 쌀가루 양까지를 감안하여 그 양만큼 더 넣어 죽을 쑤어 술을 빚는 방문으로 이해되었다. 밑술을 쌀 1말로 가루 내어 술을 빚어본 결과, 별다른 차이를 느낄 수 없었기 때문이었다.

둘째는, 덧술에 있어 고두밥 외에 좋은 술과 진말이 함께 사용된다는 사실이다. 이와 같은 경우는 흔치 않다. 대개의 경우 밑술에 사용되기 때문이다.

이렇듯 다양한 술 빚기에서 "과연 덧술 방문에 따른 '진말' 또는 '진말과 좋은 술'의 상관관계를 어떻게 규명할 것인가?" 그리고 "그렇다면 옛날 사람들의 술 빚기에 따른 방문의 다양성은 얼마만큼이고, 그 한계는 과연 어디까지인가?"가 숙제로 남는다. 필자는 그 해답을 역시 술 이름에서 찾고자 하였다.

'사시통음주'를 자전적 의미로 풀이하면 "사시사철 어느 때고 밤새워 마실 수 있는 술" 또는 "아무 때고 빚어도 밤새 마실 수 있는 술"쯤으로 여겨진다.

먼저, '통음(通飮)' 또는 '통음(痛飮)'이란 단어의 뜻풀이를 하자면, "저녁부터 새벽까지 '머리가 아프도록' 쉬지 않고 계속해서 마신다."는 뜻으로, 옛 사람들이 오랜만에 마음이 통하는 지기를 만나면 밤새 이야기꽃을 피우면서 술을 마셨다는 데서 유래한 음주문화의 하나이다.

'통음'을 뜻풀이 그대로 해석하여 '사시통음주'를 이해한다면, '사시통음주'가 밤새워 마실 수 있는 술로서, 술이 독하지 않고 취기가 빨리 오르지도 않는 미주(美酒)나 고급 방향주(芳香酒)라는 뜻이 된다. 이는 춘주류(春酒類)나 삼양주(三釀酒)와 같이 진득하게 취하고 은근하게 깨는 고급술이 아니면 그야말로 '통음'은 곤란하다는 뜻이기도 하다.

밑술의 궁금증 해소에 이어 두 번째 '통음' 가능성을 찾기 위해 방문대로 덧술을 빚어본 결과는 뜻밖에도 놀라웠다. 덧술의 '좋은 술에 담근 술누룩(酒麯)'에서는 거품이 많이 발생하였고, 술이 익은 다음에 맛을 본 술에서는 부드러우면서도 약간의 산미가 느껴졌다. 처음에는 잘못된 것으로 여겼는데, 그 상태로 15일의 숙성기간을 거친 후에는 감칠맛이 매우 좋았다. 감칠맛이 입맛을 당기게 함으로써 자꾸자꾸 마시고 싶은 욕구를 자아냈고, 그 후로도 오랫동안 취하도록 마실 수 있는 술이라는 사실을 깨닫게 되었다.

호기심에 "나도 '통음'할 수 있을까?" 하고 도전을 해보았으나, 반주(飯酒) 석 잔의 내 주량으로는 감당키 어려웠다. 오랜만에 좋은 술을 얻었다는 기쁨이 더 컸다.

## 사시통음주 <술 만드는 법>

술 재료 : 밑술 : 멥쌀 1말 1되, 누룩 1되 5홉, 끓는 물 3말
덧술 : 멥쌀 2말, 좋은 술(청주 1되), 진말 3홉

술 빚는 법 :

* 밑술 :

1. 멥쌀 1말 1되를 백세하여(불렸다가, 다시 씻어 헹궈서 물기를 뺀 뒤) 작말한다.
2. (팔팔 끓는) 더운 물 3말에 쌀가루를 풀어 넣고, 죽(범벅)을 쑨다(얼음같이 차게 식기를 기다린다).
3. 차게 식힌 죽(범벅)에 누룩가루 1되가웃(5홉)을 섞고, 고루 버무려 술밑을 빚는다.
4. 술밑을 술독에 담아 안친 다음, 예의 방법대로 하여 3일간 발효시킨다.

* 덧술 :

1. 멥쌀 2말을 백세하여(매우 깨끗이 씻어 불렸다가, 다시 씻어 헹궈서 물기를 뺀 뒤) 작말한다(가루로 빻는다).
2. 쌀가루를 (체에 한 차례 내린 후) 시루에 쪄서 백설기를 짓는다.
3. 백설기가 익었으면 퍼낸다(손으로 덩어리가 없게 잘게 풀어서 식기를 기다린다).
4. 백설기에 진말 3홉과 좋은 술(청주 1되), 전국(밑술)을 섞어 넣고 고루 버무

려 술밑을 빚는다.

5. 술밑을 술독에 담아 안친 다음, 예의 방법대로 하여 밀봉하여 14일간 발효 시킨다.

* 밑술의 죽과 덧술의 백설기를 차게 식히라는 말은 없으나, 3일 만에 덧술을 하려면 냉각시키는 것이 방법이다.
* '청주'는 먼저 빚어둔 좋은 술을 가리킨다. '전국'은 주본(酒本)으로서 '밑술'을 가리킨다.

ᄉᆞ시통음쥬

ᄇᆡᆨ미 일 두 일 승 ᄇᆡᆨ셰작말ᄒᆞ야 더운 물 셔 말에 쥭 ᄡᅮ어 곡말 되가웃 셕거 ᄉᆞᆷ 일 만에 ᄇᆡᆨ미 두 말 ᄇᆡᆨ셰작말ᄒᆞ야 ᄋᆡᆨ게 ᄧᅵ고 진말 셔 ᄒᆞᆸ 넛코 젼국 죠ᄒᆞᆫ 숧에 셕거 봉ᄒᆞ야 이칠일 만에 ᄡᅳ게 ᄒᆞ라.

# 사오주

## 스토리텔링 및 술 빚는 법

"정월 첫 오일(午日)에 밑술을 빚기 시작하여 4번째 돌아오는 오일(午日)에 두세 차례 덧술을 빚는다."고 하여 이름 붙여진 주품명이 '사오주(四午酒)'이다. 즉, 술을 빚는 시기와 양주 횟수에 따른 주품명인 것이다.

그런데 '사오주'와 유사한 주품명으로 "정월 첫 오일(午日)에 술을 빚기 시작하여 돌아오는 오일(午日)마다 두세 차례에 걸쳐 덧술을 한다."고 한 데서 유래한 '삼오주'가 있는데, 이들 주품의 경계가 불분명하여 혼돈되기는 한다.

'사오주'는 1560년경 발간된 <수운잡방(需雲雜方)>에 수록된 것을 시작으로 한글 붓글씨본인 <양주집(釀酒集)>에서 찾아볼 수 있는데, <양주집>의 기록이 가장 구체적인 것을 알 수 있다.

'사오주' 관련 주방문으로 시대가 가장 앞선 <수운잡방>에는 '사오주' 주방문이 2가지가 수록되어 있는데, 술 빚는 과정으로 보아 이양주(二釀酒)이면서도 '사오주'라는 주품명을 얻게 된 배경이 궁금하여 <양주집>의 주방문과 비교해보게 되었는데, <수운잡방>의 '사오주'는 정월 첫 오일(午日)에 밑술을 빚기 시작하여 두 번째 돌아오는 오일(午日)에 한 차례 덧술을 빚는 것으로 되어 있고, 술의 채주 시기가 4월 첫 오일(午日)이라는 것이다.

즉, <수운잡방>의 '사오주'는 이양주이면서 밑술의 발효기간이 12일이고 덧술의 발효기간은 36일인 셈이다. 따라서 "첫째 오일(午日)에 술을 빚기 시작하여 4월 오일(四午日)에 채주하는 술"이라는 의미 부여가 합당할 것으로 여겨진다.

한편 <음식디미방>의 '사오주'는 정월 오일(午日)에 수곡을 빚기 시작하여 3차례에 걸쳐 술을 빚는 까닭에 '삼오주'로 되어 있어, 여기에 수록할 수 없음을 밝힌다. 그 이유는 <양주집>의 '사오주' 주방문에서 "정월 오일(午日)에 수곡을 빚기 시작하여 3차례에 걸쳐 술을 빚는 까닭에 '사오주'라는 주품명을 붙이게 되었다는 사실을 재차 확인할 수 있기 때문이다.

<수운잡방>을 비롯하여 <양주집>에서 찾아볼 수 있는 '사오주'는 다 같이 물과 누룩, 밀가루를 섞어 수곡은 만든 후, 멥쌀 1말로 지은 설기떡과 수곡을 섞어 밑술을 빚고 있는데, <양주집>의 주방문이 <음식디미방>의 '삼오주' 주방문보다 누룩가루와 밀가루의 사용량이 상대적으로 적은 반면, 덧술과 2차 덧술, 3차 덧술의 술 빚는 법에서는 동일한 것을 알 수 있다.

다만, <양주집>에서는 <음식디미방> '삼오주(사오주)'보다 덧술을 한 번 더 해 넣는 사양주(四釀酒)라는 점에서 매우 고급주라고 할 수 있겠는데, 4회에 걸친 술 빚기에 있어 사용되는 누룩의 양이 쌀의 6.25%밖에 되지 않아, 밑술의 역할이 매우 중요하다는 사실을 알 수 있게 해준다. 때문에 <양주집>의 '사오주'는 다른 문헌의 '사오주'보다 맛이 훨씬 부드럽고 진하며, 그윽한 홍시 향기가 올라오는 것이 특징이다. 술 빛깔 또한 매우 맑고 투명하다.

이들 문헌에서 나타나는 '사오주'의 공통점은, 먼저 정화수와 누룩, 밀가루를 섞어 수곡(水麯)을 만들어두었다가. 멥쌀가루로 흰무리떡을 만들 밑술을 빚는다는 것이다. 그리고 밑술과 덧술, 덧술과 2차 덧술, 2차 덧술과 3차 덧술의 발효기간이 12일이라는 사실이다. 물론 덧술부터는 밑술과 동일하게 하는 방법도 있고 고두밥으로 하는 경우 등 두 가지 유형으로 나타난다.

이렇듯 쌀의 가공방법과는 무관하게 덧술 간격이 12일이라는 사실은, 주원료의 온도가 높아서는 절대로 안 되므로, 주원료를 가능한 한 차갑게 식혀서 사용하는 원칙을 지키라는 얘기의 다름 아니다. 주지하다시피 연중 가장 추울 때가 음력 정월인 만큼, 수곡을 만들 때의 정화수나 흰무리떡과 고두밥 등의 온도가 차가워야 한다는 암시가 깔려 있다.

또한 밑술독에 덧술용 고두밥을 퍼 담고 주걱으로 휘저어주는 것으로 술 빚는 일은 마무리하는데, 이는 발효기간을 길게 가져하기 위한 방법이기도 하지만, 밑술이 되는 술덧이 가라앉았을 경우가 많으므로, 반드시 술독 밑바닥의 앙금이 있으면 풀어주어야 한다.

이렇듯 좋은 술을 빚기 위해서는 무엇보다 주원료의 열처리에 따른 냉각과 물과 주변의 온도에 이르기까지, 온도 관리가 중요하다는 사실을 새삼 깨닫게 된다.

## 1. 사오주 <수운잡방(需雲雜方)>

술 재료 : 밑술 : 멥쌀 1말, 밀가루 7되, 누룩 1되, 물 8말
덧술 : 멥쌀 5말

술 빚는 법 :

* 밑술 :

1. 정월 첫 오일(午日)에 물 8말을 팔팔 끓여서 소독한 술독에 쏟아 붓고 식기를 기다린다.
2. 좋은 누룩 1되를 곱게 가루 내고, 밀가루 7되와 함께 깁체로 쳐서 술독에 담아 넣고 수곡을 만들어놓는다.
3. 멥쌀 1말을 백세하여 (물에 담가 불렸다가, 다시 씻어 헹궈서 물기를 뺀 후) 세말한다(곱게 가루로 빻는다).
4. 쌀가루를 시루에 안치고 흰무리떡을 쪄서, 익었으면 (넓은 그릇에 퍼내어) 덩어리를 풀고, 차게 식기를 기다린다.
5. 차게 식은 흰무리떡을 수곡을 만들어놓은 술독에 담아 안친다.

6. 주걱으로 술밑을 고루 휘저어 준 뒤, 예의 방법대로 하여 춥지도 덥지도 않은 곳에 둔다.

* 덧술 :

1. 정월 둘째 오일(午日)에 멥쌀 5말을 백세하여 (물에 담가 불렸다가, 다시 씻어 헹궈서 물기를 뺀 후) 세말한다(곱게 가루로 빻는다).
2. 쌀가루를 시루에 안치고 흰무리를 쪄서 익었으면 (넓은 그릇에 퍼내어) 덩어리를 풀어 차게 식기를 기다린다.
3. 차게 식은 흰무리떡을 발효 중인 밑술과 합한다.
4. 술밑을 주걱으로 휘저은 뒤, 단단히 밀봉하여 춥지도 덥지도 않은 곳에 둔다.
5. 4월 20일에 술독을 열어보면, 독 밑까지 맑고 이슬 같은 술이 괴어 있으므로 채주한다.

* 주방문 말미에 "가라앉혀서 맑아진 후에 보면 '추로(秋露)'와 같고, "찌꺼기는 '이화주'와 같다."고 하고, "찌꺼기는 물에 타서 마신다. 이화주같이 맛이 매우 좋은데, 이 술을 '소곡주'라고도 한다."고 하였다. '사오주'라고 하였으나 사양주가 아닌, 이양주법이라고 볼 수 있으며, 덧술에서 구체적인 방법이 언급되지 않아 누룩과 물을 넣는 것인지 아닌지를 정확히 알 수 없다.

### 四午酒

正月初午日水八盆沸湯待冷先注瓮中好麯一升細末重篩入瓮眞末七升再篩又入瓮白米一斗百洗細末熟蒸解塊待冷入瓮和攪置不寒不熱處次午日白米五斗百洗如前法堅封四月二十日開見則澄淸到底色如秋露挹而用之其滓正如梨花酒如水飮之甚好 亦云小麯酒 一方 水七盆麯三升眞末五升.

## 2. 사오주 일방 <수운잡방(需雲雜方)>

술 재료 : 밑술 : 멥쌀 1말, 밀가루 5되, 누룩 2되, 물 7동이
덧술 : 멥쌀 5말

술 빚는 법 :

* 밑술 :

1. 정월 첫 오일(午日)에 물 7동이를 팔팔 끓여서 소독한 술독에 쏟아 붓는다.
2. 좋은 누룩 2되를 곱게 가루 내고, 밀가루 5되와 함께 깁체로 쳐서 술독에 담는다.
3. 멥쌀 1말을 백세하여 (물에 담가 불렸다가, 다시 씻어 헹궈서 물기를 뺀 후) 세말한다(곱게 가루로 빻는다).
4. 쌀가루를 시루에 안치고 흰무리떡을 쪄서, 익었으면 (넓은 그릇에 퍼내어) 덩어리를 풀고, 차게 식기를 기다린다.
5. 차게 식은 흰무리떡을 수국을 만들어놓은 술독에 담아 안친다.
6. 주걱으로 술밑을 고루 저어준 뒤, 예의 방법대로 춥지도 덥지도 않은 곳에 둔다.

* 덧술 :

1. 정월 둘째 오일(午日)에 멥쌀 5말을 백세하여 (물에 담가 불렸다가, 다시 씻어 헹궈서 물기를 뺀 후) 세말한다(곱게 가루로 빻는다).
2. 쌀가루를 시루에 안치고 흰무리를 쪄서 익었으면 (넓은 그릇에 퍼내어) 덩어리를 풀어 차게 식기를 기다린다.
3. 차게 식은 흰무리떡을 발효 중인 밑술과 합한 다음, 주걱으로 술밑을 고루 저어준 뒤, 단단히 밀봉하여 춥지도 덥지도 않은 곳에 앉혀둔다.
4. 4월 20일에 술독을 열어 독 밑까지 맑고 이슬 같은 술이 괴어 있으면 채주한다.

* 주방문 말미에 '또 소곡주(小麯酒一方)'라고 하여, "물 7동이, 누룩 3되, 밀가루 5되를 사용하여 빚기도 한다."고 하였다. 따라서 '사오주'는 '소곡주'와 유사한 주품임을 알 수 있다. 본법을 기준으로 주방문을 작성하였다.

四午酒

正月初午日水八盆沸湯待冷先注瓮中好麯一升細末重篩入瓮眞末七升再篩又入瓮白米一斗百洗細末熟蒸解塊待冷入瓮和攪置不寒不熱處次午日白米五斗百洗如前法堅封四月二十日開見則澄淸到底色如秋露挹而用之其滓正如梨花酒如水飮之甚好. 亦云 小麯酒 一方 水七盆麯三升眞末五升.

## 3. 사오주 <양주집(釀酒集)>

술 재료 : 밑술 : 멥쌀 1말, 좋은 누룩 1되, 진가루 7홉, 끓인 물 8말
덧술 : 멥쌀 5말
2차 덧술 : 멥쌀 5말
3차 덧술 : 멥쌀 5말

술 빚는 법 :

* 밑술 :

1. 정월 첫 말날(午日)에 물 8말을 끓여, 차게 식힌 뒤 술독에 붓는다.
2. 가장 잘 뇌여(법제한) 놓은 누룩 1되와 진가루 7홉을 골고루 섞어, 물누룩을 만들어 술독에 담아 안쳐놓는다.
3. 멥쌀 1말을 백세하여 (물에 담가 불렸다가, 다시 씻어 헹궈 건져서 물기를 뺀 후) 세말한다(고운 가루로 빻는다).
4. 멥쌀가루를 시루에 안쳐 설기떡을 짓는다.
5. 떡이 익었으면 퍼내어 덩어리를 풀어서 차게 식기를 기다렸다가, 술독에 넣

고 수없이 휘저어서 골고루 풀어 섞어준다.
6. 술독은 예의 방법대로 하여 12일간 발효시킨다.

* 덧술 :
1. 정월 둘째 말날(午日)에 멥쌀 5말을 백세하여 (물에 담가 불렸다가, 다시 씻어 헹궈 건져서 물기를 뺀 후) 세말한다(고운 가루로 빻는다).
2. 멥쌀가루를 시루에 안쳐 설기떡을 짓는다.
3. 떡이 익었으면 퍼내어 덩어리를 풀어서 차게 식기를 기다렸다가, 술독에 넣고 수없이 휘저어서 골고루 풀어 섞어준다.
4. 술독은 예의 방법대로 하여 12일간 발효시킨다.

* 2차 덧술 :
1. 정월 셋째 말날(午日)에 멥쌀 5말을 백세하여 (물에 담가 불렸다가, 다시 씻어 헹궈 건져서 물기를 뺀 후) 세말한다(고운 가루로 빻는다).
2. 멥쌀가루를 시루에 안쳐 설기떡을 짓는다.
3. 떡이 익었으면 퍼내어 덩어리를 풀어서 차게 식기를 기다렸다가, 술독에 넣고 수없이 휘저어서 골고루 풀어 섞어준다.
4. 술독은 예의 방법대로 하여 12일간 발효시킨다.

* 3차 덧술 :
1. 2월 첫 말날(午日)에 멥쌀 5말을 백세하여 (물에 담가 불렸다가, 다시 씻어 헹궈 건져서 물기를 뺀 후) 시루에 안쳐서 고두밥을 짓는다.
2. 고두밥이 익었으면 퍼내고, 고루 펼쳐서 차게 식기를 기다린다.
3. 고두밥을 술독에 넣고 수없이 휘저어서 골고루 풀어 섞어준다.
4. 술독은 예의 방법대로 하여 (서늘한 곳에 두고) 4월~ 5월까지 발효시킨다.

四午酒
正月初 午日 끌인 믈 여듧 동희 채와 독이 붓고 됴흔 누록 一升 진ㄱ로 七

升을 ᄀᆞ장 뇌여 여코 白米 一斗 百洗細末ᄒᆞ야 닉게 쪄 덩이채 ᄎᆡ와 프러 너허다가 二次 午日의 白米 五斗 百洗細末ᄒᆞ야 닉게 쪄 덩이 프러 ᄎᆡ와 고로 섯거다가 三次 午日의 白米 五斗 百洗細末ᄒᆞ야 닉게 쪄 덩이 프러 ᄎᆡ와 고로 섯거다가 四次 午日의 白米 五斗 百洗ᄒᆞ야 밥 쪄 녀허다가 四五月의 내여 쓰라.

# 사월주

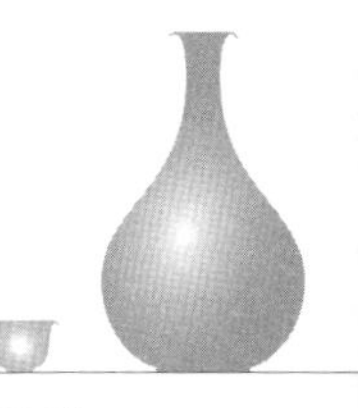

스토리텔링 및 술 빚는 법

'삼해주'가 명주로서 이름이 높았다는 사실은 이미 잘 알려져 있거니와, 그러다 보니 '약식'의 '일해주(一亥酒)'가 생기더니 '해일주(亥日酒)' 주방문도 목격되었다. 술 빚는 시기와 관련된 주품들이다. 그런가 하면 '청명주(淸明酒)와 '삼월주'도 있고, '삼오주(三五酒)'와 '사오주(四五酒)'도 있다. 오늘 '사월주' 주방문을 대하니, 어떤 또 다른 주품명이 나타날까 기대하게 된다.

'사월주'는 두 가지 의미로 해석될 수 있다. 첫째는 '4월에 빚는 술'이라는 뜻이거나 '4월에 마시는 술', 또는 '4개월간 익히는 술'이라는 의미 부여가 그것이다. 어떤 의미로든 '사월주'라는 주품명은 매력이 없기는 마찬가지이다. 우리 관습에 4월은 '썩은 달'이라는 관념이 머릿속 깊이 박혀 있거니와, 1년을 지칭하는 '사시(四時)', '사절(四節)' 또는 '사철(사계)' 등을 빌려온 주품명은 흔하지만 <홍씨주방문>의 '사월주'처럼 '죽은 달' 의미의 주품명을 찾아보기 힘들다는 것이다. 물론, '사미주', '사두주', '사근주' 등의 몇몇 주품명들이 있긴 하지만, '사월주'의 의미와는 다른 뜻으로 다가오는 것이 사실이기 때문이다.

하여 '사월주'의 주방문을 분석함으로써, 어떤 의미든 긍정적인 면을 찾으려 노력해 보았는데, 주방문 역시 별다른 특별한 비밀이나 기법이 숨겨져 있는 것 같지도 않다. 주방문을 보자면, "백미 일 두 백세작말하여 익게 떡 지어, 곧 탕수 넣고 사발 골라 식혀 국말 서너 홉, 진말 서너 홉 고루 섞어 쳐 넣었다가, 사흘 후면 괼 것이니, 더툴 제 찧은 누룩, 죽이나 더 넣어야 쉬이 되나니라."고 하여 이양주법(二釀酒法)임을 알 수 있다. 그런데 밑술에 사용되는 탕수의 양이 나와 있지 않고, 덧술의 경우 쌀과 누룩, 물의 양이 전혀 언급이 되어 있지 않은 경우도 드물다.

모르긴 해도 <홍씨주방문>의 저자는 '사월주'에 능통하였거나, 아니면 그저 주워들은 주방문을 참고 삼아 기록해 두었을 뿐이라는 추측을 하게 된다. <홍씨주방문>에 나와 있는 주품들의 경우, '별법(別法)'이나 '일방(一方)'까지도 비교적 상세한 내용을 싣고 있기 때문이다.

다만, '사월주'의 밑술에 언급된 쌀 1말에 누룩과 밀가루의 양이 3~4홉이라는 점을 감안하여 탕수의 양을 1말로 산정하여 보았고, 밑술의 비율과 관련하여 덧술의 재료 배합률을 각각 멥쌀 1말과 누룩가루 1되, 물 1말로 산정해 보았을 뿐이다. 이 주방문이 '4월에 빚는 술'이라는 의미의 '사월주'라는 확신을 갖게 되는데, 그 이유는 주방문에서 찾을 수 있다.

밑술의 쌀을 설기떡으로 만들고, 3~4홉이라는 적은 양의 누룩과 밀가루를 사용하여 빚는 밑술에 다시금 죽을 쑤어 덧술을 하는 방법의 술이라면, 환절기 곧 날씨가 더워지기 시작하는 때의 '속성주법(速成酒法)'이라는 결론에 이른다. 특히 날씨가 점점 더워지는 때에 빚는 속성주 주품이라면, 밑술의 설기떡으로 만든 죽은 가능한 한 차게 식혀서 사용하는 것은 물론이고, 떡은 잘 풀어져서 굳은 덩어리가 없어야 한다. 덧술의 죽도 가능한 한 된죽 형태로 투입되어야 실패가 적을 것이다. 물론 끓인 죽도 가능하고 반생반숙의 범벅이라면 더 좋을 것이다. 덧술에도 누룩을 넣어주어야 어느 정도의 알코올 도수를 기대할 수 있을 것이기 때문이다.

따라서 '사월주'와 같은 주방문에서 자칫 산패를 하게 되는 경우는 백설기로 만든 죽이 잘 풀어지지 않는 것이 그 이유 중에 하나이고, 특히 죽이 식지 않은 상태에서 덧술을 해 넣기 때문이다.

실패를 최대한 줄이려면 술의 발효가 끝난 후에 날씨가 더 더워질 것에 대비하여 덧술의 누룩 양은 밑술보다는 많아야 할 것이고, 물의 양은 가능한 한 적게 사용하는 된죽을 사용하는 요령을 생각해 보아야 할 것이다.

## 사월주 <홍씨주방문>

술 재료 : 밑술 : 멥쌀 1말, 누룩가루 2되, 끓는 물(1말)
덧술 : 멥쌀(1말), 누룩가루(1되), 끓는 물(1말)

술 빚는 법 :

* 밑술 :

1. 멥쌀 1말을 백세하여(백 번 씻어 매우 깨끗하게 하여 말갛게 헹궈 불렸다가, 다시 씻어 건져서 물기를 뺀 다음) 작말한다(가루로 빻는다).
2. 시루에 쌀가루를 안치고 쪄서 백설기를 짓고, 솥에 물(1말)을 끓인다.
3. 설기떡이 익었으면 펴서 넓은 그릇에 담아놓고, 끓는 물을 골고루 퍼붓고, 주걱으로 개어(골고루 풀어 멍우리 없는 된죽같이) 만들어 차게 식기를 기다린다.
4. 떡에 누룩가루 2되와 진말 3~4홉을 한데 섞고, 고루 버무려 술밑을 빚는다.
5. 소독하여 물기 없는 술독에 술밑을 담아 안치고, 예의 방법대로 하여 3일가량 발효시킨다.

* 덧술 :

1. 멥쌀(1말)을 백세하여(매우 깨끗하게 하여 말갛게 헹궈 불렸다가, 다시 씻어 건져서 물기를 뺀 후) 작말한다(가루로 빻는다).
2. 물(1말)을 끓여서 쌀가루에 골고루 합하고, 주걱으로 고루 개어 매우 된죽(범벅)을 쑨다.
3. 죽(범벅)이 익게 쑤어졌으면, 넓은 그릇에 펴서 저절로 차게 식기를 기다린다.

4. 식은 죽(범벅)에 밑술과 누룩가루(1되)를 한데 섞고, 고루 버무려 술밑을 빚는다.
5. 소독한 술독에 술밑을 담아 안치고, 예의 방법대로 하여 발효시킨다.

* '사월주'는 '사절주'의 이명(異名) 또는 별칭(別稱)이 아닌가 생각된다.

사월주

백미 일 두 백세작말하여 익게 떡 지어 곧 탕수 넣고 사발 골라 식혀 국말 서너 홉, 진말 서너 홉 고루 섞어 쳐 넣었다가, 사흘 후면 괼 것이니 더플 제 찧은 누룩 죽이나 더 넣어야 쉬이 되나니라.

# 사절소곡주

## 스토리텔링 및 술 빚는 법

<술 만드는 법>과 <정일당잡지(貞一堂雜識)>의 '사절소곡주(四節小麯酒)'는 앞서 언급한 '삼칠소곡주(三七小麯(酒)'와는 또 다른 '소곡주(小麯酒)'이다. '사절소곡주'라는 주품명이 암시하듯, '사절 어느 때고 빚을 수 있는 소곡주'라는 뜻인데, 이를 역으로 생각하면 '소곡주'는 술 빚는 시기가 이미 정해져 있다는 뜻이기도 하다.

'소곡주'를 빚는 시기와 관련하여 문헌을 찾아보면 <고려대규합총서(高麗大閨閤叢書, 異本)>를 비롯하여 <규합총서(閨閤叢書)>, <김승지댁주방문(金承旨宅廚方文)>, <수운잡방(需雲雜方)>, <술방>, <역주방문(曆酒方文)>, <증보산림경제(增補山林經濟)> 등 수없이 많은 문헌이 있는데, 이들 문헌에 음력 정월 해일에 밑술을 빚기 시작한다는 것을 알 수 있다. 그리고 <증보산림경제>에는 '소곡주방(小麯酒方)' 외에 '비시(非時) 소곡주방'이 등장하는 것을 볼 수 있는데, 이 또한 '소곡주'를 빚는 시기인 '음력 정월'이 아닌 때에 빚는 방법이라는 뜻이다.

'소곡주'는 <고려대규합총서(이본)>를 비롯하여 <규합총서>, <김승지댁주방

문>, <수운잡방>, <술방>, <역주방문>, <증보산림경제> 등 고문헌에 수록되어 있는 주방문에서 보듯 백설기(흰무리) 외에도 죽이나 범벅으로도 빚는다는 사실을 확인할 수 있다. '사절소곡주'가 다른 '소곡주'와 차이가 무엇인가를 분석하였는데, 얼핏 보기에는 별반 차이가 없다는 것을 알 수 있다.

하지만 찬찬히 들여다보면 '사절소곡주'는 이양주법(二釀酒法)과 삼양주법(三釀酒法)으로 구분하여 볼 수 있는데, 삼양주법의 '사절소곡주'는 일반 '소곡주'에 비해 물의 양이 쌀 양보다 많다는 것을 알 수 있으며, 밑술과 덧술의 쌀 3말에 대하여 누룩이 7홉으로 그 양이 매우 적게 사용되기 때문에 2차 덧술에서 누룩을 보태어 발효를 돕는데, 누룩 3홉과 밀가루 3홉으로, 3차례에 걸친 술 빚기에서 누룩의 양이 1되밖에 사용되지 않는다는 사실을 확인할 수가 있다.

삼양주법 '사절소곡주'를 직접 빚어보면 이 주방문의 특징을 알 수 있게 되는데, 밑술과 덧술의 쌀이 3말인 데 비하여 물의 양은 3말 8되인 데다, 밑술의 쌀 1말을 씻어 가루로 빻기까지 쌀이 흡수하는 물의 양까지를 감안하면, 용수(用水)의 총량은 족히 4말에 이fms다. 그런데 문제는 누룩의 양이 기껏해야 7홉으로, 그 양이 매우 적은 양이라는 사실을 감안하면, 본 방문의 술 빚기가 결코 수월치 않다는 것을 알 수 있을 것이다.

필자 역시도 본 방문을 접하고 많은 양의 술을 얻을 수 있을 것이고, 맛도 괜찮다면 이 방문을 '특기주'로 해야겠다는 생각에 주저 없이 술 빚기를 시도하였는데, 두 차례에 걸쳐 실패를 하였다. 처음에는 덧술에서 발효가 이루어지지 않아 시어져 버렸고, 두 번째에는 밑술의 산도가 너무 높아 덧술은 시도해 보지도 못했다.

그렇게 해서 터득하게 된 요령으로, 다음의 두 가지를 유념해야 한다는 것이었다.

첫째, 질 좋은 누룩(황곡)을 선택해야 한다는 것인데, 법제(法製)를 충분히 하고 지나치게 곱지도 거칠지도 않은, 녹두알이나 좁쌀알 크기의 비교적 고운 가루를 만들어 사용해야 한다는 것이다.

둘째, 덧술의 고두밥과 탕수를 혼합하는 방법인데, 가능한 한 쌀을 6~8시간 침지하여 무른 고두밥을 고르게 짓도록 하고, 물은 미리 끓여두었다가 고두밥을 시루에서 퍼낼 때쯤 물이 팔팔 끓거든 조금씩 나누어 고두밥 전체에 골고루 부어야 한다. 고두밥을 시루에서 퍼내어 넓은 자배기나 양푼에 퍼놓고, 팔팔 끓고 있는 물을 한 바가지씩 골고루 떠 붓는 식으로 일을 진행해야, 고두밥에 뜨거운 물이 고르게 섞여 균일하게 익은 상태가 된다는 것이다.

이와 같은 요령은 고두밥의 익은 정도가 균일해야 덧술의 발효가 순탄하게 이뤄져 맛 좋은 술을 얻을 수 있기 때문이다. 또 밑술은 충분히 삭힌 후에 사용하도록 하고, 덧술은 지나치게 치대지 않도록 하는 것도 발효를 좋게 하는 요령임을 알아 둘 필요가 있다.

숙성되기까지 23일이 소요되었는데, 용수를 박기 시작하여 짧은 기간에 청주 3말을 얻을 수 있었고, 탁주까지 포함하면 4말 5되나 되었는데, 여느 '소곡주'처럼 결코 맑은 청주는 아니었으며, 알코올 도수가 낮아 장기 보관이 어려웠다.

반면, 이양주법의 '사절소곡주'는 <정일당잡지>에 2가지 방문이 수록되어 있는데, 두 주방문은 술 빚는 물의 양에서 차이가 있을 뿐이다. 이 두 가지 주방문은 본디 한 가지였으나, 술 빚는 물을 줄여 빚음으로써 주질이 좋아졌다는 데서 생겨난 것이다. 이양주법의 '사절소곡주'는 다른 '소곡주류'에 비해 누룩의 양이 상대적으로 많아져 여느 주품들과 큰 차이가 없다는 것이다.

이상 예로 든 사실을 근거로 하여 '소곡주'와 '사절소곡주'의 차별성을 논하기에는 너무나 미흡하다는 것이 필자의 견해다. 그런 까닭으로 보다 근본적인 차이점을 찾고자 60여 가지나 되는 '소곡주' 주방문을 면밀히 검토하였는데, '사절소곡주'는 '소곡주'와는 달리 밑술과 덧술 또는 2차 덧술에서 범벅이나 고두밥을 매우 차게 식혀서 사용해야 한다는 것이다.

그렇지 않고는 '소곡주'는 사절 어느 때고 빚을 수 없다는 결론이다. 다시 말하면 술이 성공하더라도 소곡주의 특징을 살릴 수 없다는 얘기이다.

그 이유는 다른 주품에 비해 상대적으로 사용되는 누룩의 양이 적기 때문에, <정일당잡지>에서는 누룩의 양을 늘려 변질을 방지하는 선택을 하였고, <술 만드는 법>의 '사절소곡주'에서는 2차 덧술에 누룩을 보태어 발효를 돕는 한편으로 밀가루를 사용하여 잡균의 증식을 억제하는 방법을 택한 것이라는 결론에 이르렀다.

## 1. 사절소곡주 <술 만드는 법>

술 재료 : 밑술 : 멥쌀 1말, 누룩가루 7홉, 밀가루 7홉, 물 3말
덧술 : 멥쌀 2말, 물 2말 5되
2차 덧술 : 찹쌀 1말, 진말 3홉, 누룩 3홉, 물(5되)

술 빚는 법 :

* 밑술 :

1. 멥쌀 1말을 백세하여 (불렸다가, 다시 씻어 헹궈서 물기를 뺀 뒤) 작말한다.
2. 물 3말을 박바가지를 띄워 여러 번 솟구치게 끓이다가, 쌀가루에 (골고루 나눠 붓고 주걱으로 개어서) 한 덩어리가 되게 (범벅을) 쑨다.
3. (범벅이) 서늘하게 식기를 기다려 누룩가루 7홉과 밀가루 7홉을 섞고, 고루 버무려 술밑을 빚는다.
4. 술밑을 술독에 담아 안친 다음, 예의 방법대로 하여 봄가을에는 찬 곳에 두고, 겨울은 더운 데 두어 술이 익기를 기다린다.

* 덧술 :

1. 멥쌀 2말을 백세하여 (불렸다가, 다시 씻어 헹궈서 물기를 뺀 뒤) 시루에 안쳐서 무르익게 고두밥을 짓는다.
2. 물 2말가웃(5되)을 팔팔 끓여 고두밥에 붓고, 주걱으로 고루 헤쳐 (뚜껑을 덮어 놓은 뒤) 고두밥이 물을 다 먹고 매우 차게 식기를 기다린다.
3. 고두밥에 밑술을 넣고, 고루 버무려 술밑을 빚는다.
4. 술밑을 술독에 담아 안친 다음, 예의 방법대로 하여 술이 괴기를 기다린다.

* 2차 덧술 :

1. 찹쌀 1말을 백세하여 (불렸다가, 다시 씻어 헹궈서 물기를 뺀 뒤) 시루에 안쳐서 무르익게 고두밥을 짓는다.

2. 물(5되)을 따로 (끓여서 차게 식혀) 두었다가 고두밥에 붓고, 고루 주물러서 고두밥 덩어리를 풀어놓는다.
3. 고두밥에 재차 진말과 누룩 각 3홉을 넣고 고루 버무린 다음, 다시 덧술과 합하여 술밑을 빚는다.
4. 술밑을 술독에 담아 안친 다음, 예의 방법대로 하여 21간 발효시킨다.
5. 술덧이 가라앉으므로 술덧 가운데를 헤치고 용수를 박아 채주한다.

* 덧술을 담을 때, 2차 덧술을 담을 때 덧술의 발효기간이 나와 있지 않다. 덧술과 2차 덧술을 따로 담그는 것인지, 아니면 한꺼번에 빚어 덧술로 끝내는 것인지 잘 알 수가 없다. 다만, 본문 중의 덧술 과정에서 “술밋 우거든”을 “술이 괴어 오르거든”으로 이해하면, 2차 덧술을 하는 것으로 풀이할 수 있어 삼양주법을 취하였다.

ᄉᆞ절쇼곡쥬

ᄇᆡᆨ미 일두 ᄇᆡᆨ셰작말ᄒᆞ야 물 말 셔 되를 족박 ᄡᅴ여 ᄆᆡ우 ᄭᅳ리되 여러 ᄉᆞᆨ곰 ᄭᅳᆯ커든 ᄉᆡᆼ가로를 쇼ᄅᆡ기에 붓고 ᄭᅳᆯ은 물 부어 ᄒᆞᆫ합되게 져어 셔늘ᄒᆞ게 식거든 곡말 칠홉 진말 칠홉 너허 고로 셕거 츈츄에ᄂᆞᆫ 찬운 북에 두고 겨울은 더운 ᄃᆡ 두어 괴이거든 ᄇᆡᆨ미 두 말 ᄇᆡᆨ셰ᄒᆞ야 밥을 ᄋᆡᆨ게 ᄧᅧ ᄭᅳᆯ은 물 두 말가옷 골나 ᄆᆡ우 ᄎᆞ거든 슐밋ᄒᆞ야 너흐되 찹ᄡᆞᆯ ᄒᆞᆫ 말 ᄯᅡ로 ᄧᅧ 슐밋 우거든 물를 ᄯᅡ르 두엇다가 슐밋히 ᄒᆞᆫ 가지로 부어 밥덩이를 고로 쥬물너 너흐되 진말 셔 홉 곡말 셔 홉 너허 ᄒᆞᆫᄃᆡ 셕거 두면 ᄉᆞᆷ칠일 지ᄂᆞᆫ 후 가라안거든 우를 지르고 드리우면 죠흐니라.

## 2. 사절소국주 <정일당잡지(貞一堂雜識)>

술 재료 : 밑술 : 멥쌀 2되 5홉, 누룩 3홉, 끓는 물 5되(쌀되)
덧술 : 찹쌀 1말, 섬누룩 1되, 시루밑물 5~7되, 끓여 식힌 물 3~4되

술 빚는 법 :

* 밑술 :

1. 멥쌀 2되 5홉을 백세하여 (물에 담갔다 다시 씻어 건져 물기 뺀 후) 작말한다.
2. 쌀 되던 되로 5되를 오랫동안 끓여 쌀가루에 붓고, 주걱으로 고루 저어 범벅을 만들고, 차게 식기를 기다린다.
3. 식은 범벅에 누룩가루 3홉을 섞고, 고루 치대어 술밑을 빚는다.
4. 술독에 술밑을 담아 안치고, 예의 방법대로 하여 여름은 서늘한 곳에 두고 발효시켜 익기를 기다린다.

* 덧술 :

1. 물 3~4되를 끓여서 차게 식힌 후, 섬누룩 1되를 담가 하룻밤 재워 물누룩을 만들어놓았다가, 체에 밭쳐(찌꺼기를 제거함) 누룩물을 만들어놓는다.
2. 누룩을 불리는 날 찹쌀 1말을 백세하여 물에 담가 하룻밤 불렸다가, 다시 씻어 건져서 물기를 뺀 후) 시루에 안쳐서 고두밥을 짓는다.
3. 고두밥을 찔 때 시루에서 한 김 나면, 아이 뜬 물을(쌀뜨물) 3~4되 뿌려서 익게 찐 후, 소래기에 퍼낸다.
4. 고두밥을 찌던 시루밑물 5~7되를 고두밥에 붓고, 주걱으로 고루 헤쳐 두고 차게 식기를 기다린다.
5. 물 먹인 고두밥에 밑술과 누룩물을 한데 합하고. 고루 버무려 술밑을 빚는다.
6. 술독에 술밑을 담아 안치고, 예의 방법대로 하여 7일간 발효시킨다.

ᄉᆞ졀쇼국쥬

ᄇᆡᆨ미 두 되가옷 ᄇᆡᆨ셰작말ᄒᆞ여 ᄲᆞᆯ 된 ᄃᆡ로 ᄆᆞᆯ 닷 되 ᄆᆡ이 ᄭᆞᆯ혀 ᄀᆞᆯᄂᆞᆯ 잠간 너허 ᄀᆡ야 ᄎᆞᆫ 후 누록ᄀᆞ로 서 홉 너허 고로 쳐 여름은 서ᄂᆞᆯᄒᆞᆫ ᄃᆡ 두어 ᄂᆡᆨ은 후 물 서너 되만 ᄭᆞᆯ혀 식은 후 섭누록 ᄒᆞᆫ 되 ᄃᆞᆷ가 ᄒᆞ로밤 ᄌᆡ와 쳬예 너ᄅᆞ고 ᄎᆞᆯᄲᆞᆯ ᄒᆞᆫ 말 ᄇᆡᆨ셰ᄒᆞ여 누록 ᄃᆞᆷ으ᄂᆞᆫ 날 ᄃᆞᆷ가다가 시로믈 죠히 ᄒᆞ여 밥을 ᄶᅵᄂᆞᆫ ᄃᆡ 아이 ᄲᅩᆫ 믈을 서 되만 ᄲᅳ려 ᄂᆡᆨ게 ᄶᅧ 소라의 밥 푸고 시로물 닐곱 되만 밥의 부어 그 물이 밥의 다 든 후 헤쳐 식은 후 ᄉᆞᆯ밋과 누록물 ᄒᆞᆫᄃᆡ 너허 고로고로 쳐 항의 너헛다가 칠 일 만의 ᄡᅳ라. 물을 두 되만 주려ᄒᆞ라.

## 3. 사절소국주 별법 <정일당잡지(貞一堂雜識)>

술 재료 : 밑술 : 멥쌀 2되 5홉, 누룩 3홉, 끓는 물 5되(쌀되)
덧술 : 찹쌀 1말, 섬누룩 1되, 시루밑물 3~5되, 끓여 식힌 물 3~4되

술 빚는 법 :

* 밑술 :

1. 멥쌀 2되 5홉을 백세하여 (물에 담갔다 다시 씻어 건져 물기 뺀 후) 작말한다.
2. 쌀 되던 되로 5되를 오랫동안 끓여 쌀가루에 붓고, 주걱으로 고루 저어 범벅을 만들고, 차게 식기를 기다린다.
3. 식은 범벅에 누룩가루 3홉을 섞고, 고루 치대어 술밑을 빚는다.
4. 술독에 술밑을 담아 안치고, 예의 방법대로 하여 여름은 서늘한 곳에 두고 발효시켜 익기를 기다린다.

* 덧술 :

1. 물 3~4되를 끓여서 차게 식힌 후, 섬누룩 1되를 담가 하룻밤 재워 물누룩을 만들어놓았다가, 체에 밭쳐(찌꺼기를 제거함) 누룩물을 만들어놓는다.
2. 누룩을 불리는 날 찹쌀 1말을 백세하여 물에 담가 하룻밤 불렸다가, 다시 씻

어 건져서 물기를 뺀 후) 시루에 안쳐서 고두밥을 짓는다.
3. 고두밥을 찔 때 시루에서 한 김 나면, 쌀뜨물을 3~4되 뿌려 익게 찐 후, 소래기에 펴낸다.
4. 고두밥을 찌던 시루밑물 3~5되를 고두밥에 붓고, 주걱으로 고루 헤쳐 두고 차게 식기를 기다린다.
5. 물 먹인 고두밥에 밑술과 누룩물을 한데 합하고. 고루 버무려 술밑을 빚는다.
6. 술독에 술밑을 담아 안치고, 예의 방법대로 하여 7일간 발효시킨다.

* 주방문 말미에 "물을 두 되만 줄여 하라."고 하여 '별법'을 작성하였다.

ᄉᆞ졀쇼국쥬 별법

ᄇᆡᆨ미 두 되가옷 ᄇᆡᆨ셰작말ᄒᆞ여 ᄡᆞᆯ 된 ᄃᆡ로 믈 닷 되 ᄆᆞ이 ᄭᅳᆯ혀 ᄀᆞᄂᆞᆯ 잠간 너허 ᄀᆡ야 ᄎᆞᆫ 후 누록ᄀᆞ로 서 홉 너허 고로 여름은 서ᄂᆞᆯᄒᆞᆫ ᄃᆡ 두어 닉은 후 물 서 너 되만 ᄭᅳᆯ혀 식은 후 섭누록 ᄒᆞᆫ 되 ᄃᆞᆷ가 ᄒᆞ로밤 ᄌᆡ와 쳬예 너ᄅᆞ고 ᄎᆞᆯᄡᆞᆯ ᄒᆞᆫ 말 ᄇᆡᆨ셰ᄒᆞ여 누록 ᄃᆞᆷ으는 날 ᄃᆞᆷ가다가 시로믈 죠히 ᄒᆞ여 밥을 ᄶᅵᄂᆞᆫᄃᆡ 아이 ᄲᆞᆫ 믈을 서 되만 ᄲᆡ려 닉게 ᄶᅧ 소라의 밥 푸고 시로물 닐곱 되만 밥의 부어 그 물이 밥의 다 든 후 헤쳐 식은 후 ᄉᆞᆯ밋과 누록물 ᄒᆞᆫᄃᆡ 너허 고로고로 쳐 항의 너헛다가 칠일 만의 ᄡᅳ라. 물을 두 되만 주려 ᄒᆞ라.

# 사절주

## 스토리텔링 및 술 빚는 법

우리나라는 지리적 환경으로 인하여 사계절의 변화가 뚜렷하고, 특히 여름철은 고온다습하여 "술 빚기를 꺼리게 된다."고 한다. 자칫하면 술이 쉬고 변질된다는 것이 그 이유이다.

하지만 여름철의 술 빚기는 온도보다는 높은 습도가 더 문제이다. 때문에 여름철이라도 삼복 때와 장마철처럼 지나치게 습도가 높은 시기만 피하면, 오히려 여름철의 양조가 더 쉽다고 느낄 수도 있다.

그런 의미에서 "사시사철 빚을 수 있는 술"이란 의미에서 빌려온 술 이름 '사절주(四節酒)'란 주품은 관심의 대상이 될 수 있다.

'사절주'는 어떤 의미에서는 여름철에 빚을 수 있는 방문을 강구하게 된 것이라고 여겨지는데, 대개 여름철에 빚을 수 있는 방문이란 것들을 보면, 쌀의 양 또는 누룩의 양을 늘리는가 하면, 술 빚는 물을 탕수로 만들어 사용하는 방법 등이 주류를 이룬다고 할 것이다. 그리고 '청서주(淸暑酒)'와 같이 술독의 품온을 인위적으로 낮추는 예가 그에 해당된다.

여름철 술이라고 할 수 있는 '하절지주'나 '감향주' 등의 주방문을 보면, 쌀의 양에 비해 물의 양이 극히 적게 사용되고 있음을 목격할 수 있고, '부의주'처럼 특별히 수곡(水麯)을 만들어 사용하는가 하면, 밀가루를 사용하는 경우도 어렵지 않게 목격할 수 있다.

'사절주'는 <술 만드는 법>을 비롯하여 <양주방>*, <양주방(釀酒方)>, <온주법(醞酒法)>, <음식방문(飮食方文)>, <주식방(酒食方, 高大閨壼要覽)> 등에 7가지 주방문이 수록되어 있는 것을 볼 수 있다. 이들 문헌에 수록된 '사절주'는 동일한 주방문이 없을 정도로 각기 다른 방법과 배합비율로 이루어졌다.

따라서 '사절주'의 공통점을 찾기란 어려운데, 이양주법(二釀酒法)과 삼양주법(三釀酒法) 공히 밑술을 죽이나 백설기떡을 만들어 사용하고, 마지막 덧술은 고두밥으로 빚는다는 것이다.

이로써 '사절주'의 특징을 말하기는 어렵다. 밑술을 백설기로 하여 빚는 주방문의 경우, <양주방>과 <온주법>에서 보듯 쪄낸 백설기와 끓여서 식힌 물, 누룩을 섞는 방법이 있고, <주식방(고대규곤요람)>의 주방문처럼 쪄낸 백설기에 끓는 물을 합하여 죽처럼 만들어서 빚는 경우도 있으며, <술 만드는 법>과 <양주방>*에서는 쌀가루로 쑨 죽으로 빚는 방법을, <양주방>에서는 불린 쌀을 빻지 않고 끓여서 만든 죽으로 빚는 경우로 나타나고 있다.

덧술의 경우도 마찬가지여서, 고두밥을 차게 식혀서 물과 함께 덧술을 하거나 쪄낸 고두밥에 끓는 물을 화합하여 진고두밥을 만들어서 덧술을 하는 경우와, <양주방>에서처럼 밑술을 체에 걸러 막걸리를 만들어서 사용하는 예도 있다.

특히 <음식방문>의 '사절주'는 덧술에 있어 찹쌀과 멥쌀을 동량으로 섞어서 사용하고, 끓여 식힌 물도 함께 사용한다는 점에서 많은 차이를 엿볼 수 있다.

이렇듯 다양한 '사절주'의 주방문에서 유의해 보아야 할 것은, 몇몇 문헌의 주방문 말미에 병기(竝起)하였듯 "청주 3병이 얻어진다."거나 "청주 3병, 탁주 1말을 얻는데 탁주가 '이화주'와 같다."고 하였다는 사실이다.

심지어 <온주법>에 수록된 '사절주'의 경우, 멥쌀 1말을 가루로 빻아 백설기를 찐 뒤, 끓여서 식힌 물 3병과 누룩가루 2되, 밀가루 5홉을 섞어 빚은 밑술에 멥쌀이나 찹쌀 3되로 고두밥을 지어 물 없이 덧술을 하는데도 방문 말미에 "청주 세 병 나고 탁주 한 동이 나니, 이화주 맛 같으니라."고 하였다는 사실이다.

이렇듯 도저히 불가능한 주방문도 '사절주'에서 나타나고 있는 현상이긴 하지만, 공통점이라고 볼 수 있는 것은 밑술을 백설기를 쪄서 빚는 주방문에서 청주를 떠내고 난 탁주의 맛에서 '이화주 맛'을 떠올린다는 사실이다.

이러한 사실은 '사절주'가 비교적 그 맛이 매우 달고 진하면서도 상큼한 맛을 간직한 술이라는 사실을 암시하고 있으며, 특히 청주를 뜨고 난 후 체에 거른 "탁주는 이화주와 같다."고 하는 사실은, '감향주', '하향주', '동양주'와 같은 고급 방향주(芳香酒)의 맛을 지칭하는 뜻으로 해석되고, 그 맛에서는 감미(甘味)와 산미(酸味)가 비교적 많이 느껴지는데, 물을 타지 않는 한 매우 걸쭉하여 마치 수프처럼 떠 마시는 형태의 술이라는 것이다.

## 1. 사절주 <술 만드는 법>

술 재료 : 밑술 : 멥쌀 1말, 누룩 4되가웃(5홉), 물 5말
덧술 : 멥쌀 3말, 누룩(4되 5홉), 물 5말
2차 덧술 : 멥쌀 3말

술 빚는 법 :

* 밑술 :

1. 멥쌀 1말을 정세하여(매우 깨끗이 씻어 불렸다가, 다시 씻어 헹궈서 물기를 뺀 뒤) 작말한다(가루로 빻는다).
2. (팔팔 끓는) 더운 물 5말을 쌀가루에 붓고, 주걱으로 고루 개어서 범벅을 만든다(차게 식기를 기다린다).
3. 범벅에 누룩 4되가웃(5홉)을 섞고, 고루 버무려 술밑을 빚는다.
4. 술밑을 술독에 담아 안친 다음, 예의 방법대로 하여 발효시키고 익기를 기다린다.

* 덧술 :

1. 멥쌀 3말을 백세한다(물에 담가 불렸다가, 다시 헹궈서 물기를 뺀다).
2. 불린 쌀에 물 5말을 팔팔 끓여 붓고 죽을 쑨다(물 5말이 끓으면 불린 쌀을 넣고 죽을 쑤고, 끓었으면 넓은 그릇에 퍼서 차게 식기를 기다린다).
3. 차게 식은 죽에 누룩 4되가웃(5홉)을 섞고, 밑술과 한데 고루 버무려 술밑을 빚는다.
4. 술독에 술밑을 담아 안치고, 예의 방법대로 하여 발효시키고 익기를 기다린다.

* 2차 덧술 :

1. 멥쌀 3말을 백세한다(물에 담가 불렸다가, 다시 헹궈서 물기를 뺀다).
2. (불린 쌀을 시루에 안치고, 쪄서 무른 고두밥을 짓고, 익었으면 퍼내어 고루 펼쳐서 차게 식기를 기다린다.)
3. 고두밥을 덧술과 합하고, 고루 버무려 술밑을 빚는다.
4. 술밑을 술독에 담아 안친 다음, 예의 방법대로 하여 단단히 싸매서 발효시키고 익기를 기다린다.

사졀쥬

ᄇᆡᆨ미 ᄒᆞᆫ 말 정셰 작말ᄒᆞ야 물 닷 말에 범벅 ᄀᆡ여 누룩 너 되가옷 셕거 익거든 ᄇᆡᆨ미 셔 말 ᄇᆡᆨ셰ᄒᆞ야 더운 물 닷 말에 쥭 ᄡᅮ어 ᄯᅩ 누룩을 쳐 갓치 너흐되 익거든 ᄇᆡᆨ미 셔 말 ᄇᆡᆨ셰ᄒᆞ야 젼슐에 고로 셕거 단단이 ᄡᆞ미야 익거든 ᄡᅳᄂᆞ니라.

## 2. 사절주 <양주방>*

술 재료 : 밑술 : 멥쌀 1말, 누룩가루 4되, 물 4말
덧술 : 멥쌀 3말, 끓는 물 2말

술 빚는 법 :

* 밑술 :

1. 희게 쓿은 멥쌀 1말을 깨끗이 씻고 또 씻어(백세하여) 물에 담가 불렸다가 (다시 씻어 헹궈 건져서 물기를 뺀 후) 작말한다.
2. 물 4말을 쌀가루에 붓고 개어서 아이죽을 만든 뒤, 팔팔 끓여 죽을 쑨다.
3. 죽을 넓은 그릇에 퍼서 매우 차게 식기를 기다린다.
4. 쌀죽에 누룩가루 4되를 섞고, 고루 버무려 술밑을 빚는다.
5. 술밑을 술독에 담아 안치고, 예의 방법대로 하여 (2~3일간) 발효시킨다.

* 덧술 :

1. 희게 쓿은 멥쌀 3말을 깨끗이 씻고 또 씻어(백세하여 물에 담가 불렸다가, 다시 씻어 헹궈 건져서 물기를 뺀 후) 시루에 안쳐서 고두밥을 짓는다.
2. 고두밥이 익었으면 퍼내어 넓은 그릇에 담고, 끓는 물 2말을 붓고 주걱으로 고루 뒤집어놓는다.
3. 고두밥이 물을 다 빨아들이고 차게 식었으면, 밑술을 쏟아 붓고 고루 버무려 술밑을 빚는다.
4. 술밑을 술독에 담아 안치고, 예의 방법대로 하여 10일간 발효시켜 익었으면 따라서 마신다.

ᄉᆞ절쥬

ᄇᆡᆨ미 ᄒᆞᆫ 말 ᄇᆡᆨ셰작말ᄒᆞ야 물 너 말로 쥭 쑤어 ᄎᆞ거든 국말 넉 되 너허 닉거든 ᄇᆡᆨ미 서 말을 ᄇᆡᆨ셰ᄒᆞ야 ᄭᅳᆯ힌 물 넛 말노 골나 ᄎᆞ거든 누록ᄀᆞ로 넉 되ᄅᆞᆯ 맛슐의 섯거 너흐라. 열흘 만의 조흔 술 다ᄉᆞᆺ 동희 나난니라.

## 3. 사절주법 <양주방(釀酒方)>
–한 말 서되 빚이

술 재료 : 밑술 : 멥쌀 1말, 가루누룩 1되, 밀가루 5홉, 물 3병
덧술 : 찹쌀 3되(말)

술 빚는 법 :

* 밑술 :

1. 멥쌀 1말을 백세하여 (물에 담가 불렸다가, 다시 씻어 건져서 물기를 뺀 후) 작말한다(가루로 빻는다).
2. 쌀가루를 시루에 안치고 설기를 익게 쪄서, 익었으면 퍼낸다(덩어리를 풀어서 고루 펼쳐서 차게 식기를 기다린다).
3. 물 3병을 팔팔 끓여 넓은 그릇에 퍼서 담고, 차게 식기를 기다린다.
4. 차게 식은 물에 설기떡과 가루누룩 1되, 밀가루 5홉을 섞고, 고루 버무려 술밑을 빚는다.
5. 술밑을 독에 담아 안치고, 예의 방법대로 하여 4일(여름 3일, 겨울 5일)간 발효시킨다.

* 덧술 :

1. 멥쌀 3되를 백세하여 (물에 담가 불렸다가, 다시 씻어 건져서 물기를 뺀 후) 시루에 안치고 익게 찐다.
2. 고두밥이 익었으면 퍼서 고루 펼쳐놓고, 차게 식기를 기다린다.
3. 고두밥이 식었으면 밑술에 섞고, 고루 버무려 술밑을 빚는다.
4. 술밑을 독에 담아 안치고, 예의 방법대로 하여 7일간 발효시킨다.

* 주방문 말미에 "7일이 지나거든 쓰면 맛이 '이화주' 같으니라."고 하였다. '이화주'와 같은 술이 되려면 덧술의 쌀 양이 3말이라야 한다.

샤졀쥬법

한 말 서 되 비지. ᄡᆞᆯ 한 말을 빅세작말ᄒᆞ야 닉게 ᄲᅧ ᄀᆞᄅᆞ누록 한 되와 진ᄀᆞᄅᆞ 닷 홉과 ᄭᅳᆯ혀 ᄎᆡ온 물 세 병과 한듸 비져 봄과 ᄀᆞ을은 나흘이오 여름은 ᄉᆞ흘이오 겨올은 닷ᄉᆡ 지난 후의 찹ᄡᆞᆯ 서 되를 닉게 ᄲᅧ 식거든 그 밋히 비져 칠일 지나거든 ᄡᅳ면 맛시 니화쥬 ᄀᆞ트니라.

## 4. 사절주법 <양주방(釀酒方)>

술 재료 : 밑술 : 멥쌀 2되, 좋은 누룩 1되, 물 1말(쌀되로 10되)
덧술 : 찹쌀 1말

술 빚는 법 :

* 밑술 :

1. 멥쌀 2되를 백세하여 (물에 담가 불렸다가, 다시 씻어 헹궈서 물기를 뺀 다음) 작말하여 넓은 그릇에 담아놓는다.
2. 쌀 계량한 되로 물 1말(쌀되로 계량, 10되)을 계량하여 쌀가루에 붓고, 고루 개어 아이죽을 만든 후, 팔팔 끓여서 죽을 쑨다.
3. 죽을 넓은 그릇에 퍼 담고, 차게 식기를 기다린다.
4. 죽에 좋은 누룩 1되를 섞고, 고루 버무려 술밑을 빚는다.
5. 술독에 술밑을 담아 안치고, 예의 방법대로 하여 여름은 3일, 봄가을은 5일, 겨울은 7일간 발효시킨다.

* 덧술 :

1. 찹쌀 1말을 (백세하여 물에 담갔다가, 다시 씻어 헹궈서 물기를 뺀 후) 시루에 안쳐서 고두밥을 짓는다.
2. 고두밥이 익었으면 퍼내고, 고루 펼쳐서 차게 식기를 기다린다.

3. 고두밥에 밑술을 체에 밭쳐서 찌꺼기를 제거한 후에 한데 섞고, 고루 버무려 술밑을 빚는다.
4. 술밑을 독에 담아 안치고, 예의 방법대로 하여 발효시킨다.

* 주방문 말미에 "술을 빚을 때 군물이나 물기 없이 하여야 맛이 변하지 아니하고, 지에를 섞어 빚을 제 밑술을 체에 쳐서 빚으면 술 빛깔이 좋으니라."고 하였다. 밑술의 물을 쌀된 되로 1말을 환산하면 물 계량 단위로는 5되(9ℓ)의 양이다.

사졀쥬법
ᄇᆡᆨ미 두 되를 ᄇᆡᆨ세작말ᄒᆞ야 그 ᄡᆞᆯ되만 ᄒᆞᆫ 되로 물 한 말 되야 부어 쥭 ᄡᅮ어 다 식거든 죠흔 누록 한 되 너허 고로 섯거 항의 너흐되 여름은 ᄉᆞ흘이오 봄과 가을은 ᄃᆞᆺᄉᆡ 겨을은 일헤 만의 찹ᄡᆞᆯ 한 말 밥 ᄧᅧ 식거든 빗저션 술밋희 섯거 비저 닐헤 만의 쓰되 젼후의 군물긔를 아니ᄒᆞ여야 맛시 변치 아니ᄒᆞ고 지에ᄒᆞ고 섯거 비즐 제 술밋출 ᄎᆡ의 쳐 비지면 술빗치 죠흐니라.

## 5. 사절주 <온주법(醞酒法)>

술 재료 : 밑술 : 멥쌀 1말, 누룩가루 2되, 밀가루 5홉, 끓여 식힌 물 3병
덧술 : 멥쌀(찹쌀) 3되(말)

술 빚는 법 :
* 밑술 :
1. 멥쌀 1말을 백세하여 (물에 담가 불렸다가, 다시 씻어 건져서 물기를 뺀 후) 작말하여 넓은 그릇에 담아놓는다.
2. 솥에 물 3병을 끓여서 넓은 그릇에 퍼 담고, 차게 식기를 기다린다.

3. 쌀가루를 시루에 안쳐서 떡을 찌고, 떡이 익었으면 시루에서 퍼낸 다음 (넓은 그릇에 퍼서 차게 식기를 기다린다).
4. 떡에 누룩가루 2되와 밀가루 5홉을 한데 합하고, 고루 버무려 술밑을 빚는다.
5. 술독에 술밑을 담아 안친 뒤, 예의 방법대로 하여 한여름은 3일, 봄여름에는 5일간 발효시킨다.

* 덧술 :
1. 멥쌀이나 찹쌀 3되(말)를 백세하여 (물에 담가 불렸다가, 다시 씻어 건져서 물기를 뺀 후) 시루에 안쳐서 고두밥을 짓는다.
2. 고두밥이 익었으면 시루에서 퍼내고, 돗자리에 고루 펼쳐서 차게 식기를 기다린다.
3. 고두밥에 밑술을 한데 합하고, 고루 버무려 술밑을 빚는다.
4. 술독에 술밑을 담아 안치고, 예의 방법대로 하여 7일간 발효시켜 채주한다.

* 주방문 말미에 "청주 세 병 나고 탁주 한 동이 나니, '이화주' 맛 같으니라."고 하였다. '이화주'와 같은 술이 되려면 덧술의 쌀 양이 3말이라야 한다.

ᄉᆞ절듀
ᄇᆡᆨ미 일두 ᄇᆡᆨ셰작말ᄒᆞ야 ᄆᆞ이 ᄡᅧ 국말 두 되 진말 닷 홉 섯거 탕슈 세 병 ᄎᆡ와 너허 여름은 삼일 겨을은 칠일 츈츄ᄂᆞᆫ 오일 ᄇᆡᆨ미나 뎜미나 서 되를 ᄇᆡᆨ셰ᄒᆞ야 ᄡᅧ ᄎᆡ와 너허 칠일 만의 쳥듀 세 병 나고 탁듀 ᄒᆞᆫ 동히 나니 니화듀 맛 ᄀᆞᆺ트니라.

## 6. 사절주 <음식방문(飮食方文)>

술 재료 : 밑술 : 멥쌀 1말, 가루누룩 3되, 물 2말
덧술 : 멥쌀 1말 5되, 찹쌀 1말 5되, 끓여 식힌 물(5되)

술 빚는 법 :

* 밑술 :

1. 멥쌀 1말을 백세하여 (물에 담가 불렸다가, 다시 씻어 건져서 물기를 뺀 후) 작말하여 넓은 그릇에 담아놓는다.
2. 솥에 물 2말을 (끓이다가 쌀가루를 합하고, 주걱으로 천천히 저어가면서) 팔팔 끓여 된죽을 쑨 다음 (넓은 그릇에 퍼서) 차게 식기를 기다린다.
3. 죽에 가루누룩 3되를 합하고, 고루 버무려 술밑을 빚는다.
4. 술독에 술밑을 담아 안친 뒤, 예의 방법대로 하여 더울 때는 3일, 추울 때는 5일간 발효시킨다.

* 덧술 :

1. 물(5되)을 솥에 붓고 끓인 뒤, 넓은 그릇에 퍼서 차게 식혀놓는다.
2. 멥쌀 1말 5되, 찹쌀 1말 5되를 백세하여 (물에 담가 불렸다가, 다시 씻어 건져서 물기를 뺀 후) 시루에 안쳐서 고두밥을 짓는다.
3. 고두밥이 익었으면 시루에서 퍼내고, 돗자리에 고루 펼쳐 차게 식기를 기다린다.
4. 고두밥에 밑술과 끓여 식힌 물을 한데 합하고, 고루 버무려 술밑을 빚는다.
5. 술독에 술밑을 담아 안치고, 예의 방법대로 하여 발효시키고 익기를 기다려 채주한다.

사절쥬

빅미 흔 말 닷 되 빅셰흐여 물 두 말에 쥭 쑤어 취와 갈오누룩 되 너허 더운 씌는 삼일 치운 씌면 오일 만에 졈미 흔 말 닷 되 빅미 흔 말 닷 되 빅셰흐여 익게 쪄 물 살혀 식여 너허 익거든 쓰라.

## 7. 사절주 <주식방(酒食方, 高大閨壼要覽)>

술 재료 : 밑술 : 멥쌀 1말, 누룩가루 3홉, 끓는 물 1말
덧술 : 멥쌀 1말, 누룩가루 3홉, 끓는 물 1말
2차 덧술 : 멥쌀 1말, 누룩가루 3홉, 끓는 물 1말

술 빚는 법 :

* 밑술 :

1. 멥쌀 1말을 희게 쓿어(도정을 많이 하여) 백세하여 (물에 담가 불렸다가, 다시 씻어 건져서 물기를 뺀 후) 작말하여 놓는다.
2. 솥에 물 1말을 끓이다가, 쌀가루를 시루에 안쳐서 떡을 찌고, 익었으면 끓는 물과 합하여 주걱으로 개어 죽처럼 만들고 (넓은 그릇에 펴서) 차게 식기를 기다린다.
3. 누룩을 곱게 빻고 가는체에 내려서 3홉을 합하고, 고루 버무려 술밑을 빚는다.
4. 술독에 술밑을 담아 안친 뒤, 예의 방법대로 하여 (서늘한 곳에 두고) 7일간 발효시킨다.

* 덧술 :

1. 멥쌀 1말을 희게 쓿어(도정을 많이 하여) 백세하여 (물에 담가 불렸다가, 다시 씻어 건져서 물기를 뺀 후) 작말하여 놓는다.
2. 솥에 물 1말을 끓이다가, 쌀가루를 시루에 안쳐서 떡을 찌고, 익었으면, 끓는 물과 합하여 주걱으로 개어 죽처럼 만들고 (넓은 그릇에 펴서) 차게 식기를 기다린다.
3. 누룩을 곱게 빻고 가는체에 내려서 3홉과 밑술을 한데 합하고, 고루 버무려 술밑을 빚는다.
4. 술독에 술밑을 담아 안친 뒤, 예의 방법대로 하여 (서늘한 곳에 두고) 7일

간 발효시킨다.

* 2차 덧술 :

1. 멥쌀 1말을 희게 쓿어(도정을 많이 하여) 백세하여 (물에 담가 불렸다가, 다시 씻어 건져서 물기를 뺀 후) 작말하여 놓는다.
2. 솥에 물 1말을 끓이다가, 쌀가루를 시루에 안쳐서 떡을 찌고, 익었으면 끓는 물과 합하여 주걱으로 개어 죽처럼 만들고 (넓은 그릇에 펴서) 차게 식기를 기다린다.
3. 누룩을 곱게 빻고 가는체에 내려서 3홉과 덧술을 한데 합하고, 고루 버무려 술밑을 빚는다.
4. 술독에 술밑을 담아 안친 뒤, 예의 방법대로 하여 독 부리를 바람 들지 아니하게  싸맨다.
5. 날이 차지 않으면 마루에 두고, 겨울이면 방에 들여놓되, 짚으로 독을 싸서 얼지 않게 하고, 더운 곳에 두지 않는다.

* 주방문 말미에 "봄이 되었으면 즉시 내어놓되, 얼지 않게 하여 맑게 가라앉아 익었으면 김 내지 말고 떠서 마시면 맛이 맹렬하고, 여름 되도록 변하지 않는다."고 하고, "단지 많이 빚어야 변미 아니하니, 처음 많이 빚기 어렵거든 닷 말 쌀만 하여도 네 번을 빚으면 스무 말이 되니, 이 또한 어렵거든 시험하여 두 말씩 하면 여덟 말이 되니, 이도 많거든 방문대로 시험하여 (술을) 뜨되, 뜻대로 하고 여러 차례 하여 두면 해를 두고 쓰니 이 술이 통사시하여 쓸 것이니 이 술을 사절주라 하니라."고 하였다.
  이 말인즉, '사절주'는 여러 차례 술을 빚고, 익으면 해를 두고 마실 수 있으니 '사절주'라는 이름을 붙이게 되었다는 뜻이다.

ᄉᆞ절쥬

ᄇᆡᆨ미ᄅᆞᆯ 희게 쓸허 ᄇᆡᆨ셰ᄌᆞᆨ말ᄒᆞ여 실ᄂᆡ 쎠 ᄂᆡᆫ 후의 ᄒᆞᆫ 말의 ᄇᆡᆨ비탕 ᄒᆞᆫ 말식 반쥭ᄒᆞ여 더온 김 업시ᄒᆞ여 국말을 가늘게 작말ᄒᆞ여 깁톄에 쳐 ᄒᆞᆫ 말의 서 홉

식 너허 고로 섯거 독의 너허 ᄒᆞᆫ 니레 지나거든 ᄯᅩ ᄇᆡᆨ미를 희게 쓸허 ᄇᆡᆨ세ᄒᆞ
여 ᄌᆞᆨ말ᄒᆞ여 쎠 ᄂᆡ여 ᄒᆞᆫ 말의 ᄯᅩ ᄇᆡᆨ비탕 ᄒᆞᆫ 말식 섯거 ᄎᆞ거든 국말 세말ᄒᆞ여
ᄒᆞᆫ 말의 서 홉식 너허 본 술의 너코 ᄒᆞᆫ 일에 지나거든 ᄯᅩ 이젼쳐로 ᄒᆞ기를 네
번만 ᄒᆞ여 독의 너흔 후의 독 브리를 ᄇᆞ람 드지 아니케 단단이 싸ᄆᆡᆫ 후 일긔
칩지 아닌 제면 마로 우ᄒᆡ 노코 겨울이면 방의 드려 노흐되 집흐로 독을 싸
셔 어지 아니케 ᄒᆞ고 더운 ᄃᆡ도 두지 말나 봄이 되거든 즉시 ᄂᆡ여 노흐되 어
지 아니케 ᄒᆞᆯ씨니라. ᄆᆞᆰ거든 김 ᄂᆡ지 말고 쓰면 마시 ᄆᆡᆼ녈ᄒᆞ고 업도록 써도 변
미 아니ᄒᆞᄂᆞ니라.

ᄃᆡ기 만히 비져야 마시 조코 변미 아닌ᄂᆞ니 처음 만히 빗기 어려우(나) 닷 말
만 ᄒᆞ여도 네 번을 비ᄌᆞ면 스무 말이 되니 이 ᄯᅩ 어렵거든 시험ᄒᆞ여 두 말식
ᄒᆞ면 여ᄃᆞᆲ 말이 되니 이도 만커든 방문ᄃᆡ로 시험ᄒᆞ여 ᄯᅳᆺᄃᆡ로 ᄒᆞ고 여러셧 포
ᄒᆞ여 두면 ᄒᆡ로 쓰ᄂᆞ니 이 술이 통ᄉᆞ시ᄒᆞ여 쓰는 거시니 이 술을 ᄉᆞ절쥬라
ᄒᆞᄂᆞ니라.

# 사절칠일주

## 스토리텔링 및 술 빚는 법

'사절칠일주(四節七日酒)'는 <농정회요(農政會要)>의 '사절칠일주방'을 비롯하여 <산림경제촬요(山林經濟撮要)>에 '사절칠일주법', <술방>에 '사절칠일주', <임원십육지(林園十六志)>에 '사절칠일주방', <증보산림경제(增補山林經濟)>에 '사절칠일주방'으로 그 주방문을 싣고 있음을 볼 수 있다.

'사절칠일주'는 '칠일주(七日酒)'의 한 종류임에도 '사절칠일주'로 따로 분류한 배경은 위의 문헌에 공통적으로 '칠일주' 주방문을 싣고 있기 때문이며, '칠일주'의 대부분은 이양주(二釀酒)라는 사실에 근거한다.

특히 이들 네 문헌의 '사절칠일주' 주방문은 단양주(單釀酒)로서, 주원료의 배합비율은 물론이고 술을 빚는 전 과정이 동일하게 나타나고 있는 것을 알 수 있는데, 이러한 경우는 극히 드물다.

대개의 경우 한문 기록과 한글 기록에서 차이가 나타나는 것을 목격할 수 있는데, '사절칠일주'의 경우 한글본인 <술방>에서조차 앞의 세 문헌과 동일한 주방문을 보이고 있는 것과 별법(別法)이 나타나지 않은 사실 또한 매우 이례적이다.

<술방>의 '사절칠일주' 주방문을 보면, "사절칠일주는 백미 일두 백세하여 물의 담가 밤재와 작말하여, 익게 쪄 끓인 물 세 병의 진말 다솝, 곡말 한 되 타 식혀 독에 너헛다가 쓰되, 찹쌀이러도 조흐니라."고 하였다.

<증보산림경제>를 비롯 <임원십육지>와 <농정회요> 등의 한문 기록도 <술방>의 '사절칠일주' 주방문과 동일한데, 문제는 주방문을 보아 알 수 있듯, "멥쌀 1말을 백세하여 불렸다가 작말한 쌀가루를 시루에 안쳐 쪄서 만든 흰무리떡(백설기)과 끓인 물, 누룩, 밀가루를 한데 합하여 술밑을 빚은 후에 차게 식힌다."고 하였다는 것이다.

이와 같이 되면 누룩이 당화와 발효제 역할을 제대로 감당해 낼 수 있느냐의 문제가 대두되는 만큼, 끓인 물이 아닌 끓여서 차게 식힌 물을 사용하여 떡의 덩어리가 풀어지도록 하고 차게 식기를 기다렸다가, 누룩과 밀가루를 넣어 술밑을 빚는 것으로 이해해야 한다는 것이다.

또한 <증보산림경제>를 제외하곤 모든 문헌의 방문 말미에 "찹쌀을 사용하면 (맛이) 더욱 좋다."고 하였는데, 찹쌀가루를 사용하여 떡을 찌려면 쌀가루를 등분하여 쪄야 익힐 수 있거니와, 그 과정이 결코 쉽지가 않다. 따라서 찹쌀로 할 경우, 쌀가루를 매우 거칠게 빻거나 고두밥을 쪄서 사용해야 한다는 결론에 이른다.

주지하다시피 '사절칠일주'와 같이 흰무리떡을 사용하여 한 번 빚는 단양주이면서 7일 만에 익히는 술은 탁주를 얻기 위한 목적이라고밖에 볼 수 없으며, 특히 밀가루의 사용 목적은 '감칠맛'이 좋은 탁주를 얻기 위한 것임을 알 수 있다.

## 1. 사절칠일주방 <농정회요(農政會要)>

술 재료 : 멥쌀 1말, 누룩가루 1되, 밀가루 5홉, 끓인 물 3병

술 빚는 법 :

1. 멥쌀 1말을 백세하여 물에 담가 밤재워 불렸다가 (다시 씻어 말갛게 헹궈서)

물기를 뺀 후 작말한다(가루로 빻는다).
2. 물 3병을 끓여서 넓은 그릇에 담아놓는다(차게 식기를 기다린다).
3. 쌀가루를 시루에 안쳐서 떡을 찌고, 떡이 익었으면 물그릇에 퍼내고 주걱으로 고루 헤쳐 덩어리진 것이 없이 풀어놓는다(차게 식기를 기다린다).
4. 끓인 물과 섞은 떡에 누룩가루 1되, 밀가루 5홉을 한데 합하고, 고루 버무려 술밑을 빚는다.
5. 술밑을 술독에 담아 안치고, 예의 방법대로 하여 (차고 서늘한 곳에서) 7일간 발효시켜 익기를 기다린다.

* 주방문에 쌀가루와 끓는 물, 누룩가루, 밀가루를 섞은 후 식기를 기다린다고 하였으나, 쌀가루와 끓는 물을 섞은 범벅을 식기를 기다렸다가 누룩가루와 밀가루를 섞는 것이 옳을 것으로 생각된다. 또 말미에 "찹쌀을 사용하면 (맛이) 더욱 좋다."고 하였는데, 찹쌀을 사용하여 떡을 찌려면 쌀가루를 등분하여 쪄야 익힐 수 있거니와 그 방법이 힘들므로, 쌀가루를 매우 거칠게 빻거나, 고두밥을 쪄서 사용해야 한다.

四節七日酒方

白米一斗百洗水浸經宿取出作末蒸熟熟水三甁(水三甁)眞末五合麯末一升和合候冷入瓮待熟用之粘米尤好.

## 2. 사절칠일주법 <산림경제촬요(山林經濟撮要)>

술 재료 : 멥쌀 1말, 누룩가루 1되, 밀가루 5홉, 끓인 물 3병

술 빚는 법 :
1. 멥쌀 1말을 백세하여 물에 담가 하룻밤 불렸다가 (다시 씻어 말갛게 헹궈서)

물기를 뺀 후 작말한다(가루로 빻는다).
2. 물 3병을 끓여서 넓은 그릇에 담아놓는다.
3. 쌀가루를 시루에 안쳐서 떡을 찌고, 떡이 익었으면 물그릇에 퍼내고 주걱으로 고루 헤쳐 덩어리진 것이 없이 풀어 죽처럼 만들어놓는다.
4. 죽처럼 만들어놓은 떡에 누룩가루 1되, 밀가루 5홉을 한데 합하고, 고루 버무려 술밑을 빚은 후, 차게 식기를 기다린다.
5. 술밑을 술독에 담아 안치고, 예의 방법대로 하여 (차지도 따뜻하지도 않은 곳에서 7일간) 발효시켜 익기를 기다린다.

* 주방문에 "술밑을 다 빚은 후 냉각시켜 독에 담아 안친다."고 하였으나 잘못된 것으로 여겨진다. 또 방문 말미에 "찹쌀을 사용하면 (맛이) 더욱 좋다."고 하였는데, 찹쌀을 사용하여 떡을 찌려면 쌀가루를 등분하여 쪄야 익힐 수 있다. 따라서 찹쌀로 할 경우, 쌀가루를 매우 거칠게 빻거나, 고두밥을 쪄서 사용해야 한다. <증보산림경제>를 인용하였다.

四節七日酒法
白米(粘米尤好)一斗百洗水浸經宿取出作末蒸熟熟水三瓶眞末五合麯末一升和合候冷入甕待熟用之.

## 3. 사절칠일주 <술방>

술 재료 : 멥쌀(또는 찹쌀) 1말, 누룩가루 1되, 밀가루 5홉, 끓여 식힌 물 3병

술 빚는 법 :
1. 멥(찹)쌀 1말을 백세하여 물에 담가 하룻밤(8~10시간) 재워 불린다.
2. 불린 멥(찹)쌀을 다시 새 물에 씻어 헹군 뒤, 소쿠리에 밭쳐 물기를 뺀다.

3. 솥에 물 3병을 팔팔 끓여 넓은 그릇에 퍼서 얼음같이 차게 식힌다.
4. 불린 멥(찹)쌀을 작말하여 시루에 안쳐 떡을 익게 찐 뒤, 익었으면 퍼서 물에 담가 놓고, 멍우리 없이 풀어서 차게 식기를 기다린다.
5. 식힌 물에 멥(찹)떡과 누룩가루 1되, 밀가루 5홉을 넣고, 고루 버무려 술밑을 빚는다.
6. 소독하여 마련해 둔 독에 술밑을 담아 안친 다음, 예의 방법대로 하여 따뜻한 곳에서 하루 반 동안 발효시킨다.
7. 술덧이 삭아 발효가 완전히 되었는지를 보아, 술독을 차게 냉각시킨다.
8. 다시 밀봉하여 서늘한 곳에 두었다가 맑아지면 떠낸다.

ᄉᆞ졀칠일쥬
ᄇᆡᆨ미 일두 ᄇᆡᆨ셰ᄒᆞ여 물의 담가 밤ᄌᆡ와 작말ᄒᆞ여 익쎄 쪄 ᄭᅳᆯ인 물 셰 병의 진말 다ᄉᆞᆸ 곡말 ᄒᆞᆫ 되 타 식혀 독의 너헛다가 쓰되, 찹ᄊᆞᆯ이 더 됴ᄒᆞ니라.

## 4. 사절칠일주방 <임원십육지(林園十六志)>

술 재료 : 멥쌀 1말, 누룩가루 1되, 밀가루 5홉, 끓인 물 3병

술 빚는 법 :
1. 멥쌀 1말을 백세하여 물에 담가 하룻밤 불렸다가 (다시 씻어 말갛게 헹궈서) 물기를 뺀 후 작말한다(가루로 빻는다).
2. 물 3병을 끓여서 넓은 그릇에 담아놓는다.
3. 쌀가루를 시루에 안쳐서 떡을 찌고, 떡이 익었으면 물그릇에 퍼내고 주걱으로 고루 헤쳐 덩어리진 것이 없이 풀어 죽처럼 만들어놓는다.
4. 죽처럼 만들어놓은 떡에 누룩가루 1되, 밀가루 5홉을 한데 합하고, 고루 버무려 술밑을 빚은 후, 차게 식기를 기다린다.

5. 술밑을 술독에 담아 안치고, 예의 방법대로 하여 (차지도 따뜻하지도 않은 곳에서 7일간) 발효시켜 익기를 기다린다.

* 주방문 말미에 "찹쌀을 사용하면 (맛이) 더욱 좋다."고 하였는데, 찹쌀을 사용하여 떡을 찌려면 쌀가루를 등분하여 쪄야 익힐 수 있다. 따라서 찹쌀로 할 경우, 쌀가루를 매우 거칠게 빻거나, 고두밥을 쪄서 사용해야 한다.
* <증보산림경제>를 인용하였다.

四節七日酒方

白米一斗百洗水浸經宿取出作末烝熟(熟)水三瓶(眞麵/麪)五合麴末一升和合候冷入瓮待熟用之粘米尤好. <增補山林經濟>.

## 5. 사절칠일주방 <증보산림경제(增補山林經濟)>

술 재료 : 멥쌀 1말, 누룩가루 1되, 밀가루 5홉, 끓인 물 3병

술 빚는 법 :

1. 멥쌀 또는 찹쌀 1말을 백세하여 물에 담가 하룻밤 불렸다가, 다시 씻어 말갛게 헹궈서 물기를 뺀 후 작말한다(가루로 빻는다).
2. 물 3병을 끓여서 넓은 그릇에 담아놓는다(식기를 기다린다).
3. 쌀가루를 시루에 안쳐서 떡을 찌고, 떡이 익었으면 물그릇에 퍼내고 주걱으로 고루 헤쳐 덩어리진 것이 없이 풀어놓는다.
4. 끓인 물과 섞은 떡이 (차게 식기를 기다려) 누룩가루 1되, 밀가루 5홉을 한데 합하고, 고루 버무려 술밑을 빚는다.
5. 술밑을 술독에 담아 안치고, 예의 방법대로 하여 (차고 서늘한 곳에서) 발효시켜 익기를 기다린다.

四節七日酒方

白米一斗百洗水浸經宿取出作末蒸熟熟水三瓶眞末五合麯末一升和合候冷入甕待熟用之粘米尤好.

# 사절통용육두주

## 스토리텔링 및 술 빚는 법

'사절통용육두주(四節通用六斗酒)'는 1450년대 저술된 국내 최고의 양조 관련 저술로 알려진 <산가요록(山家要錄)>에 등장한다.

'사절통용육두주'라는 주품명과 관련하여 어떤 의미를 담고 있는 주품명인지를 찾고자 술 빚기를 시도하였는데, 그 결론은 "6말의 쌀을 사용하여 연중 어느 때이고 실패하지 않는 술을 빚는 방법"을 뜻한다.

이러한 해석의 배경에는 똑같은 원료의 사용과 동일한 방법으로도 계절에 따라 실패할 수도 있다는 뜻이기도 하다. "연중 똑같은 술을 실패하지 않고 빚을 수 있다."는 의미를 역으로 생각하면, 우리나라는 4계절 변화가 뚜렷하여 매 계절 목적과 용도에 따라 다른 맛과 향기를 간직한 술을 빚고 있는데, 특히 기온과 습도가 높은 여름철에는 과발효와 잡균의 오염으로 인한 산패가 잘 일어나므로, 술 빚기를 꺼리게 된다는 뜻이기도 하다.

그런 까닭으로 '하절주'를 비롯하여 '하절삼일주', '하절불산주', '하일절주', '하일점주', '하일청주' 등 여름철에 한하여 빚는 술들이 생겨날 정도로 특별한 방법을 동원해 왔던 사실을 확인할 수 있다.

또한 '사절통용육두주'와 유사한 의미를 담고 있는 주품으로, '사시주'를 중심으로 '사절주', '사시절주', '사절소곡주', '사시통음주', '사절소주' 등이 모두 일 년 열두 달 내내 빚을 수 있는 술이라는 의미를 담고 있다.

그런 의미에서 유일하게 <산가요록>에 수록되어 있는 '사절통용육두주'의 주방문을 통해 그 방법을 찾아보면, 밑술은 멥쌀 2말을 가루로 만들어 끓는 물 2말로 된 범벅을 쑤고, 차게 식으면 누룩가루 4되와 화합하여 발효시킨 뒤, 다시 멥쌀 4말을 쪄서 고두밥을 짓는데, 끓여서 식힌 물 2말 5되와 누룩가루 2되를 혼화하여 발효시키는 방법으로 이루어진다.

이 주방문에서 주목할 것은 밑술과 덧술에서 모두 끓는 물이나 끓여서 차게 식힌 물을 사용한다는 것과, 밑술과 덧술에 모두 누룩가루를 사용한다는 것이다. '사절통용육두주'가 사계절 빚는 술인 만큼, 끓는 물이나 끓여 식힌 물의 사용, 그리고 2차례에 걸쳐 누룩가루를 사용한다는 사실은, 특히 여름철에 대비하여 잡균에 대한 오염을 최소화하고, 빠른 시간 내에 안전한 발효를 촉진시키기 위한 조치라고 볼 수 있다.

'사절통용육두주'는 비교적 부드러우면서도 향기롭고 담백한 맛을 자랑한다. 여느 주방문에 비해 물의 양이 비교적 많은 편에 속하는데, 이는 알코올 도수를 높이기 위한 방법의 한 가지라고 볼 수 있다. 특히 고온다습한 여름철에는 알코올 도수를 최대한 높일 수 있는 발효 방법을 찾아야 하는데, 그 방법으로 누룩의 양을 늘리는 방법 외에 물의 양을 늘리는 방법이 있기 때문이다. 그러나 물의 양이 지나치게 많아지면 맛과 향기 등 주질이 떨어지거니와, 오히려 알코올 도수가 낮은 술이 될 수 있기 때문에 급수량의 조절에 유의해야 한다.

'사절통용육두주'가 <산가요록>의 등장 이후 단절된 배경이 무엇이었을까를 생각해 보았는데, 술 빚는 과정을 통하여 그 답을 찾을 수 있었다. 누룩 냄새가 많이 날 뿐만 아니라 술 빛깔도 그리 밝고 깨끗하지 못하다는 단점이 있다는 것이다.

'사절통용육두주'의 실습을 통해 깨달은 결과, 여름철에도 누룩의 사용량을 4되에 한하여 밑술에 한 차례만 사용하는 것으로도 충분하였다는 것이다. 그런데도 밑술에 4되, 덧술에도 2되를 2차례에 걸쳐 사용했어야 하는 이유가 무엇이었을까?

추측하건대, <산가요록>이 저술되었을 조선 초기의 양주기술은 누룩의 품질이 그렇게 뛰어나지 못하였을 것이라는 것이 필자의 결론이다.

이러한 결론은 <산가요록>에 수록된 70종의 주품 가운데 상당수가 <음식디미방>을 비롯하여 전통주의 전성기를 누렸던 조선 중기의 문헌들에 수록된 주류들의 주방문에 비하여 누룩 사용량이 비교적 많은 편에 속한다는 사실에 근거한다.

## 사절통용육두주 <산가요록(山家要錄)>

술 재료 : 밑술 : 멥쌀 2말, 누룩가루 4되, 끓는 물 4말
덧술 : 멥쌀 4말, 누룩가루 2되, 끓여 식힌 물 2말 5되

술 빚는 법 :

* 밑술 :

1. 멥쌀 2말을 백세하여 물에 담가 불렸다가, 다시 씻어 헹궈 건져서 물기를 뺀 후 작말한다(가루로 빻아 넓은 그릇에 담는다).
2. 물 4말을 팔팔 끓여 쌀가루에 붓고, 고루 개어 죽(범벅)을 만들어 차게 식기를 기다린다.
3. 죽(범벅)에 누룩가루 4되를 섞고, 고루 치대어 술밑을 빚는다.
4. 술밑을 술독에 담아 안치고, 예의 방법대로 하여 발효시켜 익기를 기다린다.

* 덧술 :

1. 멥쌀 4말을 씻어(백세하여) 물에 담가 불렸다가, 다시 씻어 건져서 (물기를 뺀 후) 시루에 안쳐서 무른 고두밥을 짓는다.

2. 물 2말 5되를 팔팔 끓여서 차게 식히고, 고두밥도 무르게 있었으면 시루에 퍼내고, 고루 펼쳐 차게 식기를 기다린다.
3. 누룩가루 2되를 맷돌에 갈아 가루를 만든 뒤, 고두밥에 밑술과 끓여 식혀둔 물을 고두밥에 한데 섞고, 고루 버무려 술밑을 빚는다.
4. 술독에 술밑을 담아 안치고, 예의 방법대로 하여 10여일 발효시킨다.

四節通用六斗酒

米六斗. 白米二斗 洗浸 更洗細末 湯水四斗 和作粥 待冷 匊末四升 和入瓮 待熟 白米四斗 洗浸全蒸 湯水二斗半 待冷 匊末二升 碾出 前酒 和入瓮 十餘日 用之.

# 삼구주

## 스토리텔링 및 술 빚는 법

주품명을 작명(作名)하는 방법에 대하여 여러 차례 언급한 것 같다. 사람도 마찬가지이거니와 '살강 밑에서 주운 숟가락'이 아닌 이상, 굳이 성명학이 아닐지라도 여러 가지 환경이나 처지, 가족 상황, 부모의 바람, 심지어 낳은 순서에 이르기까지 나름 의미를 부여한 이름을 짓게 되고, 그 이름은 평생 자신의 이미지와 부합되게 된다.

그런 의미에서 <임원십육지(林園十六志)>의 '삼구주방(三九酒方)'은 어떠한 의미를 부여한 술인지, 작명의 의도가 분명하게 드러나 보인다는 점에서, 그리고 그런 의도를 읽을 수 있어 참 재미가 있다는 생각이 든다.

'삼구주방'은 <임원십육지(고려대본)>에 수록되어 있다. '삼구주방' 역시 중국의 술이 이 땅에서 우리 방법으로 정착된 것으로 여겨진다.

<임원십육지>의 '삼구주방' 주방문에 "3월 3일에 물 9말, 멥쌀 9말, 햇볕에 말린 볶은 누룩 9말을 함께 버무려 골고루 섞어 항아리에 담는다. 9일 만에 덧술한 후, 또 5일 만에 덧술하고, 또 3일 만에 덧술한다. 홀수 날에만 덧빚음을 하고 짝

수 날은 하지 않는다. 3월 중에는 덧빚음이 끝나야 한다. 항상 미리 물을 끓여서 항아리 속에 담아두었다가 덧빚음을 끝낸다. 물 5되로 손을 씻고 항아리도 기울여 씻어 술항아리 속에 담는다."고 하고, <제민요술(齊民要術)>을 인용하였다는 사실을 밝히고 있다. 중국의 문헌인 <제민요술>에도 '삼구주(三九酒)'로 되어 있고, '초국(草麴)'이 아닌 '분국(笨麴)'으로 빚는다고 되어 있다.

어떻든 '삼구주방'은 "3월 3일에 9말의 쌀을 사용하여 술을 빚는다."는 데에서 유래한 주품명이라는 것을 알 수 있다.

동양사상(東洋思想)에서 '삼(三)'은 완전수로 인식되고 있고, 특히 3과 같은 홀수가 겹친 날을 중양(重陽)이라고 하는 데서 큰 의미를 두고 있다. 그리하여 동양 문화권인 우리나라는 홀수 날이 겹친 날이 다 명절로 되어 있고, 중양일 가운데서도 3월 3일을 연중 가장 길(吉)한 날로 여기고 있음을 볼 수 있다.

특히 혼인을 앞둔 젊은 남녀들 사이에서 가장 선호하는 경향이 강하게 나타나고 있는데, 3월 3일이 혼인식이 가장 많은 이유가 그렇고, 3의 곱은 완전무결한 숫자로 통하기 때문에 우주수로 인식해, 9월 9일은 중구(重九)라 하여 각종 놀이가 지금까지 이어져 온 것이다.

그러니 3월 3일에 9말의 쌀을 사용하여 첫 밑술을 빚는다는 사실은 '완벽'을 추구하고자 하는 의도가 담겨져 있다고 할 것이다.

좋은 날을 택하여 술을 빚는다는 사실은, 그만큼 술 빚는 일을 하기에 좋은 날이라는 의미도 있다. 또 "홀수 날에만 덧빚음을 하고 짝수 날은 하지 않는다."는 인식도 같은 맥락이라고 생각된다.

'삼구주방'에서 더 눈여겨볼 것은, 4차례의 술 빚는 과정에서 매번 9말의 쌀과 9말의 누룩과 9말의 끓여서 식힌 물이 사용된다는 사실이다.

'삼구주방'에서 4회의 술 빚는 과정에 사용할 수 있는 누룩의 양은 매회 쌀 9말에 대하여 9말의 누룩 분량으로 100%에 해당하므로, 엄청나게 많은 양이라고 할 수 있다. 그럼에도 이렇게 많은 분량의 누룩을 사용한다는 것은 아무런 의미가 없을 뿐만 아니라, 오히려 주질만 나빠지는 결과를 초래한다.

소위 '누룩취(麴子臭)'가 그것이다. 한마디로 "누룩취는 아예 나지 않도록 빚어야 한다."는 것이 필자의 견해이거니와, 술에서의 '누룩취'는 '누룩곰팡이 냄새'를 지칭하는 것이고, 그것이 결코 향기가 될 수 없다는 주장이다.

또한 누룩의 과다 사용에 따른 문제점도 나타나게 된다. 방문의 말미에서도 언급하였지만, "술을 자주 저어주어야 누룩가루가 침전(沈殿)되는 것을 막고, 신맛이 나지 않게 된다."는 것이다.

'삼구주방'과 같이 누룩이 과다하게 사용되는 경우, 누룩의 밀가루가 다 분해되지 못하고 독 밑에 침전되기 마련인데, 이러한 현상은 주질(酒質)로 이어진다. 술에서 강한 산미(酸味)와 함께 쓰고(苦味) 떫은 맛(澁味)을 주어 술의 풍미(風味)를 해칠 뿐만 아니라, 술의 숙성 후에도 어느 날 갑자기 산(酸)이 올라오고, 백탁현상(白濁現狀)이 초래된다는 것이다.

<임원십육지>의 '삼구주방'은 2차례 덧술을 하는 것으로도 강한 누룩취와 함께 쓴맛이 강해서 도저히 목구멍으로 넘어가질 않아, 3차 덧술을 하는 것을 포기하고 증류하여 소주로 사용하고 말았다. 수고할 가치가 없다는 판단에서다.

## 삼구주방 <임원십육지(林園十六志, 高麗大本)>

술 재료 : 밑술 : 멥쌀 9말, 초국가루 9말, 끓여 식힌 물 9말
덧술 : 멥쌀 9말, 초국가루 9말, 끓여 식힌 물 9말
2차 덧술 : 멥쌀 9말, 초국가루 9말, 끓여 식힌 물 9말
3차 덧술 : 멥쌀 9말, 초국가루 9말, 끓여 식힌 물 9말

술 빚는 법 :

* 밑술 :

1. 3월 3일에 멥쌀 9말을 (백세하여 물에 담가 불렸다가, 다시 헹궈서 물기를 뺀 후) 시루에 안쳐서 고두밥을 짓는다.
2. 물 9말을 끓여서 술독에 담아 차게 식혀놓는다.
3. 고두밥이 익었으면 퍼낸다(고루 펼쳐서 차게 식기를 기다린다).

4. 고두밥에 끓여서 식힌 물 8말 5되와 법제한 초국가루 9말을 한데 합하고, 고루 버무려 술밑을 빚는다.
5. 술밑을 술독에 담아 안치고, 남겨둔 물 5되로 손과 그릇을 씻어 술독에 붓는다.
6. (서늘한 곳에 항아리를 두고, 차서 얼거나 햇빛이 비치지 않게 하여) 9일간 발효시켜 익기를 기다린다.

* 덧술 :
1. 3월 18일에 멥쌀 9말을 (백세하여 물에 담가 불렸다가, 다시 헹궈서 물기를 뺀 후) 시루에 안쳐서 고두밥을 짓는다.
2. 물 9말을 끓여서 술독에 담아 차게 식혀놓는다.
3. 고두밥이 익었으면 퍼낸다(고루 펼쳐서 차게 식기를 기다린다).
4. 고두밥에 밑술과 끓여서 식힌 물 8말 5되, 법제한 초국가루 9말을 한데 합하고, 고루 버무려 술밑을 빚는다.
5. 술밑을 술독에 담아 안치고, 남겨둔 물 5되로 손과 그릇을 씻어 술독에 붓는다.
6. 술독은 (서늘한 곳에 두고, 차서 얼거나 햇빛이 비치지 않게 하여) 5일간 발효시켜 익기를 기다린다.

* 2차 덧술 :
1. 3월 24일에 멥쌀 9말을 (백세하여 물에 담가 불렸다가, 다시 헹궈서 물기를 뺀 후) 시루에 안쳐서 고두밥을 짓는다.
2. 물 9말을 끓여서 술독에 담아 차게 식혀놓는다.
3. 고두밥이 익었으면 퍼낸다(고루 펼쳐서 차게 식기를 기다린다).
4. 고두밥에 2차 덧술과 끓여서 식힌 물 8말 5되, 법제한 초국가루 9말을 한데 합하고, 고루 버무려 술밑을 빚는다.
5. 술밑을 술독에 담아 안치고, 남겨둔 물 5되로 손과 그릇을 씻어 술독에 붓는다.

6. 술독은 (서늘한 곳에 두고, 차서 얼거나 햇빛이 비치지 않게 하여) 3일간 발효시켜 익기를 기다린다.

＊3차 덧술 :
1. 3월 28일에 멥쌀 9말을 (백세하여 물에 담가 불렸다가, 다시 헹궈서 물기를 뺀 후) 시루에 안쳐서 고두밥을 짓는다.
2. 물 9말을 끓여서 술독에 담아 차게 식혀놓는다.
3. 고두밥이 익었으면 퍼낸다(고루 펼쳐서 차게 식기를 기다린다).
4. 고두밥에 3차 덧술과 끓여서 식힌 물 8말 5되, 법제한 초국가루 9말을 한데 합하고, 고루 버무려 술밑을 빚는다.
5. 술밑을 술독에 담아 안치고, 남겨둔 물 5되로 손과 그릇을 씻어 술독에 붓는다.
6. 술독은 (서늘한 곳에 두고, 차서 얼거나 햇빛이 비치지 않게 하여) 발효시켜 익기를 기다린다.

＊술을 자주 저어주어야 누룩가루가 침전(앙금 앉는 것)되는 것을 막고, 신맛이 나지 않게 된다. 주방문에 "3월 3일에 물 9말, 멥쌀 9말, 햇볕에 말린 볶은 누룩 9말을 함께 버무려 골고루 섞어 항아리에 담는다. 9일 만에 덧술한 후, 또 5일 만에 덧술하고, 또 3일 만에 덧술한다. 홀수 날에만 덧빚음을 하고, 짝수 날은 하지 않는다. 3월 중에는 덧빚음이 끝나야 한다. 항상 미리 물을 끓여서 항아리 속에 담아두었다가 덧빚음을 끝낸다. 물 5되로 손을 씻고 항아리도 기울여 씻어 술항아리 속에 담는다."고 하였다.

三九酒方

以三月三日收水九斗米九斗焦麴末九斗先曝乾之一時和之揉和令極熟九日一酘後五日一酘後二日一酘會以隻日酘不得以偶日也使三月中郎令酘足常預作湯甕中停之酘畢輒使五升洗手湯甕傾於酒甕中也. <齊民要術>.

# 삼두주

## 스토리텔링 및 술 빚는 법

우리 전통주에 대한 명칭은 여러 가지 방법으로 붙여지게 된다. 일테면 술이 익는 기간에 따라 '일일주', '삼일주', '칠일주', '스무주', '백일주', '천일주' 등이 있는가 하면, 술의 주재료에 따라 '찹쌀소주', '멥쌀소주', '햅쌀술', '보리소주', '모미주', '밀소주', '피모소주', '옥수수술', '고구마술', '감자술', '호박술' 등이 있다.

또 부재료에 따라 '오가피주', '대추술', '국화주', '두견주', '도화주' 등이 있으며, 물의 양에 따라 '오병주', '육병주', 쌀과 물의 양에 따라 '일두사병주', '일두육병주', 술의 맛과 향기에 따라 '감향주', '하향주', '석탄향', 술 빚는 때에 따라 '삼해주', '이화주', '도화춘', '매화주', '청명주', '삼오주', 술 빛깔에 따라 '백하주', '유하주', '백주', '벽향주', '백화주', '황금주', '녹파주', '죽엽주' 등이 있다. 이 외에도 술의 점도에 따라, 누룩의 양에 따라 술 이름을 붙이기도 한다.

'삼두주(三斗酒)'는 이양주(二釀酒)인데, 밑술과 덧술에 사용되는 쌀과 물의 양이 다 같이 3말인 데 따른 명칭으로, <양주집(釀酒集)>과 <침주법(浸酒法)>에 처음 등장하는 주품이다.

'삼두주'는 술 빚는 방법이나 재료의 사용 등에서 특별한 것이 없는, 매우 일반적인 청주를 빚는 방문(方文)이다. 우연하게도 <양주집>과 <침주법> 두 문헌이 아직 학계에 발표되지 않았고, '삼두주'라는 주품이 이들 문헌에만 수록되어 있다 보니, 주방문에 대한 연구가 없었다.

그런데 이 두 문헌의 '삼두주'는 주방문이 다르다는 것을 알 수 있다. 주품명에서 '삼두주'라는 이유는 이양주로서 밑술과 덧술에 사용되는 쌀의 양이 다 같이 3말인 데서 명칭은 동일하지만, 두 문헌의 주방문에서 공통점을 찾을 수 없다는 것이다.

굳이 두 주방문의 특징을 찾는다면, <양주집>의 '삼두주'는 술 빚기에 사용되는 쌀의 양과 물의 양이 각각 3말씩인데 비해, 발효제로 사용되는 누룩이 1되(3.3%)로 그 양이 매우 적게 사용된다는 점이다. 누룩은 그 품질이 좋아야 하는데, 주방문에서 보듯 고운 누룩이 아닌, 어레미에 쳐서 비교적 고운 가루를 빼고 남은 거친 형태의 누룩을 사용하는 이유가 향기를 살리기 위한 방법임을 암시하고 있다.

또 밑술은 범벅을 쑤어 식기를 기다렸다가, 거친 누룩 1되를 섞어 3일간 발효시킨 후, 찹쌀 2말로 고두밥을 지어 식기를 기다렸다가, 누룩이나 물을 사용하지 않고 고두밥만을 사용하는 전형적인 술 빚는 법을 고수하고 있다는 것을 알 수 있다.

반면, <침주법>의 '삼두주'는 멥쌀 1말을 빻아 만든 쌀가루에 대하여 물 8~12사발로 매우 된죽을 쑤는데, 그 과정이 결코 녹녹치 않다는 것을 알 수 있다. 밑술을 빚기가 쉽지 않거니와, 죽이 고르게 익지 않을 가능성이 많아 발효 중에 술밑이 끓어서 술독 밖으로 넘치는 현상으로 인해 실패할 수 있는 소지가 매우 높다.

따라서 발효를 원활하게 하려는 의도로 누룩의 양이 3되가 사용된 것으로 보인다. <양주집>의 '삼두주'보다 누룩의 양이 3배나 많아진 이유가 된다. 또 밑술의 발효기간도 <양주집>과는 달리, 계절에 따라 달라지는 이유이기도 하다.

더욱이 <침주법>의 '삼두주'는 덧술에서 멥쌀 2말의 고두밥에 대하여 끓는 물을 3말이나 사용하는 것을 볼 수 있는데, 밑술의 끓는 물 12사발을 포함하면 3말 5되의 분량에 해당하므로, <침주법>의 '삼두주'는 쌀 양이 3말(삼두)인 데서 유래한 주품명으로 국한되게 된다.

따라서 두 문헌의 '삼두주'는 전혀 다른 성격의 주품이라고 할 수 있으며, 공통점을 찾을 수 없는 주방문으로 이루어져 있다고 하겠다.

두 문헌에 수록된 '삼두주'를 빚어본 경험으로는 <양주집>의 주방문이 술 빚는 법에서나 주질에서도 훨씬 앞서는, 맛은 매우 진중하면서도 담백하고 향기로운 것이 특징이라면, <침주법>의 '삼두주'는 매우 남성적이면서 쓰고 독한 맛을 자랑한다고 하겠다.

## 1. 삼두주 <양주집(釀酒集)>

술 재료 : 밑술 : 멥쌀 1말, 누룩(어레미에 친 가루) 1되, 끓는 물 3말
덧술 : 찹쌀 2말

술 빚는 법 :

* 밑술 :

1. 멥쌀 1말을 백세하여 (물에 담가 불렸다가, 새 물에 다시 씻어 맑게 헹궈 건져서 물기를 뺀 후) 세말한다(고운 가루로 빻는다).
2. 솥에 물 3말을 끓여 쌀가루에 고루 붓고, 주걱으로 담(범벅)을 개어 차게 식기를 기다린다.
3. 담(범벅)을 갠 것에 어레미에 쳐서 마련한 누룩 1되를 넣고, 고루 버무려 술밑을 빚는다.
4. 술독에 술밑을 담아 안치고, 예의 방법대로 하여 3일간 발효시킨다.

* 덧술 :

1. 찹쌀 2말을 백세하여 물에 담가 하룻밤 불렸다가 (새 물에 다시 씻어 맑게 헹궈 건져서 물기를 뺀 후) 시루에 안쳐 고두밥을 짓는다.

2. 찹쌀고두밥이 익었으면 퍼내고, 고루 펼쳐서 차게 식기를 기다린다.
3. 고두밥에 밑술을 합하고, 고루 버무려 술밑을 빚는다.
4. 술독에 술밑을 담아 안치고, 예의 방법대로 하여 15일간 발효시킨다.

三斗酒
白米 一斗 百洗細末ᄒᆞ야 ᄭᅳᆯ인 믈 三斗ᄋᆡ ᄃᆞᆷ ᄀᆡ여 ᄀᆞ장 ᄎᆞ거든 曲子ᄅᆞᆯ 大체ᄋᆡ 처 一升을 섯거 녀허다가 過三日 後ᄋᆡ 粘米 二斗 百洗ᄒᆞ야 믈ᄋᆡ ᄃᆞᆷ가 ᄒᆞ로밤 자여 밥 ᄶᅧ ᄀᆞ장 식거든 누록 업시 밋술ᄋᆡ 고로 섯거다가 十五日 만ᄋᆡ ᄡᅳ라.

## 2. 삼두주 <침주법(浸酒法)>

술 재료 : 밑술 : 멥쌀 1말, 누룩 3되, 밀가루 3홉, 물 8~12사발
덧술 : 멥쌀 2말, (끓는 물) 3말

술 빚는 법 :
* 밑술 :
1. 멥쌀 1말을 백세하여 (물에 담가 하룻밤 불렸다가, 다시 헹궈서) 물기를 빼서 가루로 빻아놓는다.
2. 솥에 물 8~12사발을 붓고 팔팔 끓이다가, 불린 쌀가루에 뜨거운 물 5사발을 퍼서 붓고, 주걱으로 개어 아이죽을 만든다.
3. 끓고 있는 나머지 물에 아이죽을 넣고 팔팔 끓여 된죽을 쑨 다음, 넓은 그릇에 퍼 담고 (뚜껑을 덮어 찬 곳에 두어) 차게 식기를 기다린다.
4. 식은 죽에 누룩 3되와 밀가루 3홉을 합하고, 고루 버무려 술밑을 빚는다.
5. 술독에 술밑을 담아 안치고, 예의 방법대로 하여 겨울엔 7일(봄가을엔 5일, 여름엔 3일)간 발효시켜 익기를 기다린다.

* 덧술 :

1. 멥쌀 2말을 백세하여 물에 담가 하룻밤 불렸다가, 다시 헹궈서 물기를 빼놓는다.
2. 불린 쌀을 시루에 안치고 찐다(물 3말을 팔팔 끓인다).
3. 고두밥이 무르게 익었으면 퍼낸다(넓은 그릇에 퍼 담고 끓는 물 3말을 합하여 뚜껑을 덮어 차디차게 식기를 기다린다).
4. 고두밥에 밑술을 한데 섞고, 고루 버무려 술밑을 빚는다.
5. 술밑을 술독에 담아 안친 후, 예의 방법대로 하여 (차지도 덥지도 않은 곳에서) 발효시키고, 술이 익기를 기다린다.

* 계절에 따라 사용하는 양주용수의 양과 밑술의 발효기간이 다르다.

삼두쥬(三斗酒)

ᄇᆡᆨ미 ᄒᆞᆫ 말 ᄇᆡᆨ셰ᄒᆞ야 ᄀᆞᄅᆞ ᄇᆞ아 겨울이어든 믈 열두 사발이오 녀름이어든 여듧 사바리오 봄 ᄀᆞᄋᆞᆯ이어든 열 사발 브어 쥭 수어 ᄎᆞ거든 누록 서 되와 진ᄀᆞᄅᆞ 서 홉을 화합ᄒᆞ야 겨을이어든 닐웨오 녀름이어든 사흘이오 봄 ᄀᆞᄋᆞᆯ이어든 닷쇄 만의 ᄇᆡᆨ미 두 말을 ᄇᆡᆨ셰ᄒᆞ야 닉게 뼈 탕슈 서 말로 젼수레 합ᄒᆞ야 비저 닉거든 쓰라.

# 삼미감향주

## 스토리텔링 및 술 빚는 법

술을 빚는 데는 반드시 목적이나 용도가 있어야 한다. 술을 빚는 데 따른 목적과 용도를 언급하는 까닭은, 그 목적이나 용도에 따라 술이 달라져야 한다는 뜻이다. 그렇지 않고 내가 잘 빚을 줄 아는 술이라고 하여 마셔달라고 하는 것은, 좋은 의미로는 인정(人情)이라고 할 수 있겠지만, 엄밀하게는 대단한 무례(無禮)와 결례(缺禮)이기도 하다,

가령 '소주'를 좋아하는 사람에게 '막걸리'를 대접한다고 가정하면, 욕 먹이는 일이 아니고 무엇이랴. 무례와 결례를 범하지 않기 위해서라도 목적과 그 용도에 맞는 술을 빚을 줄 알아야 하는 것이다. 그것이 우리 고유의 접대예절(接待禮節)이다. 상대를 최대한 배려하는.

술을 배울 때는 목표가 있어야 한다. 필자가 술 강의를 할 때마다 매번 강조하는 얘기이다. 술을 배울 때 목표를 세우라는 얘기는 다름 아니다. 술을 빚는 기술은 여러 가지가 있을 수 있고 각기 장단점이 있게 마련이나, 배울 때는 소위 '최고의 술'을 빚기 위해 노력해야 한다는 뜻이다. 속된 말로 '범'을 그리다가 잘못하면

하다못해 '고양이'라도 그릴 수 있겠지만, '고양이'를 그리려다 잘못하면 '쥐'를 그릴 수 있다는 아주 단순한 논리다.

특히 '최고의 술'이라고 하는 배경에는, 양주의 원리를 비롯하여 주원료의 선택과 전처리 및 가공, 술 빚는 과정과 그 이후의 발효에 따른 온도 관리 등 복잡하고 까다로운 일과 특히 많은 시간을 요구받게 된다. 그 복잡하고 까다로운 과정의 이면에 술을 잘 빚을 수 있는 '비법(秘法)'이 숨겨져 있는 것이다. 그러나 그 비법은 쉽게 드러나지 않기도 하거니와, 아무리 훌륭한 스승이라도 잘 가르쳐주지 않는다. 설혹 비법을 전수해 주면서도 "이것이 비법이다."고 말하지 않는 경우가 더 많다는 얘기다. 혹 "이것이 비법이다."고 말해 주게 되면, 그 과정에만 정신이 팔려서 다른 소소하면서도 과정마다의 중요한 부분들을 간과해 버리기 십상이기 때문이다.

<산가요록(山家要錄)>의 '삼미감향주(三味甘香酒)'는 '최고의 술'에 부합되는, 현대 양주에서 매우 강조되는 '향기와 색'이 뛰어난 술이라고 할 수 있다. 그런데도 그 비법을 찾기가 쉽지 않다. 어쩌면 소위 '명품'일수록 그 과정은 특별하지 않을 수도 있다는 생각을 하게 만드는 주방문으로 이루어진다.

우선 '삼미감향주'라는 주품명에 담긴 "삼미(三味)"는 '달고' '부드럽고' '상큼한 신맛'의 뜻에서 유래한 것으로, '석탄주'와 같은가 하면 오래 숙성시킨 '백수환동주'나 '이화주'와도 같은 향기를 발현한다.

소위 '감향주'가 달고 부드러우면서 방향을 갖는 술이라면 '삼미감향주'는 거기에 상큼한 산미(酸味)가 어우러져 술의 풍미를 더해 준다고 할 것이다. 그 이유는 덧술에 사용되는 밀가루 때문으로, 술 색깔이 맑아지는 이유이기도 하다.

다만 전제되는 한 가지 분명한 사실은, 절대로 배합비율을 벗어나서는 안 된다는 것이다. 혹 그 양을 줄여서 하더라도, 밑술을 기준으로 할 때 최소의 쌀 양이 1말(25%)은 되어야 뛰어난 향기를 간직한 '삼미감향주'를 즐길 수 있다는 얘기다. 보기에 간단해 보이는 술일수록 원칙에 충실해야 하고, 가능하면 재료의 양이 많이 투입되었을 때 제 맛을 추구할 수 있다는 사실을 간과해서는 안 된다.

'삼미감향주'는 이제까지 보아 온 주방문들에 비해 특별할 것이 전혀 없다. 밑술은 충분한 양의 끓는 물로 범벅을 쑤어 익히는 것으로 되어 있고, 덧술은 특별히 살수(撒水)를 하는데, 끓여서 식힌 물을 사용하는 것으로 되어 있어, 술을 빚는 방법에 따른 어려움이나 힘든 부분도 없다.

물론 밑술의 양이 4말이라는 점에서 범벅을 쑤기가 만만치 않게 느껴질 수도 있겠지만, 그 양을 등분하여 범벅을 쑤게 되면 양이 많았을 때와 같이 범벅이 고르게 익지 않아서 실패를 하거나 술맛이 떫고 쓰거나 하지도 않을 것이다.

덧술도 고두밥을 찌기 하루 전에 물을 끓여서 어느 정도 식으면 통에 담아서 냉장고에 보관해 두었다가, 살수 직전에 내어서 골고루 뿌려주고, 뜸을 잘 들여서 익히는 방법으로만 한다면, 예의 주방문에 나와 있듯이 균형 잡힌 '삼미'와 '향기'와 '색'이 뛰어난 '삼미감향주'를 얻을 수 있을 것이다.

술 빚는 사람이라면 누구든지 꼭 한 번쯤 도전해 볼 일이다.

## 삼미감향주 <산가요록(山家要錄)>

–쌀 12말 빚이

술 재료 : 밑술 : 멥쌀 4말, 누룩가루 7되, 끓는 물 8말
덧술 : 멥쌀 8말, 밀가루 3되, 끓여 식힌 물 1말

술 빚는 법 :

* 밑술 :

1. 멥쌀 4말을 씻어(백세하여) 물에 담가 불렸다가 (다시 씻어 건져서 물기를 뺀 후) 세말한다.
2. 물 8말을 팔팔 끓여 쌀가루에 붓고, 멍울 없이 풀어 죽(범벅)을 만든 후 (넓은 그릇 여러 개에 나눠 담고) 차게 식기를 기다린다.
3. 차게 식은 죽(범벅)에 누룩가루 7되를 넣고, 고루 버무려 술밑을 빚는다.
4. 술독에 술밑을 담아 안치고, 예의 방법대로 하여 4일간 발효시킨다.

* 덧술 :

1. 멥쌀 8말을 씻어(백세하여) 물에 담가 불렸다가 (다시 씻어 건져서 물기를 뺀 후) 시루에 안쳐서 무른 고두밥을 짓는다.
2. 고두밥을 찔 때 끓여 식힌 물 1말을 고루 뿌려 푹 쪄서 익었으면 퍼내고, 고루 펼쳐서 차게 식기를 기다린다.
3. 고두밥에 밑술과 밀가루 3되를 합하고, 고루 버무려 술밑을 빚는다.
4. 술독에 술밑을 담아 안치고, 예의 방법대로 하여 발효시킨다.

* 주방문 말미에 "이 술은 익으면 색과 향이 매우 좋다."고 하였다. 덧술에 밀가루만 사용한 경우로 매우 드문 예이다.

三味甘香酒

米十二斗. 白米四斗 洗浸細末 湯水八斗 和作粥 待冷 匊末七升 合造 四日後 白米八斗 洗浸全蒸 湯水一斗 洒飯 待冷 眞末三升 碾出 前酒合造 待熟 色香 甚好.

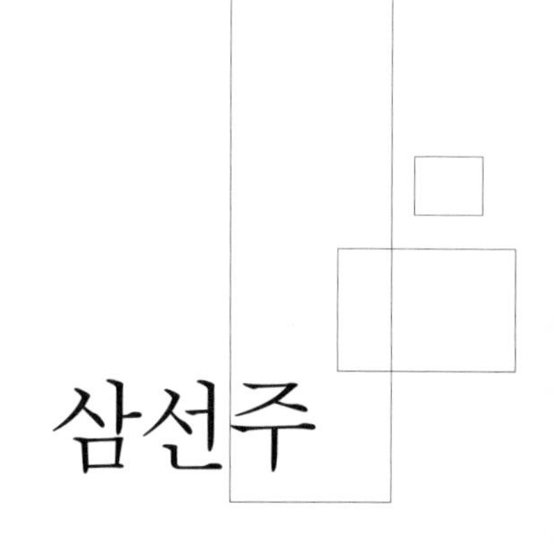

# 삼선주

## 스토리텔링 및 술 빚는 법

"이 술은 '영악산 신선이 가라앉힌 묘법'이다."

<술 만드는 법>이라는 문헌의 '삼선주' 주방문 머리에 나오는 말이다. 이 한 구절 때문에 얼마나 고생을 많이 했던가를 생각하면, "참으로 어리석었구나." 하는 생각과 함께 "어쩌면 그 어리석음 때문에 오늘날 우리의 가양주 문화가 다시금 꽃을 피울 수 있는 기회를 맞게 되었잖은가." 하는 자위도 하게 된다.

"영악산 신선이 가라앉힌 묘법"은 다름 아닌 <술 만드는 법>의 '삼선주'를 지칭한다. 호기심으로 '삼선주'를 빚어보게 되었는데, 그 과정이 그리 수월치는 않았다. 당시만 하더라도 고서에 수록된 술 빚는 법과 전승가양주법이 그렇게 차이가 많은 줄 몰랐던 때였다.

13년간의 전승가양주 비법 찾기에 매달렸던 필자로서는, <주방문(酒方文)>이라는 양주 관련 문헌으로만 알고 있었던 <술 만드는 법>의 "삼선주는 입가심 정도"라는 식으로 기고만장했으니, 영악산 신선이 대로할 법도 했다.

결론부터 말하자면, '삼선주'의 가장 두드러진 특징은, 무엇보다 속성주(速成

酒)에 가깝다는 것을 알 수 있다. <술 만드는 법>에 수록되어 있는 '사절주'와 '사절소곡주'를 비롯하여 다른 고문헌에 수록되어 있는 대부분의 삼양주류(三釀酒類)의 특징은 '장기 저온 발효주'라는 사실로서, 술맛이 깊고 그윽한 향기를 간직한 술을 얻고자 하는데 반하여, '삼선주'는 삼양주임에도 그 발효기간이 12일~15일이면 발효가 끝나는 까닭이다.

'삼선주'는 여느 술에 비해 수율이 높은 방문으로, 술 빚는 법이 특이하다. 삼양주인데도 마지막 덧술을 죽으로 하여 빚는 방법을 취하고 있는데, 이는 민가의 가양주법(家釀酒法)에서 흔히 볼 수 있는 방문이라고 하겠다.

일반적으로 전통주의 주방문에서는, 마지막에 해 넣는 덧술을 반드시 고두밥으로 해 넣는 것을 볼 수 있는데, 그 이유를 안다면 '삼선주'의 방문이 맛이나 향기, 그리고 특히 맑은 술을 얻기 위한 방문이라기보다는, 양을 늘리기 위한 방편임을 알 수 있을 것이다. 그럼에도 '삼선주'는 매우 깔끔한 맛과 향기를 자랑한다. 그 이유는 밑술을 범벅으로 하고, 2차 덧술을 쌀가루로 쑨 죽이 아닌, 불린 쌀로 끓인 쌀죽으로 하였기 때문이다.

주방문에서 보듯 밑술의 발효기간이 덧술의 발효기간보다 길어진 이유도 거기에 있다. 또한 술을 자주 빚어본 사람이면 쌀가루가 아닌, 불린 쌀로 만든 죽으로 빚는 술이 부드럽다는 것을 장점으로 여기면서도, 아쉽게도 술 빛깔이 맑지 못하다는 것을 깨닫게 된다. 이 방문에서는 두 차례에 걸쳐 진말(眞末)을 사용하고 있음을 볼 수 있는데, 이는 그러한 단점을 보완하기 위하여 여러 가지 지혜를 동원하고 있음을 엿볼 수 있다. '삼선주' 주방문에서 볼 수 있듯 "이 술은 '영악산 신선이 가라앉힌 묘법'이다."고 한 까닭이기도 하다. 그러나 그로 인하여 오히려 술이 탁해지는 결과를 가져올 수 있다는 것을 염두에 둘 필요가 있었다는 것이다.

'삼선주'의 방문을 보면, 또 한 가지 철저하게 고수하고 있는 방법 가운데 하나가 밑술부터 2차 덧술까지 술 빚는 물을 '끓는 물'을 사용한다는 것인데, 이는 사용하는 양주용수의 양이 많은 점과도 밀접한 관련이 있다. 곧 양주용수의 양이 쌀이나 누룩의 양에 비해 1.5배 이상으로 지나치게 많은 술의 경우, 알코올 도수가 낮아질 수밖에 없어 자칫 산패를 초래하기 쉽다는 것이다.

그리하여 보다 맛좋은 '삼선주'를 빚는 방법을 찾게 되었는데, 밑술의 양주용수를 계량하는 데 사용되는 '큰되'에 착안하여 덧술과 2차 덧술의 물을 큰되로 계량하여 술을 빚어본 결과, 만족할 만한 결과를 얻었다. 그 맛과 향이 삼해주에 버금하는 것을 느낄 수 있었다.

여기서 큰되의 사용은 쌀의 부피와 물의 부피를 같은 도량형으로 계량하였다는 점에서, <술 만드는 법>의 '삼선주'가 직접 술을 빚었던 사람이 작성한 주방문이라는 결론을 내리게 되었다.

## 삼선주 <술 만드는 법>

술 재료 : 밑술 : 멥쌀 1말, 누룩가루 1되, 밀가루 1되, 끓는 물 큰되 10되(1말)
덧술 : 멥쌀 2말, 누룩가루 1되, 진말 1되, 끓는 물 2말(큰되)
2차 덧술 : 찹쌀 2말, 물 5말(큰되)

술 빚는 법 :

* 밑술 :

1. 멥쌀 1말을 백세하여(매우 깨끗이 씻어 불렸다가, 다시 헹궈서 물기를 뺀 뒤) 작말하여 큰 그릇에 담아놓는다.
2. 큰되로 물 10되를 계량하여 솥에 끓이고, 끓는 김에 쌀가루에 붓고, 주걱으로 고루 개어 범벅을 만든다.
3. 범벅을 넓은 그릇에 퍼서 차게 식기를 기다렸다가, 누룩가루 1되와 밀가루 1되를 한데 섞고, 떡 반죽하듯 고루 주물러서 술밑을 빚는다.
4. 술밑을 술독에 담아 안치고, 예의 방법대로 하여 발효시키고, 술이 괴어오르기를 기다린다.

* 덧술 :

1. 멥쌀 2말을 백세하여(물에 깨끗이 씻어 하룻밤 불렸다가, 다시 씻어 헹궈)

건져서 물기를 빼놓는다.
2. 솥에 시룻물을 붓고 끓이다가, 시루를 올리고 불린 쌀을 안쳐서 고두밥을 짓는다.
3. 시루에서 한 김 올라오면 물 1됫박을 뿌려주고, 다시 김을 올려서 뜸을 들인다.
4. 물 2말(큰되)을 계량하여 팔팔 끓이다가, 고두밥이 익었으면 넓은 그릇에 퍼 담고, 끓는 물을 고두밥에 고루 부어놓는다(주걱으로 고루 헤쳐 놓는다).
5. 고두밥이 물을 다 먹었으면, 자리에 퍼내서 고루 펼쳐 차게 식기를 기다린다.
6. 고두밥에 밑술과 누룩가루 1되와 밀가루 1되를 함께 합하고, 고루 버무려 술밑을 빚는다.
7. 술밑을 술독에 안치고, 예의 방법대로 하여 4일간 발효시킨다.

* 2차 덧술
1. 찹쌀 2말을 물에 정세한다(매우 깨끗이 씻어 불렸다가, 다시 씻어 헹궈서 물기를 빼놓는다).
2. 불린 찹쌀을 물 5말(큰되)에 넣고 끓여서 되직한 죽을 쑨 다음, 차게 식기를 기다린다.
3. 차게 식은 죽을 덧술과 합하고, 고루 버무려서 술밑을 빚는다.
4. 술밑을 술독에 담아 안친 다음, 예의 방법대로 하여 발효시키고, 술이 괴면 드리운다(걸러서 마신다).

* 주방문 말미에 "이 술은 영악산 신선이 가라앉힌 묘법이니라."고 하였다.

ᄉᆞᆷ션쥬

ᄇᆡᆨ미 ᄒᆞᆫ 말를 ᄇᆡᆨ셰작말ᄒᆞ야 큰되로 열 되만 되여 ᄀᆡ야 ᄎᆞ거든 곡말 ᄒᆞᆫ 되 진말 ᄒᆞᆫ 되 셕거 너헛다가 ᄇᆡᆨ미 두 말 ᄇᆡᆨ셰ᄒᆞ야 익게 익게 쪄셔 ᄭᅳᆯ인 물 두 말를 골나 ᄎᆞ거든 곡말 ᄒᆞᆫ 되 진말 ᄒᆞᆫ 되 셕거 항아리에 너헛다가 나ᄒᆞᆯ 만에 찹ᄡᆞᆯ 두 말 정셰ᄒᆞ야 물 닷 말에 쥭 ᄡᆞ어 부엇다가 괴거든 드리우라 이 ᄉᆞᆯ은 영악 ᄉᆞᆫ 신션이 가랏친 묘법이니라.

# 삼양주

## 스토리텔링 및 술 빚는 법

우리나라의 술에서 '삼양주(三釀酒)'라고 하면, "술을 3회에 걸쳐 빚는다."는 뜻으로, 또는 술 빚는 법에 따른 분류법을 가리키는 것으로 인식되어 왔다. 우리 술은 술 빚는 횟수에 따라 단양주(單釀酒), 이양주(二釀酒), 삼양주, 사양주(四釀酒) 등으로 구분하기 때문이다.

따라서 대개의 '삼양주'들은 곡물을 가루 형태로 하여 '죽(粥)'이나 '범벅(담)', '구멍떡(孔餠)', '물송편(水餠)', '백설기', '개떡', '인절미', '고두밥(蒸飯)'을 만들어 누룩을 섞어 발효시킨 술밑에 같은 방법으로 덧술을 하거나, 백설기를 비롯하여 범벅, 고두밥 형태의 재료를 두 번에 걸쳐 덧술을 해 넣는 것이 일반적인 방법이다.

즉, 삼양주의 특징은 먼저 빚는 술보다 다음에 빚는 술에 사용되는 원료의 호화도를 낮게 함으로써 알코올 도수를 높이는 방법을 취하고 있다는 것이다. 그리고 발효를 돕기 위하여 부재료로 밀가루나 엿기름가루 등을 사용하기도 한다. 그런데 술 빚는 법으로서의 삼양주가 아닌, 주품명으로서의 '삼양주'가 등장한 것은 <양주법(釀酒集)>이 처음으로 밝혀졌다.

'삼양주'의 술 빚기와 관련하여 그 과정에 따른 특징과 다른 방문과의 차이점을 살펴보면, 매우 이채로운 점을 발견할 수 있다.

첫째, <양주집>의 '삼양주'는 '5말 빚이'인데, 술 빚기에 사용되는 쌀 양의 50%에 해당하는 끓는 물을 3회에 걸쳐 쌀에 섞은 다음, 차게 식혀 사용하고 있다는 사실이다. 이와 같은 주방문은 술 빚기에 사용되는 누룩이 조곡(粗麯)이 아닌 분곡(粉麴)을 사용한 데에서 기인한다.

둘째, 밑술과 덧술에서 두 번에 걸쳐 쌀을 가루 형태로 하여 끓는 물로 죽(범벅)을 만들고, 누룩과 밀가루를 사용하고 있다는 점이다. 범벅으로 술을 빚는 궁극적인 목적은 강한 효모의 육성과 동시에 알코올 도수가 높은 술을 빚고자 하는 데 있다.

셋째, 밑술의 발효기간은 3~4일로 추정되는데, 덧술은 밑술과 같은 방법으로 빚으면서도 발효기간은 7일이나 된다는 것인데, 이는 2차 덧술의 양이 적게 사용되는 이유와 함께 7일 만에 익히고자 한 목적에서이다.

하지만 '삼양주'는 7일 만에는 발효가 끝나지 않는다. 따라서 좀 더 시간을 두고 숙성시킨 후에 마시는 것이 향상된 주질의 '삼양주'를 즐길 수 있는 비결이라고 생각된다. 경험적으로는 21일은 경과되어야 했다.

넷째, 2차 덧술을 다른 종류의 술에서처럼 고두밥에 끓는 물을 섞고 차게 식혀 사용하는 공통점을 보여주고 있다는 것이다. 이런 이유 역시 궁극적으로는 알코올 도수가 높은 술을 빚는 한편, 발효기간을 앞당기고자 하는 데 있다고 볼 수 있다.

<양주집>의 '삼양주'는 매우 높은 알코올 도수와 함께 진한 맛을 느낄 수 있었는데, 여름철에 즐기기에 적당하다는 느낌을 주었다. 밑술과 덧술에 가루누룩을 사용하면서도 밀가루를 두 차례나 사용하게 된 것이 오히려 산미가 높은 결과를 초래한 것이다. 따라서 밀가루는 밑술에 한 차례 사용한 것이 더 좋았다는 것을 밝혀두고 싶다.

어떻든 이처럼 흔하지 않은 경우로 <양주집>의 '삼양주' 주방문의 등장은, 우리 술 빚기의 다양성을 반증하는 단적인 예라고 할 수 있다.

## 삼양주 <양주집(釀酒集)>

술 재료 : 밑술 : 멥쌀 2말, 가루누룩 1되, 진말 5홉, 끓는 물 1놋동이(5되)
덧술 : 멥쌀 2말, 가루누룩 7홉, 진말 5홉, 끓는 물 1놋동이(5되)
2차 덧술 : 멥쌀 1말, 끓는 물 반 놋동이(2되 5홉)

술 빚는 법 :

* 밑술 :

1. 멥쌀 2말을 백세하여 물에 담가 하룻밤 불렸다가 (새 물에 다시 씻어 맑게 헹궈 건져서 물기를 뺀 후) 작말한다(가루로 빻는다).
2. 솥에 물 1놋동이(5되)를 끓여서 쌀가루에 골고루 붓고, 주걱으로 담(범벅)을 개어서 차게 식기를 기다린다.
3. 식힌 담(범벅)에 가루누룩 1되와 진말 5홉을 섞고, 매우 힘껏 고루 치대어 술밑을 빚는다.
4. 술독에 술밑을 담아 안치고, 예의 방법대로 하여 발효(3~4일간)시키는데, 술이 괴어오르면 덧술을 준비한다.

* 덧술 :

1. 멥쌀 2말을 백세하여 물에 담가 하룻밤 불렸다가 (새 물에 다시 씻어 맑게 헹궈 건져서 물기를 뺀 후) 작말한다(가루로 빻는다).
2. 솥에 물 1놋동이(5되)를 끓여서 쌀가루에 골고루 붓고, 주걱으로 고루 치대어 담(범벅)을 만들어서 차게 식기를 기다린다.
3. 담(범벅)에 밑술과 가루누룩 7홉, 진말 5홉을 섞고, 고루 버무려 술밑을 빚는다.
4. 술독에 술밑을 담아 안치고, 예의 방법대로 하여 발효(3~4일간)시키는데, 술이 괴어오르면 2차 덧술을 준비한다.

＊2차 덧술 :

1. 멥쌀 1말을 백세하여 물에 담가 하룻밤 불렸다가 (새 물에 다시 씻어 맑게 헹궈 건져서 물기를 뺀 후) 시루에 안쳐서 고두밥을 짓는다.
2. 솥에 물 반 놋동이(2되 5홉)를 붓고 끓이다가, 고두밥이 익었으면 넓은 그릇에 퍼 담고, 끓는 물을 한데 합하고, 고루 섞어 차게 식기를 기다린다.
3. 고두밥에 덧술을 합하고, 고루 버무려 술밑을 빚는다.
4. 술독에 술밑을 담아 안치고, 예의 방법대로 하여 발효시킨 뒤 익으면 채주한다.

三釀酒

白米 二斗 百洗ᄒᆞ야 ᄒᆞ로밤 자여 作末ᄒᆞ야 ᄡᆞᆯ인 믈 ᄒᆞᆫ 놋도희ᄋᆡ ᄀᆡ여 ᄀᆞ장 ᄎᆡ와 ᄀᆞ로누룩 一升 眞末 五合ᄋᆡ 섯거 녀허다가 괴거든 又 白米 二斗 百洗ᄒᆞ야 ᄒᆞ로밤 자여 作末ᄒᆞ야 ᄡᆞᆯ인 믈 ᄒᆞᆫ 놋동희ᄋᆡ ᄀᆡ여 ᄀᆞ장 ᄎᆞ거든 ᄀᆞ로누룩 七合 眞末 五合ᄋᆡ 섯거 밋술ᄋᆡ 녀허다가 괴거든 三巡 채 白米 一斗 百洗ᄒᆞ야 밥 ᄶᅧ ᄡᆞᆯ인 믈 半 놋동희ᄋᆡ 골화 ᄎᆞ거든 밋술ᄋᆡ 섯거다가 닉거든 ᄡᅳ라.

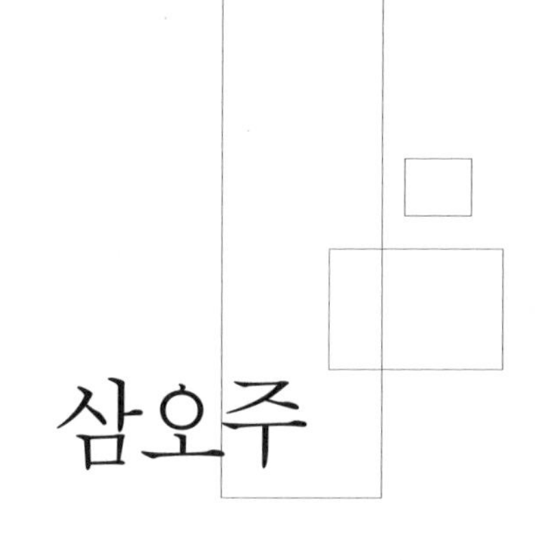

# 삼오주

## 스토리텔링 및 술 빚는 법

순후한 맛과 은은한 수박 향기로, 한 번 취하면 사흘 동안 술이 깨지 않는 명주가 '삼오주(三午酒)'이다. '삼오주'는 "음력 정월 첫 오일(午日)에 술을 빚기 시작하여 12일 간격으로 돌아오는 오일(午日)마다 세 번에 걸쳐 덧술을 빚어 넣는다."고 하여 술 이름을 얻게 되었다.

이와 같은 예는 '삼해주(三亥酒)'에서도 찾아볼 수 있는데, 다 같이 음력 정월인 추운 계절에 술을 빚어 이른 봄에 마시는 술이라는 점에서 공통점을 띤다.

'삼오주'는 <수운잡방(需雲雜方)>에 3가지 주방문이 수록된 것을 비롯하여 <음식디미방>에 2가지 주방문, <양주집(釀酒集)>과 <역주방문(曆酒方文)>, <음식방문니라>에 각각 1가지 등 모두 8가지 주방문이 등장한다. 이들 문헌의 '삼오주'는 몇 가지 공통점과 원칙을 띠고 있다는 것이 특징이라고 할 수 있다.

첫째, '삼오주'는 음력 정월 오일(午日)에 밑술을 빚기 시작하여 돌아오는 오일(午日)마다 덧술을 하여 모두 3차례에 걸쳐 술을 빚는다는 사실이다. 이러한 예는 '삼해주'나 '청명주' 등과 같이 특정한 날을 택해 술을 빚는다는 점에서 동일한 절기주로 분류할 수 있으며, '삼오주'라는 주품명도 이와 같은 이유에서 유래한 것이다. 그리고 이와 같은 방법과 과정을 한 차례 더 진행하면 바로 '사오주(四午酒)'가 되기도 한다는 사실이다.

둘째, '삼오주'는 밑술과 덧술, 2차 덧술의 쌀 양이 동일하며, 한결같이 멥쌀을 사용한다는 공통점을 찾을 수 있다. '삼오주'와 같은 삼양주법(三釀酒法)에서 매회 쌀의 양을 동일하게 사용한다는 것은 자칫 실패로 이어질 수도 있어, 다른 주품의 주방문에서는 찾아보기 힘들 정도이다.

셋째, '삼오주'는 누룩과 물, 또는 밀가루를 사용하기도 하는데, 누룩과 물, 밀가루 등은 밑술에만 사용하고, 덧술과 2차 덧술에는 사용하지 않는다는 것이다. 밀가루의 사용은 덧술의 간격이 12일이라는 기간과 밀접한 관련이 있다.

넷째, '삼오주'는 밑술과 덧술을 빚는 방법으로서 방문에서 보듯 밑술의 설기떡과 덧술의 고두밥을 식히지 않고 곧바로 술밑에 넣는다는 것으로, 더러 동도지(東桃枝)를 사용하여 수곡이나 밑술 또는 덧술에 설기떡을 잘게 쪼개어 넣거나 고두밥을 풀어 넣는 것으로 술 빚기를 끝낸다는 사실이다. 이와 같은 방법은 가능한 한 빠른 시간 내에 술을 익히기 위한 방문인데, '삼오주'는 12일 간격으로 덧술을 해 넣는 주방문이라는 점에서 매우 특별한 방법으로 여겨진다.

범벅이나 백설기, 고두밥을 식히지 않고 사용하는 궁극적인 목적은 3차례에 걸쳐 사용하는 쌀 양이 동일한 것과 관련이 있는데, 덧술의 쌀 양이 밑술과 같게 되면 알코올 도수를 높이기 어렵기도 하거니와 덧술 간격이 길어진 데서 초래되는 산패를 예방하기 위한 조치이다. 이와 같은 사례는 '소곡주'에서도 찾아볼 수 있는데, 뜨거운 고두밥을 사용함으로써 빠른 시간 내에 당화를 촉진하여 발효의 지연을 유도할 목적인 것이다.

이때 주의할 일은, 백설기의 경우에는 떡이 수곡이나 밑술과 충분히 잘 섞이도록 고루 오랫동안 휘저어줌으로써, 설기떡이나 고두밥의 열기를 다소 떨어뜨리는 목적도 있다. 수곡으로 빚는 경우에는 독 밑에 가라앉은 밀가루 앙금이 다 풀어지도록 해주어야만 실패하지 않는다.

그리고 '삼오주'는 그간 술 빚을 물에 누룩을 불려서 만든 수곡(水麯)을 사용한다는 점이 정설처럼 되어 왔으나, 7가지 방문 중 수곡을 만들어 술을 빚는 경우는 <수운잡방>의 '삼오주 일방(一方)'을 비롯하여 <양주집>과 <음식디미방>에서 볼 수 있고, <수운잡방>의 '삼오주'와 <역주방문>의 '삼오주'에서는 수곡을 사용하지 않는다. 수곡을 만들지 않고 밑술을 빚는 경우, 두 문헌의 주방문에서 공통적으로 밑술을 범벅을 쑤어 밑술을 빚기 때문으로 분석되었다.

'삼오주'의 양주 실험에서 수곡으로 빚는 경우와 수곡을 사용하지 않는 경우, 그리고 밀가루를 사용하는 경우와 그렇지 않은 경우에 따라 술맛이 다르다는 사실을 확인할 수 있었다. 수곡을 사용하는 경우와 밀가루를 사용하는 경우에서 그렇지 않은 경우보다 산미(酸味)가 많았으며, <음식디미방>의 경우처럼 밀가루의 사용량이 많을수록 산미가 강하게 나타났는데, 날씨가 추운 계절에는 그 맛이 시다는 느낌을 주었으나, 날씨가 따뜻해지기 시작할 무렵부터는 산미로 인하여 적당한 균형 잡힌 감칠맛을 느낄 수 있었다.

그런데 <음식디미방>과 <수운잡방>에서 주방문이 동일한 '삼오주'를 볼 수 있다. 문제는 <수운잡방>에서는 5월 첫 오일(午日)에 빚는다고 하였으나, <음식디미방>의 '삼오주'는 음력 정월에 빚는다고 한 것을 볼 수 있어, 삼오주가 굳이 정월에 빚는 술로 한정할 필요는 없을 듯하다.

그런데 최근 발굴된 한글 표제의 <음식방문니라>에도 '삼오주'를 찾아볼 수 있는데, 이제까지 설명한 '삼오주'와는 전혀 다른 주방문이라는 점에서 의구심을 감출 수 없다.

<음식방문니라>에 "찹쌀 한 말 ᄒᆞ랴면 뫕쌀 ᄒᆞᆫ 되 누룩 두 되가옷 물 여섯 식긔 부어 죽을 쑤어 ᄎᆞ게 식혀 밋ᄒᆞ여 너허다 삼일 만의 졈미 일두 당거싸가 밤 ᄌᆡ인 후 익게 쪄 ᄯᅩ ᄎᆞ게 식혀 밋슐 걸느 너히싸 익거든 다른 물 붓지 말고 쓰라."고 하여, '삼오주'의 특징이라고 할 수 있는 수곡이나 술 빚는 날에 대한 언급이 전혀 없어, 기존의 '삼오주'와는 차별화(?)된 매우 독특한 주방문이라고 할 수 있다.

밑술을 걸러서 찌꺼기를 제거한 탁주를 만들어 술을 빚는 과정이나 주원료의 배합비율을 감안하면, <양주방>*의 '호산춘'에 오히려 더 가깝다는 느낌이 든다. 특히 술 빚는 시기에 대한 언급이 없어 조선 후기로 접어들면서 술 빚기가 보다 자유로워졌다는 것을 짐작할 수 있다.

## 1. 삼오주 <수운잡방(需雲雜方)>

술 재료 : 수곡 : 누룩가루 7되, 밀가루 7되, 냉수 4동이(말)
밑술 : 멥쌀 5말
덧술 : 멥쌀 5말
2차 덧술 : 멥쌀 5말

술 빚는 법 :

* 수곡 :

1. 5월 첫 오일(午日)에 술독을 깨끗하게 소독하여 차지도 덥지도 않게 하여 준비한다.
2. 준비한 독에 냉수 4동이를 길어다 채우고, 누룩가루 7되와 밀가루 7되를 혼합하고 고루 저어주어 수곡을 만들어놓는다.

* 밑술 :

1. 5월 둘째 오일(午日)에 멥쌀 5말을 백세하여 물에 하룻밤 담가 불렸다가 (다시 씻어 헹궈서) 물기를 뺀다.
2. 불린 쌀을 시루에 안쳐서 고두밥을 짓는다.
3. 고두밥이 익었으면 퍼내고 (뜨거운 기운이 채 식지 아니하여) 수곡과 합한다(주걱으로 휘저어 덩어리를 풀어준다).
4. 술독은 단단히 밀봉하고, 예의 방법대로 하여 12일간 발효시킨다.

* 덧술 :

1. 5월 셋째 오일(午日)에 멥쌀 5말을 백세한다(물에 아주 많이 씻어 하룻밤 담가 불렸다가, 다시 씻어 헹궈서 물기를 뺀다).
2. 시루에 쌀을 안치고 고두밥을 짓고, 고두밥이 익었으면 퍼내어 (뜨거운 기운만 나가게 식혀서) 밑술 독에 넣는다.

3. (고두밥이 밑술과 고루 섞이도록 주걱으로 휘저어 풀어준다.)
4. 술독은 예의 방법대로 하여 12일간 발효시킨다.

* 2차 덧술 :
1. 5월 넷째 오일(午日)에 멥쌀 5말을 백세한다(물에 아주 많이 씻어 하룻밤 담가 불렸다가, 다시 씻어 헹궈서 물기를 뺀다).
2. (시루에 쌀을 안치고 온전하게 쪄 고두밥을 짓고, 고두밥이 익었으면 퍼내어 밑술독에 넣는다.)
3. (고두밥이 밑술과 고루 섞이도록 주걱으로 휘저어 풀어준다.)
4. 술독은 예의 방법대로 하여 발효시키고, 술이 익기를 기다린다.
5. 5월 단오에 술독을 열어서 사용한다.

* <음식디미방>의 '삼오주' 주방문과 동일하다.

三午酒
五月初午日眞末七升好麯七升冷水四盆和納瓮置不寒不熱處二午日白米五斗百洗沈一宿熟蒸不歇氣納前瓮三午日白米五斗百洗全蒸不歇氣納前瓮四午日白米五斗如前法待端午日用之.

## 2. 삼오주 <수운잡방(需雲雜方)>

술 재료 : 밑술 : 멥쌀 5말, 밀가루 7되, 가루누룩 3되, 밀가루 3되, 물 큰 동이 셋
덧술 : 멥쌀 5말
2차 덧술 : 멥쌀 5말

술 빚는 법 :

* 밑술 :

1. 정월 첫 오일(午日)에 멥쌀 5말을 백세하여 하룻밤 물에 담가 불렸다가, 다시 씻어 헹궈서 세말한다(고운 가루로 빻는다).
2. 쌀가루를 큰 그릇에 담아놓고, 솥에 물을 큰 동이로 셋을 팔팔 끓여 골고루 붓고, 주걱으로 고루 개어 죽(범벅)을 쑨다.
3. 죽(범벅)을 (넓고 큰 그릇 여러 개에 나눠 담고) 차게 식기를 기다린다.
4. 차게 식은 죽(범벅)에 가루누룩 3되, 밀가루 3되와 함께 고루 버무려 술밑을 빚는다.
5. 술밑을 술독에 담아 안치고, 예의 방법대로 춥지도 덥지도 않은 곳에 둔다.

* 덧술 :

1. 정월 둘째 오일(午日) 이틀 전에 멥쌀 5말을 백세하여 하룻밤 물에 담가 불렸다가, 다시 씻어 헹궈서 물기를 뺀 후 세말한다(고운 가루로 빻는다).
2. 쌀가루를 깨끗한 자리에 펼쳐서 널고 덮어두었다가, 오일(午日) 이른 아침에 거둬들인다.
3. 오일(午日) 이른 아침에 쌀가루를 시루에 안치고 푹 쪄서, 식기 전에 개암 크기의 떡을 만들고, 자리에 펴서 차게 식힌다.
4. 떡을 밑술과 합하고, 고루 버무려 술밑을 빚는다.
5. 술독에 술밑을 담아 안친 다음, 예의 방법대로 하여 춥지도 덥지도 않은 곳에 두고 발효시킨다.

* 2차 덧술 :

1. 셋째 오일(午日) 이틀 전에 멥쌀 5말을 백세하여 하룻밤 물에 담가 불렸다가, 다시 씻어 헹궈서 물기를 뺀 후 세말한다(고운 가루로 빻는다).
2. 쌀가루를 깨끗한 자리에 펼쳐서 널고 덮어두고, 오일(午日) 이른 아침에 거둬들인다.
3. 오일(午日) 이른 아침에 쌀가루를 시루에 안치고 푹 쪄서, 식기 전에 개암 크기의 떡을 만들고, 자리에 펴서 차게 식힌다.

4. 떡을 밑술과 합하고 고루 버무려 술밑을 빚은 뒤, 술독에 담아 안친다.
5. 술독은 예의 방법대로 하여 서늘한(찬) 곳에 두었다가, 익으면 단오일에 내어서 채주하여 마신다.

三午酒

正月初午日米五斗百洗沈宿翌日朝更洗細末湯水三大盆和作粥待冷茉曲三升眞末三升和入瓮. 二午日白米五斗前二日百洗沈宿翌日朝更洗細末鋪淨席乃盖置當二午日早朝熟蒸如榛子大作餅布於席上待冷和前酒入瓮. 三午日白米五斗前二日百洗沈宿翌日朝更洗細末鋪淨席當三午日早蒸出如榛子大作餅分布待冷和前酒入瓮端午日開用之.

## 3. 삼오주 일법 <수운잡방(需雲雜方)>

술 재료 : 밑술 : 멥쌀 3말, 누룩가루 1되, 물 3동이
덧술 : 멥쌀 3말
2차 덧술 : 멥쌀 3말

술 빚는 법 :

* 밑술 :

1. 정월 첫 오일(午日) 새벽에 정화수 3동이를 소독한 술독에 쏟아 붓는다.
2. 누룩가루 1되를 곱게 가루 내고, 술독에 넣고 동도지(東桃枝)로 휘저어 놓는다.
3. 술 빚기 전날에 멥쌀 3말을 백세하여 (물에 담가 불렸다가, 다시 씻어 헹궈서 물기를 뺀 후) 작말한다(가루로 빻는다).
4. 쌀가루를 대나무 체로 쳐서 내린 후, 시루에 안쳐서 설기를 찐다.
5. 설기가 익었으면 퍼내어 덩어리를 풀고, 차게 식기를 기다렸다가 술독에 담

아 안친다.

6. 술밑을 (동도지로) 골고루 휘저어 준 뒤, 예의 방법대로 시원한 곳에서 발효 시킨다.

* 덧술 :

1. 정월 둘째 오일(午日) 전날에 멥쌀 3말을 백세하여 (물에 담가 불렸다가, 다시 씻어 헹궈서 물기를 뺀 후) 작말한다(가루로 빻는다).
2. 쌀가루를 대나무 체로 쳐서 내린 후, 시루에 안쳐서 설기를 찐다.
3. 설기가 익었으면 덩어리를 풀고, 차게 식힌 후 밑술이 담긴 술독에 담아 안친다.
4. 술밑을 (동도지로) 골고루 휘저어 준 뒤, 예의 방법대로 시원한 곳에서 발효 시킨다.

* 2차 덧술 :

1. 정월 셋째 오일(午日) 전날에 멥쌀 3말을 백세하여 (물에 담가 불렸다가, 다시 씻어 헹궈서 물기를 뺀 후) 작말한다(가루로 빻는다).
2. 쌀가루를 대나무 체로 쳐서 내린 후, 시루에 안쳐서 설기를 찐다.
3. 설기가 익었으면 덩어리를 풀고, 차게 식힌 후 밑술이 담긴 술독에 담아 안친다.
4. 술밑을 (동도지로) 골고루 휘저어 준 뒤, 예의 방법대로 시원한 곳에서 발효 시킨다.

* 주방문 말미에 "빨리 사용하려면 춥지도 덥지도 않은 따뜻한 방에 두고, 빨리 사용하지 않을 때는 시원한 곳에 두고 익힌다."고 하였다.

一法 三午酒

前酘一日米三斗洗淨作末竹篩重篩正月初午日曉頭井華水三盆曲末三升竝盛甕桃枝攪之米末熟之待冷入缸攪之二午日如前法三午日亦如前法速用不寒不

熱溫房置之不速卽凉處釀之.

## 4. 삼오주 <양주집(釀酒集)>

술 재료 : 수곡 : 누룩 7되, 진말 7되, 냉수 4동이
밑술 : 멥쌀 5말
덧술 : 멥쌀 5말
2차 덧술 : 멥쌀 5말

술 빚는 법 :

* 수곡 :

1. 정월 첫 오일(午日)에 잘 구워낸 술독을 춥지도 덥지도 않은 곳에 앉혀놓는다.
2. 진말 7되, 누룩 7되를 냉수 4동이에 섞어 죽처럼 개어 물누룩을 만들어놓는다.
3. 물누룩을 술독에 담아 안친 후, 아홉 겹의 한지로 밀봉하여 12일간 불려놓는다.

* 밑술 :

1. 정월 둘째 오일(午日)에 멥쌀 5말을 백세하여 물에 담가 하룻밤 불렸다가 (다시 씻어 헹궈 건져서 물기를 뺀 후) 세말한다(고운 가루로 빻는다).
2. 멥쌀가루를 시루에 안쳐 설기떡을 짓고, 떡이 익으면 퍼내어 식히지 말고 (덩어리를 풀어) 곧바로 수곡이 담긴 술독에 담아 안친다.
3. 물누룩과 설기떡이 고루 섞이도록 저어주고, 한지로 밀봉하여 12일간 발효시킨다.

* 덧술 :

1. 셋째 오일(午日)에 멥쌀 5말을 백세하여 물에 담가 불렸다가 (다시 씻어 헹궈 건져서 물기를 뺀 후) 시루에 안쳐 잘 익게 고두밥을 짓는다.
2. 고두밥은 식히지 말고 덩어리를 풀어, 곧바로 밑술이 담긴 독에 담아 안친다.
3. 밑술과 고두밥이 고루 섞이도록 잘 저어주고, 예의 방법대로 하여 한지로 밀봉한 다음, 12일간 발효시킨다.

* 2차 덧술 :

1. 2월 오일(午日)에 멥쌀 5말을 백세하여 물에 담가 불렸다가 (다시 씻어 헹궈 건져서 물기를 뺀 후) 시루에 안쳐 잘 익게 고두밥을 짓는다.
2. 고두밥은 식히지 말고 덩어리를 풀어, 곧바로 밑술이 담긴 독에 담아 안친다.
3. 덧술과 고두밥이 고루 섞이도록 잘 저어주고, 예의 방법대로 하여 한지로 밀봉한 다음, 오월 단오(5월 5일)날까지 발효시킨 뒤 채주한다.

三午酒

正月初 午日 믹오 닉게 구은 독을 칩도 덥도 아닌 딕 노코 眞末 七升 曲子 七升을 冷水 네 동희예 섯거 구지 봉ᄒᆞ야 두ᄶᅡ가 二次 午日의 白米 五斗 百洗ᄒᆞ여 ᄒᆞ로밤 자여 細末ᄒᆞ야 닉게 쪄 김내지 말고 卽時 녀코 三次 午日의 白米 五斗 百洗ᄒᆞ야 닉게 쪄 김내지 말고 녀코 四次 午日의 白米 五斗 百洗ᄒᆞ야 닉게 쪄 녀허다가 端午의 쓰라.

## 5. 삼오주방 <역주방문(曆酒方文)>

술 재료 : 밑술 : 멥쌀 3말, 누룩가루 2되, 밀가루 5홉, 끓는 물 3동이
덧술 : 멥쌀 3되(말)
2차 덧술 : 멥쌀 3말

술 빚는 법 :

* 밑술 :

1. 정월 첫 오일(午日)에 멥쌀 3말을 백세하여(물에 백 번 씻어 헹군 뒤, 새 물에 담가 불렸다가 다시 씻어 말갛게 헹궈서 물기를 뺀 뒤) 작말한다(가루로 빻는다).
2. 쌀가루를 넓은 그릇에 퍼 담고, 팔팔 끓는 물 3동이를 쌀가루에 골고루 붓고, 매우 치대서 범벅을 만들고, 그릇 여러 개에 퍼서 차게 식기를 기다린다.
3. 범벅에 누룩가루 2되와 밀가루 5홉을 한데 합하고, 고루 버무려서 술밑을 빚는다.
4. 술밑을 술독에 담아 안치고 (술독 주둥이에 묻은 것을 깨끗하게 씻어내고 베보자기와 뚜껑을 덮어) 12일간 발효시킨다.

* 덧술 :

1. 둘째 오일(午日)에 멥쌀 3되를 백세하여(물에 백 번 씻어 깨끗하게 헹군 뒤, 새 물에 담가 불렸다가 다시 씻어 말갛게 헹궈서 물기를 뺀 뒤) 작말한다(가루로 빻는다).
2. 쌀가루를 시루에 안쳐서 떡을 찌고, 떡이 익었으면 넓은 그릇에 퍼낸다(주걱으로 헤쳐서 차게 식기를 기다린다).
3. 밑술에 설기떡을 합하고, 고루 버무려서 술밑을 빚는다.
4. 술밑을 술독에 담아 안치고 (술독 주둥이에 묻은 것을 깨끗하게 씻어내고 베보자기와 뚜껑을 덮어) 12일간 발효시킨다.

* 2차 덧술 :

1. 셋째 오일(午日)에 멥쌀 3말을 백세하여(물에 백 번 씻어 깨끗하게 헹군 뒤, 새물에 담가 불렸다가 다시 씻어 말갛게 헹궈서 물기를 뺀 뒤) 작말한다(가루로 빻는다).
2. 쌀가루를 시루에 안쳐서 떡을 찌고, 떡이 익었으면 넓은 그릇에 퍼낸다(주걱으로 헤쳐서 차게 식기를 기다린다).

3. 덧술에 설기떡을 합하고, 고루 버무려서 술밑을 빚는다.
4. 술밑을 술독에 담아 안치고 (술독 주둥이에 묻은 것을 깨끗하게 씻어내고 베보자기와 뚜껑을 덮어 서늘한 곳에 앉혀두고) 발효시켜 익기를 기다려 채주한다.

三午酒方
正月上午日白米三斗百洗作末水三盆猛沸調勻挼磨候冷以曲末二升眞末五合和冷以置再午日白米三升百洗作末蒸餠納于上酒本三午日又以白米三斗依上法以置待熟用.

## 6. 삼오주 <음식디미방>

술 재료 : 수곡 : 누룩가루 7되, 밀가루 7되, 냉수 4동이(말)
밑술 : 멥쌀 5말
덧술 : 멥쌀 5말
2차 덧술 : 멥쌀 5말

술 빚는 법 :
* 수곡 :
1. 정월 첫 오일(午日)에 관독(잘 구워진 독)을 (소독하여) 차지도 덥지도 않게 하여 준비한다.
2. 준비한 독에 냉수 4동이를 길어다 채우고, 누룩가루 7되와 밀가루 7되를 혼합하고 고루 저어주어 수곡을 만들어놓는다.

* 밑술 :
1. 정월 둘째 오일(午日)에 멥쌀 5말을 백세한다(물에 아주 많이 씻어 하룻밤

담가 불렸다가, 다시 씻어 헹궈서 물기를 뺀다).

2. 쌀을 (물을 치지 말고 체에 내린 다음) 시루에 안쳐서 오오로(건조한) 고두밥을 찐다.
3. 고두밥이 익었으면 퍼내고 (뜨거운 기운이 채 식지 아니하여) 수곡과 합한다(주걱으로 휘저어 덩어리를 풀어준다).
4. 술독은 단단히 밀봉하고, 예의 방법대로 하여 12일간 발효시킨다.

* 덧술 :

1. 셋째 오일(午日)에 멥쌀 5말을 백세한다(물에 아주 많이 씻어 하룻밤 담가 불렸다가, 다시 씻어 헹궈서 물기를 뺀다).
2. 시루에 쌀을 안치고, 오오로(온전하게 쪄) 고두밥을 짓고, 고두밥이 익었으면 퍼내어 밑술독에 넣는다.
3. (고두밥이 밑술과 고루 섞이도록 주걱으로 휘저어 풀어준다.)
4. 술독은 예의 방법대로 하여 12일간 발효시킨다.

* 2차 덧술 :

1. 넷째 오일(午日)에 멥쌀 5말을 백세한다(물에 아주 많이 씻어 하룻밤 담가 불렸다가, 다시 씻어 헹궈서 물기를 뺀다).
2. (시루에 쌀을 안치고, 온전하게 쪄 고두밥을 짓고, 고두밥이 익었으면 퍼내어 밑술독에 넣는다.)
3. (고두밥이 밑술과 고루 섞이도록 주걱으로 휘저어 풀어준다.)
4. 술독은 예의 방법대로 하여 발효시키고, 술이 익기를 기다린다.
5. 오월 단오에 술독을 열어서 사용한다.

* 흰무리와 고두밥을 더운 기운이 식지 않게 하여 술밑과 섞는 방법으로, 소곡주와 비슷하다. 또 밑술과 덧술, 2차 덧술의 쌀 양이 동일하다.

삼오쥬

정월 첫 오일에 관독을 덥도 아니코 칩도 아니ᄒᆞᆫ ᄃᆡ 노코 진ᄀᆞᄅᆞ와 죠ᄒᆞᆫ 누록 각 닐곱 되를 ᄂᆡᆼ슈 네 동ᄒᆡ예 섯거 독의 녀코 둘재 오일에 ᄇᆡᆨ미 닷 말 ᄇᆡᆨ셰ᄒᆞ여 ᄒᆞᄅᆞ밤 자여 오오로 쎠 긔운을 헐치 아니ᄒᆞ여 독의 녀허 구지 봉ᄒᆞ고 셋재 오일에 ᄇᆡᆨ미 닷 말 ᄇᆡᆨ셰ᄒᆞ여 오오로 쎠 긔운을 헐치 아니ᄒᆞ야 독의 녀코 넷재 오일에 ᄇᆡᆨ미 닷 말 ᄇᆡᆨ셰ᄒᆞ여 독의 녀허 둣다가 단오애 ᄡᅳ라.

## 7. 삼오주 <음식디미방>

술 재료 : 수곡 : 누룩가루 5되, 밀가루 3되, 정화수 8동이
밑술 : 멥쌀 5말
덧술 : 멥쌀 5말
2차 덧술 : 멥쌀 5말

술 빚는 법 :

* 밑술 :

1. 정월 첫 오일(午日) 새벽에 정화수 8동이를 길어다 술독에 채운다.
2. 술독에 누룩가루 5되와 밀가루 3되를 혼합하고 고루 저어주어 수곡을 만들어놓는다.
3. 멥쌀 5말을 백세하여(물에 아주 많이 씻어 하룻밤 담가 불렸다가, 다시 씻어 헹궈서 물기를 뺀 후) 작말한다(가루로 빻는다).
4. 쌀가루를 (물을 치지 말고 체에 내린 다음) 시루에 안쳐서 오오로(건조한 설기떡을) 찐다.
5. 시루떡이 익었으면 퍼내고 (덩어리를 잘게 쪼개어 주고) 차게 식기를 기다린다.
6. 설기떡과 수곡이 잘 섞이도록 (주걱으로 휘저어) 덩어리를 풀어준다.
7. 술독은 예의 방법대로 하여 12일간 발효시킨다.

＊덧술 :

1. 둘째 오일(午日)에 멥쌀 5말을 백세하여(물에 아주 많이 씻어 하룻밤 담가 불렸다가, 다시 씻어 헹궈서 물기를 뺀 후) 작말한다(가루로 빻는다).
2. 쌀가루를 (물을 치지 말고 체에 내린 다음) 시루에 안쳐서 오오로(건조한 설기떡을) 찐다.
3. 시루떡이 익었으면 퍼내고 (덩어리를 잘게 쪼개어 주고) 차게 식기를 기다린다.
4. 설기떡과 밑술이 잘 섞이도록 (주걱으로 휘저어) 덩어리를 풀어준다.
5. 술독은 예의 방법대로 하여 12일간 발효시킨다.

＊2차 덧술 :

1. 셋째 오일(午日)에 멥쌀 5말을 백세한다(물에 아주 많이 씻어 하룻밤 담가 불렸다가, 다시 씻어 헹궈서 물기를 뺀다).
2. 시루에 쌀을 안치고 아이이듬(아주 잘 익어 무르게) 쪄 고두밥을 짓고, 고두밥이 익었으면 퍼내어 고루 펼쳐서 차게 식기를 기다린다.
3. (고두밥이 밑술과 고루 섞이도록 주걱으로 휘저어 풀어준다.)
4. 술독은 예의 방법대로 하여 발효시키고, 술이 익기를 기다린다.

＊주방문에 '아이이듬'을 '아주 부드럽게 익어 무르게'로 해석하였다.

삼오쥬

졍월 첫 오일에 새배 졍화슈 여ᄃᆞᆲ 동ᄒᆡ 기ᄅᆞ 독의 붓고 국말 닷 되 진말 서 되 풀고 ᄇᆡᆨ미 닷 말 ᄇᆡᆨ셰작말ᄒᆞ여 닉게 쪄 시겨 녀코 둘재 오일에 ᄇᆡᆨ미 닷 말 ᄇᆡᆨ셰작말ᄒᆞ여 닉게 쪄 시겨 녀코 셋재 오일에 ᄇᆡᆨ미 닷 말 ᄇᆡᆨ셰ᄒᆞ여 아이이듬 쪄 시겨 녀헛다가 닉거든 ᄡᅳ라. 대범 술 죠기ᄂᆞᆫ ᄡᆞᆯ을 희게 슬코 싯기ᄅᆞᆯ 부ᄃᆡ ᄇᆡᆨ셰ᄒᆞ고 ᄶᅵᆫ 후에 밤자여 더운 긔운이 업게 ᄒᆞ야 녀코 독 미ᄐᆡ 두터온 널을 바쳐 노흐라. 믈 마초 녀코 누록 죠ᄒᆞ면 술이 그ᄅᆞᆺ될 적이 업고 이 법을 샹반ᄒᆞ면 죠흘 리 업ᄂᆞ니라.

## 8. 삼오주법 <음식방문니라>

술 재료 : 밑술 : 멥쌀 1되, 누룩 2되 5홉, 물 6식기
　　　　 덧술 : 찹쌀 1말

술 빚는 법 :

* 밑술 :

1. 멥쌀 1되를 (백세하여 물에 담가 불렸다가, 다시 씻어 건져서) 물기를 빼놓는다.
2. 솥에 물 6식기를 붓고 끓이다가, 불린 쌀을 합하고, 주걱으로 고루 저어가면서 팔팔 끓여 죽을 쑨다.
3. 죽이 익었으면 넓은 그릇에 펴서 차게 식기를 기다린다.
4. 죽에 누룩가루 2되 5홉을 넣고, 고루 치대어 술밑을 빚는다.
5. 술밑을 술독에 담아 안치고 예의 방법대로 하여 3일간 발효시킨다.

* 덧술 :

1. 찹쌀 1말을 (백세하여) 물에 담가 밤재워 불렸다가 (다시 씻어 헹궈서) 소쿠리에 건져서 물기를 뺀다.
2. 불린 쌀을 시루에 안쳐서 고두밥을 짓고, 익었으면 퍼내어 고루 펼쳐서 차게 식기를 기다린다.
3. 밑술을 체에 걸러 찌꺼기를 제거하여 탁주(밑술)를 만들어놓는다.
4. 고두밥에 거른 탁주(밑술)을 한데 합하고, 고루 버무려 술밑을 빚는다.
5. 술밑을 술독에 담아 안친 다음, 예의 방법대로 하여 (덥지도 차지도 않은 곳에서) 발효시켜서 익으면 물을 섞지 말고 채주하여 마신다.

* 주품명에 '삼오주'라고 하였으나, 이양주법으로 '삼오주'의 특징이라고 할 수 있는 수곡이나 술 빚는 날에 대한 언급이 전혀 없어, 기존의 '삼오주'와는 차

별화된 독특한 주방문이라고 할 수 있다.

### 삼오주법

찹쌀 한 말 ᄒᆞ랴면 뫕쌀 ᄒᆞᆫ 되 누룩 두 되가웃 물 여셧 식긔 부어 쥭을 쑤어
ᄎᆞ게 식혀 밋ᄒᆞ여 너허다 삼일 만의 졈미 일두 당거ᄡᅡ가 밤ᄌᆡ인 후 익게 쎠 ᄯᅩ
ᄎᆞ게 식혀 밋술 걸느 너히ᄡᅡ 익거든 다른 물 붓지 말고 쓰라.

# 삼월주

## 스토리텔링 및 술 빚는 법

우리 전통주 가운데 고식문헌에 수록되어 있는 주품명을 가리면 대략 530가지에 이르고, 별법(別法)과 이법(異法)을 포함하면 1천여 가지에 달한다. 주방문을 수록하고 있는 문헌만도 80여 권에 이르니, 그 다양함에 우선 놀라는 사람이 적지 않을 것이다. 이들 주품은 99% 이상이 사라지고 맥이 끊긴 주품들이고, 서민층들이 빚어 가양주법으로 전승해 왔던 전승가양주까지를 포함하면 대략 40만 가지는 넘을 것이라는 확신을 갖는다.

그런데 그렇듯 다양한 전통주 가운데 <김승지댁주방문(金承旨宅廚方文)>에 수록된 '삼월주'는 참으로 낯설다고밖에 말할 수 없다. 그 의미가 무엇인지, '삼월주'라는 주품명의 작명 배경을 짐작하기가 어렵다는 뜻이다.

물론, <김승지댁주방문>에는 '삼월주'와 같은 낯선 이름의 주품이 한둘이 아니다. 예를 들면, '내주방문'을 비롯하여 '백환주법', '녹자주방문', '소주 되날(괴는)법', '치황주법' 등 다양하게 나타나는데, 수록 주품 수의 비율로 환산하면 가장 많은 주품들이 수록되어 있어, 그런 측면에서 <김승지댁주방문>의 독자성을 인

정할 수 밖에 없다. 그 배경은 아무래도 <김승지댁주방문>에 수록된 주품들은 "김승지댁의 가양주(家釀酒)였다."는 결론에 이르고, 이러한 경향이 우리 술의 특징이자 다양성, 그리고 주품 마다의 가능성으로도 얘기할 수 있는 근거가 된다고 할 것이다. 획일적이지 않은, 저마다의 개성과 차별화를 시도한 흔적들이 눈에 띤다는 것이다.

<김승지댁주방문>의 '삼월주' 역시 다른 주품들과 비교해도 그 차별성을 알 수 있다. 주방문 말미에 "다음날 저녁에 익는데, 그 빛깔이 맑나니, 잠(순식간에, 모르는 사이) 때의 소주 맛과 같다."고 하였다. 이것이 '삼월주'의 특징이자 다른 주방문과의 차별성이다.

'삼월주'의 주방문대로 술 빚기를 따라하면서 가장 궁금했던 것은 "다음날 저녁에 익는데, 그 빛깔이 맑나니"라고 한 주방문의 내용이었다. "하루 만에 술이 맑아질 수 있을까?", "어떻게 맑을 수가 있지?" 하는 궁금증이 자꾸 머리를 쳐들게 만들었는데, 이번에도 한 번의 실수를 거친 후에야 그 답을 찾을 수 있었다.

'사월주'는 무엇보다 이틀 만에 맑은 술을 얻을 수 있어야 한다는 것이 핵심으로, 덧술의 처리를 어떻게 할 것인가가 핵심이라고 말할 수 있겠다.

'삼월주'의 첫 실험 양주에서는 희뿌연 술이 되었다. 4~5일이 되어서야 술찌꺼기가 가라앉으면서 그 빛깔이 맑아지기 시작했는데, 여느 술처럼 맑아지기 위해서는 7일이 경과되어야 한다는 것을 알게 되었다.

두 번째 실험에서야 덧술에 사용되는 찹쌀을 빻을 때 가루를 매우 곱게 빻아서 범벅을 쑤어야 한다는 사실을 깨닫게 되었다. 단순히 '범벅'이라는 의식을 떨쳐버릴 필요가 있다는 것이다.

그것도 찹쌀 1되를 끓는 물 1말로 익히면 풀과 같이 되는데, 쌀가루의 흔적이 남지 않을 정도로 익게 되고, 온기가 어느 정도 남게 하여 덧술을 하면, 발효 후에는 자연스럽게 맑은 술을 볼 수 있을 것이다.

주방문의 말미에도 언급되어 있듯이 <김승지댁주방문>의 '삼월주'는 매우 칼칼한 술맛을 자랑한다. 남성적이랄 만큼 거칠고 톡 쏘는 느낌을 주는데, 한꺼번에 많이 마실 일은 아닌 것 같다.

이제는 옛날처럼 주량을 초과해서 원샷 형태의 시음을 한다는 것이 겁나서 서

너 잔을 음미하고 말았을 뿐인데, 취기는 극에 달하니 자칫 사람을 잡을 수도 있겠다는 생각이 든다. 약간의 단맛과 함께 방향도 뒤따르는데, 떫은맛과 쓴맛이 지배한다는 느낌이었다.

결론적으로 <김승지댁주방문>의 '삼월주'는 속성주류로 분류할 수 있으며, 이틀 만에 익혀서 마시기 위해 덧술은 아주 묽은 형태의 범벅을 사용하는데, 밑술의 물 양도 많거니와 덧술에서도 물이 1말이나 사용되는 데서 오는 담백한 맛과 싱거운 맛을 줄 수밖에 없는 술인데, 주발효가 끝난 즉시 채주하여 마시는 것으로 단순해지는 술맛의 단점을 감추고 있다고 여겨진다.

환언하거니와 '삼월주'가 우리 술 빚는 방법의 한 가지 방편일 수는 있겠지만, 이러한 술 빚기에 빠져서는 결코 좋은 방향과 균형 잡힌 좋은 술을 빚을 수 없다는 사실을 유념하기 바란다.

## 삼월주법 <김승지댁주방문(金承旨宅廚方文)>

술 재료 : 밑술 : 멥쌀 1말, 누룩가루 1되, 물 3병
덧술 : 찹쌀 1되, 물 1병

술 빚는 법 :

* 밑술 :

1. 멥쌀 1말을 백세하여 (물에 담가 불렸다가) 다시 씻어 건져서 (물기를 뺀 후) 가루로 빻는다.
2. 물 3병을 솥에 끓이다가, 따뜻해지면 물 5~6되를 떠서 쌀가루에 붓고, 고루 개어 아이죽을 만들어놓는다.
3. 솥의 나머지 물이 끓으면 아이죽을 합하고, 주걱으로 천천히 저어주면서 팔팔 끓여 죽을 쑨다.
4. 죽을 넓은 그릇에 퍼 나눠 담고, 차게 식기를 기다린다.

5. 죽에 누룩가루 1되를 섞고, 고루 버무려 술밑을 빚는다.
6. 술독에 술밑을 담아 안치고, 예의 방법대로 물기 없이 하여 (서늘한 곳에서) 5일간 발효시킨다.

* 덧술 :
1. 찹쌀 1되를 백세하여 (물에 담가 불렸다가, 다시 씻어 건져서 물기를 뺀 후) 가루로 빻는다.
2. 물 1병을 솥에 끓이다가, 끓는 물을 국자로 떠서 쌀가루에 붓고, 서둘러 주걱으로 고루 개어 범벅을 쑨다.
3. (범벅을 넓은 그릇에 펴 나눠 담고, 차게 식기를 기다린다.)
4. 밑술 빚어 넣던 시각에 범벅에 밑술독에 합하여 넣는다.
5. 술독은 예의 방법대로 물기 없이 하여 (따뜻한 곳에서) 하루 동안 발효시키면 다음날 저녁에 술이 익는다.

### 삼월쥬법

빅미 ᄒᆞᆫ 말 빅세작말ᄒᆞ여 물 세 병을 ᄭᅳᆯ혀서 (목저)를 부어 (눅) 도치 올거든 늘르 부어 저으되 닉게 범벅을 뇌여 셔늘ᄒᆞ거든 ᄀᆞ루누룩술 얼능 진ᄀᆞᆯ로 얼능 서라. 얼능 셧거 ᄒᆞᆫ되 쳐 너헛다가 이튼날 ᄎᆞᆸ 한 되 빅세작말ᄒᆞ여 물 ᄒᆞᆫ 병 ᄭᅳᆯ혀 (ᄡᅥ) 범벅 지여 어제 너던 셔의 녓ᄂᆞ니라. 이튼ᄂᆞᆯ 져래의 닉어 ᄆᆞᆰᄂᆞ니 잠일 (ᄶᆡ)의 쇼쥬 ᄀᆞᆺᄂᆞ니라.

# 삼칠소곡주

## 스토리텔링 및 술 빚는 법

'삼칠소곡주(三七小曲酒)'란 주품은 <역주방문(曆酒方文)>에 처음 등장한다. '삼칠소곡주'에서 '삼칠'은 "삼칠일 만에 술을 익힌다."는 뜻이고, '소곡주(小麯酒)'는 주지하다시피 "누룩의 양을 적게 사용하는 술"이니, '삼칠소곡주'는 "누룩을 적게 쓰면서도 21일 만에 술을 익힌다."는 의미인 것이다.

'삼칠소곡주'의 주방문에서 눈여겨볼 점은 다음 세 가지를 들 수 있다. 그 하나는 재료의 양을 재는 도량형으로 식기(食器)가 이용되었다는 것이고, 둘째는 술 빚는 물(용수)의 양이 정해져 있지 않다는 것이다. 셋째는 쌀 양에 비해 누룩의 양이 결코 적지 않다는 사실이다.

때문에 "왜 이와 같은 방문을 기록해 놓았을까?" 하는 의문을 갖게 되는데, 의문의 요지는 다름 아니라 우리 전통주는 본디 그 배경이 가양주에서 출발하고 있다는 사실에서다. 따라서 가문마다의 비법을 갖게 마련인데, 그중에서도 도량형이 그렇다. 평소 밥 짓기에 사용되는 쌀을 됫박이나 말(升, 斗) 대신 '바가지'나 '식기(食器)'로 잰다든가, 저마다의 주방문에 있어 물의 양은 술 빚기에 이용하는

'바가지'나 '사발', '주발'로 계량하는 일 등이다. 여기서 식기라 함은, 남자의 밥그릇인 '주발'을 가리키므로, 대략 800g 또는 800㎖정도에 해당하므로 소승 1되 분량이다.

먼저 '삼칠소곡주'의 주방문을 놓고 볼 때, 누룩가루 10식기를 체에 밭쳐 거르려면 최소 동량의 정화수가 필요하므로, 용수는 최소한 10식기가 되어야 한다. 또 누룩 밭친 물이 맑아질 때까지는 3시간 이상이 소요된다는 것은 여러 방문에서 경험했을 것이다.

다음으로 밑술과 덧술의 쌀 양이 30식기인데 비해, 누룩의 양은 10식기로 1/3에 해당된다. '삼칠소곡주'란 술 이름에서 보듯 소량의 누룩을 사용한다는 데서 유래한 방문인데, '삼칠소곡주'도 예외는 아니다. 누룩의 양을 많이 사용하면서도 누룩을 적게 사용한다는 의미의 '삼칠소곡주'란 술 이름을 붙인 이유가 어디에 있을까?

결론부터 말하자면, 그 답은 주품명에 담겨 있다고 할 수 있다. 일반적으로 '소곡주'는 최소 30일에서 60~70일의 장기저온 발효시키는 것이 원칙인데, 본 방문은 여느 방문에서와 같은 발효기간 21일이다. 술 빚기에서 21일은 세이레이므로 '삼칠소곡주'라고 한 것이다. 따라서 다른 소곡주에 비해 빠른 시간인 세이레 만에 익히기 위해서는 많은 양의 누룩이 소용되어야만 했을 것이다.

그런데 주방문에는 밑술의 "떡을 식히라." 또 "떡 덩어리를 풀어 덩어리를 없이 하라."거나, 덧술의 "고두밥을 식히라."는 말이 없는 까닭이 여기에 있다. 문헌의 주방문대로 술을 빚어본즉, 밑술의 떡은 덩어리가 풀어지지 않았고, 덧술의 고두밥을 식히지 않고 빚은 경우 곧 산패하였다. 따라서 밑술의 떡은 떡덩어리를 없이 하여 풀어 넣고, 덧술의 고두밥은 지나치게 뜨겁지 않게 식힌 후에 빚어 넣어야 실패하지 않는다는 사실이다.

'삼칠소곡주'가 여느 소곡주와 비교해서 특별한 점이라면, "더울 때는 빚을 수 없다."고 한 점과, "속히 술을 쓰고 싶다면 15일이 되는 날 냉수 한 사발을 그(독) 한가운데 부으면, 그날 저녁으로 맑은 술이 위로 떠서 마실 수 있다."고 한 부분이다.

더운 계절에 술을 빚을 수 없다고 한 까닭은, 밑술의 처리 방법에 있어 설기를 식히지 않고 수곡과 합하여 빚는 관계로, 품온이 지나치게 빨리 상승하여 산패하기 때문이다. 또한 15일 만에 익히는 방법으로 냉수를 술독에 붓는 방법은, 숙성 중인 술덧의 품온을 떨어뜨려 일시적으로 발효를 중단시키기 위한 인위적인 방편이다.

'삼칠소곡주'의 주방문에서 보듯 맑은 술이 위로 고이게 되는 까닭도, 발효 중에 이산화탄소의 발생이 중단됨으로써, 이산화탄소의 분출로 인해 위로 떠올라 있던 고두밥과 누룩찌꺼기가 가라앉게 되는 까닭이다.

이와 같은 주방문은 반드시 '헛배 부름'과 '트림', '구취', '두통'을 가져오게 되므로, 함부로 구할 일이 아니라고 생각된다. 속된 말로 '어쩔 수 없을 때' 한 번쯤으로 그칠 일이다.

## 삼칠소곡주방 <역주방문(曆酒方文)>

술 재료 : 밑술 : 멥쌀 10식기, 누룩가루 10식기, 정화수(30~50식기)
덧술 : 멥쌀 20식기

술 빚는 법 :

* 밑술 :

1. 멥쌀 10식기를 백세(물에 백 번 씻어 매우 깨끗하게 헹군 뒤, 새 물에 담가 불렸다가, 다시 씻어 말갛게 헹궈서 물기를 뺀 뒤) 작말한다(가루로 빻는다).
2. 쌀가루를 시루에 안쳐서 설기떡을 찐다(설기떡이 익었으면 넓은 그릇에 퍼내고 고루 펼쳐서 차게 식힌다).
3. 누룩가루 10식기를 체에 담고, 정화수(30~50식기)를 길어다가 골고루 뿌려가면서 주물러 누룩을 빨아내는데, 맑은 물이 나올 때까지 주물러 짠다.
4. 누룩물을 술독에 담아 안친 후, 떡을 술독에 넣는다(주걱으로 고루 오랫동안 휘저어서 떡이 풀어지도록 만든다).

5. 술독은 베보자기를 씌워 차지도 따뜻하지도 않은 곳에 놓아두고, 3일간 발효시킨다.

* 덧술 :
1. 멥쌀 20식기를 물에 백세하여(백 번 씻어 매우 깨끗하고 말갛게 헹군 뒤, 새 물에 담가 불렸다가 다시 씻고 말갛게 헹궈서) 물기를 뺀다.
2. 불린 쌀을 시루에 안쳐서 무른 고두밥을 짓고, 고두밥이 다 익었으면 (돗자리에 펴내고, 고루 펼쳐서 따뜻하게 식기를 기다렸다가) 밑술독에 담아 안친다.
3. (고두밥에 밑술을 쏟아 붓고, 고루 버무려 술밑을 빚는다.)
4. (술독에 술밑을 담아 안치고, 술독 주둥이에 묻은 것을 깨끗하게 씻어내고 예의 방법대로 하여) 21일간 발효시킨다.

* 주방문 말미에 "술독은 차지도 덥지도 않은 곳에 안치고, 주본의 떡과 밥이 적으면 맛이 덜하다."고 하고, "만약 속히 술을 쓰고 싶으면 15일이 되는 날 냉수 1사발을 독 가운데 부어주면 그날 저녁으로 맑은 술이 위로 고여 쓸 수 있다."고 하였다. 또 "주본(酒本, 술밑, 석임)을 만든 후 날짜를 계산하여 21일이 되는 날 취하여 사용하면 맛이 지극히 준렬하다."고 하고, "눌러서 짜면 맛이 매우 아름답다. 이 술은 더운 계절에는 양조할 수 없다."고 하였다.

三七小曲酒方

白米三十食器若作酒則先將白米十食器百洗作末蒸成餠取曲末十食器以井華水篩過以出淸水爲限納于瓮中右餠匀落甑初承熟裂尼浸於右水三日後以白米二十食器百洗蒸飯上承熟納于上酒本瓮置之匀造酒本計日至三七日取用味極烈酒瓮安於寒熱適中處酒本餠及飯減下則味劣若欲速取易至一望以冷水一椀灌其中及其夕浮淸可飮熟未熟際酒泡浮上사斟出壓取味極美盖是酒暑月不可釀.

# 삼칠일주

## 스토리텔링 및 술 빚는 법

가끔 주방문에 명기된 주원료의 비율이나 술 빚는 방법을 암시하는 주품명에서 이해하기 힘든 경우를 목격할 때가 있다.

<주식방(酒食方, 高大閨壺要覽)>의 '삼칠일주'가 그것으로, 주방문 말미에 '삼듸적법'이라고 되어 있어 주방문 해독이 난감해졌다.

무엇보다 술 빚기에 사용되는 쌀의 양이 1말 1되이고, 누룩 7홉과 밀가루 3홉으로 술을 빚는 데 따른 양주용수가 사용되지 않는다는 사실과 함께 밑술의 쌀가루를 어떻게 하라는 것인지 그 방법이 언급되어 있지 않다. 그런데도 주방문 말미에는 '삼듸적법'이라고 쓰여 있다. 다시 말하면 '삼듸적법'이 어떤 이유에서 유래한 것인지를 밝히기 어렵다는 뜻이다.

예를 들어 밑술의 양을 최대 3되로 하는 것이 최적의 방법이라는 뜻인지, 아니면 이와 같은 술 빚기를 통해서 얻을 수 있는 술의 양이 3되 정도였을 때 가장 좋다는 뜻인지 알 수 없다.

전통 양주법에서 밑술과 덧술에 양주용수를 사용하지 않는 주품명은 가끔 등장한다. ‘동정춘’을 비롯하여 ‘하향주’, ‘감향주’ 등이 있는데, ‘삼ᄃᆞ적법’이란 부제의 암시는 이제까지 한 번도 들어보거나 목격하지 못했던 방법이라는 점에서도 ‘삼ᄃᆡ적법’은 매우 생경한 술이라고 할 수 있다.

<주식방(고대규곤요람)>의 주방문에 “ᄇᆡᆨ미 일승 ᄌᆞᆨ말ᄒᆞ여 국말 칠 홉 진말 서 홉 ᄒᆞᆫᄃᆡ 교합ᄒᆞ여 두엇다가 사흘 후 뎜미 ᄒᆞᆫ 말 ᄇᆡᆨ셰ᄒᆞ여 ᄋᆡᆨ게 ᄶᅧ 밋과 버므려 두엇다가 삼칠일 후 쓰라. 달고 향긔로오니라. 흰 항의 ᄒᆞᄂᆞ니라. 삼ᄃᆡ적법이라.”고 하여 ‘삼ᄃᆡ적법’을 연상할 수 있는 그 어떤 단서도 없다.

따라서 직접 술을 빚어보지 않고서는 그 어떤 추론도 불가능하다고 판단되어 직접 술을 빚어보기로 하였으나 그 또한 막막하기 이를 데 없었다.

밑술의 쌀가루를 익히지 않은 상태에서 양주용수 없이 술을 빚는다는 것은 불가능한 일이므로, 어떤 방법으로든 호화를 시켜야 한다는 점에서 별도의 양주용수를 사용하지 않고 빚을 수 있는 방법은 백설기와 구멍떡 형태의 양주법을 동원할 수밖에 없는데, 백설기를 사용할 경우 3일 만에 덧술을 하기란 거의 불가능하므로, 보다 수월하면서도 3일 후 덧술을 할 수 있는 방법이라고 할 수 있는 구멍떡 형태의 양주법을 동원하기로 하였다. 그런데 막상 구멍떡 형태의 술 빚기를 동원하고 보니, ‘하향주’나 ‘감향주’법과 유사하게 되었다.

‘삼칠일주(삼ᄃᆡ적법)’가 ‘하향주’나 ‘감향주’와 다른 점은, 진말(眞末)이 추가로 사용될 뿐이라는 점이다. 그리고 양주용수를 사용하지 않으면서도 발효가 안전하게 진행될 수 있는 방법은, 이미 ‘감향주’를 비롯하여 ‘하향주’ 등에서 터득하였으므로, 그리 어려운 일은 아닐 것으로 생각되었다.

관건은 밑술 빚는 과정이었는데, 구멍떡을 삶아서 차게 식기를 기다렸다가 누룩과 밀가루를 한데 섞어 치대기를 하다 보니, 밀가루가 잘 풀어지지 않기도 하거니와 멍우리가 생기고, 수제비 반죽처럼 되어서 마치 석회 반죽 같아 보였으나 발효를 시키기로 하였는데, 냉각을 시키려고 술독을 열고 보니 수제비 반죽처럼 뭉쳤던 밀가루가 삭지 않고 주면 위에 떠 있는 것을 볼 수 있었으며, 악취가 심했다.

부득이 재차 밑술을 빚었는데, 먼저 밀가루를 누룩과 섞은 다음에 구멍떡과 합하고 치대는 과정을 통해서 앞서의 문제점을 극복할 수 있었으며, 덧술 과정에서는 ‘하향주’에서처럼 고두밥을 찔 때 살수량을 늘려서 무른 고두밥을 짓고 차게 식기를 기다렸다가 치대는 혼화작업을 함으로써 별다른 문제 없이 발효를 성공시킬 수 있었다.

<주식방(고대규곤요람)>의 '삼칠일주'는 '하향주'와는 또 다른 상쾌함을 특징으로 꼽을 수 있을 정도로 감칠맛과 시원한 맛을 느낄 수 있었으나, 밑술에 사용되는 밀가루 양을 1~2홉 정도로 줄이는 것이 보다 향기 좋은 술을 빚을 수 있을 것으로 생각되었는데, 다시 실습을 해보지는 못했다.

다만, 두 차례의 양주 실험을 통해서 얻은 답은 '삼되적법'은 양주에서 얻어지는 술의 양을 뜻하는 것으로, 3되 정도의 술 양을 얻을 수 있었고, 가장 향기와 맛이 부드럽고 감칠맛이 좋았다는 것이다.

첫 실험 양주에서 얻어진 삼칠일주는 술자루에 담아 압착여과를 한 결과 2되 7홉 정도의 술 양을 얻을 수 있었으며, 두 번째 실험에서 후숙기간을 20일 정도 길게 가져감으로써 3되 정도의 '삼칠일주'를 얻을 수 있었다.

이를 바꾸어 말하자면 주방문에 언급된 것처럼 '삼칠일' 만에는 3되의 술 양을 얻기가 어렵다는 것이다.

## 삼칠일주 <주식방(酒食方, 高大閨壼要覽)>

–삼되적법(三升適法)

술 재료 : 밑술 : 멥쌀 1되, 누룩가루 7홉, 진말 3홉, 끓인 물(3되)
덧술 : 찹쌀 1말

술 빚는 법 :

* 밑술 :

1. 멥쌀 1되를 백세하여 (물에 담가 불렸다가, 다시 씻어 건져서 물기를 뺀 후) 작말한다(가루로 빻는다).
2. 쌀가루를 준비한다(시루에 안쳐 설기를 쪄서 한 김 나가게 식기를 기다린다).

3. 쌀가루에 (백설기떡에 끓여 식힌 물 3되와) 밀가루 3홉과 누룩을 7홉을 합하고, 버무려서 술밑을 빚는다.
4. 술독에 술밑을 담아 안치고, 예의 방법대로 하여 3일간 발효시킨다.

* 덧술 :
1. 찹쌀 1말을 백세하여 (물에 담가 불렸다가, 다시 씻어 건져서 물기를 뺀 후) 시루에 안쳐 고두밥을 짓는다.
2. 고두밥이 익었으면 시루에서 퍼내고, 고루 펼쳐서 차게 식기를 기다린다.
3. 고두밥에 밑술을 합하고, 고루 버무려 술밑을 빚는다.
4. 술밑을 흰 백자항아리에 담아 안치고, 예의 방법대로 하여 21일간 발효시킨다.

### 삼칠일쥬(삼ᄃᆡ적법)

ᄇᆡᆨ미 일승 ᄌᆞᆨ말ᄒᆞ여 국말 칠 홉 진말 서 홉 ᄒᆞᆫᄃᆡ 교합ᄒᆞ여 두엇다가 사흘 후 뎜미 ᄒᆞᆫ 말 ᄇᆡᆨ셰ᄒᆞ여 익게 쪄 밋과 버므려 두엇다가 삼칠일 후 쓰라. 달고 향긔로오니라. 흰 항의 ᄒᆞᄂᆞ니라. 삼ᄃᆡ적법이라.

# 삼칠주

## 스토리텔링 및 술 빚는 법

'삼칠주(三七酒)' 또는 '삼칠일주'는 우리말로 '스무하루주'라는 뜻이다. 발효기간이 '세이레' 곧 21일이라는 뜻이니, 21일 후에는 술을 떠서 마실 수 있다는 얘기이기도 하다.

'삼칠주' 또는 '삼칠일주'는 <봉접요람>에 '삼칠주법', <우음제방(禹飮諸方)>에 '삼칠주', <음식방문니라>에 '삼칠주', <주방(酒方, 임용기소장본)>에 '삼칠주방문', <주식방(酒食方, 高大閨壼要覽)>에 '삼칠일주', <침주법(浸酒法)>에 '삼칠주'로 기록되어 있음을 볼 수 있어, '삼칠주'와 '삼칠일주'가 동의어임을 알 수 있다.

여기서 '삼칠주' 또는 '삼칠일주' 주방문을 수록하고 있는 문헌들이 한결같이 한글 기록이라는 공통점을 찾을 수 있는데, 이들 네 문헌의 '삼칠주' 또는 '삼칠일주' 주방문이 다 다르다는 사실이다.

또한 <음식방문니라>와 <주방(임용기소장본)>, <침주법>을 제외하고는 나머지 문헌들의 주방문에서 주재료의 배합비율이나 술 빚는 방법이 구체적이지 않다는 점도 찾아볼 수 있다.

먼저, <봉접요람>의 '삼칠주법'은 밑술의 쌀이 멥쌀인지 찹쌀인지 정확하지가 않고, 쌀을 씻어 불리라는 언급이 없이 가루로 빻으라고 되어 있다. 또한 백설기를 쪄서 물과 합한 후 차게 식혀서 사용한다고 했는데, 물의 양도 나와 있지 않다.

<우음제방>의 '삼칠주'는 밑술의 쌀이 2되인데 씻거나 불리는 과정 없이 가루로 빻아 죽을 쑤는 것으로 되어 있고, 물 양이 나와 있지 않다. 덧술의 쌀도 그 양을 알 수 없거니와 씻고 불리라는 과정 없이 고두밥을 지어 덧술을 하는데, 7일 만에 첫술을 떠내고 3~4되를 후수(後水)하여 며칠 만에 다시 후주(後酒)를 떠내길 몇 차례 더할 수 있다고 하였다.

때문에 <우음제방>의 '삼칠주'라는 주품명에서 의미하는 발효기간과는 무관하게 후수를 몇 차례 더하는 것으로 미루어, 덧술의 쌀을 찹쌀 2말로 산정하여 주방문을 완성하였음을 밝혀둔다.

<주방(임용기소장본)>의 '삼칠주방문'은 술을 빚는 방법에 있어서는 <우음제방>과 유사하고, 밑술의 발효기간 3일과는 무관하게 덧술의 발효기간이 '삼칠일'이라는 점에서는 <주식방(고대규곤요람)>과 동일하다. 특히 '백도백세(百擣百洗)'라고 하여 쌀을 씻는 방법에 대해 강조하고 있음을 볼 수 있다. 그리고 다른 문헌의 '석탄향'과도 동일하다는 것을 알 수 있다.

<주식방(고대규곤요람)>의 '삼칠일주'는 밑술에서 멥쌀 1되를 씻거나 불리는 과정 없이 가루로 빻으라고만 하였지, 어떻게 익히라는 말이 없고, 물의 양도 언급되어 있지 않다. 따라서 백설기를 쪄서 물 3되를 섞어서 덩어리를 풀고 밀가루와 누룩을 섞어 빚는 것으로 주방문을 작성하였다. 덧술도 찹쌀 1말이 사용되는데, 씻거나 불리는 과정 없이 고두밥을 짓고, 식으면 덧술을 하라고 하였다.

특히 술독은 오지독이 아닌 흰 항에 하라고 하여 독특한 방문을 보여주고 있다. 방문 말미에 "술이 달고 향기로우니라. 흰 항에 하나니라. 삼되 적법이니라."고 하였다. 또한 방문 말미의 "삼되 적법이니라."고 한 사실을 밑술에 사용되는 물의 양으로 간주하였다.

앞의 문헌들과는 달리 <침주법>의 '삼칠주' 주방문은 비교적 자세하게 기록되어 있다. 주방문을 보면, "백미 두 말 닷 되 백세하여 하룻밤 재워 가루 빻아 탕수 서 말에 담 개어 차게 식혀, 누룩 너 되와 진가루 한 되를 섞어두었다가, 한이례 지나거든 백미 서 말 닷 되를 백세하여 오오로 쪄 탕수 서 말에 골화 차거든 누룩 두 되와 전술에 섞어두었다가 두세이레 지나거든 쓰라."고 되어 있어, '삼칠주'의 기본으로 삼는 것이 마땅할지는 고려할 사항이다.

<침주법>의 '삼칠주'는 밑술을 범벅을 쑤어 식으면 누룩과 밀가루를 섞어 빚은 밑술에 멥쌀고두밥과 끓는 물을 합하여 진고두밥을 만든 후에 식으면 누룩을 섞어 덧술을 하는 방법이다.

가장 전형적인 술 빚는 방법을 취하고 있으면서, "두세이레 후에 채주한다."는 것으로 되어 있다. 이것으로 미루어 '삼칠주' 또는 '삼칠일주'는 밑술의 발효기간을 포함하여 21일 만에 술을 익힐 수 있고, 덧술의 발효기간 21일 만에도 술을 익힐 수 있다는 뜻이 되는데, 이는 미루어 짐작하건대 계절에 따라 다르다는 것으로 해석하는 것이 옳겠다.

이로써 '삼칠주' 또는 '삼칠일주'는 문헌마다 각기 다른, 다시 말하면 밑술에서 '죽'이나 '백설기', '범벅' 등 다양하게 나타나고, 주원료의 배합비율도 각각 다르며, 덧술에서도 고두밥으로만 빚거나, 고두밥에 끓는 물을 합하여 만든 진고두밥과 누룩을 섞어서 빚는 방법 등 두 가지 유형으로 이루어진다는 것을 확인하였다.

다만, <음식방문니라>의 '삼칠주'는 밑술을 '흰무리떡'을 만들어 빚고, 덧술도 '진고두밥'을 만들어 사용한다는 점에서는 위의 '삼칠주' 또는 '삼칠일주'와 동일한 과정을 거치고 있으나, 예외적으로 밑술과 덧술에 모두 냉수를 사용한다는 점에서 매우 드문 주방문을 보여주고 있다고 할 것이다. 이처럼 한 가지 주품명에서 이렇듯 다양한 방법으로 이루어지는 주방문도 드물 것이라는 생각이 든다.

## 1. 삼칠주법 <봉접요람>

술 재료 : 밑술 : (멥쌀) 7되, 가루누룩 3되, 물(1말)
덧술 : 찹쌀 1말

술 빚는 법 :

* 밑술 :

1. 밑술할 (멥쌀) 7되를 (백세하여 물에 담갔다가, 다시 씻어 헹궈 건져서) 작말한다(가루로 빻는다).
2. 쌀가루를 시루에 안쳐서 백설기떡을 찌고, 떡이 익었으면 넓은 그릇에 퍼 담는다.
3. 물(1말)을 백설기떡에 퍼붓고, 주걱으로 고루 개어 죽처럼 풀어 차게 식기를 기다린다.
4. 죽처럼 풀어서 차게 식은 떡에 가루누룩 3되를 합하고, 고루 버무려 술밑을 빚는다.
5. 술밑을 술독에 담아 안치고, 예의 방법대로 하여 단단히 봉하여 (서늘한 데) 두고, 7일간 발효시킨다.

* 덧술 :

1. 찹쌀 1말을 백세하여 (물에 담가 불렸다가, 다시 씻어 헹궈 건져서 물기를 뺀 후) 시루에 안쳐서 고두밥을 짓는다.
2. 고두밥이 익었으면 퍼내고, 고루 펼쳐서 차게 식기를 기다린다.
3. 차게 식은 고두밥에 밑술을 한데 합하고, 고루 버무려 술밑을 빚는다.
4. 술밑을 술독에 담아 안치고, 예의 방법대로 하여 단단히 봉하여 (서늘한 데) 두고, 14일간 발효시킨다.

삼칠쥬법

셔 말 ᄒᆞ랴면 ᄆᆡᆺ 일곱 되 흰무리떡 쪄 바로 물 부어 ᄀᆡ여 셔눌ᄒᆞ게 식은 후, ᄀᆞ로누룩 셔 되 너허 단단이 봉ᄒᆞ여 두엇다가, 칠일 되면 다 익은 후 졈미 삼두 ᄇᆡᆨ세ᄒᆞ여 익게 쪄 식거든 버무려 너허 이칠일 지ᄂᆞᆫ 후 다 익고 맛시 조흐이라. 슐물은 소견ᄃᆡ로 부라.

## 2. 삼칠주 <우음제방(禹飮諸方)>

술 재료 : 밑술 : 멥쌀 2되, 누룩 3되, 물(1말)
덧술 : 찹쌀 2말

술 빚는 법 :

* 밑술 :

1. 멥쌀 2되를 백세하여 (물에 담가 불렸다가 다시 씻어 건져서 물기를 뺀 후) 작말한다(가루로 빻는다).
2. 물(1말)을 솥에 끓이다가, 따뜻해지면 물 3~4되를 떠서 쌀가루에 붓고, 고루 개어 아이죽을 만들어놓는다.
3. 솥의 나머지 물이 끓으면, 아이죽을 합하고 주걱으로 천천히 저어주면서 팔팔 끓여 풀 같은 죽을 쑨 후, 넓은 그릇에 퍼 나눠 담고, 차게 식기를 기다린다.
4. 죽에 누룩 3되를 체에 쳐서 섞고, 고루 버무려 술밑을 빚는다.
5. 술독에 술밑을 담아 안치고, 예의 방법대로 물기 없이 하여 (서늘한 곳에서) 7일간 발효시킨다.

* 덧술 :

1. 밑술 빚은 지 7일 만에 쌀(찹쌀 2말)을 백세하여 (물에 담가 불렸다가, 다시 씻어 건져서 물기를 뺀 후) 시루에 안쳐서 고두밥을 짓는다.
2. 고두밥이 익었으면 고루 펼쳐서 알맞게(지나치게 차지 않게) 식기를 기다린다.
3. 고두밥에 밑술을 합하고, 고루 버무려 술밑을 빚는다.
4. 술밑을 술독에 담아 안치고, 예의 방법대로 (덥지도 차지도 않은 곳에서) 7일간 발효시킨다.
5. 칠일 후에 냉수 1말을 부어두었다가, 7일 만에 웃국(맑은 술)을 떠내고, 다시 냉수 3되를 부어두었다가, 수일 후에 또 맑은 술을 떠낸다.

* <침주법>의 '삼칠주' 주방문에는 멥쌀 2말로 덧술을 하는 것으로 되어 있어, 덧술의 쌀 양을 찹쌀 2말로 산정하여 주방문을 작성하였다.

삼칠쥬

ᄇᆡᆨ미 두 되 ᄇᆡᆨ셰작말ᄒᆞ야 풀ᄶᅦ 쑤어 식여 누룩 서 되 ᄀᆞ리 처 버무려 너헛다가 칠일 마ᄂᆡ ᄇᆡᆨ셰ᄒᆞ야 지에 쪄 알마초 식여 술미출 고로고로 석거 쳐 너헛다가 칠일 마ᄂᆡ ᄂᆡᆼ슈 ᄒᆞᆫ 말 부어 두엇다가 칠일 만의 웃국 ᄡᅥ 먹고 ᄂᆡᆼ슈 ᄯᅩ 서너 되 부어 수일 만의 먹ᄂᆞ니라. 첫 물 먹고 서너 되식 부어 두어 번 우ᄂᆡ 먹어도 됴ᄒᆞ니라.

## 3. 삼칠주법 <음식방문니라>

술 재료 : 밑술 : 멥쌀 5말, 분곡(가루누룩) 6되, 냉수 100사발
덧술 : 멥쌀 10말, 누룩 1말, 냉수 100사발

술 빚는 법 :

* 밑술 :

1. 냉수 100사발을 길어다 술독에 붓고, 분곡을 작말하여 (가는체에 쳐서) 5되를 술독에 합하여 물누룩을 만들어놓는다.
2. 멥쌀 5말을 (백세하여) 물에 담가 불렸다가 (다시 씻어 새 물에 헹궈 건져서) 가루로 빻는다.
3. 쌀가루를 시루에 안쳐서 흰무리떡을 찌고, 익었으면 고루 펼쳐서 덩어리를 없이 하여 차게 식기를 기다린다.
4. 흰무리떡물에 누룩을 한데 합하고, 고루 버무려 술밑을 빚는다.
5. 술밑을 술독에 담아 안친 후, 예의 방법대로 하여 차지도 덥지도 않은 곳에 앉혀두고, 7일간 발효시켜 덧술을 준비한다.

* 덧술 :

1. 멥쌀 10말을 (백세하여) 물에 담가 불렸다가, 다시 씻어 헹궈서 물기를 빼 놓는다).
2. 쌀을 시루에 안쳐서 고두밥을 짓고, 냉수 100사발을 길어다 소라에 담아놓는다.
3. 고두밥이 익었으면 퍼내어, 한 김 나가게 식힌 후, 냉수 100사발을 합하고, 고두밥이 물을 다 먹기를 기다린다.
4. 고두밥이 불었으면 (고루 펼쳐서 차디차게 식기를 기다렸다가) 누룩가루 1말과 밑술을 합하고, 고루 버무려 술밑을 빚는다.
5. 술독에 술밑을 담아 안치고 예의 방법대로 하여 싸맨 후, 차지도 덥지도 않은 곳에서 14일간 발효시켜 술이 익기를 기다린다.

삼칠쥬법

한 제 ᄒᆞ랴면 ᄇᆡᆨ미 닷 말을 당거ᄡᅡ 장말ᄒᆞ야 무리을 ᄧᅧ 식히고 ᄂᆡᆼ수 ᄇᆡᆨ ᄉᆞ발을 항의 붓고 조ᄒᆞᆫ 가루누록 작말ᄒᆞ야 닷 되 너코 ᄯᅥᆨ을 버무려 불한불열ᄒᆞᆫ ᄃᆡ 두엇다 칠일 되거든 ᄇᆡᆨ미 열 말 당거ᄡᅡ 익게 ᄧᅵ고 ᄯᅩ ᄂᆡᆼ수 ᄇᆡᆨ ᄉᆞ발을 소락이의 되여 붓고 ᄉᆞᆯ밥을 한짐 ᄂᆡ여 물의 당거 죡금 붓거든 조ᄒᆞᆫ 국말 한 말을 밋ᄉᆞᆯ과 항긔 버무려 독의 너허 ᄡᆞᄆᆡ여 불한불열ᄒᆞᆫ ᄃᆡ 두어ᄡᅡ 니칠일 후 물을 붓지 말고 ᄧᅧ 쓰라.

## 4. 삼칠주방문 <주방(酒方, 임용기소장본)>

술 재료 : 밑술 : 멥쌀 2되, 누룩가루 1되, 물 1말
덧술 : 찹쌀 1말

술 빚는 법 :

* 밑술 :

1. 멥쌀 1되를 백 번 찧어 도정한 후, 백세하여 (물에 담가 불렸다가 다시 씻어 건져서) 물기를 뺀다.
2. 물 1말을 솥에 끓이다가, 따뜻해지면 쌀을 합하고, 주걱으로 저어가면서 팔팔 끓여 풀 같은 죽을 쑨 후, 넓은 그릇에 퍼 나눠 담고, 차게 식기를 기다린다.
3. 죽에 누룩가루 1되를 섞고, 고루 버무려 술밑을 빚는다.
4. 술독에 술밑을 담아 안치고, 예의 방법대로 하여 3일간 발효시킨다.

* 덧술 :

1. 밑술 빚은 지 3일 만에 찹쌀 1말을 백 번 찧어 도정을 한 후, 백세하여 물에 담가 하루밤 불렸다가 (다시 씻어 건져서 물기를 뺀 후) 시루에 안쳐서 고두밥을 짓는다.
2. 고두밥이 익었으면 고루 펼쳐서 차게 식기를 기다린다.
3. 고두밥에 밑술을 합하고, 다른 물이 들어가지 않게 하고, 고루 버무려 술밑을 빚는다.
4. 술밑을 술독에 담아 안치고, 예의 방법대로 (덥지도 차지도 않은 곳에서) 21일간 발효시킨다.

* 술을 빚는 방법에 있어서는 <우음제방>과 유사하고, 밑술의 발효기간 3일과는 무관하게 덧술의 발효기간이 '삼칠일'이라는 점에서는 <주식방(고대규곤요람)>과 동일하다. 그리고 다른 문헌의 '석탄향'과도 동일하다는 것을 알 수 있다.

삼칠쥬방문(三七酒方文)

ᄒᆞᆫ 졔(一劑) ᄒᆞ랴면 ᄇᆡᆨ미(白米) ᄒᆞᆫ 되(一升) ᄇᆡᆨ도ᄇᆡᆨ셰(百搗百洗)하여 물 ᄒᆞᆫ 말(一斗)의 흰 쥭(粥) 쑤어 식거든 진국말(眞麯末) ᄒᆞᆫ 되(一升) 셧거 항(甕)의 너헛다가 삼일(三日) 만의 덧ᄒᆞ되 졈미(粘米) ᄒᆞᆫ 말(一斗) ᄇᆡᆨ도ᄇᆡᆨ셰(百搗

百洗)하여 ᄒᆞ로밤(一夜) 담(沈)앗다가 익게 쪄 미리 식혀 밋슐의 다른 물긔 업시 버무려 너허다가 삼칠일(三七日) 지내거든 먹어라.

## 5. 삼칠주 <침주법(浸酒法)>

–엿 말 빗이

술 재료 : 밑술 : 멥쌀 2말 5되, 누룩 4되, 밀가루 1되, 끓는 물 3말
덧술 : 멥쌀 3말 5되, 누룩 2되, 끓는 물 3말

술 빚는 법 :

* 밑술 :

1. 멥쌀 2말 5되를 백세하여 물에 담가 하룻밤 불렸다가 (다시 씻어 건져서) 가루로 빻아 넓은 그릇에 담아놓는다.
2. 물 3말을 팔팔 끓여 쌀가루에 골고루 나눠 붓고, 주걱으로 개어 무르게 익은 담(범벅)을 만든다.
3. 담(범벅)이 (담긴 그릇과 똑같은 크기의 그릇으로 뚜껑을 덮어 밤재워) 차게 식기를 기다린다.
4. 담(범벅)에 누룩 4되와 밀가루 1되를 한데 합하고, 고루 버무려 술밑을 빚는다.
5. 술밑을 술독에 담아 안친 후, 예의 방법대로 하여 7일간 발효시키고, 덧술을 준비한다.

* 덧술 :

1. 멥쌀 3말 5되를 백세한다(물에 담가 불렸다가, 다시 헹궈서 물기를 빼놓는다).
2. 불린 쌀을 시루에 안치고 쪄서 고두밥을 짓고, 물 3말을 팔팔 끓인다.
3. 고두밥이 되게(고슬고슬하게) 익었으면 퍼내어, 끓고 있는 물과 한데 합한

후, 고두밥이 물을 다 먹으면, 고루 펼쳐서 차디차게 식기를 기다린다.

4. 고두밥에 누룩 2되와 밑술을 한데 합하고, 고루 버무려 술밑을 빚는다.
5. 술독에 술밑을 담아 안친 후, 예의 방법대로 하여 (차지도 덥지도 않은 곳에서) 14~21일간 발효시켜 술이 익기를 기다린다.

## 삼칠쥬(三七酒)—엿 말

ᄇᆡᆨ미 두 말 닷 되ᄅᆞᆯ ᄇᆡᆨ셰ᄒᆞ야 ᄒᆞᄅᆞᄲᆞᆷ 재여 ᄀᆞᄅᆞ ᄇᆞ아 탕슈 서 말애 ᄃᆞᆷ 기여 ᄎᆡ와 누록 너 되와 진ᄀᆞᄅᆞ ᄒᆞᆫ 되ᄅᆞᆯ 섯거 ᄃᆞᆺ더가 ᄒᆞᆫ 닐웨 지나거든 ᄇᆡᆨ미 서 말 닷 되ᄅᆞᆯ ᄇᆡᆨ셰ᄒᆞ야 오오로 ᄧᅧ 탕슈 서 말ᄅᆞᆯ 골라 ᄎᆞ거든 누록 두 되와 젼수레 섯거 ᄃᆞᆺ더가 두 닐웨 지나거든 ᄡᅳ라.

# 삼합주

## 스토리텔링 및 술 빚는 법

전라도 지방의 향토음식 가운데 '삼합(三合)'이라는 것이 있다. '삼합'은 삶은 돼지고기와 흑산도 홍어, 묵은 배추김치가 어우러져 소위 '합(合)'을 이룬다고 하는 향토음식인데, 최근에 이르러 이 삼합의 음식 궁합이 최적의 '합'이라는 과학적 규명에 의하여 그 인기가 계속 상승하고 있고, 삼합을 모방한 소위 '퓨전삼합'도 등장하고 있을 정도이다.

그런데 주품명에 '삼합주(三合酒)'가 있으리라는 생각은 꿈에도 하지 못했었다. 그러고 보니 <온주법(醞酒法)>에 '사미주(四米酒)'가 떠오른다. '사미주'는 주원료인 쌀이 4가지라는 데에서 '사미주'라는 주품명을 얻었는데, '삼합주'는 "찹쌀과 메밀(거피), 차조" 또는 "찹쌀과 메밀, 수수" 등 세 가지 쌀이 주원료로 사용된 데에서 '삼미주(三米酒)'라는 이름을 붙이지 못하고, 대신 '삼합주'가 된 것으로 보인다. 메밀은 쌀이 아니기 때문이다.

'찹쌀과 메밀(거피), 차조' 또는 '찹쌀과 메밀, 수수' 등 세 가지 쌀이 어우러져 이룬 '합'은 어떤 매력이 있을까? '삼합주'와 유사한 재료와 과정으로 이루어지는

‘잡곡주’나 민속주로 지정된 ‘문배술’과는 어떤 차이가 있을까? 궁금증이 증폭될 수록 마음이 앞섰는데, 술을 빚어본 결과 필자의 기대에는 사뭇 못 미쳤다.

왜냐하면 이 주품이 순곡 소주가 아닌, 혼성주라는 사실이었다. 소주를 얻은 다음에 ‘백밀(白蜜)’을 비롯 ‘후춧가루’ ‘천초가루’ ‘건강가루’ 등이 사용되면서 이들 부재료에 따른 맛과 향이 강하여 주재료인 찹쌀과 메밀, 수수 또는 차조가 어우러진 소주의 참맛과 특히 방향(芳香)에 대한 기대를 할 수 없었다는 사실이다.

그런데 필자에게 술맛이나 향기보다 중요하다고 생각되었던 한 가지 사실은, <양주방>*과 <주방(酒方, 임용기소장본)>, <주찬(酒饌)>에 ‘삼합주’가 등장한다는 것이다. 시대적으로 같은 시기에 작성된 세 문헌은 저자 미상이라는 공통점과 함께, 특히 <양주방>*과 <주찬>은 수록된 주품의 종류와 숫자도 비슷하다. 대략 80여 개의 주방문 중심으로 작성되었다는 것이다.

하지만 <주찬>은 한문본이고 <양주방>*은 한글본이며, <주방(임용기소장본)>은 한글 한문 혼용본이라는 점에서 차이가 있고, 수록된 주품의 종류나 주방문의 성격도 전혀 다른 것으로 나타나고 있다.

이렇듯 서로 다른 성격의 문헌에서 독특한 주품명의 ‘삼합주’가 세 문헌에 수록되어 있다는 것은 우연이라고 하기에는 다른 뭔가가 있을 것 같아서, <양주방>*과 <주찬> 두 문헌에 수록된 주품명의 공통점을 찾았는데, 80여개 주품 가운데 21가지가 같았고, 나머지 59개 주품은 서로 다른 것으로 분석되었다. 따라서 두 문헌의 내용은 너무도 다른 것으로 확인되었다.

예를 들면, <주찬>에 수록된 ‘도화춘(桃花春)’을 비롯하여 ‘은화춘(銀花春)’, ‘청주(菁酒)’, ‘경감주(瓊甘酒)’, ‘왕감주(王甘酒)’ 등은 다른 문헌에서는 찾아보기 힘들고, ‘해일주’, ‘청명향’, ‘벼락술’, ‘오호주’, ‘육병주’, ‘소백주’, ‘백단주’, ‘층층지주’, ‘백수환동주’, ‘경향옥액주’, ‘일두사병주’, ‘솔방울술’, ‘오미자술’, ‘혼돈주’, ‘만년향’ 등은 <양주방>*에서만 찾아볼 수 있는 특별한 주품들이기 때문이다.

따라서 각 문헌에 수록된 주품들의 비교는 그만두고, 여기서는 ‘삼합주’를 비교해 보기로 한다.

우선, 주재료에서 ‘수수’와 ‘차조’의 차이로 나타난다고 볼 수 있다. 물론 후춧가루를 비롯하여 약재의 가짓수나 용량에서 약간씩 차이가 있긴 하나, 이것이 중요한 것은 아니라고 생각되므로, 여기서는 더 이상 언급하지 않기로 하겠다.

다음은 이 세 문헌의 '삼합주'는 술을 빚는 과정, 즉 쌀의 가공방법에서 차이를 뜻하는데, <양주방>*의 '삼합주'는 불린 쌀을 물과 함께 끓여서 죽을 만들어 술을 빚는 방법인데 반하여, <주찬>의 '삼합주'는 불린 쌀을 시루에 안쳐서 찌는 방법으로 고두밥을 만들어 술을 빚는다는 점에서 큰 차이가 있다. 그리고 <주방(임용기소장본)>에서는 쌀의 가공방법에 대한 언급이 없다.

그러나 두 문헌 모두 발효가 끝난 술을 증류하여 소주를 내리고, "얻어진 소주와 약재를 함께 술병에 담고, 물솥에 술병을 안쳐서 중간불로 중탕한 후, 술을 고운체에 밭쳐 찌꺼기를 제거한다."는 점에서는 공통점을 나타내고 있다.

그런데 '삼합주'는 앞서 언급한 <온주법>의 '사미주'와 비교해도 별반 차이를 느낄 수 없었다는 사실이다.

'사미주' 또한 <주찬>의 '삼합주'와 같이 "소주를 받을 그릇(受器)에 건강가루 5홉, 후춧가루 5홉, 백자가루 1되, 생꿀 1되를 합하여 넣고 달여서 소줏고리 귓대 밑에 밭쳐서 소주와 섞인 대로 더운(따뜻한) 데 묻어둔다."고 하여 술을 빚는 과정의 유사성과 함께 술맛 또한 부재료에 의한 맛과 향기를 강하게 느낄 수밖에 없었다는 사실이다.

따라서 '삼합주'는 부재료의 사용량과 제조 방법에 대한 연구가 필요하다는 생각을 갖게 하였다. 그리고 굳이 그 이유를 찾는다면, '삼합주'의 맛을 경험한바, 전라도 음식인 '삼합'과 '삼합주'가 아주 잘 어울릴 것이라는 생각이 들었기 때문이다.

## 1. 삼합주 <양주방>*

술 재료 : 찹쌀 1말, 메밀 1말, 수수 1말, 누룩가루 1말, 물(3말), 흰 꿀 1되, 후추 3돈, 생강가루 3돈

술 빚는 법 :

1. 찹쌀과 메밀, 수수 각 1말을 깨끗이 씻고 또 씻어(백세하여) 물에 담가 불렸다가 (다시 씻어 건져서) 물기를 뺀다.
2. 솥에 물 6말을 끓이다가, 찹쌀과 메밀, 수수를 한데 넣고 죽을 끓인다.
3. 죽이 익었으면 퍼내고, 넓은 그릇에 나눠 담고 차게 식기를 기다린다.
4. 죽에 누룩가루 1말을 한데 합하고, 고루 버무려 술밑을 빚는다.
5. 술독에 술밑을 담아 안치고, 예의 방법대로 하여 발효시킨다.

* 소주 내리기 :

1. 발효가 끝난 술덧을 체에 밭쳐 찬물을 쳐가면서 막걸리를 거른다.
2. 막걸리를 예의 방법대로 가마솥에 담아 안치고, 소줏고리를 이용하여 소주를 내린다.
3. 얻어진 소주 1말에 흰 꿀 1되, 후추 3돈, 생강가루 3돈을 섞어 병에 넣고 밀봉한다.
4. 솥에 물을 붓고, 술과 약재를 담은 술병을 안쳐서 중간불로 중탕한 후, 술을 고운체에 밭쳐 찌꺼기를 제거한다.
5. 중탕과 여과를 마친 술은 차게 식혀, 사기병에 담아 더운 곳에 두고 마신다.

* 주방문에 "장기(더운 지방의 토질병)를 낫게 하고, 기운을 내리치고 비위를 돋우니 가장 좋다."고 하였다. 다른 문헌의 '자주'와 유사한 방문이다.

삼합주

찹쌀과 모밀과 수수와 누룩가루를 각각 한 말씩 합하여 술을 빚되 소주같이 빚어 되게 고아, 흰 소주로 받은 뒤에 흰 꿀 한 되와 후추와 말린 새앙을 곱게 가루로 만들어 각각 서 돈을 흰 꿀과 함께 소주에 타서 중탕하여, 고운체로 밭여 찌꺼기는 없앤 뒤에 사기병에 넣어 더운 데에 두고 양대로 먹으면 장기(더운 지방의 토질병)와 습(하초가 찬 병)을 낫게 하고, 기운을 내리치고 비위를 돋우니 가장 좋다.

## 2. 삼합주방문 <주방(酒方, 임용기소장본)>

술 재료 : 찹쌀 1말, 차조 1말, 메밀 1말, 누룩 1말, 물(3말), 꿀(白淸) 1되, 건강가루(乾薑末) 3홉, 호추가루(胡椒末) 3홉

술 빚는 법 :

1. 찹쌀과 차조, 메밀 각 1말을 을 준비한다(백세하여 물에 하룻밤 담가 불렸다가, 다시 씻어 헹궈 건져서 물기를 뺀 후, 시루에 안쳐서 고두밥을 짓는다).
2. (고두밥이 익었으면 퍼내고, 고루 펼쳐 차게 식기를 기다린다.)
3. (고두밥)에 물(3말)과 누룩(1말)을 합하고, 고루 치대어 술밑을 빚는다.
4. 술독에 술밑을 담아 안치고, 예의 방법대로 하여 (7~10일간) 발효시킨다.

* 증류하는 법 :

1. 술덧을 고운체에 받쳐 탁주를 거른다.
2. 남은 술찌꺼기에 물을 1말가량 섞어 다시 막걸리를 거르고, 먼저 걸러둔 탁주와 합한다.
3. 불 지핀 가마솥에 막걸리를 안치고, 소줏고리를 얹어 소줏번을 붙인다.
4. 소줏고리에 냉각수를 붓고, 약한 불로 소주를 내린다.
5. 병에 증류한 소주와 꿀(白淸) 1되, 건강가루(乾薑末) 3홉, 후춧가루(胡椒末) 3홉을 한데 섞고, 물솥에 중탕한다.
6. 고운체로 중탕한 술을 체에 밭쳐서 따뜻한 곳에 두고, 때때로 조금씩 마신다.

* 주방문 말미에 "치담(治痰) 치습(治濕)ᄒᆞ고, 보긔(補氣) 강긔(强氣) ᄒᆞᄂᆞ니라."고 하였다. 구체적인 술 빚는 법이 나와 있지 않으므로, 주방문이 유사한 <주찬>을 참고하였다.

삼합쥬방문(三合酒方文)

졈미(粘米) ᄒᆞᆫ 말(一斗) 메밀 쌀(米) ᄒᆞᆫ 말(一斗) 수수(秫) 쌀(米) ᄒᆞᆫ 말(一斗)을 소주(燒酒) 슐 비져 익거든 소쥬(燒酒) 고아 꿀(白淸) ᄒᆞᆫ 되(一升) 건강가루(乾薑末) 셔 홉(三合) 호쵸가루(胡椒末) 셔 홉(三合) ᄒᆞᆫ 되(一升) 타셔 병(甁)의 너허 ᄭᅳᆯ인 물의 듕탕ᄒᆞ여 먹어면 치담(治痰)치습(治濕)ᄒᆞ고 보긔강긔(補氣强氣)ᄒᆞᄂᆞ니라.

## 3. 삼합주 <주찬(酒饌)>

술 재료 : 찹쌀 1말, 차조 1말, 메밀(거피) 1말, 누룩 1말, 물(3말), 백밀 1되, 후춧가루 2전, 천초가루 2전, 건강가루 2전

술 빚는 법 :

1. 찹쌀과 차조, 메밀 각 1말을 백세하여 물에 하룻밤 담가 불렸다가 (다시 씻어 헹궈 건져서 물기를 뺀 후) 시루에 안쳐서 고두밥을 짓는다.
2. 고두밥이 익었으면 퍼내고, 고루 펼쳐 차게 식기를 기다린다.
3. 고두밥에 물 3말과 누룩 1말을 합하고, 고루 치대어 술밑을 빚는다.
4. 술독에 술밑을 담아 안치고, 예의 방법대로 하여 7~10일간 발효시킨다.

* 증류하는 법 :

1. 술덧을 고운체에 받쳐 탁주를 거른다.
2. 남은 술찌꺼기에 물을 1말가량 섞어 다시 막걸리를 거르고, 먼저 걸러둔 탁주와 합한다.
3. 불 지핀 가마솥에 막걸리를 안치고, 소줏고리를 얹어 소줏번을 붙인다.
4. 소줏고리에 냉각수를 붓고, 약한 불로 소주를 내린다.
5. 단지에 소주와 준비한 약재(백밀 1되, 후춧가루 2전, 천초가루 2전, 건강가루 2전)를 넣고 물솥에 중탕하는데, 술단지 위에 찹쌀을 한 줌 놓아 밥이 되

면 그친다.

6. 고운체로 중탕한 술을 체에 밭쳐서 따뜻한 곳에 두고, 때때로 조금씩 마신다.

* 주방문 말미에 "장기(瘴氣)를 물리치고 습증을 치료해서 비위를 보한다."고 하였다.

三合酒

粘米一斗秫米一斗大麥米一斗麯一斗釀酒待熟待熟後注爲燒酒白蜜一升胡椒末二戔川椒末二戔乾薑末二戔交合於酒重湯用之重湯時粘米少許置于重湯器上米熟爲飯則卽止出最細篩漉之置熱處時時少許服之則逐瘴氣療濕症不氣補脾胃最緊也.

# 삼해주

## 스토리텔링 및 술 빚는 법

'삼해주(三亥酒)'하면 맨 먼저 떠오르는 말이 '금주령(禁酒令)'이다. 조선시대 때 '삼해주'를 빚는데 쌀의 소비가 너무 많아 술을 빚지 못하게 해달라는 상소문이 빗발쳤으므로, 급기야 나라에서 금주령을 내렸다고 하는 기록이 여러 문헌에 등장하기 때문이다. '삼해주'가 여타의 술에 비해 두 차례에 걸쳐 덧술을 하기 때문에 그만큼 쌀이 많이 소비된다는 것이 그 이유였다.

'삼해주'는 그 이름에서 알 수 있듯 "해일(亥日)에 3차례에 걸쳐 술을 빚는다."는 뜻에서 유래한 주품명이다. 전통주 가운데 명주로 알려진 주품들의 상당수가 특히 돼지날(亥日)에 빚는 술이 많은데, 이는 "다른 동물에 비해 돼지의 피가 맑고 밝은 선지빛이어서, 이날 술을 빚게 되면 맑고 깨끗한 좋은 술이 된다."는 데에서 유래한 풍속이다.

우리 민속에서 윗부분을 이루는 천간(天干)인 십간(十干)과 아랫부분을 이루는 지간(支干)인 십이지(十二支)를 순차로 배열하여 '육십갑자(六十甲子)'가 이뤄지는데, 십이지의 맨 끝에 오는 신(神) 중 하나가 '돼지'이다.

음력으로 새해가 되어 처음 맞이하는 돼지날(亥日)에 처음 술(밑술)을 빚기 시작하여 12일 간격이나 36일 간격으로 돌아오는 다음 돼지날(亥日)에 덧술을 하고, 다시 돌아오는 돼지날(亥日)에 세 번째 술을 해 넣는 까닭에 '삼해주'라는 주품명을 붙이게 되었으며, 술이 익기까지는 최소 36일에서 96일이 걸리는 장기 발효주라고 할 수 있어, '세시주(歲時酒)' 또는 '계절주(季節酒)'의 성격을 띤다. 술을 빚는 시기가 가장 추운 때인 한겨울이기 때문이다.

또한 '삼해주'처럼 술의 제조 과정이 세 번에 걸쳐 이뤄지는 술을 삼양주(三釀酒)라고 하는데, 처음 술을 해서 안친 지 오랜 시간에 걸쳐 술이 익게 되므로, 술의 맛이나 향, 색상이 뛰어난 명주로 알려지고 있다.

여느 술과는 다르게 술을 익히는 시간이 오래 걸리는 관계로 '백일주'라고도 불렸으며, "한겨울에 술을 빚어두었다가 이른 봄 버들강아지가 피어나는 시기에 술을 마시기 시작한다."고 하여 '유서춘(柳絮春)'이라는 낭만적인 별명을 얻기도 하였다.

'삼해주'의 대중적 인지도를 짐작할 수 있는 근거로, '삼해주'의 주방문을 수록하고 있는 조선시대 양주 관련 기록들을 살펴보면, <감저종식법(甘藷種植法)>을 비롯하여 <고사신서(攷事新書)>, <고사십이집(攷事十二集)>, <규중세화>, <농정회요(農政會要)>, <민천집설(民天集說)>, <산가요록(山家要錄)>, <산림경제(山林經濟)>, <산림경제촬요(山林經濟撮要)>, <수운잡방(需雲雜方)>, <시의전서(是議全書)>, <양주(釀酒, 拯注草)>, <양주방>*, <양주방(釀酒方)>, <양주집(釀酒集)>, <언서주찬방(諺書酒饌方)>, <역주방문(曆酒方文)>, <온주법(醞酒法)>, <요록(要錄)>, <우음제방(禹飮諸方)>, <음식디미방>, <음식보(飮食譜)>, <임원십육지(林園十六志)>, <조선고유색사전(朝鮮固有色辭典)>, <조선무쌍신식요리제법(朝鮮無雙新式料理製法)>, <주방(酒方, 임용기소장본)>, <주방문(酒方文)>, <주방문조과법(造果法)>, <주식방(酒食方, 高大閨壼要覽)>, <쥬식방문>, <주찬(酒饌)>, <증보산림경제(增補山林經濟)>, <침주법(浸酒法)>, <학음잡록(鶴陰雜錄)>, <해동농서(海東農書)>, <홍씨주방문> 등 35종의 문헌에 발효주 '삼해주'가 50차례, '소주(燒酒) 삼해주'가 6차례나 수록되어 있는 것을 볼 수 있고, <동국이상국집(東國李相國集)>에도 '삼해주'에 대한 언급이 있는 것으로 미루어, 고려시대 때부터 빚어졌다는 사실을 확인할 수 있다.

이는 '삼해주'의 맛과 향이 뛰어나 당시부터 우리나라를 대표하는 청주(淸酒)로 자리매김 되어 왔다는 사실의 반증이라고 할 것이다.

특히 조선시대 초기에는 대중적 인기를 얻어 전국적으로 성행했는데, 서울의 동막 근처가 물맛이 좋아 명산지로 등장했다고 알려졌으나, 지금은 그 흔적을 찾아볼 수 없다. 다만 '약주(藥酒) 삼해주'와 '소주 삼해주'가 서울특별시 지정 무형문화재로 지정되어 예의 맥을 이어가고 있을 뿐이다.

'삼해주'는 그 과정이 까다롭기 그지없는데다, 오랜 기간에 걸쳐서 술을 익히는 과정에서 자칫 실패하게 되면 많은 금전적 손실을 초래하기도 한다.

따라서 이런 종류의 발효주는 예로부터 사대부나 부유층이 아니면 빚어 마시기 힘들었다. 술맛이나 향취 등이 빼어나긴 하지만, 일반 가정에서 취흥을 돋우기에는 '삼해주'만큼 주재료로 사용되는 쌀의 소비가 많은 술도 드물기 때문이거니와, 술을 익힌 다음 용수를 박아 청주로 마시면 그 양이 적어지므로, 당연히 비싼 술이 될 수밖에 없는데, 이런 '삼해주'를 증류하여 소주로 만들게 되면 술값은 더욱 비싸질 수밖에 없다.

이러한 '삼해주'는 주질을 높이기 위해서 저온에서 발효시키는 방법을 취하게 되는데, 여러 가지 양주기법을 동원하는 것을 볼 수 있다.

우리나라 양주 관련 기록 가운데 시대가 가장 앞선 것으로 알려진 <산가요록>을 보면, "三亥酒 米二十斗. 正月上亥日 粘米一斗 浸水 細末全蒸亦可 湯水十一鉢 作粥 待冷 匊末七升眞末三升 和入瓮. 二亥日 白米七斗 浸水經宿細末 湯水八瓶 作粥待冷 无匊 和入前瓮. 三亥日 白米十二斗 浸水作末 湯水十二瓶 作粥 待冷 和入密封柳絮初飛時 開用. 此外又有二法 大同小異(정월 첫 번째 해일(亥日)에 찹쌀 1말을 물에 담가 곱게 가루를 내어 푹 찐다. 또 끓는 물 11사발과 떡을 합하여 죽을 만들어 식히고 누룩가루 7되, 밀가루 3되를 섞어 항아리에 넣는다. 두 번째 해일에 멥쌀 7말을 물에 담가 하룻밤을 두었다가 곱게 가루 내어 끓는 물 8병으로 죽을 쑤어 식힌다. 누룩이 없으면 앞의 항아리에 섞어 넣는다. 세 번째 해일에 멥쌀 12말을 물에 담갔다가 가루를 내고 끓는 물 12병으로 죽을 쑤어 식혀서 항아리에 넣고 밀봉했다가 버들가지가 처음 날릴 때 열어 쓴다. 이 밖에도 또 두 가지 방법이 있으나 대동소이하다).”고 하였다.

<산가요록>의 ‘삼해주’ 주방문을 통해서 몇 가지 사실을 확인할 수 있다.

첫째, ‘삼해주’에 사용되는 쌀의 양이 12말(두)로서 쌀이 매우 많이 들어간다는 것이다. 이는 당시의 쌀 생산량이나 생활수준을 생각하면 일반 서민층에서 접근할 수 있는 술이 아니라는 것을 짐작할 수 있다. 사대부나 부유층의 술이라는 것이 분명해진다.

둘째, 조선 초기, 즉 600년 전에 이미 저온장기발효를 위한 양주 시기로 음력 정월이 선호되었다는 것을 알 수 있고, 단양주법(單釀酒法)의 서양 ‘포도주’나 ‘맥주’와는 달리 고급 주품을 위한 삼양주법(三釀酒法)의 양주기술이 확립되었다는 사실을 확인할 수 있다.

셋째, 당시에 ‘삼해주’ 주방문이 3가지가 존재했다는 사실을 확인할 수 있다. <산가요록>에 “이 밖에 두 가지 방법이 있으나 대동소이하다(此外又有二法 大同小異).”고 한 사실과 관련하여, 한 가지 쌀을 사용하면서도 가공방법을 달리함으로써 알코올 도수는 물론이고 맛과 색깔, 특히 향취가 다른 술을 얻고자 한 지혜를 엿볼 수 있다.

그 예로 <산가요록>과 동시대의 기록으로 추측되는 <언서주찬방>의 ‘삼해주’ 주방문은 “정월 첫 돋날 ᄎᆞᆯ발 ᄒᆞᆫ 말을 ᄇᆡᆨ 번 시서 ᄀᆞᄅᆞ 디허 닉게 뼈 글힌 믈 열ᄒᆞᆫ 사발로 골와셔 식거ᄃᆞᆫ 누록 닐곱 되와 진ᄀᆞᄅᆞ 서 되를 섯거 독의 녀허 독부리 두터온 식지로 빠ᄆᆡ야 ᄃᆞᆺ가다 둘잿 돋날 ᄇᆡᆨ미 닐굽 말 ᄇᆡᆨ 번 시서 밤자거ᄃᆞᆫ ᄀᆞᄅᆞ 디허 뼈 글힌믈 여듧 병 골와 ᄀᆞ장 식거ᄃᆞᆫ 젼술의 섯거 녀헛다가 셋재 돋날 ᄇᆡᆨ미 열두 말 ᄇᆡᆨ 번 시서 ᄀᆞᄅᆞ 디허 닉게 뼈 글힌 믈 열두 병으로 골와 ᄎᆞ거ᄃᆞᆫ 젼술의 섯거 녀허 식지로 두터이 빠ᄆᆡ야 둣다가 버들개야지 ᄀᆞᆫ날 제브터 내여 ᄡᅳ라.”고 하였다.

<산가요록>에서는 밑술을 흰무리떡에 끓는 물을 섞어 다시 죽을 만들어 사용하고, 덧술은 죽(범벅)을 만들어 사용하며, 2차 덧술도 덧술과 같이 죽(범벅)을 만들어 사용하는 반면, <언서주찬방>에서는 3차례에 걸쳐 쌀가루를 끓는 물로 익히는 반생반숙의 범벅을 사용하는 것으로, 밑술 과정에서만 차이를 보이고 있는데, 두 문헌에서는 주원료의 배합비율이 같고, 덧술을 빚는 간격도 12일로 공통을 이룬다는 것을 알 수 있다.

한편, 1500년대 초의 <수운잡방>의 '삼해주'는 멥쌀 3말을 백세세말하여 끓는 물 3말로 죽(범벅)을 쑤어 누룩 5되와 밀가루 5되를 섞어 밑술을 빚고, 익기를 기다려 멥쌀 6말을 백세세말하여 설기떡을 만들고, 다시 끓는 물 6말에 풀어 죽처럼 만든 뒤, 밑술과 섞어 덧술을 하며, 2차 덧술은 멥쌀 6말로 무른 고두밥을 짓고 끓는 물 6말을 섞어 사용하는 등 죽(범벅)과 백설기(죽), 고두밥(진고두밥)으로 쌀을 가공하는 방법과 주원료의 배합비율이 바뀌었다는 것을 알 수 있다.

또 같은 문헌의 '삼해주 우법(又法)'에서는 '정이월'에 빚기를 시작하고, 밑술은 죽, 덧술과 2차 덧술은 설기떡으로 빚고, 발효기간도 7일로서 앞의 문헌들과는 크게 다르다는 것을 알 수 있다. 또 "노란·장미가 필 무렵(4월 하순~5월 초) 익으면 맑은 술 떠서 마신다. 술찌꺼기는 물에 타서 마시면 그 맛이 '이화주'와 같다. 이는 보다 진한 향미의 술이다."고 하여 '삼해주'의 의미가 많이 희석된 것을 알 수 있다.

또 다른 한글 기록인 <음식디미방>의 '삼해주(스무 말 빗이)' 주방문에서는 "정월 첫ᄒᆡ일에 ᄇᆡᆨ미 서 말 ᄇᆡᆨ셰작말ᄒᆞ야 글힌 믈 아홉 사발로 쥭을 ᄆᆡᆫᄃᆞ라 채 식거든 죠ᄒᆞᆫ 누록 닐곱 되 진ᄀᆞᄅᆞ 서 되 섯거 독의 녀허두고 둘제 ᄒᆡ일에 ᄇᆡᆨ미 너 말 ᄇᆡᆨ셰작말ᄒᆞ여 글힌 믈 열두 사발로 쥭 ᄆᆡᆫᄃᆞ라 채 식거든 그 독의 녀코 세재 ᄒᆡ일에 ᄇᆡᆨ미 열서 말 ᄇᆡᆨ셰ᄒᆞ야 오오로 찌ᄃᆡ ᄀᆞ장 닉케 쪄 채 식거든 젼에 ᄒᆞᆫ 술에 섯거 녀허 ᄃᆞᆺ다가 니거든 ᄡᅳ라."고 하여 죽(범벅)으로 두 차례 술을 빚고 마지막엔 고두밥을 사용하는 등 <수운잡방>과는 또 다른 주방문을 엿볼 수 있다.

이렇게 조선 초기부터 중기 중반에 이르기까지의 '삼해주'는 죽이나 범벅, 백설기로 밑술과 덧술을 하고, 2차 덧술은 범벅이나 고두밥 형태로 빚는 특징을 보여주는데, 덧술 간격이 12일이라는 공통점을 나타낸다.

하지만, 보다 후기의 기록인 <술 만드는 법>을 비롯하여 <양주방>*과 <주방(임용기소장본)>, <쥬식방문>, <주찬>에서는 덧술 간격이 36일로 한 달 간격으로 이루어지는 것을 볼 수 있으며, <술 만드는 법>을 비롯하여 <양주방>, <온주법>, <홍씨주방문>, <규중세화>에서는 이양주법(二釀酒法)의 '삼해주'를 엿볼 수 있어, '삼해주'의 다양화가 어떻게 진행되었는지를 엿볼 수 있다.

특히 <양주방>, <온주법>, <규중세화>에 수록된 이양주법의 '삼해주'는 술 빚는 간격이 12일이거나 술이 익기를 기다렸다가 덧술을 하는 것으로 되어 있는

데, <술 만드는 법>의 이양주법 '삼해주'는 20일 간격으로 양주가 이루어지고 있다는 점에서 차별화된다고 하겠는데, 이들 문헌의 공통점은 한결같이 한글본이라는 것이다.

이 밖에도 <민천집설>을 비롯하여 다른 문헌에서도 주원료의 가공방법 및 배합비율에서 약간씩 달라진 것을 목격할 수 있으며, <음식디미방>에 4가지 주방문이 수록된 것을 시작으로, <임원십육지>와 <농정회요>, <양주>, <양주집>, <온주법>, <증보산림경제>에 각각 3가지 주방문을 수록하고 있다.

한편, <홍씨주방문>을 비롯하여 <산림경제촬요>과 <술 만드는 법>, <우음제방>, <규중세화>, <침주법>, <조선무쌍신식요리제법> 등에서 각각 2가지 주방문을 수록하고 있다는 점에서 '삼해주'의 다양화와 더불어 대중화가 어느 정도 이루어졌는지를 가늠해 볼 수 있다.

특히 '삼해주'는 삼양주법의 발효주로서도 고급 주품으로 명성이 높았는데, 조선 중기 이후에는 이를 다시 증류하여 만든 '소주 삼해주'로의 전환이 시작되어 음주사치(飮酒奢侈)가 극에 달하는 등 전통주의 고급화가 이루어졌음을 알 수 있다.

<산림경제촬요>의 '삼해주 우방(又方)'을 비롯하여 <규중세화>, <농정회요>, <우음제방>, <임원십육지>, <증보산림경제>에서 증류식 '소주 삼해주' 주방문을 읽을 수 있는데, 이들 '소주 삼해주'는 증류주 편에 함께 수록하였다.

한편, 일제강점기 일본인의 눈에 비친 "삼해주는 소주"라는 인식이 강했던지 <조선고유색사전>에서는 '삼해주'에 대하여 "산가이슈, 삼해주, 춘주, 음력 정월 세 번째 돼지날에 빚는 술, 소주를 만들기 위해 이용, 이것을 '삼해주'라고 하며, 일명 춘주(春酒)라고 한다."는 해석을 달아놓고 있다.

조선시대 사대부를 비롯한 지식인들 사이에서 '삼해주'의 인기를 짐작할 수 있는 글로, 조선시대 문신이자 시인으로도 이름이 높았던 이행(李荇)의 <용재선생집(容齋先生集)>에 '팔일에 사화 · 공석 · 숙달 · 태화 · 성지 · 군미 · 공이 · 태유 · 숙분 등 제군들과 함께 남산 청학동 서쪽 산 위에서 관등하다가 몹시 취해 집으로 돌아왔다. 그 이튿날 아침 전에 사용한 운을 써서 시를 지었다(八日 與士華 公碩 叔達 太和 誠之 君美 公耳 太柔 叔奮諸君 觀燈于南山之靑鶴洞四嶺 極醉而還 翌

朝有作 用前韻)'라는 시 가운데,

預作重來約(다시 오기로 미리 약속하니)
先愁欲下時(산을 내려갈 때가 지레 걱정이네.)
乾坤參濩落(하늘과 땅 사이에 낀 쓸모없는 이 몸)
山水一襟期(산수에 오로지 흉금을 부쳤네.)
春酒知三亥(춘주는 삼해에 빚었으니)
餘花定北枝(남은 꽃은 틀림없이 북쪽 가지일 것이네.)
醉中眞坦率(취중에 참으로 마음이 너그러워)
荒語不芟夷(거친 말도 추리지 않고 그냥 두네.)

라고 하는 내용을 볼 수 있다. 이른바 "춘주는 삼해에 빚는다."는 내용을 통해서 해일(亥日)에 세 번에 걸쳐 빚는 술을 '춘주(春酒)'라고도 하는데, 곧 '삼해주'를 지칭한 것임을 알 수 있다.

조선시대 <세종실록(15년 3월 23일)>의 기록에 의하면, 당시 이조판서였던 허조(許稠, 1369~1439)가 "내가 처음 벼슬길에 들어섰을 때는 '소주'를 보지 못하였으나, 지금은 집집마다 '소주'가 있다."고 한 것을 알 수 있으며, <성종실록(21년 4월 10일)>에는 "세종대에는 사대부가에서도 드물게 쓰는 것이었으나, 성종 때엔 연회에도 모두 '소주'를 사용하였다."고 하고, <성종실록(22년 2월 22일)>에는 "소주를 마시는 것은 관청에서 시정에 이르기까지 풍습이 되었기에 '소주'를 만들거나 마시는 것에 대한 금지령이 내려지기도 하였다."는 것을 확인할 수 있다.

이러한 '삼해주'의 맛과 향기, 그리고 그에 따른 특징을 단적으로 표현한다면, '보다 깊은 맛', 아니 '순후(醇厚)한 맛'이라고 할 수 있다. 제대로 빚은 '삼해주'를 맛본 사람들은 경험하는 바이지만 "그 맛이 시원하면서 순하다."고 하는데, "술은 제법 한다."고 자처하고 주당들도 "이렇게 취하는 술도 있느냐. 그 술 사람 한번 제대로 잡더라."고 말하는 걸 듣게 되기 때문이다.

물론 이 말은 '삼해주'의 맛에 대해 그저 독한 것으로 단정하거나 소주처럼 알코올 도수가 높아서 하는 얘기가 아니다. '삼해주'의 특징은 매우 부드럽고 향기로운 맛을 첫손가락으로 꼽는다.

사람들이 맛이 아주 부드럽고 특별한 향취가 있어 알코올 도수가 낮은 술로 여기거나, 그저 "마시기에 부드럽고 부담이 없어 좋다."는 생각으로 자꾸 마시게 되는데, 어느 정도 시간이 지나면 은은한 취기를 느낀다. 그리고 "일어나야겠다." 하고 마음먹거나, "정신은 아주 말짱한데 몸이 말을 듣지 않는다."는 생각이 머릴 스치는 순간, 그만 엉덩방아를 찧고 만다.

술맛이 "순후하다."는 표현이 '삼해주' 맛을 특징짓기에 적합한 말이라는 생각이 드는 것도 바로 그 때문이다. '삼해주'의 이런 맛은, 단순히 삼양주이기 때문에 여타의 이양주법으로 빚은 술에 비해 알코올 도수가 높고 깊은 맛이 난다고 말하기에는 부적절하다. '삼해주'의 맛을 특징짓는 요인은 삼양주이면서 저온에서 장기간 발효·숙성시킨 때문이라고 하는 것이 옳다.

우리 속담에 "급히 달군 쇠가 쉬이 식는다."고 하였듯이, 빨리 빚어 익힌 술에서는 '삼해주'와 같은 '순후한 맛'을 느낄 수 없는 까닭도 바로 그 때문이다. '삼해주'의 또 다른 특징 가운데 하나는, 여타의 이양주와는 달리 2차 덧술까지 찹쌀이 아닌 멥쌀로만 빚는다고 해도, 찹쌀로 빚은 술에서 느낄 수 있는 달짝지근한 감미와 점미를 느낄 수 있다.

흔히 "술맛은 물맛에 달려 있다."거나, "고급 재료를 써야 좋은 술을 얻을 수 있다."는 식의 상식적인 술 빚는 방법의 한계를 뛰어넘는, 이른바 '술 빚는 기술'의 중요성과 묘미를 거듭 일깨워준다고 할 것이다.

'삼해주'는 '삼오주(三午酒)'와 같이 겨울철에 차거나 서늘한 곳에서 오랜 시간 발효시키는 방법으로 이뤄지는 만큼, 술을 오랜 시간에 걸쳐 익히다 보면 여느 술에 비해 맛과 향이 깊고, 특히 부드러운 맛을 준다는 것을 알 수 있게 된다.

이렇듯 장기간에 걸쳐 낮은 온도에서 발효시키는 대표적인 술이 '삼해주'인데, 문제는 한꺼번에 열닷 말(15말) 또는 스무 말(20말)씩 이뤄지는 대량의 술 빚기에서는 잡균의 번식이나 그로 인한 산패는 큰 문제가 아닐 수 없다. 때문에 '삼해주'와 같이 12일 간격 또는 36일 간격으로 100일 이상 오랜 기간 발효시키기 위해서는 우량한 효모의 다량 증식이 요구된다. 이를 위해 밑술을 '범벅(담, 죽)' 상태로 만들며, 잡균의 오염에 의한 산패를 해소하기 위해 저온발효를 추구하고, 동시에 밀가루를 사용하는 등 다양한 방법을 강구해 온 것을 볼 수 있다.

그 예로 <산가요록>과 <언서주찬방>, <음식디미방> 등 옛 문헌에 수록된 '삼해주' 주방문을 분석해보면, 술을 빚는 방법만도 10가지가 넘고 각각의 주방문은 다르다 할지라도 반드시 몇 가지 원칙이 있다는 것을 알게 된다.

첫째, 밑술에 사용되는 재료(쌀)의 양보다 덧주재료의 양이 많고, 덧술의 양보다 2차 덧술의 양이 많거나 동량이며, 2차 덧술은 덧술의 재료 상태보다 덜 호화된 상태이다.

그 이유는, 오랜 시간 보다 안정적인 발효를 유지하기 위한 방법 가운데 한 가지라는 사실로서, 소위 '명주(名酒)'니 '춘주'니 하는 별칭이 '삼해주'에 따라붙는 이유가 여기에 숨겨져 있다는 것을 유념해야 한다.

둘째, 누룩은 가능한 한 밑술에 한 차례 사용하는데, 대개가 그 양이 5% 미만이라는 것이다.

<산가요록>의 '삼해주'는 쌀 20말에 대하여 누룩가루 7되(3.5%)가 사용되고, <양주(증주초)>의 '삼해주'는 쌀 5말에 대하여 누룩 2되로 4%, <증보산림경제>를 비롯하여 <감저종식법>, <고사신서>, <고사십이집>, <농정회요>, <민천집설>, <산림경제>의 경우 쌀 8말에 대해 누룩가루 1되(1.25%), <수운잡방>에서는 쌀 20말에 대하여 누룩가루 5되(2.5%), <양주집>에서는 쌀 18말에 대해 누룩가루 2되(1.11%), <음식디미방>의 '스무 말 빚이'는 쌀 20말에 대하여 누룩가루 7되(3.5%), 심지어 <음식보>의 경우에는 쌀 13말에 대해 누룩가루 1되(0.7%)와 <주방문>의 경우는 쌀 10말에 대해 누룩가루 5홉(0.5%)뿐으로, 다른 주품에 비해 누룩의 양이 특히 적게 사용된다는 것을 확인할 수 있다.

물론, <요록>의 경우 쌀 15말에 대하여 누룩 1말 7되(11.3%), <홍씨주방문>의 경우 쌀 6말에 대하여 누룩가루 7되(11.66%)가 사용된 경우로서, '삼해주' 가운데 가장 많은 양의 누룩 사용 비율을 보이고 있지만, 다른 주품들에 비하면 그리 많은 편이 아니라는 것을 알 수 있다고 하겠다.

주지하다시피 누룩의 양이 5% 미만이라는 사실은, 그만큼 질 좋은 누룩의 선택을 암시하거니와, 쌀 씻기 등 주원료의 전처리 과정은 물론 고도의 기술을 요구한다는 점에서 시사하는 바가 크다. 그도 그럴 것이 누룩의 사용은 야생효모와 누룩곰팡이를 이용한 발효기술로서 조효소제나 입국(粒麴) 등의 당화제와 이스트(yeast) 등 배양균을 사용한 경우와는 차원이 다르다는 점이다.

셋째, 주방문마다 차이는 있지만, '삼해주'를 빚는 데 사용되는 쌀의 최소량이 5말(斗) 이상 최대 20말(斗)까지 비교적 대량생산 방식을 지향하고 있다는 점이다. 모든 발효식품이 그렇지만 주원료의 양을 소량 사용했을 때와 대량으로 사용했을 때 발효의 정도와 맛, 향기, 술 빛깔의 차이가 어떠할 것인지를 가늠해 볼 수 있는 것이다.

'삼해주'가 조선시대를 대표하는 명가의 명주로, 또 고급 명주를 지칭하는 춘주의 반열에 당당하게 올랐던 이유가 여기에 있다.

필자로서는 이러한 사실적 분석과 근거를 바탕으로 설명하지 않고서는 '삼해주'에 대한 더 이상의 의미 부여나 수식어를 찾지 못하겠다.

## 1. 삼해주법 <감저종식법(甘藷種植法)>

술 재료 : 밑술 : 찹쌀 1말, 누룩가루 1되, 밀가루 1되, 물(5말)
덧술 : 멥쌀 1말, 찹쌀 1말
2차 덧술 : 멥쌀 5말, 탕수 3놋동이

술 빚는 법 :

* 밑술 :

1. 정월 첫 해일에 찹쌀 1말을 백세하여(물에 담갔다가, 다시 씻어 건져서 물기를 뺀 뒤) 작말한다(가루로 빻는다).
2. 솥에 물(5말)을 붓고 끓이다가, 물이 따뜻해지면 물(2말)을 떠서 쌀가루에 합하고, 주걱으로 고루 개어 아이죽을 만들어놓는다.
3. 솥의 남은 물이 팔팔 끓으면 아이죽을 합하고, 팔팔 끓여 묽은 죽을 쑨 다음, 넓은 그릇에 퍼서 차게 식기를 기다린다.

4. 쌀죽에 누룩가루 1되와 밀가루 1되를 넣고, 고루 버무려 술밑을 빚는다.
5. 술독에 술밑을 담아 안치고, 예의 방법대로 하여 (12일간) 발효시킨다.

* 덧술 :
1. 둘째 해일에 멥쌀 1말과 찹쌀 1말을 백세하여(물에 담갔다가, 다시 씻어 건져서 물기를 뺀 뒤) 작말한다(가루로 빻는다).
2. 쌀가루에 뜨거운 물을 뿌리고, 익반죽하여 둥글납작한 구멍떡을 빚는다.
3. 구멍떡을 끓는 물에 삶아, 떡이 익어 떠오르면 건져서 차게 식기를 기다린다.
4. 식은 떡에 밑술을 합하고, 고루 버무려 술밑을 빚는다.
5. 술독에 술밑을 담아 안치고, 예의 방법대로 하여 12일간 발효시킨다.

* 2차 덧술 :
1. 셋째 해일에 멥쌀 5말을 백세하여(물에 담갔다가, 다시 씻어 건져서 물기를 뺀 뒤) 시루에 안쳐 고두밥을 짓는다.
2. 고두밥이 익었으면 퍼내고 고루 펼쳐서 차게 식기를 기다린다.
3. 물 3놋동이를 팔팔 끓여 고두밥에 합하고 고루 헤쳐 두었다가, 고두밥이 물을 다 먹으면 넓은 그릇 여러 개에 나눠서 차게 식기를 기다린다.
4. 고두밥에 덧술을 합하고, 고루 버무려 술밑을 빚는다.
5. 술밑을 술독에 담아 안치고, 예의 방법대로 하여 3월이 지나도록 발효시킨다.

三亥酒法

正月上亥日粘米一斗百洗作末煮稀粥待冷麴末真末各一升調和入甕次亥日粘米白米各一斗百洗作末孔餠煮出停冷和前釀納甕三亥日白米五斗百洗蒸飯停冷熟水三鍮盆調冷同入過三月用.

## 2. 삼해주 <고사신서(攷事新書)>

술 재료 : 밑술 : 찹쌀 1되/말, 누룩가루 1되, 밀가루 1되, 물(5되/5말)
덧술 : 멥쌀 1말, 찹쌀 1말
2차 덧술 : 멥쌀 5말, 탕수 3놋동이

술 빚는 법 :

* 밑술 :

1. 정월 첫 해일에 찹쌀 1말을 백세하여(물에 담갔다가, 다시 씻어 건져서 물기를 뺀 뒤) 작말한다(가루로 빻는다).
2. 솥에 물(5되/5말)을 붓고 끓이다가, 물이 뜨거워지면 물(2되/2말)을 떠서 쌀가루에 합하고, 주걱으로 고루 개어 아이죽을 만들어놓는다.
3. 솥의 남은 물이 팔팔 끓으면, 아이죽을 합하고 팔팔 끓여 묽은 죽을 쑨 다음, 넓은 그릇에 퍼서 차게 식기를 기다린다.
4. 쌀죽에 누룩가루 1되와 밀가루 1되를 넣고, 고루 버무려 술밑을 빚는다.
5. 술독에 술밑을 담아 안치고, 예의 방법대로 하여 (12일간) 발효시킨다.

* 덧술 :

1. 둘째 해일에 멥쌀 1말과 찹쌀 1말을 백세하여(물에 담갔다가, 다시 씻어 건져서 물기를 뺀 뒤) 작말한다(가루로 빻는다).
2. 쌀가루에 뜨거운 물을 뿌리고, 익반죽하여 둥글납작한 구멍떡을 빚는다.
3. 구멍떡을 끓는 물에 넣고 삶아, 떡이 익어 물 위로 떠오르면 건져서 넓은 그릇에 담고 뚜껑을 덮어서 차게 식기를 기다린다.
4. 식은 떡에 밑술을 합하고, 고루 버무려 술밑을 빚는다.
5. 술독에 술밑을 담아 안치고, 예의 방법대로 하여 12일간 발효시킨다.

* 2차 덧술 :

1. 둘째 해일에 멥쌀 5말을 백세하여(물에 담갔다가, 다시 씻어 건져서 물기를 뺀 뒤) 시루에 안쳐 고두밥을 짓는다.
2. 솥에 물 3놋동이를 팔팔 끓여 차게 식히고, 고두밥도 익었으면 퍼내고 고루 펼쳐서 차게 식기를 기다린다.
3. 고두밥에 덧술과 끓여 식힌 물을 합하고, 고루 버무려 술밑을 빚는다.
4. 술밑을 술독에 담아 안치고, 예의 방법대로 하여 3개월간 발효·숙성시킨다.

三亥酒

正月上亥日粘米一斗百洗作末煮稀粥待冷麴末真末各一升調和入甕次亥日粘米白米各一斗百洗作末孔餅煮出停冷和前釀納甕三亥日白米五斗百洗蒸飯停冷熟水三鍮盆調冷同入過三月用.

## 3. 삼해주 <고사십이집(攷事十二集)>

술 재료 : 밑술 : 찹쌀 1말, 누룩가루 1되, 밀가루 1되, 물(5말)
덧술 : 멥쌀 1말, 찹쌀 1말
2차 덧술 : 멥쌀 5말, 탕수 3놋동이

술 빚는 법 :

* 밑술 :

1. 정월 첫 해일에 찹쌀 1말을 백세하여(물에 담갔다가, 다시 씻어 건져서 물기를 뺀 뒤) 작말한다(가루로 빻는다).
2. 솥에 물(5말)을 붓고 끓이다가, 물이 뜨거워지면 물(2말)을 떠서 쌀가루에 합하고, 주걱으로 고루 개어 아이죽을 만들어놓는다.
3. 솥의 남은 물이 팔팔 끓으면, 아이죽을 합하고 팔팔 끓여 묽은 죽을 쑨 다음, 넓은 그릇에 퍼서 차게 식기를 기다린다.

4. 쌀죽에 누룩가루 1되와 밀가루 1되를 넣고, 고루 버무려 술밑을 빚는다.
5. 술독에 술밑을 담아 안치고, 예의 방법대로 하여 (12일간) 발효시킨다.

* 덧술 :
1. 둘째 해일에 멥쌀 1말과 찹쌀 1말을 백세하여(물에 담갔다가, 다시 씻어 건져서 물기를 뺀 뒤) 작말한다(가루로 빻는다).
2. 쌀가루에 뜨거운 물을 뿌리고, 익반죽하여 둥글납작한 구멍떡을 빚는다.
3. 구멍떡을 끓는 물에 넣고 삶아, 떡이 익어 물 위로 떠오르면 건져서 넓은 그릇에 담고 뚜껑을 덮어서 차게 식기를 기다린다.
4. 식은 떡에 밑술을 합하고, 고루 버무려 술밑을 빚는다.
5. 술독에 술밑을 담아 안치고, 예의 방법대로 하여 12일간 발효시킨다.

* 2차 덧술 :
1. 둘째 해일에 멥쌀 5말을 백세하여(물에 담갔다가, 다시 씻어 건져서 물기를 뺀 뒤) 시루에 안쳐 고두밥을 짓는다.
2. 솥에 물 3놋동이를 팔팔 끓여 차게 식히고, 고두밥도 익었으면 퍼내고 고루 펼쳐서 차게 식기를 기다린다.
3. 고두밥에 덧술과 끓여 식힌 물을 합하고, 고루 버무려 술밑을 빚는다.
4. 술밑을 술독에 담아 안치고, 예의 방법대로 하여 3개월간 발효·숙성시킨다.

* 주방문에 "정월 첫 해일에 찹쌀(점미) 1되(말)를 가루로 만들어 묽은 죽을 쑨다. 식은 뒤에 누룩가루·밀가루 각 1되씩 섞어 독에 넣는다. 다음 해일에 매 씻은 찹쌀·멥쌀 각 1말로 구멍떡(공병)을 만들어 삶아서 식은 뒤, 먼저 빚은 술밑에 섞어 독에 넣는다. 셋째 해일에 매 씻은 멥쌀 5말을 쪄서 식힌다. 끓는 물 세 놋동이를 식혀 한데 넣고 석 달 지나면 쓴다."고 하였다. <고사촬요>와 동일한 방문이다.

三亥酒

正月上亥日粘米一斗百洗作末煮稀粥待冷麴末真末各一升調和入甕次亥日粘米白米各一斗百洗作末孔餠煮出停冷和前釀納甕三亥日白米五斗百洗蒸飯停冷熟水三鐥盆調冷同入過三月用.

## 4. 삼해주법 <농정회요(農政會要)>

술 재료 : 밑술 : 찹쌀 1말, 누룩가루 1되, 밀가루 1되, 물(2말)
덧술 : 멥쌀 1말, 찹쌀 1말
2차 덧술 : 멥쌀 5말, 끓여 식힌 물 3놋동이

술 빚는 법 :

* 밑술 :

1. 정월 첫 해일에 찹쌀 1말을 백세하여(물에 담갔다가, 다시 씻어 건져서 물기를 뺀 뒤) 작말한다(가루로 빻는다).
2. 솥에 물(2말)을 붓고 끓인다(물이 뜨거워지면 1말을 떠서 쌀가루에 합하고, 주걱으로 고루 개어 아이죽을 만들어놓는다).
3. (솥의 남은 물이 팔팔 끓으면, 아이죽을 합하고) 팔팔 끓여 된죽을 쑨 다음, 넓은 그릇에 퍼서 차게 식기를 기다린다.
4. 식은 쌀죽에 누룩가루 1되와 밀가루 1되를 넣고, 고루 버무려 술밑을 빚는다.
5. 술독에 술밑을 담아 안치고, 예의 방법대로 하여 (12일간) 발효시킨다.

* 덧술 :

1. 둘째 해일에 멥쌀 1말과 찹쌀 1말을 각각 백세하여(물에 담갔다가, 다시 씻어 건져서 물기를 뺀 뒤) 작말한다(가루로 빻는다).
2. 쌀가루에 뜨거운 물을 뿌리고, 익반죽하여 둥글납작한 구멍떡을 빚는다.
3. 구멍떡을 끓는 물에 넣고 삶아, 익어서 떠오르면 건져내어 넓은 그릇에 담고

(뚜껑을 덮어서) 차게 식기를 기다린다.
4. 식은 떡에 밑술을 합하고, 고루 버무려 술밑을 빚는다.
5. 술독에 술밑을 담아 안치고, 예의 방법대로 하여 12일간 발효시킨다.

* 2차 덧술 :
1. 셋째 해일에 멥쌀 5말을 백세하여 (물에 담갔다가, 다시 씻어 건져서 물기를 뺀 뒤) 시루에 안쳐 고두밥을 짓는다.
2. 솥에 물 3놋동이를 팔팔 끓여 식히고, 고두밥도 익었으면 퍼내고, 그릇 여러 개에 나눠 담고, 넓게 헤쳐 식기를 기다린다.
3. 고두밥에 덧술과 끓여 식힌 물을 합하고, 고루 버무려 술밑을 빚는다.
4. 술밑을 술독에 담아 안치고, 예의 방법대로 하여 3월까지 발효·숙성시킨다.

* 밑술에 사용되는 물의 양이 언급되어 있지 않아, 덧술과 2차 덧술의 쌀 양을 감안하여 물의 양을 2말로 산정하였다.

三亥酒法

正月上亥日 粘米一斗百洗作末煮稀粥待冷麯末眞末各一升調和入瓮 次亥日 粘米白米各一斗百洗作末孔餠煮出停冷和前釀納甕 三亥日 白米五斗百洗蒸熟停冷熟水三鍮盆調冷同入過三月用.

## 5. 삼해주 우방 <농정회요(農政會要)>

-10말 빚이

술 재료 : 밑술 : 멥쌀 1말, 누룩가루 5되, (끓여 식힌) 물 3병
덧술 : 멥쌀 7말, (끓여 식힌) 물 21병
2차 덧술 : 찹쌀 2말

술 빚는 법 :

* 밑술 :

1. 정월 첫 해일에 멥쌀 1말을 백세하여(물에 담갔다가, 다시 씻어 건져서 물기를 뺀 뒤) 작말한다.
2. 솥에 물을 붓고 시루를 올려서 쌀가루를 안치고 쪄서 익힌다(넓게 펼쳐서 차게 식기를 기다린다).
3. 설기떡에 누룩(가루) 5되와 (끓여 식힌) 물 3병을 합하고, 고루 버무려 멍우리 없는 술밑을 빚는다.
4. 술독에 술밑을 담아 안치고, 예의 방법대로 하여 차지도 덥지도 않은 적당한 곳에 앉혀두고 (12일간) 발효시킨다.

* 덧술 :

1. 둘째 해일에 멥쌀 7말을 각각 백세하여 (물에 담갔다가, 다시 씻어 건져서 물기를 뺀 뒤) 작말한다.
2. 쌀가루를 시루에 안치고, 푹 무르게 쪄서 설기떡이 익었으면 퍼낸다(넓게 펼쳐서 가게 식기를 기다린다).
3. 설기떡을 (끓여 식힌) 물 21병에 넣고, 풀어 (덩어리진 것이 없이 하여 죽처럼 만들어) 놓는다.
4. 죽처럼 만든 떡에 밑술을 합하고, 고루 버무려 술밑을 빚는다.
5. 술독에 술밑을 담아 안치고, 예의 방법대로 하여 적당한(차지도 덥지도 않은) 곳에 앉혀두고 (12일간) 발효시킨다.

* 2차 덧술 :

1. 셋째 해일에 찹쌀 2말을 정세하여(매우 깨끗하게 씻어 말갛게 헹군 후, 물에 담갔다가, 다시 씻어 건져서 물기를 뺀 뒤) 시루에 안쳐 고두밥을 짓는다.
2. (고두밥이 익었으면 퍼내고 넓게 헤쳐 차게 식기를 기다린다.)
3. 고두밥에 덧술을 합하고, 고루 버무려 술밑을 빚는다.
4. 술밑을 술독 하나에 담아 안치고, 예의 방법대로 하여 발효·숙성시켜 술이

익기를 기다린다.

5. 술 위에 부의(하얀 밥알)가 뜨면 주조에 올려 짜낸다.

* 주방문 말미에 "이 술은 잘 괴는 성질이 있으므로, 반드시 여러 독에 나누어 담갔다가 술이 괸(끓어오른) 뒤에 합쳐 한 독에 담는 것이 좋다."고 하였다.
* 쌀 씻는 법에 대해 밑술 '백세', 덧술 '백세', 2차 덧술 '정세'하라고 되어 있다. 또 방문에는 "미리 누룩가루(곡말) 5홉을 쌀 1말의 비율로 하여"라고 하였으므로, 방문의 "10말의 쌀에 대하여 누룩가루 5되의 비율로 하여 섞은 후"라고 하였으나, 누룩가루로 해석해야 옳을 것으로 판단된다.

三亥酒 又方

正月上亥日 白米一斗百洗作末蒸熟欲釀十斗者預以麯末五合爲一斗之定式合麯五升調水三甁納瓮置冷暖適宜之地 次亥日白米七斗百洗作末爛蒸如前酒調之 而 每米一斗以水三甁爲率合水二十一甁一處調和入瓮 至第三亥日粘米二斗淨洗蒸之不用水調於前酒待熟蟻浮上槽 盖此酒性好沸溢必分釀調瓮沸過合入一瓮可矣 此酒燒作露酒則美烈.

## 6. 삼해주 <민천집설(民天集說)>

술 재료 : 밑술 : 멥쌀(1말), 누룩가루 1되, 밀가루 1되, 물(5말)
덧술 : 멥쌀 1말, 찹쌀 1말
2차 덧술 : 멥쌀 5말, 탕수 3놋동이

술 빚는 법 :

* 밑술 :

1. 정월 첫 해일에 멥쌀 (1말)을 백세하여(물에 담갔다가, 다시 씻어 건져서 물

기를 뺀 뒤) 작말한다(가루로 빻는다).
2. 솥에 물(5말)을 붓고 끓이다가, 물이 뜨거워지면 물(2말)을 떠서 쌀가루에 합하고, 주걱으로 고루 개어 아이죽을 만들어놓는다.
3. 솥의 남은 물이 팔팔 끓으면, 아이죽을 합하고 팔팔 끓여 묽은 죽을 쑨 다음, 넓은 그릇에 퍼서 차게 식기를 기다린다.
4. 쌀죽에 누룩가루 1되와 밀가루 1되를 넣고, 고루 버무려 술밑을 빚는다.
5. 술독에 술밑을 담아 안치고, 예의 방법대로 하여 (12일간) 발효시킨다.

* 덧술 :
1. 둘째 해일에 멥쌀(1말)과 찹쌀(1말)을 백세하여(물에 담갔다가, 다시 씻어 건져서 물기를 뺀 뒤) 작말한다(가루로 빻는다).
2. 쌀가루에 뜨거운 물을 뿌리고, 익반죽하여 둥글납작한 구멍떡을 빚는다.
3. 구멍떡을 끓는 물에 넣고 삶아, 떡이 익어 물 위로 떠오르면 건져서 넓은 그릇에 담고 뚜껑을 덮어서 차게 식기를 기다린다.
4. 식은 떡에 밑술을 합하고, 고루 버무려 술밑을 빚는다.
5. 술독에 술밑을 담아 안치고, 예의 방법대로 하여 12일간 발효시킨다.

* 2차 덧술 :
1. 셋째 해일에 멥쌀 5말을 백세하여(물에 담갔다가, 다시 씻어 건져서 물기를 뺀 뒤) 시루에 안쳐 고두밥을 짓는다.
2. 고두밥이 익었으면 퍼내고, 고루 펼쳐서 차게 식기를 기다린다.
3. 솥에 물 3놋동이를 팔팔 끓여 고두밥에 합하고, 고루 헤쳐서 고두밥이 물을 다 먹었으면, 그릇 여러 개에 나눠 담고 차게 식기를 기다린다.
4. 물 먹인 고두밥에 덧술을 합하고, 고루 버무려 술밑을 빚는다.
5. 술밑을 술독에 담아 안치고, 예의 방법대로 하여 3월이 지나가도록 발효·숙성시킨다.

* <산림경제>, <증보산림경제>, <고사십이집>, <고사신서>, <시의전서> 등

에도 수록되어 있다. <고사촬요>와 동일한 방문이다. 밑술의 쌀과 물 양이 언급되어 있지 않으나, <고사촬요>를 참고로 하여 방문을 작성하였다. 또 2차 덧술의 발효기간 '과삼월(過三月)'을 '3월이 지나면'으로 해석하였다. '삼해주'는 별칭 '백일주'로 알려진 만큼, 1월(24일), 2월(28일), 3월(31일)이 지나 4월 초순이 되면, 100일에 가까워지기 때문이다. '과삼월(過三月)'을 '3개월이 지나면'으로 해석하면 1월(24일), 2월(28일), 3월(12일) 3개월(90일) 154일로, 한여름인 6월에 가서야 마시는 여름술이 되기 때문이다.

三亥酒

正月上亥日粘米百洗作末煮稀粥待冷曲末眞末各一升調和入甕次亥日粘米白米各一斗百洗作末穿孔餅煮出停冷和前釀入甕三亥日白米五斗百洗蒸飯待冷後以熱水三鍮盆調冷同入過三月用之.

## 7. 삼해주 우법 <민천집설(民天集說)>

술 재료 : 밑술 : 찹쌀 1되, 누룩가루 1홉, 밀가루 1홉, 물(5되)
덧술 : 멥쌀 1되, 찹쌀 1되
2차 덧술 : 멥쌀 5되, 탕수 6(식기)

술 빚는 법 :

* 밑술 :

1. 정월 첫 해일에 멥쌀 1되를 백세하여(물에 담갔다가, 다시 씻어 건져서 물기를 뺀 뒤) 작말한다(가루로 빻는다).
2. 솥에 물(5되)을 붓고 끓이다가, 물이 뜨거워지면 물(2되)을 떠서 쌀가루에 합하고, 주걱으로 고루 개어 아이죽을 만들어놓는다.
3. 솥의 남은 물이 팔팔 끓으면, 아이죽을 합하고 팔팔 끓여 묽은 죽을 쑨 다

음, 넓은 그릇에 펴서 차게 식기를 기다린다.
4. 쌀죽에 누룩가루와 밀가루 각 1홉을 넣고, 고루 버무려 술밑을 빚는다.
5. 술독에 술밑을 담아 안치고, 예의 방법대로 하여 (12일간) 발효시킨다.

* 덧술 :
1. 둘째 해일에 멥쌀과 찹쌀 각 1되를 백세하여(물에 담갔다가, 다시 씻어 건져서 물기를 뺀 뒤) 작말한다(가루로 빻는다).
2. 쌀가루에 뜨거운 물을 뿌리고, 익반죽하여 둥글납작한 구멍떡을 빚는다.
3. 구멍떡을 끓는 물에 넣고 삶아, 떡이 익어 물 위로 떠오르면 건져서 넓은 그릇에 담고 뚜껑을 덮어서 차게 식기를 기다린다.
4. 식은 떡에 밑술을 합하고, 고루 버무려 술밑을 빚는다.
5. 술독에 술밑을 담아 안치고, 예의 방법대로 하여 12일간 발효시킨다.

* 2차 덧술 :
1. 셋째 해일에 멥쌀 5되를 백세하여(물에 담갔다가, 다시 씻어 건져서 물기를 뺀 뒤) 시루에 안쳐 고두밥을 짓는다.
2. 고두밥이 익었으면 퍼내고, 고루 펼쳐서 차게 식기를 기다린다.
3. 솥에 물 6(식기)을 팔팔 끓여 고두밥에 합하고, 고루 헤쳐서 고두밥이 물을 다 먹었으면, 그릇 여러 개에 나눠 담고 차게 식기를 기다린다.
4. 물 먹인 고두밥에 덧술을 합하고, 고루 버무려 술밑을 빚는다.
5. 술밑을 술독에 담아 안치고, 예의 방법대로 하여 3월이 지나가도록 발효·숙성시킨다.

* 주방문 말미에 "방법은 비록 이러하나 양의 많고 적게 하는 것은 뜻대로 한다."고 하였다.

三亥酒 右法

粘米一升用曲末眞末各一合二亥日粘白米各一升三亥日白米五升熱水六(食

器)以此雖多少任意.

## 8. 삼해주 <산가요록(山家要錄)>

–쌀 20말 빚이

술 재료 : 밑술 : 찹쌀 1말, 누룩가루 7되, 밀가루 3되, 끓는 물 11발(주발)
덧술 : 멥쌀 7말, 끓는 물 8병
2차 덧술 : 멥쌀 12말, 끓는 물 12병

술 빚는 법 :

* 밑술 :

1. 정월 첫째 해일(亥日)에 찹쌀 1말을 (백세하여) 물에 담가 불렸다가 (다시 씻어 건져서 물기를 뺀 후) 세말한다(고운 가루로 빻는다).
2. 쌀가루를 시루에 안쳐 찌거나, 끓는 물 11발(주발)에 풀어 넣고 고루 개어 죽(범벅)을 쑨 후 (넓은 그릇에 펴서) 차게 식기를 기다린다.
3. 죽에 누룩가루 7되, 밀가루 3되를 섞고, 고루 버무려 술밑을 빚는다.
4. 술독에 술밑을 담아 안치고, 예의 방법대로 하여 12일간 발효시킨다.

* 덧술 :

1. 정월 둘째 해일(亥日)에 멥쌀 7말을 (백세하여) 물에 담가 불렸다가 (다시 씻어 건져서 물기를 뺀 후) 세말한다(고운 가루로 빻는다).
2. 솥에 물 8병을 끓여 쌀가루에 고루 붓고, 주걱으로 고루 개어 죽(범벅)을 쑨 후, 차게 식기를 기다린다.
3. 죽(범벅)에 밑술을 섞고, 고루 버무려 술밑을 빚는다.
4. 술독에 술밑을 담아 안치고, 예의 방법대로 하여 12일간 발효시킨다.

* 2차 덧술 :
1. 정월 셋째 해일(亥日)에 멥쌀 12말을 (백세하여) 물에 담가 불렸다가 (다시 씻어 건져서 물기를 뺀 후) 세말한다(고운 가루로 빻는다).
2. 솥에 물 12병을 끓여 쌀가루에 고루 붓고, 주걱으로 고루 개어 죽(범벅)을 쑨 후, (넓은 그릇 여러 개에 나눠 담고) 차게 식기를 기다린다.
3. 죽(범벅)에 덧술을 섞고, 고루 버무려 술밑을 빚는다.
4. 술독에 술밑을 담아 안치고, 예의 방법대로 하여 (서늘한 곳에 두어) 봄 버들가지가 날릴 때까지 발효시킨다.

* 주방문 말미에 "이 밖에 2가지 방법이 있으나 대동소이하다."고 하였다.

三亥酒
米二十斗. 正月上亥日 粘米一斗 浸水 細末全蒸亦可 湯水十一鉢 作粥 待冷 匊末七升眞末三升 和入瓮. 二亥日 白米七斗 浸水經宿細末 湯水八瓶 作粥 待冷 无匊 和入前瓮. 三亥日 白米十二斗 浸水作末 湯水十二瓶 作粥 待冷 和入密封 柳絮初飛時 開用. 此外又有二法 大同小異. .

## 9. 삼해주 <산림경제(山林經濟)>

술 재료 : 밑술 : 찹쌀 1되, 누룩가루 1되, 밀가루 1되, 물(5되)
덧술 : 멥쌀 1말, 찹쌀 1말
2차 덧술 : 멥쌀 5말, 탕수 3놋동이

술 빚는 법 :
* 밑술 :
1. 정월 첫 해일(亥日)에 찹쌀 1말을 백세하여(물에 담갔다가, 다시 씻어 건져

서 물기를 뺀 뒤) 작말한다(가루로 빻는다).
2. 솥에 물(5되)을 붓고 끓이다가, 물이 뜨거워지면 물(2되)을 떠서 쌀가루에 합하고, 주걱으로 고루 개어 아이죽을 만들어놓는다.
3. 솥의 남은 물이 팔팔 끓으면, 아이죽을 합하고 팔팔 끓여 묽은 죽을 쑨 다음, 넓은 그릇에 퍼서 차게 식기를 기다린다.
4. 쌀죽에 누룩가루 1되와 밀가루 1되를 넣고, 고루 버무려 술밑을 빚는다.
5. 술독에 술밑을 담아 안치고, 예의 방법대로 하여 (12일간) 발효시킨다.

* 덧술 :
1. 둘째 해일(亥日)에 멥쌀 1말과 찹쌀 1말을 백세하여(물에 담갔다가, 다시 씻어 건져서 물기를 뺀 뒤) 작말한다(가루로 빻는다).
2. 쌀가루에 뜨거운 물을 뿌리고, 익반죽하여 둥글납작한 구멍떡을 빚는다.
3. 구멍떡을 끓는 물에 넣고 삶아, 떡이 익어 물 위로 떠오르면 건져서 넓은 그릇에 담고 뚜껑을 덮어서 차게 식기를 기다린다.
4. 식은 떡에 밑술을 합하고, 고루 버무려 술밑을 빚는다.
5. 술독에 술밑을 담아 안치고, 예의 방법대로 하여 12일간 발효시킨다.

* 2차 덧술 :
1. 셋째 해일(亥日)에 멥쌀 5말을 백세하여(물에 담갔다가, 다시 씻어 건져서 물기를 뺀 뒤) 시루에 안쳐 고두밥을 짓는다.
2. 솥에 물 3놋동이를 팔팔 끓여 차게 식히고, 고두밥도 익었으면 퍼내고 고루 펼쳐서 차게 식기를 기다린다.
3. 고두밥에 덧술과 끓여 식힌 물을 합하고, 고루 버무려 술밑을 빚는다.
4. 술밑을 술독에 담아 안치고, 예의 방법대로 하여 3개월간 발효·숙성시킨다.

三亥酒

正月上亥日 粘米一升 百洗作末 煮稀粥待冷 麴末眞末各一升 調和入瓮 次亥日 粘米白米各一斗 百洗作末 作孔餠煮出停冷 和前釀納瓮 三亥日 白米五斗

百洗蒸熟停冷 熱水三鎰盆 調冷同入 過三月用 <俗方>.

## 10. 삼해주법 <산림경제촬요(山林經濟撮要)>

술 재료 : 밑술 : 찹쌀 1말, 누룩가루 1되, 밀가루 1되, 물(5말)
덧술 : 멥쌀 1말, 찹쌀 1말
2차 덧술 : 멥쌀 5말, 탕수 3놋동이

술 빚는 법 :

* 밑술 :

1. 정월 첫 해일(亥日)에 찹쌀 1말을 백세하여(물에 담갔다가, 다시 씻어 건져 물기 뺀 뒤) 작말한다.
2. 솥에 물(5말)을 붓고 끓이다가, 물이 미지근해지면 물(1말)을 떠서 쌀가루에 합하고, 주걱으로 고루 개어 아이죽을 만들고, 솥의 남은 물이 팔팔 끓으면, 아이죽을 합하고 팔팔 끓여 묽은 죽을 쑨 다음, 넓은 그릇에 펴서 차게 식기를 기다린다.
3. 쌀죽에 누룩가루 1되와 밀가루 1되를 넣고, 고루 버무려 술밑을 빚는다.
4. 술독에 술밑을 담아 안치고, 예의 방법대로 하여 (12일간) 발효시킨다.

* 덧술 :

1. 둘째 해일(亥日)에 멥쌀 1말과 찹쌀 1말을 백세하여(물에 담갔다가, 다시 씻어 건져서 물기를 뺀 뒤) 작말한다.
2. 쌀가루에 뜨거운 물을 뿌리고, 익반죽하여 둥글납작한 구멍떡을 빚는다.
3. 구멍떡을 끓는 물에 넣고 삶아, 물 위로 떠오르면 건져 차게 식기를 기다린다.
4. 식은 떡에 밑술을 합하고, 고루 버무려 술밑을 빚는다.
5. 술독에 술밑을 담아 안치고, 예의 방법대로 하여 12일간 발효시킨다.

* 2차 덧술 :

1. 셋째 해일(亥日)에 멥쌀 5말을 백세하여(물에 담갔다가, 다시 씻어 건져서 물기를 뺀 뒤) 시루에 안쳐 고두밥을 짓는다.
2. 솥에 물 3놋동이를 팔팔 끓여 차게 식히고, 고두밥도 익었으면 퍼내고 고루 펼쳐서 차게 식기를 기다린다.
3. 고두밥에 덧술과 끓여 식힌 물을 합하고, 고루 버무려 술밑을 빚는다.
4. 술밑을 술독에 담아 안치고, 예의 방법대로 하여 3월이 지나갈 때까지 발효·숙성시킨다.

* 주방문 말미에 "익기를 기다려 주조에 올려 짠다. 술의 품질이 좋다. 술이 끓어오르면 술 한 독을 소주를 내리면 매우 독하고 맵다."고 하였다. <증보산림경제>와 동일하다.

三亥酒 又方

正月上亥日白米一斗百洗作末蒸熟欲釀十斗者預以麯末五合爲一斗米定式 合麯五升造水三瓶納瓮置冷暖適宜之地次亥日白米七斗百洗作末爛蒸如前酒調之而每一斗以水三瓶爲率合水二十一瓶一處調和入瓮至第三亥日粘米二斗淨洗蒸之不用水調於前酒待熟蟻浮上槽盖此酒成好沸溢必分釀諸瓮沸過合入一瓮可矣.此酒燒作露酒則美烈.

## 11. 삼해주 <수운잡방(需雲雜方)>

술 재료 : 밑술 : 멥쌀 1말, 누룩 5되, 밀가루 5되, 물 1말
덧술 : 멥쌀 9말, 누룩 1말, 탕수 10말
2차 덧술 : 멥쌀 10말, 탕수 10말

술 빚는 법 :

* 밑술 :

1. 멥쌀 1말을 물에 백세하여 (물에 담가 불렸다가, 다시 씻어 헹궈서 물기를 뺀 후) 작말한다(가루를 만든다).
2. 물 1말을 팔팔 끓이다가 (물이 따뜻해지면 멥쌀가루를 풀어 넣고, 주걱으로 저어가면서) 팔팔 끓여 죽을 쑨 다음 (넓은 그릇에 나눠 펴서) 차게 식기를 기다린다.
3. 차게 식은 멥쌀죽에 누룩 5되와 밀가루 5되를 넣고, 고루 버무려 술밑을 빚는다.
4. 술독에 술밑을 담아 안친 다음, 예의 방법대로 12일간 발효시킨다.

* 덧술 :

1. 멥쌀 9말을 물에 백세하여 (물에 담가 불렸다가, 다시 씻어 헹궈서 물기를 뺀 후) 작말한다(가루를 만든다).
2. 쌀가루를 (체에 한 번 내린 후) 시루에 안쳐서 푹 익힌 다음, 탕수(끓는 물) 10말로 개어, 죽처럼 만들어 (넓은 그릇 여러 개에 나눠 담고) 차게 식기를 기다린다.
3. 차게 식힌 떡을 누룩 1말과 함께 밑술에 넣고, (주걱으로) 골고루 섞어준다.
4. 술독은 예의 방법대로 하여 12일간 발효시킨다.

* 2차 덧술 :

1. 멥쌀 10말을 백세하여 물에 담가 불렸다가 (다시 씻어 헹궈서 물기를 뺀 후) 작말한다(가루를 만든다).
2. 쌀가루를 (체에 한 번 내린 후) 시루에 안쳐 무르게 쪄서 익히고, 솥에 물 10말을 끓인다.
3. 떡이 익었으면 끓는 물 10말을 부어 죽처럼 만든 후 (넓은 그릇 여러 개에 나눠 담고) 차게 식기를 기다린다.
4. 차게 식은 떡을 먼저 빚어둔 덧술에 합하고, 고루 버무려 술밑을 빚는다.

5. 술독은 예의 방법대로 하여 발효시키고, 익으면 술주자에 담아 압착, 여과하여 마신다.

三亥酒
正月初亥日白米一斗百洗作末湯水一斗作粥待冷麯五升眞末五升和納瓮次亥日白米九斗百洗作末熟蒸湯水十斗作粥待冷麯一斗和前酒納三亥日白米十斗百洗作末熟蒸湯水十斗作粥待冷和前酒納瓮待熟上槽.

## 12. (삼해주) <술 만드는 법>

술 재료 : 밑술 : 멥쌀 1되(市升), 누룩가루 1되(市升), 백비탕 3주발
덧술 : 멥쌀 5되(시승), 백비탕 6주발
2차 덧술 : 멥쌀 30되(市升), 밀가루 1되(市升), 냉수 90주발

술 빚는 법 :
* 밑술 :
1. 정월 첫 해일(亥日)에 멥쌀 1되(市升)를 (백세하여 물에 담가 불렸다가, 다시 씻어 헹궈서) 작말하여 그릇에 담아놓는다.
2. 솥에 물을 팔팔 끓여서 백비탕을 만들어 3주발을 쌀가루에 붓고, 주걱으로 고루 개어서 범벅을 쑤어, 차게 식기를 기다린다.
3. 차게 식은 범벅에 누룩가루 1되(市升)와 합하고, 고루 버무려 술밑을 빚는다.
4. 술밑을 술독에 담아 안치고, 예의 방법대로 하여 36일간 발효시킨다.

* 덧술 :
1. 2월 첫 해일(亥日)에 멥쌀 5되(市升)를 (백세하여 물에 담가 불렸다가, 다시 씻에 헹궈서) 작말하여 그릇에 담아놓는다.

2. 솥에 물을 팔팔 끓여서 백비탕을 만들어 15주발을 쌀가루에 붓고, 주걱으로 고루 개어서 범벅을 쑤어, 차게 식기를 기다린다.
3. 차게 식은 범벅에 밑술을 합하고, 고루 버무려 술밑을 빚는다.
4. 술밑을 술독에 담아 안치고, 예의 방법대로 하여 12일간 발효시킨다.

* 2차 덧술 :
1. 3월 첫 해일(亥日)에 멥쌀 30되(市升)을 정하고 정하게 씻어(백세하여) 흠뻑 불려(오랫동안 불에 담가 불렸다가, 다시 씻어 헹궈서) 소쿠리에 건져서 물기를 빼놓는다.
2. 불린 쌀을 시루에 안쳐서 무른 고두밥을 짓고, 익었으면 시루에서 퍼내어 그릇 여러 개에 나눠 펴 놓는다.
3. 고두밥에 냉수 90주발을 골고루 나눠 붓고, 주걱으로 헤쳐서 고두밥이 물을 다 먹으면, 그릇 여러 개에 나눠 담고 차게 식기를 기다린다.
4. 차게 식은 고두밥에 밑술과 밀가루 1되(市升)를 한데 합하고, 고루 버무려 술밑을 빚는다.
5. 술밑을 술독에 안치고, 예의 방법대로 하여 서늘한 광에 앉혀두고, 술 빚은 지 100일이 되는 날까지 발효·숙성시킨 후, 채주하여 마신다.

* 주방문 말미에 "독에 너어셔 ᆢ늘ᄒᆞᆫ 광에 두엇다가 ᄇᆡᆨ 일이 차거든 ᄡᅳ게 ᄒᆞᄂᆞᆫ 거시"라고 하였는데, 밑술을 빚은 지 100일이 차는 날인지, 2차 덧술부터 100일이 차는 날인지 정확히 알 수 없으나, 덧술 간격이 36일인 점을 감안하면, '삼해주'는 밑술을 빚는 날부터 100로 보는 것이 옳을 것 같다.

(삼해주)

정월 초희일에 ᄇᆡᆨ미화인 시승 ᄒᆞᆫ 되를 가로 ᄆᆡᆫ들고 누룩가로 시승 ᄒᆞᆫ 되를 ᄆᆡᆫ드러셔 ᄇᆡᆨ비탕을 팔ᆢ ᄉᆞ려셔 셰 쥬발를 ᄣᅥᆨ가로에 셕거 셔ᆢ늘ᄒᆞ게 식힌 후에 누룩가로와 ᄒᆞᆫ께 셕거셔 ᄀᆡ인 후에 항아리에 두엇다가 이월 초희일에 ᄯᅩ ᄇᆡᆨ미화인 시승 닷 되를 가로 ᄆᆡᆫ들어셔 ᄇᆡᆨ비탕 열다셧 쥬발를 가로에 부어 ᄀᆡ

인 후에 셔늘ᄒᆞ게 식여셔 이왕 밋ᄒᆞᆫ 것과 ᄒᆞᆫ데 셕거셔 ᄯᅩ 항아리에 너어셔 두엇다가 ᄉᆞᆷ월 초히일에 ᄇᆡᆨ미 시승 셜흔 되를 졍ᄒᆞ고 졍ᄒᆞ게 ᄡᅵ셔〻 흠벅 불녀셔 지예를 ᄶᅵᆫ 연후 ᄂᆡᆼ슈 구십 쥬발를 지예밥 더운 데다가 부어셔 ᄯᅩ 불닌 후에 셔늘ᄒᆞ게 식거든 밀가로 시승 ᄒᆞᆫ 되와 이왕 밋ᄒᆞ고 ᄒᆞᆷᄭᅴ 셕거셔 범으려셔 독에 너어셔 〻늘ᄒᆞᆫ 광에 두엇다가 ᄇᆡᆨ 일이 차거든 ᄡᅳ게 ᄒᆞᄂᆞᆫ거시 조흘ᄎᆞ메(…누락…).

## 13. (삼해주) <술 만드는 법>

술 재료 : 밑술 : 멥쌀 20식기, 누룩가루 1식기, 밀가루 1식기, 백비탕 28식기
덧술 : 멥쌀 7말, 끓는 물 여러 병(3~4병)

술 빚는 법 :

* 밑술 :

1. 멥쌀 25식기를 정하게 쓿어(도정을 많이 하여 백세하여) 하룻밤 물에 담가 불렸다가, 이튿날 (다시 씻어 건져서 물기를 뺀 후) 가루로 빻는다.
2. 쌀가루에 백비탕 28식기를 붓고, 주걱으로 골고루 개어 반생반숙의 범벅을 쑨 다음, 매우 차게 식기를 기다린다.
3. 식힌 범벅에 누룩가루 1식기, 밀가루 1식기를 섞고, 고루 버무려 술밑을 빚는다.
4. 술밑을 술독에 담아 안치고, 예의 방법대로 하여 (찬 곳에서) 20일간 발효시킨다.

* 덧술 :

1. 멥쌀 30식기와 멥쌀 30식기를 물에 정히 씻어(백세하여) 하룻밤 물에 담가 불렸다가 (다시 씻어 건져서 물기를 뺀 후) 시루에 각각 안쳐서 고두밥을 짓

는다.

2. 솥에 물을 오랫동안 끓여 백비탕을 만들어 48식기를 차게 식기를 기다린다.
3. 고두밥에 백비탕을 만들어 48식기와 밑술을 합하고, 고루 버무려 술밑을 빚는다.
4. 술밑을 술독에 담아 안치고, 예의 방법대로 하여 날물기를 금하고 (차지도 덥지도 않은 곳에 앉히고) 20일간 발효시킨다.

(삼해주)

ᄡᆞᆯ노만 ᄒᆞ엿습지 찹ᄡᆞᆯ은 업ᄉᆞᆸ ᄇᆡᆨ미 스물다섯 그릇을 정ᄒᆞ게 ᄡᅳ러 물에 당가셔 ᄒᆞ로밤 짐쉬여 가로를 ᄆᆡᆼ그러 ᄇᆡᆨ비탕 스물여덜 그릇과 타셔 셕거 반ᄉᆡᆼ반슉ᄒᆞᆫ 뒤에 활젹 식인 후에 누룩가로와 밀가로와 각 ᄒᆞᆫ 그릇식 셕거 두엇다가 이십 일 후에 ᄇᆡᆨ미와 찹ᄡᆞᆯ 각 ᄉᆞᆷ십 그릇식을 물에 정히 ᄡᅵ셔 ᄒᆞ로밤을 진 뒤에 ᄡᅧ셔 밥을 만들고 ᄇᆡᆨ비탕 마흔여덜 그릇과 활젹 식인 후에 우를 덥고 이십 일 후에 ᄀᆡ봉ᄒᆞ되 다른 물은 일졀 금ᄒᆞᆯᄉᆞ.

## 14. 삼해주 <시의전서(是議全書)>

술 재료 : 밑술 : 찹쌀 3되, 가루누룩 3되, 밀가루 2되, 물(6되)
덧술 : 멥쌀 2말, 끓는 물(2말)
2차 덧술 : 쌀 4말

술 빚는 법 :

* 밑술 :

1. 정월 해일(亥日)에 찹쌀 3되를 (백세하여) 물에 하룻밤 불렸다가 (다시 씻어 헹궈 건져서 물기를 뺀 뒤) 작말한다(가루로 빻는다).
2. 솥에 물(6되)와 찹쌀가루를 풀어 넣고, 팔팔 끓여 죽을 쑨 다음 차게 식기

를 기다린다.

3. 차게 식힌 찹쌀죽에 가루누룩 3되와 밀가루 2되를 합하고, 고루 버무려 술밑을 빚는다.
4. 술밑을 술독에 담아 안친 다음, 예의 방법대로 하여 (찬 곳에 두어 12~36일간) 발효시킨다.

* 덧술 :

1. 멥쌀 2말을 (백세하여) 물에 담가 하룻밤 불렸다가 (다시 씻어 헹궈서 물기를 뺀 뒤) 가루로 빻는다.
2. 물(2말 정도)을 끓이다가, 뜨거워지면 팔팔 끓는 물 5되 정도를 떠서 쌀가루에  골고루 붓고, 주걱으로 고루 개어 아이죽을 만든다.
3. 솥의 끓고 있는 나머지 물과 아이죽을 합하고, 팔팔 끓여 범벅 같은 죽을 쑤어 익힌 뒤 (뚜껑을 덮어) 차게 식기를 기다린다.
4. 차게 식힌 죽을 밑술과 합하고, 고루 버무려 술밑을 빚는다.
5. 술밑을 술독에 담아 안친 다음, 예의 방법대로 하여 (찬 곳에 두어) 36일간 발효시킨다.

* 2차 덧술 :

1. 쌀 4말을 백세하여 물에 담가 불렸다가 (다시 씻어 건져서 물기를 뺀 뒤) 시루에 안쳐서 고두밥을 짓는다.
2. 고두밥이 익었으면, 돗자리에 퍼내고 고루 펼쳐서 차게 식기를 기다린다.
3. 고두밥을 덧술과 합하고, 고루 버무려 술밑을 빚는다.
4. 술밑을 술독에 담아 안치고, 예의 방법대로 하여 (찬 곳에 두어) 5월이 될 때까지 발효시키고, 술이 익으면 용수를 박아 여과하여 마신다.

* 주방문 말미에 "5월이 되어 채주한 술은 여름을 나도 변하지 않아 좋고, 날물이 들어가지 않으면 변치 아니하나, 전국(본주)은 나중에 마시고, 물 둘렀다가(후수하였다가) 나중에 떠낸 술(후주)을 먼저 마셔야 한다."고 하여 양

주 기간이 3개월이나 되는 장기 발효주라는 것을 알 수 있는데, 후수하는 법을 수록하고 있으나, 후수의 방법과 양은 언급되어 있지 않다. 따라서 후수는 반드시 끓여서 식힌 물로 하고, 그 양은 사용된 용수(1말 6되)의 20%(3되 2홉)를 넘지 않도록 하는 것이 좋다.

三亥酒(삼ᄒᆡ쥬)

졍일 ᄒᆡ일에 졈미 셔 되 담갓다가 이튼날 쟉말ᄒᆞ여 의이 쓔어 식은 후 가로 누룩 셔 되 진말 두 되 너허 군ᄂᆡ 업난 항에 담아 찬 ᄃᆡ 두엇다가 이월 ᄒᆡ일에 ᄇᆡᆨ미 말 두 되 담갓다가 잇튼날 ᄉᆡᆨ아 범벅갓치 익게 쓿혀 식은 후 젼 밋과 ᄒᆞᆫᄃᆡ 버무려 두엇다가 삼월 ᄒᆡ일에 너 말 ᄇᆡᆨ셰ᄒᆞ여 담갓다가 익게 쪄 ᄆᆡ오 식은 후 그 밋과 버므려 두엇다가 오월에 써 두면 여름 나도 조코 날물 아이ᄒᆞ면 변치 아이ᄒᆞ고 젼국은 두고 물 둘넛다 쓰ᄂᆞᆫ 거ᄉᆞᆫ 몬져 쓰라.

## 15. 삼해주 <양주(釀酒)>

술 재료 : 밑술 : 멥쌀 1말, 가루누룩 2되, 밀가루 7홉, 물 1말 5되
덧술 : 멥쌀 1말 5되, (끓는) 물 2말 2되 5홉
2차 덧술 : 멥쌀 2말 5되, 물 3말 7되 5홉

술 빚는 법 :

* 밑술 :

1. 정월 첫 돌날 멥쌀 1말을 백세하여 밤재워 (다시 씻어 헹궈서) 물기를 빼놓는다(작말한다).
2. 물 1말 5되에 불린 쌀(쌀가루)을 넣고 죽을 쑤어 익었으면 (넓은 그릇에 퍼 담고) 차게 식기를 기다린다.
3. 죽에 가루누룩 2되와 밀가루 7홉을 한데 합하고, 고루 버무려 술밑을 빚는다.

4. 술밑을 술독에 담아 안치고, 예의 방법대로 하여 (12일간) 발효시킨다.

* 덧술 :

1. 둘째 돋날 멥쌀 1말 5되 백세하여 (물에 담가 불렸다가, 다시 씻어 헹궈서 물기를 뺀 후) 작말한다(넓은 그릇에 담아놓는다).
2. 쌀가루에 (끓는) 물 2말 2되 5홉을 (섞고 고루 개어 범벅을 쑨 후, 차게 식기를 기다려) 밑술과 교합하여 술밑을 빚는다.
3. 술밑을 술독에 담아 안치고, 예의 방법대로 하여 (12일간) 발효시킨다.

* 2차 덧술 :

1. 셋째 돋날 멥쌀 2말 5되를 백세하여 (물에 담가 불렸다가, 다시 씻어 헹궈서) 물기를 빼놓는다.
2. 불린 쌀을 시루에 안쳐서 고두밥을 찌고, 익었으면 퍼내고 고루 펼쳐서 차게 식기를 기다린다.
3. 물 3말 7되 5홉을 팔팔 끓여서 넓은 그릇에 나눠 담고(고두밥에 끓는 물 3말 7되 5홉을 합하고 고루 저어서 고두밥이 물을 다 먹고) 차게 식기를 기다린다.
4. 고두밥이 차게 식었으면 덧술과 합하고, 고루 버무려 술밑을 빚는다.
5. 술밑을 술독에 담아 안치고, 예의 방법대로 하여 발효시킨다(익기를 기다린다).

삼ᄒᆡ쥬

뎡월 첫 돗날 ᄇᆡᆨ미 ᄒᆞᆫ 말 ᄇᆡᆨ셰ᄒᆞ야 밤재여 ᄭᅳᆯ힌 물 ᄒᆞᆫ 말 닷 되 쥭 쑤어 ᄎᆞ거든 ᄀᆞᄅᆞ누록 두 되 진말 칠 홉 교합ᄒᆞ엿다가 두채 돗날 ᄇᆡᆨ미 ᄒᆞᆫ 말 닷 되 ᄇᆡᆨ셰 작말ᄒᆞ야 물 두 말 두 되 다ᄉᆞᆸ 전술의 교합ᄒᆞ야 세채 돗날 ᄇᆡᆨ미 두 말 닷 되를 ᄇᆡᆨ셰ᄒᆞ야 닉게 쪄 ᄭᅳᆯ힌 물 서 말 닐곱 되 다ᄉᆞᆸ 전술의 교합ᄒᆞ라.

## 16. 삼해주 <양주방>*

술 재료 : 밑술 : 멥쌀 3되, 누룩가루 3되, 밀가루 3되, 정화수 2병(8되)
덧술 : 쌀 1말, 물 9병(3말 6되)
2차 덧술 : 쌀 6말, 물 18병(7말 2되)

술 빚는 법 :

* 밑술 :

1. 정월 첫 해일(亥日)에 희게 쓿은 멥쌀 3되를 씻고 또 씻어(백세하여 물에 담가 불렸다가, 다시 씻어 헹궈서 물기를 뺀 후) 고운 가루로 빻는다.
2. 정화수 2병(8되)을 (팔팔 끓여서) 쌀가루와 합하고, 주걱으로 골고루 꽤 익게 개어 범벅(담)을 만든다.
3. 범벅(담)을 넓은 그릇에 담고, 차게 식기를 기다린다.
4. 범벅(담)에 햇볕에 바랜 누룩가루 3되와 밀가루 3되를 섞고, 고루 버무려 술밑을 빚는다.
5. 술독에 술밑을 담아 안치고, 예의 방법대로 하여 밀봉한 후, 찬 곳(한데)에 두어 36일간 발효시킨다.

* 덧술 :

1. 2월 첫 해일(亥日)에 희게 쓿은 멥쌀 3말을 씻고 또 씻어(백세하여 물에 담가 불렸다가, 다시 씻어 헹궈서 물기를 뺀 후) 고운 가루로 빻는다.
2. 쌀 1말에 물 9병(3말 6되)을 팔팔 끓여 쌀가루에 붓고, 주걱으로 고루 개어 밑술과 같이 범벅을 쑨 뒤, 차게 식기를 기다린다.
3. 범벅을 밑술과 함께 섞고, 고루 버무려 술밑을 빚는다.
4. 새로 마련한 술독에 술밑을 담아 안치고, 밑술 술독과 같이하여 36일간 발효시킨다.

* 2차 덧술 :

1. 3월 첫 해일(亥日)에 희게 쓿은 멥쌀 6말을 깨끗이 씻고 또 씻어(백세하여) 물에 담갔다가, 다시 씻어 헹궈 건져서 물기를 뺀다.
2. 쌀을 시루에 안쳐서 고두밥을 찌고, 솥에 물 18병(7말 2되)을 팔팔 끓인다.
3. 고두밥이 익었으면 큰 자배기에 퍼 놓고, 끓는 물을 퍼부어 고루 섞어두었다가, 고두밥이 물을 다 먹었으면 고루 펼쳐서 차게 식기를 기다린다.
4. 진고두밥에 덧술을 합하고, 고루 버무려 술밑을 빚는다.
5. 새 술독에 술밑을 담아 안치고 한지로 밀봉한 뒤, 100일간 밖에 두었다가 용수 박아 떠서 마신다.

* 주방문 말미에 "물을 적은 병들이로 되어 부어야 좋으니, 한 병에 네댓 되 든다."고 하였다.

삼ᄒᆡ쥬

뎡월 초 ᄒᆡ일의 ᄇᆡᆨ미 서 되 ᄇᆡᆨ셰작말ᄒᆞ야 졍화슈 두 병 닷 홉 부어 마이 닉게 ᄀᆡ야 ᄎᆡ오고 ᄇᆞ라인 누룩ᄀᆞ로 서 되 진말 서 되 ᄒᆞᆫᄃᆡ 셧거 너허 항 부리 봉ᄒᆞ야 ᄒᆞᆫᄃᆡ 두엇다가 이월 초 ᄒᆡ일에 ᄇᆡᆨ미 서 말 ᄇᆡᆨ셰작말ᄒᆞ야 ᄒᆞᆫ 말의 물 셰 병식 부어 닉게 ᄀᆡ야 ᄎᆞᆫ 후 슐밋ᄒᆡ 셧거 한ᄃᆡ 두엇다가 삼월 초 ᄒᆡ일의 ᄇᆡᆨ미 녓 말 ᄇᆡᆨ세ᄒᆞ야 닉게 쎠 ᄆᆡ 말의 물 세 병식 부어 마이 ᄎᆞᆫ 후 밋슐의 보무려 너허 ᄒᆞᆫᄃᆡ 두엇다가 ᄇᆡᆨ일 후 쓰면 죠흐니라. 물을 적은 병드리로 되야 브어 조흐니 ᄒᆞᆫ 병의 ᄉᆞ온승 드ᄂᆞ니라.

## 17. 삼해주법 <양주방(釀酒方)>

술 재료 : 밑술 : 찹쌀 1말, 가루누룩 7되, 밀가루 3되, 끓는 물 10사발
덧술 : 멥쌀 7말, 끓는 물 여러 병(9병)

술 빚는 법 :

* 밑술 :

1. 첫 돌날(亥日)에 찹쌀 1말을 백세하여 하룻밤 물에 담가 불렸다가, 이튿날 (다시 씻어 건져서 물기를 뺀 후) 가루로 빻는다.
2. 쌀가루에 끓는 물 10사발을 붓고, 주걱으로 골고루 개어 죽(범벅)을 쑨 다음, 차게 식기를 기다린다.
3. 식힌 죽(범벅)에 가루누룩 7되, 밀가루 3되를 섞고, 고루 버무려 술밑을 빚는다.
4. 술밑을 술독에 담아 안치고, 예의 방법대로 하여 찬 곳에 앉히고 발효시킨다.

* 덧술 :

1. 둘째 돌날(亥日)에 멥쌀 7말 백세하여 하룻밤 물에 담갔다가, 다시 씻어 건져서 (물기를 뺀 후) 가루로 빻아 그릇에 담아놓는다.
2. 쌀가루에 끓는 물 여러 병(9병)을 붓고, 주걱으로 골고루 개어 죽(범벅)을 쑨 다음, 차게 식기를 기다린다.
3. 식힌 죽(범벅)에 밑술을 합하고, 고루 버무려 술밑을 빚는다.
4. 술밑을 술독에 담아 안치고, 예의 방법대로 하여 찬 곳에 앉히고 3월이 되어 복숭아꽃이 필 때까지 발효시킨다.

* '삼해주'라고 하였으나 이양주법(二釀酒法)이다. 따라서 약식으로 빚는 경우도 있다는 것을 알 수 있다.

삼ᄒᆡ듀법

쳣 돗날 출ᄡᆞᆯ ᄒᆞᆫ 말 ᄇᆡᆨ셰ᄒᆞ야 ᄒᆞ로ᄇᆞᆷ 밤갓다가 이튼날 ᄀᆞᄅᆞᄆᆞ아 ᄭᅳᆯ린 물 열 ᄉᆞ발의 죽 쑤어 식거든 ᄀᆞᄅᆞ누록 일곱 되 진ᄀᆞᄅᆞ 셔 되 섯거 너허 ᄎᆞᆫ ᄃᆡ 둣다가 둘ᄌᆡ 돗날 ᄇᆡᆨ미 일곱 말 ᄇᆡᆨ셰ᄒᆞ야 ᄒᆞ로밤 담갓다가 이튼날 고쳐 시셔 ᄀᆞᄅᆞ 마하 ᄭᅳᆯ인 물 여ᄅᆞ 병의 죽 쑤어 ᄎᆞ거든 그밋히 고로 섯거 너허다가 복셩화 픠기의 ᄡᅳ나니라. 비즐 졔 날물긔 금ᄒᆞᄂᆞ니라.

## 18. 삼해주 <양주집(釀酒集)>

술 재료 : 밑술 : 찹쌀 1말, 가루누룩 2되, 진말 3되, 물 11사발
덧술 : 멥쌀 7말, 물 8병
2차 덧술 : 멥쌀 12말, 끓여 더운 물 12병

술 빚는 법 :

* 밑술 :

1. 정월 첫 해일(亥日)에 찹쌀 1말을 백세한다(물에 담가 불렸다가, 다시 씻어 헹궈 건져서 물기를 뺀다).
2. 솥에 물 11사발을 끓이다가 불린 쌀을 넣고, 죽을 쑨 뒤에 넓은 그릇에 퍼서 차게 식기를 기다린다.
3. 죽에 가루누룩 2되와 진말 3되를 한데 섞고, 고루 버무려 술밑을 빚는다.
4. 술독에 술밑을 담아 안치고, 예의 방법대로 하여 12일간 발효시킨다.

* 덧술 :

1. 돌아오는 해일(亥日)에 멥쌀 7말을 백세하여 물에 담가 하룻밤 불렸다가 (다시 씻어 헹궈 건져서 물기를 뺀 후) 세말한다(고운 가루로 빻는다).
2. 물 8병을 끓이다가 쌀가루를 풀어 넣고, 죽을 쑤어 넓은 그릇에 퍼서 차게 식기를 기다린다.
3. 죽에 밑술을 합하고, 고루 버무려 술밑을 빚는다.
4. 술독에 술밑을 담아 안치고, 예의 방법대로 하여 12일간 발효시킨다.

* 2차 덧술 :

1. 돌아오는 해일(亥日)에 멥쌀 12말을 백세하여 물에 담가 불렸다가 (다시 씻어 헹궈 건져서 물기를 뺀 후) 가루로 빻는다.
2. 솥에 끓여 더운 물 12병에 쌀가루를 풀어 넣고, 죽(범벅)을 쑤어 넓은 그릇

에 펴서 차게 식기를 기다린다.

3. 차게 식은 죽(범벅)에 덧술을 쏟아 붓고, 고루 버무려 술밑을 빚는다.
4. 술독에 술밑을 담아 안치고, 단단히 싸매서 (서늘한 곳에) 두었다가, 버들가지가 피어오를 때쯤이면 술이 익으므로 채주한다.

三亥酒

正月初 亥日 粘米 一斗 百洗ᄒᆞ야 ᄧᅵ커나 왼ᄡᆞᆯ노 ᄒᆞ거나 더온 믈 열ᄒᆞᆫ 사발ᄋᆡ 쥭 쑤어 ᄎᆡ와 ᄀᆞ로누록 두 되 진말 서 되와 ᄒᆞᆫᄃᆡ 섯거다가 二次 亥日ᄋᆡ 白米 七斗 百洗ᄒᆞ야 ᄒᆞ로밤 자여 細末ᄒᆞ야 믈 여ᄃᆞᆲ 병ᄋᆡ 쥭 쑤어 ᄎᆡ와 누록 업시 섯거다가 三次 亥日ᄋᆡ 白米 十二斗 百洗ᄒᆞ야 ᄃᆞᆷ가 ᄶᆡ 붓거ᄃᆞᆫ ᄀᆞ로 ᄧᅵ어 더운 믈 열두 병ᄋᆡ 쥭 쑤어 ᄎᆡ와 버무려 너코 구지 빠ᄆᆡ여다가 버들개야지 올 제 쓰면 ᄀᆞ장 됴ᄒᆞ니라.

## 19. 우(又) 삼해주 <양주집(釀酒集)>

술 재료 : 밑술 : 멥쌀 3말, 누룩 7되, 끓는 물 9사발
덧술 : 멥쌀 4말, 누룩 1말, 끓는 물 12사발
2차 덧술 : 멥쌀 8말

술 빚는 법 :

* 밑술 :

1. 정월 첫 해일(亥日)에 멥쌀 3말을 백세하여 (물에 담가 불렸다가, 다시 씻어 헹궈 건져서 물기를 뺀 후) 작말한다(가루로 빻는다).
2. 쌀 1말에 물 3사발씩 끓여, 9사발의 끓는 물을 쌀가루에 붓고, 주걱으로 고루 개어 담을 만든 뒤, 넓은 그릇에 나눠 담고 차게 식기를 기다린다.
3. 차게 식은 담에 누룩 7되를 섞고, 고루 치대어 술밑을 빚는다.

4. 술독에 술밑을 담아 안치고, 예의 방법대로 하여 12일간 발효시킨다.

* 덧술 :

1. 돌아오는 해일(亥日)에 멥쌀 4말을 백세한다(물에 담가 불렸다가, 다시 씻어 헹궈 건져서 물기를 뺀 후 작말한다).
2. 물 12사발을 팔팔 끓여 쌀(가루)에 고루 붓고, 주걱으로 담을 개어 (넓은 그릇에 나눠 담고) 차게 식기를 기다린다.
3. 차게 식힌 담에 누룩 1말을 합하고, 밑술과 섞고 고루 버무려 술밑을 빚는다.
4. 술독에 술밑을 담아 안치고, 예의 방법대로 하여 12일간 발효시킨다.

* 2차 덧술 :

1. 돌아오는 셋째 해일(亥日)에 멥쌀 8말을 백세하여 (물에 담가 불렸다가, 다시 씻어 헹궈 건져서 물기를 뺀 후) 시루에 안쳐서 고두밥을 짓는다.
2. 고두밥에서 한 김 나면 고쳐 안치고(주걱으로 고루 뒤집어주고 냉수를 흩뿌려준 후), 익었으면 퍼내고 고루 펼쳐 차게 식기를 기다린다.
3. 고두밥을 덧술과 합하고, 고루 버무려 술밑을 빚는다.
4. 술독에 술밑을 담아 안치고, 예의 방법대로 하여 (30일간) 발효시킨 다음, 익는 대로 채주한다.

### 又 三亥酒

正月初 亥日 白米 三斗 百洗作末ᄒᆞ야 ᄭᅳᆯ인 믈을 ᄒᆞᆫ 말ᄋᆡ 세 사발식 혜여 아홉 사발노 ᄃᆞᆷ ᄀᆡ야 식거ᄃᆞᆫ 누록 닐곱 되 섯거다가 二次 亥日ᄋᆡ 白米 四斗 百洗ᄒᆞ야 ᄭᅳᆯ인 믈 열두 사발노 ᄃᆞᆷ ᄀᆡ야 식거ᄃᆞᆫ 누록 ᄒᆞᆫ 말 섯거 밋술ᄋᆡ 너허다가 三次 亥日ᄋᆡ 白米 八斗 百洗ᄒᆞ여 닉게 ᄶᅵ고 ᄯᅩ 고쳐 두 번 무로 ᄧᅧ 식여 밋술ᄋᆡ 섯거다가 닉거ᄃᆞᆫ ᄡᅳ라. 젹게 ᄒᆞ랴 ᄒᆞ면 亦分ᄒᆞ여 비즈라.

## 20. 우우(又又) 삼해주 <양주집(釀酒集)>

술 재료 : 밑술 : 멥쌀 5되, 누룩 1되 1홉, 끓는 물 2사발
덧술 : 멥쌀 7되 5홉, 누룩 2되 5홉, 끓는 물 2되 5홉
2차 덧술 : 멥쌀 2말

술 빚는 법 :

* 밑술 :

1. 정월 첫 해일(亥日)에 멥쌀 5되를 백세하여 물에 담가 하룻밤 불렸다가 (다시 씻어 헹궈 건져서 물기를 뺀 후) 세말한다(고운 가루로 빻는다).
2. 쌀가루에 (끓는) 물 2사발을 고루 붓고, 주걱으로 담을 개어 차게 식기를 기다린다.
3. 차게 식은 담에 누룩 1되 1홉을 넣고, 고루 치대어 술밑을 빚는다.
4. 술독에 술밑을 담아 안치고, 예의 방법대로 하여 12일간 발효시킨다.

* 덧술 :

1. 돌아오는 해일(亥日)에 멥쌀 7되 5홉을 백세하여 (물에 담가 불렸다가, 다시 씻어 헹궈 건져서 물기를 뺀 후) 작말한다(가루로 빻는다).
2. 쌀가루에 물 2되 5홉을 끓여 붓고, 주걱으로 담을 개어 차게 식기를 기다린다.
3. 차게 식은 담에 누룩 2되 5홉을 넣고, 고루 버무려 술밑을 빚는다.
4. 술독에 술밑을 담아 안치고, 예의 방법대로 하여 12일간 발효시킨다.

* 2차 덧술 :

1. 돌아오는 셋째 해일에 멥쌀 2말을 백세하여 (물에 담가 불렸다가, 다시 씻어 헹궈 건져서 물기를 뺀 후) 시루에 안쳐서 고두밥을 짓는다.
2. 고두밥에서 한 김 나면 고쳐 안치고(주걱으로 고루 뒤집어주고 냉수를 흩뿌

려준 후), 익었으면 퍼내고 고루 펼쳐 차게 식기를 기다린다.
3. 고두밥을 덧술과 합하고, 고루 버무려 술밑을 빚는다.
4. 술독에 술밑을 담아 안치고, 예의 방법대로 하여 (30일간) 발효시킨다.

又又 三亥酒

正月初 亥日 白米 五升 百洗細末ᄒᆞ야 믈 두 사발노 ᄃᆞᆷ ᄀᆡ여 누록 ᄒᆞᆫ 되 ᄒᆞᆫ 홉 녀코 二次 亥日의 白米 七升 五合 百洗作末ᄒᆞ야 믈 두 되 다솝을 오ᄃᆞᆷ ᄀᆡ야 식거ᄃᆞᆫ 누록 두되 다솝을 섯거 둣다가 三次 亥日의 白米 二斗 百洗ᄒᆞ야 닉게 ᄧᅵ고 ᄯᅩ 고쳐 ᄆᆞ로 ᄲᅧ 섯거다가 닉거ᄃᆞᆫ ᄡᅳ라.

## 21. 삼해주 <언서주찬방(諺書酒饌方)>

술 재료 : 밑술 : 찹쌀 1말, 누룩 7되, 밀가루 3되, 끓는 물 11사발
덧술 : 멥쌀 7말, 끓는 물 8병
2차 덧술 : 멥쌀 12말, 끓는 물 12병

술 빚는 법 :

* 밑술 :

1. 정월 첫 돌날(亥日) 찹쌀 1말을 일백 번 씻어 (물에 담가 불렸다가, 다시 씻어 헹궈 건져서 물기를 뺀 후) 가루로 빻아놓는다.
2. 끓는 물솥에 시루를 올리고, 쌀가루를 안친다(3~4등분하여 한 켜 안치고 김이 올라오면 다시 한 켜 안친다).
3. (시루에서 다시 김이 올라오면 또 안치는 방법으로 쌀가루를 다 안쳐서) 무른 무리떡을 쪄낸다.
4. 물 11사발을 끓이다가, 무리떡이 익었으면 자배기에 퍼 담고, 끓는 물을 골고루 부어 죽을 만든다.

5. 죽을 덩어리 없이 고루 풀어서 뚜껑을 덮어 찬 곳에 두어 저절로 차게 식기를 기다린다.
6. 차게 식은 죽에 좋은 누룩 7되와 밀가루 3되를 섞어 술밑을 빚는다.
7. 술밑을 술독에 넣어 안치고, 예의 방법대로 하여 두터운 식지로 싸매어 12일간 발효시킨다.

* 덧술 :

1. 돌아오는 둘째 돌날(亥日) 멥쌀 7말을 일백 번 씻어 물에 담가 하룻밤 불렸다가 (다시 씻어 헹궈 건져서 물기를 뺀 후) 가루로 빻아놓는다.
2. 솥에 물 8병을 붓고 끓여 쌀가루에 고루 나눠 붓고, 주걱으로 고루 개어서 범벅을 쑨다.
3. 범벅을 넓은 그릇에 담아서 저절로 식기를 기다린다.
4. 범벅에 밑술을 합하고 고루 버무려 술밑을 빚는다.
5. 술밑을 술독에 담아 안치고, 예의 방법대로 하여 12일간 발효시킨다.

* 2차 덧술 :

1. 셋째 돌날(亥日) 멥쌀 12말을 일백 번 씻어 (물에 담가 불렸다가, 다시 씻어 헹궈 건져서 물기를 뺀 후) 가루로 빻아놓는다.
2. 끓는 물솥에 시루를 올리고, 쌀가루를 안쳐서 무른 설기떡을 쪄낸다.
3. 솥에 물 12병을 끓이다가, 설기떡이 익었으면 자배기에 펴 담고, 끓는 물 12병을 골고루 부어 죽을 만든다.
4. 죽을 여러 그릇에 나눠 담고, 주걱으로 덩어리 없이 고루 풀고 (뚜껑을 덮어 찬 곳에 두어) 저절로 식기를 기다린다.
5. 차게 식은 죽을 밑술과 합하고, 고루 버무려 술밑을 빚는다.
6. 술밑을 술독에 담아 안친 후, 예의 방법대로 하여 두터운 식지로 단단히 싸매서 버들개지가 갓 날(필) 때까지 발효시킨다.
7. 술이 숙성되었으면 (용수 박아) 채주한다.

삼ᄒᆡ쥬一粘米一斗 曲末七升 眞末 三升 白米七斗 白米十二斗

정월 첫 돈날 ᄎᆞᄡᆞᆯ ᄒᆞᆫ 말을 ᄇᆡᆨ 번 시서 ᄀᆞᄅᆞ 디허 닉게 뼈 글힌 믈 열ᄒᆞᆫ 사발로 골와셔 식거든 누록 닐곱 되와 진ᄀᆞᄅᆞ 서 되ᄅᆞᆯ 섯거 독의 녀허 독부리 두터온 식지로 빠ᄆᆡ야 돗다가 둘잿 돈날 ᄇᆡᆨ미 닐곱 말 ᄇᆡᆨ 번 시서 밤 자거든 ᄀᆞᄅᆞ 디허 뼈 글힌 믈 여ᄃᆞᆲ 병 골와 ᄀᆞ장 식거든 젼술의 섯거 녀헛다가 셋재 돈날 ᄇᆡᆨ미 열두 말 ᄇᆡᆨ 번 시서 ᄀᆞᄅᆞ 디허 닉게 뼈 글힌 믈 열두 병으로 골와 ᄎᆞ거ᄃᆞ든 젼술의 섯거 녀허 식지로 두터이 빠ᄆᆡ야 둣다가 버들개야지 ᄀᆞᆮ 날 제브터 내여 쓰라.

## 22. 삼해주방 <역주방문(曆酒方文)>

술 재료 : 밑술 : 멥쌀 3말, 누룩가루 6되, 밀가루 5되, 끓는 물 3말
덧술 : 멥쌀 8말, 끓는 물 8말
2차 덧술 : 멥쌀 4말, 끓는 물 4말

술 빚는 법 :

* 밑술 :

1. 정월 첫 해일(亥日)에 멥쌀 3말을 백세하여(물에 백 번 씻어 매우 깨끗하게 헹군 뒤, 새 물에 담가 불렸다가, 다시 씻어 말갛게 헹궈서 물기를 뺀 뒤) 작말한다.
2. 물 3말을 팔팔 끓이고, 쌀가루는 시루에 안쳐서 무리떡을 찐다.
3. 무리떡이 익었으면 넓은 그릇에 펴내고, 끓는 물 3말을 골고루 붓고, 주걱으로 헤쳐서 죽처럼 만들어놓는다.
4. 죽처럼 된 떡을 그릇 여러 개에 펴서 차게 식기를 기다린다.
5. 죽에 누룩가루 6되와 밀가루 5되를 합하고, 고루 버무려서 술밑을 빚는다.
6. 술밑을 술독에 담아 안치고 (술독 주둥이에 묻은 것을 깨끗하게 씻어내고

베보자기와 뚜껑을 덮어) 12일간 발효시킨다.

* 덧술 :

1. 둘째 해일(亥日)에 멥쌀 8말을 백세하여(물에 백 번 씻어 매우 깨끗하게 헹군 뒤, 새 물에 담가 불렸다가, 다시 씻어 말갛게 헹궈서 물기를 뺀 뒤) 작말한다(가루로 빻는다).
2. 물 8말을 팔팔 끓이고, 쌀가루는 시루에 안쳐서 떡을 찌고, 떡이 익었으면 넓은 그릇에 퍼내고 끓는 물을 골고루 붓고, 주걱으로 헤쳐서 죽처럼 만들어놓는다.
3. 죽처럼 만든 떡을 그릇 여러 개에 퍼서 차게 식기를 기다린다.
4. 죽처럼 만든 떡에 밑술을 합하고, 고루 버무려서 술밑을 빚는다.
5. 술밑을 술독에 담아 안치고 (술독 주둥이에 묻은 것을 깨끗하게 씻어내고 베보자기와 뚜껑을 덮어) 12일간 발효시킨다.

* 2차 덧술 :

1. 셋째 해일에 멥쌀 4말을 백세하여(물에 백 번 씻어 매우 깨끗하게 헹군 뒤, 새 물에 담가 불렸다가, 다시 씻어 말갛게 헹궈서) 물기를 빼놓는다.
2. 물 4말을 팔팔 끓이고, 불린 쌀은 시루에 안쳐서 고두밥을 짓는다.
3. 고두밥이 익었으면 넓은 그릇에 퍼내고, 끓는 물 4말을 골고루 붓고, 주걱으로 헤쳐서 놓는다.
4. 고두밥이 물을 다 먹었으면, 그릇 여러 개에 퍼서 차게 식기를 기다린다.
5. 고두밥에 덧술을 합하고, 고루 버무려서 술밑을 빚는다.
6. 준비한 술독에 술밑을 담아 안친 다음 (술독 주둥이에 묻은 것을 깨끗하게 씻어내고, 베보자기와 뚜껑을 덮어) 놓는다.
7. 술독을 서늘한 곳에 앉혀두고 발효시켜서 술이 익기를 기다려 채주한다.

## 碧香酒方

白米一斗百洗經一宿作末水二斗猛煮和匀挼磨之候冷入曲末一升五合冬月則

七日後又將白米二斗百洗經一宿作飯以一斗水和勻候冷以上酒本和眞末三合同爲調勻二七日後用.

## 23. 삼해주 <온주법(醞酒法)>

술 재료 : 밑술 : 멥쌀 5말, 누룩가루 3되 5홉, 밀가루 1되 5홉, 끓는 물 5말
덧술 : 멥쌀 5말, 누룩가루 3되 5홉, 밀가루 1되 5홉, 끓는 물 5말
2차 덧술 : 멥쌀 5말, 누룩가루 3되 5홉, 밀가루 1되 5홉, 끓는 물 5말

술 빚는 법 :

* 밑술 :

1. 정월 첫 돌날(亥日)에 멥쌀 5말 백세하여 (물에 담가 불렸다가, 다시 씻어 건져서 물기를 뺀 뒤) 작말한다.
2. 솥에 물 5말을 팔팔 끓이고, 쌀가루를 시루에 안치고 (무리떡)을 찐다.
3. 물이 끓고 떡이 익었으면, 떡과 끓는 물 5말을 한데 합하고, 고루 개어 떡이 물을 다 먹었으면, 넓은 그릇 여러 개에 펴서 밤재워 차게 식기를 기다린다.
4. 다음날 떡에 누룩가루 3되 5홉, 밀가루 1되 5홉을 한데 합하고, 고루 치대어 술밑을 빚는다.
5. 좋은 술독에 술밑을 담아 안치고, 예의 방법대로 하여 12일간 발효시킨다.

* 덧술 :

1. 둘째 해일(亥日)에 멥쌀 5말 백세하여 (물에 담가 불렸다가, 다시 씻어 건져서 물기를 뺀 뒤) 작말한다.
2. 솥에 물 5말을 팔팔 끓이고, 쌀가루를 시루에 안치고 (무리떡을) 찐다.
3. 물이 끓고 떡이 익었으면, 떡과 끓는 물 5말을 한데 합하고, 고루 개어 떡이 물을 다 먹었으면, 넓은 그릇 여러 개에 펴서 밤재워 차게 식기를 기다린다.

4. 다음날 떡에 누룩가루 3되 5홉, 밀가루 1되 5홉, 밑술을 한데 합하고, 고루 치대어 술밑을 빚는다.
5. 좋은 술독에 술밑을 담아 안치고, 예의 방법대로 하여 12일간 발효시킨다.

* 2차 덧술 :
1. 셋째 해일(亥日)에 멥쌀 5말을 백세하여 (물에 담가 불렸다가, 다시 씻어 건져서 물기를 뺀 뒤) 시루에 안쳐서 고두밥을 짓는다.
2. 솥에 물 5말을 끓이고, 불린 쌀은 시루에 안쳐서 고두밥을 짓는다.
3. 고두밥이 익었고 물이 끓었으면, 넓은 그릇에 고두밥을 퍼 담고, 끓는 물 5말을 을 골고루 끼얹고 주걱으로 고루 헤쳐서 뚜껑을 덮어서 하룻밤을 지낸다.
4. 고두밥이 물을 다 먹고 차게 식었으면, 덧술과 밀가루 1되 5홉, 덧술을 한데 합하고, 고루 버무려 술밑을 빚는다.
5. 누룩을 고운 가루로 빻아 3되 5홉을 전대에 담아 (먼저 술독에) 안친다.
6. 술밑을 술독에 담아 안치고, 예의 방법대로 하여 서늘한 곳에서 발효시킨다.

* 밑술과 덧술, 2차 덧술의 주재료의 종류나 재료 배합비율이 동일하다. 이와 같은 '삼해주' 주방문은 유일하다.

삼ᄒᆡ듀

정월 첫 돗날 ᄇᆡᆨ미 오 두 ᄇᆡᆨ셰작말ᄒᆞ야 ᄂᆡᆨ게 쎠 탕슈 닷 말의 골나 밤잔 후 마이 졸거든 죠흔 독의 너희ᄃᆡ 국말 서 되가옷 진말 되가옷 너허 ᄯᅩ 둘ᄌᆡ 돗날 이ᄃᆡ로 ᄒᆞ고 ᄯᅩ 셋ᄌᆡ 돗날 ᄇᆡ미 오 두 바ᄀᆞ며 탕슈 오 두 골나 밤잔 후 ᄒᆞᆫᄃᆡ 섯그ᄃᆡ 국말을 셰말ᄒᆞ야 젼ᄃᆡ로 여흐라. 진말과 국말을 세 번 다 갓치ᄒᆞ라.

## 24. 삼해주 또 한 법 <온주법(醞酒法)>

술 재료 : 밑술 : 찹쌀 1말, 누룩가루 4되, 밀가루 4되, 물(2말)
덧술 : 찹쌀 9말, 물(9~18말)

술 빚는 법 :

* 밑술 :

1. 정월 첫 돌날(亥日)에 찹쌀 1말을 백세하여 물에 담가 불렸다가, 다시 씻어 (건져서 물기를 뺀 뒤) 작말한다.
2. 솥에 물(2말)을 끓이다가, 쌀가루를 풀어 넣고 팔팔 끓여 죽을 쑤어, 익었으면 넓은 그릇에 퍼 담고 차게 식기를 기다린다.
3. 죽에 누룩가루 4되, 밀가루 4되를 한데 합하고, 고루 치대어 술밑을 빚는다.
4. 좋은 술독에 술밑을 담아 안치고, 예의 방법대로 하여 12일간 발효시킨다.

* 덧술 : 둘직 히일 졈미 구두 빅셰ᄒᆞ야 ᄃᆞᆷ가다가 작말ᄒᆞ야 쥭 ᄊᆞ어 치화 밋술의 덧ᄐᆞ흐ᄃᆡ 국말 너치 말고 봉ᄒᆞ야 두엇다가 삼ᄉᆞ월의 ᄡᅳ라.

1. 둘째 해일(亥日)에 찹쌀 9말 백세하여 물에 담가 불렸다가 (다시 씻어 건져서 물기를 뺀 뒤) 작말한다.
2. 솥에 물(9~18말)을 끓이다가, 찹쌀가루를 풀어 넣고 팔팔 끓여, 죽이 익었으면 넓은 그릇 여러 개에 퍼 담고 차게 식기를 기다린다.
3. 죽에 밑술을 한데 합하고, 고루 치대어 술밑을 빚는다.
4. 좋은 술독에 술밑을 담아 안치고, 예의 방법대로 하여 4월이 될 때까지 발효시킨다.

* '삼해주'라고 하였으나 이양주법의 '해일주(亥日酒)'이다.

삼히듀 쏘 ᄒᆞᆫ 법

정월 첫 ᄒᆡ일 졈미 일두 ᄇᆡᆨ셰ᄒᆞ야 ᄃᆞᆷ가 붓거든 다시 씨서 작말ᄒᆞ야 쥭 쑤어 ᄎᆡ와 국말 ᄉᆞ승 진말 ᄉᆞ승 셕거 너허 둘ᄌᆡ ᄒᆡ일 졈미 구두 ᄇᆡᆨ셰ᄒᆞ야 ᄃᆞᆷ가다가 작말ᄒᆞ야 쥭 쑤어 ᄎᆡ화 밋술의 덧트흐ᄃᆡ 국말 너치 말고 봉ᄒᆞ야 두엇다가 삼ᄉᆞ월의 쓰라.

## 25. 삼해주 또 한 법 <온주법(醞酒法)>

술 재료 : 밑술 : 찹쌀 1말, 누룩가루 5되, 끓는 물 4말
덧술 : 찹쌀 9말, 누룩가루 1말, 물(9~18말)
2차 덧술 : 멥쌀 10말

술 빚는 법 :

* 밑술 :

1. 정월 첫 돌날(亥日)에 찹쌀 1말을 오십세하여 물에 담가 불렸다가, 다시 씻어 (건져서 물기를 뺀 뒤) 작말한다.
2. 솥에 물 4말을 팔팔 끓여 쌀가루에 골고루 붓고 주걱으로 고루 개어 죽(범벅)을 쑤어, 넓은 그릇 여러 개에 퍼 담고 차게 식기를 기다린다.
3. 죽(범벅)에 누룩가루 5되를 한데 합하고, 고루 치대어 술밑을 빚는다.
4. 좋은 술독에 술밑을 담아 안치고, 예의 방법대로 하여 12일간 발효시킨다.

* 덧술 :

1. 둘째 해일(亥日)에 찹쌀 9말을 (오십세하여 물에 불렸다가, 다시 씻어 건져) 작말한다.
2. 솥에 물(9~18말)을 팔팔 끓여 쌀가루에 골고루 붓고 주걱으로 고루 개어 죽(범벅)을 쑤어, 넓은 그릇 여러 개에 퍼 담고 차게 식기를 기다린다.
3. 죽(범벅)에 밑술과 누룩가루 1말을 한데 합하고, 고루 치대어 술밑을 빚는다.

4. 좋은 술독에 술밑을 담아 안치고, 예의 방법대로 하여 12일간 발효시킨다.

* 2차 덧술 :

1. 셋째 해일(亥日)에 멥쌀 10말을 오십세하여 (물에 담가 불렸다가, 다시 씻어 건져서 물기를 뺀 뒤) 시루에 안쳐서 고두밥을 짓는다.
2. 고두밥이 익었으면, 시루에서 퍼낸다(돗자리에 고루 펼쳐 차게 식기를 기다린다).
3. 고두밥에 덧술을 한데 합하고, 고루 버무려 술밑을 빚는다.
4. 술밑을 술독에 담아 안치고, 예의 방법대로 하여 서늘한 곳에서 발효시킨다.

* 주방문에 쌀 씻는 법에 대하여 밑술과 2차 덧술에서 '오십세'하라고 하였다.

삼ᄒᆡ쥬 또 ᄒᆞᆫ 법

정월 첫 ᄒᆡ일 졈미 일두 쉰 번 씨서 작말ᄒᆞ야 물 너 말 ᄭᅳ려 쥭 쑤어 ᄎᆡ와 국말 닷 되 섯거 둘ᄶᆡ ᄒᆡ일 졈미 구두 쥭 쑤어 웃법ᄃᆡ로 덧트ᄃᆡ 국말 일두 더 여헛다가 셋ᄶᆡ ᄒᆡ일 경미 열 말 쉰 번 씨서 닉게 ᄶᅧ 젼술의 고ᄅᆞ게 썩거 너허 닉거드 드리오라.

## 26. 삼해주 <요록(要錄)>

술 재료 : 밑술 : 멥쌀 3말, 누룩(분곡) 7되, 밀가루 3되, 끓는 물 9사발
덧술 : 멥쌀 4말, 누룩 1말, 끓는 물 12사발
2차 덧술 : 멥쌀 8말, 끓는 물 24사발

술 빚는 법 :

* 밑술 :

1. 정월 첫 해일(亥日)에 멥쌀 3말을 백세(하여 물에 담가 불렸다가, 다시 씻어 건져서) 세말하여(고운 가루로 빻아) 넓은 그릇에 담아둔다.
2. 멥쌀 1말당 물 3사발씩을 팔팔 끓여 쌀가루에 붓고 개어 진흙 같은 죽(범벅)을 쑨 다음, 차게 식기를 기다린다.
3. 죽에 누룩(분곡) 7되, 밀가루 3되를 넣고, 고루 버무려 술밑을 빚는다.
4. 독에 술밑을 안치고, 예의 방법대로 둘째 해일(亥日)까지 12일간 발효시킨다.

* 덧술 :
1. 둘째 해일(亥日)에 멥쌀 4말을 백세하여(물에 담가 불렸다가, 다시 씻어 건져서) 세말하여(고운 가루로 빻아) 넓은 그릇에 담아놓는다.
2. 솥에 물 12사발을 붓고 팔팔 끓여서 쌀가루에 붓고, 고루 개어 죽(범벅)을 쑨 뒤, 차게 식기를 기다린다.
3. 죽(범벅)에 누룩 1말과 밑술을 함께 넣고, 고루 버무려 술밑을 빚는다.
4. 술독에 술밑을 담아 안치고 예의 방법대로 하여 셋째 해일(亥日)까지 12일간 발효시킨다.

* 2차 덧술 :
1. 셋째 해일에 멥쌀 8말을 백세하여(물에 담가 불렸다가, 다시 씻어 물기를 빼놓는다).
2. 솥에 시루를 올리고 불린 쌀을 안쳐서 무른 고두밥을 짓는다.
3. 다른 솥에 물 24사발을 붓고 끓여서, 고두밥이 익었으면 고두밥에 끓는 물을 퍼 붓고 고루 개어 하룻밤을 지낸다.
4. 고두밥이 물을 다 빨아먹고 차디차게 식었으면, 덧술을 합하고 고루 버무려 술밑을 빚는다.
5. 독에 술밑을 담아 안치고, 예의 방법대로 발효시켜 익기를 기다린다.

三亥酒

正月初亥一白米三斗百洗細末每米一斗湯水三鉢式和作粥待冷麴七升眞末三

升和納瓮二亥日米四斗百洗細末湯水作粥待冷曲一斗和納前酒三亥日白米八斗百洗全蒸水如(前)式待冷和前酒.

## 27. 삼해주 <우음제방(禹飮諸方)>

술 재료 : 밑술 : 찹쌀 3되, 누룩가루 3되, 밀가루 3되, 물 7되
덧술 : 멥쌀 3말, 물 3말 9되
2차 덧술 : 멥쌀 6말, 끓여 식힌 물 7말 2되(쌀되), 날물 7말 2되(쌀되)

술 빚는 법 :

* 밑술 :

1. 정월 첫 해일(亥日)에 찹쌀 3되를 백세하여(물에 담갔다가, 다시 씻어 건져서 물기를 뺀 뒤) 작말한다(가루로 빻는다).
2. 솥에 물 7되를 붓고 끓인다(물이 뜨거워지면 3되를 떠서 쌀가루에 합하고, 주걱으로 고루 개어 아이죽을 만들어놓는다).
3. (솥의 남은 물이 팔팔 끓으면, 아이죽을 합하고) 팔팔 끓여 의이(된 율무죽)를 쑨 다음, 넓은 그릇에 펴서 차게 식기를 기다린다.
4. 쌀죽에 누룩가루 3되와 밀가루 3되를 넣고, 고루 힘껏 치대어 술밑을 빚는다.
5. 술독에 술밑을 담아 안치고, 예의 방법대로 하여 (찬 곳에서) 36일간 발효시킨다.

* 덧술 :

1. 2월 첫째 해일(亥日)에 멥쌀 3말을 백세하여 (물에 담갔다가, 다시 씻어 건져서 물기를 뺀 뒤) 작말한다(가루로 빻는다).
2. 솥에 물 3말 9되를 끓이다가 (따뜻한 물 2말을 퍼서 쌀가루에 붓고, 주걱으로 고루 개어) 아이죽을 만들고, 솥의 남은 물이 팔팔 끓기를 기다린다.

3. 끓고 있는 물에 아이죽을 합하고, 팔팔 끓여 죽을 쑨 다음, 넓은 그릇 여러 개에 나눠 담고 (뚜껑을 덮어서) 차게 식기를 기다린다.
4. 식은 죽에 밑술을 합하고, 고루 버무려 술밑을 빚는다.
5. 술독에 술밑을 담아 안치고, 예의 방법대로 하여 (찬 곳에서) 36일간 발효시킨다.

* 2차 덧술 :
1. 3월 첫째 해일(亥日)에 멥쌀 6말을 백세하여(물에 담갔다가, 다시 씻어 건져서 물기를 뺀 뒤) 시루에 안쳐 고두밥을 짓는다.
2. 솥에 (쌀 된 되로) 물 7말 2되를 팔팔 끓여 차게 식기를 기다린다.
3. 고두밥이 익었으면 퍼내고, 고루 헤쳐서 차게 식기를 기다린다.
4. 고두밥에 (쌀 된 되로) 날물 7말 2되와 함께 끓여 식힌 물을 한데 합하고, 고두밥이 물을 다 먹고 차게 식기를 기다린다.
5. 물을 먹인 고두밥에 덧술과 끓여 식힌 물 7말 2되를 합하고, 고루 버무려 술밑을 빚는다.
6. 술독에 술밑을 담아 안치고, 예의 방법대로 하여 (찬 곳에 두고) 발효시켜 술이 익기를 기다린다.

* 2차 덧술에 사용되는 물의 양이 총 14말 4되로, 그 양이 매우 많다는 것을 알 수 있는데, 물은 쌀을 되는 되로 환산하는 것이 옳을 듯하다. 또한 7말 2되는 끓여 식힌 물이고 나머지는 날물이라는 점에서 다른 문헌의 '삼해주' 방문에서 찾아볼 수 없는 유일한 방문으로 생각된다.

삼ᄒᆡ쥬
뎡월 첫 ᄒᆡ일의 ᄎᆞᆸᄊᆞᆯ 서 되 반 ᄇᆡᆨ셰작말ᄒᆞ야 물 닐곱 되만 부어 ᄋᆞ이쳐로 쑤어 차게 식여 국말 서 되 진말 서 되 석거 쳐 다 두ᄃᆞ려 항의 너허 한ᄃᆡ 두엇다가 이월 ᄒᆡ일의 ᄆᆡᆸᄊᆞᆯ 서 말 ᄇᆡᆨ셰ᄒᆞ야 작말ᄒᆞ야 물 서 말 아홉 되만 ᄊᆞᆯ혀 ᄂᆡ고 ᄀᆞᄂᆞᆯ 너허 ᄊᆞᆯ혀 ᄂᆡ야 ᄎᆡ와 술밋ᄒᆞᆫ ᄃᆡ 쳐 항의 잔득 너헛다가 삼월 첫 ᄒᆡ일의 ᄊᆞᆯ 엿 말 빅세ᄒᆞ야 물 닐곱 말 두 되 몬져 쓸혀 노코 밥을 닉게 쪄 노코 놀 물 닐곱 말 두 되를 다시 되야 밥의 물을 부어 밥의 물이 고로고로 다 들거든 그 밋히 버무려 두면 닉ᄂᆞ니라.

## 28. 삼해주 <음식디미방>

-스무 말 빗이

> 술 재료 : 밑술 : 멥쌀 3말, 누룩 7되, 밀가루 3되, 끓는 물 9사발
> 덧술 : 멥쌀 4말, 끓는 물 12사발
> 2차 덧술 : 멥쌀 13말

술 빚는 법 :

* 밑술 :

1. 정월 첫 해일(亥日)에 멥쌀 3말을 백세하여(물에 담가 불렸다가, 다시 씻어 헹궈서 물기를 뺀 후) 작말한다.
2. 솥에 물 9사발을 붓고 팔팔 끓으면 멥쌀가루에 붓고 주걱으로 개어, 죽(범벅)을 쑨 다음 차게 식기를 기다린다.
3. 죽(범벅)에 좋은 누룩 7되, 밀가루 3되를 넣고, 고루 버무려 술밑을 빚는다.
4. 술밑을 술독에 담아 안친 후, 예의 방법대로 하여 12일간 발효시킨다.

* 덧술 :

1. 둘째 해일(亥日)에 멥쌀 4말을 깨끗이 씻어(백세하여 물에 담가 불렸다가, 다시 씻어 헹궈서 물기를 뺀 후) 작말한다.
2. 솥에 물 12사발을 붓고 팔팔 끓으면 멥쌀가루에 붓고 주걱으로 개어, 죽(범벅)을 쑨 다음 차게 식기를 기다린다.
3. 죽(범벅)에 밑술에 합하고, 고루 버무려 술밑을 빚는다.

4. 술밑을 술독에 담아 안친 후, 예의 방법대로 하여 12일간 발효시킨다.

* 2차 덧술 :
1. 셋째 해일에 멥쌀 13말을 깨끗이 씻어(백세하여 물에 담가 불렸다가, 다시 씻어 헹궈서 물기를 뺀 후) 시루에 안쳐서 고두밥을 짓는다.
2. 고두밥은 온전히 찌되, 아주 부드럽게(냉수를 뿌려서 무르게) 찌고, 익었으면 퍼내어 고루 펼쳐서 차게 식기를 기다린다.
3. 차게 식힌 고두밥에 덧술을 합하고, 고루 버무려 술밑을 빚는다.
4. 술밑을 술독에 담아 안친 다음, 예의 방법대로 하여 (찬 곳에 술독을 앉혀서) 익기를 기다려, 술이 익었으면 술자루에 담아 압착, 여과하여 마신다.

삼ᄒᆡ쥬(스무 말 비지)

정월 첫 ᄒᆡ일에 ᄇᆡᆨ미 서 말 ᄇᆡᆨ셰작말ᄒᆞ야 글힌 믈 아홉 사발로 쥭을 ᄆᆡᆫᄃᆞ라. 채 식거든 죠ᄒᆞᆫ 누록 닐곱 되 진ᄀᆞᄅᆞ 서 되 섯거 독의 녀허두고 둘제 ᄒᆡ일에 ᄇᆡᆨ미 너 말 ᄇᆡᆨ셰작말ᄒᆞ여 글힌 믈 열두 사발로 쥭 ᄆᆡᆫᄃᆞ라. 채 식거든 그 독의 녀코 세재 ᄒᆡ일에 ᄇᆡᆨ미 열서 말 ᄇᆡᆨ셰ᄒᆞ야 오오로 찌ᄃᆡ ᄀᆞ장 닉케 쪄 채 식거든 젼에 ᄒᆞᆫ 술에 섯거 녀허 둣다가 니거든 쁘라.

## 29. 삼해주 <음식디미방>

–열 말 빚이

술 재료 : 밑술 : 멥쌀 2말, 누룩 3되, 진말 1되 5홉, 끓는 물 3말
덧술 : 멥쌀 3말, 끓는 물 4말 5되
2차 덧술 : 멥쌀 5말, 끓는 물 7말 5되

술 빚는 법 :

* 밑술 :

1. 정월 첫 해일(亥日)에 멥쌀 2말을 백세하여 하룻밤 재웠다가, (다시 씻어 헹궈서 물기를 뺀 뒤) 고운 가루를 만든다.
2. 물 3말을 팔팔 끓여 멥쌀가루에 넣고, 주걱으로 골고루 풀어 담(범벅)을 갠 다음, (뚜껑을 덮어) 차게 식기를 기다린다.
3. 차게 식은 담(범벅)에 누룩 3되와 진말 1되 5홉을 넣고, 고루 버무려 술밑을 빚는다.
4. 술밑을 술독에 담아 안친 후, 예의 방법대로 하여 12일간 발효시킨다.

* 덧술 :

1. 둘째 해일(亥日)에 멥쌀 3말을 백세하여 하룻밤 재웠다가 (다시 씻어 헹궈서 물기를 뺀 후) 작말한다.
2. 쌀가루에 끓는 물 4말 5되를 골고루 나누어 붓고, 주걱으로 골고루 개어 (범벅을 만든 후 뚜껑을 덮어) 차게 식기를 기다린다.
3. 차게 식은 범벅을 밑술에 넣고, 고루 버무려 술밑을 빚는다.
4. 술밑을 술독에 담아 안친 후, 예의 방법대로 하여 12일간 발효시킨다.

* 2차 덧술 :

1. 셋째 해일(亥日)에 멥쌀 5말을 백세하여 하룻밤 불렸다가 (다시 씻어 헹궈서 물기를 뺀 후) 시루에 안쳐 고두밥을 짓는다.
2. 물 7말 5되를 끓이고, 고두밥이 익었으면 퍼내어 여러 그릇에 나눠 담는다.
3. 끓는 물을 고두밥에 골고루 붓고 주걱으로 헤쳐 두었다가, 차게 식기를 기다린다.
4. 고두밥을 먼저 빚어둔 덧술을 합하고, 고루 버무려 술밑을 빚는다.
5. 술밑을 술독에 담아 안치고, 예의 방법대로 하여 익기를 기다려 마신다.

삼히쥬(열 말 비지)

정월 첫 히일에 빅미 두 말 빅셰ᄒᆞ여 ᄒᆞᄅᆞ밤 자여 셰말ᄒᆞ야 탕슈 서 말애 둠

ᄀᆡ야 시겨 누록 서 되 진말 ᄒᆞᆫ 되다ᄉᆞᆸ 섯거 독의 녀허 ᄃᆞᆺ다가 둘재 ᄒᆡ일에 ᄇᆡᆨ미 서 말 ᄇᆡᆨ셰ᄒᆞ여 믈에 ᄒᆞᄅᆞᆺ밤 자여 작말ᄒᆞ여 탕슈 너 말 닷 되예 ᄀᆡ야 시겨 독의 녀허 ᄃᆞᆺ다가 셋재 ᄒᆡ일에 ᄇᆡᆨ미 닷 말 ᄇᆡᆨ셰ᄒᆞ여 자여 오오로 쎠 탕슈 닐곱 말 닷 되 골라 몬져 술에 섯거 ᄃᆞᆺ다가 닉거든 ᄡᅳ라.

## 30. 삼해주 <음식디미방>

술 재료 : 밑술 : 찹쌀 3되, 누룩가루 1되, 물(1말 5되~3말)
덧술 : 멥쌀 3말
2차 덧술 : 멥쌀 3말

술 빚는 법 :

* 밑술 :

1. 정월 첫 해일(亥日)에 찹쌀 3되를 백세하여(물에 아주 많이 씻어 담가 불렸다가, 다시 씻어 헹궈서 물기를 뺀 후) 작말한다(가루로 빻는다).
2. 물(1말 5되~3말)에 쌀가루를 풀어 팔팔 끓여 풀(죽)을 쑨 다음, 차게 식기를 기다린다.
3. 찹쌀죽에 누룩가루 1되를 넣고, 고루 버무려 술밑을 빚는다.
4. 술밑을 술독에 담아 안친 후, 예의 방법대로 하여 12일간 발효시킨다.

* 덧술 :

1. 정월 둘째 해일(亥日)에 멥쌀 3말을 백세하여(물에 아주 많이 씻어 담가 불렸다가, 다시 씻어 헹궈서 물기를 뺀 후) 작말한다(가루로 빻는다).
2. 쌀가루에 (뜨거운 물을 쳐가면서 익반죽을 한 다음, 한 주먹씩 떼어 내어 둥글납작한) 구멍떡을 빚는다.
3. 솥에 물을 넉넉히 붓고 팔팔 끓으면, 구멍떡을 넣고 삶아 익힌 다음 (떠오르

면 건져서) 식기 전에 한 덩어리로 풀어서 (인절미 같은 떡을 만들어) 차게 식기를 기다린다.

4. 차게 식은 떡을 밑술과 섞고, 고루 버무려 술밑을 빚는다.
5. 술밑을 술독에 담아 안친 후, 예의 방법대로 하여 12일간 발효시킨다.

* 2차 덧술 :

1. 정월 셋째 해일(亥日)에 멥쌀 3말을 백세하여(물에 아주 많이 씻어 담가 불렸다가, 다시 씻어 헹궈서 물기를 뺀 후) 작말한다(가루로 빻는다).
2. 쌀가루는 (뜨거운 물을 쳐가면서 익반죽을 한 다음, 한 주먹씩 떼어 둥글납작한) 구멍떡을 빚는다.
3. 솥에 물을 넉넉히 붓고 팔팔 끓으면, 구멍떡을 넣고 삶아 익힌 다음 (떠오르면 건져서 식기 전에 한 덩어리로 풀어서 인절미처럼 만들어) 차게 식기를 기다린다.
4. 차게 식은 떡을 덧술과 섞고, 고루 버무려 술밑을 빚는다.
5. 술밑을 술독에 담아 안친 후, 예의 방법대로 하여 발효시킨다.

* 주방문 말미에 "술이 익어 쓰고자 하거든 구월이 되도록 이리 하면 한 해 돌날이 다하도록 이리 하여도 좋으니라."고 하였다. 사시사철 '삼해주'를 빚는 방법으로, 덧술과 2차 덧술의 재료 양과 술 빚는 과정이 같다.

삼ᄒᆡ쥬

정월 첫 ᄒᆡ일에 ᄎᆞᆸᄡᆞᆯ 서 되 ᄇᆡᆨ셰작말ᄒᆞ여 플숴 식거든 누록 ᄒᆞᆫ 되 섯거 ᄃᆞᆺ다가 둘재 ᄒᆡ일에 ᄇᆡᆨ미 서 말 ᄇᆡᆨ셰작말ᄒᆞ여 구무ᄯᅥᆨᄒᆞ야 ᄆᆡ근 ᄒᆞᆫ 제 ᄆᆞᆼ을 업시쳐 ᄎᆞ거든 몬져 ᄒᆞᆫ 미틔 섯거 녓코 셋재 ᄒᆡ일에 ᄯᅩ 그리ᄒᆞ라 술 니어 쓰고져 ᄒᆞ거든 구월이 되도록 이리ᄒᆞ면 ᄒᆞᆫ ᄒᆡ 돗날이 다ᄒᆞ도록 이리 ᄒᆞ여도 죠ᄒᆞ니라.

## 31. 삼해주 <음식디미방>

술 재료 : 밑술 : 멥쌀 2되, 누룩 2되, 밀가루 1되, 물 7중발
　　　　덧술 : 멥쌀 2말 5되
　　　　2차 덧술 : 멥쌀 1말 2되 5홉

술 빚는 법 :

* 밑술 :

1. (정월 첫 해일亥日에) 멥쌀 2되를 백세한다(물에 아주 많이 씻어 담가 불렸다가, 다시 씻어 헹궈서 물기를 뺀다).
2. 물 7중발을 솥에 붓고 끓이다가, 불린 쌀을 넣고 팔팔 끓여 흰죽을 쑨 다음, 차게 식기를 기다린다.
3. 쌀죽에 누룩 2되와 밀가루 1되를 넣고, 고루 버무려 술밑을 빚는다.
4. 술밑을 술독에 담아 안친 후, 예의 방법대로 하여 12일간 발효시킨다.

* 덧술 :

1. 정월 둘째 해일(亥日)에 멥쌀 2말 5되를 백세하여(물에 아주 많이 씻어 담가 불렸다가, 다시 씻어 헹궈서 물기를 뺀 후) 작말한다(가루로 빻는다).
2. 쌀가루에 (뜨거운 물을 쳐가면서 익반죽을 한 다음, 한 주먹씩 떼어 내어 둥글납작한) 구멍떡을 빚는다.
3. 솥에 물을 넉넉히 붓고 팔팔 끓으면, 구멍떡을 넣고 삶아 익힌 다음 (떠오르면 건져서 식기 전에 한 덩어리로 풀어서 인절미 같은 떡을 만들어) 차게 식기를 기다린다.
4. 차게 식은 떡을 밑술과 섞고, 고루 버무려 술밑을 빚는다.
5. 술밑을 술독에 담아 안친 후, 예의 방법대로 하여 12일간 발효시킨다.

* 2차 덧술 :

1. 정월 셋째 해일(亥日)에 멥쌀 1말 2되 5홉을 백세한다(물에 아주 많이 씻어 담가 불렸다가, 다시 씻어 헹궈서 물기를 뺀다).
2. 쌀을 시루에 안쳐서 무른 고두밥을 짓는다.
3. 고두밥이 익었으면, 퍼내고 고루 펼쳐서 차게 식기를 기다린다.
4. 차게 식은 고두밥을 덧술과 섞고, 고루 버무려 술밑을 빚는다.
5. 술밑을 술독에 담아 안친 후, 예의 방법대로 하여 발효시킨다.

삼ᄒᆡ쥬

ᄇᆡᆨ미 두 되 ᄇᆡᆨ셰ᄒᆞ여 믈 닐곱 듕발의 휜 쥭 수어 ᄎᆞ거든 누록 두 되 진ᄀᆞᄅᆞ ᄒᆞᆫ 되 섯거 녀헛다가 둘재 ᄒᆡ일에 ᄇᆡᆨ미 두 말 닷 되 ᄇᆡᆨ셰작말ᄒᆞ여 구무떡 ᄒᆞ여 ᄎᆞ거든 밋술에 석거 둣다가 셋재 ᄒᆡ일에 ᄇᆡᆨ미 ᄒᆞᆫ 말 두 되 다솝 ᄇᆡᆨ셰ᄒᆞ여 닉게 ᄶᅧ 고로 ᄎᆞ거든 밋술에 섯거 녀흐라.

## 32. 삼해주법 <음식보(飮食譜)>

술 재료 : 밑술 : 멥쌀 1말, 가루누룩 1되, 밀가루 1되, 끓는 물 1말 5되
덧술 : 멥쌀 2말, 끓는 물 3말
2차 덧술 : 멥쌀 10말, 끓는 물 7말 5되

술 빚는 법 :

* 밑술 :

1. 정월에 돌아오는 첫 해일(亥日)에 멥쌀 1말을 백세작말하여 체에 내려서 넓은 그릇에 담아놓는다.
2. 솥에 물 1말 5되를 팔팔 끓여서 쌀가루에 붓고, 주걱으로 고루 개어서 범벅을 쑤어, 그릇 여러 개에 나눠 차게 식기를 기다린다.
3. 차게 식은 죽에 가루누룩 1되와 밀가루 1되를 합하고, 고루 버무려 술밑을

빚는다.
4. 술밑을 술독에 담아 안치고, 예의 방법대로 하여 12일간 발효시킨다.

* 덧술 :
1. 정월에 돌아오는 둘째 해일(亥日)에 멥쌀 2말을 백세작말하여 체에 내려서 넓은 그릇에 담아놓는다.
2. 솥에 물 3말을 팔팔 끓여서 쌀가루에 붓고, 주걱으로 고루 개어서 범벅을 쑤어, 그릇 여러 개에 나눠 차게 식기를 기다린다.
3. 차게 식은 죽에 밑술을 합하고, 고루 버무려 술밑을 빚는다.
4. 술밑을 술독에 담아 안치고, 예의 방법대로 하여 12일간 발효시킨다.

* 2차 덧술 :
1. 정월에 돌아오는 셋째 해일(亥日)에 멥쌀 10말을 백세하여 소쿠리에 건져서 물기를 빼놓는다.
2. 솥에 물 7말 5되를 팔팔 끓이고, 불린 쌀을 시루에 안쳐서 무른 고두밥을 짓고, 익었으면 시루에서 퍼내어 그릇 여러 개에 나눠 펴 놓는다.
3. 고두밥에 끓는 물 7말 5되를 골고루 나눠 붓고, 주걱으로 헤쳐서 고두밥이 물을 다 먹으면, 그릇 여러 개에 나눠 담고 차게 식기를 기다린다.
4. 차게 식은 고두밥에 밑술을 합하고, 고루 버무려 술밑을 빚는다.
5. 술밑을 술독에 안치고, 예의 방법대로 하여 (이른 봄까지) 발효·숙성시킨다.

### 삼ᄒᆡ듀법

원월 첫 돗날 ᄇᆡᆨ미 ᄒᆞᆫ 말 ᄇᆡᆨ셰작말ᄒᆞ야 작말 물 마 닷 되에 닉게 ᄏᆡ여 식거든 ᄀᆞᄅᆞ누룩 ᄒᆞᆫ 되 진ᄀᆞᄅᆞ 맛츰 섯거 비젓다가 두채 돗날 ᄇᆡᆨ미 두 말 ᄇᆡᆨ셰작말하야 믈 ᄉᆡ 말 닉게 ᄏᆡ여 식거든 그 밋ᄃᆡ 섯거싸가 셋채 돗날 ᄇᆡᆨ미 열 말 ᄇᆡᆨ셰ᄒᆞ야 닉게 혀 탕슈 닐곱 말 닷 되 곤와 식거든 그 미ᄐᆡ 석그라.

## 33. 삼해주방 <임원십육지(林園十六志)>

–별명 유서춘(柳絮春)

술 재료 : 밑술 : 찹쌀 1말, 누룩 1되, 진가루 1되, 물(2말)
덧술 : 멥쌀 1말, 찹쌀 1말
2차 덧술 : 멥쌀 5말, 끓여 식힌 물 3양푼

술 빚는 법 :

* 밑술 :

1. 정월 첫 해일(亥日)에 찹쌀 1말을 백세하여 (물에 담갔다가, 다시 씻어 건져서 물기를 뺀 뒤) 작말한다(가루로 빻는다).
2. 솥에 물(2말)을 붓고 끓인다(물이 뜨거워지면 1말을 떠서 쌀가루에 합하고, 주걱으로 고루 개어 아이죽을 만들어놓는다).
3. (솥의 남은 물이 팔팔 끓으면, 아이죽을 합하고) 팔팔 끓여 된 죽을 쑨 다음, 넓은 그릇에 펴서 차게 식기를 기다린다.
4. 쌀죽에 누룩가루 1되와 밀가루 1되를 넣고, 고루 버무려 술밑을 빚는다.
5. 술독에 술밑을 담아 안치고, 예의 방법대로 하여 (12일간) 발효시킨다.

* 덧술 :

1. 둘째 해일(亥日)에 멥쌀 1말과 찹쌀 1말을 각각 백세하여 (물에 담갔다가, 다시 씻어 건져서 물기를 뺀 뒤) 작말한다(가루로 빻는다).
2. 쌀가루에 뜨거운 물을 뿌리고, 익반죽하여 둥글납작한 구멍떡을 빚는다.
3. 구멍떡을 끓는 물에 넣고 삶아, 익어서 떠오르면 건져내어 넓은 그릇에 담고 (뚜껑을 덮어서) 차게 식기를 기다린다.
4. 식은 떡에 밑술을 합하고, 고루 버무려 술밑을 빚는다.
5. 술독에 술밑을 담아 안치고, 예의 방법대로 하여 12일간 발효시킨다.

＊2차 덧술 :

1. 셋째 해일(亥日)에 멥쌀 5말을 백세하여(물에 담갔다가, 다시 씻어 건져서 물기를 뺀 뒤 작말하여) 시루에 안쳐 흰무리떡을 짓는다.
2. 흰무리떡이 익었으면 퍼내고, 넓은 그릇 여러 개에 나눠 담고, 넓게 헤쳐 식기를 기다린다.
3. 솥에 물 3양푼을 팔팔 끓여 식기를 기다렸다가, 흰무리떡에 합하고 (손으로 주물러서 덩어리가 없이 하여) 떡이 물을 다 먹어 흰죽이 되면 차게 식기를 기다린다.
4. 흰죽에 덧술을 합하고, 고루 버무려 술밑을 빚는다.
5. 술밑을 술독에 담아 안치고, 예의 방법대로 하여 3월까지 발효·숙성시킨다.

＊밑술에 사용되는 물의 양이 언급되어 있지 않아, 덧술과 2차 덧술의 쌀 양을 감안하여 물의 양을 2말로 산정하였다.

＊주방문 말미에 "유서비시 개용, 고역명 '유서춘'(柳絮飛時 開用 故亦名 '柳絮春', 버들강아지가 날릴 때 마신다. 옛 이름에 '유서춘'이라고 하였다.)"고 하였으므로, '삼해주'의 별명이 '유서춘(柳絮春)'이었을 알 수 있다. <산림경제보>를 인용하였다.

三亥酒方

正月上亥日 粘米一斗百洗作末煮稀粥待冷麴末真麪各一升調和入瓮次亥日粘米白米各一斗百洗作末孔餠煮出停冷和前釀納瓮三亥日白米五斗百洗蒸餠停冷熟水三鐥盆調冷同入過三月用(柳絮飛時始開用故亦名柳絮春) <山林經濟補>.

## 34. 삼해주 우방 <임원십육지(林園十六志)>

−10말 빚이

술 재료 : 밑술 : 멥쌀 1말, 누룩가루 5되, (끓여 식힌) 물 3병
덧술 : 멥쌀 7말, (끓여 식힌) 물 21병
2차 덧술 : 찹쌀 2말

술 빚는 법 :

* 밑술 :

1. 정월 첫 해일(亥日)에 멥쌀 1말을 백세하여(물에 담갔다가, 다시 씻어 건져서 물기를 뺀 뒤) 작말한다.
2. 솥에 물을 붓고 시루를 올려서 쌀가루를 안치고 쪄서 익힌다(넓게 펼쳐서 차게 식기를 기다린다).
3. 설기떡에 누룩(가루) 5되와 (끓여 식힌) 물 3병을 합하고, 고루 버무려 멍우리 없는 술밑을 빚는다.
4. 술독에 술밑을 담아 안치고, 예의 방법대로 하여 적당한 곳(차지도 덥지도 않은)에 앉혀두고 (12일간) 발효시킨다.

* 덧술 :

1. 둘째 해일(亥日)에 멥쌀 7말을 각각 백세하여(물에 담갔다가, 다시 씻어 건져서 물기를 뺀 뒤) 작말한다.
2. 쌀가루를 시루에 안치고, 푹 무르게 쪄서 설기떡이 익었으면 퍼낸다(넓게 펼쳐서 차게 식기를 기다린다).
3. 설기떡을 (끓여 식힌) 물 21병에 넣고 풀어, (덩어리진 것이 없이 하여 죽처럼 만들어) 밑술을 합하고, 고루 버무려 술밑을 빚는다.
4. 술독에 술밑을 담아 안치고, 예의 방법대로 하여 적당한 곳(차지도 덥지도 않은)에 앉혀두고 (12일간) 발효시킨다.

* 2차 덧술 :
1. 셋째 해일(亥日)에 찹쌀 2말을 정세하여(매우 깨끗하게 씻어 말갛게 헹군 후, 물에 담갔다가, 다시 씻어 건져서 물기를 뺀 뒤) 시루에 안쳐 고두밥을 짓는다.
2. (고두밥이 익었으면 퍼내고 넓게 헤쳐 차게 식기를 기다린다.)
3. 고두밥에 덧술을 합하고, 고루 버무려 술밑을 빚는다.
4. 술밑을 술독에 담아 안치고, 예의 방법대로 하여 발효·숙성시켜 술이 익기를 기다린다.
5. 술이 익어 주면에 부의(하얀 밥알)가 뜨면 주조에 올려 짜낸다.

* 쌀 씻는 법에 대해 밑술 '백세', 덧술 '백세', 2차 덧술 '정세'하라고 되어 있다. 또 방문에는 "미리 누룩가루(곡말) 5홉을 쌀 1말의 비율로 하여"라고 하였으므로, 방문의 "10말의 쌀에 대하여 누룩 5되의 비율로 하여 섞은 후"라고 하였으나, 누룩가루로 해석해야 옳을 것으로 판단된다.

三亥酒 又方

正月上亥日 白米一斗百洗作末蒸熟欲釀十斗者以麴末五升(每一斗入麴末五合爲率一)調水三瓶納瓮置冷暖適宜之地 次亥日白米七斗百洗作末爛烝與前本調和而每一斗以水三瓶爲率合水二十一瓶一處調和入瓮至第三亥日粘米二斗淨洗烝飯不用水投之待熟浮蟻上槽 此酒性喜沸溢必分釀諸瓮沸過合入一瓮. 此酒燒作露酒則美烈. <增補山林經濟>.

## 35. 삼해주 <조선고유색사전(朝鮮固有色辭典)>

산가이슈. 삼해주. 춘주.

음력 정월 세 번째 돼지날에 빚는 술. 소주를 만들기 위해 이용한다.

이것을 '삼해주'라고 하며, 일명 '춘주'라고도 한다.

## 36. 삼해주 <조선무쌍신식요리제법(朝鮮無雙新式料理製法)>

술 재료 : 밑술 : 멥쌀 3말, 누룩가루 1되, 밀가루 1되, 물(9사발)
덧술 : 멥쌀 1말, 찹쌀 1말
2차 덧술 : 멥쌀 5되, 끓는 물 3동이

술 빚는 법 :

* 밑술 :

1. 정월 첫 해일(亥日)에 멥쌀 3말을 백세하여(물에 담갔다가, 다시 씻어 건져서 물기를 뺀 뒤) 작말한다(가루로 빻는다).
2. 쌀가루에 물(9사발)을 붓고, 주걱으로 고루 개어 가면서 팔팔 끓여 묽은 죽을 만든 다음, 차게 식기를 기다린다.
3. 쌀죽에 누룩가루 1되와 밀가루 1되를 넣고, 고루 버무려 술밑을 빚는다.
4. 술독에 술밑을 담아 안치고, 예의 방법대로 하여 (12일간) 발효시킨다.

* 덧술 :

1. 둘째 해일(亥日)에 멥쌀 1말과 찹쌀 1말을 백세하여(물에 담갔다가, 다시 씻어 건져서 물기를 뺀 뒤) 작말한다(가루로 빻는다).
2. 쌀가루에 뜨거운 물을 쌀가루에 부어가면서 주걱으로 고루 개어 익반죽한다.
3. 반죽을 한 주먹씩 떼어 구멍떡을 빚어 끓는 물에 삶아내고, 차게 식기를 기다린다.
4. 삶은 구멍떡에 밑술을 합하고, 고루 버무려 술밑을 빚는다.
5. 술독에 술밑을 담아 안치고, 예의 방법대로 하여 12일간 발효시킨다.

* 2차 덧술 :

1. 둘째 해일(亥日)에 멥쌀 5되를 백세하여(물에 담갔다가, 다시 씻어 건져서 물기를 뺀 뒤) 시루에 안쳐 고두밥을 짓는다.

2. 물 3동이를 팔팔 끓여 고두밥에 나눠 붓고, 주걱으로 고루 개어 고두밥이 물을 다 먹으면, 고루 펼쳐서 차게 식기를 기다린다.
3. 고두밥에 덧술을 합하고, 고루 버무려 술밑을 빚는다.
4. 술독에 술밑을 담아 안치고 예의 방법대로 하여 3일간 발효시킨다.

* 주방문 말기에 이르기를, "이것이 버들개지가 나올 때에 비로소 술독을 열어 쓰는 고로 '유서춘(柳絮春)'이라 하기도 하느니라."고 하였다.

삼해주(三亥酒)

정월 상해(上亥)일에 찹쌀 한 말을 백 번 씻고 가루 만드러 묽은 죽을 쑤어 식거든 누룩가루와 밀가루 각 한 되를 석거서 독에 느코 고담 해일에 찹쌀과 흰쌀 각 한 말을 백 번 씻고 가루 만드러 구무쩍 쩌서 식거든 전에 비저 느은 독에 늣코 셋재 해일에 흰쌀 닷 되를 백 번 씻어 쪄 익혀 물 세 동의를 붓고 식혀서 넌지 사흘이면 쓰나니라. 이것이 버들개지가 나을 쌔에 비로소 여러 쓰는 고로 (유셔츈柳絮春)이라 하기도 하나이라.

## 37. 삼해주 우법 <조선무쌍신식요리제법(朝鮮無雙新式料理製法)>

술 재료 : 밑술 : 멥쌀 1말, 누룩가루 5되, (끓여 식힌) 물 3병
덧술 : 멥쌀 7말, 누룩가루 3되 5홉, (끓여 식힌) 물 21병
2차 덧술 : 찹쌀 2말

술 빚는 법 :

* 밑술 :

1. 정월 첫 해일(亥日)에 멥쌀 1말을 백세하여(물에 담갔다가, 다시 씻어 건져서 물기를 뺀 뒤) 작말한다(가루로 빻는다).

2. 쌀가루에 물을 뿌려 체에 내린 뒤, 시루에 쪄서 설기떡을 만든 다음, 차게 식기를 기다린다.
3. 설기떡에 누룩가루 5되와 (끓여 식힌) 물 3병을 넣고, 고루 버무려 술밑을 빚는다.
4. 술독에 술밑을 담아 안치고, 예의 방법대로 하여, 차고 더운 것을 적당하게 하여 (12일간) 발효시킨다.

* 덧술 :
1. 둘째 해일(亥日)에 멥쌀 7말을 백세하여(물에 담갔다가, 다시 씻어 건져서 물기를 뺀 뒤) 작말한다(가루로 빻는다).
2. 쌀가루에 물을 뿌려 체에 내린 뒤, 시루에 쪄서 무른 설기떡을 만든 다음, 차게 식기를 기다린다.
3. 설기떡에 누룩가루 3되 5홉과 (끓여 식힌) 물 21병, 밑술을 합하고, 고루 버무려 술밑을 빚는다.
4. 술독에 술밑을 담아 안치고, 예의 방법대로 하여, 차고 더운 것을 적당하게 하여 (12일간) 발효시킨다.

* 2차 덧술 :
1. 셋째 해일(亥日)에 찹쌀 2말을 백세하여(물에 담갔다가, 다시 씻어 건져서 물기를 뺀 뒤) 시루에 안쳐 고두밥을 짓는다.
2. 고두밥을 고루 펼쳐서 차게 식기를 기다린다.
3. 고두밥에 덧술을 합하고, 고루 버무려 술밑을 빚는다.
4. 술독에 술밑을 담아 안치고 예의 방법대로 하여 발효시킨 뒤, 술이 익어 쌀알이 위로 뜨거든 주조에 올려 짜낸다.

* 주방문에 이르기를, "이 술의 성품이 끓어 넘치기를 잘 하니 반드시 여러 독에 술밑을 빚어 끓기를 다 한 후에 한 독으로 옮겨 합하고 위를 덮는다. 이 술은 고리에 내려도 좋으리라."고 하였다.

* 밑술과 덧술이 백설기를 이용하는 방법으로, 술밑을 빚을 때 백설기가 누룩이나 밑술과 섞이더라도 떡이 풀어지지 않으면 발효가 활발해질 때 끓어 독 밖으로 넘치기 쉬우니 술밑을 빚는 데 신경 써야 한다. 다른 문헌에서는 쪄낸 설기떡과 끓는 물을 섞어 죽 형태로 만든 다음, 차게 식혀 누룩이나 밑술과 혼화하는 것으로 되어 있어 대조를 이룬다.

삼해주(三亥酒) 또 법

정월 상해일에 흰쌀 한 말을 백 번 씨서 가루 만드러 찌나니 만일 열 말을 당그랴 하는 자는 미리 누룩가루 닷 되를 하나니 한 말 쌀에 정식하기를 누룩 닷 홉을 늘 것이니라. 물 세 병에 버무려 독에 느코 차고 더운 걸 맛당하게 노코 고담 해일에 흰쌀 일곱 말을 백 번 씨서 가루 만드러 물으게 쪄서 전에 비젓든 것과 합하되 쌀 한 말에 물 세 병으로 법을 삼아 물을 합하되 스믈한 병을 한데 합하야 독에 느코 셋재 해일에 찹쌀 두 말을 정이 씨서 찐 것을 물은 붓지 안코 또 전에 것에다가 느코 익기를 기다려 찹쌀알이 쓰거든 주죠에 늣나니라. 이 술의 성품이 쓰러 넘기를 조하하니 반듯이 여러 독에 밋츨 비저 쓸키를 다 한 후에 한 독으로 합하고 우를 덥흘지니 이 술은 고리에 나려도 조흐니라.

## 38. 삼해주방문 <주방(酒方, 임용기소장본)>

술 재료 : 밑술 : 찹쌀 1되 5홉, 멥쌀 1되 5홉, 누룩가루 3되, 밀가루 1되, 물(1말)
덧술 : 멥쌀 2말, 시루밑물(10식기, 주발)
2차 덧술 : 찹쌀 2말, 멥쌀 2말, 시루밑물(20식기, 주발)

술 빚는 법 :

* 밑술 :

1. 정월 첫 해일(亥日)에 희게 쓿은 찹쌀 1되 5홉과 멥쌀 1되 5홉을 (백세하여) 물에 담가 하룻밤 불렸다가 (다시 씻어 헹궈서 물기를 뺀 후) 가루로 빻는다.
2. 물(1말)을 끓이다가 물이 따뜻해지면 쌀가루를 풀어 넣고, 주걱으로 골고루 꽤 저어가면서 팔팔 끓는 의이죽을 쑨다.
3. 죽이 익었으면, 넓은 그릇에 담고 차게 식기를 기다린다.
4. 죽에 누룩가루 3되와 밀가루 1되를 섞고, 고루 버무려 술밑을 빚는다.
5. 술독에 술밑을 담아 안치고, 예의 방법대로 하여 찬 곳(한데)에 두어 36일간 발효시킨다.

* 덧술 :
1. 2월 첫 해일(亥日)에 백 번 찧어 도정한 멥쌀 2말을 백세하여 (물에 담가 불렸다가, 다시 씻어 헹궈서 물기를 뺀 후) 가루로 빻는다.
2. 시루에 쌀가루를 안치고 흰무리떡을 찐 뒤, 넓은 그릇에 펴 담는다.
3. 흰무리떡에 시루밑물을 퍼붓고, 고루 합하여 덩어리가 없게 한 후 (그릇 여러 개에 나눠 담고) 차게 식기를 기다린다.
4. 죽처럼 된 떡을 밑술과 함께 섞고, 고루 버무려 술밑을 빚는다.
5. 새로 마련한 술독에 술밑을 담아 안치고, 밑술 술독과 같이하여 36일간 발효시킨다.

* 2차 덧술 :
1. 3월 첫 해일(亥日)에 희게 쓿은 찹쌀 2말과 멥쌀 2말을 각각 백세하여 물에 담가 하룻밤 불렸다가 (다시 씻어 헹궈 건져서 물기를 뺀 후) 시루에 안쳐 고두밥을 짓는다.
2. 고두밥이 익었으면 퍼내어 고루 펼쳐서 차게 식기를 기다린다.
3. 시루밑물 20식기(주발)를 그릇에 퍼 담고, 차게 식기를 기다린다.
4. 차게 식은 고두밥에 덧술과 차게 식은 시루밑물을 한데 합하고, 고루 버무려 술밑을 빚는다.
5. 새 술독에 술밑을 담아 안치고, 예의 방법대로 하여 찬 곳에 두고 발효시켜

서 맑게 가라앉기를 기다리면 독한 술이 된다.

삼회쥬방문(三亥酒方文)

정월 첫 회일(初亥日)의 졈미(粘米) 되가웃(一升 五合) 백미(白米) 되가웃(一升 五合) 하로밤(一夜) 담(沈)갓다가 작말(作末) 의이 쑤어 식거든 진국말(眞麯末) 서 되(三升) 眞末 한 되(一升) 너허 버무려고 앙의 두엇다가, 이월(二月) 첫 해일(初亥日)의 백미(白米) 두 말(二斗) 백세(百洗) 백도(百搗)하여 작말(作末)하여 무리 쪄고 시로물(甑水)의 푸러 식여 쳐음 한 밋식 하되 버무려 너헛다가 삼월(三月) 첫 회일(初亥日)의 졈미(粘米) 두 말(二斗) 백미(白米) 두 말(二斗) 백세(百洗)하여 하로밤(一夜) 재와 지예 쪄 그 찐 물(水) 스무 식긔(二十周鉢)만 식여 그 밋술의 버무려 한듸 두면 술이 가라안고 독ᄒᆞ니라.

## 39. 삼해주 <주방문(酒方文)>

술 재료 : 밑술 : 멥쌀 2말, 누룩가루 5홉(되), 끓는 물 3말
덧술 : 멥쌀 3말, 끓는 물 4말 5되
2차 덧술 : 멥쌀 5말, 끓는 물 7말 5되

술 빚는 법 :

* 밑술 :

1. 정월 첫 해일(亥日)에 멥쌀 2말을 백세하여(물에 담갔다가, 다시 씻어 건져서 물기를 뺀 뒤) 작말한다(가루로 빻는다).
2. 솥에 물 3말을 붓고 팔팔 끓으면 쌀가루에 골고루 섞고, 주걱으로 고루 개어 범벅을 쑨 다음, 넓은 그릇에 퍼서 차게 식기를 기다린다.
3. 쌀죽에 누룩가루 5홉(되)을 넣고, 고루 버무려 술밑을 빚는다.
4. 술독에 술밑을 담아 안치고, 예의 방법대로 하여 (12일간) 발효시킨다.

* 덧술 :

1. 둘째 해일(亥日)에 멥쌀 3말을 백세하여(물에 담갔다가, 다시 씻어 건져서 물기를 뺀 뒤) 작말한다(가루로 빻는다).
2. 솥에 물 4말 5되를 붓고 팔팔 끓여 쌀가루에 합하고, 주걱으로 골고루 개어 범벅을 쑨 후, 넓은 그릇에 담고 뚜껑을 덮어서 차게 식기를 기다린다.
3. 식은 범벅에 밑술을 합하고, 고루 버무려 술밑을 빚는다.
4. 술독에 술밑을 담아 안치고, 예의 방법대로 하여 12일간 발효시킨다.

* 2차 덧술 :

1. 둘째 해일(亥日)에 멥쌀 5말을 백세하여(물에 담갔다 다시 씻어 건져서) 작말한다.
2. 솥에 물 7말 5되를 팔팔 끓여 쌀가루에 골고루 붓고, 주걱으로 고루 개어서 범벅을 쑨 후, 넓은 그릇에 펴서 차게 식기를 기다린다.
3. 범벅에 덧술을 합하고, 고루 버무려 술밑을 빚는다.
4. 술밑을 술독에 담아 안치고, 예의 방법대로 하여 3개월간 발효·숙성시킨다.

삼ᄒᆡ쥬(三亥酒)

정월 첫 돗날 ᄇᆡᆨ미 두 말 ᄇᆡᆨ셰작말 탕슈 서 말 ᄃᆡ령 누록 닷 홉 섯거 녀코 둘잿 돗날 ᄇᆡᆨ미 서 말 ᄇᆡᆨ셰작말 탕슈 너 말 닷 되 반쥭 ᄃᆡ령ᄒᆞ여 넛고 셋재 돗날 ᄇᆡᆨ미 닷 말 ᄇᆡᆨ셰작말 탕슈 닐굽 말 닷 되 ᄃᆡ령ᄒᆞ여 비져 닉거든 ᄡᅳ라.

## 40. 삼해주 <주방문조과법(造果法)>

–열닷 말 비지법

술 재료 : 밑술 : 멥쌀 2말, 가루누룩 2되, 밀가루 1되, 끓는 물 3말 3되
덧술 : 멥쌀 4말, 가루누룩 5홉, 밀가루 5홉, 끓는 물 3말 3되
2차 덧술 : 멥쌀 9말, (가루누룩 3~4홉), 끓는 물 10말

술 빚는 법 :

* 밑술 :

1. 정월 첫 해일(亥日)에 멥쌀 2말을 백세하여(새 물에 담가 밤재워 불렸다가, 다시 씻어 헹궈서) 작말한다(가루로 빻는다).
2. 쌀가루를 시루에 담아 안쳐서 백설기를 찌고, 솥에 물 3말 3되를 팔팔 끓인다.
3. 끓는 물을 백설기에 골고루 붓고, 주걱으로 고루 개어 멍우리 없는 죽처럼 만든다.
4. 죽처럼 만든 떡을 넓은 그릇에 담고 (뚜껑을 덮어 밤재워) 차게 식기를 기다린다.
5. 차게 식은 담(범벅)에 가루누룩 2되와 밀가루 1되를 한데 섞고, 고루 치대어 술밑을 빚는다.
6. 술밑을 술독에 담아 안치고, 예의 방법대로 하여 온기 있는 곳에서 12일간 발효시킨다.

* 덧술 :

1. 정월 둘째 해일(亥日)에 멥쌀 4말을 백세하여 (새 물에 담가 밤재워 불렸다가, 다시 씻어 헹궈서) 작말한다(가루로 빻는다).
2. 쌀가루를 시루에 담아 안쳐서 백설기를 찌고, 솥에 물 3말 3되를 팔팔 끓인다.
3. 끓는 물을 백설기에 골고루 붓고, 주걱으로 고루 개어 멍우리 없는 죽처럼 만든다.
4. 죽처럼 만든 떡을 넓은 그릇에 담고 (뚜껑을 덮어 밤재워) 차게 식기를 기다린다.
5. 차게 식은 담(범벅)에 가루누룩 5홉과 밀가루 5홉, 밑술을 한데 섞고, 고루 치대어 술밑을 빚는다.
6. 술밑을 술독에 담아 안치고, 예의 방법대로 하여 툇마루에 앉혀서 12일간 발효시키되, 술을 얼지 않게 하여야 한다.

* 2차 덧술 :

1. 멥쌀 9말을 백세하여 (새 물에 담가 하룻밤 불렸다가, 다시 씻어 헹궈 건져서 물기를 뺀 후) 시루에 안쳐서 고두밥을 짓는다.
2. 솥에 물 10말을 팔팔 끓이다가, 고두밥이 익었으면 그릇에 퍼 담고, 끓는 물을 고두밥에 골고루 붓고, 주걱으로 고루 섞어놓는다.
3. 고두밥이 물을 다 먹었으면, 삿자리에 골고루 펼쳐서 차게 식기를 기다린다.
4. 차게 식은 진고두밥에 (필요에 따라 가루누룩 3~4홉), 덧술을 합하고, 고루 치대어 술밑을 빚는다.
5. 술밑을 술독에 담아 안치고, 예의 방법대로 하여 마루에 앉혀서 발효시키되, 술을 얼지 않게 하여야 한다.

### 삼ᄒᆡ쥬(열닷 말 비지법)

정월 첫 돗날의 ᄇᆡᆨ미 두 말 ᄇᆡᆨ셰ᄒᆞ여 작말ᄒᆞ여 물 서 말 서 되 노든들(그 둘을) 실ᄅᆡ(시루에) 담아 삐고 그 믈 글힌 거슬 다드려 ᄆᆡᆼ올 업시 쥭으로 지여 ᄎᆞ거든 ᄀᆞᄅᆞᆫ누록 두 되 진ᄀᆞᄅᆞᆫ ᄒᆞᆫ 되 섯서(거) 녀허 둣다가, 들재(둘째) 돗(돌)날의 ᄇᆡᆨ미 너 말 ᄇᆡᆨ셰작말ᄒᆞ여 믈 너 말애 글글출(그릇을) 뜰설을(?) 더 되어(개어) 노화 그 ᄀᆞᆯ들(그릇을) 실되(시루에) 다마 몬쳐 ᄀᆞᆺ치 닉게 쪄 그올 ᄒᆞᆫ(끓은) 물의 ᄆᆡᆼ이 업시 ᄀᆡ여 ᄎᆞ거든 ᄀᆞᄅᆞᆫ누록 닷 홉 딘(진)ᄀᆞᄀᆞᄅᆞᆫ 닷 홉 그 밋술 ᄃᆞᆺ치(같이) ᄆᆡ이 쳐 녀허 둣다가 ᄯᅩ 셋재 돗날의 ᄇᆡᆨ미 아홉 말 ᄇᆡᆨ셰ᄒᆞ여 밥 닉게 쪄 믈 열 말 글혀 골와 샷회 혜여 ᄎᆞ거든 누록 업시 제 밋술의 그저 녀키(넣기) 제법이거니와 ᄀᆞᄅᆞᆫ누록을 서너 홉이나 잠간 씌으ᄃᆞ시 ᄒᆞ고 ᄎᆞᆫ ᄃᆡ 두게 ᄒᆞ엿거니와 첫 밋트란 잠간 은거인ᄂᆞᆫ ᄃᆡ(온기 있는 데) ᄒᆞ고, 두 번재 된 말의예(툇마루에) 내여두ᄃᆡ 얼고지 말라. 반ᄆᆞ이면 닐곱 말 닷 되오 반ᄀᆞᄆᆡ이면 서 말 닐곱 되 반이니 하나져그나 듕의 그 ᄡᆞᆯ ᄒᆞᆫ 말의 믈 ᄒᆞᆫ 말 남ᄌᆞ기 누록 서 홉 진ᄀᆞᄅᆞᆫ 두 홉식 혜여 빗고 ᄂᆞᆯ물긔 업시 ᄒᆞ면 ᄇᆡᆨ 번 ᄒᆞ여도 돈ᄃᆞ니라.

## 41. 삼해주 <주식방(酒食方, 高大閨壼要覽)>

술 재료 : 밑술 : 찹쌀 1되, 누룩가루 1되, 물(4~5되)
덧술 : 찹쌀 1말, 멥쌀 1말
2차 덧술 : 멥쌀 5말, 끓는 물 3놋동이

술 빚는 법 :

* 밑술 :

1. 정월 첫 돌날(亥日)에 찹쌀 1되를 백세하여 (물에 담가 불렸다가, 다시 씻어 건져서 물기를 뺀 뒤) 작말한다.
2. 솥에 물(4~5되)을 팔팔 끓이다가, 쌀가루를 풀어 넣고 주걱으로 고루 저어 가면서 무른 풀(죽)을 쑤어, 넓은 그릇에 펴 담는다(차게 식기를 기다린다).
3. 식은 풀(죽)에 누룩가루 1되를 한데 합하고, 고루 치대어 술밑을 빚는다.
4. 좋은 술독에 술밑을 담아 안치고, 예의 방법대로 하여 12일간 발효시킨다.

* 덧술 :

1. 둘째 해일(亥日)에 찹쌀 1말과 멥쌀 1말을 백세하여 (물에 담가 불렸다가, 다시 씻어 건져서 물기를 뺀 뒤) 작말한다.
2. 솥에 물을 팔팔 끓이고, 쌀가루는 익반죽하여 구메떡(구멍떡)을 만들어 삶고, 익어서 떠오르면 건져서 넓은 그릇 여러 개에 펴 담고 차게 식기를 기다린다.
3. 구멍떡에 밑술을 한데 합하고, 고루 치대어 술밑을 빚는다.
4. 좋은 술독에 술밑을 담아 안치고, 예의 방법대로 하여 12일간 발효시킨다.

* 2차 덧술 :

1. 셋째 해일(亥日)에 멥쌀 5말을 백세하여 (물에 담가 불렸다가, 다시 씻어 건져서 물기를 뺀 뒤) 시루에 안쳐서 고두밥을 짓는다.

2. 멥쌀고두밥이 익었으면 시루에서 퍼낸 다음, 돗자리에 고루 펼쳐서 차게 식기를 기다린다.
3. 솥에 물 3놋동이를 끓여 고두밥에 합하고, 고루 헤쳐 놓는다(고두밥이 물을 다 먹으면, 그릇 여러 개에 나눠 담고 차게 식기를 기다린다).
4. 물을 다 먹고 식은 고두밥에 밑술을 합하고, 고루 버무려 술밑을 빚는다.
5. 술밑을 술독에 안치고, 예의 방법대로 하여 서늘한 곳에서 3개월간 발효시킨다.

샴히듀
졍월 첫 돗날 츌쏠 ᄒᆞᆫ 되 빅셰즉말ᄒᆞ여 눅은 풀 쑤어 국말 각 ᄒᆞᆫ 되 섯거 너헛다가 둘지 돗날 츌쏠 뫼쏠 두 말 빅셰즉말ᄒᆞ여 구메썩 만드러 치와 밋술의 너헛다가 셋직 돗날 빅미 닷 말 빅셰ᄒᆞ여 닉게 쪄 치와 놋동히로 물 셋 쓸혀 골나 너헛다가 석 달 만의 쓰ᄂᆞ니라.

## 42. 삼해주방문 <쥬식방문>

술 재료 : 밑술 : 멥쌀 2되 5홉, 누룩가루 1되, 밀가루 1되, 물(4~5되)
덧술 : 멥쌀 5되, 누룩가루(1되), 밀가루(1되), 물(1말)
2차 덧술 : 멥쌀 2말, 누룩가루 1되와 밀가루 5홉

술 빚는 법 :
* 밑술 :
1. 반 제 하려면, 정월 첫 돌날(亥日)에 멥쌀 2되 5홉을 (백세하여) 물에 담가 불렸다가 (다시 씻어 건져서 물기를 뺀 뒤) 작말한다.
2. 솥에 물(4~5되)을 팔팔 끓이다가, 쌀가루를 풀어 넣고 주걱으로 고루 저어 가면서 무른 풀(죽)을 쑤어, 넓은 그릇에 퍼 담는다(차게 식기를 기다린다).

3. 식은 풀(죽)에 누룩가루 1되, 밀가루 1되를 한데 합하고, 고루 치대어 술밑을 빚는다.
4. 좋은 술독에 술밑을 담아 안치고, 예의 방법대로 하여 36일간 발효시킨다.

* 덧술 :
1. 2월 첫 해일에 멥쌀 5되를 (백세하여) 물에 담가 불렸다가 (다시 씻어 건져서 물기를 뺀 뒤) 작말한다.
2. 솥에 물 1말을 팔팔 끓이다가, 쌀가루를 풀어 넣고 주걱으로 고루 저어가면서 무른 풀(죽)을 쑤어, 넓은 그릇 여러 개에 펴 담고 차게 식기를 기다린다.
3. 차게 식은 죽에 밑술과 누룩가루(1되), 밀가루(1되)를 한데 합하고, 고루 치대어 술밑을 빚는다.
4. 좋은 술독에 술밑을 담아 안치고, 예의 방법대로 하여 36일간 발효시킨다.

* 2차 덧술 :
1. 삼월 (첫) 해일(亥日)에 멥쌀 2말을 (백세하여) 물에 담가 불렸다가 (다시 씻어 건져서 물기를 뺀 뒤) 시루에 안쳐서 고두밥을 짓는다.
2. 멥쌀고두밥이 익었으면 시루에서 퍼낸 다음, 돗자리에 고루 펼쳐서 차게 식기를 기다린다.
3. 고두밥에 누룩가루 1되와 밀가루 5홉, 밑술을 합하고, 고루 버무려 술밑을 빚는다.
4. 술밑을 술독에 담아 안치고, 예의 방법대로 하여 서늘한 곳에서 발효시킨다.

## 삼히쥬방문(三亥酒方文)

반 졔랄 ᄒᆞ랴면 ᄇᆡᆨ미 두 되 다셔 홈을 정월 쳣 ᄒᆡ일의 담가다가 ᄌᆞᆨ말ᄒᆞ여 풀쎄 쑤어 식은 후 국말 한 되 진가로 ᄒᆞᆫ 되 셧거 버무려 너헛다가 이월 쳣 ᄒᆡ일의 ᄇᆡᆨ미 반 말을 담가다가 ᄯᅩ 풀쎄 쑤어 젼과 갓치 국말 진말 너허 먼져 한 밋과 버무려 너허다가 삼월 ᄒᆡ일의 ᄇᆡᆨ미 두 말을 담가다가 쪄 식은 후의 국말 한 되 진말 다셔 홉 너허 비지라.

## 43. 삼해주 <주찬(酒饌)>

술 재료 : 밑술 : 멥쌀 3되, 누룩가루 3되, 밀가루 3되
덧술 : 멥쌀 3말, 끓는 물 9병
2차 덧술 : 멥쌀 6말, 끓는 물 18병

술 빚는 법 :

* 밑술 :

1. 정월 첫 해일(亥日)에 깨끗하게 도정한 멥쌀 3되를 백세하여 (물에 담가 불렸다가, 다시 씻어 헹궈서 물기를 뺀 후) 작말하여 그릇에 담아놓는다.
2. 솥에 물(6되 정도)을 팔팔 끓이다가, 뜨거운 물 1되 정도를 떠서 쌀가루에 골고루 붓고, 익반죽하여 송편 빚듯이 오래 치대어 구멍떡을 빚는다.
3. 솥의 물이 팔팔 끓으면, 빚어둔 구멍떡을 넣고 삶아서 익어 떠오르면 건져낸다.
4. 건져낸 구멍떡을 자배기에 담고, 주걱으로 으깨어 한 덩어리가 되게 풀고, 차게 식기를 기다린다.
5. 차게 식은 떡에 누룩가루 3되와 밀가루 3되를 한데 합하고, 매우 치대어 술밑을 빚는다.
6. 술밑을 술독에 담아 안치고, 예의 방법대로 하여 서늘한 곳(찬 곳)에서 36일간 발효시킨다.

* 덧술 :

1. 이월 첫 해일(亥日)에 멥쌀 3말을 백세하여 (물에 담가 불렸다가, 다시 씻어 헹궈서 물기를 뺀 후) 작말하여 그릇에 담아놓는다.
2. 멥쌀가루에 끓는 물 9병을 골고루 붓고, 주걱으로 범벅처럼 갠 뒤, 차게 식기를 기다린다.
3. 차게 식힌 범벅에 밑술을 합하고, 고루 치대어 술밑을 빚는다.

4. 술독에 술밑을 담아 안치고, 예의 방법대로 하여 서늘한 곳(찬 곳)에서 36일간 발효시킨다.

* 2차 덧술 :

1. 3월 첫 해일(亥日)에 멥쌀 6말을 백세하여 물에 하룻밤 담가 불렸다가 (다시 씻어 건져서 물기를 뺀 후) 시루에 담아 안쳐 고두밥을 짓는다.
2. 고두밥에서 한 김 나면 찬물(1되)을 골고루 살수하고, 센 불로 다시 쪄서 무르게 익힌다.
3. 고두밥이 익었으면 퍼내고, 끓는 물 18병을 한데 섞어서 고루 헤쳐 두었다가, 고두밥이 물을 다 먹었으면 그릇 여러 개에 나눠 담고, 차게 식기를 기다린다.
4. 차게 식힌 고두밥에 덧술을 합하고, 고루 버무려 술밑을 빚는다.
5. 술독에 버무린 술밑을 담아 안치고, 예의 방법대로 하여 30여 일간 발효시킨다.

* 주방문에 "맛은 매우 독하며, 물은 병에 넣어서 붓는다."고 하였는데, 이는 물의 정확한 계량을 위한 것으로 풀이된다. 다른 번역물을 보면, 덧술의 탈자된 부분 중 '조균성니(調均成泥)'로 보자(補字)하고 "고루 섞어 진흙처럼 만든다. 이것이 차게 식으면"으로 풀이하였으나, 익히지 않은 범벅(죽)을 식힌다는 표현은 잘못된 해석으로, "쌀가루에 끓는 물(湯水)을 붓고 풀어 범벅처럼 갠 뒤"로 풀이하였다.

三亥酒

正月初亥日精白米三升作孔餠熟烝待冷好曲末三升眞末三升交合釀之. 二月初亥日白米三斗百洗作末水九瓶交合調均成泥熟待冷合釀於本酒中. 三月初亥日白米六斗百洗烝之水十八瓶交合待冷又釀於本酒百日後用則味烈甚好水則以瓶入而注入也.

## 44. 삼해주법 <증보산림경제(增補山林經濟)>

술 재료 : 밑술 : 찹쌀 1말, 누룩가루 1되, 밀가루 1되, 물(2말)
덧술 : 멥쌀 1말, 찹쌀 1말
2차 덧술 : 멥쌀 5말, 끓여 식힌 물 3양푼

술 빚는 법 :

* 밑술 :

1. 정월 첫 해일(亥日)에 찹쌀 1말을 백세하여(물에 담갔다가, 다시 씻어 건져서 물기를 뺀 뒤) 작말한다(가루로 빻는다).
2. 솥에 물(2말)을 붓고 끓인다(물이 뜨거워지면 1말을 떠서 쌀가루에 합하고, 주걱으로 고루 개어 아이죽을 만들어놓는다).
3. (솥의 남은 물이 팔팔 끓으면, 아이죽을 합하고) 팔팔 끓여 된 죽을 쑨 다음, 넓은 그릇에 펴서 차게 식기를 기다린다.
4. 쌀죽에 누룩가루 1되와 밀가루 1되를 넣고, 고루 버무려 술밑을 빚는다.
5. 술독에 술밑을 담아 안치고, 예의 방법대로 하여 (12일간) 발효시킨다.

* 덧술 :

1. 둘째 해일(亥日)에 멥쌀 1말과 찹쌀 1말을 각각 백세하여(물에 담갔다가, 다시 씻어 건져서 물기를 뺀 뒤) 작말한다(가루로 빻는다).
2. 쌀가루에 뜨거운 물을 뿌리고, 익반죽하여 둥글납작한 구멍떡을 빚는다.
3. 구멍떡을 끓는 물에 넣고 삶아, 익어서 떠오르면 건져내어 넓은 그릇에 담고 (뚜껑을 덮어서) 차게 식기를 기다린다.
4. 식은 떡에 밑술을 합하고, 고루 버무려 술밑을 빚는다.
5. 술독에 술밑을 담아 안치고, 예의 방법대로 하여 12일간 발효시킨다.

* 2차 덧술 :

1. 셋째 해일에 멥쌀 5말을 백세하여(물에 담갔다가, 다시 씻어 건져서 물기를 뺀 뒤) 시루에 안쳐 고두밥을 짓는다.
2. 고두밥이 익었으면 퍼내고, 그릇 여러 개에 나눠 담고 넓게 헤쳐 식기를 기다린다.
3. 솥에 물 3양푼을 팔팔 끓여 식기를 기다렸다가, 고두밥에 합하고 고두밥이 물을 다 먹고 차게 식기를 기다린다.
4. 고두밥에 덧술을 합하고, 고루 버무려 술밑을 빚는다.
5. 술밑을 술독에 담아 안치고, 예의 방법대로 하여 3월까지 발효·숙성시킨다.

* 밑술에 사용되는 물의 양이 언급되어 있지 않아, 덧술과 2차 덧술의 쌀 양을 감안하여 물의 양을 2말로 산정하였다.

三亥酒法

正月上亥日　粘米一斗百洗作末煮稀粥待冷麴末真末各一升調和入甕　次亥日　粘米白米各一斗百洗作末孔餠煮出停冷和前釀納甕　三亥日　白米五斗百洗蒸熟停冷熟水三鍮盆調冷同入過三月用.

## 45. 삼해주 우방 <증보산림경제(增補山林經濟)>

−10말 빚이

술 재료 : 밑술 : 멥쌀 1말, 누룩가루 5홉(되), (끓여 식힌) 물 3병
덧술 : 멥쌀 7말, (끓여 식힌) 물 21병
2차 덧술 : 찹쌀 2말

술 빚는 법 :

* 밑술 :

1. 정월 첫 해일(亥日)에 멥쌀 1말을 백세하여(물에 담갔다가, 다시 씻어 건져서 물기를 뺀 뒤) 작말한다.
2. 솥에 물을 붓고 시루를 올려서 쌀가루를 안치고 쪄서 익힌다(넓게 펼쳐서 차게 식기를 기다린다).
3. 설기떡에 누룩가루 5되와 (끓여 식힌) 물 3병을 합하고, 고루 버무려 멍우리 없는 술밑을 빚는다.
4. 술독에 술밑을 담아 안치고, 예의 방법대로 하여 적당한 곳(차지도 덥지도 않은)에 앉혀두고 (12일간) 발효시킨다.

* 덧술 :
1. 둘째 해일(亥日)에 멥쌀 7말을 각각 백세하여(물에 담갔다가, 다시 씻어 건져서 물기를 뺀 뒤) 작말한다.
2. 쌀가루를 시루에 안치고, 푹 무르게 쪄서 설기떡이 익었으면 퍼낸다(넓게 펼쳐서 가게 식기를 기다린다).
3. 설기떡을 (끓여 식힌) 물 21병에 넣고 풀어 (덩어리진 것이 없이 하여 죽처럼 만들어) 밑술을 합하고, 고루 버무려 술밑을 빚는다.
4. 술독에 술밑을 담아 안치고, 예의 방법대로 하여 적당한 곳(차지도 덥지도 않은)에 앉혀두고 (12일간) 발효시킨다.

* 2차 덧술 :
1. 셋째 해일(亥日)에 찹쌀 2말을 정세하여(매우 깨끗하게 씻어 말갛게 헹군 후, 물에 담갔다가, 다시 씻어 건져서 물기를 뺀 뒤) 시루에 안쳐 고두밥을 짓는다.
2. (고두밥이 익었으면 퍼내고 넓게 헤쳐 차게 식기를 기다린다.)
3. 고두밥에 덧술을 합하고, 고루 버무려 술밑을 빚는다.
4. 술밑을 술독에 담아 안치고, 예의 방법대로 하여 발효·숙성시켜 술이 익기를 기다린다.
5. 술 위에 부의(하얀 밥알)가 뜨면 주조에 올려 짜낸다.

* 주방문 말미에 “이 술은 잘 괴는 성질이 있으므로, 반드시 여러 독에 나누어 담갔다가 괸 뒤에 합쳐 한 독에 담는 것이 좋다. 이 술을 증류하여 ‘노주(露酒)’를 만들면 맛이 좋다.”고 하였다.
* 쌀 씻는 법에 대해 밑술 ‘백세’, 덧술 ‘백세’, 2차 덧술 ‘정세’하라고 되어 있다. 또 방문에는 “미리 누룩가루(곡말) 5홉을 쌀 1말의 비율로 하여”라고 하였는데, 다른 번역물에는 “10말의 쌀에 대하여 누룩 5되의 비율로 하여 섞은 후”라고 하였으나, ‘누룩가루로 5되의 비율로’ 해석해야 옳을 것으로 판단된다. 누룩가루 5홉으로 쌀 10말을 삭히기가 어렵기 때문이다.

三亥酒 又方

正月上亥日 白米一斗百洗作末蒸熟欲釀十斗者預以麯末五合爲一斗之定式合麯五升造水三甁納甕置冷暖適宜之地 次亥日白米七斗百洗作末爛蒸如前酒調之 而 每一斗以水三甁爲率合水二十一甁一處調和入甕 至第三亥日粘米二斗淨洗蒸之不用水調於前酒待熟浮蟻上槽 盖此酒成好沸溢必分釀諸甕沸過合入一甕可矣 此酒燒作露酒則美烈.

## 46. 삼해주 <침주법(浸酒法)>

–일곱 말 한 되 빚이

술 재료 : 밑술 : 찹쌀 1되, 누룩가루 1되, 밀가루 1되, (물 3되)
덧술 : 멥쌀 2말, 떡 삶은 물 2말
2차 덧술 : 찹쌀 5말, 가루누룩 3되, 밀가루 2되, 끓는 물 5말 5되

술 빚는 법 :

* 밑술 :

1. 첫째 해일(亥日)에 찹쌀 1되를 잘 씻어(백세하여) 물에 담갔다가, 다시 씻어

건져서 물기를 뺀 후, 가루로 빻는다.
2. 쌀가루를 물 3되에 합하고, 멍우리 없이 고루 풀어서 팔팔 끓여 풀 같은 죽을 쑨다.
3. 죽을 넓은 그릇에 퍼서 차게 식기를 기다린다.
4. 죽에 누룩가루 1되와 밀가루 1되를 합하고, 고루 버무려 술밑을 빚는다.
5. 술밑을 술독에 담아 안치고, 예의 방법대로 하여 12일간 발효시킨다.

* 덧술 :
1. 멥쌀 2말을 백세하여 하룻밤 담가 불렸다가, 다시 씻어 건져서 물기를 뺀 다음, 가루로 빻는다.
2. 솥에 물 2말을 팔팔 끓이다가, 뜨거워지면 물 7~8되를 쌀가루에 골고루 뿌려가면서 고루 치대어 익반죽한 다음, 구멍떡을 빚는다.
3. 솥의 나머지 물이 끓는 김에 구멍떡을 넣고 삶아, 떡이 익어서 떠오르면 건져내어 (주걱으로 많이 짓이겨서) 차게 식기를 기다린다.
4. 떡을 삶았던 물도 차게 식힌 후, 밑술을 한데 합하고, 고루 버무려 술밑을 빚는다.
5. 술밑을 술독에 담아 안치고, 예의 방법대로 하여 12일간 발효시킨다.

* 2차 덧술 :
1. 찹쌀 5말을 백세하여 물에 담가 하룻밤 불렸다가, 다시 헹궈서 물기를 빼놓는다.
2. 불린 쌀을 시루에 안치고 쪄서 고두밥을 짓고, 솥에 물 5말 5되를 끓인다.
3. 고두밥이 무르게 익었으면 퍼내어 넓은 그릇에 담고, 팔팔 끓고 있는 물을 고두밥에 골고루 끼얹은 뒤, 고두밥과 물이 차디차게 식기를 기다린다.
4. 고두밥에 밑술과 가루누룩 3되, 밀가루 2되를 섞어 한데 합하고, 고루 버무려 술밑을 빚는다.
5. 술밑을 술독에 담아 안친 후, 예의 방법대로 하여 (차지도 덥지도 않은 곳에서) 발효시키고, 술이 익기를 기다린다.

삼ᄒᆡ쥬(三亥酒)—닐곱 말

첫 도틔 ᄎᆞᆸ술 ᄒᆞᆫ 되ᄅᆞᆯ 조케 시서 ᄀᆞᄅᆞᆫ ᄆᆡᆫ드러 도배풀 ᄀᆞᆺ치 쑤어 식거든 ᄀᆞᄅᆞᆫ 누록 ᄒᆞᆫ 되와 진ᄀᆞᄅᆞᆫ ᄒᆞᆫ 되ᄅᆞᆯ 섯거더가 둘재 도틔 뫕술 두 말 일ᄇᆡᆨ 믈 시서 ᄒᆞᄅᆞ 빰 재여 ᄀᆞᄅᆞᆫ ᄆᆡᆼ그라 믈 두 말 ᄭᅳᆯ혀 구뭇덕 ᄆᆡᆼ그라 그 나믄 믈에 ᄉᆞᆯ마 ᄀᆞ장 식거든 그 ᄉᆞᆯ믄 믈을 퍼 시겨 그 미틀 소다내여 그 ᄯᅥᆨ에 쳐 녀헛더가 셋재 도틔 출ᄇᆡᆨ미 단 말 일ᄇᆡᆨ 믈 시서 ᄒᆞᄅᆞ 쌈 재여 밥 닉게 ᄶᅧ 믈 닷 말 닷 ᄯᅬ ᄭᅳᆯ혀 그 바배 골라 식거든 ᄀᆞᄅᆞᆫ 누록 서 되와 진ᄀᆞᄅᆞᆫ 두 되ᄅᆞᆯ 섯거 그 우희 녀흐면 ᄀᆞ장 죠ᄒᆞ니라.

## 47. 삼해주 또 한 법 <침주법(浸酒法)>

–일곱 말 빚이

술 재료 : 밑술 : 멥쌀 1말, 가루누룩 2되, 밀가루 2되, 끓여 식힌 물 3말, 끓는 물 3말
덧술 : 멥쌀 3말
2차 덧술 : 멥쌀 3말, 끓는 물 3말

술 빚는 법 :

* 밑술 :

1. 첫째 돌(亥日)에 물 3말을 끓여 술독에 담아놓는다.
2. 멥쌀 1말을 백세하여 (물에 담가 불렸다가, 다시 씻어 건져서 물기를 뺀 후) 가루로 빻는다.
3. 쌀가루를 물(3말)에 합하고, 멍우리 없이 고루 풀어서 팔팔 끓여 풀 같은 죽을 쑨 다음, 넓은 그릇에 퍼서 차게 식기를 기다린다.
4. 죽에 가루누룩 2되와 밀가루 2되를 합하고, 고루 버무려 술밑을 빚는다.
5. 술밑을 술독에 담아 안치고, 복숭아나무 가지(동도지)로 동당이 쳐 희멀건

뜨물같이 풀어지면, 예의 방법대로 하여 12일간 발효시킨다.

* 덧술 :

1. 둘째 돌(亥日)에 멥쌀 3말을 백세하여 하룻밤 담가 불렸다가, 다시 씻어 건져서 물기를 뺀 다음, 가루로 빻는다.
2. 쌀가루를 시루에 안치고 손시루같이 쪄서 익었으면 퍼내고, 잘게 쪼개어 가장 차게 식기를 기다린다.
3. 설기떡을 밑술과 한데 합하고, 고루 버무려 술밑을 빚는다.
4. 술밑을 술독에 담아 안치고, 예의 방법대로 하여 12일간 발효시킨다.

* 2차 덧술 :

1. 셋째 돌(亥日)에 멥쌀 3말을 백세하여 물에 담가 하룻밤 불렸다가, 다시 헹궈서 물기를 빼놓는다.
2. 불린 쌀을 시루에 안치고 쪄서 고두밥을 짓고, 솥에 물 3말을 끓인다.
3. 고두밥이 무르게 익었으면 퍼내어 넓은 그릇에 담고, 팔팔 끓고 있는 물 3말을 고두밥에 골고루 합한 뒤, 고두밥과 물이 차디차게 식기를 기다린다.
4. 고두밥과 물에 밑술을 한데 섞어 합하고, 고루 버무려 술밑을 빚는다.
5. 술밑을 술독에 담아 안친 후, 예의 방법대로 하여 (차지도 덥지도 않은 곳에서) 발효시키고, 술이 익기를 기다린다.

### 삼ᄒᆡ쥬 또 한 법

첫 도틔 ᄇᆡᆨ미 ᄒᆞᆫ 말 일ᄇᆡᆨ 믈 시서 ᄀᆞᄅᆞᆫ ᄆᆡᆼ그라 그도 도벽 풀 ᄀᆞᆺ치 쑤어 식거든 ᄀᆞᄅᆞᆫ누록 두 되와 진ᄀᆞᄅᆞᆫ 두 되를 섯거 믈 서 말ᄅᆞᆯ ᄢᅳᆯ혀 술 비ᄌᆞᆯ 도긔 드려 브어더가 식거든 그 플 ᄡᅮᆫ 거ᄉᆞᆯ 서근재로 그 믈에 그려 브어 봉셩남그로 동당이 치면 긊드믈만 ᄒᆞ거든 ᄃᆞᆺ더가 둘재 도틔 ᄇᆡᆨ미 서 말 일ᄇᆡᆨ 믈 시서 ᄒᆞᄅᆞ 밤 재여 ᄀᆞᄅᆞᆫ ᄆᆡᆼ그라 믈 업시 손시로 ᄀᆞᆺ치 ᄶᅧ ᄆᆞ이 브아 ᄀᆞ장 식거든 몬져 미틔 다마 브엇더가 셋재 도틔 ᄇᆡᆨ미 서 말 일ᄇᆡᆨ믈 시서 ᄒᆞᄅᆞ 밤 재여 밥 닉게 ᄶᅧ 믈 서 말 ᄢᅳᆯ혀 바배 골라 식거든 모져 미틀 다 퍼 내여 밥 ᄒᆞᆫ 벌 노코 그 미틀 져져이 녀허 두면 ᄀ장 죠ᄒ니라.

## 48. 삼해주법 <학음잡록(鶴陰雜錄)>

술 재료 : 밑술 : 찹쌀 1말, 누룩 1되, 진가루 1되, 물(2말)
덧술 : 멥쌀 1말, 찹쌀 1말
2차 덧술 : 멥쌀 5되, 탕수 3놋동이

술 빚는 법 :

* 밑술 :

1. 정월 첫 해일(亥日)에 찹쌀 1말을 백세하여(물에 담갔다가, 다시 씻어 건져서 물기를 뺀 뒤) 작말한다(가루로 빻는다).
2. 솥에 물(2말)을 붓고 끓인다(물이 뜨거워지면 1말을 떠서 쌀가루에 합하고, 주걱으로 고루 개어 아이죽을 만들어놓는다).
3. (솥의 남은 물이 팔팔 끓으면, 아이죽을 합하고) 팔팔 끓여 된 죽을 쑨 다음, 넓은 그릇에 퍼서 차게 식기를 기다린다.
4. 쌀죽에 누룩가루 1되와 밀가루 1되를 넣고, 고루 버무려 술밑을 빚는다.
5. 술독에 술밑을 담아 안치고, 예의 방법대로 하여 (12일간) 발효시킨다.

* 덧술 :

1. 둘째 해일(亥日)에 멥쌀 1말과 찹쌀 1말을 각각 백세하여(물에 담갔다가, 다시 씻어 건져서 물기를 뺀 뒤) 작말한다(가루로 빻는다).
2. 쌀가루에 뜨거운 물을 뿌리고, 익반죽하여 둥글납작한 구멍떡을 빚는다.
3. 구멍떡을 끓는 물에 넣고 삶아, 익어서 떠오르면 건져내어 넓은 그릇에 담고 (뚜껑을 덮어서) 차게 식기를 기다린다.
4. 식은 떡에 밑술을 합하고, 고루 버무려 술밑을 빚는다.

5. 술독에 술밑을 담아 안치고, 예의 방법대로 하여 12일간 발효시킨다.

* 2차 덧술 :
1. 셋째 해일(亥日)에 멥쌀 5되를 백세하여(물에 담갔다가, 다시 씻어 건져서 물기를 뺀 뒤) 시루에 안쳐 고두밥을 짓는다.
2. 고두밥이 익었으면 퍼내고 그릇 여러 개에 나눠 담고 넓게 헤쳐 식기를 기다린다.
3. 솥에 물 3놋동이를 팔팔 끓여 고두밥에 합하고 고두밥이 물을 다 먹고 차게 식기를 기다린다.
4. 고두밥에 덧술을 합하고, 고루 버무려 술밑을 빚는다.
5. 술밑을 술독에 담아 안치고, 예의 방법대로 하여 3월까지 발효·숙성시킨다.

* 밑술에 사용되는 물의 양이 언급되어 있지 않아, 덧술과 2차 덧술의 쌀 양을 감안하여 물의 양을 2말로 산정하였다. 또 2차 덧술의 쌀 양이 5되(升)로 되어 있다. 다른 기록에는 5말(斗)로 되어 있다.

三亥酒法
正月上亥日 粘米一斗百洗作末煮稀粥待冷麴末真末各一升調和入甕 次亥日 粘米白米各一斗百洗作末孔餠煮出停冷和前釀納甕 三亥日 白米五斗百洗蒸熟停冷熟水三鍮盆調冷同入過三月用.

## 49. 삼해주법 <해동농서(海東農書)>

술 재료 : 밑술 : 찹쌀 1되, 누룩 1되, 진가루 1되, 물(2말)
덧술 : 멥쌀 1말, 찹쌀 1말
2차 덧술 : 멥쌀 5말, 탕수 3양푼

술 빚는 법 :

* 밑술 :

1. 정월 첫 해일(亥日)에 찹쌀 1되를 백세하여(물에 담갔다가, 다시 씻어 건져서 물기를 뺀 뒤) 작말한다(가루로 빻는다).
2. 솥에 물(2말)을 붓고 끓인다(물이 뜨거워지면 1말을 떠서 쌀가루에 합하고, 주걱으로 고루 개어 아이죽을 만들어놓는다).
3. (솥의 남은 물이 팔팔 끓으면, 아이죽을 합하고) 팔팔 끓여 된 죽을 쑨 다음, 넓은 그릇에 퍼서 차게 식기를 기다린다.
4. 쌀죽에 누룩가루 1되와 밀가루 1되를 넣고, 고루 버무려 술밑을 빚는다.
5. 술독에 술밑을 담아 안치고, 예의 방법대로 하여 (12일간) 발효시킨다.

* 덧술 :

1. 둘째 해일(亥日)에 멥쌀 1말과 찹쌀 1말을 각각 백세하여(물에 담갔다가, 다시 씻어 건져서 물기를 뺀 뒤) 작말한다(가루로 빻는다).
2. 쌀가루에 뜨거운 물을 뿌리고, 익반죽하여 둥글납작한 구멍떡을 빚는다.
3. 구멍떡을 끓는 물에 넣고 삶아, 익어서 떠오르면 건져내어 넓은 그릇에 담고 (뚜껑을 덮어서) 차게 식기를 기다린다.
4. 식은 떡에 밑술을 합하고, 고루 버무려 술밑을 빚는다.
5. 술독에 술밑을 담아 안치고, 예의 방법대로 하여 12일간 발효시킨다.

* 2차 덧술 :

1. 셋째 해일(亥日)에 멥쌀 5말을 백세하여(물에 담갔다가, 다시 씻어 건져서 물기를 뺀 뒤) 시루에 안쳐 고두밥을 짓는다.
2. 고두밥이 익었으면 퍼내고 그릇 여러 개에 나눠 담고 넓게 헤쳐 식기를 기다린다.
3. 솥에 물 3양푼을 팔팔 끓여 식기를 기다렸다가 고두밥에 합하고, 고두밥이 물을 다 먹고 차게 식기를 기다린다.
4. 고두밥에 덧술을 합하고, 고루 버무려 술밑을 빚는다.

5. 술밑을 술독에 담아 안치고, 예의 방법대로 하여 3월까지 발효·숙성시킨다.

* 밑술에 사용되는 물의 양이 언급되어 있지 않아, 덧술과 2차 덧술의 쌀 양을 감안하여 물의 양을 2말로 산정하였다. <속방>을 수록하였다.

三亥酒法
正月上亥日 粘米一斗百洗作末煮粥稀待冷麴末眞末各一升調和入甕 次亥日 粘米白米各一斗百洗作末孔餠煮出停冷和前醸納甕 三亥日 白米五斗百洗蒸熟停冷熟水三鎰盆調冷同入過三月用. <俗方>.

## 50. 삼해주(약주) <홍씨주방문>

술 재료 : 밑술 : 멥쌀 1말, 누룩가루 5되, 물 5~6되
덧술 : 멥쌀 5말, 누룩가루 2되 5홉, 끓는 물 5말

술 빚는 법 :
* 밑술 :
1. (삼해주와 같이) 정월 첫 해일(亥日)에 멥쌀 1말을 백세하여(백 번 씻어 옥같이 깨끗하게 하여 말갛게 헹궈 건졌다가, 하룻밤 담가 불린다).
2. 다음날 아침에 불린 쌀을 (다시 씻어 건져서 물기를 뺀 다음) 시루에 안쳐서 고두밥을 짓는다.
3. 물 5~6되를 팔팔 끓이다가, 고두밥이 고루 익었으면 한데 합하고, 주걱으로 고루 헤쳐서 차게 식기를 기다린다.
4. 고두밥에 누룩가루 5되를 한데 합하고, 고루 버무려 술밑을 빚는다.
5. 소독한 술독에 술밑을 담아 안치고, 예의 방법대로 하여 발효시켜 술이 익기를 기다린다.

* 덧술 :

1. 둘째 해일(亥日)에 멥쌀 5말을 백세하여(백 번 씻어 옥같이 깨끗하게 하여 말갛게 헹궈 건졌다가, 하룻밤 담가 불린다).
2. 다음날 아침에 불린 쌀을 (다시 씻어 건져서 물기를 뺀 다음) 시루에 안쳐서 고두밥을 짓는다.
3. 물 5말을 팔팔 끓이다가, 고두밥이 고루 익었으면 한데 합하고, 주걱으로 고루 헤쳐서 차게 식기를 기다린다.
4. 고두밥에 밑술, 누룩가루 2되 5홉 한데 합하고, 고루 버무려 술밑을 빚는다.
5. 소독한 술독에 술밑을 담아 안치고, 예의 방법대로 하여 발효시켜 술이 말갛게 익기를 기다린다.

* '삼해주'라고 하였으나 이양주법으로 간소화된 것을 알 수 있다.

삼해주

정월 첫 돗날, 백미 한 말 백세하여 밥 매우 쪄 물 끓여 너무 많이 끓이지 말고 되 엿 되나 부어 채워 누룩가루 닷 되 쳐 넣었다가 둘째 돗날 백미 닷 말 백세하여 밥 익게 지어 물 닷 말 끓여 붇고 누룩가루 두 되가옷 넣어 빚어 멀거하거든 쓰라.

## 51. 삼해주법 <홍씨주방문>

술 재료 : 밑술 : 멥쌀 1말, 누룩가루 3되, 밀가루 3되 5홉, 끓는 물 9되
덧술 : 멥쌀 2말, 끓는 물 9되
2차 덧술 : 멥쌀 6말, 끓는 물 6말

술 빚는 법 :

* 밑술 :

1. (정월 첫째 해일亥日에) 멥쌀 1말을 백세하여(백 번 씻어 매우 깨끗하게 하여 말갛게 헹궈 불렸다가, 다시 씻어 건져서 물기를 뺀 다음) 작말한다(가루로 빻는다).
2. 쌀가루를 넓은 그릇에 담아놓고, 물 9되를 솥에 붓고 팔팔 끓여 쌀가루에 골고루 퍼붓고, 주걱으로 고루 개어 범벅을 쑨다.
3. 범벅이 투명한 죽같이 익었으면, 차게 식기를 기다린다.
4. 식은 범벅에 누룩가루 3되, 밀가루 3되 5홉을 한데 섞고, 고루 버무려 술밑을 빚는다.
5. 소독한 술독에 술밑을 담아 안치고, 예의 방법대로 하여 (12일가량) 발효시켜 맛이 날 만하면 덧술을 해 넣는다.

* 덧술 :

1. (정월 둘째 해일亥日에) 멥쌀 2말을 백세하여(백 번 씻어 매우 깨끗하게 하여 말갛게 헹궈 불렸다가, 다시 씻어 건져서 물기를 뺀 다음) 작말한다(가루로 빻는다).
2. 쌀가루를 넓은 그릇에 담아놓고, 물 9되를 솥에 붓고 팔팔 끓여서 쌀가루에 골고루 퍼붓고, 주걱으로 고루 개어 범벅을 쑨다.
3. 범벅이 투명한 죽같이 익었으면, 차게 식기를 기다린다.
4. 식은 범벅에 밑술을 한데 섞고, 고루 힘껏 버무려 술밑을 빚는다.
5. 술독에 술밑을 담아 안치고, 예의 방법대로 하여 (12일가량) 발효시킨다.

* 2차 덧술 :

1. (정월에 셋째 해일亥日) 하루 전날 멥쌀 6말을 백세하여(백 번 씻어 옥같이 깨끗하게 하여 말갛게 헹궈 건졌다가, 하룻밤 담가 불린다).
2. 다음날 아침에 불린 쌀을 (다시 씻어 건져서 물기를 뺀 다음) 시루에 안쳐서 고두밥을 짓는다.
3. 물 6말을 팔팔 끓이다가, 고두밥이 익었으면 퍼내어 끓는 물과 한데 합하고,

고두밥이 물을 다 먹었으면, 넓은 그릇에 펴서 차게 식기를 기다린다.

4. 고두밥에 덧술을 합하고, 고루 버무려 술밑을 빚는다.
5. 소독한 술독에 술밑을 담아 안치고, 예의 방법대로 하여 (30일간) 발효시켜 술이 익기를 기다렸다가 채주한다.

* 주방문 말미에 "술이 오래도록 맛이 청열준상하여 묻어두면 여름도 나나니라. 정월 해일에 한다 하나 아무 날이나 하여도 관계치 아니하니라."고 하였다.

삼해주(한 제 빚이)

백미 일두 백세작말하여 물 아홉 되 부어 개어 식은 후 국말 서 되 서 홉, 진말 서 되가웃 넣어 세게 쳐 항에 넣어 한데 두었다가 맛이 들 만하거든 백미 이두 백세작말하여 물 아홉 되 부어 개여 식거든 술밑 부어 개여 맛든 항에 넣었다가 ○는 맛이 쉬이 나나니 백미 육두 백세하여 안날 담갔다가 밥 익게 쪄 풀 끓는 물 엿 말 부어 다든 후 낫같이 헤쳐 넣었다가 다 익어 앉거든 떠 쓰고 ○이 오래도록 맛이 청열준상하여 묻어두면 여름도 나나니라. 정월 해일에 한다하나 아무 날이나 하여도 관계치 아니하니라.

# 상방문

## 스토리텔링 및 술 빚는 법

고서에 수록된 채 박제되어 있던 술을 빚으면서, “이건 죽은 생명에 피를 돌리는 일이려니” 하면서 자위(自慰)하는 심정으로 술 빚기에 임했던 때가 있었다. 제사를 지내듯 몸과 마음을 깨끗하게 하고 경건하게 임해야 된다고 생각했다. 그리고 아무 탈 없이 술이 잘 익어주기를 바랬던 기억이 새삼스럽다.

그런데 세월이 흐르면서 “술 빚는 방법 가운데 평범한 것이 어딨으랴.” 하는 단정 같은 생각을 갖게 되었다. 한 가지 술이 평범한 것이 없어, 매번 두려움에 떤다. 솔직한 심정이다.

<규중세화>를 입수하고 한참을 망설였다. <규중세화>에 수록된 21가지의 주방문 가운데 몇 가지만이라도 실습을 해봐야 직성이 풀리겠는데, 한동안 쉬었던 손을 다시 놀리자니 은근히 부아가 치밀었다. 이유인즉, 마누라 말마따나 “내가 왜 또 이 짓(?)을 다시 해야 하지?” 하는 자문(自問)이다.

<규중세화>에 수록된 주품 가운데 가장 먼저 시도했던 주방문이 ‘상방문’이다. ‘상방문’이란 주품명이 너무도 의외이기도 하거니와, 어떤 의미를 담고 있는지 궁

금하였으나 술 빚기를 끝내고서도 그 답을 찾지 못하였다.

<규중세화>에 수록된 '상방문'의 주질은, <온주법(醞酒法)>의 '신방주'와 유사하다고 할 수 있겠는데, 매우 담백한 맛을 자랑한다. 은근하지만 사과 향을 띠고 있기도 하고, 알코올 도수도 어느 정도 느껴진다. 첫 맛은 싱겁게 느껴지는데, 조금 있으면 은근하게 취기가 올라오는 그런 느낌은 '유화주'와 비슷하다.

밑술은 죽을 쑤는데, 물 양이 많아 그리 힘들지가 않거니와, 덧술은 더욱 쉽다. 고두밥과 끓는 물을 합하는데, 시간은 좀 걸리지만 고두밥이 물을 다 먹은 후에 제물에 차게 식기를 기다렸다가 술을 빚으면 되는 것이다.

'상방문'은 밑술과 덧술에서 쌀 양의 2배가 되는 물을 사용하고 있는데, 이러한 배합비율이 어떤 의미를 갖는지 확신할 수 없지만, 양주 과정이 비교적 까다롭지 않고 발효도 잘 이루어진다는 점에서 '상방문(常方文)' 또는 '상법(常法)'이라는 의미의 주품명을 붙이게 되었을지도 모른다는 생각을 하게 되었다.

'상방문'에 의해 양주된 술은 "아깝지 않게 나눠 마실 수 있는 술"이라고 할 수 있다. 수율이 매우 높고, 술의 발효기간도 15일 정도면 완전히 끝나, 성격이 급한 사람들에게는 적격이다 싶고, 소주를 즐기는 사람들에게는 거푸 즐길 수 있는 술이라는 생각이 자꾸만 들었다.

'상방문'을 빚을 때 불현듯 이는 생각으로 "술 빚는 물의 도량형이 혹시 '쌀되'가 아니었을까?" 하는 것이고, "혹시 소주방문이 아닐까?" 하는 생각이었는데, '칠일주'에서 '자완'이 등장하고, '백일주'에서는 '놋동이'와 '동이'가 등장하기 때문이다.

또 이처럼 덧술 쌀의 2배가 넘는 물을 사용하는 경우를 '효주' 주방문에서 목격하였으나, 어느 것 한 가지도 확신할 수는 없다.

다만, 이 '상방문'은 시간이 오래 경과하면 백탁현상(白濁現狀)이 일어나고 산미(酸味)가 치고 올라오므로, 단시간에 사용하든지 아니면 저온에 보관하는 것이 좋으며, 소주를 내리는 것이 최상책이겠다는 생각이었다.

## 상방문 <규중세화>

술 재료 : 밑술 : 멥쌀 2되, 누룩 1되, 물 4되
덧술 : 멥쌀 1말, 물 2말

술 빚는 법 :

* 밑술 :

1. 멥쌀 2되를 (백세하여 물에 담가 불렸다가, 다시 씻어 건져서 물기를 뺀 후) 작말한다.
2. 솥에 물 4되를 붓고 끓이다가, 물이 따뜻해지면 물 2되를 쌀가루에 붓고 고루 풀어 아이죽을 만든다.
3. 솥의 나머지 물이 끓으면 아이죽을 합하고 팔팔 끓여 된죽을 쑤고, 큰 그릇에 퍼 담고 뚜껑을 덮어서 차게 식기를 기다린다.
4. 식은 죽에 누룩 1되를 합하고, 고루 버무려 술밑을 빚는다.
5. 술밑을 술독에 담아 안치고, 예의 방법대로 하여 발효시키고, 밑술이 익기를 기다린다.

* 덧술 :

1. 멥쌀 1말을 (백세하여 물에 담가 불렸다가, 다시 씻어 헹궈서 물기를 빼놓는다).
2. 불린 쌀을 시루에 안치고 쪄서 고두밥을 짓고, 고두밥이 익었으면 넓은 그릇에 퍼내고, 물 2말을 합하고 고루 헤쳐서 놓는다.
3. 고두밥이 물을 다 먹었으면, 고루 뒤적여 주고 차디차게 식기를 기다린다.
4. 고두밥에 밑술을 합하고, 고루 버무려 술밑을 빚는다.
5. 술밑을 독에 담아 안친 후, 예의 방법대로 하여 발효시킨다.

상방문

백미 두 되 작말하여 물 너 되로 작죽하여 국말 한 되 넣어 괴거든 백미 한 말 익게 쪄 물 두 말 밥에 골라 차거든 밑과 덧퍼 쓰라.

# 상시춘주

## 스토리텔링 및 술 빚는 법

'상시춘주(常時春酒)'는 단양주(單釀酒)로, 중국의 술이 <제민요술(齊民要術)>을 통해 조선에 유입, 전파된 것으로 여겨지나, 일부 사대부들 사이에서 음미되었을 뿐 활성화되지는 않은 것 같다.

조선 땅에서도 '약산춘'을 비롯하여 '호산춘', '도화춘' 등 소위 춘주(春酒)의 열풍이 불었다는 사실을 확인할 수 있는데, 그 영향으로 '상시춘주'도 춘주류의 반열에 올랐는지는 알 수 없다.

다만, 주방문에 "기장누룩 1말에 멥쌀 1석의 비율로 담는다. 누룩은 반드시 앞뒤로 4두둑 구멍을 내고 깨끗이 한 후에 대추나 밤 크기로 빻아 햇볕에 말려 사용한다. 누룩 1말에 물 1말 5되를 넣으며, 10월 서리가 내린 후의 물로 술을 빚는 것이 보통 봄술이 된다. 10월에 수확한 벼로 춘주를 빚으면 동료(凍醪)라고 한다."고 하여, "가을에 술을 빚어 봄에 마신다."고 하여 붙여진 이름의 '춘주'로 여겨진다.

한편, '상시(常時)'는 '항상' 이라는 뜻 외에 '좋은 때'라는 의미도 담고 있어, "따뜻해서 꽃도 피는 좋은 봄날"이라는 의미로도 해석할 수 있어, '상시춘주'는 "가을 수확한 벼로 술을 빚고 꽃피는 좋은 봄날에 익으면 마시는 술"이라는 의미가 더 어울릴 것으로 생각되며, 이와 같은 의미의 주품으로 '해남진양주(海南眞釀酒)'를 들 수 있다.

주지하다시피 춘주는 삼양주(三釀酒) 이상의 고급 명주에 대한 애칭이었던 만큼, 어느 정도의 주질을 담보해야만 했으므로, '춘(春)' 자를 붙인 이양주류들 사이에서도 '동정춘'을 비롯하여 '죽엽춘' 등의 술 빚는 방법을 보면, 그 과정이 매우 까다롭고 힘들다는 것을 엿볼 수 있다.

따라서 '상시춘주'처럼 단양주가 춘주의 반열에 올라가기는 힘들었던 만큼, 고급 청주를 얻기 위한 노력을 기울였을 것으로 판단된다. 특히 '상시춘주'와 같이 주원료가 기장과 같은 잡곡으로 만든 누룩이었을 경우에는 말할 것도 없었으리라고 본다. 때문에 기장누룩을 사용하는 한편, 술의 양보다는 농도가 진하고 강한 향기를 간직한 고급 방향주(芳香酒)를 얻고자 했던 것 같다.

몇 차례의 실습을 통하여 깨닫게 된 '상시춘주'의 맛과 향은 기장누룩으로 빚은 술의 특징을 잘 반영해주고 있었는데, 특히 강항 향기와 진한 술맛이 났다. 어쩌면 '동정춘'과도 같은 고급 방향이 '상시춘주'의 매력이라고도 할 수 있으며, '청감주'와 같은 달면서도 상큼한 매력이 있는데, 이러한 주품이 널리 보급되지 못한 이유는 수율이 매우 낮아 비경제적이었다는 사실 때문인 것 같다.

'상시춘주'의 주방문을 보면 알 수 있듯 술 빚는 방법이 쉽지 않다는 것을 알 수 있다. 중국과 달리 조선에서는 기장누룩이 애용되질 못하였고, 쌀 1석(10말)에 누룩 1말과 물 1말 5되로 빚는데, 그 과정도 매우 힘들거니와 사용된 쌀 양에 비해 수율이 극히 낮다는 것을 짐작할 수 있다. 또한 술을 빚는 시기로 미루어 서리가 내린 후의 물로 빚는다는 것은 추워지기 시작하는 때에 술 빚기를 시작한다는 것이고, 봄철이 되어야 술이 익으므로 술이 익기까지 오랜 시간이 소요된다는 점에서 점차 외면당했을 것이라는 짐작도 할 수 있다.

'상시춘주'를 빚을 때 주의할 일은, 멥쌀의 양이 1석이나 되므로 백세 과정과 침지, 증자에 따른 어려움이 따를 것으로 여겨지나, 등분하여 여러 사람이 동시에 백세와 침지, 증자하여 익히는 것이 좋고, 고두밥을 찔 때도 찬물로 살수(撒水)

를 많이 하여 무른 고두밥을 찌도록 해야 술 빚기가 가능하다는 것이다. 그렇지 않으면 3~4말씩 등분하여 차례로 고두밥을 찌도록 하고, 고두밥이 익는 대로 매우 차게 식혀서 사용하고, 술밑은 빚는 대로 차례차례 술밑을 독에 담아 안치는 방법이 좋다는 것이다.

술을 자주 빚어본 사람들에게서 자주 듣는 얘기 가운데 하나가 "고두밥 짓기가 가장 어렵다."고 하는 말인데, 증미가 어려운 것이 아니라 시루에 담긴 쌀의 호화도가 균일하도록 찌기가 어렵다는 얘기이다.

더욱이 <임원십육지(林園十六志)>의 '상시춘주'는 1석의 쌀이 사용되므로 그 많은 양의 쌀을 균일하게 익히려면 치밀한 준비와 노력이 수반된다. 또 익힌 고두밥은 차게 식혀야 하는 데도 어려움이 따른다. 고루 차게 식히려다 보면 건조된 고두밥이 생기기 십상이가 때문이다.

<임원십육지>의 '상시춘주'는 술을 빚는 일 또한 여러 사람이 동시에 혼화작업을 하도록 하는 것이 좋다. 각각 버무린 술밑을 한데 섞은 다음 다시 여러 차례 혼화한 후에 술독에 안치는 것이 좋다. 술독도 키가 낮고 배가 부른 형태의 것이면 좋겠으나, 키가 크고 배가 부르지 않은 독이라면 중간에 누룩가루를 조금씩 뿌려서 켜를 두는 것도 요령이다.

술이 익기까지 3~4개월이 지나야 하므로, 한 차례 끓고 나면 서늘하고 그늘진 곳에 두거나 옷을 입혀서 땅속에 묻는 것도 한 가지 방법이 된다. 또 술이 익으면 한 차례 채주한 후에 후수(後水)하여 후주(後酒)를 떠서 마셔도 그 맛이 매우 좋다.

## 상시춘주방 <임원십육지(林園十六志)>

술 재료 : 멥쌀 1석, 기장누룩 1말, 물 1말 5되

술 빚는 법 :

1. 10월에 서리가 내린 후에 물 1말 5되를 길어다 놓는다.
2. 10월에 수확한 멥쌀 1석을 (백세하여 물에 하룻밤 불렸다가, 다시 씻어 건져서 물기를 뺀 후) 준비한다.
3. (불린 쌀을 시루에 안치고, 매우 쪄서 고두밥을 짓고, 익었으면 퍼내고 고루 펼쳐서 차게 식기를 기다린다.)
4. 고두밥에 기장누룩 1말과 물 1말 5되를 합하고, 고루 버무려 술밑을 빚는다.
5. 술밑을 술독에 담아 안치고, 예의 방법대로 하여 발효시키고, 봄이 되어 익으면 채주하여 마신다.

* 구체적인 방법이 언급되어 있지 않아, 상법의 주방문을 작성하였다.

常時春酒方

又上時春酒法用黍米麴一斗殺米一石秫米令酒薄不任事治麴必事表裏四畔孔內悉皆淨削然後細剉令如棗栗曝使極乾一斗麴用水一斗五升十月霜落初凍則收水釀者爲上時春酒(幽詩十月穫稻爲此春酒傳春酒凍醪卽指此酒). <齊民要術>.

# 상실주

## 스토리텔링 및 술 빚는 법

언젠가 북한에서 탈출하여 여러 국가를 전전하다 우리나라에 안착하여 결혼하여 살림을 꾸리고 살게 되었다는 여성을 만나 북한의 술과 양주 실태에 대해 얘기를 나눈 적이 있었다. 종로의 수운회관에서 있은 전통주 세미나에서였다.

그리고 몇 년 뒤인 2006년 설 특집 KBS 라디오 프로그램에서 '남북의 술'이라는 주제로 3일간 생방송을 진행한 적이 있었는데, 거기에서는 북한 기자 출신의 소위 북한문제 전문가를 만난 적이 있었다.

그 두 사람에게 던졌던 질문 가운데 하나가 "북한에서는 어떤 재료로 어떻게 술을 생산하는가?"에 대한 내용이었는데, 그 두 사람에게서 공통된 답변 내용 가운데 하나가, 북한에서는 '도토리술'이 가장 대중적인 술이라는 것이었다. 힘들여 농사를 짓지 않고도 "자연에서 얻을 수 있는 데다, 술로 만들었을 경우 쌀로 빚었을 때보다 수율(收率)이 높다."는 것이 그 이유라고 하였던 것을 기억한다.

그때부터 '도토리술'에 대한 관심을 갖기 시작했었는데, '도토리술'이 의외로 도수가 높아 많이 마시면 "큰코다친다."는 말처럼, 호되게 고생하였던 경험이 새롭다.

'도토리술'은 힘도 들거니와 그 과정이 복잡하고 매우 까다롭다. '도토리술'을 '상실주(橡實酒)'라고 하는데, <산가요록(山家要錄)>을 비롯하여 <수운잡방(需雲雜方)>과 <임원십육지(林園十六志)>에서 주품명과 함께 주방문을 찾아볼 수 있다.

특히 <산가요록>에 등장하는 것으로 미루어 조선시대 초기부터 상당히 대중적으로 빚어 마셨던 술임을 알 수 있으며, 1500년대 초기의 <수운잡방>과 1823년의 <임원십육지>에 이르기까지 수백 년간 지속되어 온 것으로 미루어, 술을 빚는 방법이 점점 발달하였을 것으로 추측된다.

'상실주'는 주원료를 상수리로 하여 누룩으로 발효시킨 술에 찹쌀이나 멥쌀을 비롯하여 기장이나 수수 등의 잡곡으로 죽을 쑤어 덧술을 하는 과정을 거쳐 이루어지는 주방문을 보여주고 있음을 알 수 있다.

상수리의 주성분은 전분으로, 그 조직이 매우 치밀하여 전분 함량이 높은 것으로 알려지고 있으며, 품질 또한 매우 좋은 것으로 알려지고 있는데, 문제는 상수리에 다량으로 함유되어 있는 탄닌 성분으로, 전분이 60~80%인데 비해 3~9%나 된다. 적당량의 탄닌은 단맛과 신맛, 쓴맛을 조절해 주는 악센트 역할을 하기도 하지만, 지나치게 많은 탄닌은 쓴맛을 동반하여 불쾌감을 주기도 한다.

또한 술의 발효를 억지시키기도 하는 까닭에 상수리를 사용한 음식이나 술에서는 이 탄닌을 제거하는 여러 가지 노력을 해왔다.

다행스럽게도 상수리의 탄닌 성분은 수용성이어서 물에 용출되므로, 물에 우려서 탄닌의 떫은맛을 제거하고 있음을 볼 수 있다.

따라서 고여 있는 물보다는 흐르는 물에서의 탄닌 제거가 훨씬 용이하고 시간도 적게 걸리므로 상수리를 물에 담가 우려내기 위해서는 물을 자주 갈아주는 것도 좋은 방법이 될 수 있다.

특히 <산가요록>에서처럼 한 번 쪄낸 다음 물에 담가 우려내는 방법이 훨씬 효율적이라고 할 수 있겠으나, 과정이 힘이 드는 까닭에 생것을 분쇄하여 물에 담가 우리는 방법이 선호되고 있다.

결국 '상실주'는 그 핵심이 상수리의 탄닌을 얼마만큼 많이 잘 우려내느냐에 달려 있다고 할 수 있으며, 밑술을 빚을 때 물을 사용하지 않는 관계로 고두밥과 상수리를 완전히 익혀야 하되, 고두밥이 질지 않을 정도로 무르게 익히는 것이 관건이 된다고 할 수 있다.

특히 껍질째 파쇄하였을 경우에는 겉껍질을 제거하고 맑고 깨끗한 물이 나올 때까지 물을 자주 갈아주면서 우려내야 한다는 것이다. 남아 있는 탄닌 성분이나 겉껍질로부터 유리되는 붉은색은 주질에 상당한 영향을 미치기 때문이다.

또한 <산가요록> 등 문헌마다의 주방문에는 쪄낸 상수리와 고두밥을 차게 식히라는 말이 없는데, 물을 사용하지 않는 관계로 온기를 남겨 술을 빚는 방법이 힘도 덜 들고 잘 혼화가 되기 때문인데, 식히지 않고 술밑을 빚었을 때에는 술밑을 차게 식힌 후에 술독에 담아 안쳐서 발효시켜야 실패가 없다는 것을 유념해야 한다.

'상실주'를 빚는 방법으로 <산가요록>과 <임원십육지>에선 떫은맛을 뺀 상수리를 멥쌀이나 찹쌀, 기장, 수수 등과 함께 쪄서 익힌 다음, 차게 식기를 기다려 누룩가루와 합하고, 고루 버무려 술밑을 빚는 것으로, 물을 사용하지 않는다는 공통점을 나타내고 있다.

또는 <수운잡방>에서는 떫은맛을 뺀 상수리를 가루 내어 쌀가루와 함께 떡을 쪄서 차게 식혀 누룩가루와 섞어 빚는 방법도 엿볼 수 있다. 이렇게 하여 발효된 '상실주'에 다시 덧술을 해 넣는데, 덧술은 공통적으로 죽을 쑤어 빚는 것으로 술 빚기가 이루어지며, 죽에 사용된 주원료의 종류에 따라, 그리고 죽의 농도와 양에 따라 '상실주'의 맛과 향기 등 풍미와 도수가 달라진다.

어떤 방법이 좋으냐보다 사는 형편이나 기호에 따라 죽의 재료를 달리할 수 있다는 점에서 다양한 '상실주'를 빚을 수 있다는 사실이 중요하다고 할 수 있겠다.

이러한 '상실주'의 원형은 아무래도 시대적으로 가장 앞선 기록인 <산가요록>의 주방문이라고 할 수 있는데, 후기의 <수운잡방>의 주방문이 술 빚기에 편하고 발효도 순탄하게 잘 일어난다고 할 수 있다. 그러나 <산가요록>이나 <임원십육지>의 주방문에 의한 '상실주'보다 알코올 도수가 낮고 향취도 덜하다.

## 1. 상실주 <산가요록(山家要錄)>

술 재료 : 밑술 : 껍질 깐 상수리 3말, 멥쌀 5되, 누룩가루 7되
덧술 : 수수가루 1말, 누룩가루 2되, 물(2말)

술 빚는 법 :

* 밑술 :

1. 온전하고 좋은 상수리 3말을 껍질을 까서 (물에 담가 불렸다가, 다시 깨끗하게 씻은 뒤) 시루에 안쳐서 찐다.
2. 쪄낸 상수리를 우물가로 가져가서 흐르는 물에 오랫동안 담가서, 쓰고 떫은 맛이 없어지고 단맛이 날 때까지 우린다.
3. 멥쌀 5되도 (백세하여 물에 담가 불렸다가, 다시 씻어 건져서) 물기를 뺀다.
4. 상수리를 (씻어 건져서 물기를 뺀 후) 멥쌀 5되를 함께 시루에 안쳐 찌고, 익었으면 고루 펼쳐서 차게 식기를 기다린다.
5. 쪄낸 상수리와 고두밥에 누룩가루 7되를 섞고, 고루 힘껏 치대어 버무린 뒤 술독에 담아 안치고, 7일가량 발효시켜 익기를 기다린다.

* 덧술 :

1. 수수가루 1말을 물(2말)과 합하고, 팔팔 끓여서 죽을 쑨 다음, 넓은 그릇에 펴서 차게 식기를 기다린다.
2. 수수죽에 밑술과 누룩 2되를 합하고, 고루 버무려 술밑을 빚는다.
3. 술독에 술밑을 담아 안친 뒤, 예의 방법대로 하여 발효시킨다.
4. 술이 다 익으면 맑아지면서 빛깔이 바닷물 같고, 향기가 강하고 특별하다.

* 주방문에 "용수를 박아 청주를 떠내고, 술지게미는 질척하게 찧어두었다가 술이 없을 때 물에 타서 마시면 취하는 성질이 있어, 진짜 술에 손색이 없다."고 하였다.

橡實酒

米五升 黍米一斗. 橡實完好者 多取 蒸合熟. 盛于柤器 置于井邊 注水其上 以味甘爲度. 橡實三斗 米五升 匊七升 爲率蒸飯待冷. 和二味入瓮 待熟.

## 2. 상실주 우용 <산가요록(山家要錄)>

술 재료 : 밑술 : 껍질 깐 상수리 3말, 멥쌀 5되, 누룩가루 7되
덧술 : 수수가루 1말, 누룩가루 2되, 물 2말
2차 덧술 : 멥쌀 1말, 누룩 7~8되, 물(2말)

술 빚는 법 :

* 밑술 :

1. 온전하고 좋은 상수리 3말을 껍질을 까서 (물에 담가 불렸다가, 다시 깨끗하게 씻은 뒤) 시루에 안쳐서 찐다.
2. 쪄낸 상수리를 우물가로 가져가서 흐르는 물에 오랫동안 담가서, 쓰고 떫은 맛이 없어지고 단맛이 날 때까지 우려낸다.
3. 멥쌀 5되도 (백세하여 물에 담가 불렸다가, 다시 씻어 건져내고, 상수리도 씻어) 건져낸다.
4. 상수리와 멥쌀 5되를 (다시 씻어 헹궈서 물기를 뺀 후) 함께 시루에 안쳐 찌고, 익었으면 고루 펼쳐서 차게 식기를 기다린다.
5. 쪄낸 상수리와 고두밥에 누룩가루 7되를 섞어 고루 버무린 뒤, 술독에 담아 안치고 7일가량 발효시켜 익기를 기다린다.

* 덧술 :

1. 수수가루(1말)을 물(2말)과 합하고, 팔팔 끓여서 죽을 쑨 다음, 넓은 그릇에 펴서 차게 식기를 기다린다.

2. 수수죽에 밑술과 누룩 2되를 합하고, 고루 버무려 술밑을 빚는다.
3. 술독에 술밑을 담아 안친 뒤, 예의 방법대로 하여 발효시킨다.
4. 술이 다 익으면 맑아지면서 빛깔이 바닷물 같고, 향기가 강하고 특별하다.
5. 술독에 용수를 박아서 청주를 떠낸 다음, 찌꺼기(주박)를 그릇에 담아놓는다.

* 2차 덧술 :
1. 멥쌀 1말을 씻어(백세하여) 물에 담가 불렸다가 (다시 씻어 건져서 물기를 뺀 후) 작말한다.
2. 쌀가루에 물(2말)과 합하고, 팔팔 끓여서 죽을 쑨 다음, 넓은 그릇에 퍼서 차게 식기를 기다린다.
3. 죽에 걸러둔 술찌꺼기와 누룩 7~8되를 합하고, 고루 버무려 술밑을 빚는다.
4. 술독에 술밑을 담아 안친 뒤, 예의 방법대로 하여 발효시키면 좋은 술이 된다.

* 주방문에 "또 청주로 소주를 고으면 그 향이 아주 뛰어나다."고 하고, 또 다른 방법으로, "상수리를 그대로 물에 담가서 떫은맛을 빼고 바로 가루 내어 술을 빚어도 된다."고 하였다.

橡實酒 又用

黍米一斗 作粥. 匊二升 和前酒 還入瓮. 置于淨處. 則澄清如海 香烈異常. 清酒用處 收其滓 搗破成泥 裹之. 當无酒時 和水服之. 醉性不減眞酒 又用 其滓. 和米末一斗 匊七八升 納瓮. 則復成好酒. 又用清酒 作燒酒. 則香烈絶勝. 又方. 浸水味甘 後作末釀之 亦可.

## 3. 상실주 <수운잡방(需雲雜方)>

술 재료 : 밑술 : 껍질 깐 도토리쌀 1섬, 찹쌀 6말, 누룩 2말 4되
덧술 : 찹쌀 죽 1동이(찹쌀 3되, 물 6되)

술 빚는 법 :

* 밑술 :

1. 껍질을 깐 도토리쌀 1섬을 흐르는 물에 씻은 후, 물에 오랫동안 담가서 쓰고 떫은맛을 뺀다.
2. 도토리를 다시 깨끗하게 씻어 건진 후, 가루로 빻고 햇볕에 말려서 다시 곱게 가루를 낸다.
3. 찹쌀 6말을 백세하여 (물에 담가 불렸다가, 다시 씻어 헹궈 건져서 물기를 뺀 후) 작말하여(가루로 빻아) 도토리가루와 함께 시루에 안쳐 도토리떡을 찐다.
4. 도토리떡이 익었으면 시루에서 퍼낸 후, 덩어리를 잘게 쪼개고 넓게 펼쳐서 차게(따뜻한 기운이 남게) 식기를 기다린다.
5. 도토리 떡에 좋은 누룩 2말 4되를 섞어 고루 버무린 뒤 (차게 식기를 기다렸다가) 술독에 담아 안치고, 예의 방법대로 하여 7일가량 발효시킨다.

* 덧술 :

1. 찹쌀 (3되를) 백세하여 (물에 담가 불렸다가, 다시 씻어 헹궈 건져서 물기를 뺀 후) 작말한다(가루로 빻는다).
2. 솥에 물(6되)를 붓고 끓이다가, 물이 따뜻해지면 쌀가루를 풀어 넣고, 골고루 저어가면서 팔팔 끓인 찹쌀죽을 쑨다.
3. 찹쌀죽이 차게 식기를 기다렸다가, 밑술이 담긴 술독에 붓고 고루 저어준 뒤, 예의 방법대로 하여 발효시킨다.
4. 술이 독 밑까지 맑게 가라앉으면 용수를 박아 청주를 떠내고, 술지게미는

햇볕에 말려 저장해 둔다.

5. 청주는 그냥 마시고, 술지게미 말린 것은 찬물에 타서 탁주를 만들어 마신다.

* <임원십육지>의 '상실주' 제조법과 비교해 재료 비율, 제조 과정이 동일하고, <산가요록>과는 다르다. <산가요록>에서는 상수리를 빻지 않고 그대로 사용하고, 찹쌀죽이 아닌 기장죽과 멥쌀죽으로 덧술로 한다.

橡實酒

橡實米一石沈流水久潤麤末陽乾細末粘米六斗百洗細末和合熟蒸待冷二物合二斗好麴三升計和納甕待熟粘米細末作粥一盆納瓮澄清到底汲用以淸酒出茹粘粥准納若上槽後其滓陽乾藏之遠行服之而好三四月放鷹時午後下人虛渴冷水和飮之輕身健肱力.

## 4. 상실주방 <임원십육지(林園十六志)>

술 재료 : 밑술 : 껍질 깐 도토리 3말, 멥쌀 5되, 누룩 7되
　　　　　덧술 : 기장 1말, 누룩 2되, (물 2~3말)

술 빚는 법 :

1. 껍질을 깐 도토리 3말을 물에 씻어 담갔다가, 건져서 시루에 안쳐서 쪄낸 다음, 다시 (흐르는) 물에 담가서 단맛이 날 때까지 쓰고 떫은맛을 뺀다.
2. 멥쌀 5되를 (백세하여) 물에 담가 불렸다가 (다시 씻어 헹궈 건져서 물기를 뺀 후) 도토리와 함께 시루에 안쳐서 고두밥을 짓는다.
3. 도토리와 멥쌀고두밥이 무르게 익었으면 시루에서 퍼낸다(고루 펼쳐서 차게 식기를 기다린다).
4. 쪄낸 도토리와 고두밥에 누룩 7되를 섞고, 매우 치대어 술밑을 빚는다.

5. 술밑을 술독에 담아 안치고, 예의 방법대로 발효시켜 술이 익기를 기다린다.

* 덧술 :
1. 기장 1말을 (백세하여 물에 담가 불렸다가, 다시 씻어 헹궈 건져서) 물기를 빼놓는다.
2. 솥에 물 2~3말을 붓고 끓이다가, 기장쌀을 넣고 팔팔 끓여 죽을 쑤고, 퍼지게 익었으면 넓은 그릇에 펴서 차게 식기를 기다린다.
3. 기장죽에 누룩 2되를 합하고 고루 버무려서 술밑을 빚는다.
4. 술밑을 밑술과 합하여 고루 섞고, 술독에 담아 안친 후, 예의 방법대로 하여 발효시킨다.
5. 술이 독 밑까지 맑게 가라앉으면 용수를 박아 청주를 떠낸다(술지게미는 햇볕에 말려 저장해 두었다가, 찬물에 타서 탁주로 마신다).

* <수운잡방>에서는 "밑술의 발효가 끝나기 전, 술이 끓고 있을 때 덧술을 하여 넣는다."고 하고 "술이 익으면 등청한다."고 하여 정치시켜 맑은 술을 마셨다는 것을 알 수 있다.

橡實酒方

橡實爛烝浸水以味甘爲度三斗白米五升麴七升烝爛合釀待熟黍米一斗作粥麴二升和注澄淸. <三山方>.

# 부록

# 문헌별 찾아보기